Pour comprendre les Français

FRANCOSCOPIE

2003

Du même auteur

TENDANCES
Les Nouveaux Consommateurs, Larousse, éditions 1998 et 1996.

FRANCOSCOPIE
Larousse, éditions 2001, 1999, 1997, 1995, 1993, 1991, 1989, 1987 et 1985.

LA PISTE FRANÇAISE
FIRST - Documents, 1994.

EUROSCOPIE
Les Européens, qui sont-ils, comment vivent-ils ? Larousse, 1991.

MONSIEUR LE FUTUR PRÉSIDENT
Aubier, 1988.

DÉMOCRATURE
Comment les médias transforment la démocratie, Aubier, 1987.

LA BATAILLE DES IMAGES
Avec Jean-Marie Cotteret, Larousse, 1986.

VOUS ET LES FRANÇAIS
Avec Bernard Cathelat, Flammarion, 1985.

MARKETING : LES RÈGLES DU JEU
Clet (France) et Agence d'Arc (Canada), 1982.

© Larousse/VUEF
Toute reproduction intégrale ou partielle, par quelque procédé que ce soit,
de la nomenclature et/ou du texte contenu dans le présent ouvrage et qui sont la propriété de l'Éditeur,
est strictement interdite.
Distributeur exclusif au Canada :
« Messageries ADP, 1751 Richardson, Montréal (Québec) ».
ISBN : 2-03-505328-5

Achevé d'imprimer en septembre 2002 par Bona (Italie)
N° de projet : 100 90 750

Pour comprendre les Français

FRANCOSCOPIE 2003

GÉRARD MERMET

faits – analyses – tendances
comparaisons – 10 000 chiffres

Sommaire

Rétroscopie

Individu

Famille

Société

Travail

Argent

Loisirs

VINGT ANS, DIX FRANCOSCOPIE...

« S'il te plaît, dessine-moi les Français... ». C'est au fond pour tenter de répondre à cette demande, non formulée à l'époque, qu'est née l'idée de *Francoscopie*, en 1982. Une ambition sans doute un peu folle, un défi personnel en tout cas. A raison d'une édition tous les deux ans, celle-ci est donc la dixième. Un anniversaire qui constitue un prétexte pour dresser un bilan. Mais il ne s'agit pas d'une autocélébration.
Il m'est apparu plus important, en effet, de profiter de l'occasion pour raconter la transformation de la France et surtout des Français au cours de ces deux décennies particulières. Tant de choses ont basculé dans la vie de nos concitoyens ! C'est l'objectif de la partie introductive *(Rétroscopie)* que de les mettre en perspective. De leur donner du sens, aussi, en identifiant des tendances lourdes, en proposant des clés de lecture du changement, en formulant des hypothèses. En cherchant à répondre à la question qui s'impose à la fin de cette réflexion : *« Qu'est-ce qu'on attend pour être heureux ? »*
Les autres parties de l'ouvrage (dont la pagination a été encore augmentée) ont été développées pour prendre en compte les événements et les évolutions les plus récents. Le chapitre Société s'attache ainsi aux causes et aux conséquences des élections de 2002, à la place du « modèle américain » après les attentats de 2001 ou aux nouveaux enjeux de la construction européenne après l'euro. Le chapitre Argent accorde une place accrue à la consommation, miroir fidèle, mais parfois aussi déformant, de la vie des Français, de leur vision du monde et de l'avenir. Le chapitre Loisirs décrit l'usage des nouvelles technologies, leurs incidences actuelles et futures sur le rapport au temps, à l'espace, aux objets et aux autres.
Je souhaite que cette dixième édition de *Francoscopie* réponde à vos interrogations, vous aide dans votre réflexion personnelle et remplisse ainsi la mission énoncée dans son nouveau sous-titre : pour comprendre les Français.
Très cordialement.

Gérard Mermet

P.S. Je serais très heureux de connaître votre sentiment de lecteur, mais aussi de citoyen (ou d'observateur étranger) à la lecture de cette édition. Merci de me retourner le questionnaire figurant à la fin de l'ouvrage ainsi que vos commentaires sur le livre et plus largement sur l'état de la société française ou tout autre thème sur lequel vous souhaitez témoigner.

Je dédie cette dixième édition à Céline.

Rétroscopie

VINGT ANS DE CHANGEMENT SOCIAL

Depuis le début des années 80, les Français ont été les témoins et les acteurs d'une histoire sociale accélérée. *Francoscopie* s'est efforcé de la raconter, en proposant tous les deux ans un « état des lieux ». Vingt ans (et dix éditions) après, une rétrospective apparaît d'autant plus nécessaire que ces deux décennies ont marqué une véritable rupture dans la vie collective et individuelle. L'objectif de cette *Rétroscopie* est triple :

. repérer les événements qui, dans tous les domaines (politique, économique, social, culturel, scientifique...), ont joué un rôle fondateur dans les transformations, ou qui en sont les révélateurs ;

. montrer comment ces événements ont été provoqués ou favorisés par le contexte qui prévalait ;

. identifier et analyser les « tendances lourdes » qui synthétisent le changement social depuis vingt ans.

L'exercice est difficile. Comment mesurer l'impact d'un événement sur la marche de la société ? Lorsqu'ils existent, les indicateurs quantitatifs ne donnent qu'un élément de réponse : l'audience d'une émission de télévision, d'un film, ou d'un livre n'indique pas son influence sur les modes de vie ou sa capacité à en rendre compte. L'intervention d'une « expertise », c'est-à-dire d'une subjectivité particulière, est donc nécessaire. Elle a été assumée par l'auteur, aidé a posteriori d'un petit groupe de réflexion comprenant des personnes de divers profils et sensibilités.

Une brève histoire de la France

Décrire et analyser le cheminement des Français au cours de ces vingt années implique une approche sélective. C'est pourquoi de nombreux faits mentionnés ici, mineurs en apparence, ne figureront sans doute pas dans les livres d'histoire : expulsion des immigrés sans papiers de l'église Saint-Bernard ; manifestations d'infirmières ou de gendarmes ; affaire du foulard islamique ou de l'ARC ; diffusion de *Dallas* ou de *Loft Story* à la télévision ; succès de *Foule sentimentale* d'Alain Souchon, de *la Première Gorgée de bière* de Philippe Delerm ou du *Fabuleux Destin d'Amélie Poulain...* Pourtant, chacun d'eux a influencé le cours de notre histoire sociale ou témoigné des transformations en cours.

A l'inverse, on ne trouvera pas trace dans cette rétrospective des événements nationaux de nature politique, économique, financière ou intellectuelle qui n'ont alimenté que les actions ou les conversations du « microcosme » parisien. Il en est de même d'événements importants qui se sont déroulés ailleurs dans le monde (élections, guerres, catastrophes naturelles, assassinats, etc.) lorsque leur impact sur la société française est apparu inexistant ou faible.

Quatre niveaux de lecture

Cette *Rétroscopie* propose quatre types d'informations complémentaires :

. **Chronologique**, avec la succession année par année des événements révélateurs ou fondateurs des changements.

. **Thématique**, avec une synthèse de l'évolution dans six grands domaines, traités successivement : *faits et événements ; objets et innovations ; culture et loisirs ; idées et débats ; opinions et valeurs ; héros et personnages*. Il s'y ajoute une dimension visuelle, avec une sélection des campagnes de *publicité* les plus marquantes et « signifiantes » de ces vingt années, réparties tout au long des pages.

. **Quantitatif**, avec une vision chiffrée de l'évolution de la société *(Population et modes de vie)* entre 1980 et 2001, en douze tableaux : *démographie ; instruction ; santé ; famille ; logement ; équipement ; travail ; argent ; consommation ; alimentation ; vie sociale ; loisirs.*

. **Analytique**, avec une réflexion sur les grandes transformations qui se sont produites dans tous les domaines de la vie quotidienne des Français : *Qu'avons-nous fait de ces vingt ans ?* Cette synthèse s'efforce de faire le *bilan* du changement social (les « plus » et les « moins »), mais aussi de lui donner du sens. Elle propose des explications à la société paradoxale dans laquelle nous vivons *(Les cadeaux empoisonnés)* et propose cinq « tendances lourdes » pour comprendre le changement social passé et en cours *(Qu'est-ce qu'on attend pour être heureux ?).*

Faits et événements

La rupture de 1981

En 1980, la France compte déjà 1,5 million de chômeurs, conséquence la plus visible de la crise économique qui a commencé en 1974. C'est l'une des raisons pour lesquelles les Français appellent en 1981 la gauche au pouvoir, après 23 ans de monopole de la droite. La décennie débute par une rupture politique et idéologique.

En deux ans, les mesures sociales se multiplient : lois Auroux sur les nouveaux droits des travailleurs ; réduction du temps de travail à 39 heures ; cinquième semaine de congés payés ; retraite à 60 ans ; suppression du délit d'homosexualité du Code pénal ; loi sur la formation continue (1984)... Pourtant, le chômage poursuit sa croissance : 2,5 millions en 1984, 3,5 millions en 1994. Mais un autre fléau apparaît bientôt.

Les années sida

Les années 80 seront à tout jamais celles de la « maladie d'amour », peste du XXe siècle. Dès son apparition, certains voient en elle une malédiction divine, destinée à punir une société décadente. Dans ce contexte de chasse aux sorcières, les homosexuels et les drogués sont stigmatisés.

D'autres peurs vont alimenter le mécontentement et le pessimisme des Français. Elles s'expriment par exemple dans les manifestations pour la défense de l'école privée (1984). En 1985, des initiatives comme *Touche pas à mon pote* de SOS Racisme ou *Les Restos du Cœur* de Coluche témoignent d'un sentiment

CHRONOSCOPIE

Evénements marquants (au sens défini p. 8) sur les plans international et national depuis 1980

1980

MONDE Guerre Iran-Irak ◆ Naissance de Solidarnosc en Pologne, premier syndicat indépendant du monde communiste ◆
FRANCE 1,5 million de chômeurs ◆ Attentat de la rue Copernic (Paris) ◆ Coluche, candidat à l'Elysée ◆ Mise en liquidation de Manufrance ◆ Gérard d'Abboville traverse l'Atlantique à la rame

1981

MONDE Assassinat d'Anouar el-Sadate ◆ Attentat contre Jean-Paul II ◆ Entrée de la Grèce dans la Communauté européenne ◆ Ronald Reagan président des Etats-Unis
FRANCE François Mitterrand président de la République, Pierre Mauroy Premier ministre ◆ Ministres communistes ◆ Nationalisations ◆ Abolition de la peine de mort ◆ Dévaluation du franc ◆ Premiers cas de sida

1982

MONDE Guerre des Malouines (Grande-Bretagne - Argentine). ◆ Mort de la princesse Grace de Monaco
FRANCE 2 millions de chômeurs ◆ Attentats de la rue des Rosiers et de la rue Marbeuf (Paris) ◆ Lois Auroux sur les nouveaux droits des travailleurs ◆ Réduction du temps de travail à 39 heures ◆ Cinquième semaine de congés payés ◆ Retraite à 60 ans ◆ Loi sur la décentralisation ◆ Deuxième dévaluation du franc en un an ◆ Suppression du délit d'homosexualité du Code pénal ◆ Régularisation de la situation de 150 000 immigrés depuis août 1981 ◆ Nationalisations

1983

MONDE 58 militaires français (et 220 Américains) tués à Beyrouth ◆
FRANCE Nouvelle dévaluation du franc et plan de rigueur économique ◆ Percée du Front national (17 % aux élections municipales à Dreux) ◆ Manifestation de policiers ◆ Mise en examen de Maurice Papon, emprisonnement de Klaus Barbie ◆ Découverte du virus du sida par le Pr Luc Montagnier et psychose du « cancer gay » ◆ Création du Comité national de bioéthique ◆ Victoire de Yannick Noah aux Internationaux de France de Roland-Garros

1984

MONDE Jacques Delors président de la Commission européenne à Bruxelles ◆ Drame de Bhopal (Inde)
FRANCE 2,5 millions de chômeurs ◆ Laurent Fabius Premier ministre ◆ Autorité parentale conjointe (dans le mariage ou hors mariage) ◆ Congé parental d'éducation ◆ Manifestation des sidérurgistes lorrains ◆ Grandes manifestations pour la défense de l'école privée ◆ Mise en place des TUC (travaux d'utilité collective) ◆ Loi sur la formation continue ◆ Succès de l'extrême droite aux élections européennes ◆ Départ des communistes du gouvernement ◆ Création des Verts, parti écologiste ◆ Affaire Villemin ◆ La Redoute lance le « 48 heures chrono » ◆ La France championne d'Europe de football

1985

MONDE Perestroïka (restructuration) de Gorbatchev en URSS ◆ Enlèvement de quatre Français au Liban ◆ Sabotage du Rainbow Warrior par les services secrets français ◆ Tragédie du stade du Heysel (Belgique)
FRANCE Montée du sida et test de dépistage (Institut Pasteur) ◆ Création des Restos du Cœur (Coluche) ◆ « Touche pas à mon pote » (SOS Racisme) ◆ Objectif de 80 % de bacheliers dans une classe d'âge ◆ Incidents en Nouvelle-Calédonie ◆ Rapport Vivien sur les sectes ◆ Alain Prost champion du monde de formule 1 ◆ Cinquième Tour de France pour Bernard Hinault

1986

MONDE Catastrophe nucléaire de Tchernobyl ◆ Explosion de la navette américaine Challenger ◆ Entrées de l'Espagne et du Portugal dans la Communauté européenne
FRANCE Première cohabitation (Jacques Chirac Premier ministre) ◆ Manifestations étudiantes contre le projet de réforme universitaire Devaquet ◆ Loi de privatisation ◆ Suppression de l'IGF (Impôt sur les grandes fortunes) ◆ Allocation de garde d'enfant à domicile ◆ Procès de Klaus Barbie ◆ Attentats islamistes à Paris ◆ Assassinat de Georges Besse, PDG de Renault (Action directe) ◆ Ouverture du Futuroscope à Poitiers.

1987

MONDE Première Intifada (guerre des pierres) palestinienne contre Israël ◆ Crack boursier du 19 octobre
FRANCE Privatisations ◆ Grèves à la SNCF animées par les « coordinations » ◆ Autorisation des machines à sous dans les casinos ◆ Naissance de LVMH

1988

MONDE Libération des otages français du Liban ◆ Attentat contre un avion américain au-dessus de Lockerbie ◆ Séisme en Arménie ◆ Affaire de dopage aux jeux Olympiques (Ben Johnson)
FRANCE Réélection de François Mitterrand, Michel Rocard Premier ministre ◆ Création du RMI (revenu minimum d'insertion) ◆ Grève des infirmières

d'accroissement des inégalités et de la difficulté de cohabitation avec les immigrés.

Ces craintes s'ajoutent à une méfiance croissante à l'égard de la politique et entraînent la première cohabitation (Mitterrand-Chirac, 1986). Elle n'empêchera pas la réélection de François Mitterrand en 1988, qui sera immédiatement suivie de nouvelles mesures sociales, avec la création du RMI (Revenu minimum d'insertion), des TUC (Travaux d'utilité collective) ou de l'IGF (Impôt sur les grandes fortunes). Ce dernier deviendra plus tard l'ISF, pour mieux marquer l'idée d'une solidarité nécessaire entre les nantis et les exclus.

Tchernobyl, ou la confiance disparue

La catastrophe de Tchernobyl (1986) est le premier accident nucléaire grave en Europe. Comme le sida, il déclenche des peurs d'autant plus fortes que le danger est invisible et ses conséquences mal identifiées. Dans le but de rassurer l'opinion, les pouvoirs publics prétendent que le nuage radioactif s'est arrêté aux frontières de l'Hexagone ! Cette attitude mensongère aura de lourdes conséquences sur l'image des institutions et des politiciens dans l'opinion, comme plus tard l'affaire du sang contaminé (1991) ou celle de l'amiante (1996).

La chute du mur de Berlin (1989) entraîne celle du communisme et transforme le contexte international. Le monde s'installe dans une (courte) période d'angélisme ; certains imaginent que la « fin de l'Histoire » entraînera la généralisation de la paix et de la démocratie dans le monde. Les Français fêtent avec jubilation le bicentenaire de « leur » révolution et se

souviennent avec fierté de cette contribution fondatrice au monde moderne.

CFES, Milton Glaser

Vingt ans de publicité : 1980

Le lien social distendu

Les faits rappellent bien vite à la réalité. La crise économique n'est pas achevée et le chômage n'est pas vaincu. La France ne parvient pas à faire cohabiter en paix ses habitants ; l'antisémitisme réapparaît avec la profanation de tombes du cimetière de Carpentras (1990) tandis que les banlieues s'enflamment (Vaulx-en-Velin). Bernard Tapie, nouveau ministre de la Ville, n'aura pas le temps de mettre en oeuvre ses idées. Rattrapé par les affaires de corruption, il est incarcéré en 1995. La fin des « années Tapie » marque celle d'une forme populiste de politique-spectacle.

Au même moment, le début du krach immobilier met un terme à des années de spéculation sur les prix. Surtout, la violence continue de s'accroître dans une société qui la supporte de plus en plus mal. Le senti-

1989

MONDE Chute du mur de Berlin ◆ Effondrement des régimes communistes de l'Est ◆ Manifestations en Chine sur la place Tian'anmen et répression ◆ Chute de Ceausescu en Roumanie ◆ « Révolution de velours » en Tchécoslovaquie (Vaclav Havel)
FRANCE Bicentenaire de la Révolution française ◆ Poussée des Verts aux élections européennes ◆ Création de l'Impôt de solidarité sur les grandes fortunes ◆ Affaire du foulard islamique

1990

MONDE Réunification de l'Allemagne (Helmut Kohl) ◆ Démission de Margaret Thatcher, remplacée par John Major ◆ Crise de la « vache folle » en Grande-Bretagne ◆ Libération de Nelson Mandela (Afrique du Sud) ◆ Début de la crise koweïtienne
FRANCE Création de la CSG (Contribution sociale généralisée) ◆ Création du ministère de la Ville ◆ Manifestations de lycéens ◆ Soulèvement en banlieue à Vaulx-en-Velin ◆ Affaire de Carpentras (profanation de tombes juives) ◆ Fermeture du dernier puits de charbon du Pas-de-Calais ◆ Séparation des activités de La Poste et de France Télécom ◆ Début du krach immobilier ◆ Route du Rhum remportée par Florence Arthaud

1991

MONDE Guerre du Golfe (les Alliés contre l'Irak) ◆ Putsch à Moscou et fin de l'URSS ◆ Dislocation de la Yougoslavie
FRANCE Départ de Michel Rocard, Edith Cresson Premier ministre ◆ Nouveau statut pour la Corse ◆ Affaire du sang contaminé ◆ Affaire Urba ◆ Premier cas de « vache folle » (Finistère) ◆ René Bousquet inculpé de crime contre l'humanité ◆ Coupe Davis de tennis remportée par la France ◆ Traversée du Pacifique à la rame (Gérard d'Abboville)

1992

MONDE Embrasement de l'ex-Yougoslavie et guerre en Bosnie ◆ Bill Clinton président des Etats-Unis ◆
FRANCE Ratification par référendum du traité de Maastricht ◆ Procès du sang contaminé ◆ Inculpation de Bernard Tapie, ministre de la Ville ◆ Réforme du Code de la nationalité française ◆ Election de Nicole Notat à la tête de la CFDT ◆ Interdiction de fumer dans les lieux publics ◆ Instauration du permis à points et manifestations des chauffeurs routiers ◆ Fermeture de l'usine Renault de Boulogne-Billancourt ◆ Jeux Olympiques d'hiver à Albertville ◆ David Douillet, premier champion du monde français des poids lourds (judo) ◆ Ouverture du parc Eurodisney à Marne-la-Vallée

Rétroscopie

1993

MONDE Accords d'Oslo sur le principe d'une autonomie palestinienne ◆ Accords de Washington entre Israël et la Palestine ◆ Attentat au World Trade Center de New York ◆ La CEE devient l'Union européenne ◆ Crise du système monétaire européen

FRANCE Ralentissement économique ◆ Victoire de la droite aux élections législatives et deuxième cohabitation politique (Edouard Balladur Premier ministre) ◆ Suicide de Pierre Bérégovoy ◆ Nouvelle vague de privatisations ◆ Réforme des retraites pour les salariés du privé ◆ Autorisation des tests de recherche de paternité, scientifiquement et juridiquement validés ◆ Prise d'otages dans une école maternelle de Neuilly-sur-Seine ◆ Scandale du Crédit Lyonnais (plus de 100 milliards de francs perdus) ◆ L'Olympique de Marseille vainqueur de la Coupe d'Europe des clubs champions ◆ Affaire de corruption OM-Valenciennes ◆ Alain Prost champion du monde pour la quatrième fois

1994

MONDE Election de Nelson Mandela et fin de l'apartheid en Afrique du Sud ◆ Inauguration du tunnel sous la Manche

FRANCE 3,5 millions de chômeurs ◆ Manifestation contre le contrat d'insertion professionnelle ◆ Abandon du « centralisme démocratique » par le Parti communiste ◆ Prise d'otages dans un avion à Alger par le GIA avec l'objectif de s'écraser sur Paris et intervention du GIGN à l'aéroport de Marseille ◆ Procès Touvier ◆ Arrestation de Carlos ◆ Affaire du voile islamique

1995

MONDE Entrée de l'Autriche, de la Finlande et de la Suède dans l'Union européenne ◆ Création de l'OMC (Organisation mondiale du commerce) remplaçant le GATT ◆ Attentat au gaz sarin dans le métro de Tokyo ◆ Suicide collectif d'adeptes de la secte du Temple solaire ◆ Crise financière du Mexique ◆ Assassinat de Yitzhak Rabin en Israël ◆ Accords de Dayton sur l'ex-Yougoslavie

FRANCE Jacques Chirac président de la République, Alain Juppé Premier ministre ◆ Projet de réforme de la Sécurité sociale et grèves massives de décembre ◆ Attentats à Paris ◆ Reprise des essais nucléaires dans le Pacifique ◆ Bernard Tapie condamné à deux ans de prison ferme ◆ La France championne du monde de handball, premier titre dans un sport collectif

1996

MONDE Guerre civile en Algérie ◆ L'espace aérien européen ouvert à la concurrence ◆ Révélation par une étude britannique de la transmissibilité à l'homme de l'ESB (encéphalopathie spongiforme bovine) ◆ Affaire Dutroux (pédophilie, Belgique) ◆ Attentat aux jeux Olympiques d'Atlanta

➜

ment d'insécurité se développe encore davantage que l'insécurité elle-même. Le débat sur le « peuple corse » s'engage sur fond d'actes terroristes.

Euro RSCG Works

Vingt ans de publicité : 1999

La guerre toujours présente

Le conflit du Golfe, en 1991, puis l'embrasement de l'ex-Yougoslavie à partir de 1992 vont à nouveau embraser le monde développé et montrer que la menace de guerre n'a pas disparu avec le mur de Berlin. La construction européenne est sans doute l'un des moyens de s'en préserver, mais les Français ratifient à contrecœur le traité de Maastricht (1992). De plus en plus déçus par la politique, ils cherchent de nouveau le salut dans la cohabitation (Mitterrand-Balladur, 1993).

L'énorme scandale du sang contaminé (1991) s'ajoute au traumatisme de Tchernobyl et aux autres « affaires ». Celle du Crédit Lyonnais

(1993) accroît le discrédit largement amorcé des « élites ». Il sera encore amplifié en 1996 par la crise de la « vache folle » et par le scandale de l'ARC.

La réforme impossible

En 1995, c'est en promettant de réduire la « fracture sociale » que Jacques Chirac est élu président de la République. Mais le premier projet de réforme fait tomber son Premier ministre, Alain Juppé ; la France est paralysée pendant tout le mois de décembre. L'année suivante, la tentative de réforme de la SNCF sera aussi un échec, comme celles des ministères de l'Education nationale (Claude Allègre) et des Finances (Christian Sautter) en 2000.

Face aux difficultés de la cohabitation, Jacques Chirac dissout l'Assemblée nationale en 1997 et provoque des élections législatives anticipées. L'échec est cuisant pour la droite. Il donne lieu à une troisième cohabitation.

Les années Jospin

Le Premier ministre, Lionel Jospin, fait voter de nouvelles lois sociales dans les deux années qui suivent sa désignation : réduction du temps de travail à 35 heures ; Pacs (Pacte civil de solidarité) , CMU (Couverture maladie universelle) ; parité hommes-femmes en politique... La France affirme ainsi sa volonté de proposer un nouveau modèle de développement, privilégiant le social à l'économique et cherchant à réduire les inégalités.

Mais la protection sociale a un coût. Au fil des années, la pression fiscale n'a cessé de s'accroître, jusqu'à atteindre l'un des niveaux les plus

FRANCE Mort de François Mitterrand ◆ Suppression du service militaire, remplacé par un « rendez-vous citoyen » ◆ Crise de la « vache folle » ◆ « Affaires » de la mairie de Paris ◆ Affaire de l'ARC (Association pour la recherche sur le cancer) ◆ Rapport de l'INSERM sur les dangers mortels de l'exposition à l'amiante ◆ Généralisation de la trithérapie pour le traitement du sida ◆ Fin des essais nucléaires dans le Pacifique ◆ Expulsion de 300 Africains sans papiers à l'église Saint-Bernard à Paris ◆ Tentative avortée de modernisation de la SNCF ◆ Grève des chauffeurs routiers ◆ La France vainqueur de la Coupe Davis de tennis

1997

MONDE Hongkong rendue à la Chine ◆ Tony Blair, Premier ministre britannique ◆ Mort de lady Diana et de Mère Térésa

FRANCE Dissolution de l'Assemblée nationale. Elections législatives anticipées remportées par la « gauche plurielle » ◆ Troisième cohabitation (Lionel Jospin Premier ministre) ◆ Journées mondiales de la jeunesse (Paris) ◆ Ouverture du procès Papon ◆ Mise en examen de Christine Deviers-Joncour (affaire Elf) ◆ Mort de Jeanne Calment (122 ans) ◆ Fermeture de l'usine Renault de Vilvorde ◆ Mort du commandant Cousteau

1998

MONDE Affaire Clinton-Lewinski ◆ Le général Pinochet arrêté en Grande-Bretagne ◆ Gerhard Schroeder chancelier allemand

FRANCE Loi sur la réduction du temps de travail à 35 heures ◆ Adoption du Pacs (Pacte civil de solidarité) permettant à des personnes physiques d'organiser leur vie commune en couple, quel que soit leur sexe ◆ Assassinat de Claude Erignac, préfet de Corse ◆ Mise en examen de Roland Dumas (affaire Elf) ◆ Abrogation du monopole public sur le téléphone ◆ Scission au Front national entre Jean-Marie Le Pen et Bruno Mégret ◆ Début de l'affaire Elf/Roland Dumas ◆ Création du groupe Vivendi (fusion Générale des eaux/Havas) ◆ La France championne du monde de football ◆ Accusation de dopage contre Richard Virenque, qui quitte le Tour de France ◆ Mort d'Eric Tabarly

1999

MONDE Intervention de l'OTAN au Kosovo ◆ Démission collective de la Commission européenne, accusée de malversations ◆ L'extrême droite au pouvoir en Autriche ◆ Embargo sur le bœuf britannique ◆ Manifestation antimondialisation à Seattle ◆ Eclipse de soleil

FRANCE Adoption de la CMU (Couverture maladie universelle) ◆ Loi sur la parité hommes-femmes en politique ◆ Procès des responsables politiques de l'affaire du sang contaminé ◆ Affaire des paillotes corses ◆ Saccage d'un McDonald's à Millau par José Bové et la Confédération paysanne ◆ Tempête (69 départements en état de catastrophe naturelle) ◆ Catastrophe du tunnel sous le Mont-Blanc ◆ Dernier recensement national du siècle ◆ Fusions Renault/Nissan et BNP-Paribas

2000

MONDE Seconde Intifada en Palestine ◆ Election contestée de George W. Bush aux Etats-Unis

FRANCE Taux de chômage en dessous de 10 % ◆ Entrée en vigueur de la loi sur les 35 heures ◆ Référendum sur le quinquennat ◆ Plan de lutte contre la maladie de la « vache folle » ◆ Arrêt Perruche permettant à un adolescent de demander réparation pour être né handicapé ◆ Prolongation à douze semaines du délai légal d'avortement ◆ Autorisation de la prescription de la « pilule du lendemain » par les infirmières scolaires ◆ Semaine « santé morte » ◆ Blocus des routiers contre la hausse des prix des carburants ◆ Grève des convoyeurs de fonds ◆ Disparition de la fiche d'état civil ◆ Repentance de l'Église catholique pour les fautes commises depuis 2 000 ans. ◆ Accident de Concorde près de Roissy ◆ L'équipe de France championne d'Europe de football ◆ Procès du dopage dans le cyclisme ◆ Fusion Vivendi-Universal

2001

MONDE Attentats islamistes à New York et à Washington ◆ Frappes américaines en Afghanistan ◆ Menace bioterroriste aux Etats-Unis (anthrax) ◆ Berlusconi Président du conseil en Italie ◆ Milosevic jugé par le Tribunal pénal international ◆ Forums conjoints de Davos et de Porto Alegre (pro- et antimondialisation) ◆ Violence au sommet du G8 à Gênes ◆ Epidémie de fièvre aphteuse en Grande-Bretagne ◆ Refus des Etats-Unis de ratifier le protocole de Kyoto sur l'environnement

FRANCE Ralentissement économique ◆ Elections municipales ; mairies de Paris et de Lyon remportées par la gauche ◆ Jacques Chirac convoqué par la justice ◆ Prime pour l'emploi et PARE (Plan d'aide au retour à l'emploi) ◆ Première grève des gendarmes ◆ Premier cas de fièvre aphteuse ◆ Congé de paternité ◆ Nom de famille des enfants donné par l'un des deux parents ou les deux accolés ◆ Révélations sur la torture pendant la guerre d'Algérie ◆ Explosion de l'usine AZF à Toulouse ◆ Fortes inondations dans la Somme ◆ Chute de la Bourse ◆ Licenciements chez Lu, Marks & Spencer, Moulinex ◆ *La Marseillaise* sifflée au cours du match de football France-Algérie ◆ Victoire de la France à la Coupe Davis de tennis

2002

MONDE Frappes américaines contre les taliban (Afghanistan) ◆ Aggravation du conflit israélo-arabe ◆ Coupe du monde de football (Japon, Corée du Sud) ◆ Crise économique en Amérique du Sud.

FRANCE Lionel Jospin éliminé du second tour de l'élection présidentielle par Jean-Marie Le Pen ◆ Manifestations dans toute la France entre les deux tours et constitution d'un front républicain anti-Le Pen ◆ Réélection de Jacques Chirac, Jean-Pierre Raffarin Premier ministre ◆ La droite largement majoritaire aux élections législatives ◆ Tentative d'assassinat contre Jacques Chirac le 14 juillet ◆ Défaite de l'équipe de France au premier tour de la Coupe du monde de football

élevés parmi les pays développés. La création de la CSG (Contribution sociale généralisée, 1990), puis celle de la CRDS (Contribution au remboursement de la dette sociale, 1996) portent le taux des prélèvements obligatoires à 46 % du PIB. Les Français ne s'en émeuvent pas vraiment. Avec la perspective des 35 heures, ils vont pouvoir travailler moins en gagnant autant. Autre bonne nouvelle, la croissance revient, dans un contexte exceptionnel de changement de siècle et de millénaire.

La grande fête

La fin du XXe siècle et, phénomène magique, du second millénaire est l'occasion pour les Français de retrouver le sourire et de faire la fête. D'autant que l'amélioration du climat économique, dès 1998, entraîne enfin une baisse du chômage. Dans le même temps, la « nouvelle économie » promet une forte croissance et un enrichissement facile aux créateurs de *start-ups* et à leurs actionnaires.

A ce contexte favorable s'ajoute la fabuleuse victoire des Bleus à la Coupe du monde de football de 1998, confirmée par celle de l'Euro 2000. En même temps que « la gagne », la France black blanc beur semble retrouver une harmonie collective. Tout se présente donc pour le mieux à l'aube d'une nouvelle ère ; même la menace du bogue informatique de l'an 2000 est enrayée. Les Français se mettent à croire à des lendemains qui chantent.

Les lendemains de fête

Ils devront pourtant vite déchanter. L'économie recommence à stagner à partir de 2001 et la courbe du chô-

mage reprend sa croissance, tandis que celle de l'économie diminue. Les attentats de septembre aux Etats-Unis constituent un drame pour l'ensemble des pays développés. Ils confirment que le monde ne sera jamais tranquille et que les habitants des démocraties sont condamnés à la peur.

Cette peur, les Français l'expriment sans ambiguïté lors du premier tour de l'élection présidentielle d'avril 2002. L'élimination de Lionel Jospin par Jean-Marie Le Pen est une énorme surprise et un traumatisme. Si la République en sort grandie au second tour, c'est au prix d'une nouvelle aggravation de la fracture sociale. La « France d'en bas », celle qui subit l'insécurité et se sent écartée des bienfaits du progrès, est désormais consciente de son poids. Celle « d'en haut » est de moins en moins rassurée sur son avenir.

Les nouveaux responsables au pouvoir sont en tout cas prévenus des fortes attentes de leurs électeurs, dont beaucoup ont d'ailleurs voté pour eux à contrecœur. Leur réussite permettrait une réhabilitation du politique au sein d'une République retrouvée et d'une nation réconciliée. Mais leur échec entraînerait une radicalisation des attitudes et des risques majeurs pour l'avenir. Les vieux démons du populisme, qui engendrent toujours le repli sur soi et la désignation de boucs émissaires, ne dorment que d'un oeil.

TBWA

Vingt ans de publicité : 1983

Les dix chocs

DEPUIS le début des années 80, les Français ont connu dix chocs importants, qui ont provoqué à la fois une prise de conscience collective et une transformation des modes de vie et des systèmes de valeurs. En même temps qu'il annonçait une rupture avec le passé, chacun de ces chocs a marqué le début d'une nouvelle ère.

1981. Arrivée de la gauche au pouvoir. Choc politique.

1987. Krach boursier. Choc financier.

1989. Chute du mur de Berlin. Choc idéologique.

1991. Guerre du Golfe. Choc psychologique.

1993. Acte unique européen et crise de l'Europe. Choc européen.

1995. Grèves de décembre. Choc social.

1996. Crise de la « vache folle ». Choc sanitaire.

2000. Changement de siècle et de millénaire. Choc calendaire.

2001. Attentats du 11 septembre aux Etats-Unis. Choc terroriste.

2002. Jean-Marie Le Pen au second tour de l'élection présidentielle. Choc politique.

Objets et innovations

LES ANNÉES TECHNO

Innovations et objets marquants (au sens défini p. 8), depuis 1980 (France)

1980

Lampe halogène (Philips) ◆ Premiers lecteurs optiques de codes-barres aux caisses des grandes surfaces (Suma de Parly 2) ◆ Cyclosporine, médicament facilitant les greffes d'organes ◆ Papillon collant Post-It (3 M) ◆ Mercedes Classe E

1981

Ordinateur individuel (PC IBM) ◆ Première ligne de TGV (train à grande vitesse) Paris-Lyon ◆ Premier vol de la navette spatiale Columbia ◆ Airbag ◆ Savon liquide (Pouss' Mousse)

1982

Minitel dans les foyers (expérimenté en 1980) ◆ Caméscope 8 mm ◆ Premier jeu vidéo (Pacman) ◆ Perfecto ◆ Santiags ◆ Premier bébé-éprouvette français (Amandine) ◆ Premier cœur artificiel greffé ◆ Airbus A310 ◆ Citroën BX ◆ Renault R9 ◆ Lessive liquide (Vizir)

1983

Montre Swatch ◆ Commercialisation grand public des micro-ordinateurs ◆ Commercialisation du disque compact (Philips) ◆ Peugeot 205

1984

Carte à puce et billetterie automatique ◆ Accords interbancaires donnant naissance à la Carte Bleue ◆ Console de jeu vidéo ◆ Macintosh (Apple) ◆ Tac-O-Tac (Française des Jeux) ◆ Quarté Plus (PMU) ◆ Premier monospace (Renault Espace) ◆ Renault R25 ◆ Congélation des embryons ◆ Souris (ordinateur Apple)

1985

Commercialisation du four à micro-ondes (mis au point en 1971) ◆ Outillage électrique sans fil ◆ Téléphone mobile analogique (Radiocom 2000) ◆ Généralisation des cartes à puce dans les Publiphones ◆ Système d'exploitation Windows ◆ Loto sportif (Française des Jeux) ◆ Premier supermarché à domicile (Télémarket) ◆ Peugeot 309 ◆ Système d'exploitation Windows (Microsoft)

Du Minitel à l'ordinateur individuel

La décennie 80 commence avec l'expérimentation du Minitel, qui préfigure sur le plan national ce que sera Internet à l'échelle planétaire dans les années 90. Mais, comme le plus souvent, ce seront les technologies américaines qui seront utilisées. Le Minitel figurera parmi les « exceptions françaises », après la télévision 819 lignes, la filière atomique ou le Concorde.

L'ordinateur individuel, apparu en 1981, constitue l'objet le plus porteur d'avenir. Commercialisé à partir de 1983 (le Macintosch suivra un an après), il ouvre la voie à la « société numérique », qui s'enrichira la même année du disque compact, plus tard du CD-Rom(1993), du Caméscope (1997, douze ans après sa version analogique), du DVD (1997) ou de l'appareil photo numérique (1998). Mais le symbole le plus fort sera le téléphone portable. La version numérique grand public apparaît en 1992 (GSM), sept ans après le téléphone analogique. C'est à partir de 1997 qu'a lieu l'explosion : 37 millions de Français sont équipés au début 2002, contre moins de 2,5 millions fin 1996.

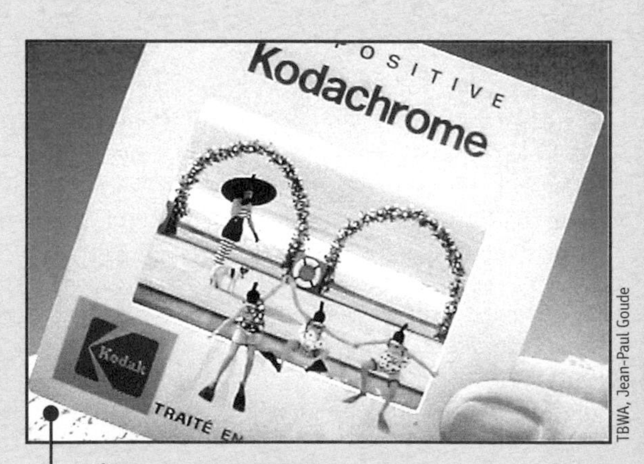

TBWA, Jean-Paul Goude

Vingt ans de publicité : 1984

Les distances effacées

A l'accélération de la vitesse de l'information s'ajoute celle des transports. La mise en service en 1981 de la première ligne de TGV mettait Lyon à deux heures de Paris. Vingt ans plus tard, la ligne Méditerranée place Marseille à trois

heures de la capitale, rétrécissant considérablement la carte de France dans le sens nord-sud.

L'automobile a connu aussi une véritable transformation, moins dans les performances des moteurs que dans le design ou l'intérêt porté à la sécurité et à l'habitacle. Le succès du 4 X 4 au cours des années 80 contraste avec celui des monospaces dans les années 90 (l'Espace Renault apparaît pourtant dès 1984). Le passage de l'un à l'autre illustre le « changement de sexe » d'une société de plus en plus imprégnée des valeurs féminines.

L'argent immatériel

Autre avatar de l'électronique, la carte à puce (invention française) donne naissance en 1984 à la Carte Bleue. L'ar-

Du petit écran à l'écran géant

L'écran occupe depuis vingt ans une place croissante dans la vie professionnelle, familiale ou personnelle. C'est d'abord le « petit écran » qui s'est développé dans les foyers, avec la télévision, puis l'ordinateur. Plus récemment, on a vu apparaître l'écran géant dans les lieux publics. Utilisé au début dans des grandes salles de spectacle, il permettait de rapprocher les artistes des spectateurs. Il s'est ensuite généralisé dans les lieux de transit comme les gares ou les aéroports, fournissant des informations pratiques aux voyageurs.

Au cours des dernières années, l'écran géant s'est installé dans des lieux publics ouverts, où il permet à la foule de suivre des événements importants : messe de Pâques au Vatican ; célébration du bicentenaire de la Révolution française ; concerts de la Fête de la musique ; etc. Mais ce sont surtout les événements sportifs qui ont banalisé sa présence dans les villes. En 1998, les Français ont pu suivre dans la rue la Coupe du monde de football et vibrer aux exploits des Bleus. En 2002, les écrans étaient présents dans toutes les grandes villes du monde concernées par la compétition.

Le petit écran était le symbole de l'individualisation de la société. L'écran géant répond au contraire à un besoin croissant de convivialité et de restauration du lien social. Outil de communion autour d'événements ayant une forte dimension émotionnelle, il est au service de la fête dont rêvent aujourd'hui les Français. S'il témoigne de la mondialisation, il est souvent au service d'une fibre nationale renaissante.

1986
Appareil photo jetable (Fuji) ◆ Yaourt au bifidus (B'A de Saint-Hubert) ◆ Station orbitale Mir (URSS) ◆ Manège à bijoux dans les hypermarchés Leclerc ◆ Citroën AX ◆ Renault R21

1987
Airbus A320 ◆ Machines à sous autorisées dans les casinos ◆ Quinté (PMU) ◆ Tapis vert (Française des Jeux) ◆ Peugeot 405

1988
Collant Diam's de Dim en Lycra ◆ Première implantation d'un magasin de maxidiscompte (Aldi) ◆ Renault R19

1989
Plaque de cuisson à induction (Thermor) ◆ Supercarburant sans plomb ◆ Lunettes en une heure (Grand Optical) ◆ Lessive sans phosphates (Le Chat machine) ◆ Jeux instantanés (Française des Jeux) ◆ Citroën XM

1990
Jeu vidéo portable (Game Boy) ◆ Renault Clio ◆ Lancement du télescope Huble ◆ Mini disc laser (Sony) ◆ Cassette numérique DLL (Sony)

1991
Millionnaire (Française des Jeux) ◆ Premier ordinateur en grande surface (Auchan) ◆ Peugeot 106, Peugeot 605 ◆ Citroën ZX ◆ Console vidéo Mega drive (Sega)

1992
Démarrage du Web (World Wide Web, Internet grand public) ◆ Téléphone cellulaire (GSM) ◆ Première carte partielle du génome humain ◆ Citroën Xantia ◆ Renault Twingo ◆ Renault Safrane ◆ Système de compression de fichiers MP3

1993
Microprocesseur Pentium (Intel) ◆ CD-Rom grand public (inventé en 1985) ◆ Lessive en pastilles (Sub) ◆ Peugeot 306 ◆ Renault Laguna

1994
Exploration de Mars par le robot Sejourner-Rocky ◆ Première banque sans guichet (Banque Directe, Paribas) ◆ Soutien-gorge ampliforme (Wonderbra) ◆ Minidisc enregistrable et effaçable (Sony) ◆ Banalisation du Prozac ◆ Peugeot 806 ◆ Citroën Evasion ◆ Télévision numérique

1995
Premiers sites de commerce électronique sur Internet (Les 3 Suisses, La Redoute) ◆ Citroën Saxo ◆ Peugeot 406 ◆ Renault Megane ◆ Play Station (Vega) ◆ Navire à grande vitesse
1996
Premiers essais d'Ariane 5 ◆ Renault Scenic ◆ DVD ◆ Tamagotchi
1997
Clonage de la brebis Dolly (Grande-Bretagne) ◆ Caméscope numérique ◆ Développement du téléphone mobile ◆ Lancement d'Ariane 5 ◆ Citroën Xsara ◆ Citroën Berlingo ◆ Renault Kangoo ◆ Garry Kasparov battu aux échecs par l'ordinateur Big Blue ◆ Ecran plat
1998
Mise en vente du Viagra dans les pharmacies ◆ Appareil photo numérique ◆ Explosion de l'équipement en téléphone portable ◆ Station spatiale internationale (deux premiers modules) ◆ Première supérette automatique (Petit Casino 24, à Lyon) ◆ Smart ◆ Volkswagen New Beetle
1999
Maïs génétiquement modifié ◆ Peugeot 206 ◆ DVD
2000
Pas de grand bogue informatique ◆ Fin du décryptage du génome humain ◆ Lingette ménagère (imprégnée de produit nettoyant)
2001
Clonage de trois embryons humains à des fins thérapeutiques (Etats-Unis) ◆ Inauguration de la ligne de TGV Méditerranée ◆ Autorisation de la prescription et de la mise en vente de la DHEA
2002
Monnaie unique européenne ◆ Convertisseur euros/francs ◆ Renault Avantime, Renault Velsatis

gent n'est plus solide ni liquide ; il devient gazeux, immatériel. Le rapport que les Français entretiennent avec lui en est transformé. La consommation aussi, poussée par les efforts de séduction (c'est-à-dire de marketing) des fabricants et des distributeurs.

Dès 1980, l'utilisation des codes-barres dans les grandes surfaces réduit la durée de l'attente aux caisses, ainsi que les erreurs de facturation. Le premier maxidiscompte est implanté en France en 1988 (Aldi). Après la restauration, importée dans les années 70 avec les premiers McDonald's, le concept de rapidité s'étend aux lunettes (Grand Optical, 1989), au développement des photographies et à bien d'autres « services minute ». La boulimie de consommation des années 80 est illustrée par le succès de la montre Swatch (1983) ou de l'appareil photo jetable (1986).

Des jeux aux alicaments

L'univers des loisirs s'enrichit au fur et à mesure que les Français accroissent leur temps libre. Le jeu y occupe une place de choix, avec les jeux vidéo (le fameux Pacman date de 1982, la Game Boy de 1990), mais aussi les jeux instantanés comme le Millionnaire (1991) ou les machines à sous, autorisées dans les casinos à partir de 1987.

Dans les foyers, les pratiques alimentaires vont être transformées par l'arrivée du four à micro-ondes (commercialisé vers 1985, en complément du congélateur) ou de la plaque de cuisson à induction (1989). L'alimentation est placée sous le signe de la « praticité » avec les produits surgelés, mais aussi de la qualité nutritionnelle, comme en témoigne le succès du yaourt au bifidus, lancé en 1986. Il inaugure l'ère des « alicaments » (un terme inventé par l'auteur en 1996 et entré dans le dictionnaire en 2000).

La santé physique et mentale

Au cours de ces vingt années, l'innovation n'a pas seulement concerné les objets qui entourent les Français dans leur vie quotidienne. Elle s'est intéressée aussi à leur santé, tant physique que psychique, comme en témoignent la banalisation du Prozac (1994), la commercialisation du Viagra (1998) ou celle de la DHEA (2001). La lutte contre le vieillissement et le mal-être est déjà largement engagée.

La prochaine révolution scientifique sera probablement biotechnologique. Elle est contenue dans le décodage du génome humain, terminé en 2000 et mis à la disposition des chercheurs en 2001. Le clonage, réalisé pour la première fois sur un mammifère en 1997, le sera immanquablement sur l'homme. Ces perspectives sont à la fois fascinantes et inquiétantes ; elles justifient pleinement la création, dès 1983, du Comité national de bioéthique.

CLM/BBDO

Vingt ans de publicité : 1986

La technologie omniprésente et ambivalente

C'est indéniablement le développement technologique qui a eu le plus d'influence sur l'évolution de la vie économique, sociale, professionnelle, familiale et personnelle au cours de ces vingt dernières années. Le processus d'innovation s'est accéléré, tant au niveau des recherches que de la mise sur le marché des objets qui en sont issus. Dans certains domaines (informatique, communication, transport, biologie, génétique...), la science a souvent dépassé les prévisions de la science-fiction, qui peine aujourd'hui à reprendre l'initiative.

Après l'explosion des médias audiovisuels d'*information* (radios libres, chaînes de télévision par câble et par satellite), ce sont les moyens de *communication* entre les personnes qui ont connu l'évolution la plus spectaculaire, avec l'ordinateur connecté à Internet et le téléphone portable. Ce passage de l'information à la communication a été rendu possible par l'*interactivité*. La *numérisation* a autorisé la convergence de tous les types d'information (textes, sons, images fixes ou animées), des appareils et des supports électroniques : téléviseur, ordinateur, téléphone, assistant personnel, appareil photo ou Caméscope... Grâce à la *miniaturisation*, les objets sont devenus « intelligents » ; leur *portabilité* répond au besoin croissant de « nomadisme ».

La technologie omniprésente est aussi *ambivalente*. Elle a substitué le « *temps réel* » (immédiat) au temps différé traditionnel ; mais la réalité ainsi créée ou recréée est en fait une *virtualité*, ce qui modifie la perception du temps et de l'espace, donc du monde. La *globalisation* en est une autre conséquence, qui alimente les débats actuels. Le niveau d'*abstraction* s'est accru ; les machines apparaissent aux utilisateurs comme des « boîtes noires » dont les fonctions précises sont de moins en moins apparentes extérieurement et ces merveilles de rationalité ont une dimension magique. Le développement technologique est à l'origine de progrès majeurs et porte en lui de grandes promesses. Mais il recèle des menaces qui ne le sont pas moins.

Culture et loisirs

VINGT ANS DE TÉLÉVISION

Chronologie des émissions, séries et événements marquants (au sens défini p. 8) de la télévision française depuis 1980

1980
Gym Tonic (A2, Véronique et Davina) ◆ *Avis de recherche* (TF1) ◆ *Benny Hill* (FR3)

1981
Droit de réponse (TF1) ◆ *La Chasse aux trésors* (A2)

1982
La Minute nécessaire de monsieur Cyclopède (FR3) ◆ *Cocorico-Boy* (TF1) ◆ *Les Enfants du rock* (A2) ◆ *Champs-Elysées* (A2) ◆ *Fame* (TF1) ◆ *Star Trek* (TF1) ◆ Création de la Haute Autorité de l'audiovisuel

1983
Psy-show (A2) ◆ *7 sur 7* (TF1) ◆ *Dynastie* (A2)

1984
Vive la crise ! (A2, présentée par Yves Montand) ◆ *Le Bébête show* (TF1) ◆ *Le Petit Théâtre de Bouvard* (A2) ◆ *Carnaval* (A2) ◆ Naissance de Canal Plus

1985
Le Jeu de la vérité (TF1) ◆ *Télématin* (A2) ◆ *Tournez, manège* (TF1) ◆ *Châteauvallon* (A2) ◆ Création des chaînes de télévision privées ◆ Attribution de la cinquième chaîne de télévision à Berlusconi

1986
Ambitions (TF1, présentée par Bernard Tapie) ◆ *Sexy Folies* (A2) ◆ *Deux Flics à Miami* (A2)

1987
Sacrée Soirée (TF1) ◆ *Ushuaïa* (TF1) ◆ *La Marche du siècle* (FR3) ◆ *Culture Pub* (M6) ◆ *La Roue de la fortune* (A2) ◆ *La Classe (FR3)* ◆ TF1 attribuée au groupe Bouygues ◆ Concession de M6 à la Lyonnaise des Eaux-CLT ◆ Première émission de téléachat (TF1) ◆ Suppression de *Droit de réponse*

Télévision et société

(Voir tableau chronologique ci-contre)
Dès 1980, la télévision annonce avec *Gym Tonic* la redécouverte du corps. Il deviendra dans les années suivantes l'objet d'un véritable culte, dont témoigne l'utilisation des *top models* dans les séries et sur les plateaux.

Véronique et Davina préfigurent aussi la féminisation de la société. La nomination de Christine Ockrent comme présentatrice du journal télévisé de 20 heures (1981) est un autre signe fort. Les femmes deviendront des héroïnes de séries dans *Julie Lescaut* (1992), *Docteur Quinn, femme médecin* (1993), *Une femme d'honneur* (1996), *Ally McBeal* (1998), etc. Elles sont même de plus en plus souvent en situation de domination dans des séries comme *Buffy contre les vampires* (1998), *Xena* (1997), *Sex and the City* (2000), *L'Aventurière (2000)*, *Le Maillon faible* (2001) ou *Opération séduction Caraïbes* (2002)... Pourtant, la parité télévisuelle n'est pas encore réalisée, tant dans la présence à l'antenne que dans la création des programmes ou la gestion des chaînes, alors qu'un téléspectateur sur deux est une femme.

La diffusion de *Dallas* (1981) puis celle de *Dynasty* (1983) témoignent de la place croissante occupée par l'argent dans la société américaine, un modèle adopté par la plupart des pays développés. Les chaînes françaises vont d'ailleurs bientôt créer leurs propres émissions à vocation économique. *Ambitions* (1986) est l'un des temps forts des années Tapie. Dans un genre plus pédagogique, M6 lance *Culture pub* (1987) et *Capital* (1988). TF1 réplique avec *Combien ça coûte ?* et la première émission de téléachat (1987) marie la consommation et l'interactivité.

Comme celle de la société, l'histoire de la télévision au cours de ces deux décennies témoigne d'un franchissement progressif des frontières, d'un affranchissement des interdits et des tabous. Le mouvement est particulièrement perceptible dans l'évolution de l'humour. Il s'amorce dès 1982 avec *La Minute nécessaire de monsieur Cyclopède* de Pierre Desproges et *Cocorico-boy* de Stéphane Collaro. Il se poursuit en 1984 avec le *Bébête show* et *Le Petit Théâtre de Bouvard*, puis avec *la Classe* (1987). La création de Canal Plus (1984) permet d'aller encore plus loin avec *Les Guignols de l'Info* (1988) et l'émergence d'un ton nouveau, porté par Antoine de Caunes, Jean-Yves Lafesse, *les*

BDDP

Vingt ans de publicité : 1986

Deschiens ou Jamel. En 1992, *La Télé des Inconnus* (Antenne 2) associe dérision, cynisme et critique sociale.

Le processus de transgression est aussi perceptible dans la place faite à l'individu, à sa vie intérieure et à ses fantasmes : *Psy-show* (1983) ; *Le Jeu de la vérité* (1985) ; *Sexy Folies* (1986) ; *Bas les masques* (1992) ; *Tout est possible* (1994) ; *Ça se discute* (1994). Ces émissions, parfois qualifiées de voyeuristes, offrent à des personnes ordinaires l'occasion d'exprimer leurs difficultés personnelles. Le téléspectateur peut s'identifier à elles. Il se convainc peu à peu que la « normalité » est une notion subjective et dépassée.

Le recentrage sur l'individu n'empêche pas la télévision de s'intéresser aux craintes collectives. Elles sont à l'origine de la création en 1987 d'*Ushuaïa* (Nicolas Hulot) et de *La Marche du siècle* (Jean-Marie Cavada). En 1990, Antenne 2 gagne avec *Envoyé spécial* le difficile pari du sérieux, de la pédagogie et du sens. TF1 l'avait fait à sa manière avec *7 sur 7* (1983) et *52 sur la une* (1988). Dans une veine plus scientifique et pédagogique, M6 lance *E=M6* (1991), France 3 *C'est pas sorcier* (1993). La création d'Arte (1992) sert d'alibi à la culture, au moment où les émissions culturelles commencent à être délaissées. L'arrêt de *Bouillon de culture* (2000), qui remplaçait déjà *Apostrophes*, en est le symbole.

Le système télévisuel est en effet d'abord voué au divertissement. La « variété » en est le support privilégié : *Champs-Elysées* (1982) ; *Les Enfants du rock* (1982) ; *Carnaval* (1984) ; *Sacrée Soirée* (1987). Les jeux y occupent aussi une place de choix : *La Chasse aux trésors* (1981) ; *Tournez, manège* (1985) ; *La Roue de la fortune* (1987) ; *Questions pour un champion* (1988) ; *Une famille en or*

1988
Les Guignols de l'Info (Canal Plus) ◆ *Capital* (M6) ◆ *Sébastien, c'est fou* (A2) ◆ *Questions pour un champion* (FR3) ◆ *52 sur la une* (TF1) ◆ *Cosby show* (M6)

1989
Ciel, mon mardi ! (TF1) ◆ *Faut pas rêver* (FR3)

1990
Envoyé spécial (A2) ◆ *Perdu de vue* (TF1) ◆ *Une famille en or* (TF1) ◆ *Fort Boyard* (France 2)

1991
E=M6 (M6) ◆ *Nestor Burma* (A2) ◆ *Alerte à Malibu* (TF1)

1992
La Télé des Inconnus (A2) ◆ *Bas les masques* (A2) ◆ *Julie Lescaut* (TF1) ◆ *Les Cordier, juge et flic* (TF1) ◆ Disparition de La Cinq ◆ Naissance d'Arte, chaîne culturelle franco-allemande

1993
L'Instit (France 2) ◆ *Beverly Hills* (TF1) ◆ *Docteur Quinn, femme médecin* (M6) ◆ *Highlander* (M6)

1994
Les Enfants de la télé (France 2) ◆ *Ça se discute* (France 2) ◆ *Les Deschiens* (Canal Plus) ◆ *X-Files* (M6)

1995
Coucou, c'est nous (TF1)

1996
Graine de star (M6) ◆ *Une femme d'honneur* (TF1) ◆ *Mister Bean* (Arte) ◆ *Friends* (Canal Jimmy) ◆ Premiers bouquets de chaînes de télévision numérique à péage (Canal Satellite et TPS)

1997
Le Caméléon (M6) ◆ *Xena* (TF1)

1998
Tout le monde en parle (France 2) ◆ *Ally McBeal* (Téva, puis M6) ◆ *Buffy contre les Vampires* (Série Club, puis M6)

1999
Tout le monde en parle (France 2)

2000
Qui veut gagner des millions ? (TF1)

2001
Loft Story (M6) ◆ *Star Academy* (TF1) ◆ *Pop Stars* (M6) ◆ *Les Aventuriers de Koh Lanta* (TF1) ◆ *Le Maillon faible* (TF1)

2002
Loft Story 2 (M6) ◆ *L'Ile de la tentation* (TF1) ◆ *Opération séduction Caraïbes* (M6)

Et aussi...
La croisière s'amuse (TF1, 1980) ◆ *L'Homme qui tombe à pic* (A2, 1982) ◆ *Magnum* (A2, 1982) ◆ *Pour l'amour du risque* (TF1, 1982) ◆ *L'Inspecteur Derrick* (La Cinq, 1986) ◆ *Loïs et Clark* (M6, 1986) ◆ *K 2000* (La Cinq, 1986) ◆ *MacGyver* (A2, 1987) ◆ *Côte Ouest* (TF1, 1988) ◆ *Melrose Place* (TF1, 1994) ◆ *Profiler* (M6, 1997)

VINGT ANS DE CHANSONS

Chronologie des chansons francophones et des événements musicaux marquants (au sens défini p. 8) depuis 1980

1980
Antisocial (Bernie Bonvoisin) ◆ *Gaby oh Gaby* (Alain Bashung) ◆ Assassinat de John Lennon

1981
Pour le plaisir (Herbert Léonard) ◆ *Etre une femme* (Michel Sardou) ◆ *Banlieue rouge* (Renaud) ◆ Mort de Georges Brassens

1982
Femmes, je vous aime (Julien Clerc) ◆ *Les Corons* (Pierre Bachelet) ◆ *Chacun fait ce qui lui plaît* (Chagrin d'amour) ◆ *Il est libre Max* (Hervé Christiani) ◆ *Quand la musique est bonne* (Jean-Jacques Goldman)

1983
Femme libérée (Cookie Dingler) ◆ *Deuxième Génération* (Renaud) ◆ *C'est bon pour le moral* (La Compagnie créole) ◆ *Foule sentimentale* (Alain Souchon)

1984
Un autre monde (Téléphone) ◆ *Nashville ou Belleville* (Eddy Mitchell) ◆ *Génération banlieue* (Johnny Halliday) ◆ *La Valise en carton* (comédie musicale de Linda de Souza) ◆ *Africa* (Rose Laurens) ◆ Première Fête de la musique ◆ Explosion des « radios libres » ◆ Top 50 des meilleures ventes de disques

(1990) ; *Fort Boyard* (1990) ; *Qui veut gagner des millions ?* (2000) ; *Le Maillon faible* (2001).

Plus récemment, la télévision a surfé sur la vague nostalgique et régressive avec *les Enfants de la télé* (1994), *les Moments de vérité* (1999) et l'utilisation des images d'archives. Elle développe aussi une forte tendance anthropophage, se nourrissant de plus en plus de sa propre substance. Elle n'est plus aujourd'hui un média, au sens d'intermédiaire entre les acteurs de la société et le public, qu'elle est censée informer et divertir. La télévision est devenue elle-même un acteur important (voir prépondérant) de la vie sociale. C'est ainsi qu'elle crée en permanence l'actualité et fabrique ses propres stars à partir des « vrais gens », dans des émissions de « télé-réalité » comme *Loft Story*, *Pop Stars* ou *Star Academy* (2001).

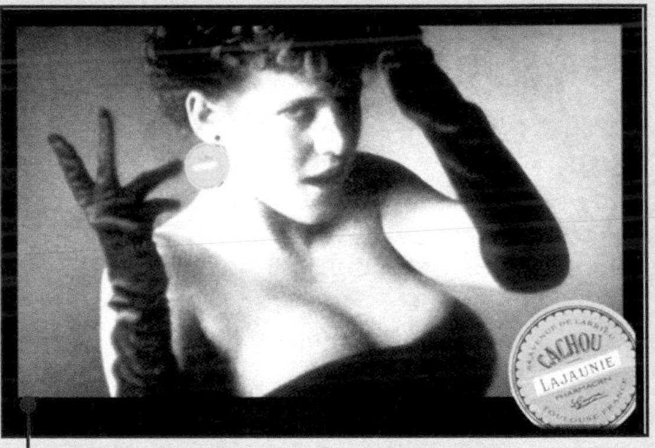

ALS/BDDP

Vingt ans de publicité : 1988

Chanson et société

(Voir tableau chronologique ci-contre)

Dès le début des années 80, certaines chansons décrivent ou annoncent les grands mouvements sociaux. Par leur sensibilité, les artistes les perçoivent souvent avant les autres citoyens et ils les expriment parfois mieux dans leurs paroles que les observateurs patentés (voir encadré).

On peut ainsi comprendre que la décennie 80 a été marquée par la volonté de vivre *Pour le plaisir* (1980). Depuis cette époque, le principe de beaucoup de Français est en effet que *Chacun fait ce qui lui plaît* (1982). Leur modèle de vie est celui proposé par Hervé Christiani en 1982 : *Il est libre Max*.

La décennie sera aussi celle de la redéfinition des rapports entre les sexes. Dès 1982, Julien Clerc rend un hom-

mage appuyé au sexe dit faible (*Femmes, je vous aime*) ; il célèbre ainsi des valeurs féminines qui vont imprégner la société pendant les années suivantes. La *Femme libérée* (1983) décrite par Cookie Dingler va transformer la société et la convergence des sexes s'amorce. En 1984, Jean-Paul Gaultier fait d'ailleurs défiler les hommes en jupe.

Mais les Français des deux sexes sont de plus en plus mal dans leur peau. La *Foule sentimentale* décrite par Souchon (1983) n'apprécie pas la froideur de la société. Elle se sent aussi prise au piège des médias et des « élites » dont elle va progressivement s'éloigner. Beaucoup rêvent ainsi comme Jean-Louis Aubert d'*Un autre monde* (1984) tout en regrettant celui qu'ils sont en train de quitter. Car la nostalgie s'installe. Elle concerne aussi bien *La Langue de chez nous* chère à Yves Duteil (1985) que les lieux dans lesquels on a envie de fuir (*Belle-Ile-en-mer*, Laurent Voulzy, 1986).

Certes, chaque Français est conscient comme Yves Simon de sa chance d'être *Né en France* (1988) plutôt que *Né quelque part* (Maxime Le Forestier, 1987). Mais chacun sait qu'il est plus facile de grandir à *Auteuil, Neuilly, Passy* (1991) comme le chantent drôlement les Inconnus que dans les « quartiers sensibles », surtout lorsqu'on s'appelle *Saïd ou Mohamed* (1991), *Didi* (1992) ou *Aïcha* (1996). Devant les inégalités et les injustices, certains ont envie comme Patrick Bruel de se *Casser la voix* (1989) en criant leurs peurs et leurs frustrations face à un monde qui bouge.

La dureté des temps et celle des rapports humains ont fait disparaître les utopies collectives au profit des stratégies de survie individuelle : *Chacun sa route* (Tonton David, 1994). Dans une société où il est difficile d'être adulte, il est aussi *Dur, dur d'être bébé* (1993, Jordy). Beaucoup préféreraient donc avec Francis Cabrel se réfugier dans *La Cabane du pêcheur* (1994). Mais d'autres, plus révoltés et moins contemplatifs, se demandent comme NTM : *Qu'est-ce qu'on attend pour foutre le feu ?* (1996).

La quête de l'identité et le besoin de racines trouveront aussi leur expression dans l'appartenance à une ville (*Je viens de Marseille*, 1991, IAM) ou à une région : Manau (Bretagne) ; I Muvrini (Corse). Le besoin insatisfait de romantisme se nourrira aussi de comédies musicales comme *Notre-Dame de Paris* (1999) ou *Roméo et Juliette* (2001), loin cependant de la légèreté de *La Valise en carton* de Linda de Souza (1984). Ainsi, le rap, le metal, la techno, la house et les autres genres musicaux nés au cours de ces

1985

La langue de chez nous (Yves Duteil) ◆ *Mistral gagnant* (Renaud) ◆ *Quelque chose de Tennessee* (Johnny Hallyday) ◆ *L'Aziza* (Daniel Balavoine) ◆ Concert SOS Racisme place de la Concorde ◆ Concert pop en faveur de l'Ethiopie

1986

Les Femmes de quarante ans (Alice Donna) ◆ *Belle-Ile-en-mer* (Laurent Voulzy) ◆ *Tombé pour la France* (Etienne Daho)

1987

Elle a fait un bébé toute seule (Jean-Jacques Goldman) ◆ *L'Enfant au walkman* (Julien Clerc) ◆ *Corsica* (Jacques Dutronc/I Muvrini) ◆ *Né quelque part* (Maxime Le Forestier) ◆ *C'est la ouate* (Caroline Loeb) ◆ *Etienne* (Guesch Patti) ◆ Mort de Dalida

1988

Nés en France (Yves Simon)

1989

Casser la voix (Patrick Bruel) ◆ *Place des grands hommes* (Patrick Bruel) ◆ *Les Hommes qui passent* (Patricia Kaas) ◆ Inauguration de la Grande Arche de la Défense

1990

Femme avec une femme (Meccano) ◆ *J'aime un pays* (Kent) ◆ Inauguration de l'Opéra Bastille (Paris)

1991

Auteuil, Neuilly, Passy (Les Inconnus) ◆ *Je viens de Marseille* (IAM) ◆ *Saïd ou Mohamed* (Francis Cabrel) ◆ *Déjeuner en paix* (Stéphane Eicher) ◆ *Désenchantée* (Mylène Farmer) ◆ *Un homme heureux* (William Sheller) ◆ Mort d'Yves Montand

1992

Didi (Khaled) ◆ *Rien que de l'eau* (Véronique Sanson)

1993

Foule sentimentale (Alain Souchon) ◆ *Laissez chanter le français* (Pierre Bachelet) ◆ *Caroline* (MC Solaar) ◆ *Dur dur d'être bébé* (Jordy) ◆ *Danser le Mia* (IAM) ◆ Cinquantième anniversaire de Johnny Hallyday au Parc des Princes

Rétroscopie

1994

Sur la route (Gérald de Palmas) ◆ *Chacun sa route* (Tonton David) ◆ *La Cabane du pêcheur* (Francis Cabrel) ◆ *Assedic* (Les Escrocs) ◆ *Sûr et certain* (Tonton David)

1995

Passer ma route (Maxime Le Forestier)

1996

Un jour en France (Noir Désir) ◆ *Qu'est-ce qu'on attend pour foutre le feu ?* (NTM) ◆ *C'est ça la France* (Marc Lavoine) ◆ *Aïcha* (Khaled)

1997

Tomber la chemise (Zebda) ◆ *Nés sous la même étoile* (IAM) ◆ *Les Séparés* (Julien Clerc) ◆ *Lucie* (Pascal Obispo) ◆ *L'Homme pressé* (Noir Désir) ◆ *Je zappe et je mate* (Passy)

1998

La Tribu de Dana (Manau) ◆ *Regarde un peu la France* (Miossec)

1999

Notre-Dame de Paris (Luc Plamandon, Richard Cocciante)

2000

Terra umana (Patrick Fiori) ◆ *Français* (Michel Sardou) ◆ *Hors saison* (Francis Cabrel)

2001

Chambre avec vue (Henri Salvador) ◆ *Rue de la paix* (Zazie) ◆ Mort de Charles Trenet et de Gilbert Bécaud

2002

Les Mains d'or (Bernard Lavilliers)

Et aussi...

Il jouait du piano debout (Michel Berger, 1981) ◆ *Besoin de rien, envie de toi* (Peter et Sloane, 1983) ◆ *Toute première fois* (Jeanne Mas, 1983) ◆ *Sarbacane* (Francis Cabrel, 1989) ◆ *Né en 17 à Ledenstadt* (Fredericks, Goldman, Jones, 1991) ◆ *Un point, c'est toi* (Zazie, 1995) ◆ *Savoir aimer* (Florent Pagny, 1997) ◆ *J't'emmène au vent* (Louise Attaque, 1997)

Paroles, paroles...

Beaucoup de textes de chansons témoignent du changement social de ces deux décennies. Quelques exemples des thèmes abordés (par ordre chronologique) :

L'individualisme. « Il vit sa vie sans s'occuper des grimaces que font autour de lui les poissons dans la nasse... » (*Il est libre Max*, Hervé Christiani, 1980.)

Le chambardement des métiers. « Au nord, c'était les corons, la terre c'était du charbon, le ciel, c'était l'horizon, les hommes des mineurs de fond. » (*Les corons*, Pierre Bachelet, 1982.)

La féminisation. « Elle fume beaucoup, elle a des avis sur tout, elle aime raconter qu'elle sait changer une roue, elle avoue son âge et celui de ses enfants, et goûte un p'tit joint de temps en temps. » (*Femme libérée*, Cookie Dingler, 1983.)

La nostalgie. « Le temps est assassin et emporte avec lui les rires des enfants... » (*Mistral gagnant*, Renaud, 1985).

Les inégalités. « Est-ce que les gens naissent égaux en droits, à l'endroit où ils naissent ? » (*Né quelque part*, Maxime Le Forestier, 1987.)

Les frustrations. « Je rêvais d'un autre monde, où la terre serait ronde, où la lune serait blonde et la vie serait féconde. » (*Un autre monde*, Téléphone, 1984.)

La mondialisation. « Où sont mes racines, Nashville ou Belleville ? » (*Nashville ou Belleville*, Eddy Mitchell, 1984)

Les injustices. « Nous sommes issus d'une famille qui n'a jamais souffert, nous sommes issus d'une famille qu'on ne peut plus souffrir » (*Auteuil Neuilly Passy*, Les Inconnus, 1991.)

Le pessimisme. « Tout est chaos. A côté, tous mes idéaux : des mots abîmés... Je suis d'une génération désenchantée. » (*Désenchantée*, Mylène Farmer, 1991.)

Le poids des médias. « J'abandonne sur une chaise le journal du matin, les nouvelles sont mauvaises d'où qu'elles viennent. » (*Déjeuner en paix*, Stéphane Eicher, 1991.)

Les travers de la société de consommation. « Foule sentimentale, on a soif d'idéal. Attirée par les étoiles, les voiles, que des choses pas commerciales. » (*Foule Sentimentale*, Alain Souchon, 1993.)

Le travail précaire. « J'en avais marre de travailler et de perdre mon temps à faire des boulots mal payés avec des gens très emmerdants... » (*Assedic*, Les Escrocs, 1994).

La disparition du naturel. « Y'a plus de couche d'ozone et les seins des meufs sont en silicone » (*Nirvana*, Doc Gynéco, 1998.)

deux décennies n'illustrent pas seulement une volonté de renouveler les sons et les textes. En transgressant les codes du « musicalement correct », c'est à ceux de la société qu'ils s'attaquent. La chanson témoigne du malaise profond qui se développe à l'égard d'un système qui ne fournit plus de projets collectifs ni de repères individuels.

Mais le mouvement de transgression s'accompagne de celui de la régression et de la nostalgie. Beaucoup de Français (et les médias avec eux) se tournent vers les anciens : Bécaud, Brel, Brassens... Toutes générations confondues, ils ont ainsi plébiscité le retour d'Henri Salvador et d'autres gloires oubliées comme Rika Zaraï ou Chantal Goya.

Cinéma et société

(Voir tableau chronologique ci-contre)

En 1980, *la Boum* et *le Dernier Métro* montrent deux facettes apparemment bien différentes des préoccupations des Français. Mais les deux films parlent de l'évolution de la société : le premier évoque le fossé entre les générations et l'émancipation des jeunes (celle des filles notamment) ; le second renvoit à une période encore douloureuse de l'histoire sociale.

Au festival du cinéma miroir de notre temps, *Le Père Noël est une ordure* de Jean-Marie Poiré (1982) mérite sans aucun doute un prix. Il constitue l'une des premières tentatives de transgression des codes sociaux, avec un regard à la fois drôle et acéré. A la même époque, mais dans un tout autre genre, *Diva* de Jean-Jacques Beineix (1981) traduit la quête esthétique et philosophique d'un autre monde, à la fois réel et virtuel.

Trois Hommes et un couffin de Coline Serreau (1985) illustre de façon comique et touchante le désarroi des hommes dans une société qui change de sexe. *Tenue de soirée*, de Bertrand Tavernier (1986), évoque sans tabou l'homosexualité masculine, tandis que *Gazon maudit* (Josiane Balasko, 1995) met en scène son équivalent féminin. En 1987, le triomphe de *Titanic* de James Cameron s'explique peut-être par la métaphore du naufrage social qu'il propose aux spectateurs.

En 1988, *Le Grand Bleu* de Luc Besson et *L'Ours* de Jean-Jacques Annaud traduisent le mouvement de régression en cours à travers le nouveau statut de l'animal dans l'imagerie populaire. En 1991, Gérard Jugnot montre dans *Une époque formidable* que l'ascenseur social fonctionne aussi vers le bas et que la descente est difficile pour ceux qui

VINGT ANS DE CINÉMA

Chronologie des événements cinématographiques et films marquants (au sens défini p. 8) français et internationaux, depuis 1980

1980

La Boum (Claude Pinoteau) ◆ *Le Dernier Métro* (François Truffaut) ◆ *The Elephant Man* (David Lynch)

1981

La Guerre du feu (Jean-Jacques Annaud) ◆ *Diva* (Jean-Jacques Beineix) ◆ *Les Aventuriers de l'Arche perdue* (Steven Spielberg)

1982

Le Père Noël est une ordure (Jean-Marie Poiré) ◆ *E.T. l'extraterrestre* (Steven Spielberg) ◆ *La Boum 2* (Claude Pinoteau)

1983

Tchao Pantin (Claude Berri) ◆ *L'Eté meurtrier* (Jean Becker) ◆ *A nos amours* (Maurice Pialat) ◆ *La Lune dans le caniveau* (Jean-Jacques Beineix) ◆ Mort de Louis de Funès,de Romy Schneider et d'Ingrid Bergman

1984

Indiana Jones et le Temple maudit (Steven Spielberg) ◆ *Paris, Texas* (Wim Wenders) ◆ *Greystoke* (Hugh Hudson)

1985

Trois Hommes et un couffin (Coline Serreau) ◆ *Les Ripoux* (Claude Zidi) ◆ *Sans toit ni loi* (Agnès Varda)

1986

37°2 le matin (Jean-Jacques Beinex) ◆ *Subway* (Luc Besson) ◆ *Tenue de soirée* (Bertrand Tavernier) ◆ *Mélo* (Alain Resnais) ◆ Mort de Coluche

1987

Sous le soleil de Satan (Maurice Pialat) ◆ *Bagdad Café* (Percy Adlon) ◆ *Les Ailes du désir* (Wim Wenders)

1988

Le Grand Bleu (Luc Besson) ◆ *L'Ours* (Jean-Jacques Annaud) ◆ *La vie est un long fleuve tranquille* (Etienne Chatillez) ◆ *Femmes au bord de la crise de nerfs* (Pedro Almodovar)

1989

Sexe, mensonges et vidéo (Steven Soderbergh)

1990
Nikita (Luc Besson) ◆ *La Discrète* (Christian Vincent) ◆ *Sailor et Lula* (David Lynch) ◆ *La Mouche* (David Cronenberg) ◆ *Danse avec les loups* (Kevin Costner)

1991
Delicatessen (Jean-Pierre Jeunet, Marc Caro) ◆ *Une époque formidable* (Gérard Jugnot) ◆ *Le Silence des agneaux* (Johnatan Demme)

1992
Les Nuits fauves (Cyril Collard) ◆ *Tous les matins du monde* (Alain Corneau) ◆ *C'est arrivé près de chez vous* (B. Poelvoorde) ◆ *Basic Instinct* (Paul Verhoeven)

1993
Les Visiteurs (Jean-Marie Poiré) ◆ *Germinal* (Claude Berri) ◆ *Jurassic Park* (Steven Spielberg)

1994
Forrest Gump (Richard Zemeckis) ◆ *Philadelphia* (Johnatan Demme) ◆ *Quatre mariages et un enterrement* (Mike Newell) ◆ *Un Indien dans la ville* (H. Palud)

1995
La Haine (Mathieu Kassovitz) ◆ *Gazon Maudit* (Josiane Balasko) ◆ *Pulp Fiction* (Quentin Tarantino)

1996
Chacun cherche son chat (Cédric Klapisch) ◆ *Le bonheur est dans le pré* (Etienne Chatillez)

1997
Western (Manuel Poirier) ◆ *Le Cinquième Elément* (Luc Besson) ◆ *Titanic* (James Cameron)

1998
Le Dîner de cons (Francis Veber) ◆ *Il faut sauver le soldat Ryan* (Steven Spielberg) ◆ *La vie est belle* (Roberto Benigni) ◆ *La Vie rêvée des anges* (Eric Zonca) ◆ *Taxi* (Gérard Pirès)

1999
Astérix et Obélix contre César (Claude Zidi) ◆ *Rosetta* (frères Dardenne) ◆ *Tout sur ma mère* (Pedro Almodovar)

occupent les étages élevés (cadres). Avec le chômage, l'autre fléau du moment est le sida. Il est évoqué sans concession par Cyril Collard dans *les Nuits fauves* (1992) ; le discours est différent mais tout aussi fort dans *Philadelphia* (1994).

Le triomphe des *Visiteurs* (Jean-Marie Poiré, 1993) traduit l'interrogation croissante sur la signification du progrès. En 1995, Mathieu Kassovitz montre dans *la Haine* la difficulté de cohabitation entre les Français des villes et ceux des banlieues. *Chacun cherche son chat* (Cédric Klapisch, 1996) amorce une réflexion nécessaire sur la restauration du lien social dans une société sans âme et sans projet. Elle se poursuit avec *la Vie rêvée des anges* (Eric Zonka, 1998) et *le Goût des autres* du couple Agnès Jaoui - Jean-Pierre Bacri (2000). Elle trouve son aboutissement dans *le Fabuleux Destin d'Amélie Poulain* (2001), un message d'espoir reçu par des millions de Français en mal de relations humaines et d'optimisme.

Littérature et société

(Voir tableau chronologique page suivante)

Quelques livres, romans ou essais racontent à leur manière les années 80 et 90. *La Bicyclette bleue* (1981, Régine Deforges) a fait vivre ou revivre aux Français une période encore trouble de leur histoire, comme *le Nom de la rose* (1980, Umberto Eco) a revisité le Moyen Âge pour le rendre contemporain. C'est la même démarche que proposait Patrick Susskind dans *le Parfum* (1986) ; le livre révélait en outre la tendance à la polysensorialité. Christian Jacq, lui, a fait revivre l'Egypte ancienne dans *Ramsès* (1995), premier tome d'une série à succès mêlant l'évasion et l'histoire.

Le besoin de sens explique la place que les lecteurs ont faite au cours de ces années à la philosophie. *Le Monde de Sophie* (Jostein Garner, 1995) proposait des clés pour analyser le monde à la lumière des grands auteurs et redonner quelques repères aux jeunes générations. Avec *lHomme-Dieu ou le Sens de la vie* (1996), Luc Ferry prônait une réconciliation de l'individu laïc avec la spiritualité, un objectif également poursuivi par Paolo Coelho dans *l'Alchimiste* (1994). André Comte-Sponville, de son côté, recommandait le retour à quelques principes moraux dans son *Petit Traité des grandes vertus* (1996).

D'autres témoignages forts étaient moins ambitieux sur le plan philosophique. Dans *Toujours Plus* (1983), François de Closets dénonçait les contradictions d'une société qui

n'est plus sûre de progresser. Dans *la Première Gorgée de bière et autres plaisirs minuscules* (1997), Philippe Delerm préconisait le retour aux choses simples. En 2000, au tournant du siècle et du millénaire, Yann Arthus-Bertrand léguait aux générations futures *la Terre vue du ciel*, témoignage nécessaire de la beauté de la planète et de l'inconscience des hommes qui l'habitent et qui l'abîment. C'est aussi ce qu'a fait, dans un autre genre et avec un autre style, Michel Houellbecq dans *Plateforme* (2001).

Béli

Vingt ans de publicité : 1990

Quelques essais ont fourni des illustrations et des analyses du changement social : Paul Yonnet avec *Jeux, modes et masses* (1988), Hector Obalk avec *les Mouvements de mode expliqués aux parents* (1984), Gilles Lipovetski avec *L'Ere du vide* (1983) ou *l'Empire de l'éphémère* (1988), Pascal Bruckner avec *la Mélancolie démocratique* (1990), ou même Viviane Forrester dans *l'Horreur économique* (1996). Bien peu, cependant, ont tenté de donner à ces transformations des fondements théoriques ou idéologiques. L'un des rares à s'y être essayé est Francis Fukuyama (*la Fin de l'Histoire*, 1992) mais sa thèse n'a guère convaincu. Un autre Américain, Jeremy Rikkin, a annoncé *La Fin du travail* (1995), tandis que Samuel Huntington anticipait *le Choc des civilisations* (1993) qui prenait un intérêt nouveau à la lumière du drame du 11 septembre 2001. Son entreprise avait été précédée par Salman Rushdie dans *les Versets sataniques* (1989).

On notera que peu d'intellectuels français figurent dans ce palmarès. Il faut dire que 1980 avait été l'année de la

2000

Le Placard (Francis Veber) ◆ *Baise-moi* (Virginie Despentes) ◆ *Le Goût des autres* (Agnès Jaoui, Jean-Pierre Bacri) ◆ *Harry, un ami qui vous veut du bien* (Dominik Moll) ◆ *Ressources humaines* (Laurent Cantet) ◆ *Taxi 2* (G. Krawczyck)

2001

Le Fabuleux Destin d'Amélie Poulain (Jean-Pierre Jeunet) ◆ *La Vérité si je mens 2* (Thomas Gilou) ◆ *Tanguy* (Etienne Chatillez) ◆ *Yamakasi* (Julien Séri, Ariel Zeitnu)

2002

Astérix et Obélix : mission Cléopâtre (Alain Chabat) ◆ *Le Peuple migrateur* (Jacques Perrin)

Et aussi...

Police (Maurice Pialat, 1985) ◆ *Jean de Florette* (Claude Berri, 1986) ◆ *Au revoir les enfants* (Louis Malle, 1987) ◆ *Rain Man* (Barry Levinson, 1989) ◆ *Cyrano de Bergerac* (Jean-Paul Rappeneau, 1990) ◆ *L'Amant* (Jean-Jacques Annaud, 1992) ◆ *La Liste de Schindler* (Steven Spielberg, 1994)

VINGT ANS DE LITTÉRATURE

Chronologie des livres et événements littéraires marquants (au sens défini p. 8) survenus en France depuis 1980 (tous genres)

1980

Le Nom de la rose (Umberto Eco) ◆ *Le Monde selon Garp* (John Irving) ◆ Mort de Jean-Paul Sartre ◆ Election de Marguerite Yourcenar à l'Académie française

1981

La Bicyclette bleue (Régine Deforges) ◆ *Quand j'avais 5 ans, je m'ai tué* (Howard Buten)

1982

Toujours plus (François de Closets)

1983

Le Silence des intellectuels (Max Gallo) ◆ Mort de Raymond Aron

1984

L'Amant (Marguerite Duras) ◆ *L'Insoutenable Légèreté de l'être* (Milan Kundera) ◆ *Les Mouvements de mode expliqués aux parents* (Hector Obalk, Alain Soral, Alexandre Pasche) ◆ Mort de Michel Foucault

1985
La Cité de la joie (Dominique Lapierre) ◆ *Cité de verre* (Paul Auster) ◆ *Ma médecine naturelle* (Rika Zaraï) ◆ Mort de Fernand Braudel

1986
Le Parfum (Patrick Süskind) ◆ *L'Un et l'Autre* (Elisabeth Badinter) ◆ Mort de Simone de Beauvoir

1987
La Défaite de la pensée (Alain Finkielkraut) ◆ *Eloge des intellectuels* (Bernard-Henri Lévy)

1988
Jeux, modes et masses (Paul Yonnet) ◆ *L'Empire de l'éphémère* (Gilles Lipovetski) ◆ Mort de René Char

1989
Les Versets sataniques (Salman Rushdie) ◆ *Jamais sans ma fille* (Betty Mahmoody)

1990
La Mélancolie démocratique (Pascal Bruckner) ◆ *La Transparence du mal* (Jean Baudrillard)

1991
Les Fourmis (Bernard Werber)

1992
La Fin de l'Histoire (Francis Fukuyama) ◆ *Le Nouvel Ordre écologique* (Luc Ferry) ◆ *Hygiène de l'assassin* (Amélie Nothomb)

1993
Backlash (S. Faludi, 1993) ◆ *Le Choc des civilisations* (Samuel Huntington)

1994
L'Alchimiste (Paulo Coelho)

1995
Le Monde de Sophie (Jostein Garner) ◆ *La Fin du travail* (Jeremy Rifkin) ◆ Inauguration de la Grande Bibliothèque de France

1996
L'Horreur économique (Viviane Forrester) ◆ *Petit Traité des grandes vertus* (André Comte-Sponville) ◆ *L'Homme-Dieu ou le Sens de la vie* (Luc Ferry) ◆ *Truisme* (Marie Darieussecq)

1997
La Première Gorgée de bière et autres plaisirs minuscules (Philippe Delerm) ◆ *Le Livre noir du communisme* (Stephane Courtois, Nicolas Werth, Jean-Louis Panné) ◆ *Soie* (Alessandro Baricco)

mort de Jean-Paul Sartre, de Roland Barthes, de Maurice Genevoix et de Romain Gary. La chute du mur de Berlin en 1989 est cependant à l'origine de deux livres critiques sur le communisme : *le Livre noir du communisme* de Stéphane Courtois, Nicolas Werth et Jean-Louis Panné (1997) et *le passé d'une Illusion*, de François Furet (1995). Il apparaît que, si les « fins » (celles des idéologies, de l'Histoire, des démocraties, du travail ou du siècle) ont été plutôt bien racontées, les débuts ont été moins souvent abordés. Max Gallo avait sans doute raison de dénoncer en 1983 *le Silence des intellectuels* et Alain Finkielkraut d'annoncer en 1987 *la Défaite de la pensée*. Avec le recul du temps, *l'Eloge des intellectuels* prononcé par Bernard-Henri Lévy apparaît moins convaincant.

Au fond, les livres publiés depuis vingt ans n'ont pas été plus révélateurs des grands changements sociaux que les chansons, les films ou les émissions de télévision. Ils ont été en tout cas beaucoup moins largement accessibles au grand public et leur effet pédagogique a donc été moins sensible.

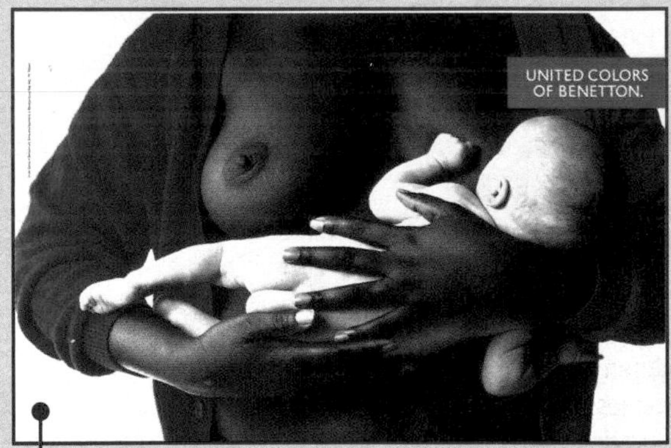

Oliviero Toscani

Vingt ans de publicité : 1989

Arts plastiques et société

(Voir tableau chronologique page suivante)

En matière de peinture, de sculpture ou d'architecture, le début des années 80 coïncide avec la fin de la certitude progressiste. Pour Gérard Garouste, « l'avenir est une conception passéiste ». Les avant-gardes apparaissent comme des innovations cyniques ou dérisoires, qui tentent vainement de s'affranchir des ruptures fondatrices amenées par Picasso, Matisse, Klee ou Kandisky. La « figu-

ration libre » française, comme le « néo-expressionnisme » allemand ou la « trans-avant-garde » italienne mélangent les époques de la peinture avec les graffiti, les tags et la bande dessinée.

Au nom de la démocratisation de la culture et d'un principe d'égalité incompatible avec les classifications et les classements, les « maîtres » sont délaissés au profit de créateurs marginaux (ou parfois revisités dans leurs périodes et leurs oeuvres antérieures). L'art « descend » dans la rue et dans le métro et s'empare de façon sauvage des surfaces publiques disponibles, sous le regard bienveillant des leaders culturels. Le design s'approprie les objets pour les différencier et tenter de donner du sens à la consommation. Philippe Starck réinvente le presse-citron ou la brosse à dents, tandis que Jean-Michel Wilmotte remodèle les espaces.

L'art des années 80 est une marchandise, jusqu'à la chute brutale d'un marché artificiel, soumis à d'incessants et contradictoires effets de mode. Les artistes mélangent des bribes de réalité et rendent compte de sa confusion tout en l'entretenant. L'incohérence et la fragilité du monde s'affirment dans les sculptures de Bernard Pagès, Richard Baquié ou Christian Boltanski. Ce dernier voit dans les hommes des « enfants morts », prélude à une disparition possible de l'espèce humaine. D'autres, comme Nam June Paik, s'emparent de la vidéo pour en faire des sculptures changeantes en forme de robot (Olympe de Gouges, 1989). L'art virtuel se développe avec Internet. Le style disparaît derrière la récupération, la technique et la provocation.

Rompant avec l'éphémère et l' « installation », Daniel Buren déclenche une violente polémique avec ses colonnes tronquées des jardins du Palais-Royal (1986). La figuration libre s'affranchit des contraintes et de l'histoire de l'art ; elle se veut contemporaine et s'inspire des médias, à l'image des « cloisonnés » de Robert Combas, dont la peinture est une sorte de vitrail iconoclaste. Le « mauvais goût » est une façon d'affirmer le pessimisme ambiant.

On retrouve dans l'art de ces deux décennies les attitudes qui caractérisent l'ensemble de la société : dérision ; régresssion ; transgression ; dématérialisation ; cynisme ; mise en question du progrès... La contradiction est partout présente : construction et déconstruction ; beau et laid ; achevé et inachevé ; permanent et temporaire ; minimaliste et maximaliste ; profond et superficiel... Le sno-

1998

Les Particules élémentaires (Michel Houellbecq)

1999

Je voudrais que quelqu'un m'attende quelque part (Anna Gavalda) ◆ *Une année en Provence* (Peter Mayle)

2000

La Terre vue du ciel (Yann Arthus-Bertrand) ◆ *99 francs* (Beigbeder) ◆ *Et si c'était vrai* ? (Marc Lévy)

2001

Plateforme (Michel Houellbecq) ◆ *La Vie sexuelle de Catherine M.* (Catherine Millet) ◆ *On ne peut pas être heureux tout le temps* (Françoise Giroud) ◆ Mort de Pierre Bourdieu

2002

La Rage et l'Orgueil (Oriana Fallaci) ◆ *Devenez sorciers, devenez savants* (Georges Charpak, Henri Broch) ◆ Bicentenaire de la naissance de Victor Hugo

Et aussi...

Les Champs d'honneur (Jean Rouaud, 1990) ◆ *Au bonheur des ogres* (Daniel Pennac, 1985, premier de la série) ◆ *Le Zèbre* (Alexandre Jardin, 1988) ◆ *Crocodiles* (Philippe Djian, 1989) ◆ *Ramsès* (Christian Jacq, 1995, premier de la série) ◆ *Le Journal de Zlata* (Zlata Filipovc, 1998)

VINGT ANS D'ARTS PLASTIQUES

Chronologie des oeuvres et événements marquants en peinture, sculpture, architecture depuis 1980 (France) * :

1981

Exposition *Figuration libre* à Nice

1982

Trois totems-Espace musical au Forum du Centre Georges-Pompidou (Takis)

1983

Ouverture du musée de Villeneuve d'Ascq ◆ *Clara-Clara* (sculpture de Richard Serra) au jardin des Tuileries

1985

Exposition *Les Immatériaux* (Centre Georges-Pompidou) ◆ Christo emballe le Pont-Neuf à Paris ◆ Ouverture du musée Picasso à l'hôtel Salé (Paris) ◆ *Philibert et Marguerite* à l'abbaye de Brou à Bourg-en-Bresse (sculpture de Richard Serra)

1986

Le double plateau, colonnes du Palais-Royal (Daniel Buren) ◆ Ouverture du musée d'Orsay (Paris) ◆ *Le Cimier mauve* (sculpture de Bernard Pagès)

1987

Inauguration de l'Institut du monde arabe à Paris (Jean Nouvel)

1988

R.F. (Robert Combas)

1989

Inauguration de la pyramide du Louvre (Pei Ieoh Ming) ◆ *Sans titre*, installation-mémorial évoquant la *Shoah* (Christian Boltanski) ◆ *Olympe de Gouges*, sculpture-vidéo pour le bicentennaire de la Révolution française (Nam June Paik) ◆ *Métro Assemblée-Nationale* (affichage de Jean-Charles Blais)

1990

Le *Portrait du docteur Gachet* de Van Gogh acheté 82,5 millions de dollars (Christie's) ◆ Inauguration de la première partie de la Cité de la musique de la Villette à Paris (Christian de Portzamparc)

1991

Nuit des docks à Saint-Nazaire, sculptures de lumière de Yann Kersalé

1992

Exposition *Manifeste* au Centre Georges-Pompidou

1993

Exposition *Design, miroir du siècle* au Grand-Palais (Paris)

1994

Exposition *Hors limites : l'art et la vie, 1952-1994* au Centre Georges-Pompidou ◆ Inauguration de la Fondation Cartier à Paris (Jean Nouvel) ◆ Vitraux de l'église de Sainte-Foy de Conques (Pierre Soulages)

1996

Exposition *L'informe, mode d'emploi* et *Face à l'Histoire* au Centre Georges-Pompidou

1998

Exposition Issey Miyake à la Fondation Cartier

2000

Exposition *La Terre vue du ciel* dans les jardins du Luxembourg (photographies de Yann Arthus-Bertrand)

Vêtements et société

L'art étant de plus en plus influencé par la mode, on peut estimer que cette dernière constitue une activité artistique. Ses créateurs sont en tout cas des témoins de leur temps, au même titre que les peintres, sculpteurs ou architectes. La difficulté d'analyse est ici compliquée par les « retours » et emprunts à d'autres cultures, ainsi que par la diversification de l'habillement des Français. Mais la mode n'en reste pas moins révélatrice, parfois fondatrice de l'évolution des mentalités et des modes de vie. Il en est ainsi du développement du *sportswear*, du *workwear* ou, plus récemment, du *fridaywear*.

Les exemples ne manquent pas de la rencontre entre les mœurs et la mode. En 1984, Jean-Paul Gaultier fait défiler les hommes en jupe. La collection automne-hiver 1987-1988 marque le retour de la « mini » et du désir de séduction. Dans les années 90, la recherche de l'authentique et du basique n'empêche pas le succès du Wonderbra, soutien-gorge ampliforme présenté en 1994. Signe de l'importance de la médiatisation et du temporel, Jean-Charles de Castelbajac habille le pape en 1997.

Si les *superwomen* des années 80 s'habillent souvent en hommes, celles des années 90 renouent avec la féminité. Clin d'œil à la libération de la femme, la collection de lingerie de Chantal Thomass est présentée par des mannequins dans les vitrines des Galeries Lafayette en 1999. Mais la diversité et la personnalisation de l'habillement tendent à éloigner les Français de la mode. Le départ d'Yves Saint-Laurent, en 2001, marquera la fin de la haute couture et témoigne de la primauté des contraintes d'efficacité économique sur la liberté de la création.

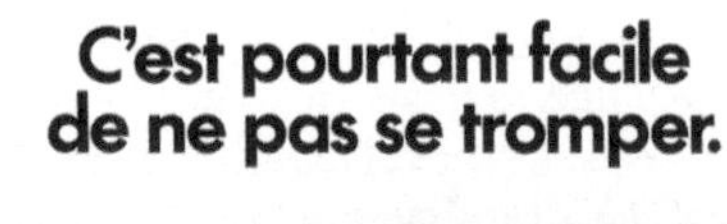

Vingt ans de publicité : 1989

bisme et la pensée absconse tiennent parfois lieu de justification ou d'explication : « L'art est ce qui rend la vie plus intéressante que l'art » (Robert Filliou).

La production artistique est en tout cas révélatrice des peurs contemporaines, de la disparition des certitudes et de la conscience du vide, qui prédispose à la recherche de l'oubli par le plaisir immédiat. La tonalité de cette période peut être résumée dans le projet de la *Tour sans fins* de Jean Nouvel et Emmanuel Cattini (1989), décrite par ses concepteurs comme une « esthétique de la disparition ».

Langage et société

(Voir tableau chronologique ci-contre)

Il faut s'intéresser aux mots car, selon l'expression de Claude Roy, « ils en savent plus que nous sur les choses ». Ceux qui font chaque année leur entrée dans le dictionnaire racontent l'évolution économique, sociale, politique, scientifique et culturelle de la France. Ils rendent compte des changements qui interviennent dans les modes de vie et dans les systèmes de valeurs des Français.

La sélection de mots apparus dans le *Petit Larousse* depuis 1980 montre l'importance croissante de la **technologie** et des objets qu'elle a introduits dans la vie quotidienne : micro-ordinateur (1980) ; biotechnologie (1982) ; multimédia (1983) ; disquette (1983) ; vidéoclub (1985) ; Minitel (1986) ; Caméscope (1988) ; CD-Rom (1990) ; hypertexte (1993) ; biper (1995) ; internaute (1997) ; webcam (2001) ; wap (2002)...

Elle décrit à partir des années 90 l'avènement de la **mondialisation :** délocalisation (1990) ; postcommunisme (1992) ; intracommunautaire (1994) ; eurosceptique (1997) ; netéconomie (2002)...

Elle traduit aussi les **inquiétudes** des Français face aux bouleversements de leur vie quotidienne : overdose (1980) ; clonage (1983) ; sida (1985) ; sureffectif (1986) ; démotivation (1987) ; désinformer (1989) ; ripou (1991) ; mal-vivre (1994) ; ecstasy (1995) ; vidéosurveillance (1996) ; incivilité (1998) ; nazillon (2001) ; judiciarisation (2002)...

Elle propose enfin au fil des années une sorte de **typologie** des Français qui reflète l'évolution de leurs mentalités : antisyndical (1981) ; assisté (1983) ; soixante-huitard (1983) ; papy (1984) ; écolo (1985) ; repreneur (1987) ; postmoderne (1992) ; SDF (1994) ; érémiste (1995) ; internaute (1997) ; harceleur (2001) ; néorural (2002)...

2001

Exposition *Les Années pop* au centre Georges-Pompidou.

2002

Exposition Matisse et Picasso au Grand Palais (Paris)

Et aussi :

◆ **1982.** Exposition *Mythe, drame et tragédie* au musée d'Art et d'Industrie de Saint-Etienne ◆ **1985.** Exposition *Le Style et le Chaos* au musée du Luxembourg ◆ **1987.** Ouverture du nouveau musée d'Art moderne de Saint-Etienne ◆ **1989.** Exposition *Les Magiciens de la terre* au centre Georges-Pompidou et à la Villette ◆ **1992.** Exposition *Figurations critiques* à l'Espace lyonnais d'Art contemporain ◆ **1993.** Exposition *L'Ame au corps* : art et sciences au Grand Palais ◆ **1999.** Exposition Mark Rothko au musée d'Art moderne de Paris

* Principale source de la sélection et des commentaires : *l'Art contemporain*, de Jean-Louis Pradel (Larousse)

VINGT ANS DE VOCABULAIRE

Mots marquants (au sens défini p. 8) entrés dans le Petit Larousse *depuis 1980*

1980

bande-vidéo, défonce, extraterrestre, gratifiant, micro-ordinateur, overdose, régionalisation, somatiser, squattériser, valorisant.

1981

après-vente, assurance-crédit, antihéros, antisyndical, bénévolat, bioénergie, bisexualité, centrisme, chronobiologie, consumérisme, convivial, deltaplane, dénucléariser, doudoune.

1982

antitabac, biotechnologie, bureautique, charentaise, dealer, Dow Jones, géostratégie, incontournable, I.V.G., jogging, sponsoriser, walkman.

1983

assisté, baba cool, clonage, coke, disquette, hyperréalisme, multimédia, must, péritélévision, piratage, santiag, skinhead, soixante-huitard, tiers-mondiste.

Rétroscopie

1984
cibler, déprogrammer, déqualification, dévalorisant, fast-food, intoxiqué, mamy, méritocratie, papy, pub, réunionnite.

1985
aérobic, amincissant, automédication, crédibiliser, écolo, épanouissant, eurodevise, hypocalorique, look, monocoque, non-résident, recentrage, sida, surendettement, télétravail, vidéoclub.

1986
clip, déréglementation, désyndicalisation, médiatique, Minitel, monétique, pole position, postmodernisme, progiciel, provisionner, rééchelonnement, smurf, sureffectif, téléimpression, turbo, vidéo-clip, visioconférence.

1987
aromathérapie, bêtabloquant, bicross, bioéthique, capital-risque, démotivation, désindexer, fun, non-dit, présidentiable, repreneur, unipersonnel, vidéogramme.

1988
autodérision, bancarisation, Caméscope, cogniticien, dérégulation, domotique, franco-français, frilosité, handicapant, inconvertibilité, interactivité, micro-ondes, raider, séropositif, vidéothèque.

1989
aspartame, beauf, crasher (se), défiscaliser, désindexation, désinformer, eurocentrisme, euroterrorisme, feeling, fivete, franchouillard, high-tech, husky, ludologue, mercaticien, minitéliste, parapente, rurbain, sidatique, sidéen, technopole, top niveau, zapping.

1990
Audimat, CD-Rom, CFC, délocalisation, glasnost, ISF, médiaplanning, narcodollar, numérologie, perestroïka, profitabilité, RMI, sitcom, surimi, téléachat, titrisation, transfrontalier, zoner.

1991
AZT, bifidus, CD, cliquer, concouriste, Déchetterie, démotivant, fax, dynamisant, lobbying, mal-être, multiracial, narcotrafiquant, ripou, VIH.

1992
CAC 40, confiscatoire, écologue, imprédictible, Jacuzzi, libanisation, multiconfessionnel, postcommunisme, postmoderne, rap, revisiter, tag, TVHD, vrai-faux.

1993
accréditation, biocarburant, coévolution, déremboursement, écoproduit, graffeur, hypertexte, interleukine, maximalisme, minimalisme, négationnisme, Péritel, pin's, redéfinition, saisonnalité, suicidant, transversalité.

1994
agritourisme, Air Bag, biodiversité, CD-I, cognitivisme, délocaliser, intracommunautaire, mal-vivre, monocorps, monospace, oligothérapie, prime time, rappeur, recadrer, SDF, subsidiarité, surinformation, télémarketing, télépéage, top-model.

1995
biper, ecstasy, érémiste, hard, intégriste, parapentiste, réinscriptible, soft, télépaiement, zapper.

1996
beurette, canyoning, covoiturage, écobilan, karaoké, meuf, micro-trottoir, recapitaliser, refonder, speeder, vépéciste, vidéosurveillance.

1997
autopalpation, basmati, communautarisme, cybernaute, écorecharge, élasthanne, eurosceptique, fun, internaute, keuf, manga, morphing.

1998
antiprotéase, DVD, incivilité, instrumentaliser, prébiotique, rapper, taliban, wok.

1999
cédérom, hors-média, instrumentaliser, mèl, OGM,

2000
alicament, ampliforme, booster, couillu, externalisation, fun, guignolade, praticité, remix, tex mex, verbatim.

2001
baby-boomer, best of, bibande, collector, écotaxe, harceleur(euse), malbouffe, nazillon, pacs, start-up, tchatcheur(euse), téléacteur, webcam, webmestre.

2002
ADSL, DHEA, feng shui, hébergeur, judiciarisation, MP3, néorural, netéconomie, UMTS, wap.

Idées et débats

L'art national de la polémique

Les Français aiment débattre et polémiquer. Les étrangers leur reprochent d'ailleurs souvent de privilégier la discussion à l'action. Mais la culture nationale incite à penser comme le proverbe qu'« une chose dite est une chose faite ». Les bretteurs de salon et autres amateurs de « y'a qu'à » sont prompts à désigner les responsables des « dysfonctionnements » de toute sorte et à leur trouver des solutions simples, souvent simplistes. La plupart des événements de ces deux dernières décennies ont donc été pour les Français des occasions de s'interroger sur la marche du monde et, surtout, sur celle de la France.

On peut souvent dater l'apparition des sujets de discussion collective, à l'occasion d'événements particuliers. Mais on constate que beaucoup d'entre eux sont récurrents, conséquence d'une propension à ne pas conclure et à passer à d'autres débats, inaugurés ou remis en vigueur par l'actualité. C'est ainsi que les Français ont discuté tout au long de ces années de la nocivité des aliments, des causes de la montée du chômage ou de celle de l'extrême droite. Ils ont régulièrement évoqué le rôle de l'Etat dans l'économie, la responsabilité des politiciens ou des médias sur le climat social, l'évolution de la famille ou celle du travail. Le tableau ci-contre indique les principaux débats par ordre chronologique ; les textes ci-dessous commentent les plus importants, par ordre alphabétique.

Argent

L'argent a été au centre des discussions de ces deux décennies. Héros des années 80, il est devenu de plus en plus médiatisé. Mais la transparence a favorisé le voyeurisme (l'argent des autres) et accru la frustration de ceux qui en avaient moins. L'argent a pris ainsi une place considérable dans la société. Il joue un rôle croissant dans le sport, dans le show-business et dans les médias, alimentant ainsi les conversations. Cette omniprésence a entraîné certaines dérives : corruption (Olympique de Marseille en 1993) ; dopage (Tour de France 1998) ; violence permanente dans les stades.

Conscients de l'importance de l'argent dans la vie, les Français sont pour la plupart désireux d'en gagner plus. Ils considèrent qu'il est acceptable de s'enrichir non seulement par le travail, mais aussi par l'héritage et même par

DES FAITS ET DES QUESTIONS

Chronologie des principaux événements ayant été l'objet de débats ou de polémiques depuis 1980

1980

Crise du veau aux hormones : *peut-on avoir confiance dans les aliments ?*

1981

Arrivée de la gauche au pouvoir : *l'alternance est-elle souhaitable ?* ◆ *Les communistes peuvent-ils gouverner avec la gauche ?*

1982

Plan de relance économique : *la gauche peut-elle gérer l'économie, la rigueur est-elle nécessaire ?* ◆ Amandine, premier bébé-éprouvette : *la procréation médicalement assistée est-elle un progrès ou un risque ?* ◆ Semaine de 39 heures, cinquième semaine de congés payés, retraite à 60 ans : *le travail est-il une contrainte ou un moyen d'épanouissement ?*

1983

Percée de Jean-Pierre Stirbois à Dreux : *pourquoi l'extrême droite se développe-t-elle en France ?*

1984

Affaire Villemin : *la mère est-elle coupable ?*◆ Manifestations de soutien à l'école privée : *qu'est-ce que l'école laïque ?*

1985

Crise de la vache folle : *peut-on manger du bœuf ?* ◆ Montée du sida : *la maladie est-elle un cancer gay ?* ◆ Concert de SOS Racisme place de la Concorde : *la cohabitation avec les immigrés est-elle possible ?*

1986

Catastrophe de Tchernobyl : *le nuage radioactif est-il dangereux pour la santé des Français ?* ◆ Première cohabitation politique : *opportunité d'union nationale ou paralysie institutionnelle ?* ◆ Colonnes de Buren (Palais-Royal) : *l'art officiel a-t-il encore sa place ?*

1987

Procès de Klaus Barbie : *faut-il réécrire l'histoire de la Seconde Guerre mondiale ?*

1988
Création du RMI : *revenu minimum ou aide à l'insertion ?*

1989
Chute du mur de Berlin : *va-t-on vers la fin de l'Histoire ?*

1990
Loi d'amnistie : *les politiciens sont-ils intouchables ?* ◆ Profanation du cimetière de Carpentras : *les Français sont-ils antisémites ?*

1991
Guerre du Golfe : *la France doit-elle participer ?* ◆ Affaire Urba : les politiciens sont-ils corrompus ? ◆ Edith Cresson nommée Premier ministre : *une femme peut-elle gouverner la France ?*

1992
Affaire du sang contaminé : *qui savait quoi ?* ◆ Traité de Maastricht : *la souveraineté française est-elle menacée par l'Europe ?*

1993
Suicide de Pierre Bérégovoy : *quelle responsabilité pour les médias ?* ◆ 3 millions de chômeurs : *comment en finir avec le chômage structurel ?* ◆ Réforme des retraites du secteur privé : *peut-on toucher à la retraite des fonctionnaires ?*

1994
Paul Touvier : *faut-il faire la lumière sur le passé ?* ◆ Affaire du voile islamique à l'école : *qu'est-ce que la laïcité ?*

1995
Manifestations de décembre : *peut-on réformer le service public en France ?* ◆ Election de Jacques Chirac : les Guignols de l'Info *ont-ils une part de responsabilité ?*

1996
Vache folle : *faut-il arrêter de manger du bœuf ?* ◆ Clonage de la brebis Dolly : *le clonage humain est-il acceptable ?* ◆ Scandale de l'amiante : *l'Etat connaissait-il les risques ?* ◆ Naufrage de l'*Erica* : *les pollueurs doivent-ils être les payeurs ?* ◆ Expulsion des sans-papiers de l'église Saint-Bernard : *faut-il régulariser la situation des immigrés clandestins ?*

le jeu (dont l'importance s'est accrue au cours de ces années avec les jeux vidéo, les jeux instantanés ou les jeux télévisés). Mais d'autres estiment que le fait d'avoir plus d'argent crée plus de contraintes et d'insatisfactions. La possession des objets de la modernité est une course sans fin, une fuite en avant. Elle est un moyen de se donner le vertige afin d'éviter de se trouver face à soi-même. La société de consommation, née dans les années 60, tend peu à peu à se transformer en société de consolation.

Vingt ans de publicité : 1987

Chômage

Le débat sur la sécurité (voir ci-après) est sans doute le plus transversal et le plus révélateur des deux décennies passées. Il a d'abord concerné la sécurité de l'emploi, avec la montée lancinante du chômage et l'incapacité du système économique et politique de l'enrayer. Le nombre des chômeurs atteignait 1,5 million au début de 1981, puis 2 millions en 1983 ; le cap des 3 millions était officiellement franchi en 1993. La hausse se poursuivait au cours des années 90 jusqu'à l'embellie économique de 1998, suivie d'une rechute en 2001. Avec le chômage se développait la préoccupation à l'égard de l'exclusion sociale, visible à travers l'augmentation du nombre des personnes sans domicile fixe et des allocataires du RMI (Revenu minimum d'insertion créé fin 1988).

Cohabitation

Le débat sur la cohabitation s'est instauré en 1986, date de sa première occurrence au cours de la Vᵉ République.

D'abord institutionnel (quel rôle pour le président de la République lorsqu'il est dans l'opposition ?), il prit un tour plus polémique lorsque François Mitterrand refusa de signer les ordonnances de privatisation.

Les Français, séduits par la perspective d'une réconciliation idéologique, provoquèrent deux nouvelles expériences, en 1993 et en 1997. Ils finirent par se convaincre de leur naïveté et donnèrent une large majorité à Jacques Chirac en juin 2002, après une élection présidentielle plus que mouvementée. Dès 2001, le référendum sur le quinquennat avait été présenté comme un obstacle aux futures cohabitations.

Corse

Le débat sur la Corse a traversé les deux décennies. En 1981, François Mitterrand reconnaissait la nécessité d'un « statut particulier ». L'année suivante, le projet de loi examiné en Conseil d'Etat (élection à la proportionnelle intégrale pour les conseillers régionaux, loi d'amnistie pour les autonomistes) suscitait l'indignation de Jean-Pierre Chevènement et de Claude Cheysson. Les attentats reprenaient en 1989 et les discussions sur la reconnaissance d'un « peuple corse » s'engageaient en 1990. En 1991, le Conseil constitutionnel jugeait cette notion anticonstitutionnelle. En 1998, le préfet Claude Erignac était assassiné ; son ou ses assassins courent toujours. L'affaire des paillotes construites illégalement éclatait en 1999 ; elle allait provoquer l'inculpation du préfet Bonnet et de nouvelles vagues d'attentats.

Environnement

Le débat sur la sécurité concerne aussi celle de la planète, avec la montée de l'environnementalisme et de l'écologie. Le parti des Verts était créé en 1984 ; il obtenait 11 % des voix aux élections européennes de 1999. Comment protéger la nature (animaux, végétaux), menacée par la présence et l'activité humaine ? De cette interrogation est née une méfiance croissante à l'égard du progrès technique, fortement amplifiée par la catastrophe de Tchernobyl (1986) et d'autres comme le naufrage de *l'Erica* (1996).

Les craintes des Français ne concernent pas seulement les autres espèces ; elles s'appliquent aussi à l'espèce humaine. La naissance d'Amandine, premier bébé-éprouvette (1982), fut suivie en 1983 de la création du Comité national de bioéthique, chargé d'anticiper les problèmes mo-

1997

Mort de Lady Di : *complot ou accident ?* ◆ Mort de Jeanne Calment : *est-il souhaitable de vivre le plus longtemps possible ?* ◆ Procès de Maurice Papon : *faut-il réécrire l'histoire de France ?*

1998

Assassinat du préfet Erignac : *la loi républicaine est-elle appliquée en Corse ?* ◆ Autorisation de la culture du maïs transgénique : *faut-il interdire les organismes génétiquement modifiés ?* ◆ Dopage au Tour de France : *le sport est-il corrompu par l'argent ?*

1999

Guerre du Kosovo : *la France doit-elle participer ?* ◆ Incendie des paillotes corses : *le préfet Bonnet a-t-il donné l'ordre ?* ◆ Saccage du McDonald's de Millau par la Confédération paysanne : *la mondialisation est-elle responsable de la « malbouffe » ?* ◆ Tempête de décembre : *que font les compagnies d'assurances ?* ◆ Passage à l'an 2000 : *le bogue informatique aura-t-il lieu ?* ◆ Poulets à la dioxine : *peut-on manger de la volaille ?* ◆ Adoption du pacs : *les homosexuels peuvent-ils fonder une famille ?* ◆ Polémique sur les OGM (organismes génétiquement modifiés) : *y a-t-il un risque pour l'homme et pour l'environnement ?*

2000

Préparation du passage à l'euro : *les Français vont-ils accepter la nouvelle monnaie ?* ◆ Loi sur la parité hommes-femmes aux élections : *faut-il instaurer des quotas ?* ◆ Fièvre aphteuse : *peut-on manger de la viande ?* Passage aux 35 heures : *la RTT fera-t-elle baisser le chômage ?* ◆ Affaires de harcèlement : *comment éviter le harcèlement, moral ou sexuel, dans l'entreprise ?*

2001

Référendum sur le quinquennat : *la réduction du mandat présidentiel évitera-t-elle la cohabitation ?* ◆ Autorisation de la DHEA : *l'hormone de jouvence existe-t-elle ?* ◆ Procès du général Aussaresses : *la France a-t-elle torturé en Algérie ?* ◆ Révélations de médecins sur des pratiques d'euthanasie : *peut-on aider une personne à mourir ?*

Rétroscopie

2002

Affaire Didier Schuler : *les politiciens sont-ils corrompus ?* ◆ Jean-Marie Le Pen présent au second tour de l'élection présidentielle : *quelle responsabilité de la part des médias et des instituts de sondage ?* ◆ Démission du juge Halphen : *les responsables politiques sont-ils au-dessus des lois ?* ◆ Les Bleus éliminés de la Coupe du monde de football : *l'argent tue-t-il la motivation* ?

Et aussi...

L'accès à la santé est-il égalitaire ?◆ L'exception culturelle française est-elle condamnée ?◆ La famille est-elle une valeur dépassée ?◆ Peut-on tout montrer dans la publicité (même question à propos des films et des médias) ?◆ Les Français sont-ils plus mobiles ?◆ Faut-il empêcher les voitures de circuler dans les villes ?◆ Les femmes vont-elles transformer la société ?◆ Faut-il supprimer les privilèges des fonctionnaires ?◆ Les entreprises s'intéressent-elles davantage à leurs actionnaires qu'à leurs salariés ?◆ Faut-il baisser les impôts ?◆ Faut-il instaurer des quotas pour les « minorités visibles » ?◆ Internet a-t-il de l'avenir ?

raux posés par les possibles applications de la science, particulièrement dans les domaines de la procréation et de l'expérimentation sur l'être humain. La naissance de Dolly, premier animal cloné (1996), eut des effets semblables, comme le décryptage du génome humain (2001).

Etat

Depuis vingt ans, les débats sur les institutions et sur les fonctions de l'Etat sont récurrents. Le choix des nationalisations, considéré comme le « socle du changement » par les socialistes au cours des premières années (alors que le Royaume-Uni engageait la privatisation), allait peu à peu perdre sa dimension dogmatique. Il en est de même de l'attitude à l'égard de la décentralisation, relancée dès 1982. En 1984, le projet de Jack Lang d'intégrer l'enseignement privé dans un « service public unifié et laïc » provoquait des manifestations massives. Le mouvement fut encore plus fort (et plus long) en décembre 1995, en réaction au projet de réforme de la Sécurité sociale présenté par Alain Juppé. Une fois de plus, la question posée consistait à savoir s'il est possible de réformer le service public en France.

Les interrogations sur le rôle de l'Etat sont apparues dans d'autres domaines : pertinence du choix du nucléaire en termes de dissuasion (les derniers essais réalisés dans le Pacifique en 1996 avaient été cependant davantage discutés à l'étranger qu'en France) ; responsabilités dans l'affaire du sang contaminé (1991), dans le scandale de l'amiante (1996), ou même dans la tempête de décembre 1999. La participation française à la guerre du Golfe, en 1991, avait surtout fait l'objet de discussions entre intellectuels, comme celle du Kosovo (1999). Dans un genre moins dramatique, le rôle de l'Etat en matière de « grands travaux » fut largement débattu à la fin des années 80, avec l'inauguration par François Mitterrand de la pyramide du Louvre (1989), de l'Opéra Bastille (1990)ou de la Grande Arche de la Défense (1989).

Europe

Depuis le traité de Rome, la construction européenne est l'objet de grands espoirs et de nombreuses incertitudes. Les interrogations, mises en évidence par les traités de Maastricht (1992) et d'Amsterdam (1997), se sont focalisées sur la perte de souveraineté des Etats en matière économique, juridique ou sociale, les effets de l'européanisation sur l'identité nationale ou régionale. Elles concernent aussi plus récemment les perspectives d'avenir. Doit-on élargir le groupe des quinze à des pays différents et moins riches ? La structure appropriée est-elle celle d'une fédération d'Etats-nations ? L'Europe doit-elle se doter d'une défense commune ? Paradoxalement, la mise en place de l'euro (1999 pour la monnaie scripturale, 2002 pour la monnaie fiduciaire) n'a guère été critiquée par les adversaires de l'Europe.

Extrême droite

Négligeable à l'élection présidentielle de 1975 (0,75 %), le score de Jean-Marie Le Pen atteignait 14,4 % à celle de 1988, 15 % à celle de 1995 et 19,2 % à celle de 2002, ce qui assurait sa présence au second tour au détriment de Lionel Jospin. En septembre 1983, Jean-Pierre Stirbois avait obtenu 17,6 % des voix lors d'une municipale partielle. Depuis, plusieurs municipalités du sud de la France, comme Vitrolles, étaient même passées, provisoirement, au Front national.

Politiciens, journalistes, intellectuels et citoyens s'interrogent toujours sur les causes de cette montée et sur la place qu'il faut accorder à un parti dont les idées sont an-

tirépublicaines, mais qui représente aujourd'hui près d'un électeur sur cinq (mais un Français sur huit). D'autant que son leader, dont l'image dans l'opinion est la plus mauvaise de tous les politiciens, réalise régulièrement des records d'audience. Mais c'est peut-être à cause de ses fréquents dérapages, qui ajoutent du piment à ses interventions, tant elles sont parfois choquantes. En septembre 1987, Le Pen déclarait ainsi au Grand Jury RTL-*le Monde* que les chambres à gaz sont « un point de détail de l'histoire de la Seconde Guerre mondiale ».

En 1998, l'implosion du Front national et la sécession de Bruno Mégret n'a que provisoirement affaibli l'extrême droite. Le séisme du 21 avril 2002 (premier tour de l'élection présidentielle) a fait descendre les Français dans la rue et déclenché un grand sursaut républicain.

Vingt ans de publicité : 2001

France

Les antimondialistes s'élèvent contre ce qui leur paraît être une homogénéisation des cultures, au détriment des « exceptions françaises » apparentes dans de nombreux domaines : cinéma ; musique ; littérature ; produits alimentaires ; pratiques de loisirs ; langage, etc.

Les guerres dans lesquelles la France s'est impliquée (Irak en 1991, Kosovo en 1999) et les actes terroristes perpétrés sur le territoire national (1980, 1982, 1986...) et dans d'autres pays développés (Irlande, Etats-Unis, Italie, Israël...) ont ravivé les craintes et les discussions sur la vulnérabilité des démocraties et sur la place de la France dans le monde. Les attentats du 11 septembre 2001 ont provoqué chez la plupart des Français une compassion à l'égard des Américains, mais chez certains une détérioration de l'image des Etats-Unis.

Homosexualité

L'image de l'homosexualité s'est totalement transformée en vingt ans. Au début des années 80, le sida était qualifié de « cancer gay » et les homosexuels clairement désignés comme population à risque ; certains Français affirmaient même que cette communauté était victime d'une colère céleste destinée à leur faire expier leur faute. Fin 1999, l'adoption du pacs (pacte civil de solidarité) autorisait deux personnes majeures de sexe identique, non apparentées et vivant ensemble à institutionnaliser leur union hors du mariage. Si certains Français voient dans cette évolution une menace pour la famille nucléaire traditionnelle, la majorité d'entre eux y est favorable.

Entre ces deux dates, l'évolution des mœurs a été spectaculaire. L'homosexualité a été dépénalisée, à partir du moment où elle est le fait d'adultes consentants. La notion de « normalité » s'est considérablement élargie, comme celle de couple ou de famille. Ces changements ont sans doute été favorisés par l'activisme de la communauté homosexuelle et par les relais dont elle dispose dans le monde des médias et des leaders d'opinion en général (intellectuels, artistes, créateurs...). Ils illustrent en tout cas le mouvement général de tolérance qui a accompagné ces deux décennies.

Insécurité

Le débat sur la sécurité est transversal à la société. Il concerne en particulier celle des personnes et des biens, menacée par l'accroissement spectaculaire de la délinquance : le nombre de délits pour mille habitants est ainsi passé de 45 en 1980 à plus de 60 en 2000. Cette insécurité, réellement subie par certains ou seulement ressentie et redoutée par les autres, est l'un des principaux facteurs de la désaffection croissante des Français à l'égard du monde politique (à l'exception du Front national qui en a fait son fonds de commerce).

En 1980, le projet de loi présenté par Alain Peyreffitte pour « renforcer la sécurité et garantir la liberté des personnes » avait provoqué un tollé. En 2002, les Français sont au contraire demandeurs de plus de sévérité et le gouvernement Raffarin s'est engagé dans ce sens. Dans le même temps, le débat sur l'abolition de la peine de mort,

décidée en 1981, n'est pas définitivement tranché dans l'esprit de nombreux Français.

Maladie

Le débat général sur la sécurité a aussi une dimension sanitaire, qui s'est manifestée de façon évidente avec l'identification du virus du sida, dès 1981, et la montée de la contamination à partir de 1985. Elle a provoqué des craintes individuelles à l'égard de la sexualité, mais aussi collectives, avec la stigmatisation des groupes à risque (drogués et homosexuels).

La peur sanitaire s'est aussi beaucoup développée en matière alimentaire, avec la succession des crises : veau aux hormones (1980) ; premier épisode de la « vache folle » (1985) ; contamination à la suite de la catastrophe de Tchernobyl (1986) ; autorisation, puis suppression de la culture du maïs transgénique (1997) ; poulets à la dioxine (1999) ; fièvre aphteuse (2000). L'une des conséquences de ces crises est le débat sur la « malbouffe », entretenu notamment par les opposants à la mondialisation.

Enfin, la peur sanitaire a été renforcée par la montée du stress et des « maladies de société » : mal de tête ; mal de dos ; insomnie ; anxiété ; dépression. Les maladies d'origine psychologique se sont étendues dans un climat d'inquiétude et de mal-être, tant dans la vie professionnelle que familiale ou sociale.

Médias

Le poids des médias dans la formation des opinions et dans le changement social resurgit périodiquement. On l'a vu par exemple lors de l'affaire du sang contaminé (1992), du suicide de Pierre Bérégovoy (1993) ou de l'élection présidentielle de 2002. Chaque élection s'accompagne ainsi d'un débat sur la fiabilité et l'utilité des sondages (qui n'avaient pas prévu la victoire de Jacques Chirac en 1995, ni la défaite de Lionel Jospin en 2002). Elle met aussi en cause l'influence de ceux qui tournent la politique en dérision comme *les Guignols de l'Info* de Canal Plus.

Les médias nourrissent aussi périodiquement des débats sur le passé. Il leur arrive d'idéaliser celui-ci, en jouant sur les tendances régressives ou nostalgiques (chansons, objets, images des décennies passées). Ils peuvent aussi mettre en cause le passé en provoquant des réflexions sur l'Histoire. La médiatisation des procès de Klaus Barbie (1987), de René Bousquet (1991) et de Maurice Papon (1997) a ainsi été l'occasion d'un retour sur une période douloureuse. Il en est de même du débat sur la torture en Algérie, relancé par les révélations du général Aussaresses (2001).

Dans un autre registre, les médias se sont aussi intéressés au passé de certains grands acteurs politiques, comme François Mitterrand (son flirt avec l'extrême droite) ou de Lionel Jospin (son passé trotskiste).

Enfin, les médias sont au centre d'une polémique permanente sur leur influence dans de nombreux domaines. On lui reproche ainsi régulièrement de jouer un rôle d'incitation à la violence ou dans la promotion de la pornographie. Elle est de plus en plus souvent mise en accusation dans le développement du voyeurisme lié à la multiplication des émissions de « télé-réalité ».

Minorités

Parmi les thèmes de société débattus au cours de ces années, celui de la tolérance à l'égard des minorités a été l'un des plus récurrents. En 1985, le concert de SOS Racisme attirait 300 000 personnes, mais des tombes juives étaient profanées à Carpentras en 1990. Les beurs et les immigrés ont été l'objet d'une compréhension croissante, mais on a assisté à la « ghettoïsation » des banlieues françaises. L'attitude face au foulard islamique a divisé les Français en 1990, comme en 1996 l'expulsion des sans-papiers de l'église Saint-Bernard à Paris. Le mur du silence à l'égard de la pédophilie a commencé à se fissurer, notamment dans le monde religieux ou enseignant. Les homosexuels ont bénéficié d'une véritable reconnaissance (voir ci-dessus).

Mondialisation

Parallèlement au débat sur la construction européenne s'est déroulé celui concernant la mondialisation, appelée aussi globalisation. Sa dimension économique était illustrée par le développement des entreprises multinationales au moyen des fusions-acquisitions (LVMH, Total-Fina-Elf, Vivendi-Universal). En même temps montait l'interrogation sur le pouvoir des actionnaires, jugé parfois contraire à celui des salariés, des clients, des citoyens et même des Etats.

La dimension idéologique du débat a connu une étape majeure après la chute du mur de Berlin (1989). La théorie de la « fin de l'Histoire » proposée par l'Américain Francis Fukuyama suivait celle de « la fin des idéologies », développée depuis les années 70. La fracture Est-Ouest était

remplacée par une autre, séparant le Nord (pays développés) et le Sud (pays en développement). La mondialisation en cours annonçait la victoire du capitalisme sur le communisme, celle de l'économique sur le social et sur le politique.

Les antimondialistes se sont structurés à partir de la fin des années 90. Emmenés en France par José Bové (leader de la Confédération paysanne), ils s'en sont pris au symbole McDonald's (août 1999) et aux cultures expérimentales de maïs transgénique. Ils ont manifesté à Seattle, à Davos ou à Puerto Seguro, s'opposant à l'OMC (Organisation mondiale du commerce) et réclamant la taxation des flux de capitaux (taxe Tobin).

Chanel N°5 2000 "LaSirène" Estella Warren vue par Jean-Paul Goude

Vingt ans de publicité : 2000

Nouvelle économie

La persistance d'une croissance sans inflation aux Etats-Unis a nourri entre 1997 et 1999 le débat sur le développement d'une « nouvelle économie ». Les modèles économiques traditionnels étaient-ils dépassés ? Allait-on connaître un nouveau type de développement, avec des cycles de croissance plus longs grâce aux gains de productivité réalisés avec les nouvelles technologies de l'information et de la communication ? Les sceptiques sortirent vainqueurs de la confrontation, après l'éclatement des bulles spéculatives financières, la faillite de nombreuses *start-up* et la réapparition de la crise en Asie, aux Etats-Unis et en Europe.

Politiciens

Au fil des années, les Français se sont éloignés de la politique et des politiciens. De nombreuses « affaires » ont contribué à cet éloignement, notamment dans les années 90 : sang contaminé (1991) ; Urba (1991) ; incendie de paillotes corses (1999) ; mise en accusation de Bernard Tapie pour abus de biens sociaux (1992) ; affaire Didier Schuler (2002) ; scandale de l'amiante (1996)... Beaucoup de citoyens et de magistrats se sont inquiétés de l'« intouchabilité » de certains hommes politiques concernés. Ils se sont indignés de la loi d'amnistie (avril 1990) qui suivit l'affaire Nucci (ministre de la Coopération inculpé d'un détournement de fonds dans le cadre de l'association Carrefour du développement). En 2002, le juge Halphen démissionnait, dénonçant les difficultés de faire avancer certains dossiers sensibles.

La montée de l'abstentionnisme est l'une des conséquences de cette disparition de la confiance à l'égard de la politique : 20,3 % des électeurs n'ont pas voté au second tour des présidentielles de 2002, contre 14 % à celles de 1981. Ce comportement est le symptôme d'un malaise social entretenu par l'incapacité des institutions et des politiciens à résoudre les grands problèmes de l'époque, en particulier le chômage. Il s'est accompagné d'une revendication d'égalité totale entre les hommes et les femmes. La nomination d'Edith Cresson au poste de Premier ministre en 1991, celle de femmes ministres dans les différents gouvernements et la loi sur la parité (2000) sont quelques-unes des réponses apportées.

Politique

Le débat politique de ces deux dernières décennies fut d'abord nourri par le retour de la gauche au pouvoir en 1981, une alternance qui mettait fin à vingt-trois années d'absence. La gauche allait progressivement reconnaître l'économie de marché et la notion de profit, tout en intégrant les communistes dans sa « majorité plurielle ».

Le débat sur la montée de l'extrême droite a accompagné toutes ces années à partir de 1983 et il constitue sans doute l'un des éléments majeurs dans l'évolution de la

sensibilité politique des Français (voir p.37). Avec la montée de l'extrême gauche et, dans une moindre mesure, celle de l'écologie, il représente le contrepoint au déclin du parti communiste et l'une de ses causes.

Certains thèmes de débat sont apparus au sein d'un même bord politique. La gauche, poussée par son aile réformatrice et « moderne », s'est ainsi interrogée à plusieurs reprises sur la distinction entre égalité et équité.

Travail

La réduction du temps de travail a été un autre thème récurrent de débat. La durée hebdomadaire était réduite à 39 heures en 1982, puis à 35 heures à partir de 1999. Une cinquième semaine de congés payés était accordée aux salariés en 1982. En même temps, l'âge de la retraite était fixé à 60 ans, mais il allait être retardé pour les actifs du secteur privé avec l'augmentation progressive du nombre de trimestres de cotisation nécessaires (1993). Le temps libre est ainsi devenu beaucoup plus abondant que le temps de travail. Le droit au loisir est d'ailleurs mieux satisfait que celui à l'emploi.

Pourtant, les Français s'interrogent aujourd'hui sur l'usage du temps ainsi « libéré ». Beaucoup ont le sentiment d'avoir accru en contrepartie leur niveau de stress dans la vie professionnelle. D'autres se demandent si le travail n'a pas été dévalorisé au profit du loisir et si l'on n'a pas oublié que l'exercice d'une activité professionnelle est depuis toujours un moyen de donner un sens à la vie.

Vieillissement

Le débat sur le vieillissement est né de la prise de conscience de l'allongement de l'espérance de vie (cinq ans en vingt ans), dont Jeanne Calment (décédée en 1997 à 122 ans) fut le symbole et qui est aussi la conséquence d'un recul de la natalité. Si les Français vivent de plus en plus vieux, ils veulent aussi rester jeunes plus longtemps. C'est pourquoi ils cherchent à entretenir leur corps (alimentation, exercice physique), à effacer leurs rides et leurs défauts physiques (soins cosmétiques, chirurgie esthétique). Ils sont encouragés dans leurs efforts par les fabricants et les promesses des scientifiques, qui estiment que l'on pourra encore repousser l'échéance ultime. L'autorisation de la prescription et de la mise en vente de la DHEA, en 2001, est symbolique de cette lutte contre l'âge et contre la mort.

L'allongement de l'espérance de vie aura de nombreuses conséquences sur la vie collective et individuelle. Les enfants qui naissent aujourd'hui pourront ainsi connaître leurs arrrière-grands-parents et leurs arrière-petits-enfants, soit sept générations. Mais le vieillissement se traduira aussi par des déséquilibres croissants en matière de taux d'activité et de financement. Le débat sur l'avenir de la santé et sur le financement des retraites a lui aussi traversé les décennies. Mais il a été souvent escamoté par les politiciens, qui se sont le plus souvent contentés de faire des rapports, laissant à leurs successeurs le soin de trouver les solutions, forcément impopulaires.

Opinions et valeurs

Les baromètres des mentalités

Les débats qui ont eu lieu dans la société française depuis le début des années 80 (voir pages précédentes) ont accompagné la transformation, progressive ou brutale, des mentalités. Ils sont aussi l'une des causes principales de leur évolution. C'est en effet en écoutant les arguments des uns et des autres et en les faisant passer par le prisme de ses caractéristiques personnelles et de son expérience de la vie que chacun se forge un système de valeurs et qu'il le modifie en permanence.

On trouvera ci-après une synthèse quantitative de l'évolution de leurs opinions dans les principaux domaines de la vie personnelle, familiale, professionnelle et sociale. Elle reprend une sélection de 16 baromètres, présentés sous la forme de graphiques ou de tableaux.

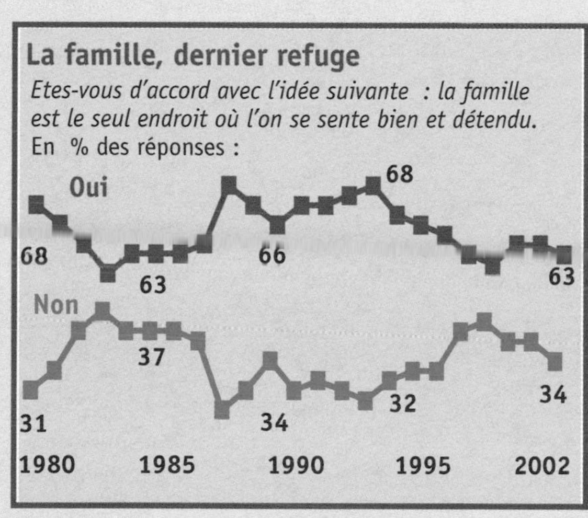

Crédoc

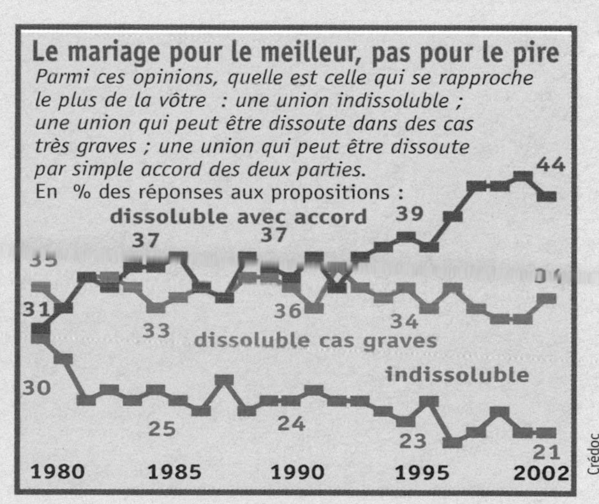

Crédoc

Une impression de baisse du niveau de vie collectif...

En ce qui concerne le niveau de vie de l'ensemble des Français, diriez-vous que, depuis une dizaine d'années, ça va : beaucoup mieux, un peu mieux, c'est pareil, un peu moins bien, beaucoup moins bien ? En % des réponses « mieux », « moins bien », « pareil » :

45
31
16
65 moins bien
48
78
30
28
21
17
14
28
20
pareil
13
mieux
9
1980 1985 1990 1995 2002

Crédoc

... mais de hausse au niveau individuel

En ce qui concerne votre niveau de vie, diriez-vous que, depuis une dizaine d'années, ça va : beaucoup mieux, un peu mieux, c'est pareil, un peu moins bien, beaucoup moins bien ? En % de réponses « mieux », « moins bien », « pareil » :

45
28
26
48
moins bien
43
34
34
29
pareil
30
25
24
27
mieux
35
34
30
1980 1985 1990 1995 2002

Crédoc

Rétroscopie

Plus d'exigences à l'égard du travail

Parmi ces critères qui peuvent être considérés comme importants pour un emploi ou une activité professionnelle, quels sont ceux qui vous paraissent importants personnellement ? En % des réponses positives :

	1981	1990	1999
On gagne bien sa vie	53	54	69
L'ambiance de travail est bonne	50	53	66
On peut espérer une promotion	19	25	31
L'horaire est satisfaisant	27	26	35
Cela permet de rencontrer des gens	33	39	41
C'est un travail qui donne l'impression de réussir quelque chose	30	42	48
Ce que l'on fait est intéressant	53	59	61
On a des responsabilités	38	53	46

Research International

Un moindre sentiment d'appartenance de classe

Avez-vous le sentiment d'appartenir à une classe sociale ? En % des réponses :

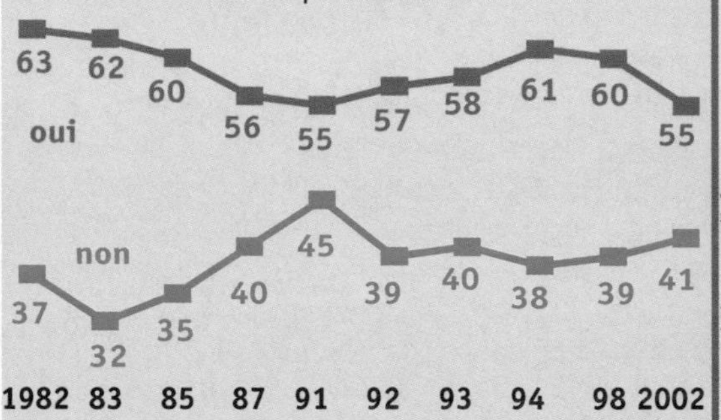

Le Nouvel Observateur/Sofres

Une société qui doit se transformer

Estimez-vous que la société française a besoin de se transformer profondément ?
En % des réponses « oui » et « non » :

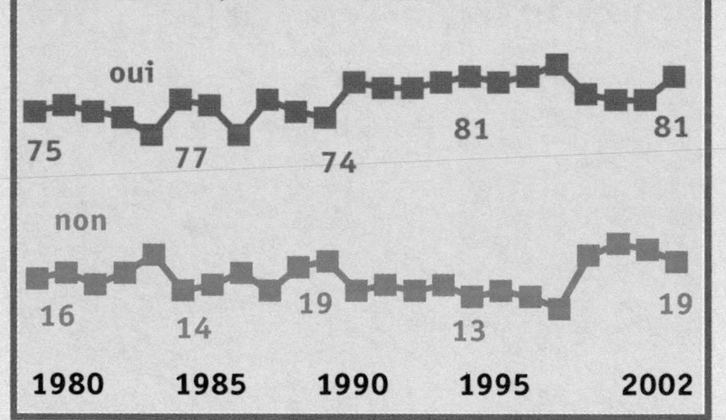

Crédoc

Un rejet massif de la classe politique

A votre avis, dans l'ensemble, les hommes politiques se préoccupent-ils de ce que pensent les gens comme vous : beaucoup, un peu, très peu, pratiquement pas ?
En % des réponses « beaucoup » plus « un peu » et « très peu » plus « pratiquement pas » :

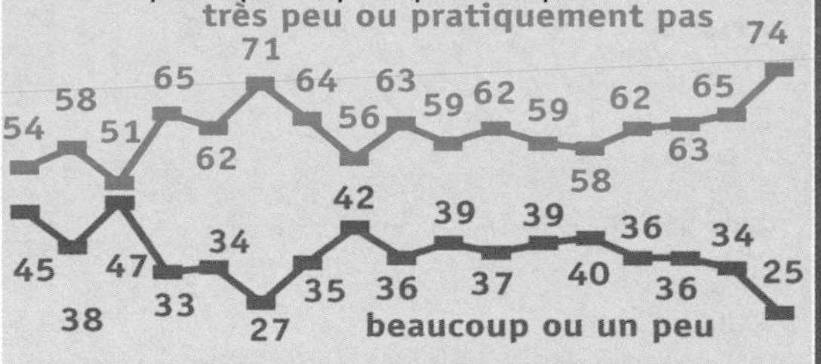

Le Nouvel Observateur/Sofres

Un clivage gauche-droite dépassé

Avec laquelle de ces deux opinions êtes-vous le plus d'accord : les notions de droite et de gauche sont dépassées, ce n'est plus comme cela que l'on peut juger les prises de position ; les notions de droite et de gauche sont toujours valables pour comprendre les prises de positions des partis et des hommes politiques ? En % des réponses :

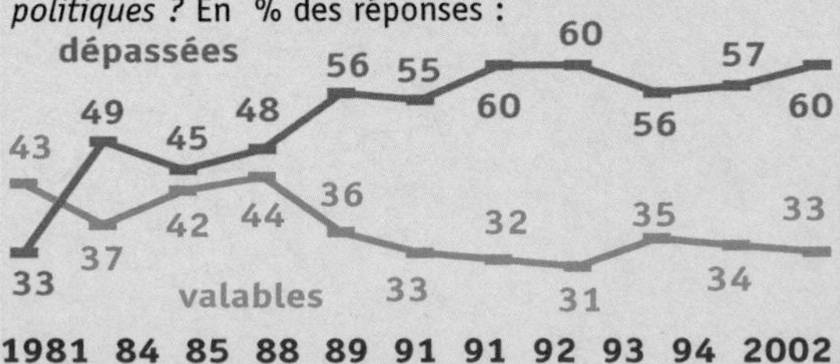

Le Nouvel Observateur/Sofres

Une volonté d'intégrer les immigrés

Souhaitez-vous que dans les prochaines années, on favorise en priorité : l'intégration dans notre société des immigrés qui vivent actuellement en France ; le départ d'un grand nombre d'immigrés qui vivent actuellement en France ? En % des réponses à chaque proposition :

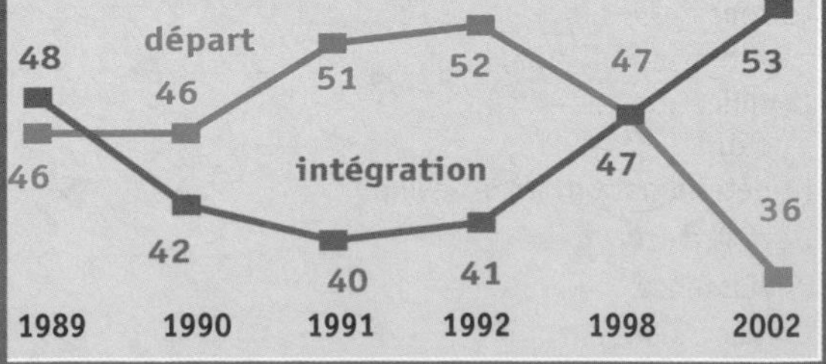

Le Nouvel Observateur/Sofres

Une justice mal jugée...

Etant donné ce que vous connaissez de la justice, comment pensez-vous qu'elle fonctionne en France aujourd'hui : très bien, assez bien, assez mal, très mal ? En % des réponses « mal » (« assez mal » plus « très mal ») et « bien » (« très bien » plus « assez bien ») :

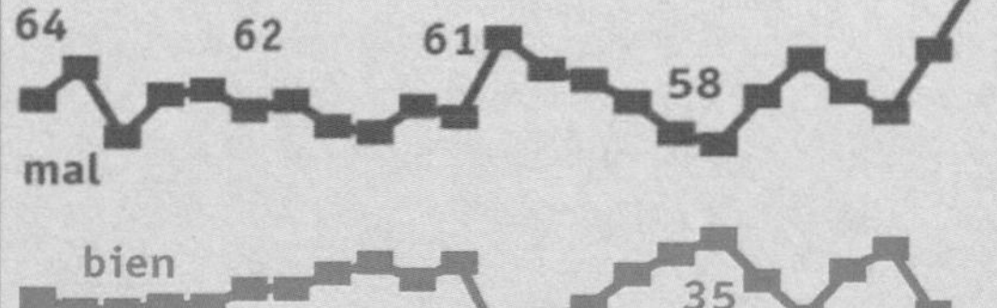

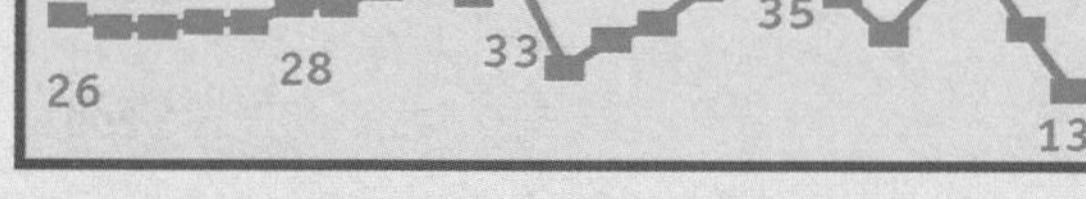

Crédoc

... mais une hostilité marquée à la peine de mort

Etes-vous favorable ou opposé au rétablissement de la peine de mort ? En % des réponses :

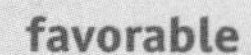

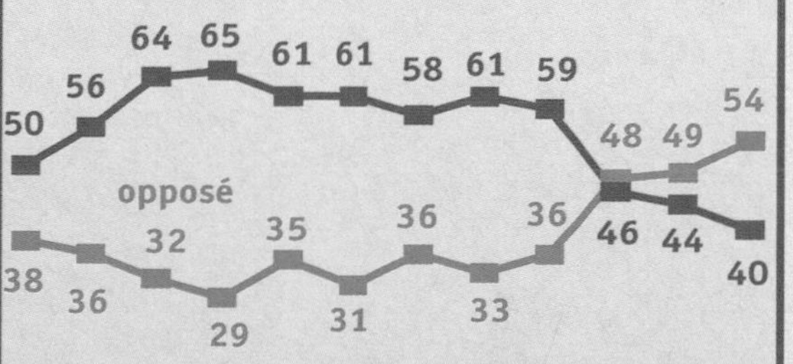

Le Nouvel Observateur/Sofres

La religion de moins en moins présente

Considérez-vous que vous appartenez à une religion ? Si oui, laquelle ? En % des réponses :

	1981	1990	1999
Catholique	71	58	54
Protestante	2	1	1
Musulmane	1	1	1
Juive	0	0	0
Hindoue	0	0	0
Bouddhiste	0	0	0
Autre	0	1	1
Aucune	25	38	43
Ne se prononcent pas	1	1	0

Research International

Une science qui n'est plus synonyme de progrès

Dans quelle mesure les découvertes scientifiques et leur utilisation vous paraissent-elles conduire à une amélioration de votre vie quotidienne ? En % des réponses « un peu », « beaucoup », « pas du tout » :

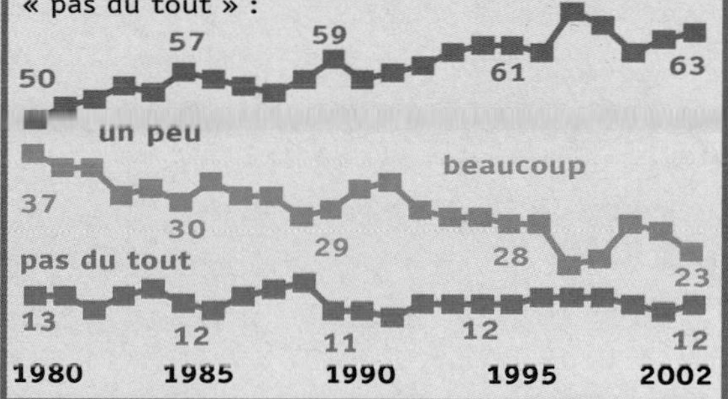

Crédoc

Des valeurs à préserver

Voici une liste de qualités que les parents peuvent chercher à encourager chez leurs enfants. Voulez-vous me citer celles que vous considérez comme particulièrement importantes ? En % des réponses :

	1981	1990	1999
La tolérance et le respect des autres	59	78	85
Le sens des responsabilités	39	71	73
Les bonnes manières	21	53	68
L'application au travail	36	53	50
La générosité	22	40	41
La détermination, la persévérance	18	39	39
L'esprit d'économie	54	36	37
L'obéissance	18	-	36
L'indépendance	16	27	29

Research International

Une liberté surveillée pour les entreprises

Pour faire face aux difficultés économiques, pensez-vous qu'il faut faire confiance aux entreprises et leur donner plus de liberté ou qu'il faut au contraire que l'Etat les contrôle et les réglemente étroitement ? En % des réponses :

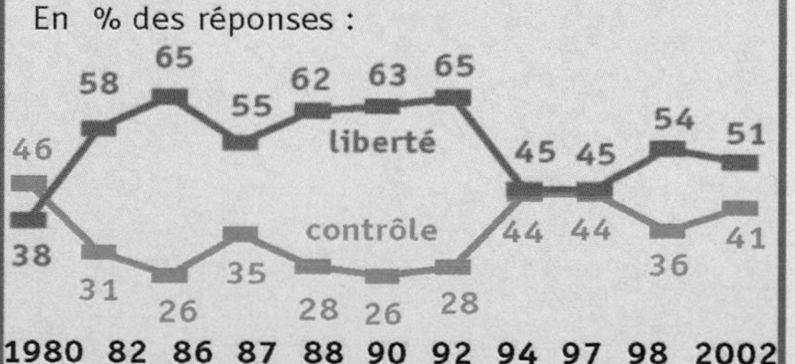

Le Nouvel Observateur/Sofres

Héros et personnages

PERSONNALITÉS

N.B. Cette liste n'indique pas les personnalités préférées des Français, mais celles qui ont joué un rôle « marquant » depuis une vingtaine d'années (avec la part de subjectivité que cela implique). Elles sont classées ci-après par domaine et par ordre alphabétique.

Politique

Martine Aubry
Raymond Barre
Jean-Pierre Chevènement
Jacques Chirac
Jacques Delors
Laurent Fabius
Valéry Giscard d'Estaing
Lionel Jospin
Alain Juppé
Arlette Laguiller
Jack Lang
Jean-Marie Le Pen
François Mitterrand
Michel Rocard

Syndicalisme

Marc Blondel
José Bové
Nicole Notat

Economie

Bernard Arnault
Claude Bébéar
Jean-Luc Lagardère
Jean-Marie Messier
François Pinaut
Bernard Tapie

Sport

Florence Arthaud
Eric Cantonna
David Douillet
Bernard Hinault

➜

Politiciens : connus mais critiqués

De nombreux hommes et femmes politiques bénéficient d'une forte notoriété, qui était dans la plupart des cas déjà acquise au début des années 80. Mais leur engagement idéologique leur interdit par principe de faire l'unanimité dans l'opinion. De plus, dans un pays historiquement doté d'un Etat omniprésent et omnipotent, l'image des politiciens a été largement ternie par l'incapacité des partis et des gouvernements successifs à répondre aux problèmes posés à la société : chômage ; sida ; mondialisation ; terrorisme ; détérioration de l'environnement... Le tout sur fond d'« affaires » multiples et largement médiatisées jetant la suspicion sur l'ensemble des formations et sur leurs principaux dirigeants : HLM de Paris ; Urba-Gracco ; Carrefour du développement...

La plupart des politiciens ont donc à la fois de fidèles partisans et de solides détracteurs. C'est le cas notamment, à gauche, de **Martine Aubry**, la « dame des 35 heures », de **Jean-Pierre Chevènement**, champion des démissions en tant que ministre, ou de **François Mitterrand**, aux fréquentations parfois discutables. A droite, le capital de sympathie de **Jacques Chirac** a été érodé par l'immunité dont il s'est prévalu face aux accusations portées contre lui. **Alain Juppé**, lui, souffre toujours dans l'opinion d'une présumée « psychorigidité ». Parmi les rares personnalités ayant réussi à préserver leur image, même chez leurs adversaires, on peut sans doute citer à droite **Raymond Barre** et à gauche **Jacques Delors.**

Les porte-parole

CERTAINS personnages de ces deux décennies n'ont pas été à proprement parler des héros, mais plutôt des *héraults*, porteurs de messages forts sur l'évolution du monde et des systèmes de valeurs. Après **Bernard Tapie**, incarnation de la réussite individuelle, du pouvoir de l'argent mais aussi de ses dérives, c'est **Jean-Marie Messier** (ex-patron de Vivendi) qui avait repris le flambeau. Champion des mondialistes, il a connu une spectaculaire ascension, mais son déclin l'a été encore davantage. Son adversaire idéologique, **José Bové** (leader de la Confédération paysanne), joue lui aussi la carte de la médiatisation. Symbole des antimondialistes, il est sur tous les fronts, prenant le risque de se brûler les ailes sur des terrains où sa légitimité n'est pas établie.
D'autres personnalités ont marqué de leur empreinte la vie nationale. **Jack Lang** a réinventé la place de la culture, et gagné dans l'esprit des Français (même parmi ceux qu'il agace) un titre d'éternel ministre en charge de ces questions. **Jacques Delors** a donné à la construction européenne un souffle nouveau et ses partisans regretteront longtemps qu'il n'ait pas souhaité se présenter à l'élection présidentielle de 1995. **Nicole Notat** a rénové la réflexion et l'action syndicales. **Arlette Laguiller** est restée la *passionaria* de la politique, cachant sous un sourire angélique un programme qui l'est moins.

RSCG

Vingt ans de publicité : 1981

Aimé Jacquet
Jeannie Longo
Yannick Noah
Marie-José Pérec
Michel Platini
Alain Prost
Eric Tabarly
Zinedine Zidane et les Bleus

Chanson

Patrick Bruel
Francis Cabrel
Julien Clerc
Jean-Jacques Goldman
Johnny Hallyday
Patrica Kaas
Yves Montand
Henri Salvador
Michel Sardou
MC Solaar
Alain Souchon

Cinéma

Isabelle Adjani
Jean-Jacques Annaud
Brigitte Bardot
Jean-Paul Belmondo
Charles Berling
Jean-Jacques Beinex
Luc Besson
Juliette Binoche
Christian Clavier
Alain Delon
Catherine Deneuve
Gérard Depardieu
Jean-Pierre Jeunet
Thierry Lhermite
Philippe Noiret
Vanessa Paradis
Claude Sautet
Romy Schneider

Humour

Guy Bedos
Jean-Marie Bigard
Coluche
Raymond Devos
Laurent Gerra →

Sportifs : les vrais héros contemporains

L'un des phénomènes majeurs de ces deux décennies est la place donnée aux sportifs dans l'imaginaire collectif et dans les médias. Ce sont eux qui séduisent le plus les Français, au point de devenir de véritables héros.

Tout a commencé avec **Yannick Noah**, vainqueur de Roland-Garros en 1983, puis gourou de l'équipe de France qui allait remporter la Coupe Davis en 1991. Le mouvement s'est poursuivi avec **Michel Platini**, **Zinédine Zidane** (et les autres **Bleus** de 1998 et 2000), puis **David Douillet**. D'autres ont davantage fait l'unanimité pour leurs performances que pour leur personnalité, telle qu'elle apparaissait dans les médias : **Alain Prost** ; **Eric Cantonna** ; **Marie-José Pérec.**

Parmi les rares personnalités extérieures au monde sportif ayant acquis un statut comparable de héros, deux sont religieuses : l'**abbé Pierre** et **sœur Emmanuelle.** On peut sans doute leur ajouter quelques « monstres sacrés » du show-business comme **Johnny Hallyday**, **Yves Montand** et **Coluche**, peut-être **Catherine Deneuve** et **Gérard Depardieu.**

Artistes : la place croissante des humoristes

Certains chanteurs français ont su trouver les mots et les mélodies pour raconter leur époque et toucher le public au plus profond (voir p.24). Parmi les « anciens », il faut citer l'infatigable **Hallyday**, **Sardou** et aussi **Salvador** (revenu au devant de la scène à plus de 80 ans en 2001). Sans oublier bien sûr **Montand** qui aura été le héros des années 80 (il est décédé en 1991), **Aznavour**, qui a traversé les décennies, ou **Bécaud,** qui est mort en 2002. Tous sont les successeurs de **Brassens** et de **Brel.** Leur propre relève semble assurée, avec **Bruel**, **Cabrel**, **Clerc**, **Goldman**, **MC Solaar** ou **Souchon.**

Les Français se reconnaissent aussi dans d'autres artistes, représentant d'autres domaines : **Luc Besson** et **Jean-Jacques Annaud** pour le cinéma ; **Yves Saint-Laurent** et **Jean-Paul Gaultier** pour la mode, auxquels on pourrait peut-être ajouter un mannequin qui a su dépasser son statut de « porte-manteau » (sans prétendre à celui de porte-parole) : **Laetitia Casta.**

Une place particulière doit être accordée aux humoristes, qui jouent depuis vingt ans un rôle particulier dans la société, en mettant en évidence ses tra-

Les Guignols
Les Inconnus
Jamel
Thierry le Luron
Muriel Robin
Laurent Ruquier

Littérature

François de Closets
Marie Darrieuseq
Régine Deforges
Philippe Delerm
Philippe Djian
Marguerite Duras
Jean Echenoz
Max Gallo
Françoise Giroud
Michel Houellbecq
Christian Jacq
Dominique Lapierre
Bernard-Henri Lévy
Amélie Nothomb
Jean d'Ormesson
Daniel Pennac
Paul-Loup Sulitzer

Médias

Thierry Ardisson
Philippe Bouvard
Antoine de Caunes
Alain Chabat
Jean-Luc Delarue
Michel Drucker
Jean-Pierre Elkabbach
Jean-Pierre Foucault
Philippe Gildas
Nicolas Hulot
Jacques Martin
Yves Mourousi
Christine Ockrent
Jean-Pierre Pernaud
Patrick Poivre d'Arvor
Patrick Sabatier
Patrick Sébastien

Sciences et techniques

Etienne-Emile Baulieu
Georges Charpak →

vers, ses inégalités et ses injustices. **Coluche, Thierry le Luron**, **Raymond Devos, les Inconnus** et **Guy Bedos** restent les valeurs sûres. Mais d'autres ont gagné plus récemment leurs galons, comme **Laurent Gerra**, **Jean-Marie Bigard**, **Muriel Robin**, **Laurent Ruquier** ou **Jamel.** Canal Plus a inventé avec **les Guignls** un nouvel humour, qui repousse les limites de la dérision.

Médiateurs : hors la télévision, point de salut ?

Du fait de leur exposition maximale, les animateurs et journalistes de télévision sont connus, reconnus et souvent appréciés. Ils ne sont cependant pas très nombreux à bénéficier dans l'opinion d'un statut comparable à celui des stars du spectacle, le plus souvent acquis sur la durée : **Philippe Bouvard**, **Michel Drucker**, **Jean-Pierre Elkabbach**, **Yves Mourousi** (décédé en 1998), **Patrick Poivre d'Arvor**, **Jacques Martin** (privé d'antenne par la maladie), **Patrick Sébastien**, **Thierry Ardisson** et quelques autres. On notera qu'une seule femme fait vraiment partie du panthéon télévisuel : **Christine Ockrent**. D'autres sont connues et appréciées (Claire Chazal, Béatrice Schönberg, Daniela Lumbroso...) et gagneront peut-être leurs étoiles dans un monde encore largement masculin.

Chanel Coco 1991 Vanessa Paradis vue par Jean-Paul Goude

Vingt ans de publicité : 1980

Les autres médias (radio, presse) sont des tremplins plus efficaces pour obtenir la notoriété que pour accéder à la gloire. Les rares journalistes ou animateurs qui figurent dans la liste sont ceux qui se sont montrés à la télévision (Bouvard, Elkabbach...). La journaliste **Françoise Giroud** a, quant à elle, obtenu son statut dans la littérature, après un bref passage par la politique.

Intellectuels : beaucoup d'écrivains, peu de savants

Peu nombreux sont les intellectuels connus du public, surtout depuis la disparition de l'émission *Apostrophes* et de *Bouillon de culture*, du même Bernard Pivot, qui lui avait succédé (France 2). Les seuls noms cités spontanément sont **Bernard-Henri Lévy** et **Marguerite Duras** (décédée en 1996). Même si elle ne fait pas l'unanimité, leur image personnelle est plus forte que celle d'autres intellectuels médiatisés comme Jacques Attali, Pierre Bourdieu (décédé en 2001), Alain Finkielkraut, André Glucksman, Alain Minc...

On peut compléter la liste par quelques écrivains qui n'ont pas dans l'opinion le statut d'intellectuels mais qui sont des habitués des listes des meilleures ventes : **Régine Deforges**, **Philippe Delerm**, **Max Gallo**, **Françoise Giroud**, **Christian Jacq**, **Jean d'Ormesson**, **Paul-Loup Sulitzer**...

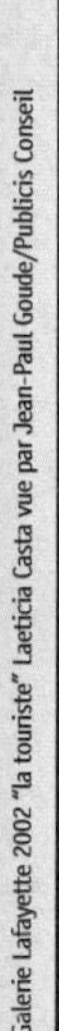

Vingt ans de publicité : 2002

A ces noms d'écrivains s'ajoutent ceux de quelques scientifiques. Un seul avait vraiment réussi à se faire connaître du grand public, par sa médiatisation planétaire : **Jacques-Yves Cousteau.** D'autres bénéficient d'une moindre notoriété mais du respect accordé aux savants : **Etienne-Emile Baulieu** ; **Georges Charpak** ; **Yves Coppens** ; **Pierre-Gilles de Gennes** ; **Luc Montagnier.**

Etrangers : les Américains d'abord

Parmi les personnalités étrangères les plus connues des Français, il faut bien sûr citer **Jean-Paul II**, respecté bien au-delà de la communauté catholique. **Lady Diana** occupe aussi une place à part, sa mort tragique l'ayant en quelque sorte canonisée dans l'opinion. **Bill Clinton** est sans doute davantage connu par ses frasques que par ses actions en tant que président des Etats-Unis. Certaines personnalités non américaines ont joué un rôle dans l'histoire récente qui dépasse les frontières de leur pays : **Helmut Kohl** ; **Mikhaïl Gorbatchev** ; **Nelson Mandela** ; **commandant Massoud** ; **Margaret Thatcher...**

De nombreux artistes étrangers (principalement chanteurs et acteurs) jouissent d'une forte reconnaissance en France comme ailleurs dans le monde. La plupart sont américains. L'image des **Michael Jackson**, **Madonna**, **Céline Dion** ou **Britney Spears** est en effet véhiculée par ces puissantes machines à fabriquer la notoriété et la gloire que sont les grands studios du cinéma et du disque.

Enfin, dans le rôle des anti-héros, deux noms viennent immédiatement à l'esprit : **Saddam Hussein** et **Ousama Ben Laden**, ennemis publics désignés de toutes les démocraties.

Yves Coppens
Jacques-Yves Cousteau
Pierre-Gilles de Gennes
Luc Montagnier

Autres domaines

Laetitia Casta
Sœur Emmanuelle
Jean-Paul Gaultier
Abbé Pierre
Yves Saint-Laurent

Etrangers

Jean-Paul II
Yasser Arafat
Ousama Ben Laden
Bill Clinton
Lady Di
Céline Dion
Bill Gates
Mikhaïl Gorbatchev
Saddam Hussein
Michael Jackson
Helmut Kohl
Madonna
Nelson Mandela
Commandant Massoud
Caroline et Stéphanie de Monaco
Yitzhak Rabin
Britney Spears
Stephen Spielberg
Margaret Thatcher
Lech Walesa

Population et modes de vie

LA SOCIÉTÉ FRANÇAISE EN 12 TABLEAUX

Evolutions de la population et des modes de vie entre 1980 et 2001 (ou années les plus proches disponibles)

Démographie

	1980	2001
Population métropolitaine (millions)	53,9	59,2
Population de Paris (millions)	9,2	9,8
Ménages (millions)	19,5	24,7
Etrangers (% population totale)	6,8	5,6
Français par acquisition (% pop. totale)	2,6	4,0
Naruralisés français (milliers)	43	84
Moins de 20 ans (% population)	30,6	25,4
60 ans et plus (% population)	17,0	20,6
Age moyen de la population (ans)	35,7	38,9
Décès annuels (milliers)	547	528
Mortalité infantile (avant un an pour 1 000 naissances vivantes)	10	4
Espérance de vie femmes(naissance, ans)	78,4	83,0
Espérance de vie hommes (naissance, ans)	70,2	75,5
Espérance de vie femmes à 60 ans (ans)	22,4	25,5
Espérance de vie hommes à 60 ans (ans)	17,3	20,4

Instruction

	1980	2001
Population scolarisée 1er degré (millions)	7,1	6,3
Population scolarisée 2nd degré (millions)	5,1	5,4
Etudiants (millions)	1,2	2,1
Scolarisation à 19 ans (%)	28	75
Durée moyenne de scolarisation (années)	17	19
Femmes sans diplôme ou seulement CEP (% 15 ans et plus)	64	25
Hommes sans diplôme ou seulement CEP (% 15 ans et plus)	46	26
Au moins baccalauréat ou équivalent (% population totale 15 ans et plus)	16	38
Bacheliers (% d'une génération)	28	62

Démographie : une France vieillissante

(Voir tableau ci-contre)

En vingt ans, la population française s'est accrue de plus de 5 millions d'habitants. Les jeunes (moins de 20 ans) n'en représentent plus qu'un quart, alors que plus d'un Français sur cinq est au moins sexagénaire. Ce vieillissement est dû au fort accroissement de l'espérance de vie à la naissance (5 ans), lui-même lié à la baisse spectaculaire de la mortalité infantile (divisée par 2,5). Il est aussi la conséquence de la chute de la natalité.

La part des étrangers dans la population a diminué d'un point, mais c'est en grande partie parce que celle des étrangers naturalisés s'est accrue (4% contre 2,6%).

Instruction : le rattrapage féminin

(Voir tableau ci-contre)

L'évolution démographique explique que la population scolarisée a diminué au cours des dernières années dans le premier et le second degré. Mais le nombre d'étudiants de l'enseignement supérieur a presque doublé pendant la période, même si l'on observe une stagnation depuis deux ans. C'est la raison pour laquelle les Français non diplômés ne représentent plus qu'un tiers de la population, contre plus de la moitié en 1980. A l'inverse, la proportion de ceux qui sont au moins bacheliers a plus que doublé.

L'accroissement du niveau moyen d'instruction a davantage profité aux femmes qu'aux hommes. Celles-ci sont aujourd'hui plus nombreuses à réussir le baccalauréat et sont devenues majoritaires parmi les étudiants ; elles représentent ainsi 56 % des effectifs des universités. Le retard féminin en matière de scolarité a donc été largement rattrapé au cours des dernières décennies. Cette évolution n'est pas sans incidence sur la place des femmes dans la société et sur l'influence des valeurs qu'elles représentent.

Santé : toujours mieux

(Voir tableau page suivante)

Les ménages consacrent aujourd'hui en moyenne 12,5 % de leur consommation effective à la santé, contre 7,7 % en 1980. Les dépenses médicales ont doublé en volume entre 1980 et 1995. La densité de médecins a également doublé. Les décès sont toujours principalement liés (pour un tiers) aux maladies cardio-vasculaires, mais leur part

CLM/BBDO

Vingt ans de publicité : 1987

diminue alors que celle des cancers augmente. Le nombre des suicides est resté stable, mais on sait que les chiffres disponibles sous-estiment la réalité.

Les accidents de la vie courante ont en revanche diminué de plus d'un tiers depuis 1980. La baisse est encore plus forte en ce qui concerne les accidents de la route (41 %). Quant au sida, il n'était pas encore apparu (ou identifié) en 1980. Mais d'autres fléaux sévissaient déjà, comme l'alcool et le tabac. La consommation d'alcool a diminué d'un quart en vingt ans, mais elle est toujours à l'origine de nombreux cancers et décès. Quant à celle de tabac, elle illustre la convergence de comportements et de modes de vie qui s'est opérée entre les sexes ; la proportion de fumeuses s'est accrue, tandis que celle des fumeurs diminuait.

Famille : les nouveaux modèles

(Voir tableau ci-contre)

Malgré son augmentation très récente, le nombre des mariages a diminué tout au long de ces deux décennies. Il a été partiellement remplacé par l'union libre, mais il reste de loin le modèle de couple majoritaire. L'âge au mariage s'est accru de cinq ans, sous les effets conjugués du développement de l'union libre (d'abord comme période probatoire puis comme mode de vie), de l'allongement de la durée des études et de la difficulté croissante des jeunes à entrer dans l'âge adulte.

Les naissances sont devenues plus rares et les femmes ont retardé le calendrier de leur fécondité en ayant leur premier et leur dernier enfant plus tard. C'est pourquoi l'âge moyen à la maternité a augmenté de près de trois ans. Il faut noter que près de la moitié des naissances se

Santé

	1980	2001
Dépense des ménages (euros courants)	1 950	4 920
Dépense des ménages (% cons. effective)	7,7	12,5
Densité médicale (hab. par médecin)	613	303
Visites de médecins (par personne)	5,2	7,2
Décès (milliers)	548	538
Maladies cardio-vasculaires (% décès)	37	32
Cancers (% décès annuels)	24	28
Accidents de la route (milliers tués)	12,5	7,6
Accidents du travail (décès)	1 400	740
Suicides (milliers)	10,4	10,3
Sida (cas déclarés)	0	1 500
Alcool (litres équivalent alcool pur, 15 ans et plus)	21	15,5
Hommes fumeurs (% 18 ans et plus)	46,9	33,6
Femmes fumeuses (% 18 ans et plus)	16,7	21,3
Usage de stupéfiants (interpellations)	10 187	89 489

Famille

	1980	2001
Hommes célibataires (% 15 ans et plus)	29,2	38,6
Femmes célibataires (% 15 ans et plus)	22,4	31,3
Union libre (% des couples)	6	17
Hommes mariés (% 15 ans et plus)	65,1	53,2
Femmes mariées (% 15 ans et plus)	59,5	48,7
Mariages (milliers)	334	304
Age des femmes au 1er mariage (ans)	23	28
Age des hommes au 1er mariage (ans)	25	30
Naissances (milliers)	800	775
Indicateur conjoncturel de fécondité	1,94	1,90
Age moyen des mères (ans)	26,8	29,4
Naissances hors mariage (% du total)	11	43
Hommes divorcés (% 15 ans et plus)	2,4	5,5
Femmes divorcées (% 15 ans et plus)	3,4	7,0
Divorces (pour 100 couples mariés)	63	96
Couples sans enfant (% des ménages)	23,1	27,2
Familles avec 3 enfants et plus (en %)	14,4	11,0
Familles monoparentales (% ménages)	3,6	7,2

Logement (en % des ménages)		
	1980	2001
Maison individuelle	47	56
Propriétaires	50,7	54,7
Logés gratuitement	8,3	4,6
Baignoire ou douche	84	98
WC intérieurs	85	97
Chauffage central	67	83
Tout le confort	62	82
Surface moyenne (m^2)	78	89
Taille moyenne des ménages (nb. pers.)	2,7	2,4
Surpeuplement	17	10
Résidence secondaires	11,6	10

Equipement (en % des ménages)		
	1980	2001
Voiture	71	80
Au moins deux voitures	16	30
Réfrigérateur	95	99
Congélateur	28	47
Lave-linge	79	90
Sèche-linge	0	24
Lave-vaisselle	17	38
Four à micro-ondes	0	61
Aspirateur	83	96
Fer à repasser	83	97
Cafetière	52	86
Téléphone	74	99
Téléphone portable	0	44
Répondeur	0	40
Minitel	0	16
Téléviseur	90	99
Téléviseur couleur	44	93
Magnétoscope	1	65
Chaîne hi-fi	29	75
Lecteur de CD	0	70
Baladeur	0	50
Ordinateur	0	27
Connexion Internet	0	12
Caméscope	0	14

produisent aujourd'hui hors mariage ; la proportion est même de 55 % dans le cas du premier enfant.

Devenu plus rare, le mariage est paradoxalement plus fréquemment rompu par un divorce (un cas sur trois). C'est ce qui explique le doublement de la part des familles monoparentales, qui comptent le plus souvent une mère et un ou plusieurs enfants.

Vingt ans de publicité : 1992

Logement : le confort pour tous

(Voir tableau ci-contre)

Les Français ont été de plus en plus nombreux à réaliser leur rêve de maison et de propriété, bien que l'on constate une stagnation de la proportion de propriétaires depuis quelques années. Le confort des foyers s'est aussi amélioré de façon spectaculaire, de sorte que ceux qui ne disposent pas de « tout le confort » (baignoire ou douche, WC intérieurs, chauffage central) ne sont plus aujourd'hui que 18 % contre 38 % en 1980.

Les logements sont aussi devenus plus spacieux, avec un accroissement de la surface moyenne de 11 m², alors que la taille moyenne des ménages qui les habitent diminuait, de 2,7 à 2,4. Le résultat est une réduction sensible de la proportion de logements « surpeuplés ».

Le nombre des résidences secondaires s'est en revanche réduit, pour des raisons à la fois économiques (coût d'entretien) et sociologiques ; les Français changent plus volontiers leurs destinations de vacances et de week-end et ils recherchent des activités plus variées.

Equipement : l'accumulation des objets

(Voir tableau page précédente)

Les vingt dernières années ont été celles de la généralisation d'un certain nombre de biens d'équipement du foyer, comme la télévision couleur (moins d'un sur deux en 1980) ou la chaîne hi-fi. D'autres étaient pratiquement ou totalement inconnus en 1980 comme le Minitel, le four à micro-ondes, l'ordinateur, le Caméscope, le répondeur téléphonique ou le téléphone portable. Sans parler de la connexion à Internet ou du lecteur de DVD. Les nouvelles technologies sont donc entrées en force dans les maisons et dans les modes de vie.

Travail : une place de plus en plus restreinte

(Voir tableau ci-contre)

En vingt ans, la durée légale du travail s'est réduite de cinq heures par semaine (35 contre 40) tandis que celle des congés payés augmentait d'une semaine par an. Dans le même temps, l'âge de début d'activité était repoussé, du fait de l'allongement de la durée des études et de l'avancement de l'âge de la retraite (60 ans contre 65). La durée de travail au cours d'une vie a donc connu une diminution spectaculaire.

L'une des conséquences est la baisse du taux d'activité des hommes. Mais celui des femmes s'est accru, conséquence de leur arrivée massive sur le marché du travail. Le modèle de la femme au foyer a ainsi presque disparu au profit du couple biactif. Mais les femmes sont cinq fois plus concernées par le travail à temps partiel que les hommes.

Le nombre des chômeurs s'est accru de 800 000 en vingt ans (2,3 millions contre 1,5) alors que la part des emplois précaires (durée indéterminée, intérim, temps partiel...) s'est accrue de façon sensible.

La composition de la population active s'est transformée, avec une très forte érosion du nombre d'agriculteurs, d'ouvriers, de commerçants et artisans. Cette évolution s'est faite au profit des employés, des cadres et des professions intermédiaires (techniciens, contremaîtres, agents de maîtrise...). Elle s'explique par le très fort accroissement des emplois de services (les trois quarts des actifs aujourd'hui) au détriment des emplois agricoles et industriels.

Dans le même temps, le nombre des fonctionnaires s'est accru de près d'un million, un chiffre record parmi les

Travail

	1980	2001
Hommes actifs (% 15 ns et plus)	71,3	61,8
Femmes actives (% 15 ans et plus)	44,9	48,3
Hommes à temps partiel (% des actifs)	2,5	6
Femmes à temps partiel (% des actifs)	17	32
Agriculteurs exploitants (% pop. active)	7,5	2,4
Commerçants, artisans (% pop. active)	8,2	5,5
Ouvriers (% pop. active)	36,6	27,6
Employés (% pop. active)	15	29,7
Cadres et prof. int. sup. (% pop. active)	7,0	12,9
Chômeurs (millions)	1,5	2,3
Chômage des jeunes (% moins de 25 ans)	14	18
Fonction publique (millions)	4,6	5,5
Chômage (% pop. active)	6,4	8,8
Salariés (% actifs)	76	89
Durée légale du travail (h. par semaine)	40	35
Durée annuelle effective (heures)	1 664	1 355
Age légal de la retraite	65	60
Emploi agricole (% de l'emploi total)	8,8	4,3
Emploi industriel (% emploi total)	24,4	16,5
Emplois services marchands (% emp. tot.)	35,5	45,1
Emplois services administrés (% emp. tot.)	22,6	27,9
Taux de syndicalisation (% des salariés)	10	7

Argent (1)

	1980	2001
Salaire annuel net moyen H (euros cour.)	7 300	22 000
Salaire annuel net moyen F (euros cour.)	5 200	17 500
Ecart de salaire H/F (% du salaire H)	40	23
Ratio salaire cadres sup./ouvriers	3,4	2,6
SMIC horaire (euros courants)	2,2	6,3
Salariés au SMIC (% pop. active)	3,7	13,6
Prélèvements obligatoires (% PIB)	41,7	45,0
Prestations sociales (% rev. disp. brut mén.)	26	31
Revenu disp. moyen brut (euros cour./mén.)	15 240	37 000
Inflation (%)	13,1	1,7
Epargne des ménages (% rev. disp. brut)	17,6	16,1
Patrimoine moyen ménages (milliers euros)	61	250
Ménages pauvres (2) [% ménages]	9,1	7,0

(1 Les sommes indiquées en monnaie de 1980 peuvent être converties en monnaie de 2001 en multipliant par 2,23.
(2) Revenu par unité de consommation inférieur de moitié à la valeur médiane du revenu des ménages (avant impôts).

Consommation

(en % de la consommation effective des ménages)*

	1980	2001
Alimentation	14,5	11,4
Alcool et tabac	2,8	2,7
Habillement	6,1	4,0
Logement	16,8	19,1
Equipement du logement	6,8	5,1
Santé	2,0	2,9
Transports	12,1	12,2
Communication	1,3	1,7
Loisirs et culture	7,1	7,1
Education	0,4	0,5
Hôtels-cafés-restaurants	5,5	6,0
Part des grandes surfaces (% des achats alimentaires)	29	66
Part des grandes surfaces (% des achats non alimentaires	10	20

* Dépenses réellement supportées par les ménages, y compris celles supportées par l'Etat, mais dont les bénéficiaires peuvent être précisément définis (Sécurité sociale, éducation...).

Alimentation

(en kg ou litres par personne et par an)

	1980	2001
Pain	81	57
Pommes de terre	96	68
Légumes	70	92
Boeuf	16	15
Volailles	14	24
Poissons, crustacés	10	15
Lait frais	95	67
Fromage	14	19
Yaourts	9	21
Sucre	20	8
Huile	8	12
Vins courants	96	36
Vins AOC	8	27
Bière	41	38
Eau minérale	40	146

pays développés. Celui des chômeurs est encore supérieur de 800 000 au niveau de 1980. 32 % des personnes à la recherche d'un emploi en 1980 l'étaient depuis au moins un an, contre 35 % en 2001. Neuf actifs sur dix sont aujourd'hui salariés. Leur taux de syndicalisation, déjà peu élevé en 1980, a encore baissé, à moins de 7 %. Le nombre de conflits sociaux varie largement d'une année sur l'autre. Il a globalement plutôt diminué en vingt ans, malgré les pointes enregistrées en 1989 et surtout 1995.

Argent : un pouvoir d'achat en hausse inégale

(Voir tableau page précédente)

Les salaires moyens annuels nets ont été multipliés par 3 pour les hommes et 3,3 pour les femmes en monnaie courante. En monnaie constante (hors inflation), l'accroissement du pouvoir d'achat a été de 35 % pour les hommes et de 51 % pour les femmes, ce qui explique la diminution de l'écart entre les sexes sur vingt ans, même s'il reste sensible.

Les inégalités de revenus entre les cadres et les ouvriers se sont aussi sensiblement réduites, avec un ratio passé de 3,4 à 2,6. Le pouvoir d'achat du SMIC horaire ne s'est en revanche accru que de 27 %, soit moins que le salaire moyen. De plus, la proportion de smicards a été multipliée par quatre. Mais celle des ménages « pauvres » (percevant moins de la moitié du salaire médian par unité de consommation) s'est réduite, du fait d'un pouvoir d'achat moyen accru.

L'accroissement des charges sociales et des impôts a été important, comme en témoigne le taux de prélèvements obligatoires, passé de 41,7 à 45 %. C'est pourquoi le pouvoir d'achat du revenu disponible moyen brut des ménages (tous revenus, après charges et prestations sociales et impôts) n'a augmenté que de 9 %, soit moins que celui des salaires.

L'un des principaux succès de l'économie française pendant ces vingt années a été de vaincre l'inflation, passée de 13 % à moins de 2 % ; la baisse a surtout eu lieu entre 1980 et 1986 (2,6 % contre 13,4 %). L'épargne en a été favorisée. Si le taux global a peu évolué, celui de l'épargne financière (rapport de la capacité de financement des ménages à leur revenu disponible brut) s'est accru. Depuis le milieu des années 90, sa part est supérieure à celle de l'investissement immobilier, alors qu'elle était de moitié inférieure en 1980.

La Bourse a connu une croissance spectaculaire jusqu'en 1999, avant de connaître une forte déprime à partir de 2000. De son côté, l'or a perdu son statut de valeur refuge ; le cours du napoléon, qui avait atteint le maximum de 172 euros en janvier 1980 n'est plus que d'environ 100 euros. Les prix de l'immobilier se sont effondrés au cours des années 90. Pourtant, le patrimoine moyen des ménages s'est accru de 84 %, soit bien davantage que les salaires. Il sera utile aux futurs retraités, dont les pensions sont menacées par la diminution préoccupante du nombre d'actifs cotisants par rapport à celui des inactifs.

Alice

Vingt ans de publicité : 2000

Consommation : j'achète, donc je suis

(Voir tableau page précédente)

La part du revenu disponible des ménages consacrée à l'alimentation et à l'habillement s'est régulièrement réduite. Mais il s'agit d'une baisse en valeur relative, dans un contexte de hausse du pouvoir d'achat (voir ci-dessus) et de baisse des prix relatifs, notamment pour l'habillement. La part des dépenses de logement (location, chauffage, éclairage) a progressé, à l'inverse de celle concernant l'équipement, qui a profité des baisses de prix des appareils électroménagers et de ceux destinés aux loisirs.

La hausse des dépenses de santé est encore plus spectaculaire si l'on inclut celles prises en charge par la Sécurité sociale (9,7 % du revenu disponible des ménages en 2000 contre 5,9 % en 1980). Les dépenses de loisirs sont largement sous-estimées ; elles devraient intégrer une partie de celles contenues dans d'autres postes, comme

Vie sociale

	1980	2001
Crimes et délits (millions)	2,6	4,1
Vols (millions)	1,6	2,5
Infractions économiques et financières (milliers)	533	366
Crimes et délits contre les personnes (milliers)	102	280
Opinion sur la justice (1) [% fonctionne “assez mal “ ou “ très mal “]	64	87
Opinion sur le besoin de transformation de la société (1) [% oui]	76	81
Opinion sur le besoin de transformations radicales (1) [%]	21	35
Opinion sur l'amélioration de la vie quotidienne par les découvertes scientifiques (% beaucoup)	38	23
Adhésion aux associations (% pop.)	12	18
Taux d'abstention aux élections présidentielles (% second tour)	14	20
Taux d'abstention aux élections législatives (% second tour)	25	40

(1) Crédoc, enquêtes 1980 et 2002.

Loisirs

	1980	2001
Possession de livres (% ménages)	80	91
Inscription bibliothèque (% 15 ans et plus)	13	21
Lecture d'un quotidien tous les jours (% 15 ans et plus)	46	36
Ecoute télévision (% tous les jours ou presque)	69	77
Ecoute radio (% tous les jours ou presque)	72	77
Ecoute de disques ou cassettes (% tous les jours ou presque)	19	27
Fréquentation cinéma (millions entrées)	175	185
Visites d'expositions de peinture ou sculpture (% au moins une fois dans l'année)	21	25
Visites de musées (% au moins 1 fois...)	30	33
Fréquentation théâtre (% au moins 1 fois...)	10	16
Licenciés sportifs (millions)	9,5	14,5
Taux de départ en vacances d'été (%)	53	57
Taux de départ en vacances d'hiver (%)	25	28
Vacances été à la mer (% des journées)	45	43
Vacances hiver montagne (% journées)	33	32
Vacances à l'étranger (% des séjours)	17	18

les hôtels-cafés-restaurants, le tabac et l'alcool ou l'habillement.

Alimentation : la montée en gamme

(Voir tableau p.52)

Les Français ont largement modifié leur alimentation pendant ces vingt années. La consommation de produits basiques (pain, pommes de terre, sucre, huile) s'est régulièrement réduite au profit des légumes et des produits élaborés, notamment laitiers (fromages, yaourts, desserts lactés).

La consommation de viande de bœuf et de veau a été en partie transférée sur la volaille et le poisson. Le phénomène général de montée en gamme s'est traduit par une baisse des achats de vins de table au profit des AOC. L'eau minérale a pris une place importante dans les repas, avec une consommation qui a plus que triplé.

Au cours des vingt années écoulées, la part des dépenses des ménages réalisée dans les grandes surfaces a doublé ; les hypermarchés et supermarchés représentent aujourd'hui les deux tiers des achats alimentaires et un cinquième des achats non alimentaires.

Vie sociale : violence et pessimisme

(Voir tableau p.53)

La société française a connu en vingt ans une véritable recomposition, avec un éclatement de la classe moyenne, un accroissement du nombre de personnes vulnérables et la création d'une nouvelle bourgeoisie.

La montée de la délinquance est sans doute le phénomène majeur. En même temps que s'accroissait le nombre des délits, la violence se développait dans l'ensemble de la société : école, rues, transports en commun, lieux publics, stades... Les incivilités se sont multipliées, conséquence d'un rejet des codes qui régissaient la vie sociale.

Le sentiment d'insécurité s'est traduit par une méfiance croissante à l'égard de la justice et, plus largement, des institutions et des acteurs de la vie politique, économique ou sociale. Il a été compensé par une participation plus large à la vie associative.

Les Français sont ainsi de plus en plus nombreux à attendre des changements radicaux dans le fonctionnement de la société, comme ils l'ont signifié lors de l'élection présidentielle de 2002. Beaucoup sont effrayés de la place croissante de la science, de la technologie et de leurs applications (actuelles ou futures) dans la vie quotidienne. Après la courte embellie de la fin de siècle, la peur de l'avenir s'est de nouveau emparée des Français.

Loisirs : l'ère de la diversité

(Voir tableau p.53)

Les biens culturels sont de plus en plus présents dans les foyers. La possession de livres, disques, cassettes (audio ou vidéo) et, plus récemment, de CD-Rom et de DVD s'est élargie. La fréquentation des bibliothèques concerne un Français sur cinq, près de deux fois plus qu'en 1980 et la lecture de livres n'a pas disparu avec le développement des loisirs audiovisuels. On constate cependant un moindre intérêt pour les quotidiens, surtout nationaux, qui sont délaissés au profit des magazines.

Mais c'est surtout l'écoute de la télévision qui a progressé pendant ces années, profitant des innovations techniques (couleur, 16/9, Nicam...) et de l'explosion du nombre des chaînes offertes (Canal Plus, câble, satellite). Après avoir connu une forte baisse jusqu'au début des années 90, la fréquentation du cinéma n'a pourtant pas trop souffert de cette concurrence ; le niveau de 1980 a été dépassé pour la première fois en 2001.

Les Français ont redécouvert l'importance de leur corps dans les années 80. On peut le mesurer par l'accroissement de la pratique sportive, qui s'est étendue à toutes les catégories sociales, à tous les âges, et qui a été l'occasion d'un rattrapage de la part des femmes, comme dans d'autres domaines (automobile, bricolage, jardinage...). Les Français disposent de plus en plus de temps libre et de congés payés, mais leur taux de départ en vacances a peu varié en vingt ans ; il tend même à diminuer depuis quelques années. Les congés sont cependant pris de façon plus fractionnée, ce qui profite notamment aux courts séjours.

Qu'avons-nous fait de ces vingt ans ?

Le bilan

Tout a changé !

Les évolutions décrites dans cette *Rétroscopie* concernent l'ensemble des modes de vie des Français, tant au plan personnel que collectif. La reconnaissance de l'individu et des minorités s'est fortement accrue, de même que l'autonomie de chacun. De nouveaux modèles familiaux se sont mis en place, avec le développement de l'union libre, la décomposition et la recomposition des familles. La montée du chômage, l'apparition de nouveaux métiers et la diminution du temps de travail ont transformé la vie professionnelle. L'innovation technologique a renouvelé les moyens de communication et de transport, les modes de consommation et les activités de loisirs.

Dans ce contexte, l'accroissement du pouvoir d'achat des ménages a donné lieu à de nombreux arbitrages dans les dépenses des ménages. L'emploi du temps de la vie des Français a été bouleversé, avec une redistribution des activités et des phases de la vie.

Le changement, maître mot de ces deux décennies, a pris des formes distinctes :

. changement de **sexe**, avec la féminisation de plus en plus apparente de la société et des modes de vie ;

. changement de **vitesse**, avec l'accélération de l'innovation technique et de ses applications pour le public ;

. changement d'**échelle**, avec la mondialisation de l'économie, de l'information, de la communication, des mentalités et l'instauration d'un nouveau rapport à l'espace, caractérisé par la disparition des distances ;

. changement de **temps**, avec le changement de siècle, de millénaire, d'emploi du temps de la vie et la transformation du rapport au temps ;

. changement de **climat**, tant en ce qui concerne les relations sociales que la météorologie ;

. changement de **sens**, avec des inversions de tendances dans de nombreux domaines : démographie ; instruction ; travail ; consommation... ;

. changement de **société** et, plus encore, de **civilisation**, avec l'individualisation croissante, la place prépondérante du temps libre, la disparition des repères traditionnels et la transformation des systèmes de valeurs.

Beaucoup de « plus »...

Lorsqu'on dresse le bilan de ce qui a changé dans les modes de vie des Français, la liste des « plus » est a priori impressionnante (voir tableau). Il est ainsi indéniable que les Français bénéficient dans leur grande majorité d'une durée de vie allongée, d'un meilleur niveau d'instruction, d'un pouvoir d'achat accru, d'un temps libre plus abondant, d'une alimentation plus sûre (malgré les crises récentes), d'un confort plus grand, d'équipements toujours plus nombreux. Sur un plan plus qualitatif, il est également démontrable que l'égalité entre les sexes a progressé dans de nombreux domaines. Il en est de même de l'ouverture aux autres, qui se traduit par une plus grande reconnaissance des minorités (même si la cohabitation est parfois difficile) et un intérêt croissant pour la construction européenne (ce qui n'interdit pas les interrogations et les débats).

... et quelques « moins ».

En regard, les dégradations intervenues apparaissent moins nombreuses et elles sont souvent la conséquence de choix individuels. Ainsi, l'instabilité des couples peut être vue comme la conséquence d'une exigence accrue et d'une plus grande liberté individuelle, notamment pour les femmes. Il en est de même pour ces dernières de la hausse de la consommation de tabac ou d'alcool ou, pour les deux sexes, de la prévalence croissante de l'obésité. La baisse de la natalité n'a pas été non plus subie, mais choisie. Ce n'est pas le cas en revanche des difficultés liées à la vie professionnelle (chômage, stress) ou sociale (délinquance, insécurité). Enfin, l'apparition du sida a représenté un choc considérable, mais son traitement a progressé de façon sensible.

Cet écart entre les « plus » et les « moins » laisse à penser que ces vingt années (comme d'ailleurs les précédentes) ont été placées sous le signe continu du **progrès.** Mais comment expliquer, alors, que les Français se sentent si mal à l'aise, insatisfaits, frustrés ? Comment comprendre qu'ils soient aussi désabusés à l'égard de la politique et des institutions, qu'ils attendent en majorité une transfor-

Les mots-clés du changement

Les transformations propres à ces deux dernières décennies peuvent être résumées à l'aide de quelques mots, présentés ci-dessous par ordre alphabétique :

. **Cynisme**. Le mécontentement à l'égard du fonctionnement de la société, la disparition des utopies et la réticence à l'engagement personnel ont engendré une attitude de critique et de dérision, qui est apparente dans l'évolution de l'humour et s'exerce sans exclusive et sans tabou à l'encontre des institutions et des personnes.

. **Déstructuration**. Les règles qui régissaient auparavant les principaux domaines de la vie se sont estompées et certaines ont été transgressées. La déstructuration est sensible dans l'alimentation, le travail, les groupes sociaux ou la gestion du temps.

. **Féminisation**. Le rôle des femmes et les valeurs qu'elles véhiculent ont imprégné l'ensemble de la société et des comportements.

. **Incertitude**. Le monde est devenu complexe et la vérité introuvable. Les valeurs, principes et repères qui servaient de guides aux générations précédentes (religion, science, institutions...) se sont estompés. Certains ont disparu ou se sont inversés, ce qui engendre inconfort et incertitude.

. **Individualisation**. La personne, dans ses différentes fonctions de citoyen, consommateur, client, électeur, parent... a été reconnue, au point parfois de paraître plus importante que la collectivité à laquelle elle appartient, au risque d'appauvrir le lien social et la solidarité.

. **Inégalités**. Le sentiment très majoritaire d'un accroissement des inégalités entre les individus (près de neuf Français sur dix) est la cause d'un malaise et d'une frustration. S'il n'est pas toujours vérifié dans la réalité, il est souvent entretenu par les médias.

. **Insécurité**. La délinquance et les incivilités se sont accrues dans une société qui supporte de moins en moins la violence et le risque (alimentation, environnement, immigration, terrorisme...). L'insécurité dans le présent provoque l'inquiétude et le pessimisme à l'égard de l'avenir.

. **Médiatisation**. Les médias ne sont plus seulement des intermédiaires (médiateurs) entre les acteurs sociaux et le public. Ce sont des acteurs à part entière, qui créent l'actualité autant qu'ils la racontent, ce qui nuit à leur crédibilité.

. **Méfiance**. La relation entre les citoyens et les institutions s'est dégradée, de même qu'entre les individus sous l'effet de l'impuissance des premières et de l'insécurité engendrée par les seconds.

. **Mondialisation**. L'économie mais aussi les modes de vie se sont rapprochés dans un mouvement de convergence et de globalisation favorisé par l'innovation technologique, notamment en matière de communication.

. **Précarisation**. L'un des effets induits de la mobilité générale est la précarité des situations individuelles, qui peuvent basculer à tout moment. Ce risque est particulièrement sensible dans l'emploi. Il rend difficile la projection sur le long terme.

. **Proximité**. Face à la mondialisation, le national et surtout le local reprennent de l'importance. La proximité géographique et surtout psychologique (empathie) est une revendication croissante à l'égard des institutions, des politiciens, des entreprises ou des commerçants.

. **Régression**. Le mal-être contemporain incite à la nostalgie, au retour au passé (souvent idéalisé) et à l'enfance, temps de l'insouciance et de la prise en charge. La consommation et le rapport aux animaux témoignent de cette mise en cause de l'époque et du « progrès » social.

. **Résistance**. La montée de l'environnementalisme, celle de l'abstention aux élections ou le regard distancié sur la consommation (produits, marques, distributeurs) témoignent d'une résistance au changement et à la « modernité ». L'immobilisme s'oppose au « bougisme » et le « petisme » au gigantisme.

. **Technologie**. L'innovation scientifique a des prolongements de plus en plus nombreux sur la vie quotidienne. Elle donne naissance à des objets et à des équipements qui accroissent les possibilités humaines, notamment en matière de communication et de loisirs, mais aussi les risques.

. **Tolérance**. Tout individu étant égal aux autres, il ne peut être jugé ou critiqué pour ses caractéristiques personnelles ou ses actes. Ce principe généreux a favorisé la reconnaissance des minorités et le multiculturalisme. Mais il témoigne parfois d'une indifférence à l'égard d'autrui.

. **Transgression**. Certains groupes sociaux marquent leur insatisfaction et leur volonté de changement social en refusant des principes, règles et codes sociaux qui leur apparaissent inadaptés à l'époque.

. **Zapping**. La mobilité s'est imposée dans la vie familiale, professionnelle et sociale. Elle engendre une « infidélité » croissante aux idées, aux institutions, aux personnes, aux objets et aux marques. La société de consommation est celle du « butinage ». Elle est la conséquence d'une offre surabondante, mais aussi d'un éclectisme et d'un opportunisme de la part de la demande.

mation en profondeur de la société, qu'ils aient à ce point peur du lendemain ? Bref, pourquoi l'accroissement continu du niveau de **confort matériel** s'est-il accompagné d'un tel niveau d'**inconfort moral**, comme l'attestent de nombreuses enquêtes, le recours aux médicaments antidépresseurs ou aux psys ?

La société paradoxale

Dans bien des domaines, la société française semble cultiver le paradoxe. Ainsi :

. jamais les Français n'ont disposé d'un **temps libre** aussi abondant et jamais ils n'ont eu autant le sentiment d'en manquer ;

. jamais le **pouvoir d'achat** moyen des ménages n'a été aussi élevé et jamais ils n'ont été autant convaincus de sa diminution ;

. jamais les **libertés individuelles** n'ont été aussi reconnues et jamais elles n'ont paru aussi menacées ;

. jamais le **rapprochement** des pays du monde n'a été aussi fort et la tentation de repli sur soi aussi grande ;

. jamais l'information sur le contenu nutritionnel des **aliments** et l'équilibre alimentaire n'a été aussi répandue et jamais l'obésité n'a été aussi fréquente ;

. jamais les **moyens de communication** n'ont été aussi accessibles et jamais les risques d'« excommunication » (exclusion, marginalisation) n'ont semblé aussi grands ;

. jamais le besoin de **transformer la société** n'a été aussi grand et jamais la résistance au changement n'a paru aussi forte ;

VINGT ANS APRÈS

Principales évolutions des modes de vie et des systèmes de valeurs au cours des deux dernières décennies :

Dominantes Années 80		Dominantes Années 2000
Travail	➜	Temps libre
Masculin	➜	Féminin
Collectivité	➜	Individu
Dépendance	➜	Autonomie
Famille	➜	Tribu
Vertical	➜	Horizontal
Centripète	➜	Centrifuge
Structuration	➜	Déstructuration
Raisonner	➜	Résonner
Changer *la* vie	➜	Changer *sa* vie
Stabilité	➜	Mobilité
Fidélité	➜	Opportunisme
Acceptation	➜	Résistance
Accumulation	➜	Saturation
Consommation	➜	Consolation

Vingt ans de publicité : 1998

. jamais les **moyens de changer le monde** n'ont été aussi puissants et jamais ses habitants n'ont autant craint pour son avenir.

On peut trouver à ces paradoxes et à ces peurs de nombreuses explications. La première nous paraît être que les cadeaux (les « plus ») qui ont été faits aux Français au cours de ces années étaient en réalité empoisonnés (voir ci-dessous). De façon plus globale, on peut expliquer le changement social de ces deux décennies en formulant cinq hypothèses principales. Elles sont décrites dans la dernière partie de cette synthèse.

Les cadeaux empoisonnés

L'ascenseur social fonctionne dans les deux sens et tout le monde ne peut accéder aux étages les plus élevés.

La plupart des « progrès » et des améliorations objectives apparus au cours de ces vingt années comportent une face plus sombre, qui n'est pas toujours apparente au premier regard. En creusant davantage, on s'aperçoit que beaucoup d'entre eux sont en réalité des « cadeaux empoisonnés ».

C'est le cas en particulier de la promesse faite à chaque individu de sa totale liberté de **transformer sa condition initiale.** Chacun peut espérer prendre l'ascenseur social et monter les étages de la pyramide en améliorant régulièrement sa situation personnelle et son statut. Cette promesse est sans aucun doute généreuse et nécessaire. Mais elle rend plus difficile l'acceptation de son sort, surtout dans un contexte où les modèles proposés (notamment par les médias) sont rarement les plus modestes et les plus faciles à atteindre.

Surtout, la mobilité sociale a un prix, qui est rarement indiqué à l'avance. Elle implique notamment que chacun prenne en charge son propre destin, dans le cadre d'une autonomie qui est souvent difficile à mettre en œuvre, parfois douloureuse à vivre (voir p.60). L'insatisfaction, l'anxiété, le stress ou la dépression en sont les conséquences fréquentes. Car la liberté offerte à chacun de progresser s'accompagne d'une **concurrence** avec tous les autres, qui disposent de la même liberté théorique et du même désir de l'utiliser à leur profit. Or, il n'y a pas de place pour tous au sommet de la pyramide. Ceux qui n'y parviennent pas sont de loin les plus nombreux et ils en ressentent de la frustration. Ceux qui réussissent à prendre l'ascenseur doivent faire la preuve de leur talent pour y accéder. Ils doivent aussi accomplir les efforts nécessaires, disposer d'aides relationnelles ou tout simplement avoir de la chance pour s'y maintenir. Ces ingrédients sont, quoi qu'on en dise, **inégalement répartis** à la naissance et les dés sont souvent pipés.

Enfin, l'ascenseur social ne fonctionne pas seulement de bas en haut ; il peut ramener aux étages inférieurs ceux qui étaient placés au-dessus par leur naissance ou leurs efforts. Cette situation est devenue plus fréquente dans une société plus mobile et précaire. On observe d'ailleurs que, pour la première fois peut-être dans l'histoire sociale, la génération des enfants n'est pas globalement assurée de faire mieux que celle de leurs parents, en termes de réussite sociale ou de revenu. La promesse de mobilité sociale et celle de l'égalité des chances sont des espoirs nécessaires dans une société avancée. Mais elles conduisent souvent à des **désillusions.** Il est sans doute plus utile de permettre à la « France d'en bas » d'améliorer son sort et de s'en satisfaire que de faire croire à ses membres qu'ils pourront tous rejoindre celle d'en haut.

L'innovation technologique n'améliore pas nécessairement le bien-être collectif et individuel.

Depuis la fin du XVIIIe siècle, les Français vivent avec une idée de la « modernité » selon laquelle l'innovation technologique et la croissance économique qu'elle permet engendrent le progrès social et le bien-être individuel. Ce postulat est aujourd'hui mis en question. La science est perçue dans son **ambivalence** : la plupart des avancées significatives ont aussi des conséquences moins favorables pour les utilisateurs et pour l'environnement. Ainsi, Internet est l'outil de construction du village global dont rêvaient beaucoup d'utopistes mondialistes ; mais il permet aussi de surveiller la vie privée des internautes et de saboter des systèmes d'information publics ou privés. Le téléphone portable est à la fois un outil de liberté et de dépendance. La voiture est un moyen de transport et d'évasion, mais elle tue chaque année des milliers de personnes et pollue l'atmosphère.

Les innovations de ces vingt années sont ainsi toutes porteuses de menaces et génératrices d'inquiétudes. Elles laissent à penser que le « **progrès** » est peut-être un mythe et qu'il convient de s'interroger sur sa signification. Plus de science et de connaissance, ce n'est pas obligatoirement plus de bonheur aujourd'hui et surtout demain. Cela peut être aussi plus de questions non résolues, plus de difficulté à vivre dans la modernité et plus d'inégalités entre les individus. « Celui qui accroît sa science accroît sa douleur », peut-on lire dans *l'Ecclésiaste*, écrit pourtant il y a plus de 2 000 ans.

L'innovation scientifique constitue une **fuite en avant** qui oblige chacun à être sans cesse en état de « veille technologique ». Elle permet sans doute aux Français d'occuper leur temps et leur donne l'impression de renforcer leur pouvoir et leur liberté. Mais elle risque aussi de les asservir et de les détourner de l'essentiel.

La science n'a pas remplacé la religion

En s'affranchissant de la religion grâce à la science, les Français ont cru atteindre à un stade supérieur de l'individu. Ils ont d'abord pensé que la science allait fournir des réponses aux grandes questions de l'existence. Mais la physique quantique, l'informatique ou la génétique n'ont fait qu'entrouvrir le grand livre d'histoire de l'univers. Au fur et à mesure qu'elles découvraient des indices, de nouvelles questions apparaissaient. Finalement, les successeurs d'Einstein ne comprennent toujours pas pourquoi « il existe quelque chose plutôt que rien ». Ils ne savent pas davantage ce qui s'est produit juste avant le big bang que ce qui se passe immédiatement après la mort d'un être humain.

La science a donc failli à sa vocation initiale, qui était d'expliquer l'univers. Elle s'est peu à peu transformée en technologie, et ses avancées ont été alors beaucoup plus spectaculaires pour le commun des mortels. L'invention de l'avion, de la voiture, du téléphone, de la télévision, de l'ordinateur n'a pas aidé à comprendre les origines et le sens de l'existence, mais elle a transformé le rapport à l'espace, au temps, aux autres et à soi-même. Les progrès de la chirurgie, les techniques de dépistage des maladies et les médicaments n'ont pas permis de démonter les mécanismes de la vie ; ils l'ont simplement prolongée.

L'accroissement du pouvoir d'achat engendre des inégalités et des frustrations.

L'enrichissement continu des Français au cours des vingt dernières années leur a permis de s'entourer des objets de la modernité et d'accroître leur confort. Mais il a aussi donné à leur vie une dimension **matérielle** envahissante dont ils commencent à se demander si elle est la condition nécessaire du bonheur. Conformément à la sagesse populaire, ceux qui ont vu leur pouvoir d'achat augmenter se rendent compte que l'argent ne fait pas tout et ils en ressentent une frustration. Mais ceux qui ont le sentiment d'avoir été moins bien servis vivent douloureusement cette inégalité. Ils la ressentent comme une injustice dans une société où l'argent joue un rôle central.

Une part croissante de la population constate donc que l'achat et la possession des biens ne comblent en réalité qu'une partie de leurs besoins et, surtout, de leurs désirs. D'autres attentes, souvent plus essentielles, ne peuvent être satisfaites par la société de consommation. C'est pourquoi celle-ci tend à se transformer de plus en plus en « **société de consolation** ». Beaucoup de Français utilisent leur pouvoir d'achat pour meubler leur temps et se procurer des sensations éphémères qu'il leur faut renouveler de plus en plus souvent. La dimension régressive n'est pas absente de cette évolution ; comme la madeleine de Proust, certains objets contemporains sont des prétextes pour retrouver des souvenirs et des sensations disparues (peluches, jouets, films et chansons...). Redevenir enfant, c'est retrouver l'insouciance perdue et une vision plus optimiste de l'avenir.

L'accroissement du temps libre peut nuire à la liberté.

Au cours de ces vingt dernières années, les Français ont gagné cinq années d'espérance de vie. Ils ont retardé de deux ans leur entrée dans la vie active, du fait de l'allongement des études et des conséquences du chômage. Ils ont réduit la durée de leur travail de cinq heures par semaine. Ils ont avancé de sept ans l'âge de la cessation d'activité professionnelle (58 ans contre 65 ans). Ils ont donc non seulement accru la durée de leur vie, mais augmenté dans des proportions beaucoup plus grandes encore le temps libre dont ils disposent.

Pourtant, ce gain de temps s'est accompagné d'un sentiment croissant et douloureux d'en manquer. Les actifs sont bien sûr les plus concernés, les femmes en particulier, toujours astreintes à la « double journée ». Ce paradoxe s'explique d'abord par la nature humaine (occidentale en tout cas), dont les besoins continueront d'être inassouvis tant qu'elle n'échappera pas à la logique du « toujours plus ». C'est en particulier le cas de la mentalité française, qui fait émerger de nouvelles revendications au fur et à mesure que les précédentes sont satisfaites.

Mais l'explication du paradoxe tient surtout à l'accroissement considérable des **sollicitations** subies en permanence, qui sont autant de tentations. Quel que soit le temps libre dont il dispose, aucun individu ne peut aujourd'hui expérimenter tous les produits et les services qui lui sont proposés, pratiquer toutes les activités existantes. De cette impossibilité naît une frustration. C'est elle qui explique que la mise en place des 35 heures (à revenu pourtant inchangé) n'est pas aujourd'hui saluée comme une avancée majeure. Aussitôt qu'il est obtenu, le « temps libre » doit être en effet occupé afin de ne pas devenir un « **temps mort** ». C'est le but (inavoué) des instruments

chronophages comme le téléphone portable, l'ordinateur ou Internet, qui permettent (en plus des satisfactions qu'ils apportent) de consommer le temps disponible.

Il est intéressant de noter que le langage oppose la notion d'occupation à celle de liberté. Cela tend à démontrer que les Français, qui sont de plus en plus occupés, sont de moins en moins libres.

DDB Paris

Vingt ans de publicité : 1999

L'autonomie est difficile, parfois douloureuse.

La conquête de l'autonomie est longtemps apparue comme l'aboutissement du progrès social, de la reconnaissance de l'individu et de son droit à construire lui-même sa vie et sa destinée. Elle est contenue dans les discours des philosophes grecs et présente dans les revendications depuis le siècle des Lumières. Cette reconnaissance de la personne par rapport à la collectivité a accompagné l'évolution sociale au cours des dernières décennies. La liste des libertés et des droits individuels s'est ainsi allongée, rendant en partie obsolète le « **modèle républicain** », davantage fondé sur l'égalité et la solidarité.

Pourtant, au fur et à mesure que ce droit à l'autonomie est reconnu, il tend à apparaître comme une obligation. La société française est de plus en plus livrée à la compétition et ses corollaires sont la sélection et l'élimination (c'est d'ailleurs sur ce principe que fonctionnent les émissions récentes de « télé-réalité » comme *Loft story*, *Star academy* ou *Les aventuriers de Koh Lanta*). Ceux qui ne sont pas autonomes sont dans le meilleur des cas assistés, mais les institutions sont de moins en moins en mesure de poursuivre la tradition de l'Etat providence. Ils risquent alors de se trouver marginalisés ou même **exclus**.

Par ailleurs, les Français se rendent compte que l'autonomie est difficile à assumer, qu'elle est fatigante, risquée, parfois douloureuse, voire dangereuse. Elle implique en effet de prendre en permanence les bonnes décisions, dans un contexte de plus en plus complexe et changeant. Cela nécessite une vigilance de tous les instants et la possession de nombreux **atouts**, notamment physiques (santé, apparence, dynamisme), culturels (instruction, connaissances spécialisées...) et relationnels (capacité à communiquer, appartenance à des réseaux...). Ceux qui n'en disposent pas sont vulnérables et l'autonomie n'est pour eux qu'une difficulté supplémentaire dans la vie quotidienne.

La tolérance dissout les repères et appauvrit le débat public.

La généralisation de la tolérance à l'égard des modes de vie et des valeurs différents de la « norme » constitue évidemment un progrès. Elle est un facteur de compréhension et d'intégration dans une société « plurielle » et multiculturelle. Mais cette attitude est parfois la conséquence d'une sorte d'indifférence à l'égard des autres : « chacun fait ce qui lui plaît ». Surtout, elle entraîne la disparition des **modèles** qui servaient jusqu'ici de référence aux individus : « chacun fait comme il le sent », dans une ambiance où les certitudes morales disparaissent. Cette perte des repères est très sensible aujourd'hui et elle explique en grande partie le mal-être social.

La tolérance renforce aussi l'idée que tous les points de vue se valent et que tous les actes sont acceptables car les individus ne sont pas responsables de ce qu'ils sont, compte tenu du poids de l'hérédité, du conditionnement par le milieu familial et social. Chacun a donc le droit d'être ce qu'il est, de penser ce qu'il pense, de faire ce qu'il fait (ou de ne pas faire...). Il doit être accepté par les autres sans être jugé. On en arrive à l'idée que **tout se vaut** et il est politiquement et socialement incorrect d'établir une hiérarchie entre les individus, entre leurs actions, entre leurs contributions à la collectivité.

Cette évolution a pour conséquence une raréfaction des débats entre les intellectuels, mais aussi entre les citoyens. Puisque tout peut être dit, entendu et accepté, il n'est pas nécessaire de le discuter, encore moins de le critiquer. Les quelques émissions de débat de la télévision

fonctionnent sur ce mode. Les points de vue sont multipliés et juxtaposés dans un souci d'objectivité et de respect de la diversité. Un délinquant a droit au même temps de parole que sa victime. Un *tagger* de quartier bénéficie de la même attitude bienveillante qu'un artiste de renommée internationale.

La tolérance, nécessaire dans son principe, peut avoir des conséquences inverses de celles recherchées si elle est poussée à son paroxysme. Tous les actes et toutes les opinions ne se valent pas ; ils méritent en tout cas d'être débattus, critiqués, parfois condamnés. « L'art naît dans la contrainte et meurt dans la liberté », affirmait Michel-Ange. Il en est peut-être de même des sociétés, lorsqu'au nom de la liberté individuelle se développe une tolérance qui la paralyse.

Qu'est-ce qu'on attend pour être heureux ?

Cinq « tendances lourdes » pour expliquer le malaise français

Le décalage en forme de paradoxe entre les améliorations objectives qui ont accompagné ces deux décennies et le développement d'un sentiment général de malaise chez les Français s'explique en partie par le fait que les premières étaient des « **cadeaux empoisonnés** » (voir pages précédentes). Mais cela ne suffit pas pour comprendre la difficulté de nombreux Français, de toutes catégories sociales, à vivre le quotidien, à cohabiter et à regarder l'avenir autrement qu'avec des lunettes noires.

Le « mal français » est lié à des causes plus profondes, dont certaines (culturelles, historiques) ont été largement décrites par de nombreux observateurs. Il faut ajouter qu'il est davantage **collectif** qu'individuel, car nombreux sont les Français qui pensent tirer leur épingle du jeu, dans une société qu'ils jugent à la dérive, voire en pleine décadence. Cette situation s'explique par de nouvelles attitudes, de nouveaux comportements et de nouvelles valeurs (ou contre-valeurs), qui permettent de mieux comprendre ce mal-être national. On peut ainsi proposer cinq hypothèses ou « tendances lourdes », sous la forme de grands principes qui traversent l'ensemble de la société contemporaine : **plaisir ; émotion ; virtualité ; immédiateté ; incertitude**. Ils sont décrits ci-après.

Le principe de plaisir

L'hédonisme est l'une des dimensions principales de la société contemporaine et l'un des moteurs essentiels des individus. Faute de la perspective d'un bonheur post mortem dans le paradis catholique tel qu'il était envisagé par les croyants, chacun veut être heureux **ici et maintenant**. Pour cela, il lui faut pouvoir vivre intensément chaque moment du jour et, si possible, de la nuit. Pour beaucoup de jeunes, l'important est ainsi de faire la « teuf », de « délirer », de « se lâcher » et de « s'éclater ».

Le principe de plaisir implique de disposer de l'**argent** nécessaire pour pouvoir consommer sans compter. Mais il n'est guère compatible avec l'effort généralement nécessaire pour travailler et s'enrichir. C'est pourquoi certains, parmi ceux qui n'y sont pas contraints, préfèrent effectuer

Plus de droits que de devoirs

Depuis vingt ans, les Français ont réussi à allonger de façon continue et spectaculaire la liste de leurs droits. Cette spécialité nationale avait d'ailleurs commencé bien avant, avec la Déclaration des droits de l'homme et du citoyen, point d'orgue et justification de la Révolution française. Aux droits fondamentaux et nécessaires évoqués alors se sont ajoutés d'autres droits, d'une autre nature. Le droit au loisir est le contrepoint de ce qui a longtemps été le devoir de travail. Le droit à la différence s'applique non seulement aux minorités ethniques, mais aux individus. Chacun peut désormais s'habiller comme il le souhaite, parler et écrire comme il le veut, penser comme il en a envie, sans référence aux « normes » qui prévalaient auparavant.

Cet allongement sans fin de la liste des droits a coïncidé avec la diminution ou même la suppression de la liste des devoirs qui leur étaient généralement associés. On a vu successivement disparaître dans les faits des obligations explicites ou implicites comme la politesse, la ponctualité, le respect de la parole donnée ou de la loi. Mais, lorsque les droits l'emportent systématiquement sur les devoirs, l'équilibre social ne peut être maintenu. Ceux qui travaillent se sentent floués par ceux qui recherchent l'oisiveté. Ceux qui vivent selon des principes de responsabilité ne peuvent facilement communiquer avec ceux qui ne voient que leur propre intérêt. Une véritable fracture sociale et mentale sépare ces deux catégories et ces deux visions de la vie.

des « petits boulots » (intérim, temps partiel...) que d'investir leur énergie et leur temps dans leur vie professionnelle et empiéter ainsi sur leur vie personnelle et amicale. Le principe de plaisir est tout naturellement associé au principe du **moindre effort**.

Le principe d'émotion

Le principe de plaisir a pour corollaire le primat de l'émotion sur la raison. Beaucoup de Français la recherchent dans leur vie sentimentale et familiale. Ils la trouvent aussi dans la musique, dans le sport (en tant qu'acteurs ou, le plus souvent, de spectateurs) et dans toutes les formes de loisirs : cinéma, lecture, pratiques culturelles en amateur, etc. La publicité et les médias jouent en permanence sur ce registre, avec la mise en exergue ou en scène des divers sentiments humains : colère ; joie ; tristesse ; désespoir ; nostalgie... La télévision s'en est fait une spécialité, tant dans les reportages d'actualité que dans les émissions de fiction ou de variété. Les larmes coulent à flot sur les plateaux, lorsque des « **vrais gens** » évoquent leurs joies et leurs peines ou rencontrent de façon inattendue leurs stars préférées.

Dans la vie individuelle et collective, l'émotion tend ainsi à se substituer à la raison. Pour beaucoup de Français, il est plus important de **résonner** (au sens d'entrer physiquement et mentalement en résonance avec les sons, les images et les diverses situations de la vie) que de raisonner. Ils préfèrent ressentir plutôt que comprendre, exercice difficile et souvent frustrant. Ils s'attachent aux sens plus qu'au sens, qui n'est pas facilement accessible. C'est pourquoi on assiste depuis quelques années à un développement du **polysensualisme**, qui s'efforce d'éveiller ou de réveiller les sens du public avec des images, des sons, des odeurs, des sensations tactiles ou gustatives.

Mais cette primauté de l'émotion sur la raison a parfois des conséquences dommageables. Elle fausse les débats et interdit parfois de prendre les meilleures décisions en matière économique ou sociale. Elle tend à privilégier la démagogie, qui flatte souvent les attentes de la « foule sentimentale ».

Le principe de virtualité

Une autre conséquence de la primauté du principe de plaisir est le rejet du principe de réalité. Aujourd'hui, beaucoup de Français vivent dans un monde virtuel ; ils le côtoient par l'intermédiaire des médias et recherchent des états modifiés de conscience. Cette attitude semble d'ailleurs appartenir à la mentalité nationale. Souvent au cours de leur histoire, les Français ont préféré ignorer la réalité ; ce fut le cas par exemple avant la Seconde Guerre mondiale ou au moment du premier choc pétrolier de 1974. Cette tendance leur a aussi permis en 1789 de contribuer à la transformation du monde pour le rendre plus conforme à leurs utopies.

Mais le refus du réel engendre une difficulté, voire une impossibilité à s'y adapter. Il en est ainsi des **institutions**. En voulant redistribuer les revenus et réduire les inégalités, l'Etat providence a découragé les actifs, ponctionnés par une fiscalité croissante. En jouant un rôle de filet protecteur pendant les années de crise, il a aussi servi d'écran entre les citoyens et le monde. Enfin, un certain nombre de fonctionnaires et de syndicalistes refusent encore de voir les mouvements d'un monde qui ne leur convient pas. Ils se retranchent derrière leur statut (et les avantages qu'il impliique) pour résister au changement et refuser les réformes qui leur sont proposées. Sans prendre conscience de leur responsabilité à l'égard de l'ensemble de la société.

Le principe d'immédiateté

Le rapport au temps est affecté par la difficulté de se projeter dans le futur, du fait de la rapidité et de l'ampleur des changements qui se produisent. Il est aussi perturbé par une tendance générale au pessimisme. Pour beaucoup de Français, aujourd'hui est moins bien qu'hier, mais mieux que demain. C'est pourquoi le **court terme** tend à se substituer au long terme dans la réflexion individuelle ou collective. Les décisions qui sont prises ne sont destinées le plus souvent qu'à résoudre des problèmes urgents, sans se soucier des conséquences qu'elles pourront avoir ultérieurement.

C'est ainsi que l'on a pu en France mettre en place un certain nombre de « **bombes à retardement** ». Elles concernent par exemple l'évolution démographique ; le vieillissement de la population lié notamment à la dénatalité a pour conséquence un affaiblissement du poids de la France et de l'Europe dans le monde. La circulation automobile, les pratiques industrielles ou ménagères ont provoqué une dégradation continue de l'environnement qui menace la santé et le cadre de vie des générations futures. L'absence de volonté, de courage et peut-être d'imagination pour réformer les régimes de retraite, notamment dans le secteur public, laisse augurer de vraies difficultés de financement d'ici quelques années. La prévalence du court terme dans la réflexion et l'action ex-

Le grand vide

L'HISTOIRE récente des Français est marquée par la montée d'un véritable malaise collectif, dont les symptômes peuvent se résument à la peur de l'avenir et à la désaffection à l'égard des institutions. On peut lui trouver des raisons objectives avec la montée du chômage ou celle de l'insécurité sous ses multiples formes. Une autre explication réside dans la difficulté de vivre dans un monde en transformation accélérée, où chaque jour apporte une autre vérité, oblige à une adaptation permanente.

Plus profondément, il faut évoquer le grand vide créé par la disparition progressive du religieux dans la vie collective et individuelle. Le recul de la foi et celui, surtout, de la pratique ont eu des conséquences sur les grandes certitudes concernant le monde et sa finalité. Peut-être aussi sur la conception de la morale, qui était autrefois soutenue par la perspective d'une vie après la mort, d'un accès à la révélation, d'un salut de l'âme, d'une récompense pour les efforts accomplis et les frustrations subies au cours de la vie. Au lieu de cela, les non-croyants doivent se contenter de vivre ici et maintenant, convaincus qu'il n'y aura pas de deuxième chance.

Face à l'éclipse du religieux (ou plutôt en même temps, car elle en était la cause et la conséquence), les Français se sont tournés vers la science. Mais le grand rêve d'une réponse scientifique aux grands mystères de l'univers ne s'est pas réalisé (voir p.59). La science n'a pas non plus prouvé la non-existence de Dieu. Le doute subsiste donc et il pourrait inciter certains à retrouver des moyens de satisfaire un besoin inassouvi de spiritualité et d'espoir dans la vie et après la mort.

Si elle n'a pas répondu aux questions, la science a en revanche fait surgir des interrogations sur le devenir de l'Homme en montrant qu'elle était en mesure de manipuler l'espèce. Certains voient dans cette perspective la menace d'un génocide au sens propre du terme (destruction des gènes responsables de la vie) qui conduirait à la fin de l'Humanité. Celle-ci aurait alors doublement échoué : d'abord dans la compréhension et l'explication du monde, puis dans la préservation de sa propre espèce (comme elle a échoué dans la préservation d'autres espèces vivantes).

Dans ce contexte d'effacement de la religion, d'échec de la science et de menaces sur l'avenir, beaucoup de Français se retrouvent sans appartenance, sans certitudes et sans but. Ils ressentent plus ou moins confusément un vide existentiel qui sera difficile à combler.

plique aussi le déséquilibre du système de santé ou le niveau élevé de l'endettement national. Elle est enfin responsable de la persistance d'un taux national particulièrement élevé de chômage structurel.

Les factures laissées par des décideurs plus préoccupés de leur image pendant la durée d'un mandat ou d'une législature devront pourtant être payées un jour. Celles des retraites, du système de santé ou des 35 heures seront lourdes. Elles font partie de l'héritage laissé aux générations futures, ce qui explique la vision de l'avenir plutôt pessimiste des jeunes.

Le principe d'incertitude

Le refus du réel ne s'explique pas seulement par l'incapacité des Français à l'appréhender. Il est lié au fait qu'il est objectivement de plus en plus difficile à connaître. Contrairement à ce que l'on pouvait imaginer, l'abondance de l'**information** engendre une incapacité croissante à la traiter, à l'assimiler et, surtout, à la valider. Car elle est souvent invérifiable, comme l'illustre le développement d'Internet, qui constitue pourtant un formidable outil d'accès. Les tentatives de désinformation et de manipulation se sont multipliées : photos truquées, rumeurs et mensonges. Cette évolution ouvre la voie aux tentatives de réécriture de l'Histoire, notamment au révisionnisme et au négationnisme. Si tout n'est qu'illusion et si l'on adhère à la thèse souvent reprise du **complot**, comment être sûr que les chambres à gaz ou que l'attentat du 11 septembre 2001 sur Washington ont bien existé ?

Les Français se sont ainsi peu à peu convaincus que **la vérité est introuvable**. Cette certitude met en question à leurs yeux toutes les autres (déjà bien entamées) et elle est très inconfortable. C'est pourquoi ils sont de plus en plus critiques à l'égard de ceux qui sont à l'origine des informations : politiciens, chefs d'entreprises, responsables syndicaux, scientifiques et autres acteurs importants de la société. Ils accordent une faible crédibilité aux médias qui véhiculent ces informations, les suspectant de les sélectionner, voire de les déformer pour les rendre plus spectaculaires.

C''est dans ce climat d'incertitude, de vision à court terme, de résistance à la réalité, de primat de l'émotion et d'hédonisme que les Français devront inventer leur avenir. Les contours de la société en préparation sont en partie visibles dans les changements récents, tels qu'ils ont été décrits et analysés dans cette *Rétroscopie*.

Individu

L'apparence

Corps

Les outils contemporains incitent à la paresse corporelle...

Les équipements domestiques, la voiture, les transports en commun et les robots de toutes sortes remplissent une partie croissante des tâches quotidiennes ; ils constituent autant de « prothèses » corporelles qui facilitent les déplacements, le travail manuel, la préparation de la cuisine ou l'entretien de la maison. Les fonctions physiques autrefois remplies par les membres, les muscles, voire certains organes (foie, estomac, intestins...) sont en tout ou partie déléguées aux machines. Leur usage ne mobilise guère que le cerveau et les mains, qui servent à utiliser les claviers et les télécommandes.

Le corps est aujourd'hui comme engourdi par les effets du progrès technique. La multiplication des écrans et la sédentarité ont rendu la position assise de plus en plus fréquente. Le confort des sièges et de la literie, la livraison à domicile ou l'avènement des « textiles intelligents » (t-shirts hydratants, collants anti-stress, tissus antibactériens, vêtements « communicants »...) favorisent la paresse et le ramollissement du corps. Ils ne sont sans doute pas étrangers au développement récent de l'obésité (voir p. 71).

... et favorisent la « décorporation »...

Tout individu passe une partie croissante de sa vie dans un monde virtuel. En même temps, l'être humain se débarrasse progressivement d'attributs devenus inutiles et le corps est en mutation ; on observe ainsi chez les jeunes un développement du pouce (musculature et habileté) par rapport aux autres doigts. De nouvelles prothèses augmenteront bientôt les facultés des sens, de la mémoire ou des formes diverses de l'intelligence. Grâce au clonage de cellules souches, les organes vieillis ou défaillants pourront être remplacés. Un nouvel être pourrait naître de cette volonté d'accroître les capacités humaines.

En même temps, la différence entre le corps réel et le corps virtuel tend à s'estomper. L'avènement du cybersexe privilégie le fantasme, recueille et simule les sensations à l'aide de capteurs. Bien avant Internet, la presse et la télévision avaient amorcé cette dématérialisation en diffusant des images, fixes ou animées, de la réalité. On remarquera que la radio, et depuis beaucoup plus longtemps le livre (essentiellement le roman) vont bien plus loin dans ce domaine, en supprimant totalement la représentation du corps et en laissant l'auditeur ou le lecteur l'imaginer dans sa tête.

Le retour de la nudité

Le corps redécouvert est de moins en moins couvert. Il est exhibé avec fierté par un nombre croissant d'hommes et de femmes dans les salles de sport, les vestiaires ou sur les plages. Il est mis en scène par la publicité dans ses fonctions esthétique et érotique. Dans la lignée des chômeurs de *Full Monty* et des *Chippendales*, des « vrais gens » posent nus pour des calendriers (rugbymen du Stade français, commerçants lillois, sapeurs-pompiers de la Drôme...) vendus au profit de nobles causes.

On trouve dans cette évolution la traduction d'un mouvement général de régression, de retour au stade primitif ou animal. Les humains se rappellent aussi que la vérité est nue. Cela ne les empêche pas de chercher à l'embellir, en pratiquant par exemple le *body art* (peintures ou tatouages sur tout ou partie du corps) ou le *piercing*. Mais l'intérêt pour le corps concerne aussi celui des autres, comme en témoigne le voyeurisme télévisuel *(Loft Story)*, cinématographique (films érotiques ou pornographiques) ou informatique (*webcams* intimes sur Internet).

... mais les Français sont de plus en plus attachés à leur corps.

Est-ce la conscience de ces risques de décorporation ou une tendance naturelle à l'équilibre ? Les Français s'intéressent en tout cas de plus en plus à leur corps. Cette redécouverte a commencé vers le milieu des années 60. La montée de l'individualisme, la forte revendication libertaire et surtout la possibilité pour les femmes de maîtriser leur fécondité provoquèrent une transformation des mentalités. Cha-

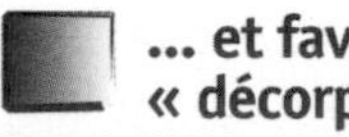

cun devint conscient que son corps lui appartenait et qu'il était responsable de son fonctionnement et de son usage. La cure thermale, réservée au début du siècle aux personnes fortunées, se banalisait, au point d'être remboursée par la Sécurité sociale. A l'inverse, le sport se développait dans les catégories aisées, qui l'avaient longtemps méprisé. Il s'installa dans les modes de vie au cours des années 80, avec la mode du *jogging*, de l'*aerobic* ou du *body-building*.

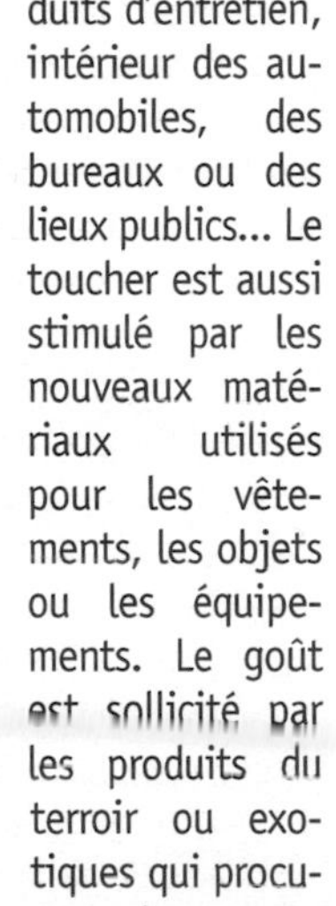

La nudité présente dans la publicité

Lorsque les certitudes s'éloignent, le corps tend à prendre une place croissante. Il est le garant de l'autonomie physique, mais aussi mentale, car il est indissociable du cerveau et de l'« esprit ». Une sorte de narcissisme s'est ainsi développé chez les Français. Beaucoup considèrent leur corps comme leur capital principal, voire unique. Encouragés par les progrès de l'espérance de vie et les perspectives scientifiques, ils le voudraient immortel. C'est pourquoi ils s'efforcent de l'entretenir, de l'enjoliver ou de le réparer lorsque c'est nécessaire.

Le corps est le capteur du monde extérieur...

La réhabilitation du corps s'est accompagnée plus récemment de celle des sens, qui lui permettent de prendre connaissance de son environnement. C'est le cas notamment de ceux qui avaient été oubliés, comme le sens olfactif. Il est aujourd'hui de plus en plus sollicité : aliments, produits d'entretien, intérieur des automobiles, des bureaux ou des lieux publics... Le toucher est aussi stimulé par les nouveaux matériaux utilisés pour les vêtements, les objets ou les équipements. Le goût est sollicité par les produits du terroir ou exotiques qui procurent des sensations fortes ou nouvelles (voir p. 208). De tous les sens, c'est celui de la vue qui procure le plus de plaisir aux Français (48 %), devant le goût (28 %), le toucher (9 %), l'odorat (7 %) et l'ouïe (5 %). (Collective du Sucre/Ipsos, mai 2000.)

L'individu n'est donc plus un pur esprit. Il est conscient de son corps et réapprend à utiliser ses sens autant que son cerveau. Cette évolution participe du fort courant de retour en enfance (l'enfant effectue une grande partie de son apprentissage du monde par les sens) que l'on observe depuis quelques années, notamment en matière de consommation (voir p. 369). La situation d'adulte responsable est difficile à vivre dans une société qui propose de moins en moins de repères et implique une autonomie de tous les instants. Par contraste, la période de l'enfance apparaît comme celle de l'insouciance, de la sécurité. Elle est celle où tout est encore possible, avant que les choix ne restreignent l'espace personnel de liberté.

... un outil,...

Le corps n'est pas seulement une enveloppe charnelle à l'être qu'il abrite et le moyen d'appréhender le monde réel. Il est aussi un outil au service de son propriétaire. Il lui permet d'accomplir les tâches quotidiennes, de se mouvoir et d'effectuer les gestes de la vie personnelle, professionnelle et sociale. A ce titre, il doit être en bon état, afin de remplir ces fonctions dans les meilleures conditions.

Il doit aussi le rester le plus longtemps possible, car il est porteur de la vie. Or, l'allongement continu de l'espérance de vie a convaincu les Français que l'on peut vivre de plus en plus longtemps et sans incapacité majeure. Les promesses des chercheurs dans ce domaine leur ont donné envie de prévenir autant que possible le vieillissement et les dysfonctionnements par une alimentation équilibrée, la pratique d'une activité physique, la consommation de compléments hormonaux et un suivi médical régulier.

... une vitrine,...

Le corps est depuis toujours un médium qui permet de communiquer avec les autres, par les gestes et les attitudes qui viennent renforcer (parfois démentir) les discours. Mais il est aussi utilisé pour offrir aux autres une image de soi. Il joue ainsi le rôle d'une vitrine, véhiculant une

image que l'on cherche à rendre agréable, séduisante, aimable, voire enviable. Pour cela, il faut avoir l'air jeune, dynamique et efficace dans sa vie familiale, professionnelle et sociale.

La vitrine montre aussi l'appartenance à un groupe social, à une communauté ou une tribu. Outre les moyens traditionnels utilisés (vêtements, accessoires, coiffure...), certains se font tatouer, de façon définitive ou provisoire, ou se teignent les cheveux. Ces pratiques leur permettent de se dévoiler, de se différencier ou parfois de jouer avec leur identité. Les motivations ludiques ne sont pas absentes de ces comportements. Elles sont aussi de plus en plus souvent transgressives ; pour exister aux yeux des autres, se faire remarquer, il peut être utile de casser les codes vestimentaires ou corporels.

... et un miroir.

Si le corps permet d'envoyer vers les autres un ensemble de signes, il exerce aussi une fonction narcissique, plus récente, et renvoie à celui qui l'habite une série d'indications sur son identité. Cette fonction se développe en même temps que l'autonomie accordée (ou imposée) à l'individu. Elle explique en partie les efforts réalisés pour modeler le physique selon un idéal qui n'est plus alors collectif, mais individuel.

Chacun étant propriétaire de son corps, il l' « habite » comme s'il s'agissait d'une maison. Il le « meuble » avec des vêtements qui doivent traduire son identité autant que l'appartenance à un groupe social. Il le « décore » avec des bijoux, des accessoires ou des produits de maquillage. Il le protège en étant attentif à l'alimentation et à l'hygiène, en pratiquant le sport, la prévention, la thalassothérapie, etc. Il le soigne avec l'aide de la médecine et, de plus en plus, l'automédication. Il en améliore aussi l'apparence grâce à la chirurgie esthétique. Mais il arrive que, malgré ces efforts, l'image renvoyée par le miroir ne soit pas satisfaisante ou conforme à celle que l'on voudrait avoir de soi. On cherche alors à la transformer, à jouer avec elle. A défaut de pouvoir changer de vie, on s'efforce de changer de corps.

> La proportion de droitiers est de 85 %, celle des gauchers de 15 %.

Satisfait ou remboursé

Il existe aujourd'hui une aspiration au corps parfait, tant dans son fonctionnement que dans son apparence. Comme les consommateurs demandent à être satisfaits des produits qu'ils achètent, les individus attendent d'être satisfaits de leur corps. Dans le cas contraire, ils voudraient être remboursés et même indemnisés. Le fameux arrêt Perruche, pris par la Cour de cassation en 2001, est la conséquence de ce cheminement. Il autorisait le plaignant du même nom à demander réparation pour le préjudice d'être né avec un handicap.

Si cet arrêt n'avait été mis en cause par un projet de loi de janvier 2002, les parents, les médecins ou la société auraient pu ainsi être jugés responsables de la non-conformité physique et mentale d'une personne par rapport à un modèle implicite ou explicite de « normalité ». Mais on peut observer que c'est déjà le cas avec la maladie ou le handicap et même avec la mort, lorsqu'ils sont accidentels, criminels ou dus à une faute médicale.

Le corps s'apparente à une marchandise.

Dans un contexte social où chaque individu est responsable de sa vie et de son destin, le corps joue un rôle croissant. Il ressemble en cela à une marchandise que l'on doit « vendre » à ceux qui sont en mesure de l'« acheter » et de la « consommer » : employeur ; conjoint ou concubin ; entourage familial et professionnel ; amis et relations...

Pour cela, le corps doit offrir à ceux qui « investissent » sur lui une rentabilité satisfaisante. L'illustration extrême en est donnée par les sportifs de haut niveau, qui évoluent sur un marché planétaire et font la fortune des organisateurs de compétitions, des médias qui les retransmettent, des *sponsors* qui les financent... sans oublier la leur.

Chaque individu est donc, souvent à son insu, un « produit » qui porte sa propre marque, éventuellement celle du groupe auquel il appartient. Devant la difficulté de maintenir ou d'accroître sa « valeur marchande », la tentation est forte de recourir à des artifices : maquillage, « relookage » ou chirurgie esthétique pour le commun des mortels ; dopage pour ceux qui ne peuvent se contenter de paraître, mais qui doivent en outre être performants.

Les contraintes corporelles ont changé de nature.

Dans un contexte social et familial qui se veut plus tolérant, les normes traditionnelles concernant l'usage du corps tendent à disparaître. C'est le cas des obligations explicites (se tenir droit, veiller à son « maintien »...) qui participent à la fois de la politesse commune et de la volonté

Désir d'être soi, tentation d'être un autre

A une époque où chacun est à la recherche de sa propre identité, beaucoup d'efforts sont déployés dans le but de tricher avec elle. C'est souvent la nécessité professionnelle qui le justifie. De nombreux cadres cherchent ainsi à se donner une apparence conforme à l'idée qu'ils se font de la fonction qu'ils occupent, ou à celle que s'en font leurs patrons, leurs collaborateurs ou leurs clients. Ils changent alors leur habillement, leur coiffure, leur apparence physique (poids, maquillage,chirurgie...). Quant aux dirigeants, ils recrutent des *coachs* chargés de transformer leur condition physique ou de faire d'eux des leaders charismatiques, au minimum des « communicateurs » efficaces. Le dopage n'a pas seulement envahi le monde sportif, il a gagné l'entreprise et la vie courante. On estime que 15 % des Français et 25 % des cadres s'administrent eux-mêmes des produits stimulants afin d'accroître leur dynamisme apparent.
Ce transformisme contemporain s'explique d'abord par l'accroissement des contraintes sociales et des processus de sélection (c'est-à-dire d'élimination) dans tous les domaines. L'obligation d'efficacité, la recherche de plaisir et le désir de trouver l'harmonie intérieure sont à l'origine de cette médicalisation croissante de l'existence. Elle est aussi la conséquence d'une volonté individuelle de changement, qui traduit une insatisfaction. Lorsqu'il est difficile de « réussir » sa vie en étant soi-même, la tentation est grande de chercher à devenir un autre.

Fauteuils & canapés
Stressless®
LE CONFORT ABSOLU
DÉCOUVREZ LE
NOUVEAU
CONFORT ABSOLU
EKORNES

Cap Horn

Corps rime de plus en plus avec confort

de donner une bonne image de soi. L'appartenance à un groupe social et le rang qu'on y occupe sont indiqués par des attributs comme l'habillement, la coiffure ou les accessoires. La gestuelle est davantage influencée par ce qui est suggéré par le groupe que par ce qui est interdit par les normes collectives.

A l'inverse, les contraintes implicites sont de plus en plus prégnantes. Pour être conforme aux canons de l'époque, il faut être mince, avoir l'air sportif et « en forme ». Les modèles féminins et masculins diffusés par les médias constituent les nouvelles références auxquelles chacun s'efforce de ressembler à coups de régimes alimentaires, de culture physique ou de musculation, voire de chirurgie esthétique. Mais cette pression médiatique et sociale est difficile à supporter. Certains « craquent » sous la difficulté et sombrent dans la dépression. D'autres décident de prendre le contre-pied des modèles proposés au nom de la liberté individuelle.

Les Français cherchent aujourd'hui à réconcilier le corps et l'esprit.

Si l'importance attachée au *look* et à l'apparence physique est croissante, elle n'a plus aujourd'hui le même sens que pendant les années 80. Elle s'accompagne d'une recherche d'équilibre et d'épanouissement personnel. Le culte du corps n'est pas seulement destiné à améliorer l'image qu'on donne de soi, mais à participer au bien-être de son propriétaire. Il s'agit moins de plaire aux autres que de se sentir en accord avec soi-même.

Dans un contexte général de réconciliation des contraires (homme-femme, bien-mal, jeune-vieux, travail-loisir, moi-nous, droite-gauche, nature-culture, rationnel-irrationnel...), les Français cherchent en fait l'harmonie entre le corps et l'esprit, entre l'extérieur et l'intérieur de l'être. Ils suivent sans le savoir le vieux précepte chinois : « Prends soin de ton corps, afin que ton âme ait envie de l'habiter. »

Taille et poids

Les Français mesurent en moyenne 1,75 m, les Françaises 1,62 m.

Les derniers chiffres disponibles sur la taille des Français émanent d'une enquête réalisée par les laboratoires Roche avec la Sofres en 2000. Comme la plupart des précédentes, elle présente l'inconvénient d'être fondée sur

des déclarations. Les écarts sont ainsi moins marqués que dans des études basées sur des mesures, les plus petits ayant tendance à se grandir, les très grands à indiquer une taille inférieure. Mais elle a l'avantage de pouvoir être comparée à celles effectuées de façon similaire par l'INSEE en 1970, 1980 et 1991.

Parmi les pays de l'Union européenne, les habitants du Nord sont plus grands que ceux du Sud. Chez les hommes, les Néerlandais mesurent ainsi en moyenne 1,80 m, les Suédois 1,79 m, contre seulement 1,69 m pour les Portugais et 1,72 m pour les Espagnols ; avec 1,75 m, les Français se situent dans la moyenne (enquête Eurostat 1996). La hiérarchie est semblable chez les femmes, avec des écarts moins importants : 1,68 m pour les Néerlandaises, 1,61 m pour les Portugaises et les Espagnoles ; la taille des Françaises (1,63 m dans cette enquête) est inférieure d'un centimètre à la moyenne européenne. Comme les Français, elles sont plus petites que les Américaines et plus grandes que les Japonaises.

> La taille des *Homo habilis* (2,5 millions d'années) est estimée à 1,20 m pour les hommes, celle des *Homo erectus* (1,5 million d'années) à 1,60 m.

Les hommes ont grandi de 10 cm en un siècle, les femmes de 7 cm.

On estime que la taille moyenne au début du XXe siècle était de 1,65 m pour les hommes et 1,55 m pour les femmes. On observe une diminution de la proportion des « petits » et une augmentation de celle des « grands ». 5 000 Français mesurent moins de 1,40 m (1,20 m en moyenne) ; chaque année, environ 1 000 nouveau-nés sont atteints de nanisme, soit un sur 750. La très grande taille commence à 1,98 m pour les hommes, 1,85 m pour les femmes. Un Français sur cinq mesure plus de 1,80 m.

Le phénomène de grandissement n'est pas propre à la France. Il concerne tous les pays qui sont passés d'une civilisation rurale agricole à une civilisation urbaine industrielle. Cette évolution s'explique par des conditions de développement physique plus favorables pour les enfants (meilleure hygiène, meilleure alimentation) qui permettent aux facteurs génétiques d'influer normalement sur leur croissance.

Toujours plus grands

Evolution de la taille moyenne par sexe en fonction de l'âge (en cm) :

	Hommes				Femmes			
	1970	1980	1991	2000	1970	1980	1991	2000
20-29 ans	172	174	176	177	162	162	164	165
30-39 ans	171	173	175	176	161	162	162	164
40-49 ans	170	171	173	175	161	161	162	162
50-59 ans	169	170	172	173	160	161	161	161
60-69 ans	168	169	170	171	160	160	160	160
70 ans et +	168	168	169	170	160	159	159	159
Ensemble	**170**	**172**	**173**	**175**	**160**	**161**	**161**	**162**

INSEE et Roche/Sofres pour 2000

Des jeunes de plus en plus grands

La taille des hommes de 20 à 29 ans est passée de 1,70 m en 1950 (génération 1921-1930) à 1,76 m en 1991 (génération 1962-1971). Pendant la même période, les jeunes femmes n'ont grandi que de 3 cm, soit deux fois moins. Un jeune homme en fin de croissance mesure en moyenne 5 cm de plus que son père et 8 cm de plus que son grand-père.

L'écart entre les générations s'est accru avec le vieillissement de la population et le tassement de taille qui en résulte ; celui-ci est estimé à 1,5 cm tous les dix ans à partir de 50 ans, ce qui représente une perte de taille importante pour les personnes âgées. L'accroissement de la taille moyenne minimise donc celui de la taille des jeunes, car leur part dans la population a baissé.

La hiérarchie des tailles reproduit celle des professions.

A âge égal, un homme cadre supérieur mesure en moyenne 4 cm de plus qu'un ouvrier ; l'écart est de 2 cm pour les femmes. Avant la disparition du service militaire, on avait mesuré que, parmi les appelés du contingent, un étudiant mesurait 4 cm de plus qu'un jeune agriculteur. Les disparités se retrouvent aussi dans la distribution des tailles : 28 % des hommes cadres dépassent 1,80 m, contre 14 % des agriculteurs et 17 % des ouvriers. Les différences entre les caté-

gories socioprofessionnelles sont moins marquées chez les femmes.

Les écarts régionaux sont plus faibles que ceux qui existent entre les professions ; ils ne sont d'ailleurs pas significatifs pour les femmes. Les variations plus importantes constatées chez les hommes s'expliquent en partie par la structure de la pyramide des âges dans les régions : on est plus jeune, donc plus grand, dans le Nord, région principalement urbaine, que dans l'Ouest, région essentiellement rurale.

Les femmes pèsent en moyenne 63 kg, les hommes 76 kg.

Comme celle concernant la taille, l'enquête Roche/Sofres de 2000 sur le poids était déclarative, ce qui a pu influer sur les résultats en les lissant vers une moyenne jugée « correcte » par les personnes interrogées. A l'inverse de la taille, qui est inférieure pour les générations anciennes, le poids moyen des hommes et des femmes augmente avec l'âge, de sorte que le rapport poids/taille s'accroît encore plus que le seul poids. Entre 20 et 50 ans, la prise de poids représente environ 8 kg pour les hommes et 6 kg pour les femmes. Ce phénomène est lié notamment à la diminution de l'exercice physique et à des pratiques alimentaires moins équilibrées. Il s'explique aussi par une attitude différente à l'égard de l'apparence.

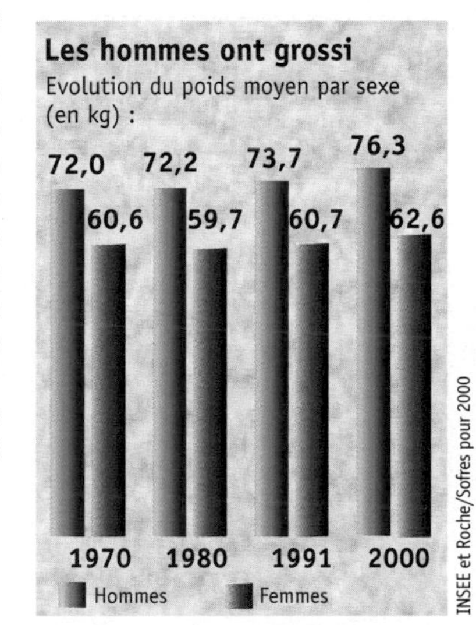

Le poids est évidemment corrélé à la taille, ce qui explique qu'on soit moins lourd au sud qu'au nord de l'Union européenne. Ainsi, le poids moyen le plus faible chez les hommes est celui des Portugais (72 kg), le plus élevé étant celui des Suédois (80 kg). Les femmes françaises, bien qu'elles ne soient pas les plus petites, sont les plus minces avec les Italiennes. Les plus lourdes sont logiquement les Néerlandaises, puisqu'elles sont les plus grandes.

Le lien entre la profession et le poids est inversé entre les sexes.

Chez les hommes, les agriculteurs et ceux qui exercent des professions indépendantes pèsent en moyenne davantage que les salariés, à taille et âge comparables. Les hommes cadres supérieurs pèsent 3 kg de moins que les agriculteurs, mais les femmes 1 kg de moins.

Les femmes cadres ou appartenant aux professions intellectuelles supérieures sont à la fois les plus grandes et les plus minces (en proportion de leur taille). On peut imaginer que la recherche de postes élevés dans la hiérarchie professionnelle les incite à veiller plus que les autres à leur ligne. Les femmes cadres moyens ou techniciennes semblent les moins concernées, puisqu'elles pèsent près de 6 kg de plus que la moyenne, avec une taille inférieure. Ce sont les ouvrières

37 % d'hommes et 23 % de femmes en surpoids

Proportion de personnes en surpoids et obèses en fonction du sexe et de l'âge (2000, en %) :

	2-15 ans		15-24 ans		25-34 ans		35-44 ans		45-54 ans		55-64 ans		65 ans	
	H	F	H	F	H	F	H	F	H	F	H	F	H	F
Obésité (1)	2,3	2,5	1,9	2,1	6,7	7,1	7,9	8,8	13,6	11,7	16,3	14,6	14,2	13,0
Surpoids (2)	11,1	10,7	9,8	8,7	30,4	15,3	38,0	19,8	43,5	24,1	50,1	33,2	49,7	34,4

(1) Indice de masse corporelle supérieur à 30 kg/m²

(2) Indice de masse corporelle compris entre 25,0 et 29,9 kg/m²

$$IMC = \frac{\text{Poids (kg)}}{\text{Taille x Taille (m)}}$$

Roche/Sofres

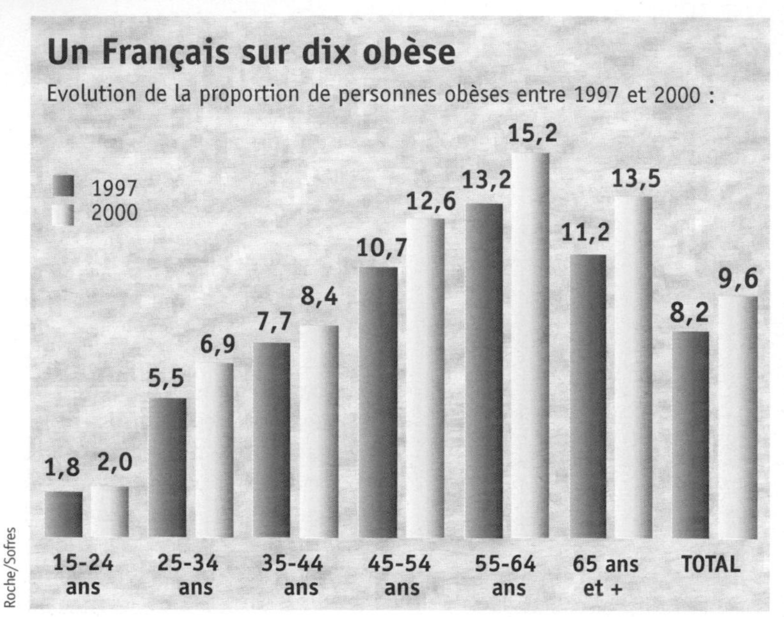

qui présentent le rapport poids/taille le plus élevé parmi les femmes actives.

L'obésité devient un problème majeur.

On considère qu'il y a surcharge pondérale lorsque le poids d'une personne dépasse d'au moins 30 % la valeur idéale calculée en fonction de sa taille et de sa morphologie (indicateur de masse corporelle). Plus d'un Français sur trois (37 % selon l'enquête Roche/Sofres 2000) se trouve dans cette situation. 9,6 %, soit près de 6 millions de personnes, peuvent même être considérés comme obèses. L'obésité morbide (par exemple 130 kg pour un homme de 1,80 m) concerne environ 100 000 personnes, particulièrement nombreuses parmi les 45-54 ans. Elle est au moins deux fois plus fréquente chez les femmes.

La France n'est donc plus comme par le passé épargnée par le phénomène de l'obésité, même si l'on est encore loin des proportions atteintes selon l'OCDE aux Etats-Unis (23 %), au Royaume-Uni (21 %), en Hongrie (19 %), en Allemagne ou en Australie (18 %). Mais on peut se demander pour combien de temps, car l'aggravation est très rapide ; on ne comptait que 6,5 % d'obèses en 1990.

Les riches plus minces que les pauvres

On observe d'une manière générale que l'obésité est inversement proportionnelle au revenu : 13 % chez les personnes percevant moins de 1 000 € par mois, 5 % chez celles qui disposent de plus de 6 000 €. Les retraités, les artisans et commerçants sont ainsi les plus touchés, au contraire des cadres supérieurs et professions libérales. Les femmes le sont un peu moins que les hommes, mais elles le sont davantage par les formes les plus graves (obésité morbide). Le taux varie également selon la région : plus de 13 % dans le Nord, moins de 8 % en Franche-Comté, Bretagne, Provence-Alpes-Côte d'Azur et Ile-de-France.

Roche/Sofres, avril 1997

La minceur, une préoccupation surtout féminine

L'accroissement est particulièrement rapide chez les mineurs.

Chez les adultes, la proportion d'obèses s'accroît régulièrement avec l'âge jusqu'à 65 ans. Mais elle serait proche de 15 % chez les moins de 18 ans. Certaines études font apparaître une augmentation de 20 % en vingt ans et même de 30 % pour la grande obésité ; entre 1987 et 2001, la proportion d'enfants de 5 ans en surpoids est passée de 2 % à 10 %. Un enfant concerné à 2 ans a 30 % de risques supplémentaires de devenir obèse à l'âge adulte que la moyenne. Le risque est multiplié par trois si l'un de ses parents est obèse, par quatorze si les deux le sont. L'une des consé-

Grands Néerlandais, légères Françaises

Taille et poids des Européens :

	Hommes		Femmes	
	Taille	Poids	Taille	Poids
- Pays-Bas	180	78,4	168	68,0
- Suède	179	80,2	166	65,2
- Danemark	178	79,6	166	65,0
- Autriche	177	79,6	166	65,6
- Luxembourg	177	79,8	165	64,0
- Allemagne	177	80,0	166	65,4
- Royaume-Uni	176	79,4	162	65,6
- Finlande	176	78,4	163	65,6
- Irlande	175	75,8	163	63,8
- FRANCE	175	74,8	163	61,0
- Belgique	174	75,8	164	64,2
- Grèce	174	78,4	163	67,0
- Italie	174	75,0	162	61,2
- Espagne	172	75,2	161	62,6
- Portugal	169	72,2	160	62,8
Union européenne	**175**	**78,8**	**164**	**65,4**

Eurostat

quences est l'apparition chez des adolescents de pathologies pratiquement inconnues il y a dix ans comme le diabète ou l'apnée du sommeil.

La cause souvent avancée de l'obésité est une alimentation déséquilibrée, avec une trop grande place accordée aux lipides. Elle est associée à la pratique généralisée du « grignotage » et à la sédentarité, non compensée par l'exercice physique. Mais une part relativement importante (environ 30 %) serait imputable à l'hérédité.

Surtout, il apparaît que l'environnement familial et social joue un rôle central, parfois aggravé par les difficultés psychologiques. Ces dimensions commencent à être intégrées dans une prise en charge médicale moins moralisatrice et plus efficace.

Hygiène et beauté

L'hygiène des Français a beaucoup progressé en quelques décennies.

En démontrant les risques microbiens, Pasteur avait jeté les bases de la « propreté invisible ». Pourtant, au début du XXe siècle, la propreté n'était pas la préoccupation première des Français. En 1951, un sondage publié par le magazine *Elle* montrait qu'un peu plus d'une femme sur trois (37 %) ne faisait sa toilette « complète » qu'une fois par semaine ; 39 % ne se lavaient les cheveux qu'une fois par mois. La même année, le *Larousse médical* suggérait de « soigner sa façade » et précisait que la douche ou le bain pouvait être hebdomadaire.

Depuis, les habitudes de propreté des Français ont considérablement progressé : 26 % des hommes (9 % des femmes) déclarent aujourd'hui se laver les cheveux tous les jours ou presque, 50 % au moins trois fois par semaine. L'hygiène dentaire s'est aussi sensiblement améliorée : 35 % des femmes et 21 % des hommes disent se brosser les dents trois fois par jour.

Cette évolution s'explique par la redécouverte du corps, l'accroissement des pressions sociales et professionnelles, les nouveaux produits mis sur le marché et les modèles diffusés par les médias. Elle est aussi liée à l'amélioration du confort des logements. La quasi-totalité des ménages (95 %) disposent aujourd'hui d'une baignoire et/ou d'une douche, contre 29 % en 1962, 48 % en 1968, 70 % en 1975. Contrairement aux idées reçues, on constate que les habitudes d'hygiène sont plus affirmées dans le sud que dans le nord du pays, du fait notamment de la température plus élevée et de ses effets sur la transpiration.

Les Français sont les premiers acheteurs au monde de produits cosmétiques.

Le souci d'être propre s'est accru avec celui de soigner son apparence ; l'hygiène est en effet la face cachée de la beauté. Les achats de produits cosmétiques représentent aujourd'hui plus de 2 % du budget disponible des ménages, contre 1,4 % en 1990 et 1,1 % en 1960. Leur croissance a été très forte depuis les années 60. Au cours des années 90, elle est restée supérieure à celle de la consommation globale, avec plus de 2 % par an en volume. Entre 1983 et 2000, la dé-

pense moyenne annuelle en produits de parfumerie a ainsi été multipliée par plus de dix en francs courants. Tous les secteurs ont profité de cette évolution : soins corporels ; soins capillaires ; hygiène buccale. Avec une dépense moyenne proche de 90 € par personne, la France maintient ainsi sa première place mondiale dans la consommation de cosmétiques (85 aux Etats-Unis, 80 au Japon, 77 au Royaume-Uni).

Plus d'éléphants que d'hippopotames

Les Français préfèrent s'asperger comme l'éléphant que s'immerger comme l'hippopotame et l'intérêt pour la douche continue de s'accroître au détriment du bain. La douche est utilisée plus de quatre fois par personne et par semaine en moyenne contre une fois seulement pour le bain. Plus de la moitié des femmes (52 %) et plus d'un tiers des hommes (37 %) déclarent ainsi prendre une douche tous les jours (LSA, juin 1999) ; seuls 5 % des femmes et des hommes en prennent moins d'une par mois. Pour la première fois, les Français ont acheté en 2001 plus de douches que de baignoires : 800 000 (dont 40 000 douches massantes) contre 660 000. 70 % des Français utilisent aujourd'hui des gels douche, contre 40 % en 1990 ; ils en consomment plus de huit flacons par an en moyenne, contre cinq il y a dix ans.

Les achats de produits de soins du corps connaissent une hausse sensible.

Les dépenses de produits d'hygiène beauté représentent plus de 2 % du budget disponible des ménages, contre 1,4 % en 1990 et 1,1 % en 1960. La croissance a été très forte au cours des années 60 et 70. Elle a été plus modérée pendant la décennie 90, mais elle est restée supérieure à celle de la consommation globale, dépassant 2 % par an en volume. Les dépenses liées aux soins du corps augmentent régulièrement en volume depuis des décennies. En 2001, les produits capillaires (shampooings, après-shampooings, produits coiffants) sont ceux qui ont connu la plus forte croissance, devant les produits de rasage, les déodorants corporels et les produits de beauté.

Parmi les produits d'hygiène corporelle, le succès des déodorants (notamment à bille, par opposition aux atomiseurs) ne se dément pas, avec un usage de moins en moins lié à la température extérieure. Les produits destinés à la protection contre l'incontinence bénéficient de la plus forte croissance (25 % en volume en 2000), devant les produits pour bébés (15 %, du fait de l'accroissement récent des naissances), les dentifrices (15 %), les produits pour la douche (7 %) et les mouchoirs en papier (4 %).

La consommation de savon a diminué en même temps que se développaient les achats de produits spécifiques pour le bain et la douche (bains moussants et surtout gels). Aujourd'hui, seul un Français sur dix utilise habituellement un savon pour sa toilette (20 % des Anglais, 10 % des Allemands, 8 % des Italiens, 5 % des Espagnols).

Un désir inconscient de « sauver sa peau »

Leagas-Delaney

L'hygiène traduit un souci à l'égard des autres comme de soi-même.

La propreté a cessé d'être une obligation morale pour devenir une nécessité sociale. Elle est aujourd'hui porteuse de plaisir personnel, car elle permet de se sentir mieux dans son corps, donc dans sa tête. Avant de chercher à séduire les autres, il est préférable d'être en accord avec soi-même. Car l'image que l'on a de son corps est une composante importante de celle que l'on a de son être. On sait par exemple que les pratiques d'hygiène et de beauté jouent un rôle favorable dans la convalescence des malades.

La consommation de produits cosmétiques est associée à des motivations à la fois rationnelles (entretien de la peau à l'aide de produits de soins, embellissement grâce au maquillage...) et irrationnelles (volonté de séduire, de rester jeune, de trouver l'harmonie...). A mi-chemin entre ces deux attitudes, on observe une ten-

dance à la « médicalisation » des produits, encouragée par l'innovation technologique et la communication publicitaire.

Les dents mieux traitées

LONGTEMPS délaissée, l'hygiène dentaire et buccale des Français a considérablement progressé depuis quelques années. La dépense annuelle moyenne par ménage est de 12 € pour 7,3 tubes de dentifrice et de 6,7 € pour 3,2 brosses à dents. Depuis 1999, la brosse à dents électrique connaît un succès croissant, favorisé par l'arrivée récente de la brosse à pile.
Le résultat est que l'état de la dentition des enfants s'améliore régulièrement. Le nombre moyen de caries chez les enfants de 12 ans a été divisé par deux entre 1993 et 1997 (2,1 contre 4,2).

Les hommes deviennent des consommateurs à part entière.

Le mouvement général de convergence entre les sexes est particulièrement sensible aujourd'hui dans la façon dont les hommes considèrent leur corps. Le cliché de la virilité (le mâle qui se rase et qui, satisfait de l'image renvoyée par le miroir, se donne des claques sur les joues) est obsolète. Les freins psychologiques et sociaux à l'utilisation des produits de beauté sont de moins en moins forts, d'autant que les valeurs féminines ont imprégné l'ensemble de la société. Les efforts réalisés par la grande distribution et les espaces beauté en libre-service ont favorisé cette évolution, notamment pour ceux qui hésitaient à se rendre dans les magasins spécialisés. Certains se rendent aujourd'hui dans des centres spécialisés, d'autres recourent à la chirurgie esthétique.

Au cours des années 90, les dépenses masculines en grandes surfaces ont augmenté de 48 %. En 2000, les achats d'antitranspirants des hommes ont plus augmenté que ceux des femmes. La part des produits masculins dans les dépenses d'hygiène beauté ne représente encore que 10 % des dépenses totales en valeur : près de 500 millions d'euros contre 4 milliards pour les femmes. Le rasage et l'après-rasage comptent pour la moitié, l'hygiène corporelle pour un tiers et les eaux de toilette pour le reste. Mais la consommation est en réalité très supérieure, car les hommes empruntent souvent les produits des femmes : shampooings, produits pour la douche, déodorants, crèmes pour les mains, produits solaires...

La frontière entre hygiène, beauté et santé est de plus en plus floue.

On observe dans les attitudes des consommateurs un rapprochement entre des univers autrefois très différenciés. Les médicaments (santé), les produits cosmétiques enrichis en vitamines (beauté), les aliments diététiques (alimentation) ou les collants « antifatique » (habillement) ont en commun de concourir à la préservation ou à l'amélioration de l'apparence physique de ceux qui les utilisent. On pourrait y ajouter d'autres activités d'entretien et de remise en forme comme le sport, les massages, la thalassothérapie, etc.

C'est dans ce contexte de recherche générale de bien-être que les boutiques de parapharmacie, qui proposent des produits de soins, des cosmétiques et des produits diététiques, ont connu une forte croissance au début des années 90. Mais la concurrence des pharmacies et des grandes surfaces a obligé les indépendants à se regrouper (il ne reste plus aujourd'hui que trois enseignes).

Cette demande de bien-être ne se limite pas au corps ; elle concerne aussi le mental. Les Français s'intéressent aux produits et aux services susceptibles de le maintenir en l'état ou de l'améliorer : aide psychologique ; pratiques manuelles ou artistiques ; activités sociales, etc. Dans une vision plus globale, holistique et orientale de la vie, le corps et l'esprit sont de moins en moins différenciés.

Sauver sa peau

LA peau constitue pour chaque individu l'interface avec le monde, le lieu de rencontre et de séparation entre le dedans et le dehors. Le développement récent des *patchs* (contre le tabac, les points noirs, les douleurs musculaires, le mal des voyages...) mesure la reconnaissance de cette fonction médiatrice de la peau. Elle est aussi le support de la perception par le toucher. C'est elle qui reçoit les caresses et subit les agressions du soleil. Sa couleur est un indicateur instantané d'une appartenance ethnique. Son état est un révélateur de l'âge et de l'histoire individuelle. Il faut donc la protéger des rayonnements nocifs, l'entretenir pour éviter la déshydratation, l'apparition de taches et surtout de rides. L'intérêt pour les soins cosmétiques traduit la volonté des Français de se sentir « bien dans sa peau ». Il montre aussi qu'ils cherchent à la sauver.

Aironair

Sentir bon pour se sentir bien

L'intérêt pour la beauté explique la peur du vieillissement.

La volonté de lutter contre les effets du temps est une motivation ancienne, mais son importance est croissante. Elle ne concerne plus seulement les personnes âgées. Les pratiques préventives commencent de plus en plus tôt, en particulier chez les femmes. Cette préoccupation explique le fort développement de la consommation des produits de soins et d'entretien de la peau. Parmi eux, les antirides bénéficient depuis plusieurs années d'un réel engouement, favorisé par l'apparition de nouveaux produits (liposomes, acide hyaluronique, acides de fruits, vitamines...). On observe aussi un intérêt pour les qualités hydratantes, adoucissantes, tonifiantes ou reminéralisantes des légumes (carottes, tomates, concombres, laitue...). L'usage des produits solaires s'inscrit dans le même souci de préservation contre le vieillissement de la peau. Mais la protection est insuffisante ; la fréquence des mélanomes a doublé en dix ans.

> Entre 1983 et 1999, la dépense moyenne annuelle en produits de parfumerie a été multipliée par dix en monnaie courante ; elle dépasse aujourd'hui 150 € par habitant.

La coiffure joue un rôle croissant.

La coiffure participe largement à l'apparence et constitue un élément de la personnalité. A toutes les époques, elle a servi de révélateur de l'identité ou de l'appartenance à un groupe social : mousquetaires de Louis XIII, aristocrates de la cour de Louis XIV ou plus récemment les punks ou skinheads. Elle peut être utilisée comme un outil au service de la fantaisie, voire de la transgression pour ceux qui souhaitent afficher leur mépris des conventions et des modèles. Elle est aussi un moyen de « changer de tête », de paraître plus jeune, voire de devenir un autre.

Après avoir boudé les coiffeurs (au milieu des années 70, la moitié d'entre eux n'allait jamais chez le coiffeur), les Français ont retrouvé le chemin des salons. Le développement d'enseignes franchisées est à l'origine de cette évolution, de même que celui de la coiffure à domicile, qui concerne aujourd'hui quelque 3 000 artisans indépendants ou regroupés.

Les produits capillaires représentent un quart des dépenses d'hygiène beauté. Les achats de laques diminuent, au contraire de ceux d'après-shampooings et de gels. La consommation masculine de produits capillaires a doublé en valeur en dix ans, mais celle des femmes représente encore l'essentiel des achats (97 %). La principale préoccupation des hommes est la chute de leurs cheveux. Un tiers d'entre eux commence à les perdre après 35 ans, deux tiers après 50 ans. On estime que 9 millions d'hommes ont une calvitie.

Couleurs

67 % des femmes colorent leurs cheveux. Leurs dépenses de coloration à domicile (notamment de coloration temporaire et de ton sur ton) ont baissé en 2001 après cinq années de hausse. Les hommes sont aussi de plus en plus nombreux à recourir à la coloration. Les jeunes souhaitent changer de tête et s'inspirent des stars (chanteurs, acteurs, sportifs...). On estime que deux millions se seraient faits décolorer à l'occasion de la Coupe du monde de football de 1998. Les plus âgés, de leur côté, cherchent à cacher leurs cheveux blancs. Un marché à fort potentiel, puisque, sur les 18 millions d'hommes concernés, seuls 4 % d'entre eux déclarent se les colorer.

Le recours à la chirurgie esthétique est de plus en plus courant.

Si les Français utilisent les produits de beauté qui agissent à la surface du corps sans le transformer, ils s'intéressent de plus en plus à la chirurgie esthétique qui permet d'agir de façon plus radicale et apparente. Le nombre d'opérations s'accroît chaque année. Elles concernent le plus souvent des femmes qui veulent effacer un défaut physique (réel ou supposé), embellir leur apparence et accroître leur pouvoir de séduction. Les résultats obtenus ne sont cependant pas toujours à la hauteur des espérances ; certaines

opérations manquées laissent des traces beaucoup plus disgracieuses que celles qu'elles étaient censées supprimer.

Les demandes des femmes concernent le visage (ablation des rides, modification du nez ou du menton, mise en évidence des lèvres...) ou le buste (remodelage de la poitrine, lipo-aspiration du ventre...). La part des hommes s'accroît (environ 30 % des patients). 60 % d'entre eux sont concernés par la chute des cheveux, 25 % par une surcharge graisseuse, 15 % par un lifting et le retrait des rides. Les plus nombreux sont les cadres, pour qui l'apparence corporelle est un atout professionnel important.

Habillement

La part de l'habillement est en baisse depuis plusieurs décennies.

L'attachement au corps et à son apparence ne s'est pas traduit par un accroissement des dépenses d'habillement. Celles-ci ont au contraire diminué régulièrement depuis quarante ans. Les ménages leur consacraient 10 % de leur revenu disponible en 1960, une part qui était passée à 6 % en 1980. La baisse s'est poursuivie depuis, à un rythme moins élevé : 5 % en 1990, 4 % en 2000. Ce budget comprend les vêtements, les chaussures, la mercerie (tissus, laine), les accessoires (sauf maroquinerie), les dépenses d'entretien (nettoyage, blanchisserie, réparation) ; il inclut les vêtements offerts aux personnes extérieures au foyer.

Ce sont les catégories les plus modestes qui ont le plus réduit leurs dépenses. Elles diminuent (en proportion du revenu disponible) avec l'âge et sont plus élevées dans les grandes villes que dans les zones rurales. Les célibataires de moins de 35 ans sont ceux qui dépensent le plus. Il faut préciser qu'il s'agit d'une diminution en valeur relative (par rapport au budget disponible des ménages), les dépenses globales n'ayant pas diminué en valeur absolue (en francs courants jusqu'à fin 2001, puis en euros). Les Français ont utilisé l'augmentation de leur pouvoir d'achat (voir p. 354) pour financer en priorité d'autres types de dépenses comme la santé, le logement ou les loisirs. La part du budget consacrée à l'habillement s'en est donc trouvée réduite. Les dépenses n'ont pas diminué non plus en volume (quantité de vêtements achetés) ; ce sont les prix payés qui ont baissé.

Les ménages ont dépensé en moyenne 1 600 € en 2001.

Après six années de baisse consécutives (entre 1990 et 1996), les dépenses d'habillement avaient connu une légère reprise en valeur en 1997, confirmée au cours des trois années suivantes. Les Français ont eu envie de se faire plaisir, de sortir de la torpeur, de l'austérité et de l'uniformité. En 2001, les dépenses ont stagné, à environ 1 600 € en moyenne par ménage. Les seuls vêtements ont représenté une somme de 1 070 €. Les Français occupent une position moyenne en Europe, derrière les Britanniques et les Italiens, devant les Allemands et les Espagnols.

Les femmes effectuent la moitié des dépenses (52 % en 2001), les hommes un tiers (32 %), le reste étant réparti entre les enfants (13 %) et les bébés (3 %). C'est la situation inverse qui prévalait il y a un demi-siècle : les hommes consacraient 30 % de plus que les femmes à leur habillement et les dépenses concernant les filles étaient nettement inférieures à celles faites pour les garçons. Elles restent aujourd'hui très inégales selon les catégories sociales : on peut les estimer à 1 000 € par an en moyenne pour les ménages retraités, 1 400 pour les ouvriers et les employés, 1 500 pour les agriculteurs, 3 000 pour les cadres.

Moins d'argent pour les vêtements

Evolution de la part de l'habillement dans les dépenses des ménages (en %) :

1960	1970	1980	1990	2001
9,7	8,1	6,1	5,4	3,9

INSEE

L'influence de la mode s'est réduite.

La baisse des dépenses d'habillement en valeur relative s'explique d'abord par l'évolution des attitudes à l'égard de la mode. Dans un contexte d'individualisation, les Français ont résisté de façon croissante à l'uniformité et aux diktats imposés par les créateurs. Il s'est ajouté la difficulté de décoder une mode devenue multiple, éclatée, contradictoire, qui cherchait plus à

suivre les mouvements de la rue qu'à les précéder. Le départ d'Yves Saint-Laurent, en janvier 2002, a peut-être marqué la fin de la haute couture, même si Paris continue de s'afficher comme la capitale de la mode.

L'affirmation de soi se fait désormais davantage dans la façon de vivre que dans celle de s'habiller. Les pressions sociales ont fortement diminué et les femmes ne se sentent plus obligées de renouveler leur garde-robe deux fois par an. Le vêtement a donc en partie perdu son statut de signe extérieur de richesse. Les Français ont privilégié par ailleurs les circuits courts et fait jouer la concurrence. Enfin, la part des achats en soldes et en promotion s'est fortement accrue (environ 40 % en volume et 30 % en valeur), ce qui a contribué à la baisse des dépenses en valeur, alors qu'elles continuaient d'augmenter en volume.

Une offre mieux adaptée

L'offre de vêtements s'est adaptée aux nouveaux comportements. Les prix ont baissé en valeur, du fait notamment de la délocalisation de la fabrication. Les collections sont renouvelées plus souvent, les modèles sont davantage mis en valeur dans les magasins, l'accueil et les services ont progressé. Enfin, la mise au point de nouveaux matériaux plus confortables, présentant des propriétés nouvelles (antitranspiration, antibactérien...), plus agréables au toucher et plus faciles à entretenir incite aussi les Français à de nouveaux achats.

On observe un retour des acheteurs dans les magasins indépendants et multimarques de centre-ville, au détriment des hypermarchés et de la vente par correspondance. Les Français ont effectué 40 % de leurs dépenses d'habillement dans les chaînes de magasins spécialisés en 2001 (contre 22 % en 1990), 21 % dans les boutiques indépendantes (contre 35 %), 15 % dans les hypermarchés et supermarchés (contre 17 %), 8 % par correspondance (contre 7 %), 7 % dans les grands magasins et magasins populaires (contre 8 %) ; les autres circuits (marchés, magasins d'usine...) représentent 9 %.

Le vêtement est plus un révélateur de l'identité que de l'appartenance sociale.

Le vêtement reste le support privilégié de l'image que l'on donne aux autres. Il constitue un moyen de trouver et d'affirmer sa propre personnalité, mais aussi parfois d'en changer. Certains choisissent de se fondre dans leur environnement professionnel ou social en endossant une sorte d'uniforme qui leur permet d'être transparents et d'avancer masqués. D'autres cherchent à signifier leur appartenance à un groupe social restreint (tribu). D'autres enfin jouent avec leur apparence dans le but de brouiller les cartes ou de révéler des facettes différentes de leur identité.

De plus en plus souvent, les Français ajoutent des touches personnelles à leur habillement, pour se différencier des autres ou jouer avec leur identité. Dans ce contexte, la mode ne joue plus qu'un rôle mineur. Elle propose des idées et des thèmes qui seront la plupart du temps détournés et mélangés par les individus afin de créer leur propre style. Etre ou paraître, se fondre ou s'affirmer, tels sont les choix qui s'offrent à chacun dans toutes les circonstances de sa vie. Ils sont de moins en moins définitifs et peuvent changer selon le moment de la journée, de la semaine, de l'année ou de la vie.

La diversité est devenue la règle.

Il est difficile de lire dans la mode actuelle des tendances générales, car elles sont brouillées par la récupération, le détournement et les clins d'œil au passé. Les créateurs jouent sur les contrastes : orient et occident, chaud et froid, ombre et lumière, passé et futur, sérieux et humour. On observe un retour de la couleur, mais dans des tons plus subtils, avec un rejet du minimalisme sévère des années passées et une tendance romantique. Le souci de personnalisation explique le mélange de *kitsch*, de *vintage* (vêtements vieillis) et de vêtements « customisés » (ajout de touches personnelles).

Face à une demande en mutation, les créateurs et les distributeurs de vêtements se sont adaptés. Beaucoup puisent aujourd'hui leur inspiration dans la nature (eau, animaux, végétaux). La nostalgie est largement présente, avec les emprunts aux années 50 (pastels, mini-carreaux, rayures et imprimés floraux), 60 (tuniques, robes et manteaux architecturés inspirés de la pop culture), voire aux arts premiers. La mode reprend à son compte un désir de retour en enfance de plus en plus présent dans les esprits.

Dans la vie professionnelle, la décontraction vestimentaire est souvent imposée.

Pour montrer à leurs employés leur souci de modernité, certaines entre-

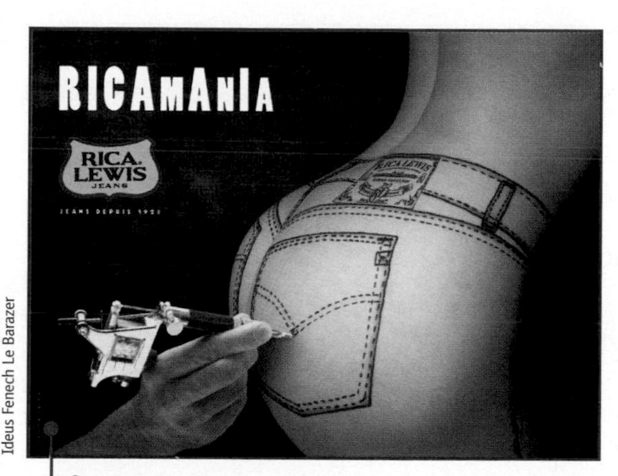

Ideus Fenech Le Barazer

Le vêtement, une seconde peau

prises tentent de casser les codes vestimentaires. Cela se traduit par exemple par la pratique du *friday-wear*, tenue décontractée du vendredi, prélude au départ en week-end. Les séminaires et réunions de motivation ou d'information organisées à l'extérieur sont aussi l'objet de consignes en faveur d'une tenue décontractée. Les entreprises le plus en pointe abandonnent le port de la cravate ou pratiquent le *casual everyday*.

Mais ces refus apparents des conventions vestimentaires cachent généralement d'autres contraintes. Le banquier qui vient en jean à son bureau est aussi mal vu que celui qui arrive en costume à un séminaire « décontracté ». *Casual* se traduit souvent par chic et décontracté. Beaucoup d'entreprises préfèrent donner des consignes collectives qui s'inscrivent dans leur « culture » et leur politique de communication plutôt que de donner libre cours aux initiatives individuelles.

Qu'on le veuille ou non, l'habit continue de faire le moine. Au point que les cadres recourent de plus en plus à des conseillers en image (« relookage ») qui les aident à choisir des vêtements adaptés à leur personnalité ou à l'image qu'ils souhaitent donner d'eux dans un contexte professionnel particulier.

Les femmes prennent de plus en plus de liberté avec la mode...

La mode féminine 2002-2003 manifeste un souci de séduction et de romantisme. La rupture avec la tendance androgyne des années passées s'accompagne de nombreux emprunts à la garde-robe masculine : tailleur-pantalon ; chemise ou pull à col d'homme ; caban ; vêtements d'allure militaire ; pantacourts et minijupes au chic *british* (tweed fin, carreaux et pieds-de-poule).

La diversité est toujours de mise, avec des hauts en matières légères ou en cuir souple, des robes inspirées de la lingerie ou des années 50, voire 60, des jupes de toutes longueurs, des pantalons larges et souples, parfois droits et près du corps. La gamme des coloris est également variée, avec des tons pastel, chauds, vifs ou acidulés. Les imprimés jouent avec des motifs floraux, des rayures et des carreaux de toute taille. Le mélange des genres permet à chacune de personnaliser son apparence, de bricoler son « look ».

... au contraire des hommes.

Les hommes sont de plus en plus concernés par la mode vestimentaire et par les accessoires (notamment les bijoux). Les sous-vêtements deviennent pour eux des objets de mode (*shorty* moulant, caleçon sans couture...). Les grands magasins ont

Tendances automne-hiver 2002-2003

La Fédération française du prêt-à-porter distingue trois attitudes dans la mode féminine de l'hiver 2002-2003. Leur seul point commun concerne l'utilisation des couleurs, avec des ambiances qui font largement appel aux blancs, aux rouges et aux noirs.

Le *strictwear* mélange les clins d'œil au passé et revisite les basiques. Il se caractérise par la recherche du détail et de la difficulté. Le corps est protégé à l'endroit et caressé à l'envers. Les teintes sont grisées, poudrées, neutres et givrées.

Le *clubbing* joue sur l'ambivalence d'un luxe discret et de l'esthétisme de tissus non lavés. Il s'efforce de favoriser le plaisir des sens et s'inspire de tenues classiques et légendaires. Les couleurs sont intenses, contrastées, accompagnées d'accents provocateurs et de teintes brumeuses.

Le *totem* est l'affrontement de l'éphémère et du permanent, du faux et du vrai, du contemporain et du passéiste. Il propose l'éloge du non-fini, du nomadisme urbain accessoirisé, dans des couleurs naturelles, vieillies et délavées.

> La garde-robe féminine comprend deux fois plus de vêtements que celle des hommes.

ainsi ouvert ou transformé des espaces de vente qui leur sont spécialement destinés. Des magazines masculins sont apparus (*FHM, Mens' Health*...) et consacrent de nombreuses pages à la mode.

Cet intérêt masculin pour l'habillement est particulièrement apparent chez les jeunes : 60 % des 25-35 ans achètent seuls leurs sous-vêtements, contre 38 % des 35-45 ans (Athena/GB Conseil, 2001). Les 15-24 ans ont consacré près de 800 € à leur habillement en 2001, contre 450 pour les 25-34 ans et 250 pour les 45-54 ans (CTCOE). Les plus âgés ne sont pas indifférents au mouvement, comme le montre la forte croissance des achats de produits colorants pour les cheveux. Et les jeunes gardent leurs habitudes en prenant de l'âge (gel coiffant, caleçons, sportswear...). Les dépenses masculines d'habillement se sont élevées à 341 € par ménage en 2001. Elles restent très inférieures au budget féminin (560 €) et diminuent fortement à partir de 30 ans.

Les Français se déshabillent

Evolution des dépenses d'habillement par sexe et âge (en euros par ménage) :

	2001	1992
Femmes :		
- Prêt-à-porter	278	323
- Petites pièces de dessus	158	145
- Lingerie, chaussant	124	144
Total femmes	**560**	**612**
Hommes :		
- Prêt-à-porter	166	209
- Petites pièces de dessus	142	163
- Sous-vêtements, chaussant	33	44
Total hommes	**341**	**416**
Enfants :		
- Prêt-à-porter	58	61
- Petites pièces de dessus	54	54
- Sous-vêtements, chaussant	23	30
Total enfants	**135**	**145**
Bébés :		
- Layette	**34**	**34**
Total	**1 070**	**1 207**

Les jeunes aiment jouer avec les vêtements.

Après avoir plébiscité les vêtements multifonctionnels, portables dans la plupart des circonstances de la vie, les jeunes font preuve aujourd'hui d'un besoin de fantaisie, voire de rébellion. Ils recherchent l'authenticité et la créativité. Leurs codes vestimentaires tendent à s'estomper au profit de la diversité et du mélange des genres. L'univers de la glisse continue d'exercer une forte influence sur leur façon de s'habiller.

Les jeunes apprécient tout ce qui permet de se distinguer des autres et notamment des parents. Les accessoires vestimentaires, les tatouages ou *piercings* sont pour eux des moyens d'affirmer leur identité et de personnaliser leur apparence. Ils adoptent de plus en plus des matières apportant un confort (Lycra, matières Stretch, microfibres...) et les coupes sont diversifiées. Ils résistent plus que les autres à l'uniformisation vestimentaire qui règne encore dans le milieu professionnel.

Les créateurs et les distributeurs s'efforcent depuis quelques années de répondre à leur demande. Le *streetwear* et le *sportswear* ont ainsi renouvelé les tenues des moins de 20 ans. Après quelques années de déclin et une remise à plat par les créateurs, le jean revient dans les garde-robes des 15-24 ans. Il n'est plus le symbole de la rébellion, mais s'inscrit désormais dans une démarche qui peut être sexy, moderniste ou *trash*.

Les achats de lingerie connaissent une progression régulière.

La lingerie est l'un des rares secteurs de l'habillement à avoir été épargné par la crise qui a touché le secteur. Les achats ont été portés par le courant de féminité et de séduction, dont le soutien-gorge ampliforme a été le révélateur. Les dépenses (lingerie et produits chaussants) se sont élevées à 20 milliards d'euros en 2001. Elles diminuent avec l'âge ; les femmes de 15-34 ans consacrent environ 140 € par an à leurs sous-vêtements, les 35-44 ans 110 €, les 45-54 ans 90 €, les 55-64 ans 100 € et les 65 ans et plus 50 €. Les dépenses

Les dessous prennent le dessus

sont plus élevées dans les régions du Sud que dans celles du Nord. Les jeunes femmes de 15 à 24 ans achètent 8 slips par an contre 5 pour les plus de 24 ans, 4 soutiens-gorge contre 2 et un vêtement de nuit (contre aucun).

Comme les vêtements de dessus, la lingerie féminine tourne le dos au minimalisme. Les couleurs sont de plus en plus diversifiées, avec notamment le retour des imprimés à fleurs inspirés du *pop art*. Les soutiens-gorge à coussinets ou pigeonnants continuent sur leur lancée ; les modèles sont en bandeau ou triangulaires. Le *string* est toujours présent et cohabite avec le *boxer*. Le confort est une motivation importante et la lingerie devient une seconde peau avec des matières élastiques nouvelles (maille, dentelle) et des produits sans coutures. Le tulle, le voile et la résille répondent à un souci de transparence.

Les hommes s'intéressent aussi à leurs sous-vêtements. Ils achètent 4 slips ou caleçons par an, ce qui les situe dans la moyenne européenne (7 pour les Belges, 5 pour les Hollandais, 4,5 pour les Espagnols, 3,5 pour les Allemands, 2,5 pour les Anglais, 2 pour les Italiens).

La nouvelle table des matières

Les matières utilisées dans l'habillement sont de plus en plus sensuelles. Elles empruntent leurs textures aux cosmétiques ou aux matières végétales pour provoquer des sensations tactiles renouvelées. Après avoir été bannie de la garde-robe des femmes pour cause de défense des animaux, la fourrure est de retour, de même que le cuir pour les hommes. Le pashmina, étoffe de châle légère et douce issue d'une chèvre des hauts plateaux du Cachemire (lorsqu'elle est authentique) a déferlé sur la France en 2000.
Les tissus sont riches en relief et en graphismes, mais la silhouette est épurée. Les matériaux du futur, annoncés depuis des années, commencent à apparaître. Sans coutures, intachables, infroissables, indéchirables, antibactériens, bioactifs, massants et relaxants, odorants ou désodorisants, thermochromiques, thermoélastiques, chauffants ou réfrigérants, oxygénants, ils seront aussi communicants et interactifs grâce à des puces électroniques.

Les accessoires jouent un rôle croissant dans l'habillement féminin.

Les accessoires portés par les femmes sont de plus en plus luxueux. Pour des raisons pratiques, les sacs gagnent en volume. Ils mélangent les matières : vinyle et cuir, fausse fourrure et matelassage, veau doux et poney lacéré. Les ceintures sont cloutées ou brodées, pailletées ou tressées. Elles sont en cuir découpé, doré ou usé. Leurs boucles sont en nickel travaillé, façon rustique ou raffinée.

Les chapeaux de lainage moelleux, peau lainée, feutre de poil de lapin ou feutrine ajourée côtoient les bonnets tricotés, les toques en vraie ou fausse fourrure, les bérets souples et les bobs en cuir. Les foulards sont légers et douillets, cloqués, floqués, griffés ou poilus. Ils mélangent la mousseline, la maille polaire, le mohair jacquard et font une large place aux fleurs, aux scènes figuratives ou aux reproductions photographiques. Les gants reprennent de l'importance ; coordonnés aux chapeaux, aux écharpes, parfois aux sacs en textile, ils sont souvent en agneau ou en peau retournée, colorés et découpés.

On observe aussi un retour des badges et des pins, accrochés au revers des vestes, sur les sacs ou sur les jeans. Une nouvelle génération d'accessoires se prépare avec l'introduction de systèmes informatiques miniaturisés dans des bracelets, ceintures, montres, lunettes et autres accessoires qui vont permettre d'échanger des informations entre les personnes présentes dans un même lieu ou avec le reste du monde.

Les dépenses de bijoux augmentent.

Les achats de bijoux progressent régulièrement depuis 1997 (5,4 milliards d'euros en 2000). C'est la montée en gamme qui explique cette croissance, avec un prix d'achat moyen de plus de 150 €. L'or est toujours recherché (plus de la moitié des dépenses), surtout lorsqu'il est accompagné de pierres précieuses ; un

quart des dépenses est consacré aux diamants.

Comme dans la mode vestimentaire, la féminité est affirmée. Le mouvement général de régression se traduit par des tendances à l'animalité, à la nostalgie et au retour en enfance. Un désir de rébellion et de transgression se manifeste dans des objets à vocation tribale. L'excentricité, l'exagération et l'opulence sont présentes avec des bijoux volumineux et voyants qui marquent la rupture avec la sagesse des années passées. Une dimension ethnique se développe, avec l'ouverture à d'autres cultures et le métissage des objets. Le métal et le verre (vénitien) prennent une place croissante ; ils jouent avec la couleur, mélangent le mat et le brillant. La perle, le grenat et l'émail sont travaillés en arabesques, avec un style parfois rococo. Les broches, boucles d'oreille et épingles à cheveux retrouvent une place qu'elles avaient abandonnée. Enfin, certains vêtements (robes, chemisiers) intègrent des bijoux, comme ils intègreront bientôt des fonctions technologiques nouvelles.

Les Français achètent en moyenne 5 ou 6 paires de chaussures par an.

En 2001, les Français ont dépensé 8 milliards d'euros pour acheter 325 millions de paires de chaussures. Parmi elles, 277 millions étaient importées, dont 150 millions en provenance du Sud-Est asiatique. La dépense moyenne était de 135 € par personne pour 5,2 paires, soit un quart des dépenses d'habillement des ménages). 50 % des achats en valeur concernaient les chaussures pour femmes, 30 % celles pour hommes, 20 % celles pour enfants.

Cachou BDDP

La marche, une démarche personnelle

Après l'exubérance des dernières années, le style revient au classique chic. Luxe, discrétion et sophistication sont les principales tendances. Les escarpins jouent la finesse et l'élégance avec des micro-talons aiguille. Les bouts sont arrondis ou au contraire très pointus. Les modèles sont souvent bicolores, avec de nouvelles associations de couleurs claires et pastel. Au cours de l'été 2002, les modèles cycliste ou bowling (ultra plats, lacés et souples) ont fait leur retour, ainsi que les babouches à bouts effilés en toile rayée et les mules à mini-talon. Pour l'hiver, mules et babouches à longs poils vont cohabiter avec les bottes à mi-mollet extra plates et à zip arrière.

Les chaussures de sport conservent une place importante.

Depuis les années 70, la grande majorité des chaussures achetées sont davantage destinées au macadam des villes ou des banlieues (65 % des usages) qu'aux terrains de sport. L'engouement des jeunes pour ce type de chaussure a été entretenu par les innovations technologiques des grands fabricants et leurs campagnes de communication. Les exploits de Michael Jordan et de Magic Johnson au début des années 90 ont aussi joué un rôle d'entraînement considérable. Les Français ont acheté 35 millions de paires de chaussures de sport en 2001. L'intérêt ne se dément pas pour les modèles multisports, les chaussures très spécialisées mais aussi les créations de mode. 43 % des dépenses de chaussures pour enfants concernent le sport et la détente (40 % pour les hommes, 18 % pour les femmes).

> 11 % des femmes mesurent moins de 1,54 m, 11 % plus de 1,69 m. Le plus grand Français mesure 2,20 m.
> Les enfants nés au cours du premier semestre de l'année mesurent en moyenne 0,6 cm de plus que ceux qui naissent au second semestre. Cet écart serait lié à l'activité de la glande pinéale, qui dépend de la lumière et commande la production de mélatonine et d'hormones de croissance.
> La fréquence des mélanomes a doublé en dix ans.
> Plus de 90 % des ménages ont acheté un vêtement au moment des soldes en 2001-2002.
> 28 % des femmes prennent conseil du coiffeur ou du pharmacien pour acheter des produits capillaires.
> Plus de la moitié des femmes ont les cheveux courts. 44 % les portent raides.
> 44 % des moins de 25 ans se sont déjà colorés les cheveux au moins une fois.
> Un homme sur deux utilise un produit de rasage pour peau sensible.
> 47 % des hommes se rasent tous les jours, contre 52 % en 1993.

La santé

Situation sanitaire

L'état sanitaire des Français a considérablement progressé...

L'état de santé de la population française s'est amélioré de façon continue depuis plus d'un siècle. Cette évolution est due principalement à trois causes : le développement des antibiotiques, complété par la médecine périnatale ; les thérapies cardio-vasculaires, qui ont notamment protégé les personnes âgées ; la diminution, plus récente, des cancers. Les progrès réalisées en matière de chirurgie de la cataracte, d'implantation de prothèses, de dépistage des maladies et de suivi médical ont contribué à cette amélioration générale, y compris aux âges avancés.

La mortalité a ainsi connu une baisse spectaculaire et continue : 8,9 pour 1 000 habitants en 2001 contre 13 en 1950. La diminution de la mortalité est moins forte depuis plus de dix ans, du fait du vieillissement de la population et de la stabilisation de la mortalité infantile à un faible niveau : 4,5 sur mille naissances vivantes au cours de la première année, généralement dans les tout premiers jours. Elle reste supérieure à celle de la Suède (3,5 pour mille) et de la Finlande (4,2), mais très inférieure à celle de la Grèce (6,7), de l'Irlande (6,2) et du Royaume-Uni (5,7).

> 44 % des Européens s'estiment en bonne santé et 23 % en très bonne santé. Les Danois sont les plus optimistes, à l'inverse des Portugais.

... de sorte que l'espérance de vie s'est allongée de 30 ans au XXe siècle.

La conséquence des progrès sanitaires est que l'espérance de vie à la naissance s'est allongée de façon spectaculaire ; elle a gagné plus de 30 ans au cours du XXe siècle. Avec une espérance de vie moyenne à la naissance de 83,0 ans, les Françaises occupent la première place au sein de l'Union européenne (voir p. 127). Avec 75,5 ans, les hommes se situent au-dessus de la moyenne communautaire.

Il faut noter que l'espérance de vie sans incapacité a progressé encore plus vite. A 65 ans, elle s'est accrue en moyenne de 1,4 % par an pour les hommes au cours des années 80 et 90, alors que l'espérance de vie à la naissance progressait de 1 %. Le rythme a même été de 2,1 % pour les femmes, contre 0,9 % pour l'espérance de vie à la naissance. Les Français vivent donc de plus en plus longtemps et souffrent de plus en plus tardivement de maladies ou de handicaps liés au vieillissement. On peut imaginer que cette évolution va se poursuivre dans les prochaines décennies et que l'âge moyen se rapprochera de l'âge maximal possible (voir p. 129).

On enregistre un peu plus de 500 000 décès par an.

528 000 personnes sont mortes en 2001, un chiffre en diminution depuis deux ans (538 000 en 1999) du fait notamment de la moindre mortalité liée à la grippe au cours de l'hiver chez les personnes âgées. Les maladies de l'appareil circulatoire représentent un tiers des décès (31 %), et les tumeurs plus d'un quart (28 %). Les morts violentes (accidents, suicides, traumatismes...) arrivent loin derrière (environ 8 % par an), à égalité avec les maladies de l'appareil respiratoire. Les causes de mortalité varient selon le sexe : depuis la fin des années 80, les tumeurs prédominent chez les hommes devant les maladies circulatoires, alors que ces dernières sont la première cause de décès des femmes, devant les tumeurs.

Les causes des décès diffèrent aussi selon l'âge. Avant 25 ans, ce sont les origines extérieures (acci-

Saatchi & Saatchi

Les Français se portent plutôt bien

Maladies cardio-vasculaires : un décès sur trois

Causes de mortalité par sexe (1999) :

	Hommes		Femmes	
	Nombre	%	Nombre	%
- Maladies de l'appareil circulatoire	76 075	27,7	88 844	33,8
dont : - *infarctus*	*24 969*	*9,1*	*20 101*	*7,6*
- *maladies vasculaires cérébrales*	*16 537*	*6,0*	*23 275*	*8,9*
- Tumeurs	89 142	32,4	59 442	22,6
- Accidents et autres morts violentes	25 919	9,4	17 864	6,8
- Maladies de l'appareil respiratoire	22 425	8,2	21 416	8,2
- Maladies de l'appareil digestif	13 570	4,9	11 941	4,5
- Autres causes	47 633	17,4	63 188	24,1
Total des décès	**274 764**	**100,0**	**262 695**	**100,0**

INSERM

dents de la route ou domestiques) qui arrivent au premier rang. Puis les tumeurs prennent une importance croissante et représentent jusqu'à 65 ans la cause principale de mortalité (un décès sur trois chez les hommes, un sur quatre chez les femmes). Au-delà, les troubles de l'appareil respiratoire prennent une place plus importante. Mais les comportements individuels jouent un rôle considérable. La consommation de tabac est ainsi responsable d'environ 50 000 morts par an, l'alcool d'environ 30 000, le suicide de 12 000 et la circulation de 8 000. La moitié des décès ont lieu hors de la commune de résidence ; ce phénomène s'explique par le fait qu'ils interviennent dans la moitié des cas en établissement hospitalier. Mais seuls 5 % des décès ont lieu hors de la région de résidence et 12 % hors du département.

De fortes inégalités existent entre les catégories sociales.

Chez les hommes, les cadres et les membres des professions libérales ont une espérance de vie supérieure de 6,5 ans à celle des ouvriers. Ainsi, entre 35 et 65 ans, deux ouvriers sur huit décéderont, contre un cadre sur dix. Les inégalités se retrouvent aussi à l'intérieur d'une même catégorie : à 35 ans, les ouvriers qualifiés ont une espérance de vie d'un an et demi supérieure à celle des cadres non qualifiés ; l'écart est de 2,5 ans entre les cadres de la fonction publique et ceux du secteur privé, au détriment de ces derniers.

Les différences sont moins marquées chez les femmes. L'écart entre les cadres et les ouvrières n'est que de trois ans et demi. Les agricultrices sont moins avantagées que les agriculteurs ; leur espérance de vie se situe derrière celle des commerçantes. Les hommes mariés de 30 à 64 ans ont un risque de décès réduit de 40 % par rapport aux célibataires, mais l'avantage n'est que de 25 % pour les femmes.

L'inactivité est aussi associée à une espérance de vie plus courte : les chômeurs présentent un risque de mortalité près de deux fois supérieur à celui des actifs occupés. Mais il est difficile de déterminer si le chômage est une cause ou une conséquence ; il existe en effet une corrélation mesurable entre l'état de santé et la probabilité de trouver un emploi. D'une

On meurt moins dans le Sud

Le taux de mortalité varie de façon importante selon les régions. Il est globalement plus élevé dans le Nord que dans le Sud. Les régions de forte mortalité s'étendent des côtes nord de la Manche à l'Alsace et de l'Ardenne à l'Auvergne ; le maximum est atteint du littoral du Pas-de-Calais à l'Alsace et en Bretagne, à l'ouest de la ligne Saint-Nazaire-Saint-Brieuc.
Celles de plus faible mortalité vont de la basse vallée de la Seine aux Pyrénées et de la Méditerranée à la Côte d'Or, avec un minimum dans les Pays de la Loire (à l'exception du pays nantais), l'ouest de la région Centre et le cœur du Sud-Ouest. Les grandes villes se caractérisent par une sous-mortalité par rapport aux autres types de communes.
Parmi les causes de ces disparités régionales, on peut citer les risques liés à la profession, le poids de l'alcoolisme et du tabagisme ou la qualité du suivi médical.

manière générale, le lien est établi entre la santé, l'activité et le pouvoir d'achat. Ainsi, un tiers des personnes bénéficiant du RMI (revenu minimum d'insertion) déclarent souffrir parfois ou en permanence de problèmes de santé ou de handicaps qui les empêchent de travailler, soit deux fois plus que le reste de la population (15 %).

La mortalité masculine avant 65 ans est élevée.

L'écart de 7,5 ans d'espérance de vie à la naissance entre les hommes et les femmes (record européen) s'explique par le nombre élevé des décès masculins prématurés, avant l'âge de 65 ans. La spécificité française est d'autant plus apparente que, lorsque les hommes parviennent à 65 ans, il leur reste en moyenne 16 ans à vivre (les femmes 20 ans), ce qui constitue un autre record européen. Il s'explique notamment par le taux de mortalité liée aux maladies cardio-vasculaires, de loin le plus faible d'Europe.

On estime qu'un tiers des quelque 120 000 décès annuels en cause pourrait être évité par une modification des comportements masculins, notamment en matière de consommation de tabac et d'alcool et de prise de risque en général (accidents de la route, du travail, domestiques). La mentalité masculine française est encore empreinte d'un modèle de virilité, qui incite les hommes à se montrer durs au mal et « courageux », ce qui les amène à prendre des risques. La maladie est pour eux porteuse d'une image de faiblesse. C'est pourquoi ils sont moins bien suivis sur le plan médical que les femmes, plus attentives à leur corps et davantage concernées par la prévention. On estime par ailleurs que 20 000 autres vies pourraient être sauvées par une meilleure efficacité du système de soins. Au total, on pourrait donc réduire de moitié le nombre des décès prématurés.

Les maladies de l'environnement

Le progrès technique et l'accroissement du niveau de vie ont des conséquences négatives sur l'état de l'environnement. La pollution de l'eau est un problème dans certaines régions où les taux de nitrates dépassent les seuils autorisés. La qualité de l'air s'est détériorée dans les grandes villes : près de trois millions d'habitants de Paris et des communes limitrophes respirent ainsi des doses de dioxyde de carbone supérieures aux normes européennes.

On observe depuis quelques années une recrudescence de l'asthme et des allergies, notamment chez les jeunes. La proportion d'adolescents de 13-14 ans atteints d'asthme dépasse 10 % (15 % dans le Sud). Le rhume des foins en concerne 7 à 14 % selon les régions. Ces affections allergiques représentent la première cause de maladie chronique chez les enfants.

Mais la pollution ne serait pas la seule responsable de cette évolution. Les spécialistes invoquent la présence d'animaux de compagnie et d'acariens dans les logements, le tabagisme (le plus souvent passif) ainsi qu'une diversification alimentaire trop précoce chez les jeunes enfants, avec notamment des aliments exotiques. Enfin, les malades ont la fâcheuse habitude d'arrêter les traitements dès qu'ils vont mieux, ce qui les rend vulnérables à des rechutes.

L'alimentation présente des carences nutritionnelles.

Les Français ont une alimentation déséquilibrée, avec notamment une surconsommation de graisses animales, au détriment des légumes et des fruits. L'enquête Suvimax (supplémentation en vitamines, minéraux et antioxydants) conduite par l'Inserm depuis 1994 auprès de femmes de 35 à 60 ans et d'hommes de 45 à 60 ans fait apparaître un certain nombre de carences par rapport aux doses recommandées. C'est le cas pour le calcium (42 % des hommes, 59 % des femmes en âge de procréer et 62 % de celles qui sont ménopausées), l'iode (25 % des 55-60 ans), le fer (98 % des femmes en âge de procréer et 45 % des hommes), la vitamine C (29 % des hommes et des femmes), la vitamine D (29 % des personnes habitant dans le nord du pays, 6 % dans le sud) ou le magnésium (72 % des femmes et des hommes).

Les apports lipidiques (graisses) sont également déséquilibrés. Ils contiennent trop d'acides gras saturés (46 % des apports quotidiens contre 25 % recommandés), pas assez d'acides gras mono-insaturés (38 % contre 50 %) et d'acides gras polyinsaturés (16 % contre 25 %). Enfin, près de 5 % des personnes de plus de 65 ans souffrent de dénutrition. La proportion peut aller de 40 à 80 % parmi celles qui vivent en institution (maison de retraite, hôpital...).

L'état psychologique et mental des Français tend à se dégrader.

Si les Français vivent de plus en plus longtemps, il n'est pas certain qu'ils vivent mieux. Le sentiment de mal-

être est en effet de plus en plus répandu. Il se traduit par le nombre élevé des « maladies de société » (voir p. 92...) et le recours croissant aux aides psychologiques de toute sorte (voir p. 109). Un Français sur cinq dit ainsi éprouver des difficultés à dormir. Un sur deux se plaint de fatigue persistante au moins une fois dans l'année. Le nombre de dépressions déclarées a été multiplié par six en trente ans. Un quart des personnes qui consultent en médecine générale présentent des troubles mentaux.

Ces symptômes ne peuvent s'expliquer par une dégradation objective des conditions de vie, mais par une somatisation liée à l'accumulation de difficultés existentielles. Ils se traduisent par une très forte consommation de psychotropes : entre 1991 et 1999, la quantité de médicaments hypnotiques et sédatifs a augmenté de 11 %. Celle d'antidépresseurs s'est accrue de moitié au cours des dix dernières années, atteignant 50 millions de boîtes en 2000 (mais celle des neuroleptiques a connu une quasi stagnation et celle des anxiolytiques a diminué de 10 %).

On estime au total que 20 % des Français souffrent de troubles psychiques et comportementaux. L'OMS considère qu'ils arrivent au troisième rang des maladies et qu'ils devraient devancer les maladies cardio-vasculaires vers 2020. La dépression pourrait être le cancer du XXIe siècle.

Quatre Français sur dix souffrent de handicap.

13 % des Français déclarent souffrir de déficiences motrices, 11 % sensorielles, 10 % organiques (cardio-vasculaires, respiratoires...), 7 % intellectuelles ou mentales. Les conséquences pour les personnes concernées sont très diverses selon les formes de handicap. L'éventail des déficiences motrices va des rhumatismes aux paralysies (tétraplégiques, paraplégiques et hémiplégiques représentent 9 % de l'ensemble) en passant par les arthroses. 3,1 millions de Français souffrent d'atteintes de la vision, dont 55 000 de cécité complète et 225 000 de cécité partielle.

Les femmes sont davantage concernées que les hommes (notamment par les déficiences motrices) du fait de leur plus grande longévité. A l'inverse, les hommes se disent plus souvent sourds ou malentendants, surtout après 50 ans. Les handicaps sont inégalement répartis dans la société. Parmi les ménages de milieu ouvrier, la proportion de personnes déclarant au moins une déficience est 1,6 fois plus élevée qu'en milieu cadre.

L'origine de ces handicaps est variable. 12 % sont imputés à des accidents, 10 % à des causes « précoces » (complications de grossesse, malformations congénitales, maladies héréditaires...). Mais c'est le vieillissement qui est évoqué le plus souvent (26 % des cas). Ainsi, seul un jeune enfant sur cent connaît des difficultés motrices, contre plus de la moitié des octogénaires et deux tiers des nonagénaires.

Près de 700 000 personnes vivent dans des institutions spécialisées.

2,3 millions de personnes habitant à leur domicile perçoivent une allocation en raison d'un handicap ou d'un problème de santé. Plus de 5 millions, dont une majorité de femmes, bénéficient d'une aide régulière pour accomplir certaines tâches de la vie quotidienne. Dans deux cas sur trois, cette aide est apportée par l'entou-

Confort matériel, inconfort moral

Le bien-être matériel issu du progrès technique et de l'accroissement du pouvoir d'achat s'accompagne de plus en plus souvent de difficultés existentielles. Au fil des années, le stress est ainsi devenu un véritable fléau social. Il est engendré par les difficultés d'adaptation dans la vie familiale, sociale et surtout professionnelle : quantité de travail ; décisions à prendre ; course à la performance ; difficultés relationnelles ; crainte du jugement des supérieurs ; licenciements ; fusions, etc. Il favorise la consommation de tabac, d'alcool ou de drogues plus ou moins dures, mais aussi de médicaments calmants ou dopants et il porte une lourde responsabilité dans la mortalité.

Chaque individu doit jouer des rôles différents et contradictoires dans une même journée : employé et patron, parent et enfant, élève et professeur... L'obligation de résultat, les emplois du temps surchargés, les problèmes de communication et la solitude sont des contraintes difficiles à assumer dans une société qui ne pardonne guère les faiblesses et les erreurs. Les nuisances induites par l'environnement (bruit, pollution, agressivité ambiante) ajoutent encore à ces difficultés. Ce mal-être individuel peut amener à commettre des actes de violence envers les autres ou envers soi-même, comme en témoignent régulièrement les faits divers ou les chiffres du suicide (voir p. 103).

Vingt millions d'handicapés

Proportion de personnes déclarant certaines formes de handicap (en % de la population totale) :

	Hommes	Femmes	Ensemble
Etre affecté d'une déficience	38,8	42,4	40,4
Etre titulaire d'un taux d'incapacité (1)	8,3	5,3	6,8
Rencontrer un problème d'emploi (2)	13,6	14,1	13,9
Suivre un enseignement adapté (3)	5,7	4,3	5,0
Recourir à des aides techniques	10,2	13,0	11,6
Recourir à une aide humaine	7,7	12,7	10,3
Etre aidé pour sortir	3,4	5,5	4,4
Etre confiné au lit	0,3	0,7	0,5
Recevoir une allocation	5,9	3,2	4,5

Note : ce tableau concerne les personnes à domicile et celles en institution.
(1) Proportion de personnes pour lesquelles on a reconnu officiellement un taux d'incapacité.
(2) Parmi les 20 ans et plus : les personnes inaptes à l'emploi, ou ayant dû l'abandonner, ou devant avoir un emploi aménagé, pour raison de santé.
(3) Parmi les 6-16 ans scolarisés.

INSEE

rage proche. La proportion de personnes aidées augmente fortement avec l'âge ; inférieure à 7 % avant 60 ans, elle double ensuite tous les dix ans et dépasse 85 % pour les nonagénaires. L'isolement social des personnes handicapées est assez rare, même lorsqu'elles habitent à leur domicile ; il n'atteint pas 5 % aux âges les plus élevés.

660 000 personnes résident dans une institution socio-sanitaire ou psychiatrique, dont un peu plus de 400 000 sont des personnes âgées. On y trouve aussi 90 000 adultes et 50 000 enfants handicapés, 70 000 personnes en long séjour et 50 000 en psychiatrie. Les inégalités sociales sont fortes : un enfant d'ouvrier a ainsi sept fois plus de risque d'entrer dans ce type d'institution qu'un enfant de cadre ou de profession libérale. Cette différence s'explique en partie par la plus grande capacité des familles aisées à garder les enfants handicapés à domicile ; à gravité comparable, les enfants d'ouvriers sont trois fois plus nombreux que ceux de cadres ou professions intermédiaires à entrer en institution.

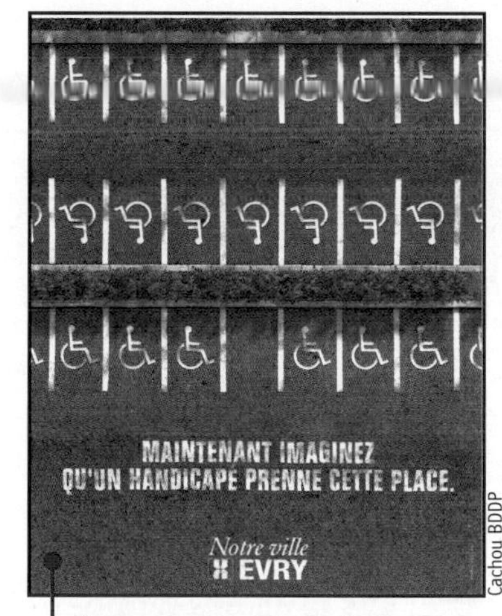

Cachou BDDP

Les handicapés oubliés

> 65 % des Français (contre 28 %) sont favorables au recours à l'euthanasie.

Internements abusifs

La France est le seul pays d'Europe où la législation sur l'internement est totalement administrative. Un individu peut ainsi être privé de sa liberté sans qu'il y ait eu préalablement un débat contradictoire. L'internement peut donc parfois servir de solution pour régler des conflits familiaux ou professionnels. La proportion de malades mentaux hospitalisés d'office ou à la demande d'un tiers (les trois quarts du total) aurait ainsi augmenté de 60 % entre 1990 et 2000. Elle représente 13 % des admissions en hôpital psychiatrique. Une étude conduite en 1985 (IGAS) concluait déjà que 44 % des hospitalisations psychiatriques étaient « inappropriées ».

Près de deux Français sur trois ont une correction de la vue.

62 % des Français corrigent leur vue. L'augmentation régulière du nombre de porteurs de lunettes s'explique à la fois par le vieillissement de la population et par une plus grande attention portée aux problèmes de vision. C'est le cas notamment des enfants, qui bénéficient d'un meilleur dépistage scolaire. Les femmes sont plus concernées que les hommes, car elles sont en moyenne plus âgées et donc plus touchées par la presbytie. Mais elles sont aussi 20 % plus nombreuses qu'eux entre 15 et 30 ans à avoir une correction de la vue, 10 % entre 30 et 50 ans. Cet écart serait dû à leur plus petite taille, qui autorise moins de recul des mains pour la lec-

ture et accroît la fatigue oculaire. Un élément qui influe d'autant plus que les femmes lisent en moyenne deux fois plus que les hommes.

En 2001, les Français ont acheté 8 millions de montures optiques et 22 millions de verres correcteurs. Il s'y ajoute 15 millions de lunettes de soleil. Près de deux porteurs sur trois (64 %) renouvellent leur équipement au moins une fois tous les trois ans. 11 % des acheteurs dépensent moins de 92 €, 45 % entre 90 et 230 €, 44 % plus de 230 €.

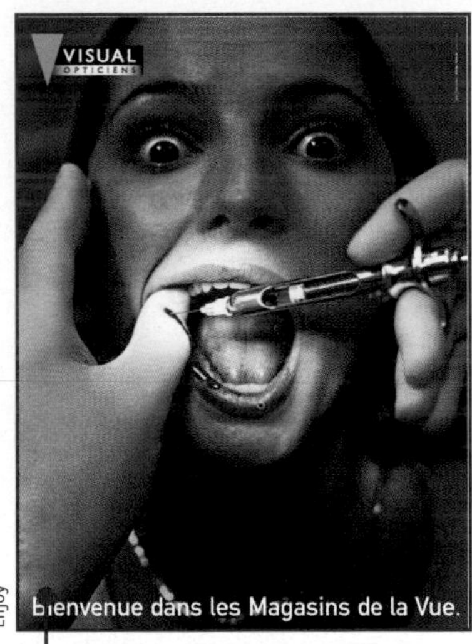

Enjoy

La vue, c'est la vie

Si la grande majorité des personnes concernées (92 %) portent des lunettes, 2,9 millions portent des lentilles de contact, soit 5 % de la population (2001). Elles se répartissent à peu près également entre les sexes (52 % de femmes) et les âges : 16 % ont entre 15 et 24 ans ; 17 % entre 25 et 34 ans ; 18 % entre 35 et 44 ans ; 18 % entre 45 et 54 ans ; 11 % entre 55 et 64 ans ; 20 % ont 65 ans ou plus. 65 % utilisent des lentilles souples jetables (dont 75 % tous les mois, 11 % tous les jours), 22 % des lentilles souples non jetables, 13 % des lentilles rigides et 1 % des lentilles de couleur. 2,5 millions de Français ont déjà porté des lentilles et les ont abandonnées.

Les troubles de l'ouïe sont plus fréquents.

Les agressions liées au bruit constituent un motif de plainte de plus en plus répandu. Elles semblent avoir des incidences sur la perception auditive, dans toutes les classes d'âge. Parmi les personnes de plus de 65 ans, deux sur trois sont atteintes de presbyacousie, baisse de l'audition liée à l'âge. Presque aussi fréquente que la presbytie, elle est moins bien acceptée et surtout moins fréquemment corrigée. L'équipement en audioprothèses pourrait permettre à beaucoup de Français d'éviter une exclusion progressive de la vie sociale.

Les jeunes sont également concernés, car ils sont soumis de plus en plus souvent à des niveaux sonores élevés (baladeurs, discothèques, chaînes hi-fi...). Le résultat est que près de 30 % des 18-20 ans sont affectés de troubles auditifs. Ces difficultés pourraient s'aggraver au fur et à mesure de leur vieillissement.

Maladies

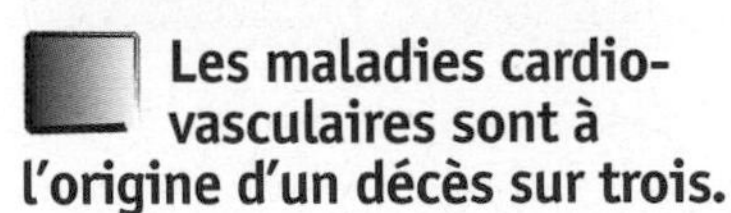

Les maladies cardio-vasculaires sont à l'origine d'un décès sur trois.

Les « maladies de cœur » touchent chaque année plus d'un million de Français. Elles représentent la première cause de mortalité pour les femmes (89 000 décès en 1999) et la deuxième pour les hommes (76 000), derrière les cancers. La moitié des décès sont dus à des arrêts cardiaques (45 000 ischémies) et des maladies vasculaires cérébrales (42 000 décès).

Les progrès des techniques médicales ont divisé par deux le nombre de décès en dix ans. Cette réduction est due aussi aux progrès de la lutte contre l'hypertension, l'hypercholestérolémie et le tabagisme. Le « paradoxe français » souvent mis en avant (consommation régulière et modérée de vin) doit être relativisé, car, si la fréquence de ces maladies est par exemple quatre fois plus faible pour les hommes qu'en Grande-Bretagne (deux fois et demie pour les femmes), elle est supérieure à celle mesurée en Italie, en Suisse, en Espagne et surtout en Chine. Elle est plus élevée au nord qu'au sud.

L'hérédité et les modes de vie sont les principaux facteurs de risque. Entre 35 et 65 ans, les hommes meurent trois fois plus de ces maladies que les femmes (deux fois plus entre 15 et 34 ans). L'infarctus du myocarde est l'une des premières causes de mortalité précoce ; sur plus de 100 000 cas recensés chaque année, la moitié sont mortels. Une victime sur deux a moins de 65 ans.

Le cancer est responsable de plus d'un quart des décès.

Le cancer est devenu depuis 1989 la première cause de mortalité chez les hommes (la deuxième chez les femmes), du fait notamment de la baisse de la mortalité liée aux maladies cardio-vasculaires. Il représentait 32 % des décès masculins de 1999 (43 % avant l'âge de 65 ans) et 23 % des décès féminins (36 % avant 65 ans). Au sein de l'Union européenne, les Français et les Danois

Mort et tumeurs

Nombre de décès par cancer, par sexe (1999) :

	H	F
Toutes tumeurs *dont :*	**89 142**	**59 442**
- Poumons, trachée, bronches	20 867	4 329
- Intestin	8 906	7 937
- Lèvres, bouche, pharynx	4 070	717
- OEsophage	3 663	699
- Estomac	3 291	2 075
- Pancréas	3 682	3 310
- Vessie	3 470	1 168
- Leucémies	2 568	2 223
- Prostate	9 476	-
- Sein	112	11 281
- Utérus		[illegible]
- Ovaires et annexes	-	3 271

INSERM

sont les plus touchés, les plus épargnés étant les Espagnols, les Grecs et les Portugais. La France connaît une situation contrastée à l'égard du cancer, avec le taux le plus élevé chez les hommes et le plus faible chez les femmes. Les progrès de la médecine et des soins ont d'ailleurs davantage profité aux femmes.

Les types les plus fréquents sont, pour les hommes (par ordre décroissant) : poumon, voies aérodigestives supérieures (bouche, pharynx, larynx, oesophage), côlon, prostate. La hiérarchie diffère pour les femmes : sein, côlon, poumon, ovaire, utérus. Les régions du nord de la France sont beaucoup plus touchées que celles du sud. Les mélanomes (cancers de la peau) ont connu une forte croissance liée à une plus forte exposition au soleil (1 700 décès en 1999). La protection des Français reste très insuffisante en ce domaine.

Les experts débattent sur l'influence de l'hérédité dans la survenance des cancers. Celle des modes de vie semble plus facilement quantifiable : un cancer sur quatre serait lié au tabac, un sur dix à l'alcool. Surtout, un sur trois aurait un lien avec l'alimentation. Les causes environnementales sont souvent évoquées ; on estime ainsi que 50 000 à 100 000 personnes seront décédées de maladies liées à l'amiante (notamment de cancers) entre 1995 et 2005. Depuis 1970, la mortalité par cancer chez les enfants a diminué des deux tiers, contre un peu plus d'un dixième chez les adultes de moins de 65 ans. Plus de 60 % des cancers surviennent entre 45 et 74 ans. La moitié des cancers sont aujourd'hui guéris, avec des taux de succès très différents selon les types.

Environ 15 000 personnes étaient atteintes du sida fin 2001.

Depuis son apparition, au début des années 80, environ 120 000 personnes ont été infectées par le virus du sida en France métropolitaine. Environ 55 000 ont développé la maladie, dont 40 000 sont décédées ; environ 15 000 personnes étaient donc atteintes de la maladie fin 2001. Mais ce chiffre est très aléatoire, une part croissante des personnes concernées l'apprenant lors du diagnostic du sida, longtemps après la contamination. On estime le nombre de nouveaux cas à 1 500 en 2000, soit une diminution des trois quarts par rapport au chiffre maximum de 5 800 atteint en 1994. 978 personnes sont décédées de la

Maladies familiales

Les résultats de la recherche génétique accréditent l'idée d'une influence déterminante de l'hérédité dans les destins individuels. Certains experts estiment qu'elle est la première cause des cancers. On a recensé environ 3 000 maladies héréditaires. Plus de 200 maladies monogéniques ont été identifiées en quelques années. En 1999, les anomalies congénitales ont été à l'origine de 1 500 décès. 15 à 20 % des grossesses connaissent des accidents dus à des problèmes chromosomiques. La débilité mentale concerne un enfant sur 1 500, la mucoviscidose un sur 2 500, la myopathie un sur 3 500 (l'espérance de vie d'un myopathe est limitée à une vingtaine d'années), l'hémophilie touche un enfant sur 7 000 (de sexe masculin). On évoque aujourd'hui les gènes du diabète, de l'hypertension, du cancer, voire de l'obésité. Certains chercheurs affirment même qu'il existe des gènes de l'homosexualité, de la violence ou de la dépression. Comme ceux de la sociobiologie, ces travaux heurtent la sensibilité éthique et bousculent certains tabous. En donnant une place privilégiée à l'inné par rapport à l'acquis, on met en cause les principes d'égalité à la naissance et le libre arbitre individuel. Si nul n'est responsable de son intelligence et de ses capacités, il ne l'est pas davantage de comportements éventuellement « déviants » par rapport à une norme sociale explicite ou implicite. La recherche génétique devra donc avancer prudemment sur ce terrain sensible.

maladie en 1999, dont 763 hommes et 215 femmes. Huit décès sur dix liés au sida concernent des hommes, mais la part des femmes s'accroît ; la plupart ont entre 25 et 45 ans.

Le sida n'est responsable que de deux décès sur mille, mais de cinq sur cent parmi les hommes âgés de 35 à 39 ans, trois sur cent parmi les femmes de 25 à 34 ans. Les nouveaux cas déclarés chaque année et le nombre de décès se sont accrus jusqu'en 1994, avant de diminuer. Les campagnes d'information de la fin des années 80 ont permis de réduire les nouvelles infections. Les effets des trithérapies ont commencé à apparaître en 1996, avec une baisse spectaculaire des nouveaux cas de maladie. Le nombre des décès annuels a ainsi diminué de 85 % entre 1996 et 2000.

La décrue interrompue

Evolution du nombre de nouveaux cas de sida diagnostiqués, par année de diagnostic :

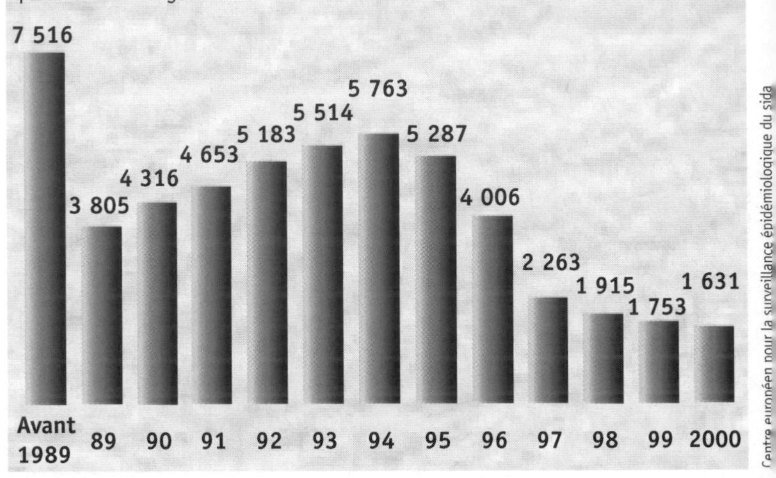

Centre européen pour la surveillance épidémiologique du sida

D'Arcy

La protection insuffisante

On observe un relâchement des précautions depuis 2000.

Les préservatifs sont de moins en moins utilisés (29 % des 18 ans et plus en 2001 contre 37 % en 2000) et les centres de dépistage, moins fréquentés. Les dons versés à l'association Ensemble contre le sida sont passés de 300 millions de francs en 1994 à 6 millions en 1998. A Paris, un tiers des personnes fréquentant les établissements homosexuels déclaraient en 2000 avoir eu des rapports non protégés. La proportion était de 54 % parmi les séropositifs, de 70 % parmi les habitués des *sex clubs*. Le taux de séropositivité dans les centres de dépistage anonyme et gratuit de Paris est ainsi passé de 6,6 en 1998 à 9,6 en 2000.

Cette absence croissante de protection et de dépistage est liée à la banalisation de la maladie et à une moindre « stigmatisation » des malades. Les Français ont le sentiment que les trithérapies permettent de soigner efficacement la maladie, qui est devenue chronique plutôt que mortelle à leurs yeux. D'autant que la majorité des jeunes de 18 à 24 ans ont commencé leur vie sexuelle après l'introduction de ces soins. Le relâchement est aussi la conséquence d'une diminution d'intérêt pour les campagnes de sensibilisation. Il correspond enfin à une recherche d'accroissement du plaisir par le risque, un comportement à la fois suicidaire et irresponsable à l'égard des autres.

La proportion d'hétérosexuels contaminés continue de s'accroître.

A la fin des années 70, la transmission du virus se faisait surtout par les hommes homosexuels. Ils représentaient 67 % des nouveaux cas de sida diagnostiqués en 1985, contre 29 % pour les toxicomanes. Les proportions ont diminué respectivement à 50 %

et 26 % en 1990, 42 % et 24 % en 1994. En 2000, 44 % des nouveaux cas de sida concernaient des hétérosexuels. La part des femmes s'est sensiblement accrue (40 % en 2000 contre 20 % en 1990), notamment parmi les hétérosexuels et les toxicomanes. Les femmes d'origine étrangère sont également de plus en plus concernées ; on a dénombré 40 % de séropositives en plus en 2001 dans les centres de dépistage parisiens.

Le dépistage est de plus en plus tardif. En 2000, la moitié (47 %) des personnes qui ont découvert qu'elles avaient le sida ne savaient pas qu'elles étaient séropositives. La proportion est encore plus élevée pour les Maghrébins et les Africains subsahariens habitant en France. Elle variait aussi selon le type de sexualité, de 53 % pour les relations homosexuelles à 39 % pour les relations hétérosexuelles (14 % pour les toxicomanes intraveineux). Ainsi, la plupart des personnes concernées n'ont pas pu bénéficier d'une prise en charge thérapeutique de leur séropositivité ou n'ont pas suivi de traitement anti-rétroviral.

D'autres maladies infectieuses se développent.

Un autre signe de la diminution de la vigilance est la recrudescence récente des maladies sexuellement transmissibles. Les gonococcies (200 000 à 400 000 cas par an), blennorragies et syphilis (2 000 à 10 000 cas), pratiquement éradiquées au début des années 90, réapparaissent. D'autres maladies infectieuses ou parasitaires sont en recrudescence depuis quelques années, malgré les développements des antibiotiques et des vaccins. On a dénombré 6 855 décès dus à ces maladies en 1999, hors sida (mais 7 420 en 1996). Les trois quarts (74 %) concernent des personnes âgées de 65 ans ou plus. Les principales sont la septicémie (1 441 décès) et la tuberculose (695), devant les infections intestinales (636).

Le nombre de cas d'hépatites virales varie entre 30 000 et 100 000 par an ; il a provoqué 220 décès en 1999, dont 60 % parmi les hommes. La campagne de vaccination scolaire engagée depuis juin 1994 a permis de vacciner aux alentours de 9 millions de personnes. Environ 1 000 nouveau-nés sont contaminés chaque année. Un nombre croissant de maladies semblent être dues au moins partiellement à la présence de bactéries ou de virus. C'est le cas notamment des ulcères de l'estomac, de l'artériosclérose, de l'angine de poitrine, de l'infarctus ou de certains cancers (foie ou utérus).

Les maladies nosocomiales sont responsables d'environ 10 000 décès par an.

7 % des personnes hospitalisées en 2001 ont souffert d'infections nosocomiales développées lors de leur séjour. La proportion est de 1 % parmi les patients en bonne santé, 4 % parmi ceux souffrant d'atteintes viscérales organiques, 8 % parmi les patients immunodéprimés. Ces maladies peuvent avoir pour origine les propres germes de la peau du malade, mais aussi ceux qui sont transmis par d'autres malades ou qui sont contenus dans l'environnement hospitalier. Elles sont à l'origine d'environ 10 000 décès par an, soit davantage que ceux dus aux accidents de la route. L'âge moyen des malades contaminés est de 62 ans ; 55 % ont 65 ans et plus. Les secteurs les plus touchés sont la chirurgie et les services de réanimation. Dans ces derniers, la proportion de malades contaminés serait de 100 % après un mois, ou seulement après dix jours pour les personnes immunodéprimées. Les infections contractées en pédiatrie toucheraient un quart à un tiers des malades selon les hôpitaux. Un peu plus du tiers des infections concernent l'appareil urinaire, un dixième les poumons, un dixième également la peau et les tissus mous.

Le contact des malades avec les mains du personnel soignant est le principal vecteur de ces infections, les règles d'hygiène étant insuffisamment respectées. Le risque représenté par ces maladies et leurs conséquences souvent dramatiques commencent à être pris en compte par le système hospitalier dans les pratiques de soins. Le taux de prévalence est ainsi passé de 8 % en 1996 à 6,9 % en 2001. Des progrès importants restent cependant à accomplir pour lutter contre un fléau longtemps ignoré.

Le nombre des maladies professionnelles est en augmentation...

Longtemps, les maladies professionnelles ont été la conséquence de conditions de travail pénibles ou exposant à des substances toxiques. Les lois sociales ont ensuite permis d'améliorer ces conditions et de juguler certaines affections comme le saturnisme. On constate depuis quelques années une inversion de tendance, avec la résurgence de certaines maladies professionnelles. On estime que plus de 25 000 personnes ont ainsi contracté une maladie dans le cadre de leur travail en 2000, soit

le triple du nombre moyen enregistré au cours des années 90.

Le travail n'est pas toujours la santé

48 % des Français déclarent avoir eu mal au dos au moins un jour au cours des six derniers mois, contre 30 % en 1979. Au cours des quatre dernières semaines, 42 % disent avoir souffert de nervosité, 35 % de maux de tête, 30 % d'insomnie. Les femmes sont plus concernées que les hommes, les jeunes et les actifs plus que les personnes âgées et les inactifs.
14 % des Français se plaignent aussi d'avoir connu un état dépressif au cours des quatre dernières semaines. Mais la dépression est une maladie difficile à diagnostiquer. Le mot est souvent utilisé dans le langage courant pour désigner une grande fatigue ou un sentiment passager de découragement.
Crédoc

Les maladies d'origine professionnelle apparaissent largement sous-estimées, notamment en ce qui concerne les troubles musculo-squelettiques ou les affections péri-articulaires, provoqués par certains gestes et postures. L'exposition à l'amiante, souvent ancienne, serait responsable d'un nombre de cancers professionnels très supérieur à celui indiqué par les statistiques (près de 1 000 décès par an). A l'inverse, la reconnaissance en 1999 des maladies du dos a probablement accru les chiffres enregistrés depuis. Les ouvriers y sont le plus exposés : 36 % se plaignent de douleurs lombaires depuis au moins six mois (43 % parmi ceux du secteur bâtiment-travaux publics) contre 25 % des cadres supérieurs et 28 % des employés. On enregistre aussi une forte augmentation du nombre des affections provoquées par le bruit (environ 1 000 par an, contre 275 en 1975).

... ainsi que le stress et les maladies psychologiques.

Les maladies d'origine psychosomatique comme les ulcères, les maux gastro-intestinaux, les troubles du sommeil ou les dépressions ne sont pas considérées comme professionnelles, du fait de leur relation incertaine avec le travail. Les conditions de travail au bureau ou à l'usine en sont pourtant souvent le point de départ. Véritable fléau de l'époque, le stress touche une proportion croissante d'actifs. L'obligation de réussite des salariés et le harcèlement moral dont ils sont parfois l'objet en sont les causes principales. D'autres, familiales ou sociales, s'y ajoutent souvent.

L'accroissement de la fréquence de ces troubles du comportement apparaît liée aux conditions de vie, mais aussi de travail. Certains d'entre eux existaient sans doute dans le passé, mais ils étaient jugés sans importance ou même ignorés, alors qu'on cherche aujourd'hui à leur donner un nom et à les soigner. Ainsi, les phobies sociales (timidité, agoraphobie, peur des autres en général...) sont aujourd'hui identifiées et prises en compte. Elles ont généralement des origines psychologiques.

La grippe concerne plusieurs millions de Français chaque année.

Le nombre des décès liés à la grippe est en moyenne de 1 000 par an, mais il varie considérablement selon les années. La grippe de Hongkong avait fait 30 000 morts en France en 1968-1969 et un million dans le monde. Mais la plus meurtrière a été celle de 1918-1919 : 20 millions de morts dans le monde, 400 000 en France. Les grippes des années 2000 et 2001 ont été moins meurtrières que les années précédentes (1 485 en 1999), ce qui explique en partie la diminution du nombre total de décès.

La grippe est à l'origine, selon les années, de 10 à 30 millions de journées d'arrêt de travail. Elle représente un coût considérable pour la collectivité. Le nombre annuel de décès qu'elle occasionne est probablement très sous-évalué, car un nombre de

Les maladies de l'âge

Le vieillissement de la population entraîne une progression de certaines maladies. Certaines sont spécifiques, comme l'Alzheimer, dégénérescence cérébrale, qui touche près de 450 000 Français dont les trois quarts sont des femmes. Le nombre de nouveaux cas est de l'ordre de 110 000 par an. Une personne sur quatre est atteinte à partir de 90 ans. Les maladies mentales sont plus fréquentes chez les personnes âgées ; sur les 165 000 nouveaux cas annuels de démence, 70 % concernent des personnes de 80 ans et plus (72 % sont des femmes).
Généralement, la fréquence et la gravité de nombreuses maladies s'accroissent avec l'âge. C'est le cas de la grippe, qui fait chaque année plusieurs centaines de morts parmi les plus de 60 ans. C'est le cas aussi des maladies musculaires ou osseuses. Ainsi, l'ostéoporose est à l'origine d'environ 130 000 fractures par an ; après 50 ans, une femme sur deux et un homme sur trois sont menacés.

cinq à dix fois plus élevé est enregistré sous d'autres causes, principalement les maladies respiratoires ou cardiaques.

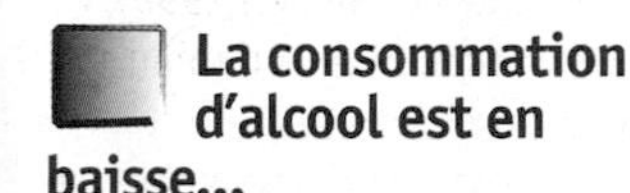

La consommation d'alcool est en baisse...

La consommation globale d'alcool a diminué de plus d'un tiers entre 1960 et 2000, passant de 18 litres d'équivalent alcool pur par personne et par an à un peu moins de 11 litres. Cela représente environ 120 bouteilles de vin à 12° ou plus de 600 bouteilles de bière de 33 cl à 5°. La baisse de consommation est plus lente depuis quelques années et la moyenne cache de fortes disparités.

La réduction constatée concerne essentiellement la consommation de vin, qui a été divisée par deux en un demi-siècle : 58 litres par personne, contre 127 litres en 1960. Le vin ne représente plus désormais que 60 % de la consommation d'alcool pur. Dans le même temps, la consommation de bière a augmenté légèrement, dépassant 45 litres dans les années 1975 à 1979, avant de se stabiliser un peu en-dessous de 40 litres au cours des années 90. Celle de spiritueux se maintient à environ 2,5 litres par personne.

... mais elle reste élevée.

Parmi les peuples de l'Union européenne, les Français se situent dans le peloton de tête, derrière les Luxembourgeois (13,3 litres d'alcool pur par personne en 1998) et les Portugais (11,2). Ils devancent les Irlandais (10,8), les Allemands (10,6) et les Espagnols (10,1). On estime que 2 millions de Français sont dépendants de l'alcool et que 5 millions subissent des difficultés d'ordre médical, psychologique ou social liées à sa consommation.

L'incidence de l'alcoolisme sur la santé et la mortalité est considérable. On estime que 25 000 décès sont liés chaque année à la consommation régulière et excessive d'alcool. Plus de la moitié d'entre eux sont la conséquence de cancers des voies aérodigestives supérieures (bouche, pharynx, oesophage, larynx), près de 40 % de cirrhoses du foie. Après un diagnostic d'une cirrhose, plus de la moitié des personnes décèdent dans les cinq ans.

Deux fois moins de vin

Evolution de la consommation de vin, bière, spiritueux (en litres) :

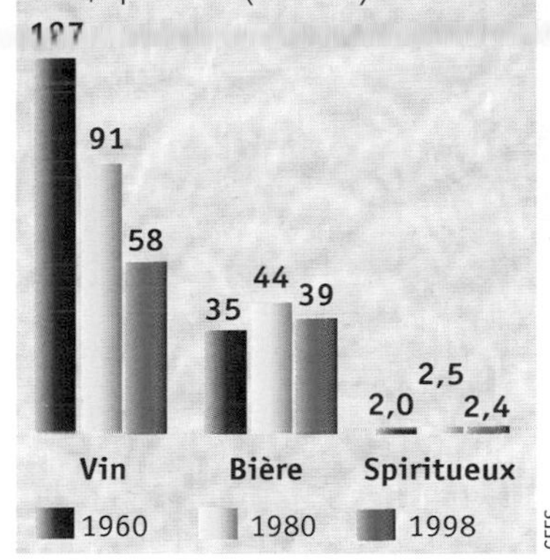

CFES

Les hommes boivent plus souvent et davantage que les femmes.

Deux hommes sur trois déclarent consommer régulièrement des boissons alcoolisées, contre quatre femmes sur dix. Ces dernières boivent en moyenne un verre de produit alcoolisé par jour, contre un peu plus de deux pour les hommes. La consommation varie beaucoup selon les jours : 1,6 verre par jour pour les hommes et 0,6 pour les femmes pendant la semaine ; 5,4 et 2,6 verres par jour pendant le week-end. Parmi les consommateurs occasionnels, les femmes boivent trois fois moins que les hommes.

C'est entre 55 et 64 ans que les hommes consomment les plus grosses quantités, entre 35 et 44 ans pour les femmes. Parmi les hommes, la proportion de consommateurs de vin augmente avec l'âge ; on observe l'inverse en ce qui concerne la bière. Chez les femmes, la proportion de consommatrices de vin augmente avec l'âge jusqu'à 60 ans, avant de diminuer. Elles sont en revanche très peu nombreuses à boire de la bière à tout âge : moins de 1 % en moyenne.

Boire et travailler

La consommation d'alcool sur le lieu de travail tend à s'accroître. Elle n'est plus seulement individuelle et cachée, mais devient de plus en plus collective. Les « pots », repas d'affaires et autres occasions de convivialité se multiplient, à la fois dans les professions physiquement pénibles (bâtiment, travaux publics, agriculture...) et dans celles qui sont en relation avec le public. La fréquence de consommation augmente avec le niveau hiérarchique : 85 % des cadres boivent ainsi de l'alcool au moins une fois par semaine sur leur lieu de travail (CNAM-CFES/Ipsos, novembre 2001). Environ 15 % des accidents du travail sont liés à l'absorption d'alcool.

> 25 % des femmes continuent de fumer pendant leur grossesse.

Les jeunes boivent moins souvent mais recherchent davantage l'ivresse.

A 11 ans, 50 % des enfants n'ont jamais consommé d'alcool (2000). Ils ne sont plus que 32 % à 13 ans et 14 % à 15 ans. La situation de la France est plutôt favorable par rapport aux autres pays développés. A titre de comparaison, les proportions sont respectivement de 23 %, 6 % et 4 % en Angleterre, de 30 %, 13 % et 5 % en Italie. Moins de 1 % des moins de 15 ans disent s'être enivrés au moins deux fois, ils sont 25 % à 15 ans. Seuls 2 % des adolescents déclaraient boire de l'alcool tous les jours en 2000, contre 12 % en 1970. Mais près des deux tiers avouaient avoir déjà été ivres, contre 30 % en 1978 (INSERM).

C'est vers 15 ans que la consommation s'accroît, que des habitudes se prennent et que l'écart se creuse entre les garçons et les filles. Plus que l'origine socioculturelle, le fait que les parents consomment ou non de l'alcool exerce une influence importante. Les adolescents sobres deviennent très rarement des buveurs immodérés à l'âge adulte. Au contraire, 60 % des hommes qui boivent plus de cinq verres par jour étaient déjà amateurs d'alcool entre 13 et 18 ans.

Comme les plus jeunes, les 18-24 ans ont réduit leur consommation, qui avait augmenté au cours des dernières années ; environ 30 % ne boivent d'ailleurs jamais d'alcool. On observe aussi une hausse du nombre de cas d'ivresse : 22 % des 12-19 ans ont été au moins une fois dans cette situation en 2000 ; la proportion atteint 48 % chez les garçons âgés de 18 ou 19 ans (26 % parmi les filles). La prévention devrait donc davantage porter sur les accidents liés à l'ivresse (circulation, bagarres...) que sur l'alcoolisme chronique.

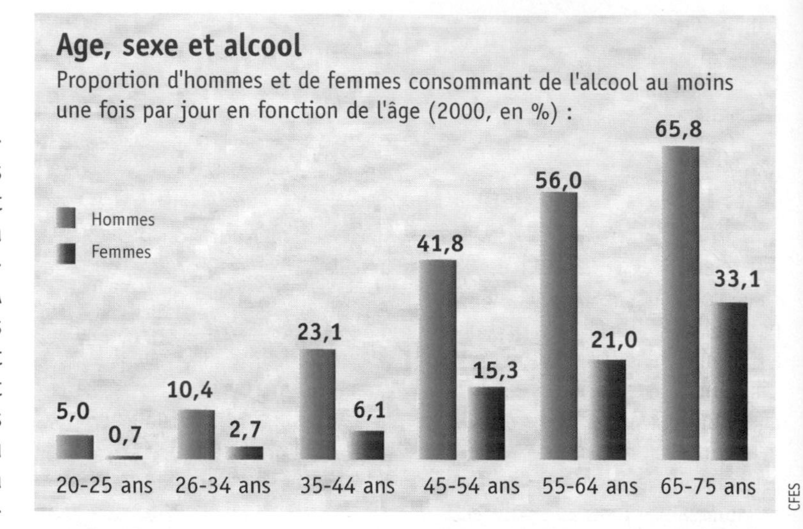

CFES

Boire, pour oublier ?

Ideus Fenech Le Barazer

> 8 % des hommes et 1 % des femmes reconnaissent avoir été ivres morts au cours des douze derniers mois.

Eurotabagisme

Proportion de fumeurs par sexe dans les pays européens (en %) :

	H	F
Grèce (1995)	49	29
Espagne (1997)	45	27
Autriche (1995)	40	25
Luxembourg (1998)	39	27
Danemark (1997)	37	31
Pays-Bas (1997)	37	31
Portugal (1995)	35	21
Norvège (1994)	35	31
FRANCE (1997)	34	22
Italie (1995)	33	24
Belgique (1997)	31	22
Irlande (1995)	31	28
Finlande (1998)	30	20
Ex-RFA (1995)	30	21
Royaume-Uni (1996)	29	28
Suède (1997)	17	22

CFES/INSEE, Eurostat

Près d'un adulte sur trois fume.

27 % des Français de 15 ans et plus déclaraient être fumeurs en 2000, soit 7,5 millions d'hommes et 5,2 millions de femmes. La moitié des Français n'ont jamais fumé. A âge égal, la proportion d'hommes fumeurs est plus élevée parmi les ouvriers, artisans, commerçants et chefs d'entreprise. Mais la situation matrimoniale a une importance : les hommes divorcés sont plus souvent fumeurs que ceux qui sont mariés.

En Europe, la France occupe une place moyenne en ce qui concerne la consommation masculine de tabac ; celle des femmes est en revanche l'une des moins élevées, malgré son accroissement récent. La proportion de fumeurs a diminué dans la plupart des pays, notamment parmi les hommes. Les évolutions sont plus contrastées en ce qui concerne les femmes (baisse au Danemark ou en Suède, augmentation en Finlande...). C'est en Espagne et en Grèce que les écarts entre hommes et femmes sont le plus élevés. La Suède est le seul pays européen où la proportion de fumeuses est supérieure à celle de fumeurs (22 % contre 17 %).

La proportion de fumeurs parmi les hommes a diminué depuis vingt ans...

33 % des hommes de 15 ans et plus étaient fumeurs en 2000, contre 45 % en 1980. Cette diminution est liée aux comportements des diverses générations à l'égard du tabac, notamment ceux des moins de 30 ans. Entre 20 et 29 ans, la proportion d'hommes fumeurs est aujourd'hui de 44 % pour ceux nés dans les années 70, contre 56 % pour ceux nés dans les années 50.

La vie partie en fumée

Comme celle d'alcool, la consommation de tabac a des conséquences très défavorables sur la santé. Elle serait à l'origine de 60 000 décès par an, dont la moitié à la suite de cancers, les autres par maladies cardio-vasculaires ou respiratoires. 2,5 millions de Français souffrent de broncho-pneumopathie chronique obstructive (diminution irréversible des capacités pulmonaires conduisant à l'insuffisance respiratoire) causée dans 90 % des cas par le tabac ; 15 000 personnes en meurent chaque année.

On estime aussi que le tabagisme passif est responsable de 2 500 à 3 000 morts par an. Le risque de maladie cardio-vasculaire est accru de 25 % pour ceux qui y sont soumis, comme celui de cancer du poumon. Le nombre de morts subites des nourrissons est deux fois plus élevé lorsque la mère fume. Les enfants de fumeurs sont aussi plus exposés aux bronchites que ceux de non-fumeurs.

Les attitudes évoluent aujourd'hui vers un plus grand respect des non-fumeurs. Elles ont été favorisées par l'interdiction de fumer dans les lieux publics et l'obligation faite aux restaurateurs de prévoir une salle pour les non-fumeurs (loi Evin de 1991).

Les problèmes de santé, les changements dans les modes de vie et la prise de conscience individuelle constituent des incitations à l'arrêt du tabac au fur et à mesure que l'on vieillit. Ainsi, la proportion de fumeurs parmi les générations nées avant la guerre a considérablement diminué dans le temps : 49 % des hommes nés dans les années 30 étaient fumeurs en 1980 (ils étaient alors quadragénaires) ; ils n'étaient plus que 17 % en 2000, après avoir dépassé la soixantaine.

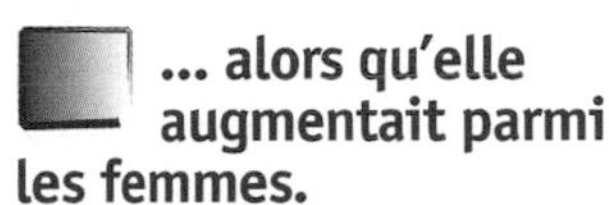

... alors qu'elle augmentait parmi les femmes.

La proportion de fumeuses s'est accrue depuis vingt ans : 21 % en 2000 contre 17 % en 1980. La rupture de comportement s'est produite essentiellement entre la génération née dans les années 40 et celle née dans les années 50. Entre 30 et 39 ans, la seconde (qui a commencé à fumer dans les années 70) comptait 32 % de fumeuses, contre 20 % pour la première. Cette augmentation est due à l'émancipation féminine qui s'est produite à cette époque. Elle a été favorisée par la baisse du prix relatif des cigarettes entre la fin des années 60 et le milieu des années 70.

Le résultat est un rapprochement de la consommation entre les deux sexes. Mais les hommes de 50 ans et plus sont encore 2,3 fois plus nombreux que les femmes à fumer ; le rapport était de 5,4 en 1980.

On observe une rupture de tendance chez les jeunes.

Après deux décennies de baisse dans toutes les tranches d'âge, la proportion de fumeurs a connu une augmentation récente chez les jeunes hommes de 15 à 19 ans. 28 % d'entre eux déclaraient fumer quotidiennement en 2000 contre 22 % en 1997. Plus d'un tiers des jeunes de 12 à 18 ans fument régulièrement ; c'est le cas d'un adolescent de moins de 13 ans sur dix. Malgré les campagnes de dissuasion successives, la proportion de jeunes fumeurs ne diminue pas depuis une dizaine d'années.

Moins de fumeurs, plus de fumeuses

Evolution de la population de fumeurs réguliers par catégorie socioprofessionnelle et par sexe (en %, 18 ans et plus) :*

	Hommes		Femmes	
	1980	2000	1980	2000
Agriculteurs	33,5	25,0	2,6	14,5
Artisans, comm., chefs d'entreprise	44,8	36,4	14,9	33,7
Cadres	45,2	30,3	27,9	19,4
Professions intermédiaires	47,0	37,2	25,7	27,8
Employés	52,3	41,2	23,6	28,5
Ouvriers	55,5	46,0	18,9	26,2
Retraités	34,6	15,3	3,7	5,8
Autres inactifs	-	33,8	-	19,7
Ensemble	**46,9**	**33,6**	**16,7**	**21,3**

* Au moins une cigarette (ou équivalent) par jour.

INSEE

A l'inverse, on a constaté en 2000 une diminution de la proportion de jeunes filles de la même tranche d'âge fumant quotidiennement : 20 % contre 22 % en 1999. Après avoir presque disparu en 1998, l'écart de comportement entre filles et garçons est de nouveau marqué. L'avenir dira si ces inversions de tendance qui concernent les deux sexes mais s'effectuent dans des sens opposés se poursuivent, ce qui aurait des conséquences en matière de santé. La réduction récente de l'écart d'espérance de vie serait alors notamment remise en question.

Un fumeur sur deux fume plus de 10 cigarettes par jour.

54 % des fumeurs de 15 ans et plus déclaraient consommer plus de 10 cigarettes par jour en 2000, quatre sur dix entre 11 et 20. Un peu moins de 2 % fument plus de deux paquets par jour (près d'une personne sur quatre entre 40 et 59 ans). La proportion de personnes fumant plus de dix cigarettes par jour est stable depuis une dizaine d'années. Cette stabilité est le résultat d'une diminution de la consommation moyenne chez les jeunes hommes (15-29 ans) et d'une augmentation chez les plus de 50 ans.

L'écart entre les sexes s'est réduit au cours des dix dernières années, en particulier chez les moins de 30 ans. La consommation s'accroît avec l'âge jusqu'à 50 ans, pour diminuer ensuite régulièrement. On peut imaginer que le développement de l'usage du téléphone portable chez les jeunes entraînera une baisse de la consommation de tabac, pour des raisons à la fois d'occupation des mains et d'arbitrage des dépenses. Les achats de cigarettes blondes représentent 80 % de la quantité totale consommée, contre 64 % en 1990. Ils se répartissent de manière égale entre hommes et femmes. Les trois quarts des amateurs de cigarettes brunes sont des hommes. Leur proportion est cependant très faible parmi les moins de 35 ans. La grande majorité des cigarettes achetées (90 %) sont avec filtre. La part des cigarettes légères s'accroît : 38 %, contre 26 % en 1990.

Le tabagisme est souvent lié à des difficultés personnelles.

L'usage du tabac est favorisé par des situations de difficulté sociale ou familiale. Chez les hommes, 52 % des chômeurs sont fumeurs, contre 38 % de ceux qui exercent une profession. L'écart est moins important parmi les femmes : 32 % contre 28 %.

Le tabagisme est également corrélé au niveau de vie en ce qui concerne les hommes ; plus le revenu par personne du ménage est faible, plus la proportion de fumeurs est élevée, ce qui tend à montrer que le coût du tabac n'est pas un véritable frein. Le tabagisme féminin est en revanche beaucoup moins lié à la situation professionnelle, financière ou matrimoniale.

On retrouve des déterminants semblables chez les jeunes (15-19 ans). Les difficultés financières sont propices à l'usage du tabac. Mais la situation des parents (divorce de la mère par exemple) a un impact plus fort sur les filles que sur les garçons.

> 88 % des Français estiment très grand ou assez grand le risque lié au fait de fumer beaucoup tout au long de sa vie.

Un Français sur dix a déjà expérimenté des drogues illicites.

Un peu plus d'un Français sur dix âgé de 15 à 75 ans reconnaît avoir consommé une substance illicite au cours de sa vie. Plus de 20 % ont expérimenté le cannabis, 6 % d'autres drogues illicites (entre 1 et 2 % pour la cocaïne, le LSD et les amphétamines). 3 % ont essayé des produits à inhaler ; c'est le cas d'environ 5 % des lycéens à Paris. L'ecstasy, sous-produit de la « culture techno », est la substance toxique qui se développe le plus avec le cannabis depuis le milieu des années 90, notamment chez les adolescents ; 7 % des garçons de moins de 18 ans en ont déjà consommé. L'usage du LSD et de la cocaïne est également en hausse, mais reste limité.

La consommation de ces substances illégales s'ajoute à celle des produits psychoactifs autorisés (tabac et alcool) consommés quotidiennement par respectivement 30 % des 15-75 ans. Elle complète aussi celle des médicaments psychotropes, qui concerne de façon répétée ou quotidienne 9 % d'entre eux. Les enquêtes montrent d'ailleurs que les consommateurs d'une substance illicite ont plus de risques que les abstinents d'être également consommateurs d'autres substances toxiques comme l'alcool, le tabac ou certains médicaments.

La consommation de cannabis est en nette progression...

Plus de la moitié des jeunes de 17 ans ont expérimenté le cannabis. L'âge est un facteur important : à 19 ans, plus d'un utilisateur sur trois en consomme régulièrement (16 % des garçons quotidiennement), alors que seuls 4 % des 15-75 ans déclarent un usage répété (plusieurs fois dans l'année) ou quotidien.

La consommation augmente avec le niveau d'études et suit la hiérarchie socioprofessionnelle. Cependant, tous les milieux sociaux sont concernés et les frontières s'estompent entre les consommateurs aisés, qui utilisent la cocaïne en poudre à des fins récréatives, et les marginalisés, qui se l'injectent par voie intraveineuse (base crack).

Le cannabis est très présent dans les contextes festifs ; il s'accompagne souvent de prise de produits stimulants ou hallucinogènes. Mais sa consommation n'est pas obligatoirement « sociale », car la moitié des personnes concernées fument seules. Elle est plus fréquente parmi les hommes, avec une différence de moins en moins marquée entre les sexes chez les jeunes. Comme pour le tabac ou l'alcool, la proportion de femmes consommant des drogues tend en effet à augmenter ; elles représentent aujourd'hui environ un cinquième des toxicomanes et la consommation abusive de psychotropes ou de stimulants les concerne autant que les hommes.

... et la pression s'accroît en faveur d'une légalisation de son usage.

L'idée se diffuse progressivement que le cannabis est moins dangereux que la cocaïne, l'ecstasy ou l'héroïne. Des études comme celle de l'INSERM (novembre 2001) indiquent que la dépendance serait faible ou nulle et que le produit ne présenterait que des risques somatiques et psychologiques mineurs et réversibles. D'autres mettent en avant les effets thérapeutiques de cette substance contre certains types de douleur. Pourtant, certaines études insistent sur « l'ivresse cannabique », qui entraîne une baisse de la vigilance et la somnolence, détériore la mémoire et la perception temporelle. Comme le tabac, elle pourrait augmenter le risque de cancer des voies respiratoires.

Mortelles dépendances

On estime qu'au moins 150 000 personnes connaissent des problèmes liés à l'usage des substances illicites, en particulier une dépendance pouvant avoir des conséquences sur le plan sanitaire. Un chiffre probablement sous-estimé puisque la seule consommation d'héroïne (plus ou moins régulière) concernerait environ 160 000 personnes. La dépendance est également mesurable en ce qui concerne la consommation du tabac et de l'alcool, produits licites.

L'usage des substances illicites serait en outre responsable chaque année de plusieurs centaines de décès à la suite de surdoses ou de pharmacodépendance. La mortalité liée au tabac et à l'alcool est beaucoup plus importante : respectivement 60 000 et 45 000 décès annuels liés aux cirrhoses, cancers, etc.

La distinction entre drogues licites et illicites apparaît donc de plus en plus artificielle, compte tenu des dégâts causés par les unes et les autres. Le coût financier total pour la collectivité (décès, maladies, pertes de revenus et de productivité...) est en tout cas estimé à plus de 300 millions d'euros par an, dont l'essentiel (97 %) pour le tabac et l'alcool.

Ces éléments nourrissent le débat sur la dépénalisation qui se poursuit depuis quelques années. Les partisans de la légalisation insistent aussi sur le fait que la situation de la France est plutôt moins bonne que celle des autres pays européens ayant un environnement légal et social plus propice ; 35 % des jeunes Français de 16 ans ont ainsi expérimenté le cannabis contre 16 % des Européens (enquête ESPAD de 1999 sur trente pays), 12 % en ont consommé au moins dix fois, soit le double de la moyenne européenne.

Accidents et suicides

7 720 personnes sont mortes dans des accidents de la circulation en 2001.

Le nombre des décès a augmenté de 1 % en 2001. On compte chaque année environ 120 000 accidents corporels qui font 160 000 blessés, dont près de 30 000 graves. La population, le nombre de voitures et celui des kilomètres parcourus ont cependant modifié la densité de circulation, ce qui rend les comparaisons difficiles.

Depuis 1987, près de 250 000 personnes ont trouvé la mort dans des accidents de la circulation et 6 millions ont été blessées. Avant l'âge de 45 ans, les accidents constituent la première cause de décès. Le risque est particulièrement élevé chez les jeunes de 15 à 24 ans : 43 % des décès sont dus à des accidents de la circulation (62 % pour les hommes, 38 % pour les femmes). Le coût annuel des accidents pour la collectivité (près d'un mort et trois blessés graves par heure) est estimé à plus de 18 milliards d'euros.

Zéro de conduite pour les Français

Malgré l'amélioration constatée, la France occupe encore une place peu enviable au sein de l'Union européenne en matière d'accidents de la circulation. Elle arrive en deuxième position en ce qui concerne le nombre de tués pour mille accidents corporels (69 en 2000) derrière la Grèce (96), très loin par exemple devant l'Allemagne (19). Elle se situe en cinquième position pour le nombre de tués par million d'habitants (136), derrière le Portugal (210), la Grèce (207 en 1999), l'Espagne (146) et la Belgique (144). Il en est de même pour le nombre de tués par million de véhicules. La situation est encore plus défavorable lorsqu'on tient compte des différences de méthode de calcul de la mortalité. Les statistiques de la Sécurité routière ne prennent en compte que les décès survenus moins de sept jours après un accident, contre trente jours dans les autres pays. Malgré la correction apportée aux chiffres, le bilan annuel « oublierait » donc un certain nombre de décès survenus entre huit et trente jours après un accident.

Si l'attitude des conducteurs est en cause, la faible densité de population de la France, qui autorise des vitesses moyennes plus élevées, explique aussi la gravité des accidents. L'aménagement des routes de campagne est aussi en partie responsable : traversées de villages dangereuses, présence de platanes, etc. Il est ainsi intéressant de noter que la proportion d'accidents corporels par rapport à la population est plutôt faible en France : 2 pour 1 000 habitants en 2000, contre 5,2 au Portugal, 4,7 en Allemagne, 4 au Royaume-Uni, 3,7 en Italie.

L'amélioration se poursuit depuis trente ans.

Par rapport à 1972, année la plus noire avec 16 617 morts, le nombre de tués a diminué de plus de moitié, alors que celui des voitures a plus que doublé. Le nombre des tués était passé pour la première fois en dessous de la barre des 10 000 en 1987 (9 855). Il est remonté au-dessus entre 1988 et 1990, marquant un palier avant de fléchir à nouveau depuis 1991. 1998 avait marqué une rupture, avec une hausse du nombre des tués de 6 %, corrigée en 1999 puis en 2000. Si l'on ramène le nombre de tués à l'indice de circulation, la diminution sur trente ans est encore plus spectaculaire.

L'arsenal de mesures pédagogiques et répressives prises depuis 1973 explique l'amélioration constatée : amélioration du réseau routier ; obligation du port de la ceinture ; limitation de la vitesse en ville ; instauration du permis à points ; contrôles techniques obligatoires ; retrait immédiat de permis lors de certaines infractions... Les campagnes successives sur la sécurité routière et l'accroissement de la vigilance des policiers et des gendarmes ont également contribué à une modification

> 43 % des véhicules sont conduits par plusieurs conducteurs : 60 % parmi les personnes de 40 à 59 ans ; 35 % chez les plus de 70 ans.
> Le kilométrage moyen parcouru en 2000 par les cadres supérieurs et les professions libérales était de 17 350, contre 11 570 pour les inactifs.

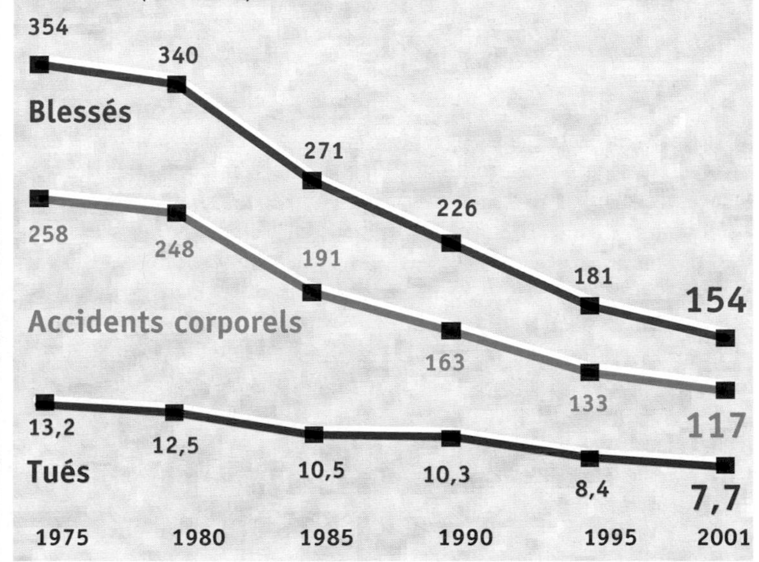

des comportements, ainsi que l'abaissement de la puissance moyenne des voitures (voir p. 214). Mais les efforts restent nécessaires pour que la France se rapproche de la moyenne européenne et, notamment, des pays du Nord.

La moto est le moyen de transport le plus dangereux.

De tous les moyens de transport individuel, la motocyclette est le plus dangereux, avec plus de 17 victimes (tués ou blessés dans les véhicules concernés) pour mille véhicules en 2000, devant les cyclomoteurs (14), les voitures (4) et les poids lourds (3). Les camionnettes et les bicyclettes sont les moins dangereux, avec des taux respectifs de 0,5 et 0,3. En ce qui concerne les tués, la hiérarchie est un peu différente : motos (746 par million) ; cyclomoteurs (296) ; poids lourds (209) ; voitures (182) ; camionnettes (15) ; bicyclettes (13). Les poids lourds représentent 5 % des kilomètres parcourus et 4 % des véhicules impliqués dans les accidents, mais 13 % des tués (1,5 % parmi les conducteurs de poids lourds). Les motos de 125 cm^3 ont un taux d'accident inférieur à celui des motos plus puissantes.

Le risque de décès dans les transports varie considérablement selon le moyen utilisé. Il est de 7,7 par milliard de passagers-kilomètres pour les transports routiers (véhicules particuliers), contre 0,3 pour le train et 0,2 pour l'avion. Ces deux derniers modes de transport ont provoqué en moyenne 16 morts par an entre 1995 et 2000, un nombre très inférieur à celui des transports routiers (5 300 pour les véhicules particuliers).

Les jeunes sont les plus vulnérables...

Avec 269 tués par million d'individus contre 130 en moyenne dans l'ensemble de la population (2001), les 15-24 ans sont les plus touchés. Le nombre des tués (2 077) ou blessés graves (7 852) diminue régulièrement depuis une vingtaine d'années parmi eux, mais ils représentent encore 27 % des décès et 32 % des blessés graves, alors qu'ils ne comptent que pour 13 % de la population. Le risque de mourir sur la route est deux fois plus élevé entre 15 et 24 ans que pour le reste de la population.

Euro RSCG C&O

2 000 jeunes tués en 2000 (15-24 ans)

Les différentes tranches d'âge sont très inégalement touchées par les accidents. Les moins de 14 ans sont particulièrement vulnérables aux accidents de vélo (12 % des tués), ainsi que les 45-64 ans (24 %). Les 15-24 ans représentent 34 % des cyclomotoristes tués et les 25-44 ans 48 %.

Les 45-64 ans représentent 24 % des cyclistes tués. Enfin, les personnes âgées de 65 ans et plus comptent pour 41 % des tués parmi les piétons.

... mais les personnes âgées ont proportionnellement plus d'accidents.

L'allongement de l'espérance de vie fait que l'on trouve aujourd'hui quatre générations de conducteurs sur les routes. Si les personnes âgées de 65 ans et plus sont prudentes et respectent le code de la route (certaines l'ont cependant oublié), leur acuité visuelle et auditive est diminuée et leurs réflexes sont plus lents. On estime ainsi que 13 % des automobilistes de 60 ans et plus ont une vision inférieure au niveau souhaitable. Le nombre d'accidents des 65 ans et plus est sensiblement identique à celui des moins de 30 ans, pour un kilométrage annuel pratiquement inférieur de moitié. Le nombre des tués pour cent victimes était cependant de 9,6 parmi les 65 ans et plus, contre 4,2 parmi les 15-24 ans en 2001. Cet écart s'explique en partie par les conséquences plus souvent mortelles des accidents concernant les personnes âgées et par le fait qu'ils en sont plus souvent victimes que les autres classes d'âge en tant que piétons (42 % des tués de plus de 65 ans en 2001) ou cyclistes (37 %).

Les femmes ont moins d'accidents graves que les hommes.

A nombre égal de kilomètres parcourus, les femmes ont trois fois moins de risque d'être tuées que les hommes. Elles sont aussi quatre fois moins souvent condamnées pour des infractions donnant lieu à des retraits de points sur le permis de conduire. Elles sont en outre plus sobres ; seuls 6 % des procès-verbaux pour alcoolémie au volant concernent des femmes. Elles sont enfin plus prudentes : 4 % déclarent avoir conduit à plus de 180 km/h au cours des douze derniers mois, contre 15 % des hommes. Le résultat est que le coût des accidents de voiture qui leur sont imputables est inférieur à celui des hommes d'environ 10 %.

Pourtant, les femmes provoquent un peu plus d'accidents que les hommes : 65 ‰ dans l'année, contre 62 ‰. Pour celles qui sont âgées de plus de 30 ans, la différence est encore plus sensible : 63 ‰ contre 56 ‰. Cet écart s'explique par le fait que les femmes roulent plus fréquemment en ville (35 % des kilomètres parcourus contre 30 % pour les hommes) où les accrochages sont plus nombreux mais beaucoup moins graves, donc moins coûteux.

Les autoroutes sont plus sûres que les autres routes.

On a constaté en 2001 une diminution du nombre d'accidents corporels sur l'ensemble des réseaux sauf sur les autoroutes (+ 4,8 %). Le nombre des tués a cependant diminué sur les autoroutes (7,6 %), mais il a augmenté sur les routes départementales (4,3 %). La gravité des accidents (nombre de tués pour 100 victimes) s'est accrue sur les routes départementales, mais elle s'est réduite sur les autoroutes et les voies communales.

La part des autoroutes dans les accidents et les tués est cinq fois inférieure à celle qu'elles représentent dans le trafic. La situation est beaucoup plus défavorable pour les routes nationales et départementales, notamment en ce qui concerne le nombre des tués. Plus de la moitié des accidents mortels se produisent sur des routes bidirectionnelles en rase campagne, un tiers contre des arbres, un dixième contre des poteaux de lignes électriques ou téléphoniques. Dans quatre accidents mortels sur dix, on relève des défauts d'infrastructure routière. Quatre accidents corporels sur dix sont des collisions par l'arrière ou en chaîne. Un accident mortel sur dix est dû à un changement de file dangereux.

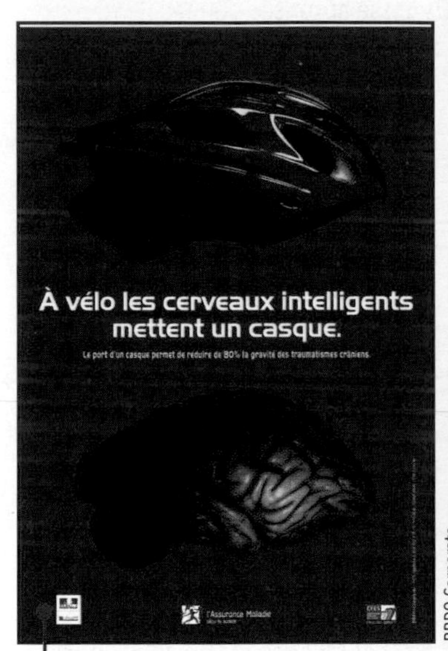

Le vélo moins dangereux que la voiture

BBDO Corporate

La vitesse excessive est la principale cause d'accident...

La plupart des accidents sont dus à des fautes humaines et l'on estime que 2 % seulement ont une origine mécanique. La vitesse est en cause dans la moitié des accidents mortels. En 2001, la proportion d'automobilistes dépassant de plus de 10 km/h la vitesse autorisée variait de 29 % pour les poids lourds à 47 % pour les

motos ; elle était de 35 % pour les voitures de tourisme.

La vitesse moyenne constatée sur les routes augmente depuis 1997, après avoir diminué en 1995 et 1996 ; elle atteint presque aujourd'hui celle autorisée sur les autoroutes (126 km/h en 2001, contre 110 km/h en 1991) et sur les routes nationales (90 km/h, stable depuis quelques années). Elle était en revanche de 58 km/h dans les traversées d'agglomérations par route nationale ou voie d'entrée, contre une vitesse autorisée de 50 km/h.

587 000 infractions à la vitesse susceptibles d'entraîner un retrait de points du permis de conduire ont été constatées en 2001, soit 47 % des infractions. 29 % d'entre elles ont donné lieu à un retrait d'un point, 21 % de deux points, 25 % de trois points. Au cours de l'année, 13 410 permis de conduire ont été invalidés ; ce sont les hommes qui sont les plus concernés (96,5 %), ainsi que les jeunes de 22 à 30 ans ayant leur permis depuis 4 à 10 ans.

... avec la consommation d'alcool et le défaut de ceinture.

L'alcool favorise les défaillances liées à la fatigue, l'inattention et l'assoupissement, qui sont à l'origine de près d'un accident mortel sur trois. On estime qu'un taux d'alcoolémie excessif est présent dans environ un tiers des cas. Son importance est d'ailleurs sous-évaluée, du fait de l'impossibilité de pratiquer un contrôle sur les personnes retrouvées mortes et sur les blessés graves. En 2001, on a recensé 100 000 taux d'alcoolémie positifs sur plus de 6 millions de dépistages pratiqués. La proportion de tests positifs s'est accrue au cours des dernières années : près de 4 % en 2001 contre moins de 3 % en 1996.

Le défaut de port de la ceinture de sécurité ou d'un casque est une autre cause importante des accidents mortels. On estime que, sur 100 conducteurs tués dans un accident et qui n'avaient pas bouclé leur ceinture, 45 auraient eu la vie sauve s'ils l'avaient attachée. La proportion de personnes qui ne l'utilisent pas reste stable, à 3 % sur les autoroutes, 5 % sur les routes nationales (4 % sur les routes départementales à grande circulation). Le port de la ceinture continue de s'étendre en agglomération, atteignant 79 % (82 % à Paris) contre 55 % en 1989. 605 000 infractions ont été sanctionnées en 2001. On constate que la moitié des passagers arrière ne bouclent pas leur ceinture sur autoroute. Or, il est six fois plus dangereux d'être éjecté que maintenu dans le véhicule par la ceinture de sécurité.

Le nombre des accidents du travail s'est accru récemment...

1 360 000 accidents du travail ont été dénombrés en 2000, un chiffre stable par rapport à 1999, mais en hausse par rapport à ceux des années qui précédaient. Cette évolution doit cependant être ramenée à la population active salariée, en augmentation sur cette période, de sorte que la fréquence des accidents évolue plutôt à la baisse : 41 pour 1 000 salariés contre 46 en 1997. Le nombre d'accidents ayant entraîné un arrêt de travail a en revanche augmenté de 2,4 %, soit davantage que la population salariée ayant un emploi. Le taux de fréquence de ces accidents avec arrêt est en hausse pour la cinquième année consécutive.

> On a déploré 15 morts, 197 blessés graves et 1 007 blessés légers parmi des enfants de moins de 16 ans se rendant à pied à l'école en 2000.

Cette évolution peut s'expliquer par une dégradation des conditions de travail ou par celle des relations au sein des entreprises, avec notamment une montée du stress sensible chez les salariés (voir p. 324). Elle remet en question les progrès réalisés entre 1955 et 1986, période pendant laquelle le nombre d'accidents par million d'heures travaillées était passé de 53 à 29, soit une baisse de près de moitié. La tendance s'était déjà inversée entre 1987 et 1994, du fait de l'augmentation des effectifs des catégories vulnérables et moins protégées (intérimaires, contrats à durée déterminée, ainsi que sous-traitants...).

... et leur gravité se stabilise.

Le nombre des accidents mortels diminue régulièrement. 736 décès ont été constatés à la suite d'accidents du travail en 2000, contre 725 en 1999. Après avoir fortement régressé entre 1970 et 1986 (978 contre 2 268), le nombre des personnes tuées dans des accidents du travail avait augmenté de 23 % dans la période 1987-1990 par rapport à 1982-1986. Il a de nouveau diminué à partir de 1991, mais il s'est stabilisé au cours des cinq dernières années (733 en 1996).

Le nombre d'accidents du travail ou de maladies professionnelles donnant lieu à une incapacité permanente est de l'ordre de 40 000 par an ; il atteignait 110 000 en 1980 et 74 000 en 1990. Pendant quelques années, la progression du nombre des accidents du travail et celle des accidents entraînant un arrêt tendaient à

être compensées par une baisse de la mortalité, mais les chiffres les plus récents remettent en cause cette évolution.

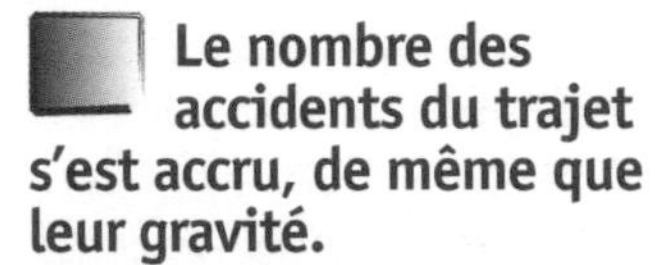

Le nombre des accidents du trajet s'est accru, de même que leur gravité.

On a dénombré 137 000 accidents du trajet en 2000. Leur nombre a augmenté de plus de 5 % après avoir fortement diminué pendant une vingtaine d'années. Il avait atteint 154 000 en 1979 et occasionné la perte de 6,7 millions de journées de travail. La mise en place d'horaires flexibles dans les entreprises, qui avait réduit la crainte d'arriver en retard au travail, expliquait en partie l'amélioration constatée. 87 040 accidents du trajet ont donné lieu à un arrêt de travail, un chiffre en très légère baisse par rapport à 1999 (90 000), mais supérieur à celui de 1996 (80 000).

Le nombre des accidents du trajet qui ont entraîné un décès poursuit sa progression : 676 contre 666 en 1999 et 528 en 1996. Cet accroissement peut être dû en partie à la reprise économique et à la baisse du chômage. Les accidents de la circulation sur le trajet domicile-travail sont à l'origine des deux tiers des décès dus à des accidents du travail, soit un peu moins de 200 par an.

Les accidents de la vie privée font chaque année plus de 20 000 morts...

Les accidents qui se produisent à la maison, à l'école ou lors des activités de loisirs sont beaucoup plus nombreux que ceux de la circulation ou du travail. Leur nombre est estimé à 8 millions par an et ils concernent plus de 10 % des Français. La mortalité liée aux accidents de la vie courante s'établit à environ 35 décès pour 100 000 personnes, soit plus de 20 000 morts par an. Un nombre vingt-cinq fois plus élevé que celui des accidents du travail et près de trois fois plus que celui engendré par la circulation routière. En 2000, 10 520 décès étaient dus à des chutes accidentelles, 1 907 à des traumatismes ou des empoisonnements, 758 à des intoxications accidentelles, 6 473 à des autres accidents et séquelles et 2 907 à des causes non précisées dont une part est liée à des accidents de la vie privée.

Les enfants sont les plus menacés

Parmi les pays industrialisés, la France est l'un des plus touchés par les accidents de la vie privée. Cette situation est en partie liée à un trait de la mentalité collective, qui tend à valoriser le risque individuel. On constate en outre que les effets bénéfiques du développement des activités physiques sur la santé sont contrebalancés par l'accroissement des traumatismes liés aux accidents qu'elles engendrent.

... et 2 millions de blessés.

La proportion d'accidents de la vie courante mortels est globalement faible : 0,2 %, contre 6,3 % dans le cas des accidents de la circulation. On observe d'ailleurs une baisse de plus d'un tiers des décès depuis 1980. Les trois quarts des accidents sont sans réelle gravité (hématomes, contusions, plaies ou brûlures superficielles...), mais on estime que deux millions de personnes sont blessées, dont la moitié doivent être soignées à l'hôpital.

Comme pour l'ensemble des types d'accidents, les hommes sont plus touchés que les femmes. Cela signifie que de nouveaux progrès pourraient être obtenus en modifiant les attitudes masculines. La gravité des accidents est cependant plus grande pour les femmes ; elles représentent ainsi 63 % des décès dus aux chutes accidentelles, 55 % des intoxications, mais seulement 30 % des traumatismes et empoisonnements. Parmi les actifs, les cadres sont les plus vulnérables, suivis des professions intermédiaires et des ouvriers (une hiérarchie inversée par rapport aux accidents du travail).

La majorité des accidents se produisent au foyer.

La moitié des accidents domestiques sont dus à des chutes, un sur cinq à

des chocs, un peu moins d'un tiers à des brûlures ou des coupures. Les autres causes sont, par ordre décroissant d'importance, les piqûres, les morsures de chien, la pénétration d'objets dans le corps, l'intoxication, l'électrocution, l'étouffement et l'explosion. Sur 100 personnes accidentées et soignées à l'hôpital ou chez un médecin, 70 ont été victimes d'un accident domestique.

Dans la maison, c'est la cuisine qui est la pièce la plus dangereuse (un accident sur quatre s'y déroule) devant la cour ou le jardin (un sur quatre au total), les escaliers et ascenseurs (un sur dix). 8 % des accidents ont lieu dans la salle de séjour, 7 % dans les chambres. La salle de bains et le garage ne représentent chacun que 4 % des cas, l'atelier de bricolage 3 %, comme l'ensemble des autres pièces de la maison.

Les enfants sont les plus vulnérables.

Entre 1 an et 16 ans, 15 % des enfants sont victimes d'un accident de la vie privée au cours d'une année, ce qui représente plus d'un million d'accidents donnant lieu à des soins médicaux. Plus de 40 % de ceux qui se produisent à la maison et sur les aires de sport ou de loisirs concernent les moins de 18 ans, fortement exposés aux risques domestiques (chutes, chocs, brûlures, intoxications, coupures...).

La proportion est maximale entre 2 et 4 ans. Les intoxications (médicaments, produits d'entretien...) sont responsables d'un accident sur quatre. A l'adolescence, le risque d'accidents de loisirs ou scolaires est nettement prépondérant. Il est deux fois plus élevé chez les garçons : entre 11 et 16 ans, 30 % sont touchés contre 14 % des filles. Le taux d'accident domestique diminue rapidement jusqu'à l'âge de 16 ans, au contraire des accidents sportifs. La pratique d'un sport est à l'origine de près de 400 000 accidents par an chez les jeunes de 10 à 24 ans (en majorité des hommes). Ils entraînent 50 000 hospitalisations d'une durée moyenne de sept jours. Plus de la moitié sont liés à la pratique des sports collectifs (football, rugby, volley-ball, handball et basket), devant le ski, le cyclisme et la gymnastique sportive.

Les choses de la vie

Les causes d'accidents mortels sont très diversifiées. Un peu moins de 8 000 personnes décèdent chaque année de la circulation routière, 1 500 d'accidents du travail ou du trajet et 20 000 d'accidents domestiques. Il faut y ajouter plus de 10 000 décès entraînés par des accidents médicaux et autant liés aux maladies nosocomiales contractées dans les hôpitaux (voir p. 91).
Enfin, plusieurs centaines de personnes meurent à la suite d'agressions (voir p. 243) ou de catastrophes naturelles. Au total, la vie est un parcours d'obstacles sur lequel chaque année environ 50 000 personnes se heurtent définitivement et prématurément.

10 268 personnes se sont suicidées en 2000.

Entre 1950 et 1976, le décès par suicide concernait environ 15 habitants sur 100 000. La proportion est proche de 21 depuis le début des années 80, époque à laquelle s'est produite une forte augmentation. A partir de 1982, le nombre des suicides a dépassé celui des décès par accident de la route. Il s'est stabilisé depuis quelques années à un niveau élevé.

L'accroissement constaté en vingt ans est d'autant plus préoccupant que le nombre des suicides est sous-évalué. Certains sont camouflés en mort accidentelle ou en disparition par les familles. C'est ainsi que l'on recensait 2 907 décès à la suite d'« accidents non précisés » en 2000, ainsi que 2 014 « morts subites de cause inconnue ». On estime que le nombre de suicides réel est supérieur d'au moins 20 % au nombre officiel. Une enquête effectuée à Paris en 1990 avait montré que trois suicides sur quatre n'avaient pas été recensés comme tels parmi les 15-44 ans. Le nombre des tentatives est lui aussi élevé : environ 160 000 par an.

Le taux de suicides mesuré en France est légèrement supérieur à la moyenne européenne. Il est proche du taux américain, mais très inférieur à celui du Japon. La Grèce bénéficie du taux le plus bas de l'Union européenne, neuf fois inférieur à celui du Danemark.

Les hommes et les personnes âgées sont les plus concernés.

Le suicide est aujourd'hui 2,6 fois plus fréquent chez les hommes que chez les femmes : 7 427 cas contre 2 841 en 2000. Le nombre de décès concernant les moins de 35 ans a triplé depuis les années 60 pour atteindre 2 062 en 1997 (dont 1 601 hommes). Il constitue la première cause de mortalité chez les 25-34 ans. Près de 40 000 jeunes de 15 à 24 ans font chaque année une ou plusieurs tentatives de suicide. 604 se sont donné la mort en 2000, de sorte que le suicide est dans ce groupe la

deuxième cause de mortalité, après les accidents de la circulation. 8 % des jeunes filles élèves du second degré et 5 % des garçons disent avoir déjà effectué une tentative de suicide. La France est dans cette catégorie d'âge le pays européen le plus exposé après l'Autriche.

La fréquence des suicides augmente cependant régulièrement avec l'âge. Les personnes de 60 ans et plus représentaient 35 % du nombre total en 2000 (3 624 décès) pour 21 % de la population, contre 2 % pour les moins de 20 ans (26 % de la population). L'arrivée à la retraite est parfois ressentie comme une déchéance, notamment par les hommes, mais cet état d'esprit est aujourd'hui moins fréquent. Le décès de l'époux reste en revanche un traumatisme important ; c'est dans l'année qui le suit que le nombre des dépressions entraînant des tentatives de suicide est le plus élevé.

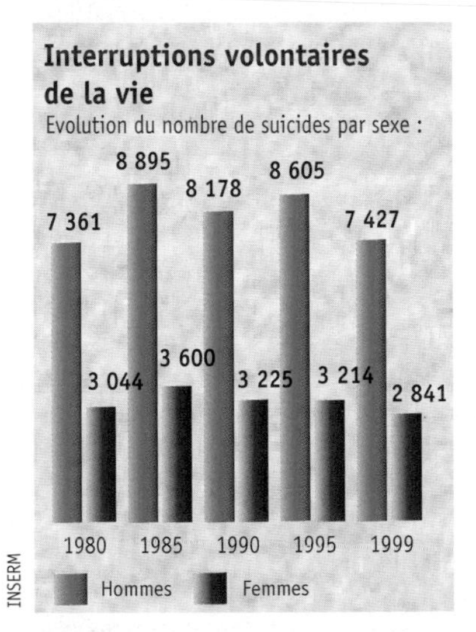

Interruptions volontaires de la vie

Evolution du nombre de suicides par sexe :

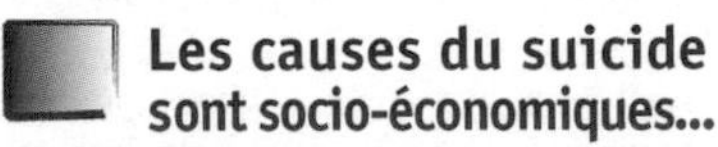

Les causes du suicide sont socio-économiques...

La disparition des repères traditionnels apportés par les institutions (religion, Etat, école, justice...), les craintes à l'égard de l'avenir (menaces écologiques, démographiques...), les difficultés d'insertion dans la vie économique, l'angoisse du chômage, l'importance de la vie matérielle et la place centrale de l'argent engendrent des frustrations et des problèmes d'ordre existentiel pour les personnes concernées. C'est pourquoi le suicide est plus fréquent chez les chômeurs et les inactifs. Parmi les hommes de 25-49 ans qui ont un emploi, le taux est d'autant plus élevé que l'on descend dans l'échelle professionnelle : 62 pour 100 000 chez les employés (86 dans le cas des postes administratifs), 35 chez les artisans et commerçants, 15 chez les professions libérales. Mais les cadres et les enseignants se suicident davantage que ne le laisserait supposer leur place dans la hiérarchie. Ces écarts ne se retrouvent pas chez les femmes, qui accordent sans doute moins d'importance exclusive à leur vie professionnelle.

Il est de plus en plus difficile d'être soi dans un environnement concurrentiel, où les gros mangent les petits, les puissants commandent aux faibles, les rapides précèdent les lents. Nombreux sont ceux qui, pour y parvenir, sont obligés de jouer un personnage qui ne leur ressemble pas, et qui finit par les user de l'intérieur et leur faire perdre l'estime d'eux-mêmes. Ils se retrouvent à un moment de leur vie en décalage (ou en désaccord) profond avec ce qu'ils sont fondamentalement et le supportent difficilement. C'est ce qui explique le désir de plus en plus fréquent de changer de personnage ou de vie. Parfois d'y mettre fin.

> **11 % des jeunes de 15 à 19 ans ont pensé au suicide dans les douze derniers mois, et plus de la moitié n'en ont parlé à personne.**
>
> **La proportion des décès survenant en institutions socio-sanitaires ou psychiatriques est environ cinq fois plus élevée que la moyenne nationale.**

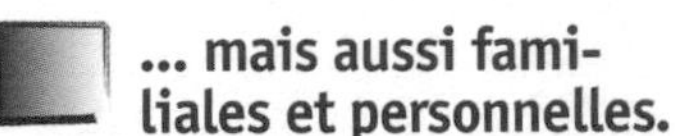

... mais aussi familiales et personnelles.

L'environnement familial joue un rôle important dans la vision que chacun a de la vie en général et de la sienne en particulier. L'éclatement de la famille ou son absence prive d'un refuge affectif et matériel utile pour affronter les difficultés quotidiennes. Le suicide est ainsi 2,3 fois plus fréquent chez les célibataires que dans l'ensemble de la population, 2,9 fois chez les divorcés et 3,6 fois chez les veufs. Tous ces facteurs ont moins d'influence chez les femmes que chez les hommes.

Certains facteurs héréditaires apparaissent également importants. Le risque de suicide est par exemple 30 fois plus élevé chez les adolescents dont la mère a des problèmes psychologiques. On observe aussi, contrairement à l'idée reçue, que les jeunes suicidants sont souvent bien intégrés dans la vie sociale. Souffrant en revanche de difficultés personnelles, ils sont demandeurs de soins et n'hésitent pas à faire part de leurs problèmes aux infirmiers, médecins ou assistantes sociales. Parmi ceux qui consultent les infirmières des écoles, une jeune fille sur cinq et un garçon sur dix ont déjà tenté de mettre fin à leurs jours. Ils sont trois fois plus nombreux que les autres à avoir fait une fugue ou à s'être volontairement blessés. Les trois quarts des garçons suicidants et les deux tiers des filles ont déjà fait une première tentative avant l'âge de 15 ans.

Le droit à la mort

86 % des Français sont favorables à ce que l'on reconnaisse le droit à une personne atteinte de maladie grave et incurable d'être aidée à mourir à sa demande. 51 % estiment que c'est le malade lui-même qui devrait en priorité mettre en oeuvre les moyens de cette mort volontaire, 34 % le médecin qui le soigne, 7 % l'un de ses proches. 88 % pensent qu'il faut respecter le désir de mourir d'une personne incapable de manifester sa volonté mais qui a exprimé au préalable son désir (Association pour le Droit à mourir dans la dignité/Sofres, mars 2001). Chacun est conscient de la difficulté de légiférer dans ce sens. Le risque est de laisser se développer une approche économique de la mort, qui prendrait prétexte de la loi pour réduire ou supprimer les soins palliatifs, notamment pour ceux qui ne pourraient pas les payer. La loi pourrait aussi avoir pour effet d'accroître le danger de l'eugénisme au moment de la naissance. C'est pourquoi certains préconisent plutôt d'examiner les situations cas par cas et de décider en conscience, entre le malade concerné (s'il a la possibilité de s'exprimer ou s'il l'a fait de façon indiscutable auparavant), la famille et les médecins, sous le regard objectif mais compréhensif de la loi.

Le débat sur l'euthanasie a été récemment relancé.

L'euthanasie est une forme particulière de suicide. Elle fait l'objet de façon intermittente d'un débat de société. Celui-ci prend aujourd'hui une dimension nouvelle avec l'allongement de la durée de vie et les progrès des techniques permettant de maintenir en vie (même végétative) les personnes très malades. Les enjeux sont d'abord éthiques et philosophiques, éventuellement religieux : peut-on empêcher une personne de décider de mettre un terme à sa vie, notamment en cas de maladie incurable ?

Le débat est aussi politique et juridique. La loi actuelle interdit à la fois l'euthanasie « active » par injection ou par médicament et celle, « passive », qui consiste à arrêter les soins ou à ne pas réanimer un malade. Certaines estimations font état de 1 500 cas annuels.

La France est dans l'Union européenne le pays le plus restrictif en la matière. Si l'euthanasie proprement dite n'est légale qu'aux Pays-Bas, l'aide au suicide par médicaments (administrés par le malade lui-même, mais préparés par des tiers) est tolérée en Allemagne et en Espagne. Le testament de vie, qui manifeste la volonté de ne pas subir d'acharnement thérapeutique, est reconnu dans les pays cités, ainsi qu'au Royaume-Uni et au Danemark.

Dépenses et soins

La France consacre près de 10 % de son PIB aux dépenses de santé.

L'ensemble des dépenses de santé (soins et biens médicaux, hors prévention et recherche) représentait 9,5 % du PIB français en 2000, un taux stable depuis 1997. Parmi les pays de l'Union européenne, il est seulement dépassé par l'Allemagne (10,5 %). Il est inférieur à 8 % au Royaume-Uni, Luxembourg, Portugal, Espagne, Irlande, Finlande et compris entre 8 et 9 % dans les autres pays. Il atteint presque 14 % aux Etats-Unis où le système de santé est très différent. Le taux de remboursement français (78 %) est en outre le plus faible d'Europe (voir ci-après).

La part des dépenses de santé dans le PIB a doublé depuis les années 60. La très forte croissance qui s'est produite jusqu'au début de la dernière décennie s'explique par la progression du niveau de vie, le vieillissement de la population, les préoccupations croissantes pour la santé, l'apparition de nouvelles techniques médicales coûteuses et la généralisation de la couverture sociale. Entre 1980 et 1995, les dépenses médicales ont ainsi doublé en volume.

La progression des dépenses se poursuit.

Du milieu des années 70 jusqu'au début des années 90, une quinzaine de plans de redressement s'étaient succédé sans venir à bout du déficit chronique des dépenses de santé. Le taux d'accroissement des dépenses de soins et de biens médicaux avait atteint 17,3 % par an entre 1970 et 1975, 7,6 % entre 1985 et 1990, 5,4 % entre 1990 et 1995. Le ralentissement observé en 1996 (+ 2,5 %) et en 1997 (+ 1,8 %) n'a pas été confirmé depuis. La hausse des dépenses a été de 3,7 % en 1998, 3,6 % en 1999 et 5,6 % en 2000.

Les dépenses hospitalières et en sections médicalisées représentaient près de la moitié du total (46 % en 2000). Leur part a légèrement diminué depuis 1990, ainsi que celle des soins ambulatoires (26 %). A l'in-

verse, la part des dépenses de médicaments s'est accrue, passant de 18 % en 1990 à 21 % en 2000. L'évolution démographique rend encore plus nécessaire à terme la maîtrise des dépenses de santé. Conscientes des enjeux économiques et sociaux, certaines compagnies d'assurances privées ont proposé la mise en concurrence du système actuel. Des sociétés ou mutuelles ont créé des centres d'appel et des plates-formes de soins où les assurés peuvent se renseigner et faire vérifier leurs devis (dentistes, audioprothésistes...).

Depuis 1990, la dépense individuelle a augmenté de moitié.

En 2000, la dépense totale de santé représentait 2 100 € par habitant, soit un peu plus de 175 € par mois. Pour un foyer, le montant s'établit à 5 000 € sur l'année, soit 420 € par mois. Les ménages consacrent aujourd'hui 12,5 % de leur consommation effective aux dépenses de santé, contre 9,5 % en 1990, 7,7 % en 1980, 7,1 % en 1970, 5,0 % en 1960. Leur part a doublé en une trentaine d'années en valeur relative, alors que le pouvoir d'achat s'est accru de façon spectaculaire pendant cette période.

Mais la dépense totale de santé est en réalité beaucoup plus élevée, car les ménages ne paient directement que 11 % des soins, le reste étant pris en charge par la collectivité. Depuis le début des années 90, la part de la Sécurité sociale dans la couverture des dépenses a diminué d'un demi-point. Celle qui incombe aux ménages a diminué de près d'un point depuis 1995, à l'inverse de celle financée par les organismes de couverture complémentaire maladie (12,4 %).

175 euros par mois et par personne

Evolution de la consommation de soins et de biens médicaux, calculée par habitant (en euros) :

	1990	1995	2000
- Soins hospitaliers et en sections médicalisées	671	850	941
Soins hospitaliers	*658*	*826*	*910*
Soins en sections médicalisées	*14*	*24*	*32*
- Soins ambulatoires	390	477	543
Médecins	*181*	*229*	*261*
Auxiliaires médicaux	*70*	*92*	*110*
Dentistes	*86*	*101*	*110*
Analyses	*39*	*41*	*48*
Cures thermales	*13*	*14*	*15*
- Transports de malades	19	25	32
- Médicaments	255	336	427
- Autres biens médicaux (prothèses, optique...)	52	76	112
Consommation de soins et de biens médicaux	1 387	1 764	2 055
- Médecine préventive	31	39	46
Consommation médicale totale	**1 417**	**1 802**	**2 101**

Ministère de l'Emploi et de la Solidarité

La part des remboursements est la plus faible d'Europe.

Entre 1950 et 1980, la part de la Sécurité sociale dans le financement des dépenses de santé était passée de 44 % à 77 %. Dans le même temps, celle des ménages avait fortement baissé, de 37 % à 16 %. Depuis, les remboursements de la Sécurité sociale ont au contraire diminué, du fait de la réduction relative des soins hospitaliers, mieux couverts que ceux de la médecine de ville, et des mesures tendant à accroître la participation des assurés aux dépenses. Cette évolution est à l'origine du développement des couvertures complémentaires (mutuelles et assurances privées), qui représentent actuellement 10 % du financement.

Avec un taux de remboursement des médicaments de 70 % contre 77 % en 1986 (hors mutuelles et compagnies d'assurances), la France se situe à la dernière place des pays de l'Union européenne ; le taux est supérieur à 90 % au Royaume-Uni ou en Allemagne, proche de 90 % en Espagne, au Luxembourg, en Irlande, en Grèce et en Suède, supérieur ou égal à 80 % en Belgique, en Autriche et en Finlande.

Par ailleurs, les dépenses de pharmacie par habitant sont supérieures de deux tiers en France à celles du Royaume-Uni et d'un quart à celles de l'Allemagne. La part des médicaments

génériques, copies moins chères de produits dont le brevet est tombé dans le domaine public, est inférieure à la moyenne de l'Union européenne (10 %) ; elle atteint un tiers en Allemagne.

Tous les Français sont couverts par la Sécurité sociale et la plupart par une assurance complémentaire.

Près de neuf Français sur dix disposent d'une mutuelle ou d'une assurance complémentaire maladie (contre un sur trois en 1960). C'est le cas de la quasi-totalité des salariés, qui peuvent souscrire une assurance par leur entreprise. La proportion n'est que de huit sur dix parmi les non-salariés. Ces assurances complémentaires couvrent 10 % des dépenses totales de santé et s'ajoutent aux remboursements de la Sécurité sociale. On constate que la consommation médicale des personnes disposant d'une assurance complémentaire est supérieure de 30 % à celle des personnes qui n'en ont pas. Les personnes les moins protégées sont les jeunes qui n'exercent pas une activité professionnelle et ne sont plus couverts par les assurances de leurs parents, de même que les chômeurs et les étrangers.

La mise en place de la CMU (couverture maladie universelle) en janvier 2000 concernait 5 millions de bénéficiaires fin 2001 (1,1 million au seul titre de l'assurance maladie de base) dont 42 % avaient moins de 20 ans. L'âge moyen est de 27 ans, contre 38 ans pour l'ensemble du régime général. On observe que les personnes prises en charge coûtent 30 % de plus que les autres entre 20 et 60 ans. Elles souffrent de maladies plus longues, recourent moins aux spécialistes (notamment ophtalmologistes et dentistes), achètent plus de médicaments contre la fièvre et la douleur.

Les dépenses de santé varient avec le statut social et l'âge.

On avait assisté pendant une trentaine d'années à une réduction des inégalités de consommation médicale entre les différents groupes sociaux. Ce mouvement s'était traduit par un resserrement des écarts entre les salariés et un rattrapage des indépendants (agriculteurs, commerçants, artisans). Mais la nécessité d'une protection complémentaire et la diminution des taux de remboursement a réduit l'égalité d'accès au système. Un Français sur dix déclarait ainsi en 2002 s'imposer des restrictions sur les soins médicaux (Crédoc). Les restrictions les plus fréquentes portent sur les problèmes dentaires, les visites chez les médecins spécialistes, les examens, les lunettes, la kinésithérapie et les analyses biologiques.

L'âge est le principal critère de consommation médicale : la moitié des dépenses médicales concernent les personnes de 60 ans et plus, un tiers celles de 30 à 59 ans, un cinquième celles des moins de 30 ans. 5 % des Français représentent aujourd'hui près de la moitié des dépenses totales de santé ; un quart comptent pour 80 %. Il s'agit de personnes le plus souvent âgées et souffrant de pathologies coûteuses, qui appartiennent aux deux extrémités de l'échelle sociale : des cadres consultant des médecins spécialistes en ville ou des ouvriers fréquemment hospitalisés. Les écarts sont aussi liés aux comportements individuels et aux modes de vie (habitudes alimentaires, consommation d'alcool et de tabac, etc.). D'une manière générale, la prévention est peu développée au sein de la population.

75 % de remboursement par la Sécu

Evolution du financement des dépenses de santé (en %) :

	1990	1995	2000
Sécurité sociale	76,0	75,5	75,5
Etat et collectivités locales	1,1	1,0	1,1
Mutuelles	6,1	6,8	7,5
Sociétés d'assurance	16,8	3,1	2,8
Instituts de prévoyance		1,6	2,1
Ménages		12,0	11,1
Total	**100,0**	**100,0**	**100,0**

Les Français sont les plus gros acheteurs de médicaments d'Europe.

En 2000, les dépenses de médicaments des Français ont représenté 25 milliards d'euros (en augmentation de 9 %), soit 430 € par habitant. Elles avaient triplé entre 1975 et 1995, alors que le nombre de produits

achetés par personne ne faisait « que » doubler, passant de 18 à 33 boîtes par an. La consommation nationale est largement supérieure à celle mesurée dans les autres pays développés.

Santé rime avec inégalité

La surconsommation française de médicaments peut s'expliquer par l'association, très forte dans la culture nationale, entre le nombre de produits prescrits par le médecin et l'état de santé. Ainsi, la moitié des 100 millions de prescriptions annuelles d'antibiotiques seraient injustifiées. Sur les dix millions d'angines, dont 90 % sont traitées par antibiotiques, seules deux millions sont à streptocoque A et justifient ce traitement. Les Français achètent aussi quinze fois plus de médicaments hypolipidémiants (pour la prévention des maladies cardio-vasculaires) que les Britanniques, deux fois et demie plus d'antibiotiques que les Allemands. 70 % des veinotoniques consommés dans le monde le sont en France, alors que les études montrent que les Français ne sont pas plus sensibles que les autres aux problèmes de jambes lourdes.

La densité élevée de médecins sur le territoire favorise aussi la surconsommation. Certains ne résistent pas aux demandes de leurs patients, d'autres sont sensibles aux sollicitations des visiteurs médicaux. Enfin, les prix des médicaments sont plutôt modérés par rapport aux autres pays développés. Il faut noter cependant qu'une grande partie des produits sont stockés dans les armoires à pharmacie, conservés en cas de besoin jusqu'à la date de péremption, puis jetés. La surconsommation est donc parfois plus apparente que réelle.

Les médicaments génériques (copies de ceux dont le brevet est tombé dans le domaine public et moins coûteux de 30 à 40 %) ne représentaient que 3 % des achats de médicaments en 2000, contre près de 40 % en Allemagne ou au Danemark. Ils sont pourtant perçus comme efficaces par 79 % des Français (92 % chez les moins de 25 ans), bon marché par 76 %, aussi sûrs que les médicaments d'origine par 63 % (77 % des moins de 25 ans). Mais, si 29 % des pharmaciens pratiquent la substitution en délivrant spontanément des génériques, 43 % ne le font qu'à la demande des clients et 28 % refusent de le faire sous des prétextes divers (*60 Millions de consommateurs*, janvier 2002).

Les Français effectuent en moyenne 7 consultations de médecin par an.

Depuis 1970, le nombre des consultations a plus que doublé : 7,2 contre 3,2. Il tend à se stabiliser depuis 1993. Les Français consultent en moyenne 4,4 fois par an un généraliste et 2,8 un spécialiste. Les deux tiers des consultations ont lieu au cabinet du médecin, une sur cinq à domicile, une sur dix en milieu hospitalier. La fréquence des visites est supérieure en France à celle mesurée au Royaume-Uni (6 par an) ; elle est très inférieure à celle de l'Allemagne (12).

Champions du monde des psychotropes

Les Français consomment trois à quatre fois plus de médicaments psycholeptiques que les autres Européens. Selon une enquête *M Magazine*/BVA de mai 1999, ils sont 15 % à prendre au moins occasionnellement des médicaments pour avoir la forme (12 % des hommes et 16 % des femmes), 14 % pour dormir (10 % des hommes et 17 % des femmes), 13 % pour chasser leurs angoisses (9 % des hommes et 17 % des femmes). Les antidépresseurs (qui agissent sur l'humeur) connaissent la plus forte croissance depuis 1990, devant les hypnotiques (qui provoquent le sommeil) et les neuroleptiques (destinés à soigner les problèmes nerveux). Les tranquillisants (ou anxiolytiques, qui calment l'angoisse) connaissent au contraire une stagnation.

Les antidépresseurs apparaissent comme une réponse possible au stress, qui traduit la difficulté de cohabiter avec soi-même (voir p. 69). Mais leur consommation ne permet pas, dans environ un cas sur trois, de soigner la dépression. Elle risque en outre de conduire à une dépendance et de provoquer une modification de la personnalité. Ce qui est contraire au principe contemporain selon lequel chacun doit trouver son identité et maîtriser son propre destin.

En 2000, 83 % des Français ont consulté des médecins généralistes ; 16 % s'y sont rendus une seule fois, 24 % deux ou trois fois, 43 % plus de trois fois. 55 % ont consulté des spécialistes : 21 % une seule fois, 16 % deux ou trois fois, 18 % plus de trois fois. Trois consultations sur quatre donnent lieu à des prescriptions pharmaceutiques. On estime que la durée moyenne d'une visite est de 14 minutes en France, contre 9 en Allemagne et 8 au Royaume-Uni.

Les femmes et les personnes âgées sont celles qui consultent le plus.

Les femmes ont davantage de raisons spécifiques que les hommes de se rendre chez le médecin : périodes de grossesse, choix et suivi des méthodes contraceptives, ménopause, etc. Elles consultent un peu plus fréquemment des spécialistes, sont plus souvent hospitalisées et consomment davantage de médicaments. L'écart entre les sexes s'est accru depuis 1980 ; il est maximal entre 20 et 45 ans. Les personnes âgées consultent également plus souvent que la moyenne : 95 % de celles ayant 70 ans ou plus ont été voir un généraliste en 2000, contre 79 % des 15-49 ans et 86 % des 50-69 ans. L'écart est cependant beaucoup moins grand en ce qui concerne la consultation des spécialistes : 59 % des 70 ans et plus, contre 49 % des 15-29 ans. Parmi les actifs, les cadres et les employés sont ceux qui se rendent le plus souvent chez le médecin, à l'inverse des membres des professions libérales, agriculteurs et patrons. Le revenu intervient surtout dans le recours aux spécialistes.

> Parmi les innovations qui ont changé leur vie, 65 % des Français choisiraient de conserver les médicaments, loin devant la voiture (45 %), le téléphone (28 %), la télévision (12 %) ou l'ordinateur (12 %).

Les Français sont plus exigeants à l'égard de la médecine...

Le rapport entre le corps médical et les « patients » ou « usagers » tend à se rééquilibrer au profit de ces derniers, qui, mieux informés, se montrent plus exigeants. Leur attitude est de plus en plus celle de consommateurs qui considèrent les professionnels de la santé comme des prestataires de services. A ce titre, ils expriment des attentes d'efficacité, de sécurité, de considération et d'information, le tout pour un prix raisonnable. Fin 2001, 6 % disaient utiliser Internet pour s'informer en matière de santé (10 % des moins de 35 ans).

Cette évolution tend à modifier le statut traditionnel du médecin. S'il reste détenteur d'un savoir et donc d'un pouvoir sur celui qui le consulte, il doit de plus en plus le partager avec le malade. En cas d'insatisfaction, celui-ci hésite moins à le faire savoir, à changer de médecin, voire à engager une procédure juridique, comme en témoigne l'accroissement du nombre de litiges. L'une des conséquences de cette évolution est l'intérêt pour les médecines dites parallèles, douces ou alternatives. Près de deux Français sur trois y ont déjà recouru. Parmi les utilisateurs, huit sur dix ont essayé l'homéopathie, un sur deux l'acupuncture, un sur cinq l'ostéopathie.

Si 85 % des Français se disent satisfaits de la qualité des soins obtenus des médecins généralistes (avril 2001), ils ne sont que 62 % en ce qui concerne la qualité des soins du système hospitalier et 41 % pour la gestion de la Sécurité sociale (Associations de malades/Ipsos, 2001). 83 % jugent urgente la réforme du système de santé. 70 % déclarent avoir été confrontés pour eux-mêmes ou pour leurs proches à des dysfonctionnements importants : défauts d'organisation (45 %), manque d'information sur la maladie (40 %), refus d'accès au dossier médical (25 %), accidents (23 %), non prise en compte de la volonté du patient (19 %).

Enfin, 96 % des Français estiment que la prévention devrait être plus développée (*Viva*/Ipsos, septembre 2000). 66 % considèrent que les progrès de la médecine accroissent les inégalités et seuls 46 % pensent qu'en France, grâce au système de santé, il y a égalité devant les soins (42 % sont de l'avis contraire).

... et recourent de plus en plus aux « psys ».

Depuis la découverte de l'inconscient par Freud, l'esprit a trouvé sa place, complémentaire de celle du corps. Le rôle des « psys » s'est fortement accru avec la montée d'un mal-être généralisé engendré par le stress familial, professionnel ou social. Le chômage, le divorce, le décès d'un proche, la maladie, la solitude ou le sentiment de ne pas être reconnu sont de plus en plus difficiles à supporter. L'autonomie est vécue par beaucoup de Français comme un cadeau empoisonné, qui oblige en contrepartie à être toujours performant et confiant en soi. Tous ceux qui ne disposent pas des atouts nécessaires pour se maintenir dans le système social (santé, intelligence, culture, connaissances professionnelles, expérience, relations...) risquent d'être marginali-

sés, voire exclus. Pour les autres, la vie est également éprouvante, car la progression dans la hiérarchie sociale implique d'être en pleine possession de ses moyens et de les accroître en permanence.

Le stress, l'usure, les phobies sociales, les addictions, les troubles du comportement, les pannes sexuelles et les formes multiples de la dépression sont les conséquences de ces difficultés d'être soi, d'être performant dans tous les domaines et dans la durée. Elles incitent un nombre croissant de Français à se tourner vers les psychologues, psychiatres, psychanalystes et autres psychothérapeutes. Leur champ d'intervention s'est élargi aux écoles, aux entreprises, aux médias, aux victimes d'agressions, d'attentats ou même de catastrophes naturelles. Les thérapies proposées se sont diversifiées : psychanalyse ; psychothérapie ; thérapie familiale ; thérapie comportementale ; hypnose ; analyse transactionnelle ; rêve éveillé ; cri primal, etc.

Cette introspection généralisée peut aider chacun à comprendre sa propre histoire, à trouver son identité et à l'accepter. Le risque est qu'elle engendre le narcissisme et fasse oublier aux individus qu'ils sont aussi partie prenante d'une société. La volonté d'aller au fond de soi entraîne parfois une perte de contact avec la réalité qui peut être une source de difficulté.

La médecine de l'âme

5 % des Français de 15 ans et plus suivent ou ont suivi une psychothérapie. 47 % des personnes concernées ont vu un psychiatre, 21 % un psychologue, 8 % un psychanalyste, 24 % d'autres spécialistes. Le sentiment de mal-être (26 % des cas), les problèmes relationnels (23 %) et les traumatismes (22 %) sont les principales raisons qui les ont amenés à consulter. 13 % d'entre eux cherchaient à mieux se connaître et 10 % souffraient de problèmes psychosomatiques. 53 % ont trouvé leur psychothérapeute par l'intermédiaire d'un professionnel, 32 % par un proche, 8 % par l'annuaire, 6 % par un organisme.

La principale méthode utilisée était la psychanalyse (30 % des cas), devant la thérapie comportementale (20 %) et la thérapie familiale (10 %). 38 % ont pris des médicaments psychotropes avant consultation, 49 % pendant. La durée a été inférieure à six mois dans 26 % des cas, de six mois à un an dans 24 %, de un à trois ans dans 28 %, de plus de trois ans. 84 % estiment que leur psychothérapeute les a aidés, 12 % qu'il n'a pas eu d'effet particulier, 2 % qu'il a plutôt aggravé leur cas.

Psychologies/BVA, avril 2001

Les pratiques d'automédication se généralisent.

La plupart des Français décident au moins occasionnellement eux-mêmes des traitements à appliquer à leurs maladies, surtout lorsqu'elles ne présentent pas un caractère de réelle gravité. Huit Français sur dix déclarent ainsi pratiquer l'automédication et achètent en moyenne entre trois et quatre médicaments sans l'avis du médecin.

Les produits dits de médication familiale (en vente libre et non remboursés) représentent environ un cinquième des achats. Leur part devrait s'accroître au cours des prochaines années, car elle est encouragée par les pouvoirs publics, les pharmaciens et certains laboratoires. Elle représente un moyen d'individualiser une partie des dépenses de santé et de répondre au souhait d'un nombre croissant de Français de prendre eux-mêmes en charge leur santé, comme le reste de leur vie. Il faut y ajouter les nombreux médicaments remboursés que les patients réussissent à se faire prescrire par leur médecin.

La lutte contre le vieillissement est une préoccupation croissante.

Conscients de l'importance de leur corps, les Français font de plus en plus d'efforts pour le maintenir en bonne santé. La maladie est de moins en moins bien acceptée, de même que la douleur physique et, surtout, le vieillissement. Le débat sur la DHEA, qui a abouti à sa commercialisation (sous contrôle médical) en 2001, est révélateur de cette préoccupation. Plus que la santé au sens traditionnel, la recherche du bien-être et de l'harmonie représente une tendance lourde de la société.

Pourtant, tous les Français n'ont pas encore pris l'habitude de prendre en charge leur santé. Le traitement hormonal substitutif de la ménopause ne concerne qu'une femme sur trois entre 50 et 64 ans ; il diminue ensuite assez brutalement et la moitié d'entre elles arrêtent avant un an. Au cours des trois dernières années, 16 % des Français n'ont pas fait mesurer leur tension artérielle, 20 % n'ont pas eu de visite de contrôle chez le dentiste, 36 % de dosage de cholestérol et de sucre, 55 % de radio des poumons, 74 % de test de dépistage du sida, 78 % de test de dépistage de l'hépatite C (Mutualité française-*L'Express*/Ifop, avril 2001).

L'instruction

Formation

Le niveau d'instruction moyen a beaucoup progressé...

Plus de la moitié des Français de moins de 20 ans poursuivent aujourd'hui des études, alors que moins d'un jeune de 14 ans sur deux était scolarisé en 1946. En un demi-siècle, la proportion de titulaires d'un CAP ou BEP a triplé parmi les 25-34 ans, la part des bacheliers est passée de 4 % à 62 %. L'âge moyen de fin d'études de la population active s'est accru de 8 ans au cours du XXe siècle : 19 ans contre 11 ans.

Les tests de raisonnement, de logique et d'intelligence passés par les conscrits lors des « trois jours » (avant leur suppression en 1996) faisaient également apparaître une élévation du niveau général de 24 % entre 1974 et 1995, avec une accélération à partir de 1981. Les disparités entre les élèves se sont en outre réduites, même si elles restent fortes.

Au total, les jeunes générations sont beaucoup plus diplômées que les anciennes. Alors que les trois quarts des personnes nées entre 1916 et 1925 avaient arrêté leurs études au CEP, la proportion de bacheliers dépasse 50 % depuis la classe 1969. En 2001, seuls 4 % des 15-19 ans n'avaient aucun diplôme ou seulement le BEPC, contre 71 % des 65 ans et plus et 44 % des 50-64 ans. Les trois quarts des 25-34 ans détiennent aujourd'hui des diplômes secondaires ou supérieurs.

... mais il tend à stagner depuis 1996.

La hausse des niveaux de formation et de qualification s'est interrompue depuis 1996. Il en est de même de la durée moyenne des études, qui se maintient à 19 ans et connaît même un léger tassement. Cette inversion de tendance concerne principalement les classes d'âge de 18 à 21 ans, dont le taux de scolarisation a diminué assez nettement : 3 points en trois ans pour les jeunes de 19 ans. Celui des 22-25 ans a continué, lui, de s'accroître.

La diminution enregistrée s'explique en partie par la reprise récente de l'activité économique, qui a pu attirer plus tôt des jeunes vers le marché du travail. Elle semble surtout liée aux choix d'orientation effectués dans les années précédentes par les familles confrontées à des taux de chômage élevés. Beaucoup ont choisi pour leurs enfants l'enseignement professionnel, qui implique des

Deux Français sur trois diplômés

Evolution du niveau de formation selon le sexe (15 ans et plus, en %) :*

	Hommes			Femmes			Ensemble		
	1982	1990	2002	1982	1990	2002	1982	1990	2002
- Aucun diplôme ou certificat d'études	56,8	45,1	22,6	63,3	51,6	21,5	60,2	48,6	22,1
- BEPC	7,0	8,9	6,5	9,6	11,5	8,0	8,4	10,2	7,2
- CAP, BEP	18,2	23,3	32,0	11,2	15,5	24,0	14,6	19,2	28,4
- BAC, BP	9,6	11,0	13,0	8,8	11,4	15,7	9,1	11,2	14,3
- BAC + 2	3,4	5,0	10,6	4,5	6,0	15,3	3,9	5,5	12,8
- Diplômes supérieurs	5,0	6,7	12,5	2,6	4,0	12,5	3,8	5,3	12,6
- En cours d'études initiales	-	-	2,8	-	-	3,0	-	-	2,6
Ensemble	100,0	100,0	100,0	100,0	100,0	100,0	100,0	100,0	100,0

* Aux recensements pour 1982 et 1990, lors de l'enquête sur l'emploi pour 2002.

INSEE

études moins longues. Six ans après l'entrée en sixième, plus d'un élève sur deux dans cette filière quitte en effet le système éducatif alors que 99 % de ceux ayant accédé à une seconde générale ou technologique poursuivent encore leurs études. La proportion est de 86 % pour ceux qui ont préparé un CAP ou un BEP, 31 % pour ceux qui n'ont pu entrer en troisième.

La part croissante des bacheliers professionnels et le tassement des inscriptions des bacheliers généraux et technologiques (92 % en 2000 contre 86 % en 1993) expliquent que l'accès à l'enseignement supérieur ne progresse plus.

France : peut mieux faire

Une évaluation internationale des acquis des élèves (OCDE, décembre 2001) montre que la France occupe une place moyenne en matière de compréhension de l'écrit et de culture scientifique. Elle se situe au-dessus de la moyenne en culture mathématique, mais très en deçà des pays du nord de l'Europe, du Canada, de l'Australie ou, surtout, du Japon.
On constate que les résultats de la France sont supérieurs à la moyenne lorsqu'il s'agit d'exercices purement scolaires, mais en dessous lorsque la situation nécessite une prise d'initiative. Les élèves craignent davantage de donner des réponses fausses que dans les autres pays et préfèrent s'abstenir. Le système éducatif français n'incite pas à l'expression personnelle ; les places situées au fond de la classe, près des radiateurs, sont toujours les plus recherchées.

L'allongement des études a davantage profité aux femmes.

Lors du recensement de 1990, les hommes de 15 ans et plus étaient encore un peu plus diplômés que les femmes : 55 % avaient un niveau supérieur au certificat d'études, contre 48 % ; 23 % avaient au moins le baccalauréat, contre 21 %. L'écart s'est comblé très rapidement au cours des années 90. Il est même aujourd'hui inversé. Parmi les jeunes femmes de 16 à 25 ans, 54 % sont scolarisées, contre 51 % des hommes. Leur durée moyenne de scolarisation est de 19,3 ans, contre 18,9 ans pour les garçons.

La différence est mesurable dès le CE2. Les résultats des filles sont supérieurs de 7 points à ceux des garçons dans les évaluations de français et semblables dans celles de mathématiques. On retrouve des résultats de même nature en sixième. C'est pourquoi leur taux d'accès en terminale générale dépasse de 13 points celui des garçons ; l'écart est de 3 points dans les filières technologiques (il est inversé dans les filières professionnelles). Dans l'enseignement supérieur, les femmes représentent 56 % des effectifs.

Cette évolution est significative de la volonté et de la capacité des femmes de faire des études afin de pouvoir mener une carrière professionnelle. Elle implique à terme qu'elles prendront dans les entreprises et dans la société une place de plus en plus importante, en rapport avec leur formation et leur ambition.

> 27 000 enfants étrangers tout juste arrivés en France et ne parlant pas le français ont été inscrits dans les écoles au cours de l'année 2000-2001.

La réduction des inégalités liées à l'origine sociale connaît aussi une pause.

Le prolongement de la scolarité et l'accroissement du niveau d'instruction ont profité à l'ensemble de la population, surtout à la fin des années 80 et au début des années 90. Mais ils ont été plus sensibles dans les milieux modestes. Ainsi, le développement des scolarités secondaires qui s'est produit entre 1985 et 1993 a fortement réduit les inégalités. Sur cent enfants d'ouvriers, 46 ont obtenu le baccalauréat dans les années 1974-1978, contre 20 dans les années 1964-1968 et 10 dans les années 50. Leur taux d'accès aux études supérieures a été multiplié par 3,6, contre 2,2 pour la moyenne nationale. Le gain a été moins spectaculaire pour les enfants des milieux les plus favorisés (chefs d'entreprise, cadres, enseignants, professions intermédiaires).

Comme pour la durée des études, on constate cependant une rupture depuis quelques années. Les inégalités sont maintenues ou renforcées, notamment par des stratégies d'orientation plus efficaces dans les milieux favorisés : filières, établissements, classes ou options. Le choix des études professionnelles après le baccalauréat concerne ainsi davantage les enfants des milieux modestes.

Les parcours scolaires restent très différenciés...

Les niveaux de formation obtenus restent très marqués par l'origine sociale. Sur dix enfants ayant des parents chefs d'entreprise, professions libérales, ingénieurs, cadres ou ensei-

gnants, neuf obtiennent le baccalauréat et près de huit un diplôme d'enseignement supérieur. Mais la moitié des enfants d'ouvriers (54 %) ne réussissent pas le baccalauréat et moins de quatre sur dix accèdent à l'enseignement supérieur.

En 2000, les évaluations de connaissances réalisées en début de CE2 (cours élémentaire de deuxième année) ont montré que les résultats des élèves reproduisent fidèlement la hiérarchie sociale des milieux familiaux. 67 % des enfants d'ouvriers ont réussi les épreuves de français contre 80 % des enfants de cadres et professions libérales, 63 % celles de mathématiques contre 74 %. On retrouve des écarts semblables en début de sixième : 63 % contre 78 % en français ; 59 % contre 75 % en mathématiques. On constate aussi que les enfants d'ouvriers ont davantage de retard scolaire que ceux de cadres ou professions libérales.

Deux millions d'illettrés

Si l'analphabétisme a reculé à la faveur du développement de la scolarité obligatoire, une proportion non négligeable de jeunes est encore illettrée à la sortie de l'école : 8 % ne peuvent aller au-delà de la lecture d'une phrase simple ; 12 % ne comprennent pas totalement un texte en français courant lu à la vitesse de la parole.

Sur les 38 millions de personnes de plus de 18 ans vivant en France métropolitaine, un peu plus de deux millions seraient illettrées, c'est-à-dire incapables de lire, écrire, éventuellement compter, mais aussi communiquer dans les situations de la vie sociale ou professionnelle. Près de la moitié d'entre elles n'ont pas eu le français comme langue maternelle. Lors de l'apprentissage de l'écriture, 650 000 enfants ne peuvent être aidés par leurs parents et connaissent une scolarité difficile, ce qui représente un handicap pour l'avenir.

On compte aussi un peu plus de 500 000 personnes âgées ayant eu une scolarité trop courte, qui ont oublié les bases de la langue ou subissent une diminution de leurs capacités intellectuelles. 700 000 autres adultes de langue maternelle française éprouvent également des difficultés. Toutes ces personnes se trouvent désarmées face à la prépondérance de l'écrit dans la société de l'image. L'obtention d'un emploi leur est plus difficile, de même que l'insertion sociale.

... de même que les parcours professionnels.

Près de 8 % des jeunes quittent encore l'école sans le niveau minimal de qualification (CAP ou seconde). La proportion était cependant de 15 % en 1980 et 25 % en 1970. Elle tend à se stabiliser depuis le début des années 90, signe supplémentaire de la difficulté à poursuivre la lutte contre les inégalités. 68 % des jeunes concernés sont des enfants d'ouvriers, de personnels de service et d'inactifs. La plupart ont eu des difficultés tout au long de leur courte scolarité ; 79 % étaient déjà en retard avant d'accéder au collège.

Ces échecs scolaires constituent des handicaps importants lors de l'entrée dans la vie professionnelle. D'autant que la demande des employeurs en matière d'instruction s'est accrue, dans un contexte d'allongement de la durée des études et de chômage persistant. Le début de carrière est donc difficile pour les non-diplômés, qui le plus souvent ne disposent pas de l'aide des réseaux familiaux de relations. A diplôme égal, on constate ainsi que les enfants de cadres sont favorisés par rapport à ceux des milieux modestes.

Les différences tendent ensuite à s'accroître tout au long de la vie. On constate que la relation entre l'origine sociale d'un individu et son statut professionnel est deux fois plus forte en fin de carrière qu'au début, alors que celle existant entre le diplôme et le statut n'est qu'une fois et demie plus grande en fin de carrière qu'au début. Le diplôme a donc une influence de moins en moins sensible sur le déroulement de la vie au fur et à mesure que l'on avance en âge, contrairement à l'influence de l'origine sociale.

Les inégalités sont d'abord induites par le milieu familial...

Les écarts de réussite des enfants dans leur parcours scolaire ne sont pas seulement liés à la profession des parents, mais à un mode de vie qui peut être plus ou moins enrichissant pour eux : activités, discussions, rencontres, voyages, utilisation des médias... La transmission du « capital culturel » au sein des familles revêt donc une importance considérable.

C'est entre 6 et 10 ans que se créent ou s'accroissent les différences. Les enfants sont constamment stimulés intellectuellement dans certaines familles. Dans d'autres, moins disponibles ou moins concernées, ils se retrouvent au contraire seuls face au travail scolaire. Les parents appartenant aux ca-

tégories aisées consacrent en général plus de temps et d'argent à la culture générale de leurs enfants et à l'aide scolaire : cours particuliers, stages linguistiques, livres, contrôle des devoirs et leçons, entretiens avec les professeurs...

RMI ISF HLM SDF RER
CSG... LCI
LCI La Chaîne Info.
TOUTE L'ACTUALITÉ TIENT EN 3 LETTRES.

Enjoy

La télévision, concurrente de l'école

... et l'école ne peut au mieux que les atténuer.

La part de l'éducation dans le PIB (7,5 % en 2001) a doublé en monnaie constante depuis 1980 et le coût unitaire par élève a augmenté de 70 %. Pourtant, l'illettrisme n'a pas reculé. Malgré sa volonté et les moyens qu'elle se donne, l'école ne peut faire disparaître les inégalités. La démocratisation qui s'est opérée jusqu'au milieu des années 90 n'a réussi qu'à les réduire et à les déplacer vers le haut. Le mérite personnel d'un enfant n'est en effet pas toujours suffisant pour compenser ses handicaps de départ. L'accompagnement individuel, seul susceptible de rapprocher de l'égalité, n'est souvent pas disponible pour tous ceux qui en ont besoin.

Le système de reproduction sociale reste donc largement en vigueur. Quels que soient la génération et le moment de la carrière professionnelle, la probabilité pour qu'un fils d'ouvrier devienne ouvrier ou qu'un fils de non-salarié devienne non-salarié lui-même est toujours plus de quatre fois supérieure à celle d'une inversion des situations sociales (ouvrier devenant artisan, commerçant ou patron, fils d'artisan ou commerçant devenant ouvrier). Si la mobilité sociale reste évidemment un objectif nécessaire, l'école et les institutions ne peuvent le réaliser que très partiellement.

La formation continue offre une seconde chance...

L'instauration, en 1971, de la loi sur la formation continue (ou permanente) a permis à des millions d'actifs de progresser dans leurs connaissances et dans leur métier. Fixée au départ à 0,8 % de la masse salariale, la contribution légale minimum des entreprises à la formation a progressivement augmenté ; elle est aujourd'hui de 1,5 %. Mais les entreprises dépensent en réalité plus du double : 3,3 % en moyenne, ce qui représente l'un des taux les plus élevés dans le monde.

29 % des salariés ont ainsi suivi une formation financée par leur entreprise en 1999 (34 % dans le secteur public, 27 % dans le privé) contre seulement 19 % en 1992. La plupart des formations s'inscrivent dans le cadre de la loi, mais 9 % des salariés suivent d'autres formations également financées par les entreprises ; d'autres (environ 4 %) prennent en charge eux-mêmes leur formation. L'informatique et l'adaptation aux nouvelles technologies représentent un quart des formations. Elles sont suivies par l'apprentissage des langues.

... mais elle est inégalement répartie.

Le niveau de qualification est déterminant dans l'accès à la formation. La moitié des cadres et des professions intermédiaires sont concernés, contre seulement un ouvrier qualifié sur cinq et un ouvrier non qualifié sur huit. 12 % de ces derniers ont cependant bénéficié d'une formation en 1999, alors qu'ils en étaient pratiquement exclus en 1992. Les inégalités d'accès entre diplômés et non-diplômés restent en revanche aussi fortes que par le passé. Les formations en langues sont surtout proposées aux cadres ; il en est de même, dans une moindre mesure, des formations commerciales et de communication. Les ouvriers sont concernés essentiellement par les aspects techniques, l'hygiène, la sécurité et les conditions de travail.

La taille de l'entreprise est un autre critère importante : les salariés de celles qui emploient plus de 500 salariés sont trois fois plus souvent formés que ceux des entreprises de moins de 10 salariés, pour des raisons de coût et de difficultés liées à l'absence d'un collaborateur. L'accès à la formation augmente avec l'ancienneté des salariés, sur laquelle les entreprises comptent pour rentabiliser leurs investissements. Les jeunes sont plus fréquemment formés que les plus âgés. Enfin, les inégalités entre les sexes tendent à s'estomper

et ne s'expliquent plus que par les spécificités des emplois féminins : postes moins qualifiés, plus forte proportion d'actives à temps partiel.

Etudes

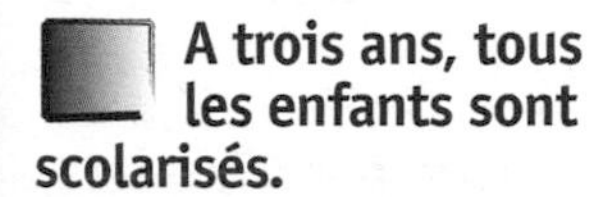

A trois ans, tous les enfants sont scolarisés.

Le système éducatif français se distingue par un taux de scolarisation élevé avant l'âge où l'école est obligatoire : entrée au cours préparatoire à 6 ans. Entre 1960 et 1990, la proportion d'enfants de 2 à 5 ans scolarisés est passée de 50 % à 85 %, sans distinction d'origine sociale. Elle s'est stabilisée à partir de 1990. 36 % des enfants de moins de 3 ans vont aujourd'hui à l'école, contre 10 % en 1965. Cette scolarisation précoce dépend des places disponibles. Elle est très inégalement répartie selon les régions et les villes : 50 % à Reims, 8 % seulement à Paris.

La durée moyenne de scolarisation dans les classes élémentaires (CP au CM2) a diminué d'un an depuis 1960 : 5,1 ans en 2001 contre 6,1 ans en 1960. Près d'un enfant sur cinq (18 %) a cependant un an de retard en CM2 ; on en compte un sur trois (32 %) dans les ZEP (zones d'éducation prioritaire). La taille moyenne des classes des écoles élémentaires est aussi en forte diminution, du fait de la baisse des effectifs liée à celle de la natalité : 23 élèves dans le public en 2001 contre 30 en 1960, 24 dans le privé, contre 32.

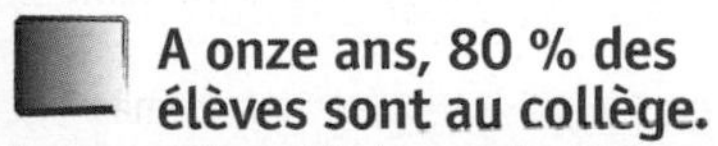

A onze ans, 80 % des élèves sont au collège.

La proportion n'était que de 46 % en 1960. Les filles ont moins de retard scolaire et sont un peu plus jeunes que les garçons : 17 % ont plus de 10 ans, contre 22 % des garçons. Les enfants de cadres et de membres des professions intermédiaires effectuent leur scolarité en cinq ans ; les enfants d'ouvriers mettent en moyenne 0,3 année supplémentaire.

Depuis le début des années 70, la part de l'enseignement privé se maintient aux alentours de 20 % pour l'ensemble du second degré. Les taux de redoublement sont inférieurs dans le secteur privé, mais ceux du public ont diminué plus vite et tendent à s'en rapprocher. Des classes d'adaptation accueillent des enfants ayant des difficultés dans l'enseignement élémentaire. Des classes d'initiation ont été créées pour recevoir des élèves de nationalité étrangère non francophones. Des classes d'intégration scolaire reçoivent des élèves présentant un handicap physique, sensoriel ou mental mais pouvant tirer profit du milieu scolaire ordinaire. Ces trois types de classes représentent environ 60 000 élèves.

L'école à trois temps

Le système éducatif français est une pyramide à trois étages :

. Premier degré. L'enseignement préélémentaire et élémentaire comprend trois cycles : apprentissages premiers (petite, moyenne et grande section de la maternelle) ; apprentissages fondamentaux, (cours préparatoire et cours élémentaire 1re année de l'école primaire) ; approfondissements (cours élémentaire 2e année, cours moyen 1ère année et cours moyen 2e année).

. Second degré ou enseignement secondaire. Il est divisé en deux cycles. Le premier cycle est dispensé dans les collèges et comprend lui-même trois cycles : observation et adaptation (sixième) ; approfondissements (cinquième et quatrième) ; orientation (troisième). Le deuxième cycle est dispensé dans les lycées et comprend le cycle de détermination (seconde) et le cycle terminal (première et terminale).

. Enseignement supérieur. Il est dispensé dans les universités, IUT (Instituts universitaires de technologie), STS (Sections de techniciens supérieurs), écoles et instituts spécialisés ou grandes écoles.

A chaque niveau, des dérivations sont proposées par rapport à la filière générale : classes d'initiation et d'adaptation du premier degré ; quatrième aménagée ou technologique, troisième d'insertion ou technologique du second degré (1er cycle) ; études professionnelles du 2e cycle, etc.

Les effectifs du second degré sont en diminution régulière.

Entre 1993 et 2000, le nombre d'élèves scolarisés dans le secondaire a diminué de 223 000. Cette évolution ne s'explique pas par celle de la démographie, qui a été plutôt favorable jusqu'en 1998. Elle vient d'abord de la diminution des taux de redoublement dans le second cycle et, dans une moindre mesure, dans le premier (la baisse a été de 2 points dans le second cycle professionnel), qui fait que les jeunes passent moins de temps dans l'enseignement secondaire. Les taux de passage en classe supérieure ont en effet beaucoup augmenté au collège et au lycée depuis vingt ans. Ils continuent de s'accroître pour le passage en quatrième,

Moins d'internes

Plus ils sont âgés, plus les enfants ont à se rendre dans des établissements éloignés de leur domicile. Dans les zones rurales, les trajets à effectuer sont même plus longs que ceux des actifs qui se rendent à leur travail. Les élèves sont de moins en moins souvent logés en internat (2,5 % des enfants scolarisés de moins de 18 ans). Les plus âgés (16-18 ans) représentent aujourd'hui 77 % des internes, contre 39 % en 1962. La part des filles est en baisse régulière : 39 % en 1999 contre 50 % en 1962.

mais stagnent à l'issue des classes de cinquième et de troisième générales. Le taux d'accès en seconde générale est en baisse depuis sept ans. 57 % des élèves entrés en sixième en 1990 sont ainsi parvenus en terminale contre 42 % pour ceux qui y étaient entrés en 1979.

D'autre part, les jeunes sont plus nombreux à quitter le second degré sous tutelle de l'Education nationale au-delà du collège. Si très peu d'élèves arrêtent leurs études à l'issue de la troisième, 11 % s'orientent aujourd'hui vers l'enseignement professionnel sous statut d'apprenti ou dans un lycée agricole. A 18 ans, 45 % des jeunes sont scolarisés dans le secondaire contre 51 % en 1993 ; ils sont 23 % à 19 ans (contre 29 %).

La probabilité d'obtenir un diplôme professionnel (CAP ou BEP) est proche d'un tiers depuis 1980. On assiste à une stagnation des orientations vers le CAP, au profit du BEP. L'apprentissage bénéficie d'un regain d'intérêt notable depuis 1992. Il reste une voie d'accès importante au CAP, tout en s'ouvrant de plus en plus vers le BEP et les formations de niveau plus élevé.

63 % des élèves d'une génération parviennent au niveau du baccalauréat.

L'accès d'une génération au niveau du baccalauréat était passé de 10 % à la fin des années 50 à 30 % au début des années 70. Il a atteint 60 % en 1992 et représentait 63 % en 2000. Il est même de 70 % si l'on tient compte des voies autres que celles offertes par l'Education nationale (écoles privées hors tutelle du ministère). La poursuite des études au-delà du BEP concerne aujourd'hui deux élèves sur trois, contre moins d'un sur quatre au milieu des années 80.

L'accès s'est surtout accru depuis 1985, avec la création du baccalauréat professionnel et l'afflux des lycéens dans les séries générales. Le maximum a été atteint en 1994, du fait de la baisse massive des redoublements en fin de première qui avait suivi la mise en place du cycle terminal dans les lycées. Depuis, on observe une baisse liée à l'orientation moins fréquente vers la seconde générale et technologique à l'issue de la troisième, qui n'a été que partiellement compensée par l'augmentation de l'accès au bac professionnel et technologique.

On compte aujourd'hui trois fois plus de bacheliers en proportion parmi les enfants de cadres supérieurs et professeurs que parmi ceux d'ouvriers, mais le rapport était de 4,5 il y a vingt ans. Les disparités sont d'autant plus fortes que les séries sont plus prestigieuses. La démocratisation du diplôme a entraîné une certaine dévalorisation. Elle explique aussi le taux très élevé d'échec au DEUG de l'université, que seuls 45 % des étudiants obtiennent en deux ans.

Passages

Taux d'accès à la classe supérieure pour 100 élèves entrés en sixième (public et privé, en %) :

	1980	1990	2000
6e à 5e	84,2	89,5	90,1
5e à 4e générale	67,6	73,9	91,7
4e générale à 3e générale	85,7	90,7	83,9
3e générale à 2de	55,3	64,0	61,3
Ensemble 3e à 2de	55,3	58,1	56,9
3e gén. à BEP/CAP2	24,5	22,6	22,9
Ensemble 3e à BEP/CAP2	24,5	26,8	25,8

Ministère de l'Education Nationale

499 228 bacheliers en 2001

Taux de réussite au baccalauréat par série en 2001 (en %) :

Bac général	**79,4**
- Série Littéraire	82,2
- Série Scientifique	79,1
- Série Economique et Sociale	77,8
Bac technologique	**78,1**
- Série STI	76,3
- Série STL	81,6
- Série STT	77,8
Bac professionnel	**77,5**

Ministère de l'Education nationale

> Le taux de réussite record au baccalauréat a été de 79,5 % en juin 2000.

Violences scolaires

La délinquance et l'insécurité ambiantes (voir p. 241) n'épargnent pas l'école. Elles s'exercent aussi bien à l'encontre des élèves que des enseignants. 45 % des lycéens d'Ile-de-France disent avoir été victimes de racket, de coups ou d'insultes à l'école. L'enquête engagée par le ministère de l'Education nationale en septembre et octobre 2001 a dénombré plus de 16 000 incidents graves au cours de la période dans les 5 500 établissements publics d'enseignement ayant répondu. Un tiers concernaient des violences physiques sans arme, un quart des insultes ou menaces graves, un dixième des viols ou tentatives de viol. La moitié des incidents se produisent dans la cour de récréation, les lieux de circulation ou les abords immédiats de l'établissement. Les incidents sont 35 fois moins nombreux dans le premier degré que dans le second, avec un acte violent pour 10 000 élèves sur les deux mois. Six sur dix étaient des insultes ou menaces graves et des violences physiques sans arme.

Les inégalités s'accroissent entre les établissements scolaires. Un quart des collèges publics sont considérés comme « difficiles » ou « très difficiles » dans la mesure où ils présentent des « caractéristiques sociales et scolaires prédictives de grandes difficultés » (enquête Direction de la programmation et du développement du ministère de l'Education nationale, octobre 2001). 15 % des collèges sont « en retard », avec une forte proportion d'élèves ayant redoublé une ou plusieurs fois. 10 % sont « favorisés », avec une proportion d'élèves en retard deux fois moins importante qu'en moyenne nationale.

91 % des parents d'élèves et 82 % des enseignants jugent que la lutte contre la violence scolaire doit constituer un objectif tout à fait prioritaire de l'Education nationale.

Ipsos/ministère de l'Education nationale, juin 2000

L'Université connaît une certaine désaffection.

La grande majorité des bacheliers s'inscrivent dès la rentrée suivante dans l'enseignement supérieur : 79 % en 2001. C'est le cas de la quasi-totalité des bacheliers généraux, des trois quarts des bacheliers technologiques, mais d'un cinquième seulement des bacheliers professionnels.

On constate une baisse d'intérêt pour les études supérieures depuis 1995 : 77 % des bacheliers technologiques se sont inscrits en 2001, contre 84 % en 1995. Après avoir plus que doublé entre 1982 et 1995, la part des jeunes de 19 à 21 ans poursuivant des études supérieures plafonne depuis à 40 %. La désaffection concerne surtout l'université : seuls 63 % des bacheliers généraux s'y sont inscrits (hors IUT) contre 72 % en 1995. Au total, moins d'un nouveau bachelier sur deux entre à l'Université. Les effectifs du deuxième et du troisième cycle se sont un peu redressés depuis 2000 ; ils représentaient respectivement 34 % et 15 % de l'ensemble en 2001.

Cette situation profite au contraire aux formations supérieures courtes. 41 % des bacheliers généraux et technologiques ont poursuivi en 2001 leurs études dans des filières sélectives : classes préparatoires aux grandes écoles, IUT (instituts universitaires de technologie) ; STS (sections de techniciens supérieurs).

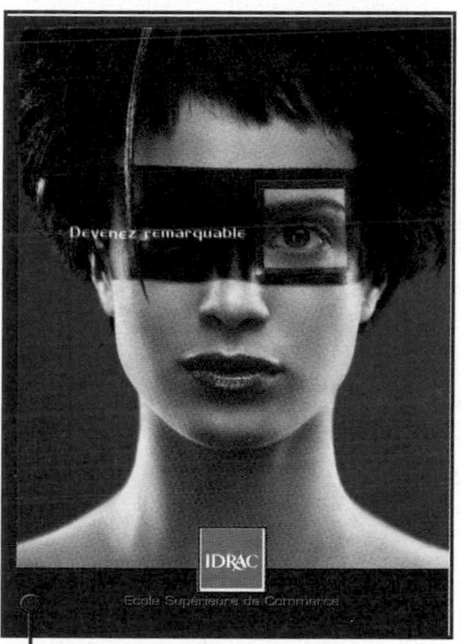

DDB Nouveau Monde

Les femmes sont majoritaires dans l'enseignement supérieur

Les filières scientifiques sont délaissées.

Depuis 1994, le nombre de bacheliers scientifiques est en diminution, de sorte que le nombre des inscrits dans les facultés de science a baissé. C'est le cas aussi, dans de moindres proportions, dans les classes préparatoires aux écoles d'ingénieurs. Le nombre d'étudiants en DEUG de sciences est ainsi passé de 150 000 en 1986 à 116 000 en 2001. Dans le même temps, celui des DEUG de STAPS (sciences et techniques des activités physiques et sportives) passait de 10 000 à 25 000.

Le discours tenu dans les années passées sur « l'égale dignité » des filières répondait à la volonté légitime de mettre fin à la dictature des mathématiques et de donner à chaque étudiant la possibilité de s'orienter

Deux millions d'étudiants

Répartition des effectifs de l'enseignement supérieur en France métropolitaine et dans les DOM (2000-2001) :

	Nombre	%
Universités (hors IUT)	1 307 693	61,0
Sections de techniciens supérieurs (STS)	242 620	11,3
Instituts universitaires de technologie (IUT)	119 246	5,6
Ecoles paramédicales et sociales	86 327	4,0
Instituts universitaires de formation des maîtres (IUFM)	80 184	3,7
Classes préparatoires aux grandes écoles (CPGE), y compris préparations intégrées	80 063	3,7
Ecoles de commerce, gestion, vente et comptabilité	63 905	3,0
Ecoles d'ingénieurs indépendantes des universités	58 518	2,7
Ecoles supérieures artistiques et culturelles (y compris architecture, journalisme et communication)	50 841	2,4
Etablissements d'enseignement universitaire privés	21 623	1,0
Ecoles juridiques et administratives	9 786	0,5
Ecoles normales supérieures	3 159	0,2
Autres écoles	19 226	0,9
Total France métropolitaine + DOM (dont France métropolitaine 2 111 148)	**2 143 191**	**100,0**

Ministère de l'Education nationale

vers un projet personnel. Il reste que les diplômes scientifiques sont plus « rentables » que les littéraires. D'autant que les besoins potentiels sont importants, compte tenu des évolutions technologiques dans tous les domaines. Le nombre des scientifiques et des ingénieurs formés chaque année est aujourd'hui insuffisant pour satisfaire les besoins de l'économie.

Les formations scientifiques courtes dans les IUT (Instituts supérieurs de technologie) connaissent cependant un succès croissant. A la rentrée 2000, 116 000 étudiants étaient inscrits à la préparation au DUT (Diplôme universitaire de technologie). La proportion de femmes continue de s'accroître : 40 % contre 37 % en 1995. Les enfants d'ouvriers sont plus représentés qu'en premier cycle universitaire (17 % contre 14 %).

La proportion d'étudiants en deuxième cycle se stabilise en dessous de 60 %.

Le taux de réussite au DEUG (Diplôme d'études universitaires générales qui sanctionne la fin du premier cycle d'études supérieures) est de 80 %. Mais le taux d'accès au deuxième cycle n'était que de 58 % en 2001, contre 60 % en 1995 (mais 46 % en 1987, avant la rénovation des DEUG, qui a permis un taux de réussite plus élevé).

La proportion varie selon les filières et, plus encore, selon le parcours préalable : les trois quarts des étudiants ayant obtenu leur baccalauréat sans redoubler sont concernés, contre la moitié de ceux qui ont un an de retard et un quart de ceux qui ont plus d'un an de retard. 67 % des bacheliers généraux accèdent au deuxième cycle général (droit, économie, lettres et sciences humaines, sciences et STAPS) contre 22 % des

1 650 € par habitant

La France a consacré plus de 7 % de son PIB à l'éducation nationale en 2001, soit un peu plus de 6 000 € par élève, ou 1 650 € par habitant. L'accroissement de la dépense est supérieur à celui du PIB, du fait de la part croissante des dépenses dans le second degré et le supérieur (liée à l'allongement de la durée des études), l'amélioration de l'encadrement dans le premier degré et la revalorisation du statut des enseignants.

La dépense moyenne par élève en 2001 était de 4 200 € dans le premier degré, de 7 700 € dans le second degré et de 8 200 € dans le supérieur. Les ménages ne financent directement que 7 % de ces dépenses, le reste étant pris en charge par l'Etat (65 %), les collectivités territoriales (21 %), les entreprises (6 %) et les autres administrations publiques (2 %).

Le peuple étudiant

Les étudiants ne sont pas représentatifs de l'ensemble de la population française. Les femmes sont majoritaires (56 % des effectifs). Plus du tiers des inscrits dans une formation longue sont issus de familles de cadres ou de professions libérales, alors que ces catégories ne représentent que 13 % de la population active. 11 % seulement sont enfants d'ouvriers (27 % de la population active). Les enfants d'agriculteurs (un sur cinquante) ou d'artisans (un sur dix) sont en revanche plutôt mieux représentés à l'université. Les filières technologiques courtes recrutent davantage parmi les enfants d'employés ou d'ouvriers ; ils représentaient 33 % des nouveaux inscrits en IUT et 42 % en STS en 2001. La répartition géographique n'est pas non plus conforme à celle de la population ; l'Ile-de-France regroupe 26 % des étudiants de métropole pour seulement 18 % de la population.

La proportion d'étrangers à l'université était de 10 % en 2001 contre 14 % en 1985. Elle augmente depuis 2000, après avoir diminué assez fortement pendant la seconde moitié des années 80, avec notamment la réduction du nombre d'Africains. Ceux-ci représentent environ la moitié des effectifs, contre 15 % seulement pour les étudianrs issus des autres pays de l'Union européenne. Le poids des étrangers est plus important en sciences économiques (16 %) et dans les filières de la santé (11 %). Il atteint un cinquième dans le troisième cycle. Le fait de poursuivre ses études est un motif non négligeable d'entrée sur le territoire français : 5,2 % des étudiants de métropole résidaient à l'étranger neuf mois auparavant et 1 % dans les départements et territoires d'outre-mer.

bacheliers technologiques. Il faut en moyenne 2,7 ans pour y accéder (un peu plus en droit).

Dans le troisième cycle, le DESS est plus recherché que le DEA.

Dans les disciplines générales, 28 % des étudiants qui obtiennent une maîtrise la prolongent par un DEA (diplôme d'études approfondies), soit 13 points de moins qu'en 1990. La baisse concerne essentiellement les sciences. Elle profite au DESS (diplôme d'études supérieures spécialisées) dans lequel s'engagent 31 % des étudiants titulaires de la maîtrise, contre 27 % en 1990.

La conséquence est que le nombre de DESS décernés (24 700) dépasse celui des DEA depuis 1997. Enfin, 34 % de ceux qui obtiennent un DEA s'engagent dans un doctorat (46 % en sciences), contre 42 % en 1990. 24 % des diplômes de doctorat sont attribués à des étrangers, une proportion élevée mais en diminution régulière (36 % en 1990).

Les grandes écoles continuent de former les élites de la nation.

Les écoles de commerce et de gestion recrutent 25 000 élèves par an, un peu moins que celles d'ingénieurs (30 000). Leurs diplômes constituent le plus souvent un véritable sésame pour l'entrée dans la vie professionnelle ; ils le demeurent d'ailleurs pendant toute sa durée, grâce à l'action efficace des réseaux d'anciens élèves parfois qualifiés de « mafias ».

Les écoles d'ingénieurs ont cependant subi le tarissement de la filière scientifique ; entre 1995 et 1999, le nombre d'élèves a baissé de 12 % dans les classes préparatoires scientifiques. Certaines cherchent aujourd'hui à recruter des femmes, encore peu présentes dans les promotions. La pression de la concurrence, dans un contexte de mondialisation, amène aussi les grandes écoles à évoluer. On observe ainsi une importance croissante des admissions parallèles (hors écoles préparatoires) et une tendance à la spécialisation de certains établissements. Par ailleurs, des possibilités croissantes sont offertes aux élèves de personnaliser les choix des matières suivies, y compris en proposant des cursus allégés. Enfin, le passage à l'étranger est encouragé, surtout lorsqu'il peut être sanctionné par un deuxième diplôme.

La barre de la formation initiale est placée de plus en plus haut.

Les études les plus longues permettent d'accéder dès les premières années aux professions supérieures. Elles représentent plus de 80 % des emplois occupés par les diplômés des troisièmes cycles universitaires et des grandes écoles contre seulement 33 % des emplois des titulaires de licences ou de maîtrise. On constate ainsi que les titulaires de maîtrise ne peuvent plus prétendre systématiquement à un poste de cadre dans une entreprise ; trois ans après leur sortie de l'école, seuls 79 % en bénéficient (mais 21 % seulement des bac plus 3 et 5 % des bac plus 2).

Les études supérieures courtes (STS, IUT) destinent davantage aux professions intermédiaires ou même à des postes d'employés. Cinq ans après la fin de leurs études, les diplômés du secteur paramédical et social occupent presque tous des professions intermédiaires (infirmiers ou éducateurs). Plus d'un quart des inscrits à l'APEC (Agence pour l'emploi des cadres) ont un niveau bac plus 5.

L'école doit faire face à des missions nouvelles.

Les progrès de la scolarisation ont rendu les inégalités d'instruction plus apparentes et moins supportables (voir p. 112). Les Français s'inquiètent de la difficulté d'insertion des jeunes dans la vie professionnelle et sociale. Certains élèves manifestent un désintérêt par rapport à l'école qui débouche parfois sur la violence (voir p. 117). Elèves et parents se considèrent de plus en plus comme des « consommateurs » de services scolaires, même si c'est l'ensemble de la communauté qui en paye le prix. C'est ce qui explique qu'ils expriment plus fortement leurs attentes.

Après avoir été un lieu de relation et de libération, l'école républicaine a subi les soubresauts de Mai 68 et leurs effets sur les mentalités. Elle devra demain relever plusieurs défis : utiliser les outils de la « modernité » (ordinateur, multimédia, Internet...) ; assurer la sécurité des élèves et des enseignants ; réduire encore davantage les inégalités ; donner confiance en l'avenir ; réduire le décalage avec le monde extérieur. Pour cela, elle devra réconcilier des notions jusqu'ici considérées comme contradictoires : le collectif et l'individuel ; l'intérieur et l'extérieur ; l'écrit et l'écran ; la théorie et la pratique ; le sérieux et le ludique.

> Le nombre de jours de classe dans le secondaire est passé de 230 à 170 en trente ans.

L'absentéisme révélateur

On observe un absentéisme croissant chez les élèves. Il est à la fois le signe d'un désintérêt à l'égard de l'école et d'un rapport plus distancié envers l'institution. Il témoigne aussi de l'attitude différente des parents, qui hésitent moins à emmener leurs enfants en vacances hors périodes scolaires ou à prolonger des week-ends en famille.

Des enquêtes montrent que l'absentéisme se développe aussi dans le corps enseignant. Il est sans doute la contrepartie du manque de considération qu'ils ressentent de la part des élèves et des parents, eu égard à l'importance et à la difficulté de leur mission. Ils se sentent aussi parfois délaissés par l'Administration, qui ne leur fournit pas toujours les moyens pédagogiques nécessaires. Certains ressentent douloureusement la concurrence croissante des médias dans le processus d'éducation et se raidissent devant les projets de réforme.

Culture

La culture joue un rôle important dans la vie des Français...

La place de la culture dans la vie nationale ne se mesure pas seulement à l'existence d'un ministre chargé de ces questions ou à celle d'une chaîne de télévision dite « culturelle » (Arte, devenue France 5 en 2002). Elle est apparente à la lecture de la presse écrite, qui lui consacre une place importante, aux sommes investies par les entreprises dans le mécénat (plus de 150 millions d'euros par an), au développement des pratiques culturelles amateur (musique, peinture, danse..., voir p. 478), à la fréquentation des grandes expositions ou au succès des Journées du patrimoine (plus de 10 millions de visiteurs chaque année).

Les dépenses culturelles des Français représentent plus de 1 000 € par ménage par an, soit 3,5 % de leur budget, contre moins de 1 % en 1980. Le livre représente de loin la première dépense, deux fois et demi plus que la musique et cinq fois plus que le cinéma. Mais sa part diminue, du fait de la diminution du nombre de gros acheteurs, tandis que celles du cinéma et, surtout, de la musique augmentent.

L'insistance de la France à revendiquer un traitement spécifique des biens culturels par rapport aux autres types de production lors des négociations sur le commerce international est une autre illustration de cet intérêt pour les choses de l'esprit. Il existe bien une « exception française » en matière culturelle, fondée sur l'histoire, la mentalité collective et la volonté institutionnelle.

... et constitue la clé principale de la compréhension du monde.

La culture est un outil au service de tous ceux qui souhaitent appréhender le monde et la société dans leur complexité et mieux saisir leurs évolutions. Elle permet de prendre un peu de recul (ou de hauteur) par rapport aux événements en fournissant des points de repère. Avec l'éducation, elle contribue au libre arbitre individuel et distingue les simples té-

moins, qui portent sur le monde un regard indifférent et passif, des acteurs, qui ont le désir de le comprendre et, peut-être, de le changer.

Pour ces derniers, la culture générale, enrichie et actualisée par le quotidien, constitue un outil essentiel. L'histoire, la géographie, les sciences (exactes, mais aussi humaines) en sont les attributs classiques. La culture artistique, qui ne fait pas directement appel à la mémoire ou à l'intelligence, mais à la sensibilité, en est aussi l'un des ingrédients majeurs. C'est en effet par son intermédiaire que l'on peut se situer dans le monde, vibrer aux différentes formes de création (musique, peinture, littérature, sculpture, danse, architecture, cinéma...), mais aussi s'indigner de ses abus, des manifestations de sa laideur, de sa violence ou de son injustice. Beaucoup de Français recherchent dans la connaissance et dans l'art une compréhension du monde et une émotion. Ils savent plus ou moins consciemment que la culture générale est un moyen de mieux vivre le présent et de moins redouter l'avenir.

Réfléchir, une démarche fatigante

L'environnement socio-économique exerce une influence déterminante.

La culture contemporaine est d'une autre nature que la culture classique. Les jeunes n'ont pas aujourd'hui les mêmes connaissances ni les mêmes centres d'intérêt que leurs parents ou grands-parents. La plupart connaissent mieux les noms des chanteurs ou des champions sportifs que les dates des grandes batailles de l'Histoire de France. Peu sont capables de réciter des vers de *l'Ecole des femmes,* mais beaucoup savent converser avec un ordinateur et surfer sur Internet.

La culture contemporaine est souvent une marchandise, fabriquée en fonction des attentes supposées de ses acheteurs potentiels par des professionnels du marketing. C'est ainsi que sont conçus les disques, films, émissions de télévision ou livres destinés à des « cibles » bien identifiées.

Il est donc tentant d'opposer une culture classique « majuscule » qui serait élitiste et fastidieuse à une culture contemporaine « minuscule » qui serait démocratique et jouissive. Mais il s'agit d'un faux débat. L'honnête homme du XXIe siècle ne peut se contenter d'être bien informé et de goûter à la facilité du « prêt à penser ». Il doit se doter des points de repère qui lui permettent d'analyser le présent à la lumière du passé, afin de mieux inventer (et accepter) son avenir.

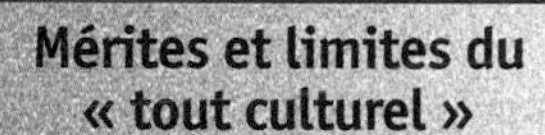

Mérites et limites du « tout culturel »

« La culture ne s'hérite pas, elle se conquiert », affirmait André Malraux. On constate en tout cas qu'elle se réinvente en permanence. Au risque parfois de se définir par simple opposition à la culture précédente dont elle veut se démarquer. C'est ainsi qu'est apparu dans les années 80 le « tout culturel », conséquence d'une volonté d'élargir une culture classique jugée parfois ennuyeuse et empesée à des domaines culturels plus populaires (tag, rap, cuisine, sport, cinéma populaire, télévision...).

Cette conception généreuse est sans doute utile pour lutter contre l'exclusion culturelle. Mais elle est parfois démagogique en laissant croire que la culture s'acquiert sans effort. Surtout, elle tend à introduire une confusion entre les oeuvres majeures et les autres en faisant croire que « tout se vaut ». « Une culture ne meurt que de sa propre faiblesse », écrivait aussi Malraux.

Les Français sont porteurs de trois cultures : nationale, régionale, américaine.

La culture des Français est d'abord nationale. Elle leur a été inculquée par l'école et la famille ; elle se maintient tant bien que mal grâce aux efforts des pouvoirs publics et des créateurs, mais aussi à l'attachement général à l'« exception culturelle ». Elle est souvent assortie d'une culture régionale, dans laquelle les Français puisent leurs racines et trouvent des

points de repère (voir ci-après). Mais le poids croissant des médias dans la diffusion de l'information et de la connaissance a pour conséquence l'existence d'une autre culture commune, qui est américaine. Cette culture s'imprègne dans les esprits à travers la musique, les films, les livres, le langage, les objets et les outils technologiques venus d'outre-Atlantique. Ainsi, dans les films américains, les situations, les personnages et les rapports qu'ils entretiennent entre eux sont facilement compris par les spectateurs français, alors que ceux des films émanant d'autres pays européens (Suède, Danemark, Grèce...) sont pour eux plus difficiles à décoder.

Invasion culturelle

On peut mesurer le poids culturel des Etats-Unis à travers la part qu'ils représentent dans la musique écoutée par les Français, les livres lus, les films ou émissions de télévision regardés. On peut le faire aussi en recensant les mots et expressions qui sont porteurs de la modernité, importés dans la langue d'origine ou traduits : *bobo* (bourgeois-bohème) ; *business angel* ; *call-center* ; *coach* ; *cocooning* ; *collector* ; *DJ* (disc-jockey) ; *feeling* ; *fun* ; *Internet* ; nouvelle économie ; *sampling* ; *soft* ; *start-up* ; *stress* ; *surf* ; techno ; *web*...
Le phénomène n'est pas nouveau ; la langue française emprunte depuis longtemps à l'anglais des termes qu'elle ne parvient guère à traduire ou dont elle ne peut imposer les traductions. Mais, si l'on connaît bien les causes de cette situation, on ne s'interroge pas assez sur ses conséquences. Il n'y a aujourd'hui de concepts et d'innovations qu'américains, tant dans la vie courante que dans celle des entreprises (la plupart des techniques de *management* ou de *marketing* viennent d'outre-Atlantique). La capacité de création et d'invention française et européenne semble se limiter à la copie (on parle aujourd'hui de *benchmarking*), imparfaite et coûteuse (sous forme de *royalties* comme de dépendance économique), de ce qui est créé ailleurs.

La chanson, un support de la culture

C'est d'ailleurs la grande force des Etats-Unis que d'avoir réussi à imposer leur culture, car cela leur permet de diffuser leurs produits. On peut penser que l'Union européenne ne pourra exister vraiment, tant sur le plan économique que social, sans qu'une culture européenne se forme, ou plutôt se reforme, car elle a existé au Moyen Age dans les domaines de la religion, de l'art, de l'enseignement universitaire ou du commerce. Si la politique est « le moyen de continuer la guerre par d'autres moyens », la culture est l'arme la plus efficace de la guerre économique en cours.

Des cultures alternatives apparaissent...

On voit se développer dans la société française des « contre-cultures » qui manifestent un refus des pratiques existantes. Leur vocation est de fournir une identité à leurs adeptes, à travers l'appartenance à un groupe, une tribu, un clan, voire un gang. Ce sont souvent des « cultures jeunes », qui cassent les codes en usage dans les générations précédentes et en inventent de nouveaux. Elles jouent sur le cynisme ou la transgression et prennent pour cible les institutions dans le but d'exprimer des frustrations.

Le détournement créatif de la langue (argot, verlan ou autre sabir) en est généralement la pièce maîtresse ; les mots et les expressions sont renouvelés au fur et à mesure qu'ils sont récupérés et tombent dans le domaine public. Il s'y ajoute certains comportements gestuels : façon de marcher, de s'asseoir, d'utiliser ses mains... Mais c'est l'apparence vestimentaire qui constitue le moyen de différenciation le plus apparent.

Dans un semblable esprit de lutte contre les modèles culturels dominants, notamment celui d'Amérique du Nord, on observe un développement en France de la « culture latino ». Les rythmes venus d'Amérique du Sud (salsa, mambo, rumba, capoeira...) font de plus en plus d'adeptes. C'est le cas aussi de la nourriture mexicaine ou des chanteurs et acteurs de cinéma (Jennifer Lopez, Ricky Martin, Antonio Bande-

ras...). Cet engouement illustre le besoin de fête, de couleur et de convivialité, attributs du monde latin, en contrepoint d'un modèle anglo-saxon fondé sur l'effort, l'efficacité et la compétition.

... et les cultures régionales connaissent un renouveau.

L'omniprésence de la culture américaine, associée à la notion de mondialisation, favorise aussi le développement des cultures régionales, ancrées dans la proximité. Depuis quelques années, les Français redécouvrent leurs racines régionales. C'est le cas notamment des Bretons, comme en témoigne le succès croissant de certaines manifestations comme le festival interceltique de Lorient, celui de Cornouailles à Quimper ou des Vieilles Charrues de Carhaix. Sur le plan musical, la notoriété des groupes Manau, Matmatah ou Dan Ar Braz confirme ce mouvement, comme celui des Polyphonies pour la culture corse.

Cet intérêt pour les régions traduit la crainte d'une perte d'identité dans le processus de globalisation en marche, porteur d'une forme de standardisation culturelle. Le poids croissant des entreprises mondiales, au terme d'incessants regroupements, fusions ou acquisitions, tend à leur conférer une situation de monopole, et la diversité culturelle n'est pas garantie. Au fur et à mesure que se dissout l'« exception culturelle » au niveau national, les Français s'efforcent de la maintenir ou de la réinventer à l'échelon régional.

> 80 % des élèves choisissent l'anglais comme première langue étrangère, 15 % l'allemand, 4 % l'espagnol.

La culture est diffusée par l'école, la famille...

Si la scolarité est l'occasion privilégiée pour les enfants d'acquérir les connaissances de base dont ils auront besoin au cours de leur vie, le rôle joué par le milieu familial demeure essentiel. Il faut d'ailleurs noter qu'il existe un lien fort entre celui-ci et la réussite scolaire (voir *Formation*). Le taux de redoublement au cours préparatoire est ainsi trois fois plus élevé chez les enfants d'ouvriers que chez ceux de cadres ou de professions libérales.

L'idée que l'enfant se fait de la société dépend davantage des situations vécues en famille et à l'extérieur que de la présentation formelle qu'en font ses professeurs à l'école. Les différences de vocabulaire, de connaissances ou d'ouverture d'esprit jouent en défaveur des enfants des milieux modestes. A 7 ans, un enfant de cadre ou d'enseignant dispose d'un vocabulaire deux à trois fois plus riche qu'un enfant d'ouvrier. Enfin, si l'on accepte l'idée que l'hérédité joue un rôle important dans le caractère d'un enfant et donc dans son attitude à l'égard de la culture, il est évident qu'elle renforce encore les inégalités.

Les nouveaux intellectuels

Il est de bon ton de dénoncer l'influence déclinante des intellectuels dans la société française. Ceux-ci ont d'ailleurs une certaine propension à l'autoflagellation, ou en tout cas à la critique de leurs pairs. Pourtant, si l'on part du principe que les intellectuels sont ceux qui font profession de réfléchir aux grandes questions posées par la vie et par les mouvements de la société, leur rôle apparaît plus que jamais essentiel.

Mais ce ne sont plus seulement les philosophes et les écrivains qui peuvent aujourd'hui y répondre, dans une tradition qui va de Descartes à Sartre, en passant par Chateaubriand, Lamartine, Voltaire, Rousseau, Hugo ou Zola. La science et l'économie sont devenues deux clés indispensables à la lecture et à la compréhension du monde. Les nouveaux intellectuels, ceux qui sont en situation d'aider les grands acteurs sociaux et guider les citoyens, doivent ajouter à leurs connaissances philosophiques et artistiques une appréhension des évolutions technologiques et économiques. Ils ne peuvent par ailleurs limiter leur réflexion à l'échelle de la nation, il leur faut aussi intégrer les transformations liées à la mondialisation. Le silence des savants et des chercheurs est plus inquiétant (et d'ailleurs plus apparent) que celui des écrivains.

... et, de plus en plus, par les médias.

Le prestige de l'école a diminué en même temps que les modes de vie et les systèmes de valeurs éloignaient les Français des institutions et du « modèle républicain ». L'Eglise, qui contribuait traditionnellement à l'éducation, notamment morale, a aussi perdu de son influence. Quant à la famille, son rôle éducatif s'est trouvé amoindri par la prégnance d'un modèle libertaire, favorable à l'autonomie de chacun de ses membres, mais aussi par l'incapacité croissante des parents à expliquer le monde à leurs enfants et à leur fournir des points de repère.

Dans ce contexte, le poids des médias dans la diffusion de la culture générale s'est accru, d'autant que leur présence s'est généralisée (voir

p. 407). L'information est devenue la matière première de la vie individuelle et collective. Tous les médias n'ont pas profité également de cette évolution. La lecture des quotidiens et celle des livres ont diminué au profit de la télévision, des jeux vidéo et de l'ordinateur multimédia (voir p. 451). On a pu assister à la diffusion progressive d'une « culture de l'écran » qui complète celle de l'écrit et parfois s'oppose à elle.

BDDP & Fils

Les médias et la publicité jouent sur le registre de l'émotion

Mais le système très concurrentiel dans lequel ils évoluent amène les médias à montrer plutôt qu'à expliquer, à « tordre » la réalité ou à la « dilater » pour lui donner plus de force. Les phénomènes de mode éphémères ou artificiels sont souvent confondus avec les vraies tendances. Le contenu des médias n'est pas représentatif, tant sur le plan qualitatif que quantitatif, de ce qui se passe vraiment dans la société. Ce décalage est apparu dans toute sa force lors du premier tour de l'élection présidentielle de 2002, avec la « découverte » de l'insécurité.

La télévision et la publicité exercent une influence particulière.

Les Français jugent très sévèrement l'influence de la télévision sur la vie culturelle. Ils lui reprochent de faire une place insuffisante à la culture (mais ils ne regardent guère les émissions qui lui sont consacrées), de traiter l'art de façon superficielle, « parisienne », consensuelle, ou au contraire caricaturale et orientée. Ils regrettent aussi qu'elle insiste sur les thèmes à la mode et qu'elle se limite à la promotion des stars (France 2/CSA, mai 2001). Ils disent attendre une télévision plus tournée vers le monde, la société ou la rue, « pluriculturelle » et ouverte à tous.

La publicité participe aussi largement à la diffusion des modèles culturels et des systèmes de valeurs. Les publiphiles lui attribuent le mérite de « réenchanter le monde », par ses efforts esthétiques et éthiques. Mais les publiphobes lui reprochent de favoriser le matérialisme, de travestir la réalité et la vérité, d'exclure certaines catégories sociales (Noirs, beurs, vieux, pauvres, laids, handicapés, de donner une image dégradante de la femme). 48 % des femmes se disent d'ailleurs souvent choquées par la manière dont on montre les femmes dans la publicité, 39 % rarement, 12 % jamais (Culture Pub/Ipsos, octobre 2001)). Les adversaires de la publicité perçoivent certaines tendances récentes comme le « porno chic » et la transgression comme des incitations au machisme, au sadisme et au harcèlement sexuel.

Moins encore que les médias, dont elle est le complément indissociable, la publicité n'a pour vocation de montrer la société telle qu'elle est. Elle choisit seulement certains aspects qui sont susceptibles de l'aider à vendre les produits et les marques qui font appel à elles.

La culture de l'émotion

Après avoir cherché à « donner du sens » à l'information et aux images, les médias s'efforcent aujourd'hui de se rapprocher du public en répondant à ses attentes de réalisme et de proximité. Le phénomène est particulièrement apparent à la télévision, avec le concept de « télé-réalité ». Il est illustré par *Loft Story* et par les nombreuses émissions de reportages mettant en scène des « vrais gens », simples citoyens auxquels on accorde un moment de gloire. Cette évolution avait été initiée par Internet avec l'invention de la *webcam*, des « pages perso » et des forums *(chats)*.

Force est pourtant de constater que ces émissions répondent davantage à un besoin de voyeurisme que de réalisme. Il ne s'agit plus d'aider à comprendre, à analyser et à juger, mais simplement de montrer ce qui normalement est caché, car intime. L'émotion (rires, cris, larmes...) remplace ici la réflexion, le contenu est moins important que la forme, l'insignifiant est privilégié par rapport au signifiant. La curiosité intellectuelle cède le pas à la simple curiosité, dont les ressorts sont d'une autre nature.

La diversification des médias pourrait renforcer les inégalités culturelles.

Avec la multiplication des chaînes et des accès (hertzien, câble, satellite, Internet), la télévision ne crée plus comme par le passé un « tronc commun culturel » d'informations et de connaissances diffusées au même moment à tous les citoyens-téléspectateurs. Elle impose des choix personnels qui sont autant d'opportunités d'enrichissement individuel, mais qui sont susceptibles d'accroître les différences culturelles entre les personnes.

L'avènement d'Internet, qui constitue en principe une opportunité majeure, présente à cet égard un risque important. Le réseau des réseaux sépare aujourd'hui les personnes « connectées » et celles qui ne le sont pas. Même lorsque chaque foyer disposera d'un accès, l'écart continuera de se creuser entre, d'un côté, ceux qui feront un effort (ou disposeront de l'instruction préalable nécessaire) pour choisir des sites à fort contenu culturel et, de l'autre, ceux qui céderont à la facilité et choisiront le divertissement. C'est ainsi que les principaux mots-clés utilisés sur les moteurs de recherche ont trait à la sexualité, l'érotisme ou la pornographie ; les suivants concernent les jeux et la météo.

La langue est une composante essentielle de la culture...

La langue représente l'un des éléments principaux du patrimoine national. C'est pourquoi les Français lui restent attachés, et beaucoup souhaitent qu'elle soit défendue contre les tentatives d'« agression » des autres langues, notamment l'anglais. Cette volonté n'est pas récente. L'ordonnance de Villers-Cotterêts de 1539 et la création de l'Académie française en 1635 ont été les premières mesures protectionnistes en matière linguistique, bien avant les combats contre le « franglais ».

Ces initiatives, qui s'inscrivent dans un souci légitime de défense de l'identité nationale, ont souvent le défaut de vouloir sanctionner plutôt que favoriser la nécessaire alliance entre protection et enrichissement de la langue. L'histoire du français, vieille de mille ans, est en effet celle d'un long métissage, depuis le gaulois (celtique) jusqu'aux influences anglo-saxonnes, en passant par celles des langues indo-européennes. Comme en matière économique, les échanges sont à la fois inévitables et salutaires. A la condition d'être équilibrés, ce qui n'est plus le cas depuis longtemps.

... mais elle se transforme à l'écrit...

Contrairement aux craintes souvent exprimées, la croissance spectaculaire de l'électronique, de l'informatique et des supports audiovisuels n'a pas fait disparaître l'écrit. Elle l'a au contraire rendu plus présent. La généralisation des écrans (Minitel, ordinateur, téléphone, écrans d'affichage dans les lieux publics...) a considérablement accru l'utilisation des textes, de même que l'inflation des catalogues et des prospectus mis à la disposition des consommateurs ou expédiés à leur domicile. Le développement d'Internet et des systèmes de messagerie téléphonique a multiplié le nombre de courriers envoyés et reçus.

Mais, si l'écrit a été renforcé par sa confrontation avec l'écran, la langue française n'en est pas sortie indemne. D'abord parce qu'elle est de plus en plus souvent remplacée par l'anglais dans la communication électronique, professionnelle, voire publicitaire. Ensuite, parce que l'usage des nouveaux supports a engendré une nouvelle façon d'écrire, qui s'affranchit largement des règles de la rédaction, mais aussi de l'orthographe et de la grammaire, comme en témoigne la lecture des courriers électroniques (courriels). Le summum a sans doute été atteint avec les messages courts échangés entre téléphones portables (textos). L'absence de place sur les écrans, le coût élevé d'envoi (proportionnel à la longueur du message) et le souci de modernité des utilisateurs ont abouti à la création d'un langage totalement nouveau, basé sur des abréviations phonétiques.

Pourtant, la langue française ne cesse de s'enrichir de nouveaux mots et expressions, qui ne sont pas tous d'origine américaine. Mieux que de longues analyses, chacun traduit un aspect de l'évolution de la société et des modes de vie (voir p. 31) : délocalisation (1990) ; mal-être (1991) ; multiconfessionnel (1992) ; minimalisme (1993) ; biodiversité (1994) ; zapper (1995) ; vidéosurveillance (1996) ; internaute (1997) ; rapper (1998) ; cédérom (1999) ; alicament (2000) ; webcam (2001)...

... comme à l'oral.

Plus encore que l'écrit, le français parlé recourt de façon croissante aux mots et aux expressions américaines. La plupart s'imposent dans la pratique quotidienne avant même que leurs équivalents français ne soient définis, proposés et utilisés. Ce métissage correspond à un enrichissement nécessaire de la langue. Mais

il est souvent excessif (voir encadré). Surtout, il illustre l'incapacité de la France (mais aussi de l'Europe) à inventer des concepts qu'elle pourrait à son tour exporter comme elle l'a fait dans les siècles précédents. Cette dépendance culturelle a des prolongements économiques considérables : frais de traduction ; difficulté ou impossibilité d'exporter des produits pour des raisons de prix de revient ou de protectionnisme culturel, etc.

Certes, la langue française est encore capable d'inventer. Mais certaines inventions n'ont guère d'utilité : pourquoi devrait-on être « performant » plutôt qu'efficace ? De même, la créativité est discutable lorsqu'elle ne conduit pas à la simplification. C'est ainsi que la complexité est parfois baptisée « complexification ». Les questions qu'elle pose deviennent des « questionnements » ou des « problématiques », ses échecs ou insuccès sont des « dysfonctionnements ». La « décrédibilisation » tend à remplacer le simple discrédit...

Les Français pratiquent plus les langues étrangères...

Chaque langue porte en elle une certaine vision du monde. Elle exerce donc une influence déterminante sur la culture, les valeurs, les attitudes et les comportements de ceux qui l'utilisent. C'est pourquoi l'apprentissage des langues étrangères est un enrichissement et une incitation à la tolérance, plus qu'une soumission à une forme insidieuse de colonisation. Les Français ont pris conscience de cette nécessité. Un sur trois se dit capable d'avoir une conversation en anglais. La proportion reste cependant très inférieure à celle constatée au nord de l'Europe : environ huit sur dix aux Pays-Bas, au Danemark ou en Suède ; près d'un sur deux en Allemagne ou en Belgique. Elle est en revanche supérieure à celles des autres pays latins : un sur quatre en Italie et au Portugal, un sur cinq en Espagne.

L'âge de début d'apprentissage d'une première langue étrangère obligatoire est aussi plus tardif en France que dans les autres pays de l'Union européenne : 11 ans, contre 6 ans au Luxembourg, en Finlande, Suède, 8 ans en Espagne, Italie, Autriche, 10 ans dans les autres pays.

... mais moins les langues régionales.

L'ouverture aux autres langages n'est que la poursuite d'un mouvement beaucoup plus ancien qui concerne à la fois les langues régionales et celles liées à la présence de communautés étrangères. On estime que 75 langues différentes sont parlées sur l'ensemble du territoire français : catalan, breton, alsacien, auvergnat, occitan, basque, corse, et aussi les 28 langues kanaks, le yiddish, le berbère, l'arménien occidental.

Un adulte sur quatre avait des parents qui ne lui parlaient pas seulement en français et, dans 8 % des cas, ne lui parlaient pas du tout français. 11 millions de personnes ont entendu chez elles pendant leur enfance une langue régionale ou étrangère.

La transmission des langues régionales s'est beaucoup affaiblie au cours du siècle. Un adulte sur cinq utilise encore de temps en temps une autre langue que le français pour parler avec ses proches. Mais il s'agit une fois sur trois d'une langue qu'il n'a pas apprise de ses parents.

Too much...

La place de l'anglais dans le français parlé (ou écrit) prend des proportions inquiétantes. Beaucoup de mots directement empruntés ont pourtant leurs équivalents dans la langue nationale. Les journalistes parlent ainsi du *crash* d'un avion plutôt que de son écrasement. Ils évoquent le *coming out* à propos des personnes qui reconnaissent leur homosexualité plutôt qu'un aveu ou qu'une révélation. Dans la presse « branchée », l'évolution récente des comportements de protection face au risque de sida est qualifiée de *relapse* plutôt que de relâchement...

Le mouvement est particulièrement marqué dans les domaines techniques ou spécialisés, dans lesquels beaucoup craignent de se donner une image « ringarde » en utilisant le français. Les Internautes préfèrent donc parler de *chat* ou de *mail* plutôt que de forum ou de courriels... quitte à conjuguer les mots comme s'ils étaient français : on *chatte* ou on *maile*. Des tournures anglicisées sont aussi utilisées en lieu et place des françaises : on « supporte » une équipe au lieu de la soutenir.

Si l'anglais confère un brevet de modernité à ceux qui l'utilisent, il profite aussi de sa concision supérieure à celle du français. Il est à la fois plus rapide et plus branché de dire d'une personne qu'elle est *cool* plutôt que décontractée, *boring* plutôt qu'ennuyeuse. Les fossoyeurs de la langue imaginent sans doute que le premier qualificatif s'applique à eux ; ils considèrent que le second convient à ceux qui s'attachent à la défense (peut-être vaine) de leur langue maternelle et des référents culturels qui s'y rattachent.

Le temps

Espérance de vie

L'espérance de vie moyenne s'est encore accrue de trois mois et demi en 2001.

Elle a atteint 75,5 ans pour les hommes et 83,0 ans pour les femmes. L'espérance de vie à la naissance représente « la moyenne des années de vie d'une génération imaginaire qui serait soumise toute sa vie aux quotients de mortalité par âge (nombre de décès dans un groupe donné pendant une année donnée par rapport à la population du groupe en début d'année) de l'année considérée ». Plus simplement, elle exprime la durée de vie potentielle qui devrait être atteinte en moyenne par la population actuelle si les conditions de mortalité restaient identiques à ce qu'elles sont aujourd'hui.

Après la relative baisse du rythme de croissance constatée entre 1998 et 2000 (moins de deux mois par an), le gain s'est de nouveau accru en 2001, atteignant trois mois et demi. Pour les hommes, c'est la baisse de la mortalité entre 55 et 65 ans qui explique cette progression. Pour les femmes, c'est essentiellement la baisse enregistrée entre 75 et 85 ans.

L'espérance de vie varie fortement entre les régions ; l'écart est de plus de 10 ans entre certaines zones du Nord et du Sud. Il existe ainsi des zones de sous-mortalité dans les Pays de la Loire (à l'exclusion du pays nantais) et à l'ouest de la région Centre, ainsi qu'au cœur du Sud-Ouest. Les principales zones de surmortalité se situent du littoral du Nord-Pas-de-Calais à l'Alsace, ainsi qu'en Bretagne, à l'ouest de la ligne Saint-Nazaire Saint-Brieuc.

La différence de mortalité entre les sexes est sensible à tout âge.

Dans les premières années de la vie, il meurt environ 20 % de garçons de plus que de filles. Entre 20 et 30 ans, le rapport est de trois à un. Entre 55 et 65 ans, les décès par cancer sont deux fois plus nombreux chez les hommes.

La longévité inférieure des hommes s'explique aussi par le fait qu'ils meurent plus souvent que les femmes à la suite d'accidents ou de maladies liés à des comportements à risque (alcool, tabac, sport...). 80 % des décès à la suite d'accidents de la route concernent des hommes, mais aussi 80 % de ceux dus au sida et 75 % des morts par suicide.

Les femmes seraient en outre plus résistantes aux agressions biologiques, du fait de la présence dans leurs gènes de deux chromosomes X, qui abritent plus fréquemment des gènes favorisant l'immunité. Enfin, elles consultent plus tôt et plus souvent les médecins, ce qui les aide à prévenir les risques de santé. Le sexe dit « faible » prend donc ici une revanche éclatante sur l'autre sexe.

L'écart d'espérance de vie a cessé de se resserrer en 2000 et 2001.

La différence de longévité entre les sexes n'était en France que de 6,7 ans en 1960 et 3,6 ans en 1900. Elle s'est ensuite fortement accrue jusqu'à atteindre 8,3 ans en 1990. On a assisté

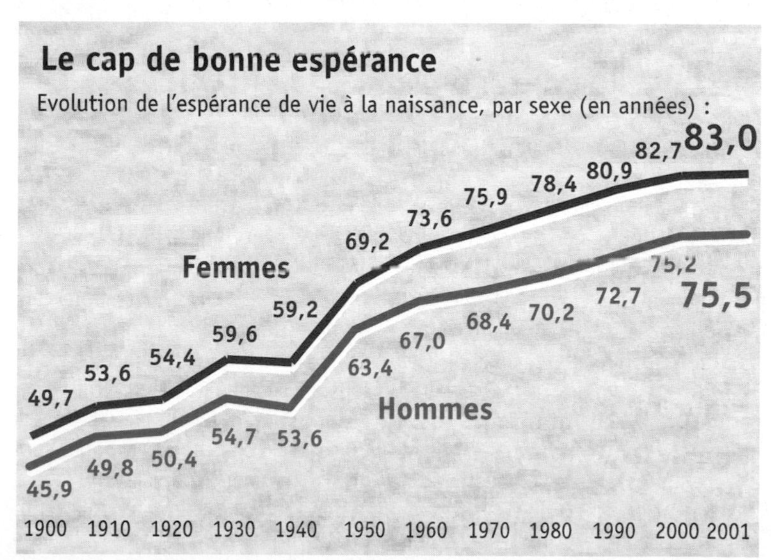

Le double record français

Avec 83 ans, les Françaises ont la plus longue espérance de vie moyenne à la naissance des habitantes de l'Union européenne, devant les Espagnoles et les Suédoises (82 ans en 2000). Les Danoises, les Portugaises et les Irlandaises vivent en moyenne quatre ans de moins (79 ans). Dans le monde, les Françaises ne sont dépassées que par les Japonaises, dont l'espérance de vie atteint 84 ans.
Les femmes françaises vivent en outre 7 ans et demi de plus que les hommes, ce qui constitue un autre record européen. Elles devancent les Espagnoles, les Finlandaises et les Portugaises ; au Danemark et en Suède, l'écart n'est que de cinq ans.
La durée de vie des hommes français se situe néanmoins un peu au-dessus de la moyenne européenne. Elle est un peu inférieure à celle des Suédois et des Italiens (environ 76 ans), mais supérieure à celle des Portugais et Irlandais (73 et 72 ans).

ensuite à un resserrement de l'écart. Le gain d'espérance de vie à la naissance a été supérieur pour les hommes au cours des années 90 : 28 mois, contre 18 mois pour les femmes.

On pouvait expliquer ce rapprochement par celui des modes de vie entre les hommes et les femmes, notamment en matière de comportements à risque (alcool, tabac, conduite automobile, vie professionnelle...). En 1999, les hommes avaient ainsi gagné près de quatre mois d'espérance de vie et les femmes seulement un mois. Mais ce resserrement s'est interrompu en 2000 et 2001, l'écart se maintenant à 7,5 ans. Il peut être mis sur le compte des épidémies de grippe qui touchent particulièrement les personnes âgées, parmi lesquelles les femmes sont majoritaires. Il faudra un peu plus de recul pour savoir si cette pause est due aussi en partie à de nouvelles évolutions dans les modes de vie masculins et féminins.

Le vieillissement est de plus en plus retardé.

En un siècle, l'espérance de vie à la naissance a doublé. Les progrès accomplis et les perspectives en matière d'allongement de la vie sont inédits. Surtout, le vieillissement est de moins en moins apparent, comme en témoigne la comparaison des photographies de personnes âgées de plus de 50, 60 ou 70 ans depuis un siècle ou celle de leurs capacités physiques ou mentales. Le vieillissement n'est plus perçu comme un phénomène inexorable et destructeur, mais comme une évolution que l'on peut en partie maîtriser, en prenant soin de son corps et de son esprit.

Les moyens employés pour y parvenir sont divers et complémentaires : traitement des maladies et des pathologies chroniques (hypertension, hypercholestérolémie...) ; suivi médical régulier ; prévention par un contrôle continu des dosages sanguins, urinaires, hormonaux, etc. ; activité physique et mentale régulière ; entretien de la peau et de l'apparence ; équilibre alimentaire ; vie sociale riche permettant de ne pas être seul.

On constate que l'espérance de vie sans incapacité a encore plus augmenté que l'espérance de vie simple : à 65 ans, elle est de 10,5 ans pour les hommes et 12,6 ans pour les femmes, contre 8,8 et 9,8 ans en 1981. On vit donc aujourd'hui non seulement plus longtemps, mais dans de meilleures conditions de santé et de forme physique.

L'espérance de vie a augmenté de 30 ans au cours du XXe siècle.

Entre 1900 et 2000, l'augmentation de l'espérance de vie à la naissance a été de 33 ans pour les femmes et de 30 ans pour les hommes. Cette évolution spectaculaire s'explique d'abord par la très forte baisse de la mortalité infantile, passée de 162 décès pour mille naissances vivantes en 1900 à 4,5 en 2000, après une baisse régulière au cours des dernières décennies : 36,5 en 1955, 10,0 en 1980, 7,3 en 1990. L'incidence de cette baisse de la mortalité infantile est apparente lorsqu'on observe l'évolution

Une population plus vieille, à l'esprit plus jeune

de l'espérance de vie à divers âges ; en 1950, le gain de durée de vie à l'âge de 40 ans n'était que d'environ 6 ans pour les hommes et 8 ans pour les femmes, alors que le gain à la naissance était de 11,8 ans pour les hommes et 13,5 ans pour les femmes.

Depuis les années 60, l'accroissement de l'espérance de vie tient cependant moins à la baisse de la mortalité infantile qu'à celle de la mortalité aux autres âges, notamment élevés. Il est la conséquence des progrès réalisés dans la lutte contre les maladies infectieuses, cardio-vasculaires et bactériennes. En même temps, les modes de vie ont changé, avec la généralisation des habitudes d'hygiène, un meilleur équilibre alimentaire, une amélioration des conditions de travail et du confort dans la vie quotidienne.

L'allongement de la durée de vie devrait se poursuivre.

Le rêve de longévité (voire d'immortalité) des Français est justifié par les progrès réalisés dans le passé. Il est aussi entretenu par le discours scientifique ambiant. Les avancées spectaculaires de la médecine et de la chirurgie ne sont pas arrivées à leur terme. Les traitements du cancer, du sida ou de certaines maladies génétiques progressent. On entrevoit aujourd'hui des possibilités de retarder davantage les effets du vieillissement à l'aide de traitements hormonaux ou d'interventions génétiques.

Par ailleurs, la mortalité prématurée liée aux comportements individuels pourrait être réduite. Un quart des décès annuels se produisent avant l'âge de 65 ans (voir p. 85). On estime que la moitié sont liés à la consommation d'alcool, de tabac et aux comportements individuels (accidents, suicides, sida, surmenage...). Ils seraient donc évitables, d'autant qu'ils sont plus élevés en France que dans d'autres pays développés. Enfin, l'amélioration du système de soins et de dépistage des maladies devrait aussi participer à un nouvel allongement de la vie. Selon l'INSEE, l'espérance de vie à la naissance pourrait atteindre 90 ans pour les femmes et 82 ans pour les hommes en 2050. L'espérance de vie à 60 ans serait de 32 ans pour les femmes et de 26 ans pour les hommes.

Une longévité triplée en quatre siècles

Certains historiens et démographes estiment que l'espérance de vie à la naissance au Moyen Age était de l'ordre de 14 ans. Ce chiffre extrêmement faible s'explique par la très forte mortalité infantile ; près d'un enfant sur deux mourait dans sa première année. Il est aussi la conséquence des effets catastrophiques des guerres et surtout des famines, dont certaines ont tué les deux tiers ou les trois quarts des enfants de moins d'un an. La longévité moyenne était de l'ordre de 26 ans au XVIIe siècle, de 35 ans en 1800, de 47 ans en 1900. Elle dépassait 75 ans en 2000 pour les hommes. L'espérance de vie a donc été multipliée par trois en quatre siècles. Ce progrès est sans aucun doute le plus important de tous ceux accomplis au cours de l'histoire ; il en est aussi d'une certaine façon la synthèse.

> Au début du XIXe siècle, la durée de vie moyenne était de 33 ans et la moitié de la vie éveillée était consacrée au travail. Le temps libre n'était que de 2 années.

150 000 centenaires en 2010 ?

La France compte aujourd'hui plus de 7 000 centenaires, contre seulement 200 en 1950 et 3 en 1900. L'accroissement de ce nombre est huit fois plus rapide que celui du nombre des personnes âgées de 60 ans et plus. On estime qu'une fille sur deux née aujourd'hui deviendra centenaire, de sorte que l'on compterait 150 000 femmes centenaires en 2100.

Le déséquilibre entre les sexes est spectaculaire, du fait des effets cumulés de la surmortalité masculine à tous les âges de la vie. Après 100 ans, on ne compte qu'un homme pour sept femmes, un pour dix à 104 ans (un pour quatre à 95 ans). La poursuite d'une activité physique (marche, natation), intellectuelle, culturelle et sociale, l'absence de stress et la qualité du régime alimentaire apparaissent comme des facteurs importants de longévité.

L'espérance de vie moyenne pourrait tendre vers la durée de vie maximale.

On ne connaît avec certitude l'âge des Français que depuis un peu plus d'un siècle. Au milieu du XIXe siècle, l'âge maximal atteint variait entre 100 et 105 ans pour les femmes, entre 97 et 102 ans pour les hommes. Depuis les années 1980, la fourchette se situe entre 107 et 112 ans pour les femmes, 103 et 109 ans pour les hommes, avec un record absolu de 122 ans atteint par Jeanne Calment en 1997. C'est une autre Française,

Marie Brémont, qui est la doyenne actuelle de l'humanité (elle est née en avril 1886).

Depuis les années 50, l'augmentation de l'espérance de vie à 70, 80 et 90 ans a été spectaculaire (5 ans pour les hommes et 8 ans pour les femmes à 70 ans). Il en est de même à 100 ans, de sorte que l'on peut penser que les progrès sanitaires accroissent non seulement la durée moyenne de la vie, la rapprochant de sa durée limite, mais aussi cette durée maximale. On pourrait dans ces conditions espérer atteindre un âge beaucoup plus élevé à l'avenir.

L'une des conditions de la poursuite de l'allongement de la vie est que les progrès réalisés dans le traitement et la prévention des maladies ne s'accompagnent pas d'une dégradation de l'environnement. Ainsi, la pollution de l'air entraînerait dès aujourd'hui une réduction de l'espérance de vie moyenne de 0,6 an (dont 0,3 pour les émissions des véhicules routiers). Elle pourrait atteindre 1,5 an pour les personnes les plus exposées.

L'espérance de vie est très inégale selon les professions...

Les inégalités d'espérance de vie ne concernent pas seulement le sexe. Elles sont également très marquées entre les professions. Les hommes cadres et professions libérales ont une espérance de vie à 35 ans supérieure de 6,5 ans à celle des ouvriers : 44,5 ans contre 38 ans. L'écart n'est que de 3,5 ans pour les femmes. On retrouve des différences à l'intérieur de chaque catégorie : les cadres travaillant dans le privé ont une espérance de vie plus courte que ceux de la fonction publique : elle est de 43,5 ans à 35 ans, contre 46 ans.

Entre 35 et 65 ans, un cadre supérieur a deux fois moins de risques de mourir qu'un ouvrier : 13 % contre 26 %. Les plus favorisés sont les instituteurs, les cadres supérieurs et les membres des professions libérales ; entre 45 et 54 ans, leur mortalité est trois fois plus faible que celle de l'ensemble des hommes. A l'opposé, celle des manœuvres est le double de la moyenne. Entre ces catégories extrêmes, la hiérarchie des longévités reproduit sensiblement celle des professions.

Outre les risques de maladies et d'accidents inhérents à certaines professions, les contraintes liées au travail (voir p. 325) pourraient être pathogènes, en suscitant des comportements de compensation entraînant la consommation de tabac, d'alcool, etc. Le fait d'exercer un métier apparaît cependant comme un facteur de longévité : à 35 ans, les inactifs ont une espérance de vie moyenne inférieure d'environ 7 ans à la moyenne nationale. Les hommes chômeurs et les femmes inactives consomment par exemple plus de médicaments psychotropes que les actifs ; les femmes concernées sont également moins suivies sur le plan médical.

... et selon les pays.

L'espérance de vie à la naissance dans le monde est de 65 ans pour les hommes et 69 ans pour les femmes (chiffres ONU 2001). Elle varie considérablement d'un continent à un autre : respectivement 52 ans et 55 ans en Afrique (46 et 50 en Afrique centrale), 70 ans et 76 ans en Amérique (67 et 73 en Amérique du Sud, 74 et 80 en Amérique du Nord), 65 et 68 en Asie (60 et 62 en Asie du Centre-Sud, 70 et 74 en Asie orientale), 72 et 76 en Océanie, 70 et 78 en Europe (63 et 74 en Europe orientale, mais 75 et 81 en Europe occidentale). Dans certains pays d'Europe orientale, l'espérance de vie a diminué, contrairement à ce qui s'est produit à l'Ouest. Ainsi, elle est tombée en Russie à 59 ans pour les hommes et 72 ans pour les femmes. L'alcoolisme, les conditions économiques défavorables, la mauvaise organisation des services de santé et leur manque d'équipement semblent en partie responsables de cette évolution.

On constate que les écarts s'accroissent entre les pays développés et les plus pauvres. Ces derniers cumulent les handicaps de la malnutrition, du manque d'hygiène, de l'insuffisance des soins et de l'inexistence de

Le temps qui reste

Espérance de vie à divers âges en 1999, par sexe (en années) :

	Hommes	Femmes
- Naissance	75,0	82,5
- 1 an	74,4	81,8
- 20 ans	55,7	63,1
- 40 ans	37,0	43,7
- 60 ans	20,2	25,3

INSEE

> L'espérance de vie moyenne au sein de l'Union européenne était de 74,9 ans pour les hommes et de 81,2 ans pour les femmes en 2000.
> Dans l'ensemble des pays de l'OCDE, l'espérance de vie a progressé en moyenne de 7,5 ans pour les hommes et de 9 ans pour les femmes depuis 1960. La mortalité prématurée (avant l'âge de 70 ans) a diminué de plus de la moitié, du fait notamment de la baisse de la mortalité infantile.

la prévention. La mortalité infantile y reste très élevée ; dans de nombreuses régions du tiers-monde, plus d'un enfant sur dix meurt avant son premier anniversaire, contre un sur deux cents en France.

La vie très inégale

Espérance de vie à la naissance par sexe (en années) dans certains pays et mortalité infantile (pour 1 000 naissances vivantes), vers 2000 :

	Espérance de vie		Mortalité
	H	F	
Union Euro.			
- Suède	77	82	3
- Italie	76	82	5
- Grèce	76	81	6
- FRANCE	75	83	4
- Pays-Bas	75	81	5
- Autriche	75	81	5
- Belgique	75	81	5
- Luxembourg	75	81	5
- Roy.-Uni	75	80	6
- Espagne	74	82	5
- Allemagne	74	81	4
- Finlande	74	81	4
- Danemark	74	79	4
- Irlande	74	79	6
- Portugal	72	79	6
Autres pays			
- Canada	76	81	6
- Australie	76	82	6
- Israël	76	80	6
- Etats-Unis	74	80	7
- Mexique	73	78	25
- Chine	69	73	31
- Algérie	68	70	55
- Turquie	67	71	35
- Inde	60	61	70
- Russie	59	72	16
- Afrique du S.	52	54	57
- Mali	45	47	123

Emploi du temps

La durée de vie moyenne des Français a doublé en deux siècles.

Au cours du XXe siècle, le gain moyen d'espérance de vie à la naissance a représenté 33 ans pour les femmes et 29 ans pour les hommes. Cet accroissement spectaculaire est dû pour une part importante à la forte baisse de la mortalité infantile, aux progrès accomplis en matière de soins et de prévention, ainsi qu'aux changements de modes de vie (voir chapitre précédent). A l'âge de 20 ans, ce qui élimine les effets de la mortalité infantile, le gain constaté depuis 1950 est encore de 7 ans pour les hommes et 9 ans pour les femmes.

L'accroissement spectaculaire de ce capital-temps a évidemment bouleversé les modes de vie des Français et le fonctionnement de la société. Ainsi, l'âge de la retraite ne signifie plus la fin de la vie, mais le début d'une nouvelle vie, qui dure en moyenne plus de vingt ans. Si l'accroissement de la longévité représente un indéniable progrès, il posera à terme de réels problèmes démographiques et économiques à la société française (voir *Les personnes âgées*).

L'emploi du temps de la vie a connu un véritable bouleversement.

Le temps de la vie peut être découpé en quatre grandes catégories : celui consacré à un travail rémunéré ; celui nécessaire à la satisfaction des fonctions physiologiques (alimentation, sommeil, toilette, soins) ; celui de l'enfance et de la scolarité ; celui des déplacements (professionnels et personnels). Le solde entre le temps total disponible et celui représenté par toutes ces activités constitue le temps libre à l'âge adulte (après la fin de la scolarité, qui se termine en moyenne à l'âge de 19 ans, voir p. 111).

L'évolution sur un siècle, résumée par le graphique ci-après, a été établie à partir de travaux anciens pour l'année 1900 ; les chiffres concernant 2002 ont été calculés à partir des données les plus récentes. Ils concernent les hommes, du fait de l'absence de données anciennes concernant les femmes. Ils font apparaître un véritable bouleversement de la part de chacune de ces composantes dans la vie de nos contemporains.

Les activités physiologiques occupent la moitié de la vie.

Les Français (hommes) consacrent en moyenne 11 h 56 au sommeil et aux autres activités physiologiques (enquête INSEE 1998-1999 sur l'emploi du temps des 15 ans et plus), soit la moitié du temps total disponible (49,7 %). Au total, ce sont donc 37,5 années qui sont consacrées à ces activités sur une vie de 75,5 ans en 2002.

Le temps de l'enfance et de la scolarité représente en moyenne 19 années (auxquelles s'ajoutait autrefois le service militaire, supprimé depuis 1996) ; il faut lui retrancher le temps physiologique correspondant, soit 9,5 ans. Ce temps représente donc au total 11 années si on ajoute les périodes de formation continue qui interviennent dans le cours de la vie adulte.

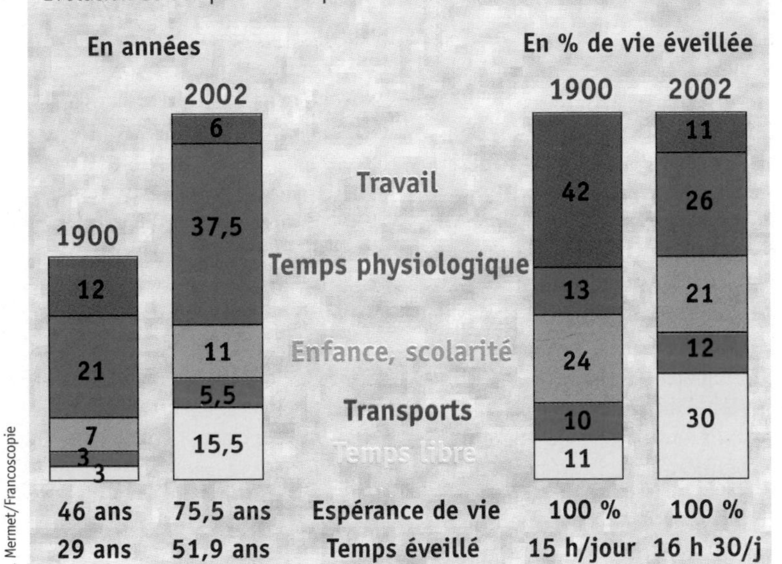

Le temps de transport non professionnel est, quant à lui, de 35 minutes par jour auxquelles s'ajoutent 25 minutes de temps de trajet domicile-travail, soit au total une heure par jour ou 3,2 années sur l'ensemble de la vie. La prise en compte des autres formes de déplacement, en particulier les vacances (estimation : deux semaines par an en moyenne pour les seuls déplacements sur l'ensemble de la vie), implique d'ajouter 2,9 années sur une vie. On aboutit à un temps total de transport de 6,1 ans, arrondi à 6 ans.

Le temps de travail représente moins de six années pleines sur une vie d'homme...

Le principal changement dans l'emploi du temps de la vie concerne le temps de travail. Celui qui est rémunéré a une durée de 35 heures par semaine pour les salariés concernés par la loi sur la réduction du temps de travail (85 % de la population active), ce qui représente environ 1 500 heures par an compte tenu des vacances et des jours fériés. Mais le temps de travail effectif ne dépasse pas 1 350 heures par an si l'on tient compte de l'absentéisme et des périodes de chômage (voir p. 326).

La période active se situe entre l'âge moyen d'entrée dans la vie professionnelle (22 ans) et celui de la retraite, fixé officiellement à 60 ans mais situé en moyenne à 58 ans (soit 36 ans de vie active). Ceci représente au total 48 600 heures, soit 5,5 années pleines de travail (une année représentant 8 766 heures). Ce chiffre pourrait être affiné en tenant compte de plusieurs phénomènes : impact des heures supplémentaires et du travail au noir ; prise en compte des non-salariés, qui travaillent davantage, et des salariés à temps partiel qui travaillent moins... On fait ici l'hypothèse que ces éléments, qui jouent dans des sens contraires, s'équilibrent. Le résultat est que le temps de travail a diminué de plus de moitié en un siècle, alors que l'espérance de vie s'accroissait de 64 % pour les hommes.

... soit 11 % du temps éveillé.

Une autre façon de mesurer l'évolution de l'emploi du temps de la vie est de ne tenir compte que du temps « éveillé », en enlevant donc le temps de sommeil. L'enquête INSEE (1998-1999) indique une moyenne de 8 h 55 par jour, mais elle concerne le temps passé au lit et non pas à dormir. D'autres enquêtes montrent que le temps de sommeil moyen des Fran-

Plus d'années inactives que d'années actives

Les chiffres concernant la durée du travail au cours d'une vie traduisent l'évolution considérable qui s'est produite depuis plus d'un siècle. La durée hebdomadaire a été réduite de façon continue, tandis que la durée de la vie active se raccourcissait aux deux extrémités : entrée de plus en plus tardive ; départ de plus en plus précoce. Dans le même temps, la durée de vie s'allongeait fortement, de sorte que la période d'activité professionnelle (40 ans en théorie pour obtenir la retraite à taux plein, 36 ans en pratique) est aujourd'hui inférieure à celle d'inactivité (39,5 ans). Cette révolution de l'emploi du temps de la vie est le signe d'un basculement en cours dans une autre civilisation (voir p. 274).

çais est d'environ 7 heures et demie, contre 9 heures au début du siècle. Cette diminution s'explique par la moindre fatigue physique liée au travail, la généralisation de la lumière et des équipements de loisirs (notamment la télévision) qui ont prolongé la durée de veille.

Le temps de sommeil représente aujourd'hui 31 % du temps total de vie. Le temps éveillé sur une durée de vie totale de 75,5 ans est donc équivalent à 51,9 années (69 %). Dans cette hypothèse, les 5,5 années de travail représentent 11 % du temps de vie éveillé. A titre de comparaison, la proportion était de 42 % en 1900 et de 48 % en 1800.

Le temps libre a été multiplié par cinq depuis le début du siècle...

Le temps libre d'une vie représente la différence entre l'espérance de vie moyenne à la naissance (75,5 ans en 2002 pour un homme) et la durée cumulée des quatre activités détaillées précédemment (au total 60 années). Il représente donc aujourd'hui 15,5 années de la vie moyenne d'un homme, contre 3 années en 1900 et 2 années en 1800.

Cette augmentation considérable du temps libre aura bien sûr de nombreuses conséquences, qu'il est encore tôt pour analyser. La réduction du temps de travail hebdomadaire à 35 heures va nécessiter une période d'apprentissage. Il s'agit pour certains de perdre l'habitude de travailler comme avant, pour d'autres de ne pas avoir peur d'être « en vacances » lorsque les autres sont au travail. Surtout, il faut s'informer sur les multiples façons possibles d'utiliser les heures dégagées et choisir parmi elles. Il faudra un peu de temps pour apprendre à gérer le temps.

> Les visites à la famille et aux amis durent près d'une heure un quart le samedi, un peu moins le dimanche.

... et représente près d'un tiers du temps éveillé.

Ramenées au temps éveillé de la vie (51,9 ans), les 15,5 années de temps libre représentent aujourd'hui 30 %, contre 11 % au début du siècle. Il faut noter que la plus grande partie de ce temps n'est disponible (pour les actifs) que pendant la retraite. L'allongement de la durée des vacances et la diminution du temps de travail hebdomadaire représentent cependant des gains importants et perceptibles.

Le temps d'enfance et de scolarité compte pour 21 % du temps éveillé au lieu de 24 %, du fait d'un allongement de la vie supérieur à celui des études. Pour une raison semblable, le temps de transport représente 12 % au lieu de 10 %. Enfin, le temps physiologique (hors sommeil) pèse deux fois plus qu'au début du XXe siècle : 26 % contre 13 %.

Au cours du XXe siècle, le temps disponible s'est donc globalement « dilaté », mais les différentes parties qui le composent ont subi des déformations très différentes. La part consacrée au travail est beaucoup plus faible. La période de l'enfance s'est étirée, du fait de l'allongement de la scolarité. Le temps accordé au sommeil et aux divers besoins d'ordre physiologique a moins évolué ; on consacre en moyenne plus de temps à son hygiène, un peu moins à se nourrir et à dormir.

L'emploi du temps de la journée diffère de celui de la vie.

La répartition des différentes formes de temps (physiologique, travail, transport, scolarité, libre) n'est pas du tout uniforme tout au long de la vie, compte tenu notamment de la concentration de la vie active entre 20 et 60 ans. L'enquête sur l'emploi du temps réalisée par l'INSEE en 1998-1999 met en évidence les changements dans l'emploi du temps quotidien des Français depuis la précédente, qui date de 1985-1986. Elle montre que le temps physiologique n'a pratiquement pas varié, à 12 h 4 min par jour, alors que le temps de sommeil a diminué de 10 minutes. La compensation s'est effectuée par le temps des repas, qui

Cap Horn

Les temps de la vie se mélangent

Temps libre et liberté

La notion de liberté s'oppose à celle de contrainte. Le temps libre est donc par définition le contraire du temps de travail, puisque celui-ci est le plus souvent subi. Pourtant, le travail est, au sens pascalien, un « divertissement », dans la mesure où il remplit la vie et empêche de penser à la mort. Il ne serait donc pas si différent du temps dit libre, dont une grande partie est utilisée pour se divertir.

On peut aussi remarquer que la notion de liberté est, dans le langage courant, opposée à celle d'occupation. Comme une chaise ou une place de parking, une personne peut être en effet libre (disponible) ou au contraire occupée (déjà engagée dans une activité). Or, il est apparent que les Français cherchent de plus en plus à occuper leur temps libre, car la nature (humaine en particulier) a horreur du vide. On peut donc se demander dans ce sens si l'accroissement du temps libre implique une plus grande liberté ou au contraire un asservissement croissant. C'est sans doute pourquoi les notions de travail et de loisir tendent aujourd'hui à s'interpénétrer.

s'est allongé de 12 minutes (essentiellement ceux avec des parents ou amis).

Les différences entre les sexes restent marquées. Les hommes passent plus de temps à table que les femmes, mais moins pour se préparer. Si les femmes consacrent moins de temps aux tâches domestiques (une demi-heure de moins pour les inactives, 7 minutes pour les actives), les hommes n'ont guère augmenté celui qu'ils leur accordent : une heure pour les actifs, contre un peu plus de 3 heures pour les actives ; 1 h 35 pour les inactifs, contre 4 heures pour les inactives. Même lorsqu'ils sont seuls, les hommes consacrent beaucoup moins de temps aux tâches ménagères que les femmes. Soit parce qu'ils n'en ont pas l'habitude, soit parce qu'ils leur attachent moins d'importance.

> 80 % des Français estiment qu'ils ne consacrent pas assez de temps sur une journée à leurs amis, 74 % à leur famille, 69 % à s'occuper d'eux-mêmes, 38 % à leur vie professionnelle ou à leurs activités quotidiennes. Ces proportions de Français insatisfaits de la gestion de leur temps sont les plus élevées parmi les cinq principaux pays de l'Union européenne (Observatoire Thalys/Ipsos, mai 2001).

Le temps de travail quotidien a diminué en moyenne, mais il a augmenté pour les salariés à temps plein.

Le temps professionnel d'un actif occupé s'est réduit de 14 minutes par jour (8 %). Mais, pour les salariés à temps complet (hors enseignants), la durée de la journée de travail est passée de 8 h 21 à 8 h 29 entre 1986 et 1999, soit 8 minutes de plus. Ce paradoxe s'explique par la part croissante du temps partiel et la baisse du nombre des agriculteurs et des indépendants, deux catégories travaillant un nombre d'heures plus élevé que la moyenne.

Dans le secteur privé, la journée de travail des cadres s'est allongée d'une demi-heure (12 minutes dans le secteur public), celle des employés et des professions intermédiaires de 10 minutes. Elle a au contraire baissé de 6 minutes pour les ouvriers. Le temps de trajet domicile-travail n'a pas varié en quinze ans : 20 minutes. On observe enfin que les personnes ayant une activité professionnelle dorment en moyenne une heure de moins que les autres.

Le temps dont on dispose varie de façon sensible en fonction des individus et des moments de la vie. Ainsi, les deux tiers des Français n'exercent pas d'activité professionnelle (enfants, étudiants, inactifs, chômeurs, retraités...). Ils n'ont pas les mêmes contraintes ni la même perception du temps que les actifs.

Le temps libre quotidien a augmenté de près de deux heures en semaine depuis 1975.

La diminution du temps physiologique et professionnel a entraîné une augmentation du temps libre de 26 minutes par jour. Celui consacré à la sociabilité (échanges, conversation, téléphone) est resté pratiquement stable (56 minutes contre 58 en 1986). Mais il est réparti différemment : la durée des conversations et des échanges par courrier a beaucoup diminué (18 minutes contre 31), alors que celle des visites et réceptions s'est accrue (29 minutes contre 20).

C'est le temps consacré aux loisirs divers (médias, promenade, sports, jeux...) qui a augmenté (26 minutes). La télévision est le principal bénéficiaire de cet accroissement ; elle est regardée par les Français plus de deux heures par jour (à titre principal, c'est-à-dire sans autre activité simultanée). On avait assisté à une évolution semblable entre 1975 et 1986, avec un accroissement du temps libre

Jours de France

Emploi du temps quotidien des Français en 1999, selon le sexe et le statut d'occupation (en heures et minutes) :

	Homme		Femme		Total actifs occupés	Ensemble
	Actif occupé	Inactif	Active occupée	Inactive		
Temps physiologique, dont	**11h22**	**12h39**	**11h35**	**12h37**	**11h28**	**12h04**
- Sommeil	8h3	9h34	8h37	9h32	8h29	9h03
- Toilette	42	46	49	53	45	48
- Repas, dont	2h16	2h18	2h09	2h12	2h13	2h14
. Repas avec amis, parents...	43	34	38	33	41	37
Temps professionnel et de formation*, dont	**6h22**	**1h32**	**5h01**	**59**	**5h46**	**3h23**
- Travail professionnel	5h42	13	4h28	5	5h09	2h32
- Trajets domicile-travail	37	9	30	5	34	20
- Etudes	1	1h07	0	47	1	29
Temps domestique, dont	**1h59**	**2h55**	**3h48**	**4h47**	**2h48**	**3h26**
- Ménage, cuisine, linge, courses...	1h04	1h35	3h06	3h58	1h58	2h30
- Soins aux enfants et adultes	11	6	27	26	18	18
- Bricolage	30	36	4	5	18	18
- Jardinage, soins aux animaux	14	38	11	18	13	20
Temps de loisirs, dont	**2h57**	**5h06**	**2h19**	**3h57**	**2h40**	**3h35**
- Télévision	1h47	2h44	1h24	2h28	1h37	2h07
- Lecture	16	36	17	30	17	25
- Promenade	15	32	14	22	14	20
- Jeux	12	30	6	15	9	16
- Sport	10	15	5	5	8	9
Temps de sociabilité (hors repas), dont	**47**	**1h10**	**43**	**1h04**	**45**	**56**
- Conversations, téléphone, courrier	13	20	16	22	15	18
- Visites, réceptions	26	36	22	33	24	29
Temps libre (loisirs et sociabilité)	**3h44**	**6h15**	**3h02**	**5h01**	**3h25**	**4h31**
Transport (hors trajets domicile-travail)	**33**	**38**	**34**	**35**	**34**	**35**
Total	**24h**	**24h**	**24h**	**24h**	**24h**	**24h**

* La prise en compte des samedis et dimanches rend étonnants les temps quotidiens de travail ou d'études.

de 35 minutes, dont les trois quarts s'étaient portés sur la télévision. La durée de certains autres loisirs comme les jeux ou les promenades a augmenté de 5 minutes depuis 1986. Le temps consacré au sport et aux spectacles est resté pratiquement stable, alors que celui de la lecture a diminué de 2 minutes. Celle-ci reste le deuxième loisir des Français, derrière la télévision ; elle est le seul pratiqué à égalité par les hommes et les femmes.

Au total, le temps libre s'est donc accru d'une heure (61 minutes) entre 1975 et 1999. Cette évolution s'explique en partie par la montée du chômage, la part croissante du travail à temps partiel et l'accroissement du nombre de retraités dû à l'importance des préretraites et à la pyramide des âges. Il faudrait ajouter depuis la date de l'enquête (1999) la mise en place de la semaine de travail de

L'effet 35 heures

Seuls 38 % des actifs (soit 10 millions de personnes) étaient soumis à la réduction du temps de travail à 35 heures en 2001. 32 % des Français estimaient en mars 2001 (enquête SIMM-Sofres) qu'ils pourraient grâce à la RTT avoir plus de temps pour les loisirs (contre 53 % en 2000), 39 % pour la famille et les enfants (contre 48 %), 34 % pour se reposer et rester chez eux (contre 40 %), 24 % pour faire plus sereinement les choses (contre 32 %), 14 % pour partir plus souvent en vacances (contre 13 %), 5 % pour s'occuper bénévolement d'associations (contre 7 %).
Dans la pratique, on observe que la RTT n'a pas jusqu'ici transformé véritablement la nature des activités pratiquées, ni la répartition des tâches au sein des foyers. Beaucoup de Français ont jusqu'ici surtout utilisé le temps gagné à des activités qu'ils pratiquaient déjà. Beaucoup ont fait les mêmes choses, mais plus lentement, dans le but d'en profiter davantage ou de ne pas subir le stress.
La RTT a cependant allongé certaines activités domestiques (bricolage, jardinage, ménage...) et donné notamment aux femmes la possibilité de lire, d'écouter de la musique et de « s'occuper de soi ». Les hommes ont accru leur pratique sportive et celle des loisirs sur micro-ordinateur. On constate d'ailleurs une progression générale des loisirs multimédia (télévision, Internet...) et des achats de biens culturels (disques, livres...). Sur le plan professionnel, les salariés ont tendance à contracter la journée de travail, avec des pauses réduites et un temps de déjeuner plus court (la fréquentation de la restauration rapide et les commandes de plats préparés se sont accrues).
Enfin, les déplacements de loisirs ont été favorisés. C'est le cas notamment des voyages de court séjour (moins de quatre jours). La SNCF et les loueurs de voitures ont enregistré une forte croissance des réservations le jeudi soir. De la même façon, les courses dans les grandes surfaces ont été un peu mieux étalées pour éviter les queues du samedi.

35 heures, qui a dégagé encore près d'une heure par jour en semaine pour les actifs.

Malgré l'accroissement du temps disponible, les Français ont toujours le sentiment d'en manquer.

Le paradoxe est que les Français, qui n'ont jamais disposé d'un capital-temps aussi abondant (espérance de vie), n'ont sans doute jamais eu autant l'impression, douloureuse, d'en manquer : c'était le cas de 39 % des Français en décembre 2001, contre 30 % en 1999 (Chronos/Act Field Work). Ce sentiment concerne en particulier les femmes, qui doivent mener de front plusieurs existences et se comporter dans chacune d'elles comme si elle était unique. D'une manière générale, plus on est aisé et plus on se plaint du manque de temps, avec un maximum chez les cadres supérieurs. Le paradoxe est d'autant plus grand que l'impression de manquer de temps s'est accrue depuis la mise en place de la réduction du temps de travail ; cependant, les salariés concernés n'étaient que 33 % contre 40 % pour ceux qui ne sont pas encore passés aux 35 heures.

Il s'explique en partie par le fait que le surcroît de temps libre ne profite pas à tous de la même façon et qu'il n'est pas réparti uniformément au cours de la vie ; il est en effet surtout concentré pendant la période de retraite. De plus, une partie croissante du temps libre est utilisée pour se rendre des services à soi-même, dans un souci d'économie, de satisfaction personnelle ou d'indépendance.

Mais l'explication principale de ce paradoxe est l'accroissement du nombre de sollicitations marchandes dont chacun est l'objet pour utiliser le temps (et l'argent) dont il dispose. L'impossibilité matérielle d'essayer tous les produits vantés par la publicité, de pratiquer toutes les activités proposées, de vivre toutes les expériences possibles entraîne parfois une boulimie de consommation. Elle engendre aussi une grande frustration ; il faudrait en effet disposer de nombreuses vies pour satisfaire toutes ses envies et sa curiosité. L'usage des nouvelles technologies de communication ne change rien à l'affaire : 34 % des utilisateurs d'Internet et 31 % des possesseurs de téléphones mobiles se plaignent de manquer de temps, contre 22 % des non-Internautes et 18 % des personnes non équipées de mobiles.

Les Français veulent gagner du temps...

L'homme et la femme modernes sont des individus pressés. Le souci de la rapidité est partout présent dans les actes de leur vie courante. Chacun court pour aller prendre son train au dernier moment, réduit le temps de préparation de ses repas en réchauffant au four à micro-ondes des plats surgelés ou en se faisant livrer à do-

Les instruments chronophages

Au prétexte de faire gagner du temps à leurs utilisateurs, les outils de la modernité en font souvent perdre. Il suffit d'observer l'usage du téléphone mobile pour s'en convaincre. Beaucoup de communications sont en effet sans réel objet : dans les trains, on appelle pour indiquer que le départ ou l'arrivée s'est bien effectué à l'heure prévue ; très souvent, on appelle pour... convenir d'un nouveau rendez-vous téléphonique à un autre moment.

L'ordinateur n'est pas en reste. Les « plantages » et autres problèmes informatiques sont à l'origine de pertes de temps fréquentes, qui engendrent parfois une extrême frustration lorsque les messages d'erreur défilent en boucle. Les utilisateurs des moteurs de recherche sur Internet savent aussi qu'il faut toujours plus de temps que prévu pour obtenir une réponse sensée à la question que l'on se pose.

La télévision est sans aucun doute le plus chronophage des instruments, avec la multiplication des chaînes accessibles par le câble ou le satellite. Les Français lui consacrent près de 3 heures et demie par jour, et la pratique croissante du zapping les amène souvent à regarder des morceaux successifs d'émissions dont ils ne retiennent pas grand-chose.

micile. Avec la télécommande, on *zappe* d'une chaîne de télévision à l'autre et l'on « regarde » plusieurs émissions à la fois. Le téléphone portable permet de marcher, de conduire, voire de manger tout en organisant sa vie professionnelle, familiale ou amicale. Internet est l'outil idéal pour rédiger et envoyer rapidement son courrier, effectuer ses achats, trouver des informations ou faire des rencontres virtuelles. Le développement des services rapides (photos ou lunettes en une heure, jeux à gratter, livraison à domicile...) s'inscrit dans la même logique.

Faire les choses rapidement donne l'impression de vivre intensément. Les consommateurs deviennent de plus en plus impatients (voir *Consommation*) ; ils ne veulent plus faire la queue devant les cinémas, attendre aux caisses des supermarchés ou chez le médecin. Le temps moyen passé dans un hypermarché était de 90 minutes en 1980 ; il a été depuis divisé par deux, alors que le nombre de produits référencés s'est largement accru.

... et pouvoir le perdre.

Ce temps gagné, les Français veulent pouvoir le réinvestir dans les activités qui leur procurent le plus de satisfaction, c'est-à-dire généralement dans les loisirs. Mais leur course contre le temps, en fait contre la mort, les épuise et génère beaucoup de stress. L'occupation engendre la sur-occupation ... puis la préoccupation. C'est pourquoi certaines personnes, lassées de cette fuite en avant, redécouvrent les vertus de la lenteur. On observe ainsi un engouement pour des pratiques comme le yoga, la marche, le bouddhisme, la sophrologie, les gymnastiques douces ou des thérapies destinées à désintoxiquer les « drogués » du temps. On constate aussi une attirance croissante pour la vie à la campagne, qui permet un rythme plus lent que celui des villes et une plus grande harmonie avec la nature. La sensation d'avoir le temps pourrait être le véritable luxe de demain.

Gagner du temps, une obsession

La difficulté qu'éprouvent les Français à gérer le temps dont ils disposent le rend d'autant plus rare et précieux à leurs yeux. La frustration qui en découle pourrait entraîner à l'avenir une résistance au système marchand et conduire à des modes de vie plus ascétiques, à l'apparition de contre-cultures et à des formes nouvelles de marginalité.

Les « temps morts » sont transformés en « temps forts ».

On observe un étalement des temps qui étaient autrefois concentrés. C'est le cas notamment des tâches contraintes, comme les courses qui peuvent être faites à d'autres mo-

Le temps des Européens

Parmi les deux phrases suivantes, quelle est celle qui se rapproche le plus de votre situation ? (en %) :

	Ensemble	France	Allemagne	Belgique	Espagne	Italie	Pays-Bas	Roy.-Uni
Vous organisez votre vie privée en fonction de votre vie professionnelle et de vos activités quotidiennes	**52**	60	55	49	47	48	30	57
Vous organisez votre vie professionnelle ou vos activités quotidiennes en fonction de votre vie privée	**30**	34	29	25	25	32	36	25
Ni l'un ni l'autre	**13**	2	12	23	17	16	27	15
Ne se prononcent pas	**5**	4	4	3	11	4	7	3
Total	**100**	100	100	100	100	100	100	100

Aujourd'hui, pour vous permettre de mieux organiser votre temps, il faudrait en premier... ?

	Ensemble	France	Allemagne	Belgique	Espagne	Italie	Pays-Bas	Roy.-Uni
Pouvoir choisir ses heures de travail à la carte	**26**	25	16	36	35	24	29	30
Simplifier les procédures administratives	**25**	42	27	23	14	25	25	11
Etendre les horaires d'ouverture des magasins le dimanche et le soir	**18**	12	21	17	8	25	9	25
Disposer de plus de services à domicile	**7**	7	4	4	9	9	6	7
Faire plus d'opérations à distance par Internet ou par téléphone	**6**	4	9	12	3	2	15	4
Aucun	**10**	4	18	3	16	4	5	14
Ne se prononcent pas	**8**	6	5	5	15	11	11	9
Total	**100**	100	100	100	100	100	100	100

Observatoire Thalys/Ipsos, juillet 2001

ments de la semaine que le samedi après-midi. Les temps de loisirs sont aussi mieux répartis tout au long de la semaine et de l'année. Les transports en commun sont utilisés de façon plus harmonieuse.

Cette meilleure organisation du temps contribue à la réduction des « temps morts » ou vécus de façon désagréable (attentes aux caisses des magasins, embouteillages, recherche de places de stationnement...), au profit des « temps forts », que l'on cherche à multiplier et à prolonger. Elle permet aux consommateurs de mieux comparer les prix, de s'informer, de discuter et négocier.

Les Français souhaitent d'ailleurs un élargissement des horaires d'ouverture des magasins et des services publics, afin de favoriser cet étalement. La libération du samedi facilite pour les catégories « populaires » le rapprochement avec les pratiques en vigueur dans les milieux aisés ou avec les retraités.

Les différents temps de la vie se mélangent.

Les différents temps de la journée sont de moins en moins exclusifs et univoques. Ils se mélangent les uns aux autres dans un *zapping* généralisé. On peut ainsi s'occuper de ses affaires personnelles sur son lieu de travail, mais aussi travailler chez soi le soir ou le week-end. On peut regarder la télévision en mangeant (14 % de l'écoute) ou en faisant sa culture physique, téléphoner en marchant ou en

conduisant, etc. Pour la plupart des Français, le temps n'est plus découpé de façon linéaire, avec une succession de temps distincts (professionnel, familial, personnel...). Ils veulent faire plusieurs choses à la fois, mélanger la vie professionnelle, personnelle, familiale ou sociale. Le téléphone portable est sans doute l'objet emblématique de cette évolution. Il autorise cette confusion des genres et donne la possibilité de laisser ouvertes toutes les options, sans planification préalable. Grâce à lui, le temps n'est plus figé mais flexible, ses utilisateurs ne sont plus synchrones mais polychrones.

La perception de l'avenir tend à disparaître...

Les Français jugent le temps passé meilleur que le temps à venir. En bons Gaulois, ils craignent que « le ciel leur tombe sur la tête » et que l'avenir soit synonyme de problèmes dans leur vie personnelle (santé, intégrité physique et mentale...), familiale (divorce, séparation...) ou professionnelle (licenciement, perte d'emploi...). Ce pessimisme concerne aussi la vie collective, avec les menaces écologiques, démographiques, nucléaires, climatiques, géopolitiques, terroristes, etc. S'il constitue une sorte de singularité nationale, il repose sur une donnée objective : le temps qui passe rapproche chacun de sa mort. Il est moins un allié qu'un ennemi.

Dans la civilisation en préparation, la notion de futur est donc de plus en plus occultée. L'homme contemporain ne croit plus tout à fait au progrès (voir p. 274). S'il est conscient de l'avancée spectaculaire de la science, de la technologie et de leurs promesses, il sait combien leurs résultats sont ambivalents et redoute qu'elles conduisent à la catastrophe finale dans un monde globalisé. C'est pourquoi il préfère se situer dans le temps présent. Il y recherche des satisfactions immédiates et renouvelées qui remplissent le vide existentiel dans lequel il se trouve plongé.

La course contre le temps

Publicis et Nous

Le temps individuel est celui de l'instant. Il ne fait guère de place aux projets à long terme, encore moins aux utopies. Face aux enjeux de la modernité, les deux principales réponses sont le « principe de précaution » prôné par les *Mutins* et la fuite en avant choisie par les *Mutants* (voir p. 228). Les valeurs de fidélité, d'effort continu ou d'engagement personnel perdent de leur intérêt. Il s'agit d'être flexible, de s'adapter au changement pour « passer entre les gouttes » ou tirer avantage des occasions qui se présentent, dans une démarche éclectique et opportuniste.

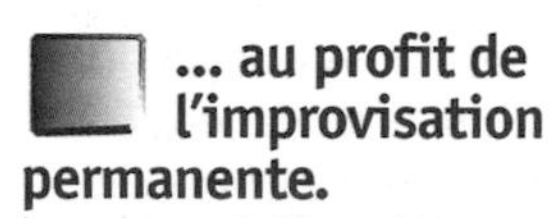

... au profit de l'improvisation permanente.

La culture de l'immédiat est favorisée par l'accélération du temps et la contraction de l'espace, elles-mêmes liées au développement des réseaux de communication « en temps réel ». Internet et le téléphone portable sont les symboles de l'ubiquité et de la transformation de l'espace-temps. Pour donner à ce temps absolu une dimension relative, condition de la continuité nécessaire à la vie, on cherche des références dans le passé. Mais c'est un passé souvent idéalisé, qui est l'objet d'une véritable nostalgie et traduit un fort mouvement de régression (voir p. 369). C'est sans doute la peur de la mort et de son principal messager, le vieillissement, qui incite les Français à se tourner vers le passé plutôt que vers le futur.

Cette transformation des valeurs temporelles indique d'abord le transfert du collectif vers l'individuel, avec le risque d'une prévalence du tribalisme, des identités régionales, des corporatismes et des particularismes. Elle traduit aussi la difficulté à s'impliquer dans la durée, avec une préférence pour des expériences courtes et renouvelées. Elle marque surtout le triomphe de l'improvisation permanente sur la planification.

Confrontés à l'accélération du temps, beaucoup de Français voudraient aujourd'hui réapprendre la lenteur. Refusant la mobilité et le no-

> **Les femmes consacrent plus de temps à leur toilette que les hommes (plus de 30 minutes par jour).**

Le temps qui passe et le temps qu'il fait

Les Français sont de plus en plus attachés au temps, dans toutes les acceptions du terme. Au temps qui passe, d'abord, avec la volonté de le prolonger et de le maîtriser. Mais aussi au temps qu'il fait, avec un intérêt marqué pour la météorologie.
Celle-ci constitue en effet la première demande en matière d'information. Elle conditionne le moral de la journée, la circulation des week-ends, la fréquentation des lieux de vacances en été (mer) comme en hiver (montagne). Elle est à l'origine des migrations de population entre les régions, dans un processus de plus en plus marqué d'héliotropisme. Elle est au centre des conversations quotidiennes et représente le dernier lien entre l'homme urbain et la nature.
Les changements climatiques de ces dernières années et la perspective d'un réchauffement planétaire entretiennent le sentiment d'une dégradation de l'environnement. Ils illustrent le processus destructeur mis en oeuvre par l'homme qui, après avoir concerné les espèces végétales et animales, pourrait causer demain sa propre perte.

madisme, certains se complaisent dans l'immobilisme et la sédentarité. Face au gigantisme et à la mondialisation, ils se replient sur le « petisme ». Ils recherchent les plaisirs minuscules de la vie, conscients de la difficulté et de la vanité d'obtenir les plus grands.

La perception du temps est triplement relative.

La théorie de la relativité d'Einstein s'applique très bien au temps vécu par chaque individu au quotidien. Il est d'abord appréhendé différemment selon l'âge ; on est paradoxalement plus pressé lorsqu'on est jeune que lorsqu'on est âgé. La perception varie aussi selon la profession ; les cadres apparaissent plus impatients que les employés ou les agriculteurs, pour des raisons objectives (emploi du temps surchargé) ou subjectives (volonté de se donner l'image de quelqu'un de débordé). Elle diffère enfin selon le système de valeurs : certains ont une vision positive du temps qui s'écoule et qui apporte un peu plus d'expérience et de sagesse ; d'autres acceptent mal que chaque minute les rapproche de la mort...

Le temps est aussi relatif dans la mesure où sa « valeur » diffère selon l'utilisation qu'on en fait. Ainsi, les minutes passées à faire la queue pour acheter un ticket de cinéma valent moins que celles que l'on passe dans la salle ; ces dernières ont aussi une durée psychologique variable en fonction de l'intérêt que l'on porte au film.

Enfin, on peut observer que le temps a été pendant des siècles perçu de manière « relative » au moyen des outils de mesure. Les aiguilles de la montre ou de l'horloge se positionnent sur un cercle et permettent de situer le temps écoulé ou à venir entre deux positions. Cette vision a changé avec l'arrivée des montres digitales, dont l'écran fournit une heure « absolue » sous forme de chiffres ; on ne peut visuellement la relier à une autre heure et la notion de durée disparaît. Ce système a d'ailleurs été rejeté par la majorité des consommateurs. Il est mieux accepté par les jeunes, ce qui traduit leur attachement à l'instant présent plutôt qu'à la continuité entre présent, passé et futur.

Les notions de temps et d'espace se mélangent.

Les progrès considérables en matière de communication ont radicalement transformé la relation au temps et à l'espace. Le vieux rêve de l'ubiquité a été réalisé grâce aux moyens de transport et surtout à l'électronique. Le téléphone portable permet d'être physiquement présent à un endroit et virtuellement à un autre (par le texte, le son ou l'image). Internet accroît cette faculté dans des proportions considérables, favorisant une confusion croissante entre le réel et le virtuel. Le « temps réel » n'est rien d'autre au fond qu'une nouvelle conception de l'espace.

Temps des courses et course contre le temps

Le temps est lui-même devenu de l'information, matière première essentielle de cette fin de millénaire. Le « travail du temps », caractéristique

de la société de communication, devient plus important que le temps du travail. L'accroissement de la vitesse des échanges et le raccourcissement du temps qui en résulte (« plus on va vite et plus le temps est court ») offrent des opportunités nouvelles, tant aux individus qu'aux nations. Mais ils posent aussi des problèmes nouveaux, en supprimant les repères temporels et spatiaux traditionnels. La « réalité virtuelle » est fondée sur une disparition de l'espace réel et sur la prise en compte d'un temps virtuel.

Heure d'été, heure d'hiver

L'HEURE d'été, introduite dans la plupart des Etats membres de l'Union européenne au cours des années 70 (elle l'avait été en 1916 au Royaume-Uni et en Irlande), a été généralisée en 1996. Elle semble donner satisfaction à la majorité des citoyens. Ses implications concernent principalement l'agriculture (conditions de travail et biorythme animal modifiés), la consommation d'énergie (faible économie réalisée), la santé (troubles de courte durée), les loisirs (favorisés en été), la sécurité routière (peu d'effets mesurables).

La révolution du temps est en marche.

La société française est encore centrée sur la notion de travail. C'est d'ailleurs le temps de travail qui justifie, par opposition, l'existence du temps libre et qui lui donne sa valeur. Une forte proportion de chômeurs (42 % en 1998, Observatoire Cetelem) disent ne pas savoir quoi faire du temps libre forcé dont ils disposent, comme s'ils en avaient un peu honte. A l'inverse, le temps libre des inactifs apparaît plus légitime, car il a été mérité par une longue vie professionnelle. Le temps de travail permet non seulement de gagner sa vie, mais de se construire une identité, de s'exprimer et d'appartenir à la collectivité. Il est encore un support important des liens sociaux.

Pourtant, le découpage traditionnel de la vie entre formation, travail et retraite apparaît artificiel. Il ne correspond pas plus à la demande sociale qu'aux nécessités économiques. Les Français souhaitent pouvoir alterner au cours de leur vie des périodes d'apprentissage, de travail et de loisirs. La lutte contre le chômage justifie par ailleurs la mise en place du travail à temps choisi. Celui-ci permettra non seulement de mieux partager l'emploi, mais aussi de rendre les gens plus motivés, donc plus efficaces et plus heureux. Au quotidien, les Français veulent pouvoir faire leurs courses tard le soir ou le dimanche, utiliser les services publics sept jours sur sept, choisir les dates de leurs vacances et, pour ceux qui ont des enfants, ne pas dépendre du calendrier scolaire. Cela implique une révision complète des temps sociaux (horaires de travail, fins de semaine, congés payés, retraite...).

La civilisation en préparation ne sera plus centrée sur le travail, mais sur le temps libre.

Le loisir prend une place croissante dans la vie des gens. Les pressions sociales se font moins fortes pour rendre l'activité (au sens de travail rémunéré) obligatoire. Il est aujourd'hui moins difficile socialement d'être chômeur ; il sera demain possible, voire valorisant, d'alterner des périodes de travail et d'inactivité, de s'épanouir par ses loisirs autant, sinon plus, que par son travail. Cette possibilité est déjà inscrite dans le système de valeurs des jeunes.

On voit donc s'esquisser le passage à une autre civilisation, caractérisée par une plus grande harmonie entre les nécessités collectives et les aspirations individuelles. La vie des individus et des familles en sera transformée, comme le fonctionnement social et les mentalités. Cette révolution du temps est en réalité porteuse d'un véritable changement de civilisation. Elle en est même l'un des principes fondateurs.

> 51 % des Français de 15 ans et plus habitant des villes de plus de 20 000 habitants estiment que le manque de temps est un problème important dans leur vie (49 % non). 47 % déplorent les temps d'attente (services publics, courses, médecin...), 38 % les formalités administratives, 35 % les horaires d'ouverture des services publics, 28 % les imprévus et les contretemps, 25 % les embouteillages, 21 % l'éloignement entre leurs activités et leur domicile, 18 % les problèmes de transport en commun, 15 % les problèmes d'organisation dans leur travail et leurs activités, 9 % les difficultés à s'organiser avec leur conjoint. (Ministère de la Ville/Sofres, mai 2001).
> 35 % des Français trouvent insupportable l'attente aux caisses des grandes surfaces.
> Dans les hypermarchés, un achat sur quatre prend moins de 10 secondes.
> Les Français consacrent en moyenne 1 h 46 par jour à se nourrir. La durée dépasse deux heures le week-end.
> Le temps consacré aux courses est de 50 minutes le samedi, 28 minutes la semaine, 12 minutes le dimanche.
> Au total, les Français passent en moyenne près de 60 % de leur temps à domicile.

Famille

Le couple

Mariage

Le nombre des mariages a dépassé 300 000 en 2000 et 2001.

303 500 mariages ont été célébrés en 2001, ce qui confirme le chiffre élevé mesuré en l'an 2000 : 305 000, un record depuis la fin des années 80. L'effet du changement de siècle et de millénaire n'était donc pas la seule explication à la hausse constatée en 2000. D'autant que la stabilisation au-dessus de 300 000 mariages s'est produite malgré une pyramide des âges défavorable, avec l'arrivée à l'âge adulte des générations moins nombreuses nées après 1973.

Le taux de nuptialité, nombre de mariages annuel par rapport à la population, reste supérieur à 5 pour mille habitants. Ce taux n'avait été atteint qu'une seule fois au cours des quinze années précédentes. Il était même descendu à 4,4 entre 1993 et 1995, période où la France partageait avec la Suède la plus faible natalité de l'Union européenne. Si la France occupe aujourd'hui une position supérieure à la moyenne européenne, elle reste très en deçà du taux de nuptialité des Etats-Unis (près de 9) et du Japon (plus de 6).

La rupture de tendance s'est produite en 1996.

La hausse récente des mariages a mis un terme à une période de vingt années de baisse. Le nombre maximum avait été atteint en 1972, avec 417 000 unions. La nuptialité avait ensuite chuté dans des proportions spectaculaires, atteignant en 1993 son niveau le plus bas du siècle, à l'exception des périodes des deux guerres mondiales. La baisse avait touché l'ensemble des pays d'Europe. En France, elle avait été particulièrement forte en Ile-de-France, en Limousin et surtout dans le Nord-Pas-de-Calais et en Lorraine.

Ce déclin doit cependant être relativisé. Le nombre des mariages avait augmenté anormalement entre 1968 et 1972, sous l'effet de l'arrivée à l'âge du mariage des générations nombreuses de l'après-guerre *(baby-boom)*. Il avait aussi été favorisé par l'accroissement des conceptions prénuptiales à une époque où la liberté sexuelle ne s'accompagnait pas encore d'une large diffusion de la contraception et où les pressions sociales à l'encontre des naissances hors mariage étaient encore fortes. Enfin, l'âge moyen au mariage avait augmenté pendant cette période, alors qu'il avait diminué entre 1950 et le milieu des années 70. Pour toutes ces raisons, la période 1965-1972 constituait une transition entre deux types de comportements distincts à l'égard du mariage.

Le regain d'intérêt a des causes sociales, économiques et administratives.

Les mesures administratives et fiscales en vigueur depuis 1996 ont rendu le mariage plus intéressant que l'union libre sur le plan financier et

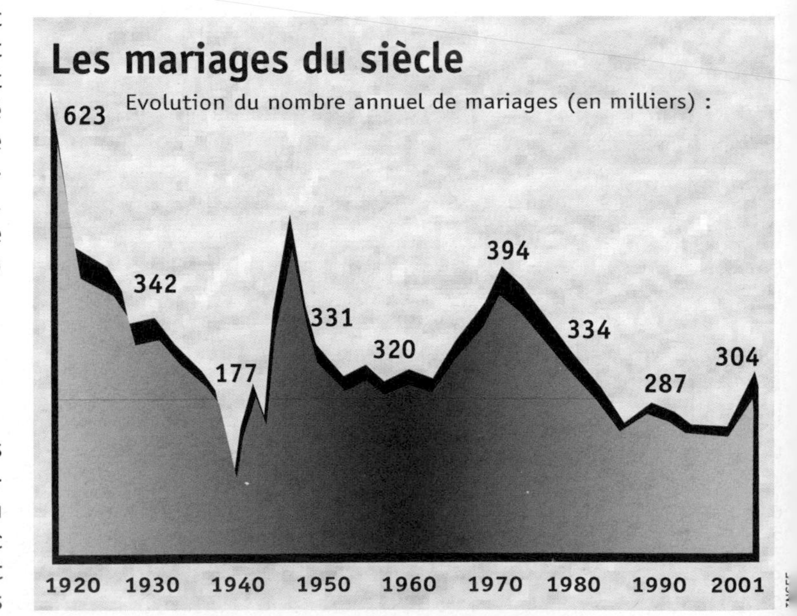

successoral. Les couples cohabitants ne bénéficient plus en effet de la demi-part supplémentaire qui était accordée au premier enfant d'un parent célibataire (amendement de Courson). Cette disposition a sans doute incité de nombreux couples cohabitants avec enfants à se marier, notamment parmi ceux qui disposent de revenus élevés. Par ailleurs, le statut de conjoint veuf est devenu plus protecteur que celui d'ancien concubin, ce qui constituait une incitation au mariage pour des couples plus âgés.

L'engouement pour le mariage dans les années 1998-2000 traduisait également le sentiment d'une embellie économique et sociale chez les Français. Il a été amplifié par le contexte d'un changement de siècle et de millénaire propice à une réflexion sur l'avenir. Il est enfin la conséquence d'une volonté plus grande d'engagement des partenaires dans la vie de couple. Pour beaucoup, le mariage permet de construire une famille sur une base plus solide et de donner un sens plus fort à sa vie personnelle. Il faut noter que, malgré l'accroissement notable de l'union libre (voir p. 147), le mariage reste de loin le mode de vie en couple le plus fréquent : 85 % des adultes vivant en couple sont mariés. 58 % des Français de 18 à 35 ans ont l'intention de se marier.

50 000 couples « pacsés » en deux ans

L'ENTRÉE en vigueur, en novembre 1999, du pacte civil de solidarité (pacs) a permis à deux personnes majeures (de sexe opposé ou identique) non apparentées et vivant ensemble d'institutionnaliser leur union hors du mariage. 6 200 contrats avaient été enregistrés en 1999. On en a dénombré 23 600 en 2000 et environ 20 000 en 2001, soit 8 pour 100 mariages. 15 % des Français de 18 à 35 ans disent avoir l'intention de conclure un pacs.

Les données disponibles ne permettent pas de connaître la part des contrats concernant des couples homosexuels (elle est estimée à la moitié) ni celle des couples hétérosexuels réfractaires au mariage. Le pacs peut aussi légitimer l'union de jeunes couples comme autrefois les fiançailles. Au total, le nombre de pacs est réduit par rapport au nombre de couples cohabitant sans être mariés (2,5 millions, chiffre ne prenant pas en compte les couples homosexuels).

L'âge au mariage continue de reculer.

L'âge au premier mariage s'est accru de 5 ans en vingt ans. Les femmes qui se marient pour la première fois ont en moyenne 28 ans et leurs maris 30 ans, contre respectivement 23 et 25 ans en 1980. Le mariage n'est plus considéré comme le moyen permettant de commencer une vie en couple. Celle-ci débute dans la grande majorité des cas par l'union libre et la transformation, lorsqu'elle a lieu, intervient plus tard. Le recul de l'âge au premier mariage est aussi lié au prolongement de l'union libre.

Après avoir atteint six mois en 1996, à la suite du changement de législation fiscale, l'accroissement n'est plus que d'un trimestre par an. A 35 ans, plus d'une femme sur quatre ne s'est jamais mariée, une proportion qui a doublé en dix ans. Le report des mariages à des âges plus élevés ne compense pas le déficit enregistré chez les plus jeunes. Les remariages représentent chaque année environ 15 % du nombre total de mariages. L'âge moyen au mariage (y compris les remariages) a augmenté de six ans depuis 1970, atteignant 30,0 ans pour les femmes et 32,6 ans pour les hommes.

70 % des hommes épousent des femmes plus jeunes qu'eux, alors que leur espérance de vie est inférieure à celle de leurs épouses. Ce phénomène a pour conséquence un accroissement de la proportion de femmes veuves.

On se marie aujourd'hui presque au même âge qu'à la fin du XVIIIe siècle. L'âge moyen au premier mariage avait en effet diminué de deux ans en deux siècles ; il lui a fallu beaucoup moins de temps pour augmenter d'autant.

Un mariage sur trois concerne des couples avec enfants.

Le recul de l'âge au mariage explique l'augmentation de la proportion de couples ayant des enfants lorsqu'ils se marient. Elle concernait 32 % des couples en 2001, contre 7 % en 1980. Environ 150 000 enfants ont ainsi assisté au mariage de leurs parents en 2001. Le phénomène avait été particulièrement marqué en 1996 : le nombre de mariages ayant légitimé un ou plusieurs enfants s'était accru de 37 %, alors que celui des mariages de couples sans enfants n'avait augmenté que de 2 %.

Cette évolution traduit l'allongement de la durée de cohabitation des couples. Elle est aussi liée mécaniquement au très fort accroissement de la proportion d'enfants nés hors mariage : 43 % contre 10 % en 1980. Cette augmentation spectaculaire explique que, si la part des mariages

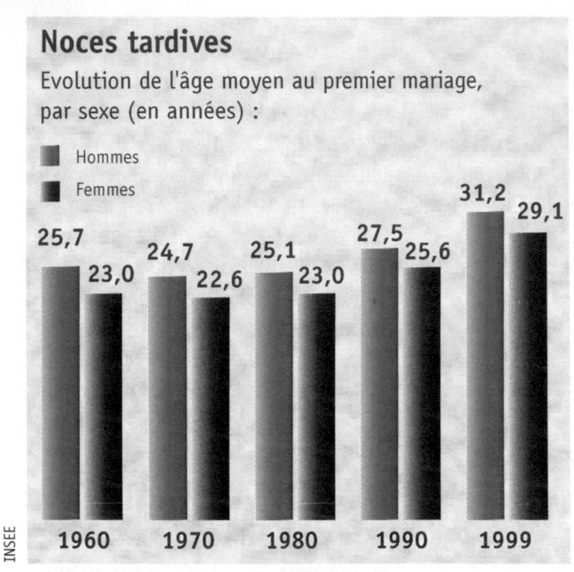

avec légitimation a presque doublé depuis 1980, la proportion d'enfants légitimés par un mariage est stable. Elle est plus fréquente dans les mariages concernant des cadres et des Parisiens.

La part des mariages comportant au moins un étranger s'accroît.

En 2001, on a célébré 36 000 mariages comportant au moins un époux étranger, dont 30 000 mixtes et 6 000 entre deux étrangers. Le nombre total avait atteint un maximum de 42 000 en 1991. La proportion avait diminué en 1993 et 1994, à la suite du renforcement des contrôles contre l'immigration irrégulière et des mesures modifiant les conditions de séjour et d'accès à la nationalité française. Entre 1996 et 2001, elle a progressé plus vite que celle des couples de Français, retrouvant le niveau de 1992 (8 %). La proportion d'étrangers dans les mariages est donc supérieure à leur part dans la population, estimée à 6 %.

La baisse des mariages entre étrangers concerne surtout les personnes originaires du Maghreb, ainsi que d'autres pays d'Afrique et d'Asie. Mais les nationalités africaines représentent encore plus de quatre mariages mixtes ou étrangers sur dix, un peu plus que ceux concernant des nationalités européennes (qui en représentaient les deux tiers il y a une vingtaine d'années).

Les origines géographiques et sociales des époux sont généralement proches.

L'homogamie, qui désigne la propension des individus à se marier avec une personne issue d'un milieu social identique ou proche, reste à un niveau élevé. Ainsi, la moitié des filles de cadres épousent des cadres. Plus de la moitié de celles d'ouvriers restent en milieu ouvrier ; moins de 6 % vivent avec un cadre. Les catégories sociales qui apparaissent les plus fermées aux autres sont celles des non-salariés : professions libérales, gros commerçants, industriels, artistes, agriculteurs.

Le mariage ne constitue donc que rarement un moyen d'ascension sociale. Les catégories les plus ouvertes sont les techniciens, les employés de bureau ou de commerce, dont les enfants épousent plus souvent des représentant(e)s d'autres catégories socioprofessionnelles. Statistiquement, les individus issus des milieux modestes ont d'autant plus de chances d'épouser une personne issue d'un milieu plus élevé qu'ils sont plus diplômés et qu'ils ont moins de frères et sœurs.

L'endogamie, qui mesure la propension à se marier entre personnes géographiquement voisines, reste répandue mais elle est en diminution. Sur 100 couples dont le mari est né dans une commune de moins de 5 000 habitants, environ la moitié des épouses sont nées dans la même catégorie de commune. Le taux augmente avec la taille de la commune (mais il n'est que d'un tiers dans celles de 5 000 à 50 000 habitants).

Les lieux de rencontre des futurs époux ont évolué.

Une enquête réalisée par l'INED à la fin des années 80 avait montré que 16 % des couples mariés s'étaient rencontrés dans un bal, 13 % dans un lieu public, 12 % au travail, 9 % chez des particuliers, 8 % dans des associations, 8 % pendant leurs études, 7 % au cours d'une fête entre amis, 5 % à l'occasion d'une sortie ou d'un spectacle, 5 % sur un lieu de vacances, 4 % dans une discothèque, 3 % par connaissance ancienne ou relation de voisinage, 3 % dans une fête publique, 1 % par l'intermédiaire d'une annonce ou d'une agence.

On constate depuis une nette diminution de l'importance des bals publics, des rencontres de voisinage et des fêtes familiales dans les unions. Les clubs de vacances, les rencontres entre amis, les discothèques, cafés et autres lieux publics jouent en revanche un rôle croissant, tandis que celui des lieux de travail et d'études

reste stable, malgré l'allongement de la scolarité et la réduction du temps de travail. Le « rendement matrimonial » des divers moyens de rencontres est très variable : si les fêtes de famille sont des événements beaucoup plus rares que les bals ou les soirées entre amis, elles se traduisent plus souvent par une union.

Les moyens de communication électroniques prennent une place croissante dans les rencontres. Après le Minitel, Internet tend à devenir une véritable agence matrimoniale à l'échelle planétaire qui permet aux individus d'échanger des messages, de se parler en utilisant des « pseudos », avant de se rencontrer éventuellement dans le monde réel. Et plus, si affinité...

La tradition retrouvée

Le mariage religieux est moins fréquent...

Moins d'un couple sur deux se marie aujourd'hui à l'église (42 %) contre 56 % en 1986 et 78 % en 1965. A l'instar des autres sacrements, celui-ci n'est plus considéré comme indispensable par les jeunes couples, ni par leurs parents. Si l'on se marie plus facilement devant les hommes que devant Dieu, c'est d'abord parce que le rôle de la religion dans la société a beaucoup décliné (voir p. 283) ; c'est aussi peut-être parce que l'on hésite à donner à cette union un caractère solennel et définitif.

La contrepartie de cette évolution est que ceux qui se marient à l'église le font au terme d'une démarche plus réfléchie et plus personnelle que par le passé. La cérémonie religieuse prend alors pour eux un sens plus profond, qui les engage sur la durée.

... mais les traditions retrouvent de la vigueur.

60 % des mariages sont célébrés entre juin et septembre, avec deux fortes pointes en juin et septembre. Ils sont plus étalés dans les villes que dans les campagnes, où les interdits et les coutumes d'origine religieuse suggèrent d'éviter certaines périodes (carême, mai, novembre). Plus de 80 % sont célébrés le samedi (dont 4 % pour le dernier samedi de juin).

Après une période pendant laquelle on se mariait dans la simplicité et dans l'intimité, on observe depuis quelques années un retour à un mariage plus traditionnel et festif. Les repas de mariage sont l'occasion de rencontres avec des membres souvent éparpillés de la famille. 48 % des couples qui envisagent de se marier comptent ainsi inviter plus de cent convives, 47 % moins (Salon Mariage/BVA, janvier 2001).

La robe blanche traditionnelle continue d'avoir les faveurs des femmes (68 % des intentions) ; les Françaises restent rétives à sa location. Dans les listes de mariage, le voyage de noces est aujourd'hui le cadeau le plus recherché (80 %) ; 92 % des couples partent en voyage, 60 % dans les deux semaines suivant leur mariage, pour une durée moyenne de deux semaines. 44 % préfèrent se voir offrir des éléments d'aménagement et de décoration de la maison, 35 % une voiture, 29 % du matériel hi-fi/vidéo, 23 % des articles d'arts de la table, 13 % des vins de grands crus. Certains couples constituent une épargne avec les sommes recueillies sur la liste. Les mariés consacrent en moyenne 12 000 € à l'organisation de la réception et 2 200 € au voyage de noces. Le montant moyen des listes de mariage est de 4 600 €.

15 % des couples ne sont pas mariés.

Le mariage étant « la traduction en prose du poème de l'amour », un certain nombre de Français préfèrent apparemment la poésie et choisissent l'union libre. C'est le cas de 15 % des personnes vivant en couple, soit 4,8 millions de personnes en 2000. Leur nombre s'est beaucoup accru au cours des vingt dernières années. Au sein de l'Union européenne, la proportion de couples non mariés varie très fortement ; elle atteint un quart au Danemark, mais elle est inférieure à 2 % en Grèce et en Irlande.

Jusqu'à l'âge de 26 ans pour les hommes et de 28 ans pour les femmes, les couples vivant en cohabitation sont plus nombreux que les couples mariés. On les rencontre plus souvent dans les grandes villes ; c'est à Paris que l'union libre est le plus fréquente et aussi le plus durable. Les non-croyants et les diplômés sont davantage concernés par ce mode de

vie. Les femmes lui sont plus favorables que les hommes ; elles sont aussi plus nombreuses qu'eux à demander le divorce (voir p. 158). On observe cependant que le mariage reste de loin le principal mode de vie à deux.

Du concubinage à l'union libre

Evolution du nombre de couples non mariés (en milliers) et part dans le nombre total de couples (en %) :

	1962	1968	1975	1982	1985	1990	2000
Milliers	310	314	446	829	975	1 515	2 539
%	2,9%	2,8%	3,6%	6,3%	7,4%	10,6%	17,2%

INSEE

L'union libre est devenue un mode de vie durable.

La « cohabitation juvénile » apparue au début des années 70 avait pour vocation principale de retarder le mariage au-delà d'une période de vie commune préalable. Elle représentait une rupture par rapport aux années 60, où la grande majorité des couples vivant en « concubinage » (85 %) était composée de veufs ou de divorcés. Il s'agissait alors le plus souvent d'une vie commune prénuptiale, un « mariage à l'essai » qui se substituait à la période traditionnelle des fiançailles. La perspective de l'arrivée d'un enfant constituait alors une forte incitation au mariage. La cohabitation se justifiait parfois par des raisons matérielles (coût financier du mariage ou d'un éventuel divorce ultérieur) ou pratiques (suppression des formalités administratives).

L'union libre s'est ensuite développée avec l'allongement de la durée des études (notamment pour les jeunes femmes) et la difficulté d'intégrer la vie professionnelle. Elle répondait surtout à une exigence croissante de liberté individuelle dans le couple. Les pressions sociales en faveur du mariage ont peu à peu disparu. D'autant que l'accroissement de la fréquence des divorces incitait les partenaires, mais aussi leurs familles, à la prudence. Aujourd'hui, environ neuf couples sur dix commencent leur vie commune sans se marier ; la proportion n'était que d'un sur dix en 1965. Parmi ceux qui se marient, près des deux tiers ont vécu ensemble avant le mariage, alors qu'ils n'étaient que 8 % pendant la période 1960-1969.

L'arrivée d'un enfant n'implique pas le mariage.

Pendant des années, l'arrivée prévue d'un enfant était le prétexte à un « mariage-réparation ». La généralisation de la contraception et la libéralisation de l'avortement ont permis de planifier les naissances. Mais la part des naissances hors mariage (anciennement appelées « illégitimes » ou « naturelles ») ne cesse de s'accroître depuis trente ans : elle était de 43 % en 2000, contre 6 % en 1967, 10 % en 1979, 30 % en 1990. La proportion atteint 54 % pour les premières naissances, 30 % pour les deuxièmes, 22 % pour les suivantes.

Le fait d'avoir un ou plusieurs enfants en dehors du mariage ne pose plus aujourd'hui de problème social ou religieux. Il ne constitue donc plus une incitation au mariage. Les trois quarts de ces naissances font l'objet d'une reconnaissance paternelle dès la naissance (94 % des cas au cours de la première année) contre une sur deux en 1980.

Couples non cohabitants

16 % des couples n'habitent pas ensemble en permanence au début de leur vie commune (enquête INED, 1997). Environ 1 % des couples mariés et 8 % des couples non mariés déclarent avoir toujours conservé des résidences distinctes ; les proportions étaient voisines en 1986 (2 % et 7 %). Les jeunes sont les plus concernés.

Dans les deux tiers des cas, cette séparation est imposée par des contraintes scolaires ou professionnelles (mutation dans une autre région...). Mais la non-cohabitation des couples peut aussi s'expliquer par la prudence : volonté de vérifier la solidité de l'union ; choix d'un mode de vie qui respecte l'autonomie de chacun.

On constate cependant que la séparation résidentielle n'est pas une situation durable : cinq ans après le début de l'union, 12 % seulement existent toujours en ayant gardé deux domiciles ; les autres se sont installés ensemble (74 %) ou ont rompu sans même avoir cohabité (12 %). Pour les couples qui finissent par habiter ensemble, la période de non-cohabitation médiane est de 8 mois. Ceux qui ont toujours eu deux adresses, puis ont rompu, sont restés ensemble 18 mois. Ceux qui continuent de vivre en couple séparément le font depuis 3 ans.

Un mariage sur trois « légitime » des enfants existants (voir p. 145). L'incidence du changement fiscal mis en oeuvre en 1996 est en diminution, si l'on en juge par la proportion de mariages légitimant un ou plusieurs enfants ; celle-ci s'est stabilisée vers 28 % après une hausse continue pendant plusieurs décennies (elle n'était que de 7 % en 1980).

Un ménage sur trois est constitué d'une personne seule.

La proportion de mono ménages (constitués d'une seule personne) s'est considérablement accrue depuis plus de vingt ans. Elle représente aujourd'hui 31 % de la population, contre 27 % en 1990. 7,3 millions de Français sont concernés : personnes n'ayant jamais été mariées, veufs ou veuves non remariés et ne vivant pas en couple, divorcés ou séparés.

La proportion est plus élevée en milieu urbain ; 25 % des personnes de 15 ans et plus habitant des villes de plus de 20 000 habitants sont célibataires et ne vivent pas en couple, 10 % séparées ou divorcées, 8 % veuves. A 30 ans, le nombre de célibataires est plus élevé parmi les hommes ; c'est le contraire après 40 ans. Chez les hommes, les taux de célibat les plus élevés se rencontrent dans les catégories sociales modestes. On constate le phénomène contraire chez les femmes : ce sont les diplômées qui vivent le plus souvent seules.

A niveau scolaire égal, les femmes issues d'un milieu aisé se marient moins que celles élevées dans un milieu modeste. Cette augmentation du nombre de personnes seules se vérifie dans l'ensemble des pays de l'Union européenne.

L'une des conséquences est que le nombre de ménages augmente plus vite que la population : 24,7 millions en 2001 contre 20 millions en 1982, 16 millions en 1968. La moitié seulement sont des couples avec enfants. 7 % sont des familles monoparentales (enfants vivant avec un seul de leurs parents, en général la mère), soit 14 % des familles ayant des enfants. La vie en couple est moins fréquente jusque vers l'âge de 60 ans, car les unions sont moins stables ; elle est au contraire plus fréquente au-delà de 60 ans.

Près de deux millions de familles sont monoparentales.

7,2 % des familles étaient monoparentales en 2000 contre 3 % en 1975. Plus d'un enfant sur dix (12 %) vit ainsi avec un seul de ses parents. Dans la très grande majorité des cas (85 %), il s'agit de la mère, généralement divorcée ou séparée ; 12 % d'entre elles ont au moins trois enfants à charge. Les personnes concernées ont un niveau d'instruction moins élevé que la moyenne, elles sont moins souvent actives et beaucoup plus touchées par le chômage que les chefs de famille ayant des enfants à charge. Leurs revenus sont donc très inférieurs, ce qui explique leurs difficultés financières.

L'évolution est comparable dans la plupart des pays développés et la France se situe dans la moyenne. Au sein de l'Union européenne, 15 % des familles avec enfants sont monoparentales ; leur nombre a augmenté de 60 % depuis le début des années 80. La proportion la plus élevée est de loin celle du Royaume-Uni, où 23 % des enfants à charge vivent dans des familles monoparentales. Les plus faibles sont celles de l'Espagne et de la Grèce (6 %). Le niveau de vie de ces familles est inférieur d'un quart à

La vie en solo

La vie en *solo* est de plus en plus fréquente, au moins à une période de la vie. Elle est parfois choisie, au nom de la liberté individuelle et du désir de changement. Elle est souvent subie, lorsque les rencontres ne permettent pas d'envisager de faire route à deux. L'expérience du célibat se fait le plus souvent avant la mise en couple, qui intervient de plus en plus tard. Elle se fait aussi pendant : 16 % des couples vivent le début de leur relation en restant chacun chez soi, pour des raisons pratiques ou par souci de préserver encore quelque temps l'autonomie des partenaires. De plus en plus fréquemment, elle suit aussi l'union, comme en témoignent les chiffres du divorce, à défaut de connaître avec précision ceux des séparations de couples non mariés.
Avec le temps, le plaisir de l'indépendance fait souvent place à un sentiment de solitude et au regret de ne pouvoir partager les moments, agréables ou non, de la vie. Après une séparation, les hommes renouent plus rapidement une relation (en moyenne dans les deux mois) que les femmes. Celles-ci vivent souvent inconsciemment le deuil de la relation précédente, préférant élever seules les enfants qui en sont éventuellement issus (familles monoparentales). De plus, l'âge et la présence d'enfants, notamment en bas âge, rendent plus difficile aux femmes la recherche d'un nouveau compagnon.

Un tiers de célibataires

Evolution de l'état matrimonial des Français de 15 ans et plus (en %) :

	HOMMES				FEMMES			
	Célibataires	Mariés	Veufs	Divorcés	Célibataires	Mariées	Veuves	Divorcées
- 1975	28,6	66,1	3,5	1,8	21,8	60,3	15,2	2,7
- 1980	29,2	65,1	3,3	2,4	22,4	59,5	14,7	3,4
- 1990	34,4	58,8	2,9	3,9	27,2	53,7	13,9	5,2
- 1995	36,2	56,0	2,9	4,9	29,0	51,2	13,5	6,3
- 1999	38,6	53,2	2,7	5,5	31,3	48,7	13,0	7,0

INSEE

celui de la moyenne (40 % au Royaume-Uni).

Les décennies passées ont été marquées par l'émergence de nouveaux modèles de couple.

L'union libre a établi une distinction entre la vie en couple et le mariage, qui étaient autrefois liés. Le nombre des couples non cohabitants s'est accru du fait des contraintes de mobilité professionnelle et des choix personnels. Ceux-ci ont aussi conduit à l'accroissement du nombre des couples successifs, résultat de plusieurs unions et ruptures au cours d'une vie.

La législation a cependant commencé à prendre en compte les changements en cours. Dans l'ordre successoral, le conjoint survivant prime désormais sur les grands-parents, les frères et les sœurs du défunt. L'héritage des enfants adultérins est aligné sur celui des enfants légitimes. Le père bénéficie d'un congé de paternité lors de la naissance d'un enfant. Le divorce pour faute a ainsi été supprimé. Le pacs (adopté en novembre 1999) a marqué la reconnaissance de nouvelles formes de vie de couple, notamment entre homosexuels.

Vie de couple

L'évolution de la condition féminine a transformé les rapports dans la société et dans le couple.

La place croissante occupée par les femmes est l'une des données majeures de l'évolution sociale des dernières décennies. Elle se traduit notamment par leur participation massive à la vie économique : elles représentaient 45,6 % de la population active en 2001 contre 34 % en 1961. Bien qu'elle soit encore très minoritaire, leur participation à la vie politique est également croissante (11 % à l'Assemblée nationale en 1997 contre moins de 2 % en 1973) ; mais le principe de la parité est désormais prévu par la loi. D'une manière générale, l'influence des « valeurs féminines » (pacifisme, modestie, capacité d'écoute, sens pratique, intuition, humanisme...) est de plus en plus perceptible dans la vie sociale.

La principale conquête des femmes a bien sûr été celle de la contraception. Avant la disponibilité de la pilule et sa reconnaissance légale, en 1967, la vie de la femme

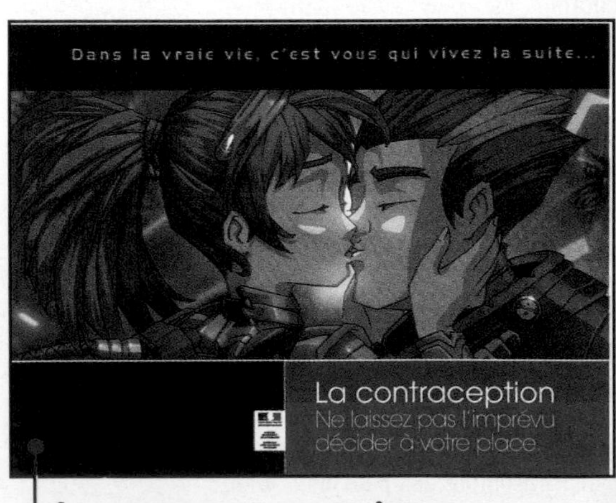

La contraception, une révolution

était rythmée par la succession des grossesses. En devenant capable de maîtriser sa fécondité, elle a pu accéder à une vie professionnelle plus satisfaisante, à une vie sociale plus riche, à une vie de couple plus épanouie. Pour la première fois dans l'histoire, la femme n'est plus déterminée par sa fonction de procréation, ce qui lui permet de ne pas se limiter à sa condition de mère et d'épouse. Cette évolution a entraîné une redéfinition de la vie de couple.

Le partage des décisions est plus égalitaire.

L'évolution dans le couple s'est faite dans le sens d'un accroissement de l'influence féminine dans les domaines importants auxquels elle n'était pas toujours associée : décisions professionnelles ; choix du logement ; achats de biens d'équipement ; vacances... Ainsi, environ 40 % des achats automobiles sont aujourd'hui effectués par des femmes et la majorité des décisions importantes sont prises en commun.

On constate cependant que le rôle de la femme (et de la mère) reste important en ce qui concerne l'éducation des enfants, l'aménagement du logement ou l'acquisition des biens culturels (livres, oeuvres d'art...). L'avis de l'homme reste souvent prépondérant dans le choix du lieu d'habitation et de certains équipements technologiques. Après des siècles d'inégalité officielle (l'homme à l'usine ou au bureau, la femme au foyer), les rôles des deux partenaires se sont rapprochés, que ce soit pour faire la vaisselle... ou l'amour.

> Sept adultes sur dix vivent en couple.

Le couple et l'argent

Les trois quarts des hommes et des femmes se déclarent autonomes financièrement au sein du ménage, mais 29 % des femmes se disent dépendantes, contre seulement 19 % des hommes. 60 % des couples ont un compte commun. 27 % déclarent disposer chacun de leur propre budget, en dehors d'une somme commune qui est destinée à régler les dépenses courantes du ménage (contre seulement 7 % en 1979).

La plupart des décisions de dépense et de gestion sont prises en commun. La proportion est de 83 % pour les gros achats d'équipement, 65 % pour les décisions de loisirs, 63 % pour les demandes de crédit, 60 % pour les achats de voitures, 56 % pour les choix d'éducation des enfants. Dans ce dernier domaine, les femmes sont plus souvent décisionnaires que les hommes, comme pour les courses et les achats de vêtements (que ce soit pour elles ou leurs conjoints). Les hommes restent prépondérants dans les achats automobiles et les placements financiers.

L'argent est un sujet de discussion pour 88 % des couples, notamment parmi les plus jeunes et ceux qui ont des enfants. Il représente une source de conflit dans 45 % des cas (51 % en 1999). Le niveau de revenu des ménages a peu d'effet et le rapport est de moins en moins conflictuel au fur et à mesure que l'on avance en âge et que l'avenir semble assuré. 41 % considèrent que la gestion de l'argent est une contrainte, 25 % un plaisir, 20 % un moyen de s'affirmer dans le couple. 82 % des couples se disent plutôt « fourmis » dans leurs dépenses, avec une égale proportion de femmes et d'hommes.

Mieux-vivre votre argent/ Sofres, décembre 2000

Les tâches ménagères restent différenciées...

Malgré le rapprochement constaté, le temps consacré aux tâches domestiques par les hommes vivant en couple est encore très inférieur à celui des femmes : en 1999, ils ne passaient que 14 minutes par jour à la préparation de la cuisine contre 69 pour les femmes, 11 minutes au ménage contre 67, 2 minutes au linge contre 28, 8 minutes à la vaisselle contre 28. Ils passaient en revanche davantage de temps que les femmes à bricoler (41 minutes contre 5) et à jardiner (22 minutes contre 9). D'une manière générale, plus le temps domestique est important dans un couple (notamment lorsqu'il a des enfants), plus l'écart entre les sexes est élevé.

Malgré l'évolution sociale et celle des discours masculins, la répartition des tâches ménagères au sein du couple reste donc différenciée. Les hommes sont toujours peu concernés par le travail lié au linge, mais ils le sont davantage par la cuisine (courses, préparation, lavage...). Le partage se fait d'autant plus facilement que des machines permettent d'effectuer le travail (à l'exception de la vaisselle) ; ainsi, les hommes passent plus facilement l'aspirateur que le balai.

Le sentiment de contrainte à l'égard des tâches ménagères diffère selon les activités. La vaisselle, le ménage courant et le repassage sont considérés par les femmes comme des corvées. La cuisine quotidienne et les courses sont plus appréciées. Le bri-

colage et le jardinage sont des activités ressenties comme très agréables par les deux sexes.

... malgré une diminution des écarts.

Les enquêtes réalisées par l'INSRE en 1986 et 1999 permettent d'observer une évolution dans le sens de l'égalité des tâches ménagères. Les hommes actifs (non chômeurs) consacrent 4 minutes de plus aux tâches ménagères qu'en 1986 (ménage, cuisine, linge, courses...) et 3 minutes de plus aux soins des enfants. Ils ont également accru leur temps de bricolage de 5 minutes, mais réduit celui de jardinage de 4 minutes. Les inactifs ont, eux, surtout développé leur activité de bricolage (6 minutes), le temps consacré au ménage n'ayant progressé que de 2 minutes. Pendant la même période, les femmes actives ont réduit leur temps de ménage de 7 minutes par jour et les inactives de près d'une demi-heure (27 minutes).

Cette évolution confirme un mouvement amorcé auparavant : entre 1975 et 1986, les hommes avaient augmenté de 11 minutes le temps qu'ils consacraient chaque jour au travail domestique, tandis que les femmes l'avaient réduit de 4 minutes. La réticence des hommes à l'égalité domestique n'est pas due, pour l'essentiel, à la mauvaise volonté ou à l'égoïsme. Elle tient à la prégnance des images sociales de chaque sexe et au fait que chaque conjoint (homme ou femme) reproduit inconsciemment le rôle que tenait son père ou sa mère, selon le principe de l'inertie culturelle.

> Depuis 2001, les femmes ont le droit de transmettre leur nom à leurs enfants.

Scènes de ménages

Evolution du temps quotidien consacré aux tâches domestiques (en heures et minutes par jour) :

	Temps domestique total, dont :	Ménage, cuisine, linge, courses	Soins aux enfants et adultes	Bricolage	Jardinage, soins aux animaux
Hommes					
- Actifs occupés					
1986	**1h51**	1h00	9	25	18
1999	**1h59**	1h04	11	30	14
- Inactifs					
1986	**2h45**	1h33	5	30	38
1999	**2h55**	1h35	6	36	38
Femmes					
- Actives occupées					
1986	**3h49**	3h13	24	3	9
1999	**3h48**	3h06	27	4	11
- Inactives					
1986	**5h16**	4h26	32	2	17
1999	**4h47**	3h59	26	5	18
Toral actifs occupés					
1986	**2h41**	1h56	16	16	14
1999	**2h48**	1h58	18	18	13
Ensemble					
1986	**3h30**	2h38	19	14	19
1999	**3h26**	2h30	18	18	20

INSEE

La redéfinition des rôles féminins a modifié l'identité masculine.

Depuis les années 80, les magazines, la littérature et l'imagerie publicitaire célèbrent les mérites de la femme. Le modèle de la *superwoman*, capable de réussir à la fois sa vie professionnelle, familiale et personnelle, a montré ses limites, mais il a perturbé certains hommes, qui ont ressenti l'impression de perdre leur identité au travail, dans la société ou dans le couple. Les qualités et « valeurs » féminines sont de plus en plus valorisées, alors que les caractéristiques associées aux hommes (esprit de compétition, volonté de domination, agressivité...) sont jugées de plus en plus sévèrement.

Les certitudes des hommes ont donc été ébranlées. Les modèles qui leur ont été inculqués dès l'enfance ne sont plus valables. Les derniers bastions masculins ont peu à peu été investis par les femmes : stades ; gymnases ; voitures ; institutions politiques ; hiérarchies des entreprises. Ils se trouvent en outre confrontés à des attentes croissantes des femmes dans tous les domaines (partage des tâches, sexualité...), qu'ils ne parviennent pas toujours à satisfaire. Ces interrogations expliquent l'accroisse-

Sexualité et société

1956. 22 femmes créent La maternité heureuse, association destinée à favoriser l'idée de l'enfant désiré et à lutter contre l'avortement clandestin par un développement de la contraception.
1967. L'éducation sexuelle se vulgarise. On projette *Helga*, la vie intime d'une jeune femme, film allemand. Ménie Grégoire, sur RTL, réalise sa première émission. La loi Neuwirth légalise la contraception.
1970. Le MLF est créé. Les sex-shops commencent à se multiplier au grand jour.
1972. Procès de Bobigny, où maître Gisèle Halimi défend Marie-Claire Chevalier, jeune avortée de 17 ans. Avant son passage à l'Olympia, Michel Polnareff s'affiche nu et de dos sur les murs de Paris.
1973. Hachette publie *l'Encyclopédie de la vie sexuelle*, destinée aux enfants à partir de 7 ans aussi bien qu'aux adultes. Elle sera vendue à 1,5 million d'exemplaires et traduite en 16 langues. L'éducation sexuelle est officiellement introduite à l'école.
1974. La contraception est remboursée par la Sécurité sociale et possible pour les mineures sans autorisation parentale.
1975. La loi Veil légalise l'interruption volontaire de grossesse (IVG). La pilule contraceptive est remboursée par la Sécurité sociale. La réforme du divorce prévoit la séparation de fait et le consentement mutuel. Les prostituées revendiquent un statut, sous la conduite d'Ulla.
1976. Les films pornographiques ne sont plus interdits, mais présentés dans un réseau de salles spécialisées, avec la classification X.
1978. L'industrie de la pornographie s'essouffle. La fréquentation des salles chute, mais elle sera bientôt relayée par les cassettes vidéo. Louise Brown est le premier bébé-éprouvette (le premier en France sera Amandine, en 1982).
1980. La loi renforce la répression du viol ; les criminels, qui étaient auparavant redevables de la correctionnelle, sont jugés par un tribunal d'assises.
1981. L'afficheur publicitaire Avenir présente Myriam, qui, quelques jours après avoir « enlevé le haut », tient sa promesse d'« enlever le bas ».
1983. L'IVG est remboursée par la Sécurité sociale. La majorité des femmes en âge de procréer utilisent un moyen contraceptif. Le virus du sida est identifié par le professeur Montagnier.
1984. Le Minitel rose s'impose.
1986. Les chaînes de télévision diffusent des émissions érotiques.
1987. Canal Plus programme son premier film X. La publicité pour les préservatifs est autorisée.
1990. Antenne 2 diffuse une série controversée sur « l'Amour en France ».
1992. La loi réprime le harcèlement sexuel. L'INSERM effectue la première grande enquête sur la sexualité des Français.
1999. Le développement d'Internet facilite l'accès à des sites érotiques ou pornographiques.
2000. L'adoption du pacs (pacte civil de solidarité) autorise deux personnes majeures, de sexe différent ou de même sexe, à organiser leur vie commune.

ment de la clientèle masculine chez les « psys ». Elles sont aussi à l'origine d'une plus grande mixité du fonctionnement social et d'une convergence des modes de vie et des systèmes de valeurs, conséquence d'un mouvement de chaque sexe en direction de l'autre. Comme l'écrivait Paul Valéry : « tout homme contient une femme ». L'expérience récente tend à montrer que la réciproque est vraie.

> 81 % des Français (contre 7 %) déclarent satisfaire pleinement leur partenaire en matière de sexualité.
> 48 % des Français déclarent pratiquer dans leur vie sexuelle au moins trois positions.

L'attitude à l'égard de la sexualité s'est libéralisée.

La « révolution des mœurs » qui s'est produite dans les années 70 a modifié l'image de la sexualité. Elle a surtout permis d'en parler plus librement, en la faisant entrer dans les discussions familiales, dans les médias et même à l'école. L'érotisme n'était plus clandestin. La recherche du plaisir sexuel devenait socialement acceptable. L'exploration des diverses pratiques sexuelles (bisexualité, sado-masochisme, échangisme...) se développait, tandis que le culte de la virginité disparaissait et que la nudité faisait son apparition sur les plages et dans les magazines.

La diminution de la pratique religieuse et des interdits qu'elle entretenait explique cette évolution. Mais c'est la généralisation de la contraception qui a joué le rôle essentiel dans la libération des esprits. Les femmes et les adolescents ont été les principaux bénéficiaires de cette transformation.

Liberté, égalité, sexualité

La transformation du statut social de la sexualité a été favorisée depuis les années 70 par l'émergence de la littérature et du cinéma érotiques, ainsi que la liberté croissante de l'imagerie publicitaire. La loi a progressivement supprimé les interdits, avec la légalisation des *sex-shops* et des clubs spécialisés, la dépénalisation de l'adultère, de l'homosexualité et de la prostitution. L'union libre est devenue un prélude ou même un substitut socialement acceptable au mariage. Les enfants pouvaient naître en dehors de cette institution sans être rejetés.

Plus récemment, l'arrivée du Viagra a permis de débattre de problèmes auparavant peu évoqués, comme celui des « pannes sexuelles » ou de l'impuissance masculine. Enfin, l'aide psychologique, à destination des individus ou des couples, est sortie de la clandestinité.

L'apparition du sida a eu une incidence forte, bien que tardive.

Face à la menace du sida, les Français ont réagi tardivement. Lors de l'enquête INSERM de 1993, près de dix ans après le début de l'épidémie, seuls 54 % des hommes et 42 % des femmes déclaraient avoir utilisé un préservatif au cours de leur vie sexuelle. Parmi les multipartenaires, 39 % des hommes et 58 % des femmes n'en avaient jamais employé ; chez les jeunes de 20 à 24 ans, les plus exposés, la proportion n'était que de 64 %. Moins de 50 % des 15-24 ans avaient utilisé un préservatif lors de leur premier rapport sexuel et 65 % seulement de ceux ayant plusieurs partenaires disaient s'en servir.

Au total, 10 % des hommes et 6 % des femmes ont déjà eu un rapport sexuel qu'ils savaient « à risque » sans se protéger. Parmi eux, 58 % seulement ont effectué ensuite un test de dépistage du sida, 41 % non. La prise de conscience a progressé au fil des années. Mais on constate depuis 2000 un relâchement des habitudes de protection et de dépistage (voir p. 90). Il s'explique par la banalisation de la maladie, les progrès des tri thérapies et la recherche d'un accroissement du plaisir par le risque.

Select Communications

Dans la sexualité comme dans la société, le rôle de la femme a changé

Les pratiques se sont diversifiées.

L'enquête réalisée par l'INSERM au début des années 90 révélait un léger accroissement de l'ensemble des pratiques sexuelles depuis 1970, date de publication du rapport Simon. Ces évolutions concernaient surtout la masturbation, les rapports bucco-génitaux ou la pénétration anale. On constatait aussi que les 30-50 ans avaient davantage de relations à plus de deux partenaires et que la sodomie hétérosexuelle était plus fréquente. Mais l'enquête faisait globalement apparaître une relative stabilité du nombre de partenaires ou de rapports sexuels. Les écarts mesurés pouvaient d'ailleurs s'expliquer par le fait que les hommes et surtout les femmes répondaient plus facilement et plus franchement aux questions concernant leur sexualité.

Les pratiques se sont encore diversifiées au cours des années 90, dans un contexte de disparition des tabous, de liberté individuelle croissante et de tolérance à l'égard des comportements différents d'une « norme » implicite ou explicite. Les expériences de toutes sortes sont devenues moins subversives, mais elles restent le fait de petites minorités. Les différences de comportements sont encore marquées par l'appartenance sociale, le niveau d'instruction et l'importance attachée à la religion.

Les rôles sont plus équilibrés au sein des couples.

La transformation de la condition féminine et des rapports au sein du couple a eu de fortes incidences sur la vie sexuelle des Français. Une redéfinition des rapports amoureux s'est opérée, dans un sens plus égalitaire. Les images respectives de l'homme et de la femme dans l'acte sexuel sont moins nettes. Qu'il s'agisse de l'acte sexuel ou des étapes qui le précèdent

Pratiques sexuelles

Activité sexuelle des Français au cours des douze derniers mois selon le sexe, l'âge et la situation matrimoniale (1993, en %) :

	Sans activité sexuelle		Monopartenaire				Multipartenaire			
			Hétérosexuel		Homosexuel		Hétérosexuel		Homosexuel	
	H	F	H	F	H	F	H	F	H	F
Age :										
- 18-19 ans	13,0	35,4	60,6	54,6	0	0	25,9	9,9	0,5	0
- 20-24 ans	9,9	11,2	64,2	78,4	0,4	0	24,4	10,0	1,1	0,3
- 25-29 ans	6,8	10,5	77,9	82,7	0,4	0,1	14,1	6,3	0,8	0,3
- 30-34 ans	1,9	2,7	84,7	90,7	0,3	0,1	11,8	6,2	1,2	0,2
- 35-39 ans	2,3	2,5	85,6	90,0	0,5	0,2	10,7	6,9	0,9	0,4
- 40-44 ans	1,9	4,0	86,6	91,0	0,3	0,3	11,0	4,6	0,3	0,1
- 45-49 ans	4,0	7,4	83,8	86,5	0,3	0,2	11,2	5,5	0,8	0,4
- 50-54 ans	4,4	6,8	86,1	89,5	0	0	8,8	3,7	0,6	0
- 55-59 ans	2,4	13,9	91,5	83,2	0,4	0	5,2	2,9	0,5	0
- 60-64 ans	15,5	27,9	76,3	70,8	0	0,1	8,0	1,2	0,2	0
- 65-69 ans	14,5	41,3	80,7	58,7	1,1	0	2,0	0	1,7	0
Situation matrimoniale :										
- Marié cohabitant	1,5	2,8	91,6	94,4	0,2	0	6,4	2,7	0,3	0,1
- Non marié cohabitant	1,7	0	84,2	92,0	0,0	0,1	12,2	6,9	1,1	0,2
- En couple non cohabitant	0	6,0	81,3	83,3	0,4	0,7	16,0	9,1	2,4	0,9
- Non en couple	18,0	35,0	55,6	54,6	0,3	0,2	24,7	9,9	1,4	0,3

INSERM

(rencontre, séduction), les femmes sont de plus en plus actives. Pierre Choderlos de Laclos ne pourrait plus écrire aujourd'hui : « L'homme jouit du bonheur qu'il ressent, la femme de celui qu'elle procure. »

L'enquête de l'INSERM en 1993 laissait déjà penser que certaines déclarations féminines (concernant par exemple la masturbation) étaient probablement en deçà de la réalité. Les femmes déclaraient aussi trois fois moins de partenaires que les hommes au cours de leur vie : 3,4 contre 11,3, ce qui n'est guère explicable mathématiquement. L'écart était moins important en ce qui concernait le nombre de partenaires sur les cinq dernières années : 1,6 contre 2,9.

Les enquêtes les plus récentes (celle, notamment, de Janine Mossuz-Lavau, publiée en février 2002) confirment le rapprochement des attitudes et des comportements entre les sexes. Les femmes sont plus nombreuses qu'auparavant à distinguer la sexualité et l'amour, alors que les hommes se montrent plus attachés aux sentiments pendant l'acte physique. La pression sociale qui tendait à rendre l'association obligatoire est donc en train de s'estomper. La recherche du plaisir sans amour devient plus acceptable, celle de l'amour sans plaisir moins supportable.

La notion de « normalité » s'estompe.

Une autre évolution notable des attitudes envers la sexualité est la tolérance croissante à l'égard des diverses pratiques, à partir du moment où elles sont le fait d'adultes consentants. Homosexuels, bisexuels, transsexuels, travestis ou échangistes, bien que différente de la « norme » traditionnelle, sont considérés comme des personnes normales ou simplement à la recherche de sensations nouvelles.

La reconnaissance de l'homosexualité au cours des dernières années pourrait ainsi être le prélude à celle

d'autres catégories encore marginalisées. Cette tolérance ne s'applique pas, en revanche, à des comportements perçus comme contraires à l'égale dignité des êtres. On observe notamment une condamnation croissante de certaines pratiques à l'égard des femmes musulmanes comme l'excision, le port obligatoire du voile et d'une façon générale la soumission au désir et à l'autorité de l'homme.

C'est donc une mise en cause totale de l'image traditionnelle de la sexualité qui est en germe dans l'évolution actuelle des mentalités individuelles. Elle laisse entrevoir de nouvelles transformations de la vie des couples et, plus largement, du regard porté par la société sur les comportements individuels. Le plaisir sexuel échapperait à ses contraintes morales et religieuses traditionnelles pour entrer (ou revenir) dans le champ de la consommation, en tant que simple besoin physique à satisfaire. Seuls resteraient alors les tabous de l'inceste (qui reste néanmoins pratiqué), de la pédophilie (qui a cependant fait l'objet à certaines époques de textes permissifs fondés sur la liberté de l'enfant face à ses désirs) et du viol (qui est pourtant de plus en plus fréquent).

Violence sexuelle

L'ACCROISSEMENT général de la violence (voir p. 242) est particulièrement sensible en matière de sexualité. Le harcèlement sexuel s'est développé dans l'ensemble de la société. Les entreprises, les écoles, les banlieues mais aussi les foyers sont les principaux lieux dans lesquels il s'exerce. Il ne concerne plus seulement les adultes, mais touche aujourd'hui les adolescents. Des insultes sexistes aux « tournantes » (viols collectifs) pratiquées dans les caves de certaines cités, la panoplie s'élargit. Elle déborde largement des seuls quartiers dits sensibles.

Cette montée de la violence sexuelle est la conséquence d'une frustration, amplifiée chez les garçons par une crise de la masculinité qui les incite à vouloir reprendre le pouvoir sur les filles. Elle est probablement amplifiée par les images de plus en plus explicites diffusées par les médias (télévision, cinéma, bande dessinée, Internet, publicité). Elle traduit la difficulté de vivre ensemble dans une société en mutation.

L'homosexualité est aujourd'hui largement acceptée.

La reconnaissance de l'homosexualité est la conséquence de l'évolution profonde de la société à l'égard de l'idée de « normalité » (voir ci-dessus). Elle a profité du développement de nouveaux modes de vie familiaux (monoparentaux, éclatés, mononucléaires...) qui ont élargi la notion traditionnelle de couple et de famille. Elle a été favorisée par le militantisme multiforme des personnes concernées et de leurs sympathisants : pétitions d'intellectuels ; lobbying juridique ; *Gay Pride* annuelle à Paris, etc. L'apparition du sida, surnommé le « cancer gay » dans les années 80, n'a fait que retarder le processus en cours. Il a abouti en octobre 1999 à la loi sur le pacs, qui permet notamment à des homosexuels d'organiser juridiquement leur vie commune.

Les médias ont aussi largement contribué au changement d'image de l'homosexualité. En 1995, le film *Gazon maudit* avait été vu par 4 millions de spectateurs. La présence et la représentation des homosexuels se sont beaucoup accrues depuis quelques années, notamment à la télévision. En 2000, les chaînes françaises ont diffusé 551 émissions abordant le thème de l'homosexualité ; Canal Plus l'a traité 56 fois, deux fois plus que TF1.

Bien qu'il soit difficile à estimer, on peut considérer le nombre d'homosexuels entre un et deux millions.

La tentation du semblable

OUTRE ses aspects pratiques et juridiques, la mise en oeuvre du pacs s'inscrit dans un processus de reconnaissance et d'acceptation des différences entre les individus, dans un contexte de disparition des modèles collectifs. Elle illustre aussi une tendance à la recherche du semblable ou de l'identique. A l'inverse du couple hétérosexuel, fondé sur la différence et la complémentarité, seul capable d'assurer la continuité humaine, le pacs s'organise autour de la similarité dans le cas de couples homosexuels ou de la proximité dans les autres cas prévus par la loi.

On retrouve cette tendance dans le développement actuel du tribalisme, qui permet à des individus de se regrouper sur des critères de similarité d'opinions, de modes de vie ou de centres d'intérêt. Elle est aussi présente dans les perspectives ouvertes par le clonage humain et sa probable mise en oeuvre. Le clone est l'aboutissement logique de la fascination par la similarité. Elle s'explique au moins en partie par la primauté de l'individu et par son narcissisme originel.

Tout ce que vous avez toujours voulu savoir sur la sexualité des Français...

Qualificatifs. Le sexe, c'est agréable (souvent ou parfois) pour 93 % des Français, épanouissant pour 88 %, stimulant pour 88 %, réconfortant pour 87 %, vital pour 82 %, risqué pour 77 %, valorisant pour 70 %. Mais c'est aussi fatigant pour 55 %, frustrant pour 39 %, douloureux pour 34 %, répugnant pour 25 %, honteux pour 23 %. Les hommes ont une vision plus positive de la sexualité que les femmes. L'âge est un facteur discriminant : les moins de 25 ans sont 30 % à trouver le sexe parfois répugnant, contre 19 % du reste de la population ; ils sont aussi 54 % à le trouver frustrant. Les résultats ne sont en revanche guère différents selon la profession, la région de résidence ou la taille de la commune.

Pratiques. 64 % des Français font en général l'amour une à trois fois par semaine, 22 % moins d'une fois par semaine, 6 % tous les jours, 3 % moins d'une fois par mois, 1 % plus rarement. 48 % préfèrent l'amour le soir, 13 % l'après-midi, 12 % le matin, 25 % à tout moment.

Pour 27 %, la durée des rapports sexuels est en général de 30 minutes, pour 14 % de 20 à 25 minutes, pour 14 % de 15 minutes, pour 11 % de moins de 10 minutes, pour 9 % d'une heure, pour 8 % de 30 minutes à une heure, pour 3 % plus d'une heure.

45 % pratiquent au moins occasionnellement la fellation (50 % non), 44 % le cunnilingus (42 % non), 14 % la sodomie (81 % non).

7 % des hommes et 1 % des femmes ont déjà fait l'amour à plusieurs. 3 % des hommes et 1 % des femmes disent avoir déjà fait l'amour avec quelqu'un du même sexe.

20 % des hommes et 6 % des femmes ont déjà eu plusieurs partenaires pendant la même période.

30 % des hommes et 12 % des femmes ont déjà fait l'amour dès la première rencontre, le premier jour.

24 % des hommes et 18 % des femmes ont déjà fait l'amour avec une personne pour laquelle ils n'éprouvaient aucun sentiment.

Réalités féminines. 41 % des Françaises de 18 à 60 ans disent faire l'amour de deux à cinq fois par semaine, 22 % une fois, 12 % deux ou trois fois par mois, 11 % une fois par mois ou moins souvent, 8 % une fois par jour ou plus souvent.

Leur moment préféré est le soir au coucher (73 %), le matin au réveil (38 %), en fin d'après-midi (25 %), après le déjeuner (22 %), dans la matinée (12 %).

La position la plus souvent pratiquée est l'homme au-dessus, la femme dessous (65 %), devant la position inverse (39 %). 37 % disent se masturber plus ou moins fréquemment, 55 % jamais.

67 % ont déjà pratiqué la fellation, 29 % la sodomie, 7 % ont déjà utilisé des gadgets sexuels, 4 % ont fait l'amour avec deux hommes, 3 % avec un homme et une femme, 3 % ont pratiqué le sado-masochisme, 1 % l'échangisme. 5 % ont déjà fait l'amour avec une autre femme.

Les principaux fantasmes féminins sont : regarder un couple faire l'amour (32 % contre 26 % en 1986) ; regarder deux femmes faire l'amour (14 % contre 4 %) ; faire l'amour à plusieurs (11 % contre 12 %) ; avoir une relation sexuelle avec une autre femme (10 % contre 9 %).

85 % se disent satisfaites de leur vie sexuelle, 13 % non. 61 % reconnaissent faire parfois l'amour sans en avoir envie, contre 76 % en 1981 (14 % assez ou très souvent, contre 18 %). 6 % des femmes disent n'avoir jamais eu d'orgasme, 8 % ne savent pas ou ne sont pas sûres. La fatigue (41 %), le stress (26 %) ou la durée insuffisante du rapport (20 %) sont les principales raisons évoquées pour expliquer l'absence d'un orgasme.

Fantasmes masculins. 60 % des hommes de 18 ans et plus estiment qu'il faut réaliser certains fantasmes pour avoir une vie sexuelle épanouie, mais 26 % pensent qu'ils sont faits pour ne pas être réalisés.

Le premier fantasme avoué est de faire l'amour dans la nature (53 %). Il précède l'initiation au sexe par une femme experte sans tabou (37 %), l'amour avec deux femmes (36 %), la « maîtresse exotique » originaire d'un autre continent (34 %), l'amour avec une inconnue de passage sans se parler ni se revoir ensuite (29 %), le harem de femmes prêtes à assouvir les désirs masculins (27 %). Les fantasmes le plus souvent évoqués dans les médias (homosexualité, exhibitionnisme, échangisme, orgie...) arrivent loin derrière.

47 % des hommes disent avoir réalisé un de leurs fantasmes, 41 % non. L'âge est un facteur important : la liste des fantasmes choisis par les plus de 65 ans est beaucoup plus réduite que celle des 18-34 ans. En outre, seuls 28 % des aînés déclarent avoir réalisé un de leurs fantasmes. On observe que les sympathisants de droite sont plus nombreux que ceux de gauche à rêver de faire l'amour au bureau (28 % contre 18 %) ; peut-être sont-ils tout simplement plus nombreux à travailler dans un bureau...

Sondages divers

Près d'une personne concernée sur trois vit en couple, la grande majorité (80 %) en cohabitation. La durée moyenne de vie commune est de l'ordre de sept ans pour les homosexuels exclusifs. Les relations hétérosexuelles semblent cependant fréquentes, ce qui indiquerait l'existence d'une forte bisexualité.

La liberté sexuelle ne favorise pas obligatoirement la libido.

Si la disparition des tabous et la médiatisation croissante de la sexualité favorisent les pulsions sexuelles, il semble qu'elles n'accroissent pas le désir. Certains sexologues constatent une baisse de la libido auprès d'une fraction importante de la population (de 15 à 20 %). Des analyses biologiques montrent par ailleurs une baisse de la qualité du sperme chez les hommes. 5 % des hommes de plus de 40 ans et 25 % des plus de 60 ans souffriraient de problèmes d'impuissance. On estime que 400 000 personnes ont consulté des spécialistes en 2000 pour des problèmes sexuels, contre 250 000 en 1998. On observe d'ailleurs une demande accrue pour les aphrodisiaques de toutes sortes.

Cette baisse de la libido et des performances sexuelles serait due en partie à des causes environnementales telles que la pollution atmosphérique. Elle pourrait également s'expliquer par la fatigue physique et mentale engendrée par la vie quotidienne. La prolifération des attributs de la sexualité dans l'imagerie collective (publicité, émissions de télévision, cinéma, magazines...) peut aussi avoir pour effet de réduire le désir en le banalisant. Il est probable enfin que certaines personnes transfèrent leurs désirs sexuels sur d'autres activités, en particulier professionnelles ; elles cherchent dans la réussite sociale une satisfaction qu'elles jugent supérieure à la jouissance physique.

La fidélité reste une valeur, mais le zapping conjugal s'accroît.

L'allongement de la vie et l'évolution des mœurs expliquent qu'un nombre croissant de Français connaissent une succession de vies conjugales au cours de leur existence. Elles sont même parfois simultanées ; certaines personnes mènent ainsi une double vie sentimentale pour satisfaire un besoin de changement tout en conservant le confort et la stabilité du mariage ou de l'union libre.

Mais la polygamie clandestine semble moins fréquente que l'infidélité, forme sexuelle du *zapping* contemporain. 36 % des Français avouent avoir trompé leur conjoint au moins une fois ; les hommes sont deux fois plus nombreux que les femmes. La proportion est supérieure aux Etats-Unis (50 %), en Grande-Bretagne (42 %), en Allemagne (40 %) et en Italie (38 %) ; elle n'est que de 22 % en Espagne (Durex, 1999).

La plupart des Français estiment nécessaire ou utile d'être fidèle pour réussir pleinement une relation amoureuse. Le modèle du couple constitué pour la vie reste présent dans les esprits. Malgré la convergence croissante dans la conception de la vie du couple, les pratiques des hommes et des femmes s'inscrivent encore dans des normes distinctes, explicites ou implicites. Les femmes restent ainsi plutôt moins tolérantes que les hommes à l'égard de l'infidélité conjugale. Mais le modèle du couple unique est de plus en plus ouvertement mis en doute par ceux qui pensent qu'il a été artificiellement créé par la société, alors qu'il serait contraire à la nature humaine. La mobilité ambiante le rend en outre de plus en plus difficile à vivre en pratique.

Divorce

Le nombre des divorces a quadruplé depuis 1960...

Le divorce est devenu plus fréquent à partir de la seconde moitié des années 60. Le nombre est ainsi passé de 39 000 en 1970 à près de 60 000 en 1975. La libéralisation mise en place en 1977 a favorisé son accroissement, qui s'est poursuivi jusqu'au milieu des années 80 (106 000 en 1985). La stabilisation entre 1985 et 1990 a été suivie d'une baisse en 1987, la première depuis des décennies. La croissance a ensuite repris et le nombre des divorces a atteint 120 000 en 1995. Il a doublé entre 1970 et 1980, il a presque triplé entre 1970 et 1985 et il a été multiplié par quatre entre 1960 et 1995.

Parmi les pays de l'Union européenne, la France arrive en septième position avec un peu plus de deux divorces pour mille habitants. Le record est détenu par le Royaume-Uni (trois), devant le Danemark et la Finlande. Le divorce est moins fréquent dans les pays du sud de l'Europe : environ un pour mille habitants en Italie, en Grèce et en Espagne.

... mais il est stable depuis quelques années.

Le nombre des divorces annuels a dépassé 100 000 depuis 1984. Il s'est

Le couple plus éphémère

stabilisé entre 110 000 et 120 000 depuis 1995, avec 117 000 divorces prononcés en 2000. La très légère baisse intervenue depuis 1996 peut s'expliquer en partie par la baisse des mariages depuis les années 70, qui a réduit le nombre potentiel des divorces. L'accroissement du nombre des remariages a suivi celui des divorces. Parmi les nouveaux mariés en 2000, 17 % des hommes et 16 % des femmes étaient divorcés ; la proportion était inférieure à 10 % en 1980.

Le divorce est particulièrement fréquent en Ile-de-France et dans les grandes métropoles régionales. La France apparaît coupée en deux par une ligne allant de Caen à Marseille en passant par Lyon. Il est plus rare à l'ouest de la ligne, notamment en Bretagne, en Auvergne et dans la région Midi-Pyrénées, qui sont des zones de forte tradition religieuse ou rurale. Mais les écarts régionaux tendent à se réduire.

> 86 % des Français sont favorables à la simplification de la procédure de divorce.

Un couple actuel a 4 « chances » sur 10 de divorcer.

En quarante ans, la probabilité de divorcer a été multipliée par quatre : elle était de 10 % en 1965, 20 % en 1980, 30 % en 1990 et elle a atteint 40 % en 1995. Elle est proche de 50 % à Paris. L'avenir dira si l'accroissement récent du nombre de mariages s'accompagne d'ici quelques années de celui des divorces, dans un contexte de simplification des procédures juridiques (voir p. 161).

L'instabilité de l'environnement social, économique ou professionnel a sans doute favorisé l'instabilité individuelle et conjugale. Beaucoup de couples ne parviennent pas à concilier leur volonté d'existence personnelle avec les contraintes conjugales. La vie à deux limite en effet par principe la liberté individuelle, ce qui conduit fréquemment à la rupture.

Enfin, l'allongement considérable de l'espérance de vie se traduit par un accroissement de la durée potentielle des couples : elle est d'environ 45 ans pour ceux qui se marient aujourd'hui, contre 38 ans en 1940 (elle n'était que de 17 ans au milieu du XVIIIe siècle). Cette longévité explique que les vies individuelles sont de plus en plus souvent constituées d'une succession de vies conjugales.

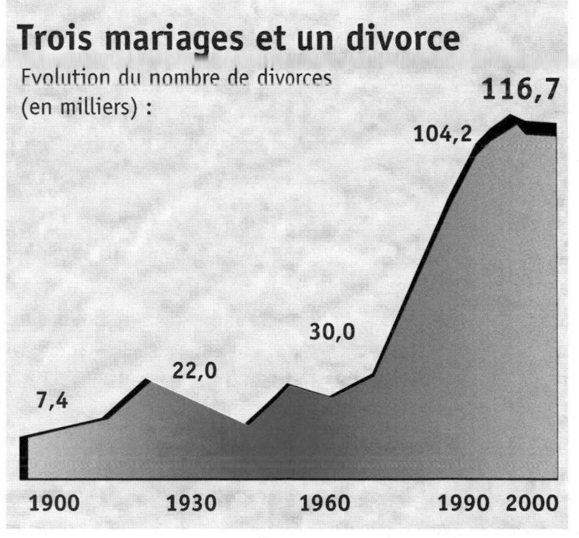

Ministère de la Justice

La rupture peut intervenir à tout âge.

C'est vers la cinquième année de mariage que la fréquence des divorces est le plus élevée. 18 % se produisent avant cinq ans (2000). 21 % se produisent entre cinq et dix ans après le mariage. La fréquence diminue ensuite régulièrement, jusqu'à 1 % après 40 ans de mariage, mais l'augmentation est mesurable à tous les âges. Un divorce sur trois se produit ainsi après quinze ans de mariage ; les ruptures intervenant après trente années de mariage sont trois fois plus fréquentes aujourd'hui qu'en 1980. L'âge moyen des femmes au moment du divorce est de 37 ans contre 40 ans pour les hommes.

Les époux hésitent moins que par le passé à constater leur désaccord après une longue durée. D'autant que l'environnement familial et social est plus tolérant et n'exerce plus guère de pressions pour que les couples poursuivent malgré tout la vie commune. Près de 1 000 divorces sont pronon-

Besoin d'amour

Contrairement à ce que l'on pourrait penser, la fréquence du divorce ne traduit pas un rejet de la vie de couple mais au contraire un attachement plus grand à sa réussite et une exigence croissante quant à sa qualité. Le mariage n'est plus comme dans le passé une affaire de raison (au XVIe siècle, Montaigne écrivait : « Un bon mariage, s'il en est, refuse la compagnie et condition de l'amour ») ; c'est une affaire de cœur.
Les Français recherchent aujourd'hui l'amour et l'harmonie. Au point de ne plus accepter de les vivre imparfaitement. Mais, conscients de la difficulté de satisfaire pleinement leurs attentes, ils revendiquent le droit à l'erreur. Le divorce s'inscrit donc dans la même logique que l'union libre. Chacun des partenaires s'efforce de concilier les avantages de la liberté individuelle avec ceux de la vie de couple. Il s'agit d'être heureux ensemble... mais aussi séparément.

cés chaque année pour des époux mariés depuis quarante ans et plus.

Les procédures varient selon la durée du mariage. Le consentement mutuel est nettement majoritaire pour les divorces intervenant dans les premières années. Il cède progressivement la place au divorce pour faute lorsque la durée augmente. Après 35 ans de mariage, la rupture de la vie conjugale représente plus d'un cas sur dix (contre 2 % en moyenne).

> 67 % des Français pensent que la présence du juge dans la procédure de divorce permet de garantir et de protéger les intérêts des enfants et des époux.

Une spécialité nordique

Proportion de divorces dans les pays de l'Union européenne (1999 ou 1998) :

Pays	
- Royaume-Uni	2,7
- Finlande	2,7
- Belgique	2,6
- Danemark	2,5
- Suède	2,4
- Luxembourg	2,4
- Allemagne	2,3
- Autriche	2,2
- Pays-Bas	2,1
- FRANCE	2,0
- Portugal	1,8
- Grèce	0,9
- Espagne	0,9
- Italie	0,6
- Irlande	-

Eurostat

Ce sont les femmes qui, le plus souvent, demandent le divorce.

Si les hommes continuent le plus souvent de faire la demande en mariage, ce sont les femmes qui font la demande de divorce. Cette situation s'explique par le fait que les femmes trouvent plus d'inconvénients que les hommes au mariage. La répartition des tâches au sein du foyer ne leur est toujours pas favorable (voir p. 151). Durkheim remarquait déjà il y a un siècle que « la société conjugale, désastreuse pour la femme, est au contraire bénéfique pour l'homme ».

Il est aussi souvent plus difficile aux femmes de trouver leur identité, notamment professionnelle, dans le cadre du mariage. La quasi-parité des taux d'activité (voir p. 296) cache en effet le fait que les femmes ont moins facilement la possibilité de s'exprimer dans leur travail du fait des contraintes familiales, dans un monde professionnel où les postes de responsabilité sont encore souvent accaparés par les hommes. Certaines femmes considèrent ainsi que leur vie de mère et d'épouse les empêche de se réaliser dans les autres domaines et préfèrent envisager le divorce.

Consentez-vous à perdre pour époux...

Evolution de la répartition des divorces par type (en %) :

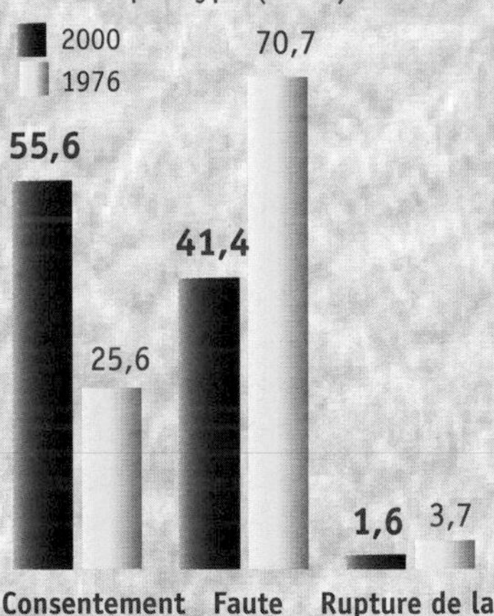

Le divorce est souvent vécu comme un traumatisme.

Le divorce est aujourd'hui considéré comme un recours normal lorsqu'il y a constat d'échec au sein d'un couple marié. Les enfants de divorcés sont regardés comme les autres enfants. Les procédures ont été facilitées à plusieurs reprises, avec notamment la possibilité de divorcer par consentement mutuel (1975). Mais la banalisation du divorce n'implique pas l'absence de conflit. L'expérience est encore souvent traumatisante pour les époux concernés, et surtout pour

leurs enfants lorsqu'ils en ont. Elle sanctionne une faillite et laisse des cicatrices.

Le recours à la procédure pour faute a créé l'obligation de définir les responsabilités. La vie du couple, qui appartient à la sphère privée, tend à devenir publique lorsqu'il divorce. C'est pourquoi, dans le projet de loi présenté en 2002, la notion de divorce pour faute était abandonnée, celle par consentement mutuel allégée. L'idée d'un divorce civil avait même été avancée en 1997, dans le but de simplifier la procédure et de désengorger les tribunaux. Mais la facilité du divorce peut, dans certains cas, être contraire à ce que souhaitent les personnes qui sont à l'origine de la demande. Elles peuvent avoir le désir, même inconscient, de voir les fautes commises à leur égard reconnues par la justice.

Conflits et litiges

Sur 100 divorces, 42 sont consensuels (obtenus par demande conjointe). Mais 24 sont prononcés pour faute exclusive d'un seul époux et présentent un caractère conflictuel. Parmi eux, près de la moitié des époux concernés (46 %) n'ont pas comparu. Par ailleurs, sur l'ensemble des divorces prononcés pour torts partagés (19 % de l'ensemble), un sur trois mentionne les torts et griefs des parties. Chaque année environ 70 000 divorcés retournent en justice pour un litige avec leur ancien conjoint : près de 40 000 se rapportent aux pensions alimentaires, plus de 15 000 ont trait à l'autorité parentale et au lieu de résidence principal de l'enfant, 10 000 concernent un différend sur le droit de visite des enfants.

Ministère de la Justice

Les deux tiers des couples qui divorcent ont des enfants...

Parmi les couples qui mettent fin à leur union, 30 % ont un enfant, 35 % en ont au moins deux. Les enfants concernés vivent souvent mal cette séparation. La possibilité de doubler le nombre de cadeaux à Noël et d'occasions de partir en vacances ne compense pas l'absence d'un père ou (plus rarement) d'une mère. L'expérience du divorce peut être pour les enfants un choc important et avoir des conséquences ultérieures sur leur vie affective.

Au cours des années 80, la proportion de couples divorcés sans enfants mineurs a augmenté ; elle est aujourd'hui proche de 40 %, contre 31 % en 1982. Le fait d'avoir un enfant mineur constitue un facteur défavorable au divorce ; certains couples attendent en effet que leurs enfants arrivent à la majorité pour se séparer. Toutes durées de mariage confondues, la proportion de couples sans enfant mineur est plus importante dans le cas d'une demande conjointe (près de 40 %) que dans celui d'un divorce pour faute ou sur demande acceptée (respectivement 33 % et 37 %). On constate également que la proportion de couples qui divorcent diminue avec le nombre d'enfants qu'ils ont. A 18 ans, 20 % des enfants ont aujourd'hui des parents séparés, contre 8 % de ceux nés vers 1960 et 17 % de ceux nés vers 1970. Leur réussite scolaire est moindre que lorsque les parents vivent ensemble ; la séparation avant la majorité de l'enfant entraîne en moyenne une réduction de la durée de scolarité de près d'un an.

... dont la plupart vivent avec leur mère.

Dans plus de huit cas sur dix, la garde des enfants est attribuée à la mère. Cette situation peut être due au fait que les enfants, surtout lorsqu'ils sont jeunes, ont davantage besoin de leur mère ; elle n'est sans doute pas étrangère au fait que neuf juges aux affaires familiales sur dix sont des femmes.

La situation évolue cependant depuis quelques années. Ainsi, lorsque les positions des parents sont opposées, l'autorité parentale est confiée à la mère seule dans un peu moins de la moitié des cas, au père seul dans un tiers des cas et aux deux parents dans les autres cas. 10 % des enfants sont en résidence alternée (une semaine chez chacun des parents). Ce système leur permet de ne pas perdre le contact et de ne pas privilégier l'un des deux parents. En contrepartie, le risque est celui d'une déstabilisation liée au changement répété de cadre de vie. Au milieu des années 80, seul un enfant sur trois voyait son père si celui-ci n'avait pas la garde de son enfant ; la proportion est aujourd'hui de un sur deux.

> L'égalité des époux dans la gestion des biens de la famille et des enfants date de 1985. La capacité civile (droit de passer contrat et d'ester en justice) date de 1942.
> 70 % des Français considèrent que le mariage, c'est un engagement pour la vie (82 % en 1996). Mais 61 % considèrent qu'il a moins de valeur qu'il y a dix ou vingt ans, 10 % plus de valeur, 27 % autant. 65 % pensent qu'il redevient à la mode.
> 80 % des Français (contre 18 %) sont favorables à la mise en place de distributeurs de préservatifs dans les collèges.

Les jeunes

Natalité

On observe depuis six ans un redressement de la natalité.

On a enregistré 775 000 naissances en 2001, soit le même nombre, élevé, que celui atteint en 2000. Ceci confirme la rupture de tendance qui s'est produite après le chiffre atteint en 1993 et 1994 (711 000 naissances), le plus faible depuis la Seconde Guerre mondiale. Pour la première fois depuis une dizaine d'années, le taux de natalité est repassé depuis 2000 au-dessus de 13 pour mille habitants.

La fécondité des femmes habitant en milieu urbain est depuis quelques années supérieure à celle des rurales. La présence dans les grandes villes de familles étrangères ou immigrées (hors pays d'Europe) explique en partie ce phénomène. Parmi les enfants nés en 2001, plus d'un sur dix avait au moins un parent étranger, soit deux fois plus que la part des étrangers dans la population. La proportion atteint 30 % à Paris. La fécondité des étrangères est supérieure à celle des Françaises (un peu plus de trois enfants par femme en moyenne contre moins de deux), mais elle tend à s'en rapprocher au fur et à mesure de leur ancienneté sur le territoire français.

La natalité reste plus élevée dans le Nord, mais l'écart entre l'ancien « croissant fertile » et les autres régions se réduit. Elle est plus faible dans le Sud-Ouest, avec un minimum dans le Limousin. Au sein de l'Union européenne, les naissances ont diminué dans huit pays en 2001, notamment au Portugal (4 %), au Luxembourg (3 %), en Autriche et aux Pays-Bas. La hausse a en revanche dépassé 5 % en Grèce et en Espagne.

L'indicateur conjoncturel de fécondité est remonté à 1,99.

Cet indicateur représente la somme des taux de fécondité par âge (rapport du nombre d'enfants nés de femmes d'une génération donnée à l'effectif de cette génération en début de période), c'est-à-dire le nombre moyen d'enfants que mettrait au monde chaque femme d'une génération fictive pendant sa vie féconde (entre 15 et 49 ans) avec des taux par âge identiques à ceux observés au cours de l'année considérée.

Bien que le nombre des naissances ait été le même en 2001 qu'en 2000, l'indicateur a progressé, car le nombre de femmes en âge de fécondité (15 à 49 ans) est en diminution depuis 1997. Il a atteint 1,99 enfant par femme (contre 1,71 en 1996), retrouvant ainsi son niveau de la fin des années 80.

Depuis 1999, la France est devenue la championne d'Europe de la natalité, à égalité avec l'Irlande. Le plus faible taux est celui mesuré en Espagne et en Italie (1,2), pays dans lesquels la baisse des naissances avant 30 ans n'est pas compensée par une fécondité prolongée dans le temps. En moyenne, l'indicateur conjoncturel de fécondité est de 1,5 enfant depuis 1993 dans l'ensemble de l'Union, un niveau supérieur à celui du Japon (1,3), mais très inférieur à celui des Etats-Unis (2,1). Il est de 2,8 pour l'ensemble du monde, avec un maximum de 7,5 au Niger et un minimum de 1,1 en Ukraine.

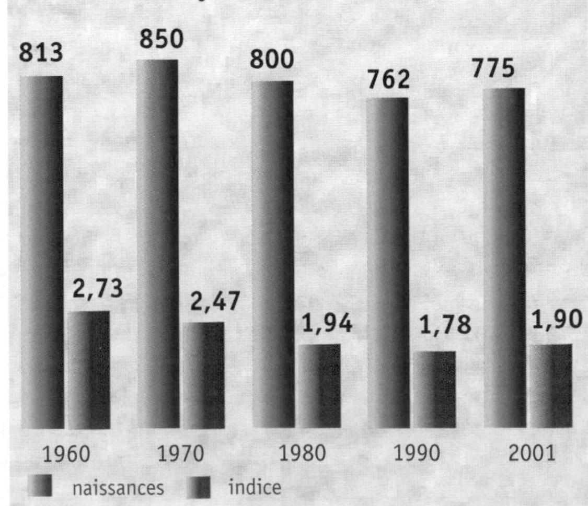

Changement de siècle, changement de natalité

Les causes du redressement sont à la fois sociales...

Les chiffres de 2001 montrent que l'effet « fin de siècle » évoqué en 2000 ne constitue pas la seule explication de la hausse de la natalité ; celle-ci est d'ailleurs sensible depuis la fin 1997. Elle est la conséquence d'une embellie du climat social pendant la période 1998-2000. La natalité n'apparaît pas directement corrélée au taux de chômage ou à celui de la croissance économique. On constate en revanche un lien avec l'optimisme des ménages, après un décalage qui est celui de la durée de la conception.

Certains facteurs objectifs ont pu aussi jouer un rôle, comme la généralisation de l'allocation parentale d'éducation aux mères de deux enfants. On peut mentionner également les efforts croissants des entreprises pour que les mères (éventuellement les pères) puissent concilier vie professionnelle, maternité et éducation des enfants. Enfin, la réduction de travail a peut-être encouragé les couples à avoir des enfants, sachant qu'ils disposeraient de plus de temps pour s'en occuper.

... et familiales.

La hausse récente de la fécondité s'est accompagnée de celle du nombre des mariages (voir p. 144). Ces deux évolutions parallèles pourraient être la conséquence d'un changement d'attitude en matière familiale. La réussite de la vie passe aujourd'hui moins par la dimension professionnelle et davantage par celle de la famille et des enfants. Ce changement de priorité a pu être favorisé par la réduction du temps de travail, qui tend à lui donner une moindre importance sociale.

Par ailleurs, la multiplication des foyers recomposés dans lesquels l'un des partenaires amène un enfant peut inciter les couples à en avoir d'autres qui leur appartiennent en commun et consolident leur union. On peut citer enfin à titre anecdotique les effets de la procréation médicalement assistée, qui explique la part croissante des naissances multiples. Ainsi, la fréquence de naissance de jumeaux (1,5 pour mille) a augmenté de 65 % en vingt ans, du fait essentiellement des traitements de la stérilité.

Les femmes ont leur premier enfant plus tard...

Les maternités sont de plus en plus planifiées et le calendrier de la fécondité s'est transformé. L'âge moyen à la procréation est ainsi passé de 26,8 ans en 1980 à 29,2 ans en 2000 (28 ans en 1990). Il atteint 31 ans en région parisienne. Il faut cependant observer que l'âge moyen à la maternité avait diminué depuis la fin de la Seconde Guerre mondiale jusqu'en 1977, de sorte qu'il est aujourd'hui proche de celui mesuré en 1946 (28,8 ans).

Un enfant de moins par femme en un demi-siècle

Pendant la période du baby-boom de l'après-guerre (1946-1949), l'indicateur conjoncturel de fécondité avait atteint 3,0 enfants par femme. Il était resté supérieur à 2,6 de 1946 à 1967. Puis il avait chuté de façon spectaculaire, en France comme dans l'ensemble de l'Europe, avant de se stabiliser autour de 1,8. La stabilité observée pendant vingt-cinq ans s'explique par des mouvements opposés, qui se sont compensés : baisse de la fécondité au-dessous de 25 ans ; fluctuations entre 26 et 28 ans ; remontée au-delà de 28 ans.

Partout en Europe du Nord, la baisse de la fécondité a commencé vers le milieu des années 60. Entre 1965 et 1975, la plupart des pays ont atteint une zone basse. Ceux du Sud ont connu le phénomène avec une dizaine d'années de retard. Ils comptaient autrefois le plus de familles nombreuses et connaissent aujourd'hui la fécondité la plus basse. Depuis 1946, la France a été l'un des pays les plus féconds d'Europe occidentale. Les femmes nées vers 1930 sont celles qui ont eu le plus d'enfants au cours du XXe siècle. Cette période contraste avec le XIXe siècle, pendant lequel la France a connu la natalité la plus faible du monde.

Les enfants de l'Europe

Evolution du taux conjoncturel de fécondité dans les pays de l'Union européenne :

	1990	1995	2000
- Allemagne	1,3	1,2	1,3
- Autriche	1,5	1,4	1,3
- Belgique	1,6	1,5	1,6
- Danemark	1,7	1,8	1,7
- Espagne	1,4	1,2	1,2
- Finlande	1,8	1,8	1,7
- FRANCE	1,8	1,7	1,9
- Grèce	1,4	1,3	1,3
- Irlande	2,1	1,8	1,9
- Italie	1,4	1,2	1,2
- Luxembourg	1,6	1,7	1,7
- Pays-Bas	1,6	1,5	1,6
- Portugal	1,6	1,4	1,5
- Roy.-Uni	1,8	1,7	1,7
- Suède	2,1	1,7	1,5

Eurostat

Les causes de l'évolution récente résident dans l'allongement de la durée des études, la difficulté de trouver un premier emploi ou un travail stable et la généralisation de l'activité féminine. La maîtrise de la fécondité a aussi permis aux femmes de faire coïncider l'arrivée des enfants avec les périodes jugées favorables de leur vie personnelle, familiale et professionnelle. Ces comportements ont été renforcés par l'allongement de la durée de vie. Le résultat est que la fécondité des femmes de 20 à 24 ans a été divisée par trois entre 1964 et 1998. Le processus a été inversé depuis 1999 ; on a même enregistré une légère augmentation.

... de même que leur dernier.

Les dernières grossesses des femmes sont plus tardives. La fécondité de celles de 30 ans ou plus continue d'augmenter, alors que celle des moins de 30 ans diminue. La moitié des nouveau-nés de 2001 (47 %) avaient une mère âgée de 30 ans ou plus, contre un quart en 1977. Sur l'indice de fécondité moyen de 1,99 enfant de 2001, près de la moitié (0,8) était due à des femmes de 30 ans et plus, contre 0,5 en 1980. La part des naissances après 40 ans a doublé en dix ans, atteignant 3 %. Au total, les maternités avant l'âge de 20 ans sont aujourd'hui moins nombreuses que celles qui ont lieu entre 40 et 45 ans.

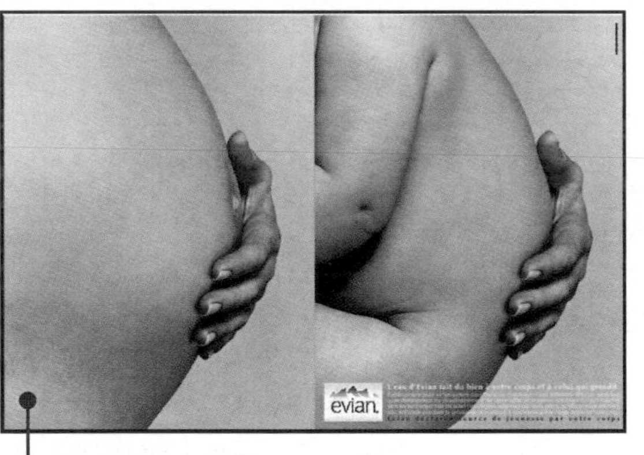

BETC Euro RSCG

Moins de couples sans enfants

Une femme sur six reconnaît avoir privilégié sa vie professionnelle à un moment de sa vie (*Rebondir*/Ipsos, juin 2001). D'autres ont subi la pression implicite des entreprises qui acceptent mal l'absentéisme provoqué par les grossesses des salariées. Elles ont donc attendu la fin de leur période féconde pour avoir leur dernier enfant, ce qui est aussi parfois un moyen de lutter contre le vieillissement. Les enfants concernés sont en tout cas généralement choyés, ils arrivent dans des foyers stables où ils prennent une place importante.

La proportion de couples avec enfants est en progression

La proportion de femmes qui deviennent mères a augmenté. Seules 6 % des femmes nées en 1950 n'ont pas eu d'enfant, contre 17 % de celles qui étaient nées en 1900. La limite biologique (femmes ne pouvant avoir d'enfant) étant d'environ 3 %, on constate que le modèle maternel s'est largement imposé. Le combat des femmes pour une maternité responsable n'était donc pas celui du refus de l'enfant, mais celui du choix du moment.

Cette évolution est aussi la conséquence des progrès de la lutte contre la stérilité. Elle est confirmée par l'augmentation du nombre des demandes d'adoption : environ 6 000 par an. Compte tenu de possibilités insuffisantes en France, les deux tiers sont effectuées à l'étranger : 3 900 enfants ont été adoptés hors du territoire en 1999, contre seulement 900 en 1980. Le temps nécessaire est en moyenne de trois ans. La simplification des dé-

> La proportion de foyers comportant des enfants est aujourd'hui de 33 %, contre 36 % en 1968.

marches administratives françaises, en 2001, devrait permettre de le raccourcir.

Plus de quatre naissances sur dix concernent des parents non mariés.

La proportion de naissances survenant en dehors du mariage a beaucoup augmenté au cours des deux dernières décennies. Elle a atteint 43 % en 2001 contre 30 % en 1990, 11 % en 1980, 7 % en 1970 ; elle est même de 55 % en ce qui concerne le premier enfant des couples. Elle est cependant inférieure à celle constatée dans les pays d'Europe du Nord (54 % en Suède, 45 % au Danemark), mais très supérieure à celle des pays du Sud (moins de 5 % en Grèce, environ 10 % en Italie et en Espagne). La proportion est proche de 30 % en Grande-Bretagne et aux Etats-Unis, mais pratiquement nulle au Japon.

La fréquence varie selon le milieu social ; la plus élevée concerne les parents ouvriers, la plus faible les agriculteurs. Un peu plus des deux tiers des enfants nés hors mariage sont reconnus par le père lors de la déclaration à la mairie, une proportion en augmentation régulière. Mais ils sont de moins en moins légitimés par le mariage ultérieur des parents ; depuis 1990, moins d'un tiers du 1,5 million d'enfants nés en dehors du mariage l'ont été. Dans plus d'un cas sur dix, l'épouse est enceinte lors de son mariage. La fréquence est plus élevée parmi les femmes jeunes et chez les étrangères.

L'anonymat en question

L'accouchement sous X, institutionnalisé en 1941 pour lutter contre les infanticides, a fait en 2001 l'objet d'un débat. Il a débouché notamment sur la création du Conseil national pour l'accès aux origines. La France était le seul pays européen avec le Luxembourg (et dans une moindre mesure l'Espagne et l'Italie) à autoriser l'anonymat de l'accouchement.

Entre 1994 et 1999, les deux tiers des mères concernées avaient moins de 25 ans (CNRS). La majorité d'entre elles étaient sans emploi ou étudiantes, beaucoup étaient d'origine maghrébine. Une sur trois habitait chez ses parents, une sur dix seulement en couple. Une sur quatre avait déjà un enfant. La proportion de femmes ayant subi un viol ou un inceste était de 5 %. Plus d'une sur dix a reconnu son enfant dans les deux mois du délai de rétractation.

La famille de deux enfants est devenue une sorte de norme implicite...

La proportion de couples ayant deux enfants s'accroît ; elle concerne 38 % des mères nées en 1940-1944, contre seulement 28 % de celles nées en 1925-1929. La proportion des couples ayant au moins trois enfants ne permet plus de compenser celle des couples sans enfants. L'hésitation à avoir un troisième enfant s'explique en partie par le coût financier qu'il implique, qui représente environ un quart des revenus du couple. Le prix à payer est encore plus élevé lorsque la mère doit cesser son activité professionnelle. Plus de la moitié des mères de famille de trois enfants et plus restent au foyer, contre un tiers de l'ensemble des mères de famille. Enfin, les ambitions des parents pour leurs enfants se sont accrues et concernent aujourd'hui l'ensemble des catégories sociales. Beaucoup de couples préfèrent donc avoir moins d'enfants et leur consacrer le temps et l'argent nécessaires pour leur donner toutes les chances de réussir leur vie.

... et les familles nombreuses sont de plus en plus rares.

Moins de 3 % des femmes nées entre 1940 et 1949 ont eu six enfants et plus, contre plus de 7 % de celles nées entre 1892 et 1916. Même les familles de quatre enfants ou plus ne représentent plus que 13 % de l'ensemble pour les parents nés entre 1940 et 1949, contre 26 % pour ceux nés entre 1925 et 1929.

Cette évolution concerne tous les groupes sociaux, y compris le milieu ouvrier où les familles nombreuses étaient autrefois fréquentes. Dans une catégorie sociale donnée (déterminée par la profession du conjoint), les femmes ont d'autant moins d'enfants qu'elles sont plus diplômées. Les couples où le mari est cadre font cependant exception ; leurs femmes disposent d'une aisance financière qui leur permet de poursuivre une carrière tout en ayant plusieurs enfants.

Le nombre annuel des avortements tend à s'accroître depuis 1995.

Depuis la légalisation en 1975 (l'adoption définitive date de 1979), le nombre d'interruptions volontaires de grossesse a peu varié, malgré la diffusion de la pilule et l'usage plus répandu du préservatif. Après la baisse enregistrée entre 1992 et 1994, on observe une augmentation régulière depuis 1995, avec environ 220 000 cas en 2001, soit près d'un

pour trois naissances. Il faudrait y ajouter le nombre des IVG pratiquées à l'étranger lorsque le délai légal (dix semaines, portées à douze en 2001) est dépassé.

Ce sont les femmes de 18 à 24 ans qui recourent le plus fréquemment à l'IVG. Les différences entre les groupes sociaux se sont considérablement réduites. A 15 ans, 60 % des conceptions se terminent par un avortement ; la proportion n'est que de 10 % à 25 ans, mais elle atteint 45 % à 40 ans. A partir de 23 ans, la fréquence est plus grande chez les femmes qui vivent seules que chez celles qui vivent en couple. Quel que soit leur âge, les femmes mariées avortent moins que celles qui ne le sont pas.

Sur 1 000 femmes en âge de procréer, 15 ont recours dans l'année à un avortement (contre 6 seulement aux Pays-Bas malgré un délai légal de 22 mois, 8 en Allemagne, 11 en Italie). Cette fréquence française élevée étonne, compte tenu de la généralisation de la pilule contraceptive qui permet théoriquement de maîtriser la fécondité. On estime que la moitié des grossesses accidentelles sont dues à un échec de la contraception : oubli ; interruption ; négligence...

7 000 avortements d'adolescentes par an

La France est le pays d'Europe ayant le plus fort taux de contraception orale. Pourtant, les moyens de contraception ne sont pas accessibles à tous. 12 % des filles et 8 % des garçons ont leur premier rapport sexuel sans contraception et le nombre d'adolescentes enceintes ne cesse d'augmenter. C'est pourquoi chaque année près de 7 000 d'entre elles avortent (sur environ 10 000 grossesses). La possibilité leur a été donnée fin 1999 d'obtenir la « pilule du lendemain » par l'intermédiaire des assistantes sociales et des infirmières scolaires des écoles.

Le renouvellement des générations est jusqu'ici pratiquement assuré...

Pour que le remplacement des générations s'effectue à l'identique (nombre d'enfants égal à celui des parents), il faut que chaque femme ait en moyenne 2,08 enfants au cours de sa vie (descendance finale). Ce chiffre est supérieur à 2 afin de compenser le fait que la proportion de filles est inférieure à celle des garçons dans chaque génération ; pour des raisons non élucidées, il naît invariablement 95,2 filles pour 100 garçons. Le nombre de naissances doit aussi compenser la mortalité entre la naissance et l'âge de la maternité (en moyenne 28 ans). On aboutit ainsi à un seuil de remplacement de 2,08 enfants par femme. A titre de comparaison, il était de 2,2 enfants en 1950, compte tenu de la plus grande mortalité à cette époque.

La fin plus tardive de la fécondité compense au moins en partie le fait qu'elle commence plus tard. C'est pourquoi l'indicateur conjoncturel de fécondité, qui est calculé sur une année, ne rend pas compte de la descendance finale des femmes. Celles qui ont aujourd'hui terminé leur période féconde (âgées de 50 ans et plus) ont eu en moyenne 2,11 enfants, soit le nombre nécessaire au renouvellement à l'identique des générations. Celles nées en 1961 avaient eu 1,87 enfant à l'âge de 35 ans, contre 1,95 pour celles nées en 1951. Elles ont ensuite rattrapé la quasi-totalité de leur retard : à 40 ans, elles avaient eu 2,06 enfants en moyenne, soit presque autant que celles de 1951 au même âge (2,09). Les femmes nées en 1966 ont eu 1,76 enfant à l'âge de 35 ans ; leur descendance finale pourrait être proche de deux enfants.

... mais il est difficile de prévoir s'il le sera encore à l'avenir.

Il est acquis que le nombre de femmes en âge de procréer va continuer de diminuer au cours des prochaines années, hors phénomènes d'immigration. Par ailleurs, le recul continu de l'âge moyen à la maternité observé pendant près de deux décennies est presque interrompu. Les maternités aux âges extrêmes ont été plus nombreuses en 2001 qu'en 2000, ce qui explique que l'âge moyen à la maternité est resté stable à 29,4 ans.

Malgré la hausse récente enregistrée, les causes de la baisse passée n'ont pas disparu : instabilité croissante des vies conjugales ; difficulté pour les couples de se projeter dans l'avenir ; coût des enfants et incertitudes sur les revenus ; travail et désir d'indépendance des femmes ; volonté de vivre une vie individuelle riche ; refus des contraintes... Le baby-boom qui avait suivi la Seconde Guerre mondiale apparaît ainsi de plus en plus comme une période atypique, qui n'a guère de chances de se reproduire dans un contexte social très différent.

L'avenir dépendra aussi des modèles familiaux qui prévaudront. Ainsi, le fait d'avoir plusieurs unions au cours d'une vie pourrait conduire

L'idéal et la réalité

Le nombre moyen d'enfants des couples (1,8) est inférieur à celui qu'ils souhaiteraient avoir dans l'absolu. 56 % des Français estiment que le nombre idéal est de deux enfants, 34 % trois, 5 % au moins quatre (Crédoc, 2002). Seuls 3 % citent un seul enfant et 2 % aucun. L'écart entre les souhaits exprimés et la réalité s'explique par les difficultés pratiques d'élever plusieurs enfants. Il est aussi la conséquence de modes de vie faisant une place plus grande à la vie de couple et à celle de chacun des deux partenaires. L'écart est d'ailleurs très faible lorsqu'on interroge les femmes en âge d'avoir un enfant ; entre 25 et 35 ans, le nombre moyen souhaité est de 2,2, ce qui est très proche de la réalité.
La diffusion des méthodes contraceptives à partir de la fin des années 60 et la légalisation de l'avortement ont permis aux couples de décider du nombre d'enfants qu'ils ont et du moment où ils les mettent au monde. Le nombre d'enfants non désirés est ainsi trois fois moins élevé aujourd'hui qu'en 1965.

les couples à avoir chaque fois des enfants, ce qui augmenterait le nombre moyen. 15 % des familles de quatre enfants et 22 % de celles de cinq enfants ou plus sont aujourd'hui des familles recomposées. On peut aussi imaginer que l'amélioration du moral des Français fera émerger de nouveaux systèmes de valeurs, plus favorables aux familles de trois enfants et plus. Toutes les études montrent que, malgré la dénatalité ou le divorce, la famille reste une valeur centrale qui rassure, protège et donne un sens à la vie. Enfin, les politiques familiales mises en place par les gouvernements peuvent avoir une incidence sur la fécondité, comme le montrent les exemples des pays de l'Europe du Nord, notamment celui de la Suède.

La France compte 11 millions d'enfants de moins de 15 ans.

La part des jeunes dans la population avait augmenté entre la fin de la Seconde Guerre mondiale et 1970, du fait du nombre important des naissances pendant la période du baby-boom ; sa diminution est perceptible depuis le début des années 70. La chute spectaculaire de la natalité qui s'est produite jusqu'au milieu des années 90 a entraîné une réduction sensible de la part des jeunes dans la population. Les moins de 15 ans n'en représentent plus que 18 %, contre 22 % en 1980 et 26 % en 1960.

Où sont les jeunes ?
Evolution de la part des moins de 20 ans dans la population totale (en %) et projections :

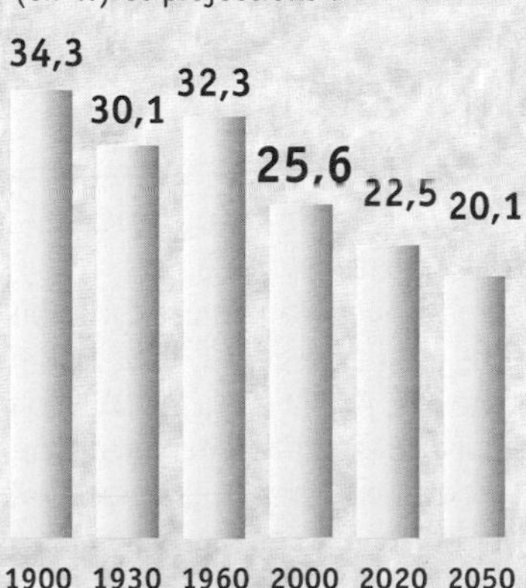

Parmi les pays de l'Union européenne, seule l'Irlande compte proportionnellement plus de jeunes (24 %) ; la moyenne est de 17 %, l'Italie arrivant en dernière position avec moins de 15 % (16 % pour l'Espagne et l'Allemagne).

La scolarisation est générale à partir de 3 ans.

Entre 0 et 3 ans, la majorité des enfants (six sur dix) passent leurs journées à la maison ; les autres sont confiés à une crèche ou à une nourrice. A 2 ans, plus d'un enfant sur trois (36 %) est scolarisé. Ils sont tous concernés à partir de 3 ans.

Entre 3 et 5 ans, la découverte du monde se fait par l'éveil des sens et par le jeu. Celui-ci est pratiqué seul ou en groupe. Le toucher joue un rôle particulièrement important dans la perception de l'environnement. A cet âge, plus de la moitié des enfants ont des mères actives. La vie se déroule alors pour eux hors de la maison et les journées sont souvent longues (12 à 13 heures).

La socialisation se développe à partir de 6 ans.

C'est à partir de 6 ans que l'intérêt de l'enfant passe progressivement des objet aux personnes, des perceptions concrètes à la pensée conceptuelle. Cela se traduit notamment par la place importante des copains, rencontrés à l'école ou reçus à la maison. C'est aussi à cette période que débute la socialisation. Les anniversaires jouent un rôle important dans cette évolution. Les enfants choisissent leurs invités et donnent à ces événements un caractère assez formel, imitant les pratiques des adultes (invita-

tions écrites ou téléphonées, préparation de la réception, respect de certaines règles, etc.).

Entre 8 et 10 ans, plus de 70 % des jeunes pratiquent un sport. Il est plus souvent individuel (vélo, judo...) que collectif (football). Leurs activités audiovisuelles sont nombreuses : télévision, jeux vidéo, cinéma. La sociabilité occupe alors une place centrale ; elle conduit parfois à l'abandon des activités culturelles antérieures (inscription à une bibliothèque, pratiques amateurs...). La télévision constitue l'un des outils importants de la connaissance du monde. Elle intervient aussi dans la socialisation en tant qu'objet de conversation ou lorsqu'on la regarde à plusieurs. Les enfants de 4 à 7 ans passent d'ailleurs plus de temps devant la télévision qu'à l'école (1 000 heures contre 800).

L'adolescence est de plus en plus précoce.

La préadolescence se situe aujourd'hui entre 9 et 11 ans. Elle marque le début du processus d'autonomie au sein du foyer et à l'extérieur. A cet âge, les enfants font preuve d'un engouement pour le sport, le cinéma, la musique et s'intéressent au monde des adultes. Ils se rendent seuls à l'école, reçoivent et dépensent de l'argent, ont accès au réfrigérateur familial et participent aux décisions quotidiennes du ménage.

A partir de 11 ans, l'entrée dans le secondaire marque un tournant. L'audiovisuel occupe une place croissante dans les loisirs, avec la télévision et, pour les garçons, les jeux vidéo. Les 11-14 ans connaissent les doutes de la préadolescence, liés à l'intégration au groupe et au développement de la personnalité. Toute la période de l'adolescence est placée sous le signe de cette ambivalence. Les différences de sexe restent sensibles dans la vie quotidienne. Les filles s'intéressent davantage aux activités culturelles (dessin, peinture, lecture). Les garçons préfèrent les jeux vidéo ou mécaniques ; c'est le cas notamment des 13-15 ans.

Adulescents

Si l'adolescence commence plus tôt, force est de constater que l'âge adulte arrive plus tard. Les enfants restent en effet plus longtemps chez leurs parents et coupent plus difficilement le cordon ombilical qui les retient à eux. Les années de jeunesse sont souvent marquées par la recherche du plaisir au quotidien, l'intérêt pour la fête, mais aussi par la fuite des responsabilités et l'inquiétude face à l'avenir.

Les enfants disposent de beaucoup d'informations, diffusées par la famille, les copains et surtout les médias. Ils acquièrent plus vite certaines formes d'autonomie, dans un contexte familial généralement libéral. Mais ils sont en même temps plus dépendants, du fait de la durée croissante de leurs études et de la difficulté, tant pratique que psychologique, de construire une vie professionnelle et sentimentale stable.

L'âge de la puberté a été avancé.

Chez les filles, l'âge moyen à la puberté est passé de 13 à 12 ans en trente ans. Au milieu du XVIIIe siècle, la puberté féminine intervenait rarement avant 16 ans. Il est plus élevé pour les garçons, en moyenne un peu avant 15 ans. L'amélioration de la nutrition serait en partie responsable de cette évolution.

Parallèlement, le développement de la liberté sexuelle et celui de l'information pratique diffusée à l'école et illustrée par les médias n'ont guère modifié l'âge du premier rapport sexuel, qui est resté stable, vers 17 ans. Seuls 30 % des 13-18 ans disent avoir déjà fait l'amour, même si 50 % se disent amoureux (*L'Express-Science et Vie Junior*/ABC +, novembre 2000).

Les trois quarts des 13-18 ans se disent assez informés sur la sexualité. La plupart le sont par les copains (72 %). La façon dont ils en parlent est plutôt technique, parfois crue, même si la connaissance des fonctions sexuelles du corps est incomplète. Mais l'acte sexuel apparaît chez eux plutôt moins dissocié des sentiments que dans les générations précédentes, pour lesquelles il constituait parfois une fin en soi. Aux yeux des mineurs, les valeurs d'amour et de fidélité sont importantes et c'est plus le désir de sincérité que l'esprit de collection qui les amène à faire des expériences successives.

Les loisirs varient selon les tranches d'âge.

6 % des 8-10 ans pratiquent un sport au moins deux fois par semaine, contre 40 % des 18-19 ans. 80 % aiment regarder la télévision, 76 % faire du vélo, 74 % aller au cinéma, 72 % écouter de la musique (ministère de la Culture/ Médiamétrie, décembre 1999). A partir de 11 ans, les centres d'intérêt évoluent : 84 % des 11-19 ans placent la musique au premier rang, devant la discussion avec les amis (76 %), la télévision (73 %) et le cinéma (66 %). 59 % des 11-

18 ans disposent de leur propre poste de télévision (64 % des garçons, 54 % des filles). 83 % imposent même leur choix sur les programmes entre 18 h et 19 h, 73 % entre 19 et 20 h, 64 % entre 20 h et 20 h 30, 87 % après 20 h 30 lorsqu'il n'y a pas cours le lendemain, 54 % dans le cas contraire. 71 % lisent des journaux ou des magazines. 90 % vont au cinéma au moins une fois par an. Les deux tiers des 11-19 ans ont un ordinateur à leur disposition, à l'école ou à domicile.

Les enfants d'aujourd'hui se distinguent de leurs aînés par un usage plus diversifié de l'audiovisuel, un plus grand intérêt pour les activités sportives et artistiques et un fort besoin de sociabilité. Les sorties et les relations amicales jouent un rôle essentiel. Les sports le plus pratiqués sont, par ordre décroissant, la natation, le basket, le VTT, le roller. Les visites culturelles sont souvent initiées par la famille ou l'école. Les garçons sont plus tournés vers les nouvelles technologies et les activités extérieures, les filles vers les loisirs d'intérieur et la culture scolaire.

C'est par le jeu que s'effectue l'apprentissage de la vie.

Le jeu occupe une place essentielle dans la vie des moins de 15 ans. Il se pratique souvent en famille : 82 % des parents disent jouer avec leurs enfants, mais ceux-ci déclarent préférer jouer avec leurs amis ou leurs frères et sœurs. Les jeux vidéo sont l'objet d'un intérêt particulier, renouvelé par l'évolution des matériels et des jeux disponibles. 7,5 millions de ménages étaient équipés de consoles en 2001, contre moins d'un million en 1991. Plus de la moitié des enfants de 2 à 7 ans disposent d'une console ou d'un ordinateur multimédia ; le taux d'équipement s'accroît régulièrement avec l'âge, pour dépasser deux tiers parmi les 11-14 ans.

K Agency

Jouer, c'est apprendre à vivre

Le jeu est aussi très présent à l'école. Après avoir régné sans partage dans les cours de récréation, la mode des Pokémon s'essouffle. Comme les images Panini (ou anciennement les billes), elle a mis en évidence le besoin d'accumulation des enfants, qui leur permet de se valoriser et sert de prétexte à l'échange verbal et au troc. La mode des peluches est également passée : les achats ont diminué de 20 % à Noël 2001. Il en est de même des trottinettes, dont beaucoup sont rangées dans les placards.

On observe en revanche depuis deux ans un intérêt croissant pour l'univers fantastique, illustré par le triomphe de la série Harry Potter. Certains jouets traditionnels reviennent au premier plan, comme les poupées mannequins ou les jeux de société. On assiste à une réconciliation entre modernité et tradition, avec par exemple les peluches parlantes, les animaux de compagnie robots ou les jeux de société électroniques (souvent repris de ceux diffusés par la télévision).

Cadeaux techno

Les parents dépensent en moyenne 220 € par an pour les achats de jouets (en baisse de 15 € environ depuis 1990) contre 190 € en moyenne européenne. Les jouets technologiques occupent une place prépondérante dans les cadeaux de fin d'année des garçons, avec notamment les consoles et les jeux vidéo, qui représentent 21 % des dépenses totales de jouets. Les jouets éducatifs connaissent une baisse d'intérêt liée à un changement d'attitude des parents, dont beaucoup reconnaissent désormais l'importance du ludique.

Noël est la principale occasion pour recevoir des cadeaux (59 % des dépenses de jouets) devant l'anniversaire, les vacances et Pâques. 90 % des enfants font une liste des cadeaux attendus pour Noël et 86 % des parents disent s'y conformer. La moitié dépensent plus de 45 € par enfant à cette occasion. 50 % des cadeaux sont achetés dans les hypermarchés ou supermarchés, 27 % dans des magasins spécialisés, 6 % par correspondance, 3 % dans les grands magasins et magasins populaires. Les enfants des catégories sociales supérieures reçoivent davantage de jouets éducatifs. Les garçons préfèrent souvent un gros jouet et les filles plusieurs petits. Les filles reçoivent plus tôt que les garçons des cadeaux utiles.

Les différences entre garçons et filles s'estompent...

On observe depuis quelques années une convergence croissante dans les modes de vie des enfants. Les équipements possédés, les activités pratiquées ou les produits consommés sont moins différenciés. Si les filles continuent de recevoir un peu moins d'argent de poche que les garçons, les écarts diminuent. Le souci de la tenue vestimentaire apparaît cependant plus tôt chez les filles (vers le CM1), mais les garçons attachent désormais davantage d'importance à leur habillement.

Ce rapprochement est la conséquence des changements qui se sont produits dans l'éducation dispensée par les parents. Ils sont eux-mêmes liés à la moindre différenciation des rôles masculins et féminins dans la vie sociale, professionnelle et familiale. On observe aussi une homogénéisation des attitudes et des comportements par rapport aux enfants dans les diverses catégories socioprofessionnelles. Les types de consommation ou la pratique des médias deviennent moins discriminants en fonction du revenu des familles.

... mais certains loisirs restent différenciés.

La convergence des comportements est moins apparente en ce qui concerne les activités de loisirs. Certaines activités restent distinctes, en particulier les pratiques sportives ; les filles sont plus attirées par les sports individuels (notamment la natation) que par les sports d'équipe (football, basket...).

L'usage des équipements électroniques est également différencié. Les garçons de 8 à 10 ans passent plus de 17 heures par semaine devant un écran (12 h pour la télévision, 2,5 heures pour les jeux vidéo, 3 heures avec un ordinateur). Les filles du même âge leur consacrent moins de 15 heures (environ 45 minutes de moins avec chacun des appareils). Elles préfèrent les séries télévisées, alors que les garçons apprécient les dessins animés et les émissions de sport.

L'usage d'Internet est également différencié. Parmi les 4-12 ans, les filles se rendent plus souvent sur des sites dédiés aux jeunes (80 % contre 70 % des garçons). Elles sont aussi plus attirées par ceux consacrés à des personnalités : 44 % contre 19 % des garçons. 64 % de ces derniers utilisent Internet pour jouer, contre 21 % des filles. Au total, les 11-14 ans utilisent Internet en moyenne 55 minutes par semaine (novembre 2001), les 15-17 ans 72 minutes, les 18-19 ans 78 minutes.

Les enfants, consommateurs et prescripteurs

La consommation est l'un des éléments importants de structuration de la personnalité.

Le pouvoir d'achat dont disposent les enfants leur permet d'être très tôt des consommateurs à part entière. Avant l'âge de 10 ans, la moitié reçoivent de l'argent de poche. La proportion est de 75 % entre 11 et 12 ans, 80 % vers 14 ans. Les plus favorisés sont les enfants uniques, ayant une mère diplômée ou des parents divorcés. Le montant moyen s'élève à 5 € par mois entre 2 et 7 ans, 15 € entre 8 et 14 ans.

Le pouvoir d'achat direct des moins de 12 ans représente près de 2,5 milliards d'euros. Entre 11 et 19 ans, les jeunes disposent en moyenne de 25 € par mois d'argent de poche ; ils possèdent un peu plus de 800 € sur leur compte en banque ou leur livret de caisse d'épargne. Au-delà de la consommation proprement dite, l'argent disponible constitue un moyen d'accès au monde réel et un mode d'apprentissage de la vie.

Les enfants disposent d'un fort pouvoir d'achat et de prescription.

Les enfants sont des prescripteurs efficaces auprès de leurs parents. On estime que leur avis, qui concerne aussi bien l'alimentation que l'informatique ou la voiture, est décisif dans près de la moitié des dépenses des ménages. Ce poids s'explique sans

doute par le désir des parents de faire plaisir à leur progéniture. Il est aussi justifié par le fait que les enfants sont souvent mieux informés que leurs parents. La publicité joue en effet un rôle important dans leur culture et dans leur consommation des médias.

Le taux de prescription des 5,2 millions d'enfants de 4 à 10 ans est évalué entre 60 % et 80 % pour les jouets, les céréales, les livres ou les glaces. Outre leur influence sur les achats de produits et biens d'équipement, ils s'efforcent souvent d'« éduquer » leurs parents, dans des domaines où ceux-ci sont moins compétents qu'eux : informatique ; jeux vidéo ; musique ; cinéma ; émissions de télévision... S'il est parfois la source de tensions ou de conflits à l'intérieur des familles, ce type de rapport entre les générations concourt aussi à leur rapprochement.

15-24 ans

Les 15-24 ans représentent une population diversifiée...

Les 7,6 millions de jeunes de 15 à 24 ans représentent 13 % de la population française. Les plus âgés d'entre eux sont nés en 1978, soit peu après le début d'une crise économique qui a accompagné leur vie et influencé leur vision du monde. Les plus jeunes sont nés en 1987 ; ils ont grandi dans les années 90, qui marquaient la fin de la longue période de transition sociale amorcée au milieu des années 60.

Contrairement aux plus jeunes, les 15-24 ans ont des statuts très diversifiés. Si la majorité d'entre eux sont scolarisés (5,3 millions), certains sont encore dans l'enseignement secondaire, d'autres dans le supérieur. Parmi les 2,3 millions qui sont entrés dans la vie professionnelle (30 %), 1,8 million avaient un emploi en mars 2001 et 500 000 étaient au chômage.

La grande majorité vivent chez leurs parents : 3,1 millions de garçons et 2,7 millions de filles (77 %). La proportion est encore de 51 % à 24 ans pour les premiers et 30 % pour les secondes. 9 % vivent en couple (marié ou non marié), 14 % vivent à l'extérieur du foyer parental, mais pas en couple.

... et constituent la génération transition.

La difficulté de leur trouver une spécificité explique qu'on a baptisé les 15-24 ans « génération X » aux Etats-Unis. En France, on les a successivement appelés bof génération, *boss* génération, génération sacrifiée, génération morale, génération conformiste, génération consensus ou génération galère. Ils constituent peut-être plus simplement la génération transition.

Transition, d'abord, entre deux appartenances géographiques. Nés Français, ils vivront leur vie d'adulte en tant qu'Européens, peut-être même (vers la fin...) citoyens du monde. Ce changement d'échelle a des incidences sur leurs attitudes, leurs valeurs et leurs modes de vie. Transition, surtout, entre deux systèmes de valeurs. La vision collective de la vie s'est effacée au profit d'une vision plus individuelle. L'« égologie » se combine à l'écologie pour exprimer la volonté de préserver non seulement l'environnement naturel mais aussi l'espèce humaine (voir *Valeurs actuelles*).

Transition, enfin, entre deux civilisations. Celle du temps libre et des loisirs est en passe de remplacer celle du travail (voir *Emploi du temps*). Une mutation à la fois quantitative et qualitative dont les jeunes de la génération actuelle seront davantage les acteurs que les témoins.

Leur vision de la vie est marquée par des contradictions.

Les 15-24 ans subissent les conséquences des changements économiques, culturels et sociaux qui ont agité et transformé le monde depuis leur naissance. La plupart sont les enfants de ceux qui ont « fait » Mai 68 et qui dirigent aujourd'hui les rênes du pouvoir dans la plupart des domaines. Mais ils ne connaissent les événements de l'époque qu'à travers les descriptions que leurs parents ont pu leur en fournir et les images d'archives parfois diffusées par la télévision.

Leur conception de la vie est influencée par les contradictions contemporaines. La première oppose le confort matériel important dont la plupart bénéficient (logements, équipements, argent disponible...) et l'inconfort moral lié aux difficultés d'insertion professionnelle. Ils vivent aussi une contradiction permanente entre la protection dont ils bénéficient au sein de la famille (notamment lorsqu'ils vivent au foyer parental) et les menaces d'un monde extérieur où la compétition et l'instabilité dominent. Enfin, ils ont le sentiment que l'augmentation générale du pouvoir d'achat s'est accompagnée d'un accroissement des inégalités ; une impression justifiée en l'occurrence puisque les jeunes ont moins profité que les aînés de la redistribution des fruits d'une croissance économique plus faible.

Adolescents plus tôt, ils deviennent adultes plus tard.

Grâce à l'omniprésence des médias et à l'apparition de modèles familiaux plus ouverts, les enfants parviennent plus vite à l'adolescence que les générations précédentes (voir p. 168). Mais ils acquièrent rapidement le sentiment que l'intégration dans le monde des adultes est difficile. La scolarité s'est ainsi prolongée au cours des dernières décennies, pour permettre l'obtention de diplômes plus élevés mais aussi pour retarder l'échéance de la recherche du premier emploi. Pour ces raisons, la mise en couple est également plus tardive que par le passé, d'autant que l'indépendance financière n'est pas assurée.

C'est ainsi que, malgré l'avancement en 1981 de l'âge de la majorité (18 ans contre 21 ans), les jeunes deviennent adultes plus tard. Ils prolongent leur présence au foyer parental. Entre 20 et 24 ans, 68 % des hommes et 50 % des femmes sont hébergés par leurs parents contre 51 % et 38 % en 1982. Même plus tard, le cordon n'est pas coupé : entre 30 et 34 ans, 10 % des hommes et 4 % des femmes vivent encore avec leurs parents. Le départ du foyer parental est d'abord motivé par la mise en couple ; c'est pourquoi les femmes, qui se marient plus jeunes, partent plus tôt que les hommes. Mais la proportion des 20-24 ans vivant en couple est passée de un sur trois en 1980 à moins de un sur dix aujourd'hui. La poursuite des études dans une école éloignée du domicile et l'obtention du premier emploi sont les autres causes principales de départ du foyer parental.

La sexualité fondatrice

La sexualité joue un rôle important dans la construction de l'identité des jeunes. Elle est un instrument de satisfaction des désirs personnels mais aussi d'affectivité et de partage. Son rôle social ne se limite pas à fournir d'inépuisables sujets de conversation entre amis. Elle est un prétexte à la rencontre, à l'échange, parfois à la rivalité. Elle a une vocation à la fois fondatrice et thérapeutique.

Alors que leurs parents ont vécu la « libération sexuelle », les jeunes ont grandi à l'époque de la banalisation du sexe, mais aussi de l'apparition du sida. Informés des choses de la vie, et des dangers qu'elle présente, ils ne connaissent pas les inhibitions, mais ne se livrent pas pour autant à une sexualité débridée. S'ils tiennent sur elle un discours libéré, ils attachent une grande importance aux sentiments.

Les modes de vie diffèrent en fonction de l'âge...

Entre 15 et 19 ans, l'entrée dans le monde des adultes est amorcée, avec une stabilisation des pratiques et des préférences. L'âge adulte commence officiellement à 18 ans (majorité), mais celui de l'enfance n'est pas terminé ; beaucoup de jeunes ne sont en effet pas pressés d'assumer la responsabilité totale de leur destin. La vie amicale est primordiale et sert de contrepoint aux relations avec les parents. Les loisirs sont nombreux et l'autonomie est désormais acquise dans le choix des activités et des sorties ; elle est favorisée par un pouvoir d'achat croissant. Les 15-19 ans privilégient l'audiovisuel, avec une forte augmentation de l'écoute de la radio, motivée surtout par la musique mais aussi par un souci d'ouverture sur le monde.

Entre 20 et 24 ans, les activités sont beaucoup plus diversifiées. Les étudiants n'ont pas les mêmes préoccupations et les mêmes modes de vie que ceux qui sont entrés dans la vie active ou qui cherchent un emploi. Parmi les premiers, l'école et la filière choisies ont des incidences sur le temps disponible pour les loisirs et les centres d'intérêt. Le fait d'habiter chez ses parents ou de vivre dans un logement indépendant est un autre critère important qui influence les modes de vie. Chez les plus âgés, on observe que les choix en matière professionnelle sont de plus en plus tardifs et que les recherches d'emploi sont moins ciblées sur une fonction ou un secteur d'activité que par le passé.

... mais la consommation occupe une place centrale.

Le budget des 15-24 ans varie fortement en fonction de l'âge. Il représente en moyenne 130 € par mois pour les 15-17 ans, en tenant compte de l'argent de poche et de toutes les autres rentrées d'argent. Les 18-20 ans disposent de 500 € et les 21-24 ans de 600 €, mais la moyenne intègre les rémunérations de ceux qui ont un emploi.

Le premier poste de dépenses concerne l'apparence (habillement, hygiène-beauté), devant les sorties et loisirs, puis les frais de téléphone. Les dépenses moyennes des étudiants sont surtout consacrées aux loisirs (100 € par mois) ; les deux tiers possèdent un téléphone portable, la moitié un ordinateur et plus d'un tiers

sont personnellement connectés à Internet. Outre leurs propres achats, les jeunes influencent une grande partie de ceux de leur entourage familial.

Les attitudes et les comportements des jeunes sont semblables dans la plupart des pays développés. Beaucoup sont des consommateurs plutôt boulimiques, mais ils font preuve en même temps d'une attitude critique à l'égard de la société de consommation. Ils balancent entre la volonté de marquer leur différence et celle d'appartenir à un groupe. Plus pragmatiques que révoltés, plus réalistes qu'idéalistes, ils sont attachés à leur liberté de mouvement et recherchent des émotions renouvelées. Adeptes des produits nouveaux et des marques branchées, ils « craquent » facilement devant les innovations et sont sensibles au design, à l'esthétique et aux matériaux. Mais ils prennent un malin plaisir à dérouter ceux qui veulent les récupérer (créateurs de mode, professionnels du marketing, publicitaires...) ; ils changent alors d'attitude ou détournent les produits.

Le goût de la fête est une caractéristique commune.

Les jeunes manifestent un intérêt croissant pour la *teuf* (fête). Moment privilégié de transgression des règles sociales et d'oubli du quotidien, elle leur permet de se retrouver dans des lieux qui leur appartiennent (ou qu'ils s'approprient). Beaucoup cherchent ainsi à s'isoler d'un monde qui ne les satisfait pas. Ils répondent donc présents à toutes les invitations qui leur sont lancées : fête de la Musique, fête du Cinéma, Gay Pride, Technoparade, festivals de toute sorte.

Ils transforment les salles de concert, stades et autres lieux de rassemblement en *happenings*. Ils organisent aussi leurs propres manifestations, telles les *raves* ou les *free parties*, versions modernes du vieux rêve communautaire et autogestionnaire qui avait donné naissance à Woodstock. La musique techno y remplace celle de Bob Dylan, et l'ecstasy est substituée à la marijuana. La fête est pour les jeunes une façon de résister au monde, d'exprimer leur différence, voire leur marginalité dans une société qu'ils jugent trop conformiste.

Délire et hallucination

Les mots ne sont jamais anodins ; comme l'écrivait Jules Roy, « ils en savent plus que nous sur les choses ». Le langage des jeunes est ainsi le révélateur de leur état d'esprit, le reflet de leurs valeurs. On peut donc s'interroger sur les raisons de l'usage récent de verbes empruntés au langage de la médecine psychiatrique, comme *halluciner* ou *délirer*. On observera que ces mots sont aussi utilisés pour qualifier les effets des drogues dures.

Ce vocabulaire peut être interprété comme un refus du monde « normal » et une volonté d'entrer dans celui de la marginalité, voire de la folie, à laquelle il se rattache. L'objectif est de briser les tabous sociaux et d'inventer des modes de vie différents, associés à de nouveaux codes. C'est parce que le monde réel ne leur paraît pas satisfaisant que certains jeunes cherchent à pénétrer dans un « autre » monde, qui ressemble à un paradis artificiel. Pour le plus grand nombre, heureusement, le délire et l'hallucination sont d'abord synonymes de fête, d'insouciance et de convivialité. Mais ils traduisent une insatisfaction qu'il ne faut pas sous-estimer.

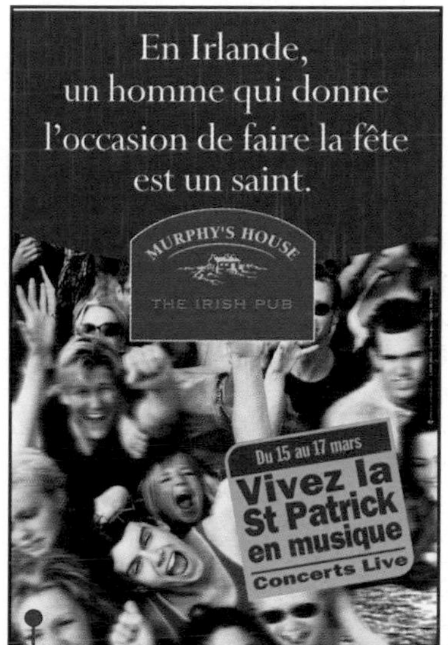

Pour beaucoup de jeunes vivre, c'est faire la fête

Le jugement sur la société est sévère.

Pris entre le confort de la vie au foyer parental et les difficultés d'en sortir pour entrer dans la « vraie vie », les 15-24 ans ne se sentent pas très à l'aise dans la société. Ils reprochent notamment aux institutions de ne pas avoir fait leur travail. S'ils gardent une certaine confiance en l'école, beaucoup ont le sentiment qu'elle ne les prépare pas suffisamment à leur vie professionnelle future. L'Eglise catholique ne représente pas à leurs yeux un repère, ni même souvent une référence morale. Pourtant, leur besoin de spiritualité est réel ; on a pu le constater par exemple avec le succès des Journées mondiales de la jeunesse en 1997. La justice leur paraît

Les plus instruits ne sont pas les plus indulgents

Avez-vous plutôt confiance ou plutôt pas confiance dans :*

	Indice de confiance étudiants (déc. 2001)	Ensemble des Français (juillet 2001)
La science	+ 80	+ 82
Les associations de consommateurs	+ 79	+ 72
Les grandes écoles	+ 73	+ 58
L'école	+ 68	+ 66
Les entreprises publiques	+ 58	+ 40
Les grandes institutions internationales (ONU, FMI)	+ 56	-
Les ONG	+ 58	-
L'université	+ 52	+ 57
Les lois	+ 50	+ 8
Les entreprises privées	+ 48	+ 47
L'armée	+ 48	+ 41
La police	+ 44	+ 46
Les intellectuels	+ 43	-
La justice	+ 33	- 5
L'Etat	+ 17	-
Le Parlement	+ 13	+ 17
Les syndicats	+ 9	- 10
L'Eglise catholique	- 15	0
Le patronat	- 23	-
La Bourse	- 25	- 20
L'administration	- 26	+ 17
Les médias	- 46	- 40
Les partis politiques	- 82	- 61

* Indice de confiance = différence entre les réponses « plutôt confiance » ou « plutôt pas confiance ». Echantillon représentatif des étudiants du supérieur et des jeunes actifs diplômés du supérieur.

Le Monde - Le train de l'emploi/Sofres, décembre 2001

trop déséquilibrée entre les différentes catégories de citoyens et trop lente. Ils considèrent que les syndicats sont déconnectés de la réalité.

En matière politique, les jeunes font preuve d'un esprit critique aiguisé par les scandales et les « affaires » qui ont baigné leur enfance et ne se reconnaissent guère dans le clivage gauche-droite. Ils déplorent que les partis soient éloignés des citoyens et se retranchent derrière des discours peu mobilisateurs. L'avenir dira si l'électrochoc du premier tour de l'élection présidentielle a des effets durables sur leur volonté d'engagement et leur comportement de citoyens. S'ils se montraient jusqu'ici peu motivés par le militantisme au sein des partis, ils s'engageaient plus volontiers pour défendre les libertés ou combattre le racisme.

Le tribalisme se développe.

Les 15-24 ans aiment se regrouper avec les autres jeunes en général. Ils se différencient aussi entre eux en constituant des « tribus » dont les membres se choisissent à partir de critères liés à des modes de vie ou à des centres d'intérêt : habillement ; musique ; sport ; cinéma... Ils se retrouvent dans des lieux spécifiques et s'approprient les innovations technologiques comme les téléphones mobiles, les consoles vidéo ou Internet. Leurs signes de reconnaissance sont vestimentaires, gestuels ou liés à l'usage d'un vocabulaire particulier.

Les 15-24 ans sont des mutants qui préparent l'avènement d'une génération planétaire. Elle sera fondée sur une culture sans frontières, qui mélangera le monde réel et le virtuel. Elle refusera les contraintes et l'effort programmé au profit du plaisir immédiat. Elle privilégiera l'émotion par rapport à la réflexion.

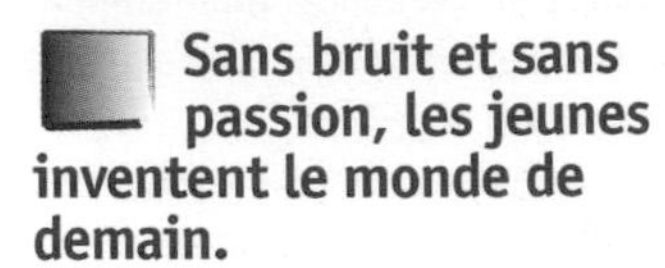

Sans bruit et sans passion, les jeunes inventent le monde de demain.

Désorientés, pessimistes, individualistes, blasés mais solidaires et tolérants, c'est ainsi que l'on peut définir les 15-24 ans. On peut ajouter qu'ils sont pour la plupart pragmatiques, éclectiques, hédonistes, nomades, amateurs de dérision et de transgression. Ils ont peur de la solitude et du vide. C'est pourquoi la communication, l'agitation et la fête sont pour eux les manifestations nécessaires de l'existence.

Leur désapprobation à l'égard de la société ne signifie pas qu'ils ne pourront pas assumer les responsabilités qui les attendent. Leur réalisme et leur volonté de s'en sortir devraient constituer des leviers pour « soulever » le monde, en tout cas pour le transformer. Loin d'être les membres passifs de la « bof génération », les 15-24 ans sont en train d'imposer leurs valeurs. Ils inventent un monde nouveau dans lequel la technologie, l'image, la musique, le virtuel, les rapports humains (sélectifs) et les appartenances (éphémères) jouent un rôle essentiel.

Relations parents-enfants

La notion de famille s'est transformée...

Si l'on examine l'évolution de la famille à partir d'indicateurs quantitatifs, on constate qu'elle s'est beaucoup éloignée du modèle traditionnel. Malgré la récente hausse, le

nombre de mariages a diminué de plus d'un tiers depuis 1975. L'union libre concerne aujourd'hui environ un couple sur six et constitue un mode de vie durable. Lorsqu'il a lieu, le mariage se produit de plus en plus tard ; l'âge moyen a augmenté de cinq ans depuis 1980. Dans le même temps, le nombre de divorces a doublé, de sorte que quatre mariages sur dix se terminent par une rupture.

De son côté, la natalité a diminué ; les femmes ont aujourd'hui en moyenne un enfant de moins qu'au milieu des années 60. Les familles comptant au moins trois enfants sont de plus en plus rares. Plus de quatre enfants sur dix naissent de parents non mariés. Les familles monoparentales (enfants vivant avec un seul de leurs parents) se sont multipliées, pour représenter aujourd'hui 7 % des foyers et 13 % des enfants à charge. On estime enfin que plus d'un enfant sur dix (11 %) vit dans une famille « recomposée » à la suite de remariages d'un au moins de leurs parents.

... mais elle joue toujours un rôle central dans la vie des Français.

Si l'on s'intéresse aux évolutions qualitatives de la famille, on en a une autre vision, plus optimiste. Toutes les enquêtes montrent qu'elle reste la valeur première pour les Français de tout âge. Dans une société sans repères, elle constitue le creuset dans lequel se transmettent des valeurs du passé et se forgent celles de l'avenir. Elle constitue le pôle de la vie personnelle, celui qui permet de s'épanouir, d'exister, de se protéger des agressions extérieures. C'est pourquoi elle n'est pas en réalité menacée par la modernité ; elle est au contraire un moyen de la rendre acceptable pour le plus grand nombre.

Mais les conceptions et les pratiques de la vie de famille ont changé. Elles se sont diversifiées, afin de s'adapter aux évolutions sociales et aux conceptions des personnes concernées (voir p. 270). On observe ainsi une plus grande autonomie de chacun des membres de la famille. Elle s'accompagne d'un libéralisme croissant dans la façon d'élever les enfants. La notion de famille tend aussi à s'élargir pour se rapprocher de celle de « tribu » (voir p. 176). Elle intègre aujourd'hui non seulement des personnes ayant des liens de sang, mais aussi d'autres avec lesquelles on partage des centres d'intérêt ou des passions.

La loi et les mœurs

L'ÉVOLUTION récente des lois concernant la famille reflète à la fois l'évolution des mœurs et la diversité des modèles familiaux. L'instauration du pacs traduit entre autres choses la reconnaissance de l'homosexualité. La suppression du divorce pour faute tend à rendre les séparations moins douloureuses pour les couples et les enfants concernés. Le congé paternel de naissance ou la transmission possible du nom par les femmes vont dans le sens d'une égalité plus grande entre les parents. L'accélération des procédures d'adoption ou la législation favorisant le conjoint survivant dans la répartition de l'héritage sont d'autres ajustements de la loi par rapport à la réalité contemporaine. Ce nouvel arsenal juridique témoigne de l'importance de la cellule familiale dans la société contemporaine. D'autres débats devraient suivre dans les prochaines années, par exemple sur la pluriparentalité ou l'adoption d'enfants par des couples homosexuels.

Les enfants qui naissent aujourd'hui pourront connaître sept générations au cours de leur vie.

L'accroissement spectaculaire de l'espérance de vie a des incidences notables sur la vie de famille. Parmi les femmes nées en 1950 et qui ont eu 50 ans en l'an 2000, on estime que près de la moitié (44 %) connaîtront leurs petits-enfants et leurs arrière-petits-enfants et vivront dans une lignée de quatre générations. La proportion n'était que d'une sur quatre (26 %) parmi celles qui sont nées en 1920. L'évolution sera encore plus spectaculaire pour les enfants qui naissent aujourd'hui, car ils auront en outre une forte probabilité de connaître leurs parents, grands-parents et arrière-grands-parents. Ils auront donc connu au total sept générations au cours de leur vie.

Cette situation inédite a de nombreuses conséquences. Elle transforme d'abord les relations au sein de la famille, dans laquelle les ascendants occupent une place croissante. Elle a aussi des implications financières pour les familles et pour la collectivité, en termes de financement des retraites ou des dépenses médicales. Ces charges seront d'autant plus lourdes à l'avenir qu'elles seront réparties sur un faible nombre d'enfants et d'actifs ; elles représentent donc une source possible de conflits entre les générations.

Une autre conséquence de la situation actuelle est la diminution du nombre d'oncles et de tantes, de cou-

sins et de cousines. Les relations affectives collatérales sont donc plus rares, au contraire des relations verticales (ascendants-descendants). La taille moyenne de la parenté est aujourd'hui de 24 personnes, mais elle varie beaucoup selon les cas ; un Français sur dix a un réseau familial de moins de 9 personnes.

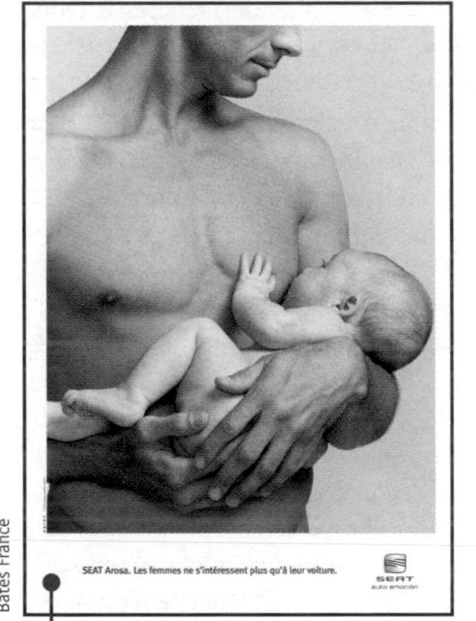

Bates France

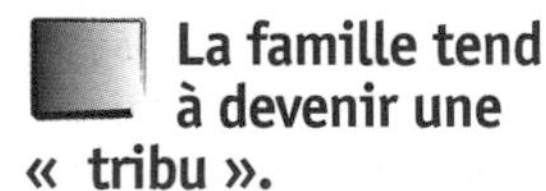
Les rôles parentaux se rapprochent

La famille tend à devenir une « tribu ».

La conception de la famille est de plus en plus large. Une large majorité des Français (90 %) estime qu'un couple de concubins ayant des enfants en forme une (Congrès des notaires/Ifop, mai 1999). 86 % pensent que c'est le cas aussi de grands-parents vivant avec leurs petits-enfants, 84 % pour une personne seule avec enfant (contre 78 % en 1994), 71 % pour des frères et sœurs habitant ensemble ; 68 % pour un couple marié sans enfant. Mais 67 % des Français considèrent que des amis habitant ensemble ne forment pas une famille ; la proportion est de 59 % pour les couples d'homosexuels. La loi sur le pacs va donc plus loin dans sa conception de la famille que l'opinion publique.

On observe une forte tendance à l'élargissement de la notion de famille dans certaines catégories sociales, notamment chez les jeunes. Des personnes qui n'ont pas de lien de sang (amis, collègues, relations diverses...) peuvent ainsi être considérées de la même façon que les membres de la famille traditionnelle. On est alors en présence d'une « tribu » dont les membres sont choisis plutôt qu'imposés et que l'on peut quitter lorsqu'on le souhaite, au gré des rencontres et de l'évolution des centres d'intérêt personnels.

A la différence des époques précédentes, la famille est aujourd'hui moins subie. On hésite moins à sélectionner les membres que l'on fréquente, ou parfois à exclure certains parents proches de ses fréquentations. La famille n'est plus un univers fermé, défini par des liens formels, mais un groupe de base ouvert qui recrute à l'extérieur. Elle ne doit pas étouffer le besoin d'autonomie de chacun de ses membres.

Les modèles familiaux se sont diversifiés.

Le modèle traditionnel de la famille comportant un couple marié et des enfants issus de ce mariage coexiste de plus en plus avec des modèles nouveaux : cohabitation (union libre) ; couples non cohabitants ; familles monoparentales ; familles éclatées ou recomposées. On compte ainsi aujourd'hui environ 700 000 familles dans lesquelles près de 1,5 million d'enfants vivent avec un beau-père, une belle-mère, un ou plusieurs demi-frères et demi-sœurs.

Il s'y ajoute les cas de cohabitation de personnes du même sexe (homosexuels), d'amis ou de communautés. Enfin, le nombre de mono ménages (ménages d'une seule personne) s'est accru sous l'effet de l'allongement de la durée de vie (et du veuvage) ainsi que de la proportion de célibataires ; il représente aujourd'hui près d'un tiers (31 %) des ménages français. Toutes ces situations autrefois marginales se sont multipliées au cours des vingt dernières années. Elles sont à l'origine de nouveaux modes de vie familiaux. Elles ne sont pas précisément définies par la loi, notamment en termes de responsabilité et d'autorité parentale.

Le fossé entre les générations s'était rétréci dans les années 80...

La décennie 80 avait marqué le début d'une sorte de trêve dans le conflit traditionnel entre les générations. Dans un contexte de crise économique et de difficulté pour les jeunes d'entrer dans la vie professionnelle, la famille jouait un rôle de cocon protecteur. Pour accroître leurs chances et parfois gagner du temps en attendant la « reprise », les enfants allongeaient la durée de leurs études ; ils restaient ainsi de plus en plus longtemps au foyer.

L'entente familiale était facilitée par la mentalité des parents, dont les principes d'éducation issus de Mai 68 étaient plus libertaires. Beaucoup traitaient leurs enfants comme des copains. Ils cherchaient à se faire pardonner leur manque de disponibilité et la dureté du monde extérieur en satisfaisant leurs demandes matérielles et en tenant largement compte

de leurs prescriptions dans les achats du foyer (alimentation, équipement du foyer, automobile...). Ils affichaient une grande ambition pour leurs enfants, mais celle-ci pouvait parfois avoir des effets destructeurs en plaçant un peu trop haut la barre de leurs attentes, notamment en matière scolaire.

... mais il tend à se creuser de nouveau.

Les enfants ont aujourd'hui davantage tendance à se démarquer de leurs parents. Ils cultivent la différence dans leur manière de vivre et dans leurs systèmes de valeurs (voir p. 171), comme en témoigne leur façon de s'habiller, leurs choix musicaux, leurs pratiques de loisirs ou même leur vocabulaire. La technologie, qu'ils s'approprient plus rapidement que leurs parents, leur permet d'accéder à un monde virtuel dans lequel ils ont leurs propres codes : jeux vidéo ; forums Internet ; DVD ; textos...

De leur côté, certains parents éprouvent des difficultés à comprendre leurs enfants et les jeunes en général. Ils leur reprochent pêle-mêle un manque de convictions et d'engagement, l'absence de politesse, le cynisme, la phobie de l'effort, la revendication de droits toujours plus étendus mais le refus des devoirs, le goût de l'argent facile et la passion de la fête... Ils voient dans la drogue, le rap, les *rave parties* et la délinquance les signes d'une dissolution des mœurs et d'une décadence sociale. Comme les parents de Tanguy, dans le film éponyme d'Etienne Chatilliez, ils trouvent parfois que l'incrustation dans le cocon familial se prolonge un peu trop.

Le plus souvent, le fossé des générations n'est sensible que dans l'opposition des idées et des comportements, qui n'empêche pas la cohabitation ni l'affection. Elle prend parfois un tour plus dramatique : en 2001, environ 2 000 enfants ont attaqué leurs parents en justice pour obtenir d'eux de l'argent, au nom de l'obligation d'entretien ; on n'en comptait qu'une trentaine en 1992.

Enfants maltraités

PRÈS de 90 000 enfants ont été signalés en 2000 à l'Aide sociale à l'enfance comme victimes possibles de maltraitance. Un chiffre stable mais élevé, qui donne la mesure du problème. Si l'on observe une diminution des négligences lourdes et des violences psychologiques, on note une augmentation des signalements pour abus sexuels (5 500 en 2000 contre 4 800 en 1999). Les carences éducatives et affectives sont souvent la conséquence des difficultés relationnelles au sein des couples. 57 % des signalements ont été transmis à la justice. En 2000, 295 enfants ont été recherchés dans le cadre d'enlèvements parentaux.

23 % des enfants concernés par les mauvais traitements ont moins de 3 ans, 22 % entre 4 et 6 ans, 19 % entre 7 et 9 ans, 18 % entre 10 et 12 ans, 12 % entre 13 et 15 ans, 6 % 16 ans et plus (Odas). Entre 15 et 18 ans, un peu moins d'un jeune sur dix déclare avoir été victime d'agressions sexuelles au cours de son enfance. Dans deux cas sur trois, il s'agit d'une jeune femme.

Les mauvais traitements sont souvent à l'origine des fugues de mineurs : 34 455 disparitions ont été signalées en 2000. Les recherches ont cessé dans 33 649 cas : 23 % après la découverte dans les 24 heures, 30 % après 48 heures, 68 % avant 30 jours. L'usage de la drogue est souvent un substitut à la mauvaise qualité des relations familiales.

L'autorité parentale a diminué.

Dans certaines familles, les parents ne servent plus de modèles à leurs enfants. Le phénomène est particulièrement apparent dans les banlieues difficiles, lorsque les parents sont au chômage et connaissent des difficultés psychologiques et financières. Beaucoup ne disposent pas de l'instruction suffisante pour comprendre le monde, l'expliquer à leurs enfants et leur fournir des repères. Privés de l'autorité parentale, ceux-ci font la loi et ignorent celle de la société. Certains se livrent à la délinquance et vont jusqu'à frapper leurs parents, comme ils agressent les enseignants.

Le libéralisme de l'éducation peut être à l'origine de la perte d'autorité de la part des parents. Mais c'est souvent l'incapacité du père (ou son absence) qui est la cause de ces difficultés. Les récentes évolutions ont fait éclater la fonction paternelle en trois fonctions (le géniteur, le père affectif et l'éducateur) qui sont de moins en moins souvent remplies par une seule et même personne.

Les solidarités familiales se sont inversées.

Traditionnellement, l'aide intergénérationnelle s'exerçait des parents vers leurs enfants et vers leurs propres parents âgés. On constate depuis quelques années une aide croissante de la part des grands-parents à destination de leurs enfants et petits-en-

Le revers de la tolérance

Si la très grande majorité des 15-34 ans considèrent que leurs parents ont été de très bons (69 %) ou assez bons parents (28 %), il est significatif que 38 % leur reprochent de ne pas avoir été assez sévères (40 % des garçons et 35 % des filles, 44 % des enfants d'ouvriers, 49 % dans le Nord), alors que seuls 26 % estiment qu'ils ont été trop sévères et 33 % ni trop ni pas assez sévères (*Vivre Plus*/BVA, mars 2002). Pour 79 %, la famille est une valeur plutôt ou tout à fait moderne, pour 20 % une valeur plutôt pas ou pas du tout moderne.

Le manque de sévérité des parents n'est que l'un des aspects d'une dissolution apparente de l'autorité dans l'ensemble de la société. Pour une partie croissante de l'opinion, ce phénomène est lié à la tolérance et au laxisme dont la société fait preuve à l'égard des jeunes. Sous le prétexte, louable, de ne pas attenter à la liberté individuelle, l'école a abandonné une partie de son rôle éducatif. A force de vouloir se montrer compréhensive, la justice assimile parfois les délinquants à des victimes. Ce sont ces pratiques qui ont sans doute fait basculer une partie de l'électorat dans le vote protestataire en avril 2002.

L'évolution en cours a été renforcée par le silence de ceux qui disaient autrefois la « morale » : l'Eglise, les institutions politiques, parfois aussi les médias. Elle a de nombreuses conséquences sur l'éducation des enfants : mépris pour l'école et pour la société dans son ensemble ; délinquance précoce ; refus des efforts et des devoirs indissociables des droits des citoyens. Elle produit chez de nombreux jeunes un vide existentiel qu'ils reprochent, souvent inconsciemment, à leurs parents et aux institutions. Le premier tour de l'élection présidentielle de 2002 a mis en lumière le désir d'une grande partie des Français de réintroduire l'autorité dans la société, afin d'y rétablir l'ordre et la sécurité dont ils se sentent privés.

fants. Cette inversion des solidarités a été rendue nécessaire par les difficultés rencontrées par les jeunes pour s'insérer dans la vie professionnelle ou créer un foyer, mais aussi par leurs parents, dont beaucoup ont connu des incidents de parcours ou des ruptures dans leur vie professionnelle ou familiale. Elle a été rendue possible par la forte augmentation du pouvoir d'achat des retraités.

L'aide fournie par les grands-parents est souvent constituée de cadeaux en espèces (donations, argent donné aux petits-enfants à l'occasion de fêtes ou d'anniversaires...) ou en nature (fourniture de légumes du jardin, services divers). Elle peut prendre des formes très diverses : entretien du linge, prêt d'une voiture, aide aux démarches administratives, courses, cuisine, accueil des petits-enfants... Elle est également affective, dans le cas par exemple où un enfant connaît des problèmes sentimentaux ou conjugaux.

La famille joue ainsi un rôle important de filet protecteur : un Français sur cinq a été aidé pour trouver un emploi, un sur trois parmi les moins de 35 ans. On constate aujourd'hui que les réseaux de solidarité familiale tendent à se défaire, du fait de l'éloignement de leurs membres, de l'accroissement du nombre des familles recomposées ou monoparentales ou du manque de temps à consacrer aux autres. Les nouvelles pratiques de solidarité en vigueur entre les générations risquent en outre d'accroître les inégalités entre les familles, en fonction de leurs moyens financiers et des réseaux de relations qu'elles peuvent mobiliser.

Le rapport mère-fille est souvent privilégié

> 56 % des Français (contre 38 %) sont opposés à ce que les médecins aient la possibilité de refuser de pratiquer des avortements.
> Entre 13 et 18 ans, une fille sur cinq considère l'homosexualité comme anormale, contre deux garçons sur cinq.
> On estime qu'environ 5 000 mineurs, français ou étrangers, se prostituent. Ils sont exploités par des réseaux de proxénètes.
> Les 6-25 ans reçoivent en moyenne environ 400 E par an.
> 80 % des 13-17 ans déclarent ne pas s'intéresser à la politique.
> Une personne sans domicile fixe sur dix a perdu son père avant l'âge de 16 ans, une sur dix sa mère ; une sur quatre ne vivait à 16 ans ni avec son père ni avec sa mère.

Les personnes âgées

Démographie

Un Français sur cinq a au moins 60 ans (un adulte sur trois).

12,3 millions de Français étaient âgés d'au moins 60 ans au 1er janvier 2002, contre 10 millions en 1982. Leur part dans la population était de 20,6 %, contre 12,7 % au début du siècle. Le déséquilibre de la pyramide des âges s'est beaucoup accentué au fil du temps. On comptait cinq jeunes de moins de 20 ans pour une personne de plus de 65 ans à la fin du XVIIIe siècle ; il y en a moins de deux aujourd'hui.

Le vieillissement continu de la population s'explique par les progrès de l'espérance de vie, ajoutés à la diminution du nombre des naissances entre 1965 et 1995 et au faible taux d'immigration. De plus, la structure de la pyramide des âges est déséquilibrée ; la proportion de personnes dépassant 60 ans s'est accrue depuis les années 80, car les classes creuses de 1914-1918 ont eu 60 ans entre 1974 et 1978. Le vieillissement devrait connaître une nouvelle accélération à partir de 2006, avec l'arrivée à 60 ans des premiers enfants du baby-boom, nés en 1946.

Le vieillissement de la population concerne l'ensemble de l'Union européenne.

L'Europe est avec le Japon la région du monde qui compte la plus forte proportion de personnes âgées. 15 % de ses habitants ont au moins 65 ans, comme au Japon, ce qui la place devant les Etats-Unis (13 %) et l'Australie (12 %). La situation est tout autre en Chine (7 %), en Amérique latine (6 %), en Amérique centrale (5 %), en Inde (4 %) ou en Afrique (3 %). L'âge moyen de la population des pays de l'Union européenne augmente de deux mois et demi chaque année ; il aura atteint 40 ans fin 2003.

Le vieillissement devrait se poursuivre en Europe dans les vingt ans à venir, de sorte que l'âge moyen atteindrait environ 46 ans en 2030. La proportion des moins de 20 ans diminuerait, passant de 23 % à 19 %, tandis que celle des plus de 60 ans passerait de 21 % à 34 %. Le phénomène serait particulièrement sensible en Allemagne, où les personnes âgées de 65 ans et plus devraient représenter la moitié (49 %) de la population, contre 16 % en 1960.

La vieillesse est une notion très relative.

7 % des Français estiment qu'une personne est âgée lorsqu'elle a entre 50 et 59 ans, 22 % entre 60 et 69 ans, 37 % entre 70 et 79 ans, 20 % à partir de 80 ans. L'âge moyen cité est de 70 ans (Ipsos, novembre 2001). Cette vision physiologique et subjective ne correspond pas à la vision économique. Pour les publicitaires et les professionnels du marketing, l'entrée

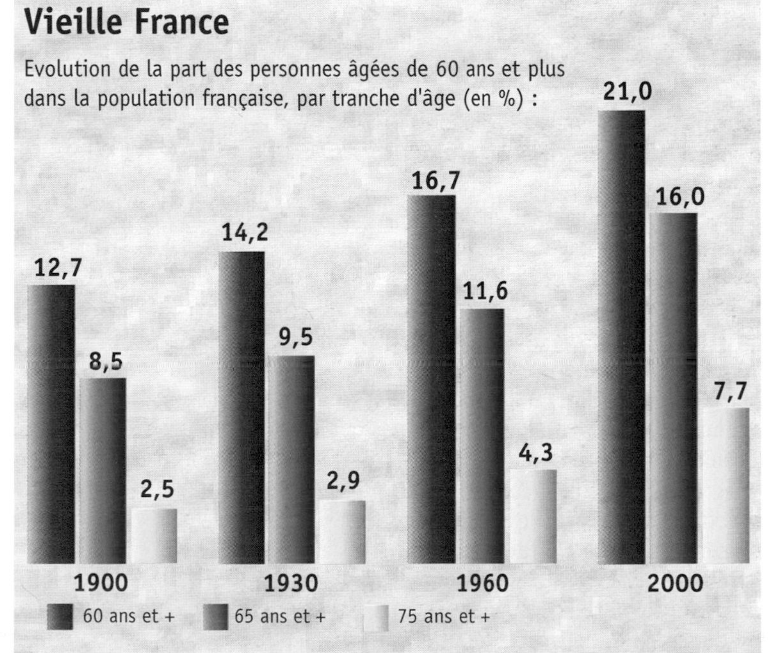

Vieille Europe

Evolution de la part des personnes de 60 ans et plus dans la population des pays de l'Union européenne (en %) :

	1960	1980	1999
Allemagne	17,2	19,2	22,4
Autriche	18,0	19,1	19,8
Belgique	17,5	18,1	21,8
Danemark	15,4	19,4	19,7
Espagne	12,3	15,0	21,5
Finlande	11,2	16,2	19,6
FRANCE	16,7	17,0	20,6
Grèce	13,4	17,5	22,8
Irlande	15,6	14,8	15,2
Italie	13,6	16,8	23,5
Luxembourg	16,3	17,8	19,1
Pays-Bas	13,1	15,6	18,0
Portugal	11,4	15,5	20,5
Roy.-Uni	16,8	19,8	20,4
Suède	16,9	21,7	22,1
Union européenne	**15,5**	**17,8**	**21,4**

Eurostat

dans la catégorie des « seniors » se situe beaucoup plus tôt, à 50 ans. Si ce seuil n'a pas de justification véritable sur le plan physique ou mental, il permet d'établir une continuité avec la « ménagère de moins de 50 ans »...

Sur le plan social et objectif, c'est incontestablement la cessation de l'activité professionnelle qui marque la césure. La France détient en ce domaine le record du monde, avec un âge moyen de départ à la retraite inférieur de plus de deux ans à l'âge officiel (60 ans). L'âge de cessation était de 61 ans à la fin des années 80 et de 64,5 ans en 1970 (avec un seuil de retraite alors fixé à 65 ans). 60 % des actifs qui demandent aujourd'hui la liquidation de leur retraite au régime général de la Sécurité sociale sont en fait déjà sortis de la vie active. Les deux tiers d'entre eux sont au chômage ou en préretraite. Les autres se sont volontairement retirés du monde du travail (essentiellement des femmes) ou bénéficient d'une convention spéciale.

Les mots de l'âge et l'âge des mots

Dans une société qui a plutôt le culte de la jeunesse et qui pratique le « socialement correct », il n'est pas facile de parler des personnes âgées. Peut-être à cause de la chanson de Brel, le mot « vieux » est empreint de tristesse. Le terme « ancien » présente l'inconvénient d'être opposé dans l'inconscient collectif à « moderne ». L'expression « troisième âge » est tout aussi confuse.

C'est pourquoi les publicitaires, les entreprises et les médias tentent depuis quelques années de populariser le terme « senior ». Pourtant, seuls 6 % des Français disent utiliser ce terme, en dehors de celui, beaucoup plus habituel, de « personne âgée » (Journée du Livre d'économie/Sofres, octobre 2001). 22 % déclarent cependant utiliser le terme « troisième âge », 19 % parlent des « vieux », 6 % des « anciens », 6 % des « retraités », 6 % des « mamies et papies ». Le mot « aîné » constituerait peut-être une meilleure appellation, à la fois respectueuse des individus, non liée au statut professionnel et non connotée sur le plan économique et commercial.

> Le nombre des personnes de plus de 50 ans devrait avoir augmenté de 75 % entre 1990 et 2020.

A partir de 75 ans, les femmes sont deux fois plus nombreuses que les hommes.

Si les femmes sont minoritaires à la naissance (il naît 105 garçons pour 100 filles), elles représentent 55 % de la population âgée de 60 à 74 ans. Sur les Français de 60 ans et plus, on compte 7,1 millions de femmes et 5,2 millions d'hommes. A partir de 75 ans, leur part atteint les deux tiers (65 %) et elle dépasse les trois quarts parmi les plus de 85 ans. Au fur et à mesure du vieillissement, les femmes sont donc de plus en plus majoritaires.

Cet écart entre les sexes s'explique par celui des espérances de vie, qui est particulièrement élevé en France : 7,5 ans, ce qui constitue le record d'Europe. C'est pourquoi on compte cinq fois plus de veuves que de veufs parmi les personnes de 60 ans et plus. Cette exception française pourrait s'atténuer progressivement avec la convergence croissante des modes de vie masculins et féminins.

A partir de 2015, on devrait compter plus de personnes de 60 ans et plus que de moins de 20 ans.

Entre 1970 et 2001, la proportion de jeunes de moins de 20 ans est passée de 33,2 % à 25,3 %. Dans le même temps, celle des 60 ans et plus passait de 18 % à 20,6 %. Le vieillissement devrait se poursuivre dans les prochaines années. Avec une hypothèse de fécondité semblable à la moyenne récente, les personnes de 60 ans et plus devraient représenter le quart de la population totale vers 2015 ; elles seraient alors pour la première fois plus nombreuses que les moins de 20 ans. Sans modification

notable de la fécondité ou des flux migratoires, l'écart continuera ensuite à se creuser. Un accroissement de la natalité n'aurait d'ailleurs qu'un effet limité sur le vieillissement global : le renouvellement à l'identique des générations (2,1 enfants par femme au lieu de 1,8 aujourd'hui) ferait passer la part des plus de 60 ans de 35 % à 32 % en 2050.

La part des personnes âgées pourrait être encore plus élevée si l'espérance de vie connaissait de nouvelles avancées au siècle prochain, comme le laissent espérer certains chercheurs. La lutte contre les décès accidentels, les cancers ou les maladies génétiques devrait en effet progresser, de même que la mise à disposition de traitements préventifs contre le vieillissement.

Les pays de l'Union européenne devraient être le plus touchés par le vieillissement à venir. Aux Etats-Unis, la population de jeunes adultes devrait vers 2020 être supérieure de moitié à celle des quatre principaux pays européens (Allemagne, France, Royaume-Uni, Italie).

Le financement des futures retraites est menacé...

En 1950, trois ans après la mise en oeuvre des régimes de retraite par répartition, environ dix actifs cotisaient pour un retraité, le plus souvent depuis l'âge de 18 ans jusqu'à 65 ans. L'espérance de vie était alors de 63 ans pour les hommes et 69 ans pour les femmes, de sorte que les pensions de retraite n'étaient pas versées très longtemps.

Les conditions actuelles sont bien différentes : on ne compte plus que 1,6 actif cotisant pour un retraité ; l'espérance de vie s'est allongée de 14 ans pour les femmes et de 12 ans pour les hommes depuis 1950 ; on a avancé à 60 ans l'âge légal de la retraite. La proportion d'actifs dans la population devrait continuer de diminuer au cours des prochaines années et la part des personnes de plus de 75 ans augmenter d'un tiers entre 2000 et 2010. Les charges de retraite, tous régimes confondus, devraient tripler à l'horizon 2040, alors que le PIB et les salaires ne feraient que doubler.

Drôle d'agence

Douze millions de retraités à payer

Les conséquences sur le fonctionnement social seront nombreuses. L'épargne devrait être favorisée par rapport à l'investissement et à la création d'entreprises, ce qui réduirait le nombre d'emplois. Surtout, le revenu moyen par habitant pourrait chuter ; celui des actifs serait amputé par l'accroissement des cotisations sociales, tandis que les pensions des inactifs subiraient une baisse. En même temps, les besoins de services sociaux et de santé devraient s'accroître fortement.

... et des réformes devront être engagées.

Votée en 1981 par la gauche arrivée au pouvoir, la retraite à 60 ans est plus qu'un acquis social aux yeux des salariés et des syndicats. Elle constitue une sorte de dogme idéologique et de tabou sur lesquels se heurtent les discussions concernant l'avenir des retraites. Des grèves se produisent même dans le secteur public (notamment les transports) en faveur d'une retraite à 55 ans. Comme souvent, la vision à court terme domine, dans un contexte de défense d'intérêts catégoriels et de refus des responsabilités à l'égard des générations futures.

Face à une bombe à retardement dont l'explosion se rapproche inexorablement (son souffle se fera sentir dès 2005), il est pourtant urgent d'abandonner la théorie, aussi généreuse soit-elle dans son principe, pour regarder la réalité. Après l'allongement de la durée de cotisation pour les salariés du secteur privé (1993), il faudra sans doute relever les niveaux de cotisation et/ou réduire les pensions. Un effort de solidarité apparaît donc nécessaire. Le choix d'une retraite « à la carte » en fonction de l'âge (et donc du montant perçu) serait le plus conforme aux attentes actuelles des Français et à la diversité de leurs situations personnelles.

> 89 % des Français se disent inquiets quant à l'avenir des retraites. Seuls 43 % font confiance au gouvernement pour prendre les mesures nécessaires, 55 % non.

Les retraites du secteur public et du secteur privé sont très inégales.

La France se distingue par l'inégalité entre les retraites des fonctionnaires et celles des salariés du secteur privé. Les premiers bénéficient de cinq années de retraite supplémentaires, de cotisations inférieures, d'un taux de remplacement du dernier salaire plus élevé et de la disposition d'un fonds de pension (Préfon) dont le principe est refusé aux autres salariés.

Sur 30 années environ de retraite en moyenne, l'écart entre les pensions au profit des fonctionnaires est considérable : on peut l'estimer à un peu plus de 6 000 € par an (pour des carrières complètes) soit 180 000 € par fonctionnaire en monnaie courante. Il s'y ajoute le déficit du financement de leurs retraites futures, qui devrait coûter quelque 26 milliards d'euros par an à la collectivité d'ici à 2015. C'est sans doute pourquoi 72 % des Français se disaient favorables à l'alignement de la durée de cotisation des fonctionnaires sur celle des salariés du privé (*Notre Temps*/Sofres, avril 2001) ; la proportion était de 82 % parmi les salariés du secteur privé et même de 49 % parmi ceux du secteur public. Pour sauvegarder le système de retraite actuel, 76 % seraient même prêts à renoncer à un jour férié par an, 58 % à travailler une année de plus, 31 % à travailler deux années de plus.

La France, la Suède et la Grèce sont les seuls pays de l'Union européenne à avoir un régime général complémentaire obligatoire et identique pour tous les salariés. Presque tous les pays d'Europe ont pris des mesures pour éviter la dégradation du système, avec notamment la création de fonds de pension (Grande-Bretagne), l'augmentation de l'âge légal de départ, l'alignement des régimes des secteurs public et privé, l'égalité de traitement des hommes et des femmes, etc.

La retraite à crédit ?

Socialement et humainement, le système actuel de la retraite paraît inadapté. La durée de la vie active a été raccourcie de dix ans en quarante ans et les Français arrivent à l'âge de 60 ans dans un bien meilleur état physique que par le passé. Beaucoup n'ont en outre pas envie d'abandonner leur place dans la société pour rejoindre les rangs des retraités. Les solutions collectives, qui imposent le même système à l'ensemble des citoyens, se heurtent à la diversité des situations et des souhaits individuels. Le système apparaît enfin économiquement très précaire, avec une proportion de cotisants de plus en plus déséquilibrée par rapport à celle des inactifs.

Pour toutes ces raisons, la retraite devra sans doute être remise en cause pour s'adapter aux réalités sociologiques et économiques. Elle pourrait être remplacée par un droit à des interruptions temporaires de l'activité tout au long de la vie, qui permettraient de mieux profiter du temps disponible. Un système de crédit pourrait ainsi être mis en place, permettant d'individualiser les choix, de réduire la charge des actifs et de favoriser l'activité économique. On a jusqu'ici envisagé le temps sur la journée, la semaine ou au mieux l'année. Il faudra demain l'organiser à l'échelle de la vie tout entière.

Quatre générations sont présentes dans la société.

Jusqu'au début du vingtième siècle, on ne comptait le plus souvent que deux générations vivantes dans les familles (parents et enfants). La présence d'une troisième, celle des grands-parents, s'est ensuite progressivement accrue. Dans les familles actuelles, l'existence d'une quatrième génération (arrière-grands-parents) est de plus en plus fréquente. Cette situation devrait se généraliser au cours des prochaines décennies. En 2010, un Français sur quatre aura au moins 60 ans et l'on comptera davantage de grands-parents que de petits-enfants.

Pour la première fois dans l'histoire sociale, quatre générations vont donc devoir cohabiter et accepter leurs différences d'attitudes, d'expériences, de modes de vie, de valeurs. Les plus anciens ont connu les guerres, les privations, la nécessité de l'effort et se trouvent un peu perdus dans un monde où les modes de vie et les valeurs ont changé. Leurs enfants sont, pour la plupart, eux aussi à la retraite ; ils ont bénéficié d'un accroissement continu de leur pouvoir d'achat et s'efforcent de profiter pleinement des années qui sont devant eux. La troisième génération a « fait » Mai 68 ; elle a provoqué la révolution des mœurs, traversé la crise économique, connu le confort matériel et l'inconfort moral. Enfin, la quatrième, née depuis le début des années 80, a grandi avec la technologie et la mondialisation, la peur du sida et du vide ; elle porte un regard réaliste et pragmatique sur la société et cultive un certain goût pour l'hédonisme.

La cohabitation prolongée

La moitié des personnes aujourd'hui âgées de 75 à 79 ans, nées au début de l'entre-deux-guerres, avaient déjà perdu leur père à 42,0 ans et leur mère à 52,6 ans. Parmi celles qui sont nées quinze ans plus tard, aujourd'hui âgées de 60 à 64 ans, la moitié avaient perdu leur père à 43,2 ans et leur mère à 55,5 ans, soit 1,2 et 3 ans plus tard. Hommes et femmes perdent leurs parents au même âge, mais la proportion de ceux qui perdent leur père augmente très vite avec l'âge. Ainsi, la moitié des personnes de 45 ans n'ont plus leur père, alors qu'à 55 ans la moitié ont encore leur mère. A 70 ans, un Français sur dix a encore au moins un parent.

La guerre des âges devrait être évitée.

Les rapports entre ces quatre générations détermineront le climat social des prochaines décennies. Des risques de tension existent entre la vision plus collective des anciens et celle, plus individualiste, des jeunes. La sédentarité des uns pourrait s'opposer au nomadisme des autres, le conservatisme à la flexibilité. La question se posera aussi du recours à l'immigration pour lutter contre le vieillissement de la population et renforcer le nombre des actifs, ce qui pourrait donner lieu à des appréciations différentes entre les générations.

Pourtant, la perspective d'une guerre des générations opposant des « jeunes pauvres » et des « vieux riches » n'apparaît pas probable. Elle sous-estime la capacité d'adaptation de la société et ne prend pas en compte les efforts de solidarité de chaque génération à l'égard des autres. Les jeunes ne seront sans doute pas prêts à financer en totalité les retraites des anciens. Mais le maintien du pouvoir d'achat des retraités sera favorisé par la hausse du nombre de couples biactifs depuis les années 80 et par l'accroissement des patrimoines, qui pourront leur apporter un complément de revenu. La croissance économique, si elle est assez forte, favorisera aussi l'équilibre des régimes, moyennant quelques réformes courageuses mais nécessaires.

Santé

L'état de santé des personnes âgées s'est beaucoup amélioré.

L'espérance de vie à la naissance a progressé des deux tiers au cours du XXe siècle. A 60 ans, les femmes ont aujourd'hui en moyenne 25 ans à vivre et les hommes 20 ans. Surtout, on constate que l'espérance de vie sans incapacité a davantage augmenté que l'espérance de vie à la naissance au cours des dernières décennies. La première est proche de 19 ans pour les femmes et 17 ans pour les hommes à 60 ans, contre respectivement 15 ans et 14 ans en 1981, soit des gains de 4 ans et 3 ans. L'une des conséquences est une moindre dépendance des personnes âgées. Les écarts d'espérance de vie sans incapacité entre hommes et femmes sont d'ailleurs moins importants que ceux concernant l'espérance de vie classique.

Le processus d'accroissement du temps disponible ne semble pas arrivé à son terme. Les gains récents d'espérance de vie ne sont pas dus à la réduction de la mortalité infantile ou de la mortalité prématurée liée aux comportements à risque ; ils reflètent une sensible baisse de la mortalité chez les personnes âgées, notamment les plus de 75 ans. Selon l'INSEE, l'espérance de vie moyenne à la naissance pourrait encore s'accroître de huit ans d'ici à 2050 ; elle atteindrait 82 ans pour les hommes et 90 ans pour les femmes. Le temps restant à vivre à 60 ans pourrait alors dépasser 30 ans en moyenne. Le nombre des centenaires excéderait 150 000 en 2050, contre 9 000 en 2002 et une centaine en 1900.

La durée de la retraite doublée depuis 1950

Au milieu du XXe siècle, la retraite était prise officiellement à 65 ans. A cet âge et à cette époque, l'espérance de vie moyenne était de 13,4 ans pour les femmes et 10,4 ans pour les hommes. Aujourd'hui, l'âge officiel de la retraite est de 60 ans, mais la cessation d'activité a lieu en moyenne vers 58 ans. A cet âge, les femmes ont encore 27,3 ans à vivre et les hommes 22,2 ans.

La durée moyenne de la retraite a donc doublé en un demi-siècle. Elle est aujourd'hui plus longue que celle de la scolarité, bien que cette dernière se soit beaucoup allongée (19 ans aujourd'hui contre 11 ans au début du XXe siècle). Cette évolution ouvre des perspectives totalement différentes pour les personnes concernées. Elles peuvent faire des projets, s'intéresser à des activités de plus en plus variées et continuer de participer à la vie collective, même si elles sont sorties du système productif.

Troisième âge, deuxième vie

Evolution de l'espérance de vie à 60 ans par sexe (en années) :

	Hommes	Femmes
- 1950	15,4	18,4
- 1980	17,3	22,4
- 1985	17,9	23,0
- 1990	19,0	24,2
- 1995	19,7	24,9
- 2000	20,3	25,4

INSEE

L'âge biologique tend à diminuer régulièrement pour un âge donné.

L'âge d'un individu est déterminé par sa date de naissance. Mais son âge biologique, mesuré par l'état d'usure physique ou cérébrale, peut différer considérablement entre des individus nés la même année. Il varie aussi selon les époques. Vers 1930, le mot « vieillard » désignait souvent une personne de plus de 50 ans. On estime aujourd'hui que les personnes de 75 ans ont des caractéristiques biologiques comparables à celles des personnes de 50 ans au début du XXe siècle. Les photographies anciennes témoignent d'ailleurs de l'évolution. Celle-ci se poursuit ; les personnes de 80 ans sont dans un état de santé comparable à celui des personnes de 70 ans il y a vingt ans. Le niveau socio-économique individuel est un facteur important. On constate, à âge égal, que les personnes ayant arrêté leurs études à l'école primaire présentent en moyenne un vieillissement avancé de 3 ans par rapport à celles qui ont fait des études supérieures.

Au XVIIIe siècle, Montesquieu écrivait : « C'est un malheur qu'il y a trop peu d'intervalle entre le temps où l'on est trop jeune et le temps où l'on est trop vieux. » La situation actuelle est fort différente, du fait que l'on n'est jamais trop jeune et que l'on est vieux de plus en plus tard.

Age réel, âge perçu

L'ÉTAT civil (date de naissance) et l'état biologique ne suffisent pas à définir l'âge d'une personne. Il existe un « troisième âge », ou âge psychologique. C'est celui que chaque individu s'attribue en fonction de son caractère, de son humeur, de son état de santé et de l'image que lui renvoie son entourage. Il apparaît ainsi que les deux tiers des plus de 50 ans se sentent moins âgés que leur état civil ; le décalage représente en moyenne environ 15 ans vers l'âge de 70 ans. Cette rémanence de la jeunesse dans les esprits s'explique notamment par la comparaison avec les générations antérieures, qui paraissent plus âgées. Elle est surtout liée au fait que les capacités mentales des personnes âgées sont de mieux en mieux préservées. L'esprit vieillit moins vite que le corps et le vieillissement implique de moins en moins des opinions, des attitudes et des comportements conservateurs ou « réactionnaires ». Les nouveaux retraités ont forgé leur système de valeurs à une époque de profonde transformation de la société, à laquelle ils ont d'ailleurs largement participé. Ils restent donc « modernes » dans leurs idées, leur perception du monde et leurs activités.

L'état de santé des plus de 60 ans varie très largement en fonction de l'âge.

Un quart des cancers surviennent après 75 ans. La déficience mentale s'accroît avec le vieillissement. La cause de démence la plus fréquente est la maladie d'Alzheimer, qui touche actuellement environ 450 000 personnes, mais dont le diagnostic est encore largement ignoré. Les handicaps physiques se développent aussi avec l'âge ; un tiers des personnes seules âgées de 75 ans et plus ont des difficultés pour sortir de chez elles, la moitié pour monter un escalier. Le taux d'hospitalisation croît rapidement avec les années, de même que la durée des séjours.

La dépendance est souvent la conséquence de ces maladies et handicaps. On compte environ un million de personnes touchées parmi celles de 60 ans et plus. 230 000 sont confinées dans un lit ou un fauteuil (niveau 1), 400 000 ont besoin d'une aide pour faire leur toilette et s'habiller (niveau 2), 370 000 pour l'une ou l'autre des ces activités (niveau 3). On observe cependant une diminution du nombre des personnes les plus dépendantes (niveaux 1 et 2) depuis une dizaine d'années, alors que la population concernée s'est accrue.

Les situations des personnes âgées sont donc très différenciées. Pour certaines, la « dernière ligne droite » de la vie peut être pratiquement jusqu'à son terme une longue période de bonheur, dont chaque instant prend une saveur particulière. Pour d'autres, elle est au contraire vécue comme une « prolongation » douloureuse dont la fin est parfois attendue comme une délivrance.

Les aînés font de plus en plus d'efforts pour préserver leur santé.

Pour lutter contre les effets du vieillissement et se maintenir en

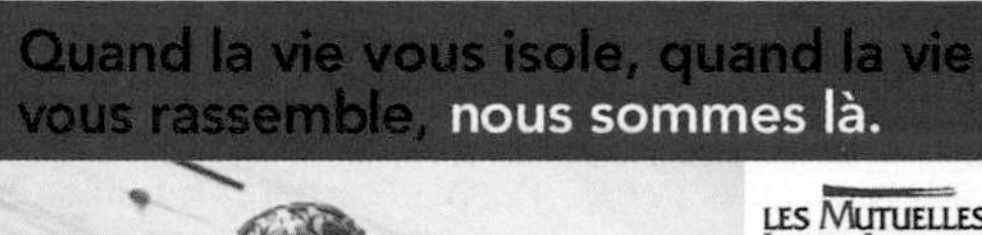

Le temps de la retraite est moins souvent celui de la solitude

bonne forme physique, beaucoup de personnes âgées pratiquent les mêmes activités que les plus jeunes. Elles sont ainsi de plus en plus nombreuses à faire du sport : marche, gymnastique, natation, mais aussi tennis ou golf. Elles surveillent leur santé en se rendant régulièrement chez le médecin. Elles s'intéressent à la prévention, notamment en matière alimentaire, en consommant par exemple des produits diététiques. Beaucoup s'efforcent aussi de modifier leurs habitudes de vie, en excluant par exemple le tabac et l'alcool.

Cette volonté de bien vieillir s'accompagne d'un souci de plus en plus flagrant de l'apparence. Les personnes âgées attachent plus d'importance à leur habillement, sont plus sensibles à la mode et renouvellent plus souvent leur garde-robe. Elles utilisent aussi davantage les produits cosmétiques destinés à lutter contre le vieillissement ou à en cacher certains effets (rides, peau sèche...). Enfin, elles hésitent de moins en moins à recourir à la chirurgie esthétique pour rajeunir leur apparence ou cacher certains défauts.

Niveau de vie

Le niveau de vie moyen des personnes âgées s'est beaucoup accru...

Le revenu des inactifs a profité de la forte augmentation des salaires qui s'est produite au cours des Trente Glorieuses (1945-1975) et de celle, spectaculaire, du minimum vieillesse. Les prestations sociales ont davantage accéléré la baisse de la pauvreté chez les retraités que chez les actifs. Par ailleurs, la présence de deux retraites dans le couple est de plus en plus fréquente, du fait de l'activité professionnelle des femmes.

Le revenu disponible annuel des ménages dont la personne de référence est âgée de 60 ans ou plus dépassait 22 000 € en 2000, en incluant les revenus du patrimoine. Les retraites de base (Sécurité sociale et retraite complémentaire) représentent plus de 90 % du montant des pensions ; il s'y ajoute d'autres revenus, du capital ou du travail, représentant environ 20 % des sommes totales perçues.

Parmi les pays de l'Union européenne, les Pays-Bas, l'Irlande et la France sont, dans cet ordre, ceux dans lesquels le niveau de vie des retraités est le plus élevé par rapport à l'ensemble de la population. L'Espagne, le Royaume-Uni et la Grèce occupent les trois dernières places.

... au point d'être aujourd'hui au moins égal à celui des actifs.

Entre 1970 et 1990, le revenu global des retraités a augmenté deux fois plus vite que celui des actifs. Il était de l'ordre de 1 900 € par mois en 2000, contre 2 300 € en moyenne nationale. Calculé par personne (les ménages de retraités comptent moins de personnes que les ménages plus jeunes), il est supérieur d'environ 8 % à celui des plus jeunes, alors qu'il était inférieur de 20 % en 1970.

Il est cependant plus juste de raisonner en unités de consommation, en tenant compte du fait que, lorsque plusieurs personnes vivent ensemble, il n'est pas nécessaire de multiplier les biens d'équipement pour garder le

La curatelle en question

La France détient le record européen du nombre de mises sous tutelle ou curatelle (loi de 1968) qui permettent de protéger des personnes âgées ou handicapées. Elles concernent aujourd'hui 550 000 personnes, soit une augmentation de moitié en dix ans. Un tiers d'entre elles ont plus de 70 ans. Comme celui des internements (voir p. 87), le système est parfois utilisé de façon abusive par les parents ou les membres d'associations spécialisées agissant comme des tuteurs. D'autres solutions, humainement plus satisfaisantes et moralement plus acceptables, pourraient sans doute être mises en oeuvre, comme c'est le cas dans d'autres pays.

même niveau de vie. Par exemple, les dépenses de logement, d'équipements électroménagers, de loisirs ou d'automobile ne sont pas proportionnelles au nombre de personnes du ménage. On compte ainsi une unité pour une personne seule, 1,5 pour un couple sans enfant, 1,8 pour un couple avec enfant de moins de 14 ans, 2,1 pour un couple avec deux enfants, etc. Dans cette hypothèse, les revenus des ménages dont la personne de référence est âgée d'au moins 60 ans sont encore légèrement supérieurs à ceux des ménages plus jeunes.

Les retraites du secteur public sont supérieures.

Les retraités du secteur privé qui ont eu une carrière professionnelle complète ont reçu en moyenne une pension un peu supérieure à 1 400 € par mois en 2001, ceux du secteur public un peu plus de 2 000 €. Ces montants ne sont cependant pas directement comparables, du fait des structures différentes des professions ; le niveau de qualification moyen est en effet un peu plus élevé dans le secteur public, du fait de l'importance du nombre des enseignants.

Les disparités sont liées aux avantages accordés aux salariés du secteur public, en ce qui concerne le taux de cotisation et la durée de cotisation (voir p. 182). En plus de ces avantages, les fonctionnaires perçoivent des pensions supérieures à celles du secteur privé, représentant souvent plus de 80 % de leur dernier salaire (celui-ci est d'ailleurs souvent majoré par le « coup de chapeau » de fin de carrière). Les salariés du privé verront au contraire leurs pensions calculées sur les vingt-cinq meilleures années de salaire à partir de 2008, ce qui représente un écart très important, compte tenu des évolutions de carrière.

La progression du pouvoir d'achat a été interrompue depuis 1994.

Le pouvoir d'achat des retraites a été amputé au cours des dernières années par les nouvelles cotisations sociales imposées aux retraités, qui n'étaient payées auparavant que par les actifs : CSG (contribution sociale généralisée) et CRDS (contribution au remboursement de la dette sociale). Celles-ci ont en outre été majorées en 1993 et 1997. Ces changements se sont traduits par une stagnation du pouvoir d'achat des pensions de retraite, indexé sur l'évolution des prix. La pension moyenne des retraités en 2001 était d'environ 1 200 € par mois.

Le maintien du pouvoir d'achat des retraites à l'horizon 2030 impliquerait une augmentation de 15 points des cotisations ou un recul de neuf ans de l'âge de cessation d'activité. Sauf forte croissance de l'économie, on pourrait donc assister à la fin de l'« âge d'or » des retraites dans les prochaines décennies. Mais cet appauvrissement ne devrait pas se faire sentir avant un certain nombre d'années. Les nouveaux ménages de retraités seront en effet pour une large part des couples biactifs, ce qui leur permettra de percevoir deux pensions au lieu d'une pour les générations précédentes. De plus, les revenus des personnes qui vont cesser leur activité auront profité de l'accroissement du pouvoir d'achat de ces dernières années, qui a été plus fort chez les plus de 50 ans que chez les jeunes. Enfin, ces nouveaux retraités vont bénéficier d'héritages qui vont accroître leur patrimoine et donc leurs moyens financiers.

Les disparités restent fortes...

15 % des ménages de retraités perçoivent les deux tiers de la masse des retraites. Un million de personnes âgées ne disposent que du minimum vieillesse (6 833 € par an au 1er janvier 2002). Des centaines de milliers de veuves n'ont qu'une retraite de réversion (54 % de celle de leur défunt mari). Le rapport entre les 10 % de revenus les plus élevés (pensions et autres revenus, ceux du capital notamment) et les 10 % les moins éle-

Les fonctionnaires avantagés

Retraite des anciens salariés par secteur (1997, pour une carrière complète, en euros par mois) :

	Hommes	Femmes	Ensemble
Salariés du secteur privé :	**1 603**	**1 022**	**1 362**
- Cadres (AGIRC : 15 ans et plus)	2 426	1 823	2 318
- Cadres (AGIRC : moins de 15 ans)	1 728	1 469	1 645
- Non-cadres	1 217	926	1 074
Fonctionnaires civils :	**2 034**	**1 710**	**1 870**
- Catégorie A	2 447	2 095	2 291
- Catégorie B	1 604	1 617	1 613
- Catégorie C	1 162	1 171	1 168

INSEE

vés est ainsi plus élevé parmi les retraités que pour l'ensemble des actifs : 3,5 contre 3,1. Les écarts sont liés à la profession exercée au cours de la vie active, la durée de la carrière et l'importance des cotisations aux régimes complémentaires.

La pension moyenne des femmes retraitées est environ la moitié de celle des hommes : 700 € par mois en 2001 (toutes durées de cotisation confondues, pensions de réversion non incluses) contre 1 300 € pour les hommes. La différence est due en partie à la durée de cotisation souvent plus courte des femmes. Dans le cas d'une carrière complète, l'écart est encore de 60 % en faveur des hommes pour les anciens salariés du secteur privé ; il n'est que de 17 % pour ceux du secteur public.

... et sont amplifiées par les inégalités de patrimoine.

Les ménages de 60 ans et plus, qui représentent 21 % de la population, possèdent plus de 40 % du patrimoine de l'ensemble des Français et près de la moitié (46 %) du patrimoine de rapport. Plus d'un tiers des 60-70 ans détiennent un portefeuille de valeurs mobilières, contre moins d'un cinquième des 20-40 ans. Plus de la moitié des contribuables payant l'impôt sur les grosses fortunes sont des ménages de plus de 60 ans. Ramenée à l'échelle individuelle, la fortune des personnes âgées de 65 ans et plus est environ le double de celle des plus jeunes.

Ces patrimoines ont été constitués grâce à l'épargne accumulée pendant la vie active, à raison de plus de 10 % des revenus disponibles perçus chaque année. Ils ont bénéficié de la hausse des prix de l'immobilier dans les années 70 et 80, de celle des valeurs mobilières au cours de la dernière décennie ainsi que des héritages. Les ménages âgés continuent d'ailleurs d'épargner davantage que la moyenne nationale.

Comme celle des revenus, la répartition des patrimoines n'est pas égalitaire : un tiers des ménages d'inactifs disposent d'un capital de moins de 15 000 €, alors qu'un quart ont accumulé plus de 150 000 €. Ces inégalités sont encore plus fortes que celles des revenus et elles risquent de s'accroître au cours des prochaines années, du fait des meilleurs rendements des patrimoines élevés. Les compléments de revenu apportés par le patrimoine sont d'autant plus importants que les pensions de retraite sont élevées. Dans un contexte où les pensions pourraient stagner ou diminuer, ils auront des incidences très grandes sur le pouvoir d'achat des retraités et sur leurs modes de vie.

L'arrivée à la retraite est le début d'une nouvelle vie.

La cessation d'activité professionnelle n'est plus synonyme aujourd'hui de mort sociale ou économique. L'accroissement des ressources financières des retraités au cours des dernières décennies est sans équivalent dans l'histoire. L'image des retraités a aussi beaucoup changé, dans un contexte où l'attachement au travail est moins fort et où la vie personnelle occupe une place centrale. Au point que les propositions de préretraite qui ont été faites dans certains secteurs d'activité comme l'automobile ou par certaines entreprises en difficulté ont séduit de nombreux salariés.

Pour beaucoup de retraités, la fin du travail est perçue comme un soulagement, un terme aux menaces de chômage et au stress liés à la compétition croissante au sein des entreprises. D'autant que la rupture est moins brutale que par le passé, car elle est compensée par d'autres formes d'activité, notamment liées à la vie associative et au bénévolat.

Si les retraités bénéficient pour la majorité d'entre eux d'un revenu très supérieur à celui des générations précédentes, ils disposent aussi de plus de temps. L'allongement de l'espé-

Longévité et sexualité

L'activité sexuelle se poursuit de plus en plus tard dans la vie. 41 % des 60 ans et plus disent avoir eu des rapports sexuels au cours des douze derniers mois (56 % des 60-69 ans, 36 % des 70 ans et plus) ; parmi eux, 42 % en ont eu au moins une fois par semaine.

Cette évolution semble être en partie liée à l'attitude nouvelle des femmes, qui sont aujourd'hui plus conscientes que le maintien de la vie sexuelle est un gage de longévité, et qui n'hésitent pas à prendre l'initiative. Cette évolution a été favorisée par l'apport des traitements hormonaux substitutifs, qui concernent aujourd'hui environ 20 % des femmes à la ménopause. Entre 1970 et 1992, la proportion de femmes mariées de 60 ans et plus se disant très satisfaites de leur vie sexuelle a triplé.

Il n'y a donc pas de déclin inéluctable du désir et celui-ci n'est pas seulement lié à une capacité de séduction qui serait propre à la jeunesse. A tout âge, l'amour, la tendresse et la complicité sont les mots-clés d'une relation forte au sein du couple.

rance de vie et l'avancement de l'âge de la retraite font qu'ils ont en moyenne plus de 25 ans d'espérance de vie en arrivant à la retraite. De sorte que cette période est une occasion de bien vivre, parfois mieux que pendant les années qui l'ont précédée.

Le logement tient une place prioritaire.

Plus encore que les autres Français, les retraités recherchent un cadre de vie agréable. C'est ce qui explique leur héliotropisme, qui entraîne des migrations croissantes vers le Sud-Est et le Sud-Ouest. Ceux qui ne peuvent y habiter s'efforcent de se rendre au cours de l'hiver dans des destinations ensoleillées ou clémentes (Maroc, Tunisie, Turquie, Antilles...).

L'importance du logement explique que les activités des retraités sont d'abord domestiques : bricolage, jardinage, travaux ménagers, couture, entretien, réparations... Le besoin de sécurité est croissant. Les personnes âgées prennent des précautions pour éviter les vols ou agressions : alarmes, systèmes de surveillance, etc. A l'instar de ce qui se passe aux Etats-Unis où des ghettos dorés se sont multipliés (30 millions d'Américains vivent dans 20 000 « villes privées » à l'écart du régime commun), on voit se développer des projets de complexes luxueux et hyperprotégés dans le sud de la France.

La famille joue un rôle essentiel.

Les personnes âgées sont très attachées à leurs enfants et petits-enfants. Le nombre des grands-parents a atteint 12,7 millions en 2000 ; chacun d'entre eux avait en moyenne quatre petits-enfants. Deux millions étaient également arrière-grands-parents et 30 000 avaient au moins un arrière-arrière-petit-enfant.

Les hommes deviennent pour la première fois grands-pères à 52,5 ans en moyenne, les femmes à 49,9 ans. Ces dernières sont beaucoup plus nombreuses à connaître la quatrième ou même, de plus en plus souvent, la cinquième génération. Cette longévité familiale est en partie héréditaire. Elle repose aussi sur une bonne hygiène de vie, la sensation de bien-être et l'optimisme.

Dufresne & Corrigan

Les générations se transmettent les choses de la vie

Ce sont les troisième et quatrième générations qui jouent les rôles principaux sur les plans éducatif et économique. On observe aussi que les familles comptant cinq générations vivantes vivent plutôt en milieu rural. Elles apparaissent très attachées aux valeurs d'entente familiale, bien davantage qu'aux valeurs matérielles (Fondation nationale de gérontologie/Novartis).

La sociabilité s'est accrue.

32 % des plus de 60 ans reçoivent des amis ou relations chez eux au moins une fois par semaine, contre 19 % en 1980 ; ils sont plus nombreux que les 40-59 ans (27 %). 40 % fréquentent des associations, contre 24 % en 1980. La proportion a doublé, alors qu'elle n'a augmenté que d'un tiers pour les 40-59 ans. Les retraités privilégient les associations liées à des activités de loisirs.

Au fur et à mesure du vieillissement, la sociabilité se transforme. La perte des contacts professionnels est compensée par les relations entretenues avec les enfants et petits-enfants, ainsi qu'avec le voisinage. Entre 55 et 59 ans, un homme a en moyenne 8,2 interlocuteurs au cours d'une semaine, une femme 9,7. Après 80 ans, leur nombre passe respectivement à 5,3 et 5,1. Cette réduction progressive des contacts humains est davantage liée aux décès des personnes qui en font partie et à la dégradation de l'état de santé, notamment l'apparition de handicaps, qu'à une moindre ouverture à l'extérieur.

Les personnes qui vivent seules gardent des liens avec l'extérieur ; elles développent même davantage les relations avec leur entourage que les couples. L'isolement relationnel concerne surtout les catégories sociales défavorisées. Après 70 ans, les personnes qui n'ont pas de descendance sont beaucoup plus isolées que les autres. Bien qu'ayant plus de contacts que les hommes, les femmes apparaissent plus touchées par le sentiment de solitude.

> Après les adolescents, les 50-65 ans constituent le deuxième groupe acheteur de chaussures de sport.

L'implication dans la vie collective est croissante.

En vingt ans, les attitudes et les comportements des personnes de plus de 60 ans se sont beaucoup modifiés. Outre les aspects matériels (revenus plus élevés, disposition d'un patrimoine plus important, confort et équipement du logement), leur état d'esprit s'est transformé, dans le sens d'une plus grande autonomie, d'un moindre conformisme, d'une ouverture croissante au monde extérieur.

Les plus de 60 ans se sentent aussi davantage concernés par la conjoncture économique et sociale. Ils s'informent et agissent dans leur environnement personnel pour aider à rétablir certains équilibres menacés ou lutter contre les inégalités. Leurs dépenses dans ce domaine sont ainsi estimées à plus de 15 milliards d'euros par an ; elles s'ajoutent aux autres formes d'aides à destination de la famille (enfants et petits-enfants), mais aussi à l'implication dans des actions de solidarité nationale ou internationale.

Les aînés sont des acteurs importants de la vie locale et ils participent largement à la solidarité nationale par le bénévolat. Ils assurent l'équilibre territorial par l'animation des campagnes et favorisent la conservation du patrimoine national. Ils constituent la mémoire vivante d'un XXe siècle riche en événements et en mutations de toutes sortes. Ils sont détenteurs d'une expérience de la vie qui peut être transmise avec profit aux nouvelles générations. « Un vieillard qui meurt, c'est une bibliothèque qui brûle. »

> Fin 2001, on comptait environ 4 millions d'Internautes de plus de 50 ans.

Les activités sont diversifiées.

L'état d'esprit des personnes âgées a considérablement évolué depuis quelques années. Les augmentations parallèles de l'espérance de vie et du pouvoir d'achat en sont les causes principales. Les aînés vivent plus longtemps et de façon plus active. Leur attachement au logement n'empêche pas la mobilité. On mesure ainsi un engouement croissant pour les voyages, seuls ou en groupe, en France ou à l'étranger.

Les aînés sont aussi de plus en plus nombreux à faire du sport, dans le double but d'entretenir leur condition physique et de se divertir. Leur taux de pratique sportive a ainsi été multiplié par sept en quinze ans, alors qu'il doublait seulement chez les 40-59 ans. Les activités « professionnelles », le plus souvent bénévoles, tendent aussi à se développer. Certaines pratiques culturelles restent en revanche plus limitées. Les personnes âgées ne vont guère au cinéma ou au théâtre, écoutent moins de musique que les plus jeunes.

Les personnes âgées sont des consommateurs à part entière...

Entre 1980 et 1995, les foyers de plus de 65 ans ont multiplié par 3,0 leurs dépenses en monnaie constante, contre 2,6 en moyenne nationale. Plus de la moitié d'entre eux partent en vacances (presque autant que les plus jeunes) contre 36 % en 1975. Ils dépensent de plus en plus pour leur alimentation, leur santé, les voyages, etc. 60 % des acheteurs de croisières ont plus de 60 ans.

En matière de consommation, les aînés privilégient plus que les autres la qualité, la durabilité, le confort, la sécurité (physique, psychologique, financière...), l'information, la considération. Ils font preuve d'un moindre attachement au prix, mais d'une plus grande fidélité aux marques et aux enseignes. Ils apparaissent aussi davantage concernés par les produits qui préservent l'environnement et cherchent à concilier technologie et écologie. Leur intérêt pour la consommation est encouragé par l'offre de produits et de services qui leur sont spécifiquement destinés, car le « marché des seniors » est considéré comme une mine d'or par les entreprises (voir encadré).

... et elles sont de plus en plus ouvertes à la nouveauté.

Les personnes âgées ont été pendant longtemps plutôt réservées à l'égard de la nouveauté. Si elles sont aujourd'hui encore moins sensibles que les plus jeunes aux effets de mode, elles sont de plus en plus réceptives aux innovations. Ainsi, leur attitude à l'égard de l'informatique est de plus en plus ouverte. En 2000, le nombre des Internautes âgés de 50 à 64 ans a plus que doublé, alors qu'il augmentait seulement de moitié dans les autres tranches d'âge ; il était deux fois plus élevé que celui des moins de 18 ans. Celui des plus de 65 ans a été multiplié par six, atteignant 150 000. Ce sont aujourd'hui les personnes les plus âgées qui passent le plus de temps sur Internet. Elles apprécient la possibilité de s'informer, d'échanger des messages, de trouver des promotions sur les biens d'équipement ou les voyages. Les « cyberpapys » et « cybermamies » sont cependant moins nombreux parmi les plus âgés, car ils n'ont pas eu l'occasion d'utili-

ser l'ordinateur au cours de leur vie active.

Le marché des seniors

Pour les entreprises et les publicitaires, les « seniors » sont le plus souvent les personnes âgées de 50 ans et plus, dans la continuité de la « ménagère de moins de 50 ans ». La pyramide des âges fait qu'un Français arrive à cet âge toutes les cinquante secondes, ce qui fait la joie des spécialistes du *senior marketing*. Leur niveau de vie est en effet en moyenne supérieur de 30 % à celui de l'ensemble des Français (1700 € de revenu mensuel moyen par personne contre 1 300 pour les moins de 50 ans). Ces chiffres mélangent des salaires (pour ceux qui sont en activité), des pensions (pour les retraités), des prestations sociales et des revenus du patrimoine. Les seniors ont cependant en commun leur quasi-absence de dettes (notamment immobilières) et le fait qu'ils sont moins nombreux par foyer. Ils détiennent ainsi 60 % du patrimoine des ménages, 75 % des avoirs boursiers et achètent la moitié des voyages organisés. Leur surconsommation est sensible dans de nombreux domaines (produits frais, hygiène-beauté...) et dans les produits haut de gamme en général. C'est pourquoi ils sont l'objet d'attentions particulières de la part des entreprises.

Les écarts entre les générations de retraités se réduisent.

Les retraités récents ont des attitudes, des systèmes de valeurs et des comportements de plus en plus éloignés de ceux de la génération précédente et proches de la génération qui suit. Sur de nombreux sujets, les opinions des 60-70 ans sont comparables à celles des 50-60 ans et distinctes de celles des plus de 70 ans ; travail des femmes, intérêt pour les nouvelles technologies... Le fossé entre les générations se rétrécit en permanence par le haut.

Les changements intervenus depuis vingt ans ont davantage concerné les 60-70 ans que les plus âgés. La vieillesse véritable s'est déplacée et le point de rupture se situe aujourd'hui vers 75 ans. C'est à partir de cet âge que l'on trouve des problèmes de santé plus fréquents, davantage de solitude, des logements moins confortables et moins bien équipés, une vie sociale plus réduite.

Leur sensibilité au monde conduit cependant les personnes âgées à une certaine inquiétude quant à l'avenir de la société. Le chômage, l'évolution démographique, les menaces qui pèsent sur l'environnement ou la transformation des mœurs les amènent à s'interroger sur le monde qui sera laissé aux générations futures. Beaucoup ont exprimé cette angoisse lors de l'élection présidentielle de 2002.

Les aînés ne sont pas un poids pour la collectivité mais une source d'équilibre social.

Le processus de vieillissement ne constitue pas en lui-même une menace pour la société. Il témoigne au contraire d'un remarquable progrès dans l'allongement de la vie, qui constitue un encouragement pour les plus jeunes. Le risque se situe en revanche dans la marginalisation des aînés et les problèmes humains qui en découlent. Beaucoup de personnes âgées trouvent en effet difficile de vieillir dans une société qui pratique le culte de la jeunesse. Si elles sont absentes de la production économique, elles pèsent pourtant très lourd dans la démographie et dans la consommation.

Ancienneté rime de plus en plus avec modernité

La société devrait donc mieux prendre en compte l'avis des plus anciens. Il réunit souvent sagesse, expérience, désintéressement et disponibilité, des qualités que l'on ne trouve pas toujours chez les plus jeunes, tout entiers occupés à construire leur identité. Au-delà de la vie associative, qui constitue le moyen d'action principal des personnes âgées, la société devrait leur donner davantage la possibilité de s'exprimer, de proposer et d'agir. Les aînés ne doivent en effet pas être considérés comme un facteur d'appauvrissement de la collectivité et de perte du dynamisme social. Ils sont au contraire les témoins du changement social et une source de réflexion irremplaçable dans le débat permanent entre le passé et l'avenir.

La vie quotidienne

Logement

45 millions de Français vivent dans une aire urbaine.

La poursuite du processus d'urbanisation a été confirmée par le recensement de 1999. Les trois quarts des ménages métropolitains (77 %) habitent dans les aires urbaines (au moins 2 000 habitants) contre un sur deux en 1936. En 50 ans, la population urbaine de la France a doublé, alors que la population totale n'augmentait que d'un tiers. Entre 1990 et 1999, les taux de croissance de la population ont été d'autant plus élevés qu'on s'éloignait du centre des zones urbaines : 0,12 % par an dans les centres-villes, 0,40 % dans les banlieues, 1,03 % dans les couronnes périurbaines.

L'espace urbain est composé de 354 aires urbaines (361 en 1990) ; à l'intérieur de ces aires, 36 millions d'habitants vivent dans des pôles urbains, 9 millions dans des couronnes périurbaines et 3 millions dans des communes dites « multipolarisées ». Celles-ci sont des communes rurales et unités urbaines d'un seul tenant, situées hors des aires urbaines, dont au moins 40 % de la population résidente employée travaille dans plusieurs aires urbaines, sans atteindre ce seuil avec une seule d'entre elles.

L'espace à dominante rurale représente 70 % de la superficie totale et la moitié des communes. Mais il ne regroupe au total que 11 millions d'habitants, soit à peine un cinquième de la population française métropolitaine.

La croissance démographique des années 80 et 90 s'est faite selon une forme de fer à cheval qui couvre la périphérie du territoire dans les parties est, ouest et sud. Elle regroupe des métropoles éloignées de Paris, comme Toulouse, Montpellier, Nantes, Rennes ou Strasbourg.

Métropoles

Evolution de la population des agglomérations urbaines de plus de 500 000 habitants (en milliers) :

	1990	1999
- Paris	9 319	9 645
- Marseille-Aix-en-Provence	1 231	1 350
- Lyon	1 262	1 349
- Lille	959	1 001
- Nice	857	889
- Toulouse	650	761
- Bordeaux	696	754
- Nantes	496	545
- Toulon	438	520
- Douai-Lens	323	519

INSEE

L'Ile-de-France regroupe plus d'un habitant sur cinq.

L'aire urbaine de Paris comptait 11,2 millions d'habitants en 1999, soit 19 % de la population, contre 7 % au milieu du XIXe siècle et 12 % au début du XXe (mais déjà 17 % vers 1950). Entre les recensements de 1990 et 1999, 1,4 million de personnes en sont parties et 871 000 sont arrivées, soit au total un déficit migratoire de 570 000 habitants. Tous les départements de la région Ile-de-France ont été touchés par la baisse (y compris ceux de la grande couronne) à l'exception de la Seine-et-Marne. Le gain global de 265 000 habitants n'est pas dû aux migrations, mais à l'excédent des naissances sur les décès, plus élevé en Ile-de-France qu'en province : 0,8 % par an contre 0,3 %.

Le quotidien des Franciliens

64% des Franciliens estiment que la qualité de l'air en ville s'est détériorée au cours des dix dernières années, 7 % qu'elle s'est améliorée, 23 % qu'elle n'a pas changé. Ils sont 57 % à penser que le bruit en ville a augmenté. En revanche, 55 % considèrent que la gestion des déchets a été améliorée (12 % sont de l'avis contraire). Ils sont 55 % en ce qui concerne la qualité des espaces verts (contre 12 %), 48 % pour la qualité des transports en commun (contre 21 %), 39 % pour la propreté des rues (contre 24 %). 67 % des Franciliens (et 67 % des Français) estiment que la qualité de l'environnement en Ile-de-France est moins bonne que dans le reste de la France, 29 % qu'elle est comparable (30 % des Français), 4 % qu'elle est meilleure (3 % des Français).

Environnement Magazine/BVA, octobre 2001

Paris intra-muros continue de se vider, avec une diminution de 36 000 habitants en neuf ans (2 116 000 en 1999) du fait des migrations vers les banlieues ou vers d'autres régions du pays. Paris reste cependant le centre de la plus grande agglomération européenne avec plus de 9 millions d'habitants, devant Londres (7,5 millions). 96 % des habitants d'Ile-de-France vivent en zone urbaine, alors que celle-ci ne couvre que la moitié de la région.

Les critères de qualité de vie jouent un rôle essentiel dans le choix de l'habitat.

Les migrations enregistrées entre les recensements de 1990 et 1999 confirment l'importance attachée par les Français à la qualité de vie, estimée à travers l'agrément de la région ou de la ville, la situation géographique, les équipements collectifs (transports, culture, écoles, commerces...) ou la disponibilité des emplois.

Si le modèle d'étalement urbain reste majoritaire, certaines villes-centres se repeuplent. C'est le cas, par ordre décroissant de contribution à la croissance démographique, de Montpellier, Toulouse, Rennes, Annecy, La Rochelle, Nantes et Poitiers. C'est dans le grand Sud-Est et le Val de Loire que la croissance urbaine est le plus dynamique.

Le mouvement général vers les banlieues est freiné au profit des zones périurbaines entre ville et campagne. Ce phénomène risque d'entraîner une forme de ségrégation sociale entre ceux qui ont les moyens d'habiter en centre-ville (les bourgeois d'aujourd'hui) et ceux qui doivent se contenter des banlieues. Les zones à dominante rurale connaissent au contraire une érosion, mais les villages sont recherchés lorsqu'ils sont proches de centres urbains, dans la mesure où ils permettent de concilier proximité de la nature et confort de vie.

La mobilité résidentielle est en baisse.

Après avoir fortement augmenté entre 1954 et 1975, la mobilité des ménages connaît depuis une baisse régulière. Entre 1990 et 1999, 81 % des ménages ont changé de logement, contre 86 % entre 1982 et 1990, 94 % entre 1975 et 1982, 97 % entre 1968 et 1975. Cette diminution s'explique par le vieillissement de la population, l'amélioration des conditions de logement et la plus grande proportion de propriétaires, qui favorisent l'attachement au logement. Elle est liée aussi à l'hésitation à changer d'emploi en période de chômage. Elle est due enfin à la baisse d'attractivité de l'Ile-de-France, qui représente 42 % des déménagements (ménages partant ou arrivant). Entre 1990 et 1999, un ménage sur deux a changé de commune (53 %), un sur quatre de département (25 %), un sur six de région (16 %).

La revanche de la province

PARIS et certaines grandes agglomérations séduisent de moins en moins les Français du fait des nuisances qu'elles génèrent (encombrements, pollution, pauvreté des relations humaines...) ainsi que la difficulté de s'y loger, l'éloignement de la nature et de la « vraie vie ». Le recensement de 1999 a confirmé au contraire le pouvoir d'attraction de certaines régions, lié à leur développement économique ou à la qualité de vie qu'elles autorisent (beauté naturelle, climat, équipements collectifs, sérénité...).

La décentralisation a doté les régions d'une autonomie qui commence à porter ses fruits. Certaines cultures régionales ont repris de la vigueur (Bretagne, Alsace, Aquitaine...). Elles offrent un supplément d'âme par rapport à la vie parisienne, un contrepoint à la mondialisation, une possibilité de réenracinement et de lutte contre le stress. Seules quatre régions sur vingt-six (avec les quatre départements d'outre-mer) enregistrent une baisse de leur population : Bourgogne, Champagne-Ardenne, Auvergne, Limousin.

La recherche du soleil et de conditions climatiques favorables constitue une forte motivation dans le choix de l'implantation régionale. La façade atlantique (Bretagne, Pays de la Loire, Poitou-Charentes) exerce ainsi une attraction croissante, de même que le Sud-Ouest (Midi-Pyrénées, Aquitaine, Languedoc-Roussillon). La région Provence Alpes Côte d'Azur affiche une plus faible croissance de la population que par le passé, à l'inverse de l'Alsace, où elle a doublé par rapport à la période intercensitaire précédente.

On assiste enfin à une revitalisation de certaines zones rurales jusqu'ici délaissées (Cévennes, Vosges, Ariège, plateau de Millevaches...). Elle est la conséquence des efforts effectués par les élus locaux et, souvent, les habitants pour offrir aux nouveaux venus un cadre de vie et une convivialité qu'ils ne trouvent pas dans les grandes villes.

Être bien chez soi, mais avec les autres

Les événements qui occasionnent un déménagement ont lieu le plus souvent au cours des dix ou quinze premières années de la vie adulte : départ du foyer parental ; formation d'un couple ; arrivée d'un enfant ; changement professionnel. Entre 35 et 50 ans, la mobilité est davantage due à des événements qui concernent la vie du couple (la séparation dans un cas sur trois). Après 50 ans, c'est le départ en retraite qui est le plus souvent à l'origine d'un déménagement. L'ancienneté moyenne dans un logement était de 14 ans en 1999 contre 12,7 ans en 1984.

56 % des Français habitent une maison individuelle.

La proportion n'était que de 48 % en 1992. L'augmentation constatée s'explique par la construction de 2 millions de maisons individuelles au cours des années 80, contre seulement 460 000 appartements. Depuis, le mouvement s'est ralenti en même temps que la construction neuve, laquelle s'est réorientée vers le collectif. Les logements construits depuis 1993 se répartissent à peu près également entre maisons et appartements.

Après sept années de crise entre 1993 et 1998, la construction de logements a connu une très forte hausse en 1999, retrouvant le niveau de 1990. Elle s'est poursuivie en 2000 avec plus de 300 000 mises en chantier (hausse de 6 % des maisons individuelles et baisse de 13 % des logements collectifs). Les ménages qui habitent une maison sont en moyenne plus âgés que ceux qui habitent un appartement. Ils ont plus fréquemment des enfants et ont des revenus plus élevés. On trouve parmi eux davantage de retraités et moins d'employés.

Au sein de l'Union européenne, la répartition individuel collectif est très variable. C'est en Irlande que la proportion de ménages vivant en maison est la plus élevée (94 %), devant le Royaume-Uni (82 %) et la Belgique (76 %). Les plus faibles proportions se trouvent en Italie (33 %), en Espagne (37 %) et en Allemagne (40 %).

55 % des ménages sont propriétaires...

Depuis le début des années 80, plus d'un Français sur deux est propriétaire de son habitation principale, contre 47 % en 1975, 41 % en 1962 et 36 % en 1954. 41 % sont aujourd'hui locataires ou sous-locataires, près de 5 % logés gratuitement (le plus souvent par leur employeur ou par des parents).

Le taux de possession de la résidence principale est très variable selon la profession et l'âge. Plus d'un propriétaire sur trois (70 %) a plus de 40 ans, contre moins d'un locataire sur deux. La proportion est maximale entre 60 et 74 ans, avec 73 % ; elle n'est plus que de 65 % après 75 ans. La majorité des résidences principales en propriété sont des logements construits depuis plus de quatre ans. Le neuf représente moins d'un tiers de l'ensemble contre la moitié au milieu des années 80. Les trois quarts des acquisitions récentes concernent des maisons individuelles.

... mais la proportion stagne depuis la fin des années 80.

Après une hausse continue entre 1945 et le début des années 80, la proportion de ménages propriétaires a peu évolué au cours des dernières années : 54,7 % en 2000 contre 53,6 % en 1988 (propriétaires occupants). Pour la première fois dans les logements neufs, les ménages propriétaires sont moins nombreux que les locataires. Les jeunes, notamment, accèdent moins souvent à la propriété que leurs parents au même âge : 10 % des propriétaires ont moins de 30 ans, contre 16 % en 1982. Les locataires d'HLM sont aujourd'hui également moins nombreux à devenir propriétaires.

Cette évolution tient d'abord au climat économique et social des années passées : risque de chômage ; multiplication des emplois précaires ; difficulté d'obtention de prêts bancaires. Par ailleurs, le rêve d'acquérir un logement est moins fort ; il n'est pas proportionnel au revenu et diminue même à partir d'un montant mensuel de 3 700 € (3,5 fois le Smic). La forte baisse des prix de l'immobilier dans les années 90 a montré que les perspectives de plus-value

La propriété moins recherchée

Statut d'occupation des ménages (en %) :

	1962	1975	1982	1990	1999
Propriétaires	41,3	46,7	50,6	54,4	54,7
Locataires ou sous-locataires	45,3	42,8	41,1	39,6	40,7
- d'un logement vide	*41,9*	*40,5*	*39,6*	*38,2*	*38,8*
- d'un meublé, chambre d'hôtel	*3,4*	*2,3*	*1,5*	*1,4*	*1,9*
Logés gratuitement	13,4	10,5	8,3	6,0	4,6
Total	100,0	100,0	100,0	100,0	100,0

INSEE

sont plus aléatoires ; par ailleurs l'immobilier est en concurrence avec d'autres formes de placement (voir *Placements*).

Le retour de la croissance entre 1998 et 2001, la baisse du chômage et des conditions de crédit plus favorables ont cependant relancé les projets chez les 25-35 ans. Ils représentent la grande majorité de ceux qui font construire une maison (80 %) ; la plupart ont un enfant et souvent un second en attente. Le prix moyen d'acquisition des résidences principales par les ménages dépassait de peu 100 000 € en 2000 pour une surface moyenne de 107 m^2. Il représente 3,1 années de revenu (3,6 en Ile-de-France). L'apport personnel est en moyenne de 39 % contre 30 % en 1988. La durée de l'emprunt est de 14 ans et demi ; elle s'est allongée de deux ans depuis 1980.

Un ménage sur dix possède une résidence secondaire.

L'engouement pour la résidence secondaire avait été fort dans les années 70, jusqu'au début des années 80. On comptait 10 % de ménages propriétaires (avec les logements occasionnels) en 1982 contre 6 % en 1962. Le taux de possession avait ensuite plafonné avant de connaître un regain d'intérêt au début des années 90. En 1999, on en comptait à nouveau 10 %. Il s'agit dans deux cas sur trois de maisons, presque toujours pourvues d'un jardin. Un peu plus de la moitié (56 %) sont situées à la campagne, 32 % à la mer et 16 % à la montagne.

La stabilisation récente s'explique par la proportion croissante des maisons avec jardin comme résidences principales. Elle est aussi liée au désir de changement des Français, peu compatible avec une résidence fixe de week-end ou de vacances. Enfin, un certain nombre de nouveaux ménages (notamment des jeunes et des étudiants) s'installent dans des résidences secondaires familiales, qui deviennent ainsi leurs résidences principales. C'est le cas aussi de ménages de retraités qui quittent leur logement pour s'installer dans leur résidence secondaire.

On constate une augmentation du nombre de logements occasionnels qui se situent à mi-chemin entre la résidence secondaire et les logements

Droit au logement, droit à la propriété

On oppose depuis des siècles les propriétaires aux locataires. Certains pensent avec Proudhon que « la propriété, c'est le vol » et qu'elle est, selon Babeuf « odieuse dans son principe et meurtrière dans ses effets »... Dans l'inconscient collectif, les propriétaires sont considérés comme riches et méchants, plutôt de droite, tandis que les locataires sont censés être pauvres, gentils et voter à gauche.

Confrontée à la réalité contemporaine, cette vision apparaît simpliste. Un même individu peut être en effet à la fois propriétaire (de sa résidence principale par exemple) et locataire (de sa résidence secondaire par exemple) ou, de plus en plus souvent, l'inverse. Par ailleurs, beaucoup de Français aisés préfèrent aujourd'hui être locataires pour éviter les inconvénients que cela entraîne (crédits à long terme, frais, charges...). La volonté de transmettre un patrimoine immobilier est en outre moins forte. A l'inverse, de nombreux propriétaires ont des revenus plutôt modestes et se sont endettés pour y parvenir.

On observe pourtant que le droit au logement s'oppose encore souvent au droit à la propriété. Cette vision manichéenne entraîne des tensions dans les rapports entre propriétaires et locataires, avec des textes et une jurisprudence globalement favorables à ces derniers. Ces distorsions expliquent à leur tour le nombre élevé de logements vacants (2,3 millions). Elles confirment aussi le rapport encore peu décontracté des Français à l'argent (voir p. 337).

vacants. Ce sont souvent des pied-à-terre utilisés pour des raisons professionnelles ; on en compte plus de 300 000 (1 % du nombre total de logements).

RTT et TGV

Au cours des années 90, les Français ont été nombreux à investir dans les régions accueillantes de Provence Alpes Côte d'Azur, Languedoc-Roussillon, Poitou-Charentes. L'intérieur des terres a bénéficié d'un engouement particulier dans les endroits les plus pittoresques (Lubéron, Gers, Périgord, centre de la Bretagne...), ce qui s'est traduit par une forte augmentation des prix des maisons de campagne (68 % entre 1993 et 2000).
Plus récemment, la mise en place des 35 heures dans les entreprises a permis aux salariés de disposer de plus de temps pour profiter d'une résidence secondaire (notamment pendant des week-ends prolongés et des vacances) et s'occuper de son entretien. Parallèlement, la mise en service des lignes de TGV, notamment en direction de la Méditerranée, a favorisé ce mouvement favorable à la résidence secondaire, parfois même de double résidence.

Près d'un Français sur cinq habite un logement social.

17 % des ménages habitent dans les 3,5 millions de logements locatifs du parc social (HLM, habitations à loyer modéré). La plupart sont situés dans des immeubles collectifs, mais le quart de ceux construits depuis 1981 l'ont été dans le secteur individuel.

La mobilité des occupants de ces logements est nettement moindre que celle observée dans le parc privé. Leur ancienneté moyenne est de huit ans et trois mois, contre quatre ans et sept mois dans le parc locatif privé. Un million de ménages nouveaux ont été accueillis en HLM entre 1992 et 1996, contre 1,7 million dans le secteur libre.

L'âge moyen des locataires est de 47 ans contre 44 ans en 1984, ce qui traduit un vieillissement moyen beaucoup plus marqué que celui de l'ensemble des ménages (3 ans contre 1,3 an). La proportion de familles d'immigrés est forte, ainsi que celle des ménages avec enfants. 16 % des locataires ont des ressources très faibles, mais 18 % dépassent le plafond applicable pour l'accès à un logement social et 5 % seulement payent un surloyer (Crédoc, novembre 1999). Le loyer mensuel moyen était de 265 € dans les HLM en 2000, contre 417 € dans le secteur libre pour une surface plus grande (67 m² contre 62 m²).

On estime qu'environ 90 000 personnes n'ont pas de domicile.

64 000 personnes de plus de 18 ans et 16 000 enfants mineurs ne disposent pas d'un domicile qui leur est propre (INSEE, janvier 2001). La plupart dorment au moins occasionnellement dans des lieux non prévus pour l'habitation : rues, centres commerciaux, voitures, cages d'escalier... Il faut y ajouter 6 500 personnes logées dans des centres d'accueil de demandeurs d'asile, des centres provisoires d'hébergement ou des centres de transit.

Les deux tiers des SDF (sans domicile fixe) sont des hommes, 29 % sont étrangers. Les trois quarts ont eu un logement personnel, 40 % l'ont perdu au cours des douze derniers mois. En 2000, ils ont été sans domicile pendant sept mois en moyenne et ont connu d'autres formes de logement précaire chez des amis, dans la famille ou à l'hôtel pendant trois mois. La moitié ont un revenu mensuel inférieur à 380 € et un sur dix ne dispose d'aucune ressource.

Confort

Le logement est le premier poste de dépense des ménages.

Le budget logement représentait 19 % des dépenses des ménages en 2001 contre 11 % en 1960. Il comprend les loyers (mais pas le prix d'achat pour les propriétaires ni le gros entretien, qui ne sont pas considérés comme des dépenses mais comme des investissements) ainsi que les charges d'eau, d'électricité et de chauffage.

A ces dépenses il faut ajouter celles d'équipement et d'entretien (meubles, électroménager, articles de ménage) qui représentaient 5 % du budget des ménages en 2001. Au total, les Français consacrent donc à leur logement 24 % de leur revenu disponible contre 19 % en 1960. Sur l'année, les dépenses de logement et d'équipement représentent près de 10 000 € par ménage. 55 % des Français pensent qu'aménager et décorer sa maison est la meilleure façon de dépenser son argent, 68 % que la maison est le meilleur refuge face au stress professionnel (Observateur Cetelem, 2002).

> Sur environ un million de demandes de logements sociaux, la moitié ne sont pas satisfaites.

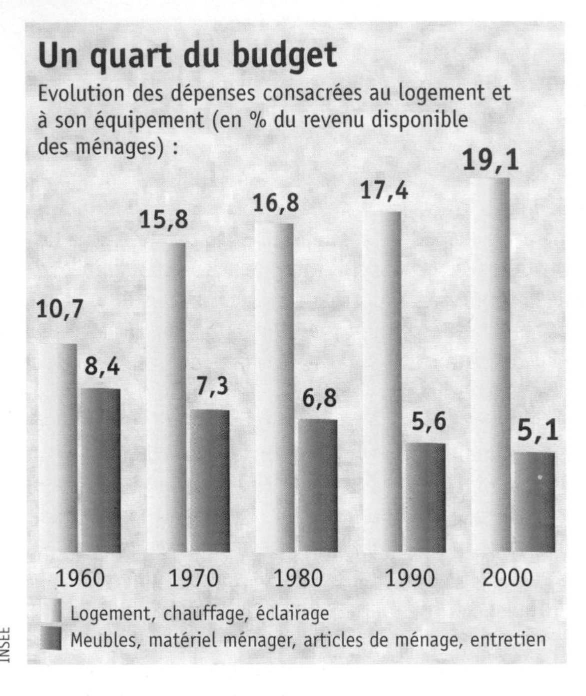

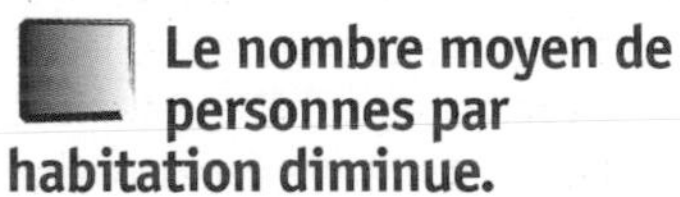

Le nombre moyen de personnes par habitation diminue.

En 2001, la France comptait 24 millions de résidences principales, soit une augmentation d'environ 300 000 par an depuis fin 1992. Cette évolution est moins liée à la croissance démographique qu'à des modifications dans la composition des ménages. Ainsi, le nombre d'étudiants s'est accru ; s'ils tendent à rester plus longtemps au foyer parental, un nombre croissant d'entre eux, bénéficiant de l'allocation logement, disposent de logements autonomes.

L'augmentation du nombre de célibataires et de couples non cohabitants explique aussi l'accroissement du nombre de logements. Les ménages âgés sont en outre plus longtemps autonomes et peuvent donc vivre dans leur propre domicile, plutôt que d'habiter chez leurs enfants ou dans des institutions.

Au total, le parc de logements a augmenté plus vite que la population, tandis que le nombre moyen de personnes par logement diminue : 2,4 en 1999 contre 2,6 en 1990 et 3,1 en 1962. Près d'un ménage sur trois ne comprend qu'une personne contre un sur cinq en 1962. La taille des ménages est plus importante en zone rurale qu'en zone urbaine : 2,6 contre 2,3 (1,9 à Paris).

Les logements sont de plus en plus spacieux...

La surface moyenne des résidences principales est passée de 77 m^2 en 1978 à 89 m^2 en 1999. Dans le même temps, le nombre moyen de personnes par foyer a diminué (voir ci-dessus). Il en résulte que la surface moyenne par personne s'est accrue dans de fortes proportions, atteignant 37 m^2. Les logements comportent en moyenne quatre pièces (3,9) contre trois en 1962 ; près d'un tiers possède au moins cinq pièces. Plus la taille de la commune est grande, plus celle du logement est réduite (4,5 pièces en zone rurale, 3,2 dans l'agglomération parisienne). Le nombre des petits logements (studios ou deux-pièces) a même progressé dans les villes en 1999, pour la première fois depuis 1962. Malgré son augmentation régulière, la surface moyenne des logements français reste l'une des plus faibles en Europe.

L'espace disponible a trois dimensions

On assiste depuis le milieu des années 80 à un rajeunissement du parc de logements. Le rythme de construction, qui s'était réduit entre 1990 et 1997 (à l'exception de 1994, année de relance), a retrouvé un niveau élevé depuis 1999. Dans l'ensemble des résidences principales d'aujourd'hui, les deux tiers (65 %) ont été construites après 1949, contre seulement 57 % en 1984.

... et confortables.

La part des logements disposant de « tout le confort » au sens de l'INSEE (W-C intérieurs, douche ou baignoire et chauffage central) a connu une progression régulière et spectaculaire au cours des dernières décennies. Elle a atteint 82 % en 2000, contre 63 % en 1982, 48 % en

Plus grands et plus récents

Evolution de la taille et de l'ancienneté des résidences principales (en %) :

	1962	1999
Taille :		
- 1 pièce	14,7	6,4
- 2 pièces	24,1	12,7
- 3 pièces	26,8	22,3
- 4 pièces	19,0	27,0
- 5 pièces et plus	15,4	31,6
Epoque d'achèvement :		
- avant 1949	82,9	32,9
- 1949 et après	17,1	67,1
Nombre moyen de pièces par logement	3,1	3,9
Nombre moyen de personnes par pièce	1,0	0,6

1975. Plus d'un logement sur dix est pourvu d'au moins deux salles de bains, un sur cinq de deux W-C. La part des logements inconfortables (sans W-C ni installation sanitaire) n'est plus que de 4 %, contre 27 % en 1978. Il s'agit surtout de petits logements construits avant 1949, situés le plus souvent à la campagne (10 % n'ont pas de sanitaires contre 5 % dans les villes), occupés par des ménages âgés ou étrangers. La proportion de ménages se disant mal logés est en constante diminution : 5 % en 1999 contre 10 % en 1984 et 13 % en 1978. La France se situe ainsi dans la bonne moyenne par rapport aux autres pays d'Europe : 92 % des ménages disposent d'une douche dans leur logement contre 97 % des Espagnols, 91 % des Allemands, 83 % des Italiens et 80 % des Britanniques.

85 % des appartements sont pourvus de tout le confort contre 76 % des maisons. Les progrès ont cependant été plus rapides dans les zones rurales que dans les zones urbaines, de sorte que les différences s'estompent. Les logements à loyer modéré (HLM, le plus souvent en location) sont en moyenne plus confortables que ceux des ménages propriétaires (84 % ont tout le confort, contre 82 %) et surtout ceux des locataires du secteur libre (75 %).

Le surpeuplement (apprécié à partir d'une norme d'occupation définie par l'INSEE) concerne cependant encore un ménage sur dix. Il est rare dans les maisons individuelles, dont 80 % sont au contraire sous-peuplées, et concerne un appartement sur cinq. 40 % des familles d'au moins cinq personnes auraient besoin d'au moins une pièce supplémentaire pour ne plus vivre dans des conditions de surpeuplement.

> La moitié des locataires de HLM perçoivent une aide, contre un tiers de ceux du secteur libre.

Le logement doit remplir aujourd'hui de nouvelles fonctions...

La mise en place des 35 heures accroît le temps passé au domicile, de même que l'allongement de la durée de la vie, conjugué à l'avancement de l'âge de la retraite depuis 1981. C'est le cas aussi de la diffusion des nouveaux équipements technologiques (ordinateur, connexion Internet, lecteur de DVD...) qui jouent un rôle croissant en matière de communication et de divertissement au foyer.

La technologie favorise aussi la progression du télétravail ou du travail à temps partiel effectué à la maison par un nombre croissant de salariés. Elle permet de réaliser de chez soi la plupart des opérations qui nécessitaient auparavant de sortir : commandes et achats ; gestion des comptes bancaires ; correspon-

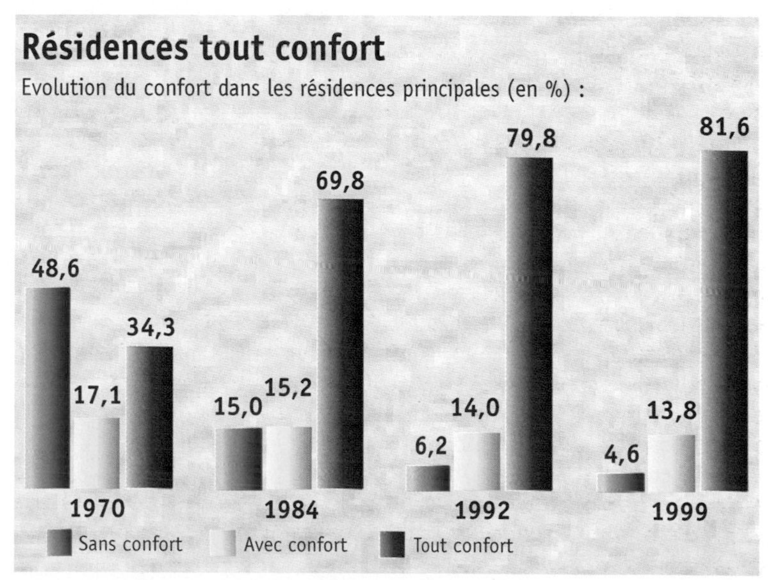

INSEE

dance... Les livraisons à domicile sont ainsi de plus en plus fréquentes (19 % des ménages ont déjà eu recours aux livraisons à domicile de produits alimentaires).

L'ordinateur connecté à Internet devient peu à peu le centre du foyer. Il sera bientôt complété par les équipements « intelligents » qui assureront leur propre gestion, tandis que le développement de la domotique permettra d'automatiser de nombreuses tâches domestiques : gestion de l'approvisionnement, contrôle des consommations d'énergie, ouverture des volets, arrosage des plantes, etc.

Le logement n'assume donc plus seulement ses fonctions traditionnelles : repos, nourriture, hygiène, protection, accueil, rangement, stockage. Il doit aussi en assumer d'autres : communication ; information ; sécurité ; distanciation ; apprentissage ; culture ; expression personnelle ; travail ; gestion du foyer ; achats à distance et livraisons ; soins du corps...

... ce qui implique une organisation différente de l'espace.

La demande de confort et de bien-être s'accroît au fur et à mesure qu'augmente le temps passé au foyer. Les équipements sont moins visibles, avec des éléments intégrés dans les murs ou dans les meubles (éléments de cuisine, écrans plats, sources sonores...). Les Français sont de plus en plus sensibles au design, à la couleur, aux nouveaux matériaux. L'espace doit être suffisant pour que chacun puisse disposer de son territoire et que la cohabitation soit harmonieuse. L'autonomie est en effet une revendication croissante, notamment de la part des enfants. Elle concerne aussi les membres des couples, dont certains préfèrent faire chambre à part. La maison doit être aussi modulable, afin de s'adapter aux situations diverses de la vie des familles et à leur évolution dans le temps.

Cette transformation des besoins implique une remise en cause de la conception des logements, de leur aménagement et de leur décoration. Elle rend aussi nécessaire la présence de nouvelles pièces : bureau pour travailler ou gérer les affaires domestiques ; pièce multimédia ; cave ; chambre destinée aux amis des parents ou des enfants. Dans l'absolu, les Français souhaitent séparer plus nettement les fonctions de chaque pièce, notamment du salon qui tend à cumuler divertissement, information, réception, convivialité familiale et parfois travail. Le décloisonnement, au sens propre, ne les attire pas vraiment, et le concept spatial du *loft* (popularisé par M6) concerne surtout les plus jeunes. La disposition idéale des Français serait plutôt le duplex.

L'habitat de demain devra répondre à une demande de propreté (élimination des déchets ménagers, pureté de l'eau et de l'air, élimination des bactéries...), de sécurité (biens et personnes), de tranquillité (lutte contre le bruit), de modularité de l'espace et du mobilier, d'automatisation des tâches ménagères et de proximité avec la nature (balcons, terrasses, jardins d'hiver, lumière...).

La maison idéale

Le confort (52 %) et la sécurité (51 %) sont les principales attentes des Français à l'égard de la maison, devant la convivialité, la détente et l'intimité. Le statut social est cité très loin derrière, même si on peut supposer qu'il n'est pas indifférent. Certaines pièces du logement deviennent multifonctionnelles. La chambre des parents sert ainsi à travailler (12 % des Français), à regarder la télévision (4 %) ou surtout surfer sur Internet (17 %), parfois à faire du sport.

87 % des Français préféreraient une grande cuisine à une grande salle de bains et 59 % choisiraient deux petites salles de bains plutôt qu'une grande. 73 % estiment souhaitable d'avoir une pièce séparée pour l'ordinateur. 68 % pensent que les enfants ont besoin d'une chambre plus grande que celle des parents. 58 % considèrent qu'il est très important d'avoir une salle à manger séparée. 69 % estiment que la chambre est le meilleur endroit pour s'isoler. Dans la cuisine, les éléments doivent être fonctionnels (84 %) plutôt que décoratifs (15 %), apparents (58 %) plutôt que cachés (42 %).

Leroy Merlin/CSA, juin 2001

La cuisine s'est agrandie.

La convivialité constitue une attente déterminante pour l'agencement de la maison. Le salon est en principe la pièce destinée à cette fonction, mais la présence de la télévision rend plus difficiles les échanges entre les membres de la famille ou avec les amis. De même, la salle à manger est moins systématiquement destinée aux seuls repas ; elle sert parfois de bureau et se trouve plus rarement séparée, afin d'élargir l'espace du salon.

La cuisine joue donc un rôle croissant. Elle n'est plus considérée comme une pièce hygiéniste et technique, mais comme un lieu de convivialité. Elle s'est agrandie afin que la famille puisse y prendre facilement

Le logement, un refuge contre la pollution sonore

ses repas quotidiens (80 % des ménages) et même y recevoir. L'habitude du grignotage fait que l'on s'y retrouve souvent en dehors des heures de repas. Elle est aussi de mieux en mieux équipée afin de faciliter le travail culinaire.

45 % des Français possèdent une cuisine intégrée (contre 80 % des Italiens, 64 % des Allemands, 63 % des Britanniques et 25 % des Espagnols). La moitié sont achetées en kit. Le taux d'équipement en appareils de cuisine encastrables poursuit sa croissance. 35 % des ménages disposent d'un four à encastrer (les Français sont davantage acheteurs de fours à pyrolyse que les autres Européens), 43 % d'une table de cuisson, 53 % une hotte aspirante. 5 % des ménages ont acheté une cuisine en 2000 (dont 23 % à crédit) pour un budget moyen de 6 000 €. Sur les 6 millions de meubles achetés, 74 % étaient de style contemporain.

Arts ménagers

Evolution des taux d'équipement des ménages en électroménager (en %) :

	1970	2000
Réfrigérateur	80	96
Congélateur	6	55
Lave-linge	57	93
Lave-vaisselle	3	43
Sèche-linge	-	26
Four à micro-ondes	-	68
Four à encastrer	-	35
Fer à repasser	93	87
Aspirateur	64	86
Cafetière	6	81
Sèche-cheveux	43	72
Grille-pain	15	65
Friteuse	10	34
Bouilloire électrique	-	23

L'équipement électroménager s'est diversifié.

Les taux d'équipement des ménages en réfrigérateur, cuisinière, lave-linge ou aspirateur approchent ou dépassent 90 %. Les ménages qui n'en possèdent pas sont le plus souvent des célibataires qui ne sont pas encore installés, des ménages marginaux ou des personnes âgées qui n'en ont pas l'usage. Le sèche-linge indépendant est encore peu répandu (un ménage sur cinq) à cause de la place supplémentaire qu'il nécessite et de sa forte consommation d'électricité.

Le lave-vaisselle n'est présent que dans 44 % des foyers (2000) et il progresse lentement depuis le début des années 70. Contrairement aux autres équipements, les disparités sont très marquées entre les catégories sociales. On le trouve beaucoup plus fréquemment chez les ménages aisés et surtout les familles avec enfants où il est le plus utile.

Chaque ménage possède en outre une douzaine de petits appareils ménagers : fer à repasser, sèche-cheveux, couteau électrique... En 2001, les Français ont acheté davantage de sèche-linge (+ 10 % en volume), de fours à encastrer (+ 8 %), de lave-vaisselle (+ 5 %), de hottes (+ 5 %) et de tables de cuisson (+ 4 %, mais + 50 % pour celles à induction). Ils ont en revanche acheté moins de cuisinières (- 4 %), de lave-linge (- 2 %) et de congélateurs (- 1 %).

La salle de bains prend de l'importance.

La salle de bains a connu récemment un regain d'intérêt, qui se traduit par des dépenses croissantes de la part des ménages. Plus vaste et fonctionnelle, elle devient un lieu de détente où il fait bon s'occuper de soi. Longtemps réduite au minimum, sa taille tend à s'accroître : environ 4 m^2 en moyenne. Mieux éclairée, meublée et décorée, elle répond à des motivations liées à la forme physique et au bien-être. Elle est le lieu privilégié dans lequel on peut s'occuper de soi. Les achats concernent surtout la robinetterie, les cabines de douche et les meubles. On observe un intérêt croissant pour les aspects hygiéniques, pratiques et écologiques (matériaux, consommation d'eau...).

Cette évolution traduit celle des mentalités des Français, moins tour-

nés vers l'image qu'ils donnent d'eux aux autres que vers la recherche de leur propre identité. Elle témoigne d'un nouveau rapport au corps (voir p. 66) et d'une nouvelle conception de l'hygiène, moins contrainte et socialisée, plus harmonieuse et individuelle. Une conception à la fois physique, sensuelle et psychologique, qui fait que l'on veut être propre extérieurement et intérieurement. Le lavage du corps est aussi un lavage de cerveau.

Le mobilier contemporain est largement majoritaire.

Le *cocooning* dont on avait beaucoup parlé dans les années 80 et 90 ne s'était pas traduit dans les faits par un investissement massif dans l'équipement et la décoration de la maison. Les Français s'y intéressent davantage aujourd'hui. 7,3 millions de ménages ont acheté 34 millions de meubles en l'an 2000 pour un montant moyen de dépense de 1 240 €. La tranche d'âge la plus concernée est celle des 35-49 ans (35 % des acheteurs), devant celles des 25-34 ans (27 %) et des 50-64 ans (23 %). Ils achètent moins d'ensembles mobiliers (salles de séjour, salons, chambres) mais davantage de meubles séparés et mélangés, qui leur permettent de personnaliser leur intérieur et d'étaler les dépenses dans le temps.

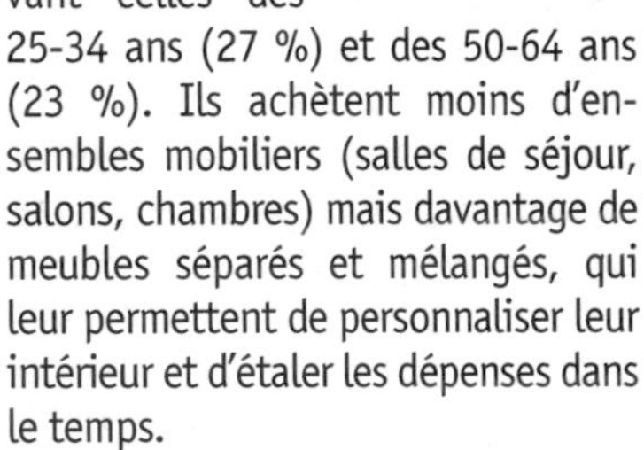

Le contemporain revisite l'ancien

Après des décennies de domination sans partage du traditionnel, le meuble contemporain connaît un accroissement spectaculaire de sa part dans les achats des ménages. Il représentait 74 % des sommes dépensées en 2000 (63 % en volume) contre seulement 12 % en 1985. Les attentes concernent principalement le bien-être, l'harmonie et l'autonomie, dans un contexte croissant d'hédonisme et de plaisir sensoriel. Les espaces privés prennent ainsi de l'importance, comme ceux destinés aux loisirs ou à la communication, mais aussi au travail, à la gestion et au rangement. Les meubles viennent parfois en concurrence avec les équipements électroniques. Les fauteuils de relaxation et les canapés déhoussables sont de plus en plus recherchés, avec notamment des revêtements en microfibres.

La créativité, le design et les nouveaux matériaux sont privilégiés. Le « métissage » des styles est une façon de réconcilier confort et esthétique, tradition et modernité, nature et culture, douceur et caractère, qualité et prix. La modularité, la mobilité et la facilité d'entretien sont d'autres critères de choix. Le minimalisme re-

Exo, ethno, naturo, techno

L'ENGOUEMENT croissant pour le style contemporain traduit le changement de statut du mobilier, qui joue un rôle moins patrimonial et qui est changé plus souvent. Il apparaît en outre mieux adapté à la vie actuelle par ses caractéristiques de multi-fonctionnalité, de forme, de couleur. C'est pourquoi le style « jeune habitat » continue de séduire une large clientèle.

Les Français s'efforcent de créer chez eux une atmosphère agréable, mais aussi changeante. Ils recherchent à la fois le sens, avec des meubles authentiques, porteurs de culture, et les sens, avec des objets différents, étonnants, détournés de leur fonction première, parfois d'un mauvais goût volontaire (kitch).

On distingue des tendances *exo* et *ethno*, avec un intérêt croissant pour les objets et styles « venus d'ailleurs » permettant un dépaysement au sens propre et une ouverture sur l'extérieur. La tendance *naturo* s'exprime par un recours aux végétaux, aux animaux, aux matières brutes. La tendance *techno* privilégie les lumières colorées et travaillées, des équipements électroniques et des objets futuristes qui s'adressent aux Mutants (voir p.228).

25 % des meubles sont achetés dans des magasins d'équipement du foyer (Conforama, But...), 10 % dans ceux qui s'adressent au « jeune habitat » (Ikea, Fly, Habitat...), 15 % chez des spécialistes (Monsieur Meuble, Atlas...), 8 % chez des cuisinistes, 6 % par correspondance (Ipea, 2000).

cule, mais le besoin de pureté, de transparence et de discrétion n'a pas disparu.

Les Français attachent plus d'importance à la literie.

Le souci du confort (et peut-être aussi l'accroissement continu de la taille des Français, voir p. 69) explique l'engouement pour la grande literie (lits doubles de 160 cm de large) depuis quelques années. En 2001, les Français ont acheté près de 5 millions de matelas, un chiffre en hausse régulière. Les matelas à ressorts ne représentent plus que 31 % en volume (mais 41 % en valeur), au profit des matelas en latex (15 % en volume, 28 % en valeur) et surtout des matelas en mousse (54 % en volume, 31 % en valeur). Les sommiers sont changés trois fois moins souvent que les matelas, du fait de la longévité des lattes (supérieure à celle des ressorts) : les Français en ont acheté seulement 1,3 million en 2001 (contre 2,2 millions en 1997), dont 82 % à lattes.

La France se rapproche des pays du nord de l'Europe, qui privilégient les matelas individuels alors que ceux du Sud préfèrent les matelas à deux places. L'usage de la couette a aussi beaucoup progressé depuis quelques années et concerne aujourd'hui la moitié des ménages. Les jeunes sont ses plus fervents adeptes, de sorte que la couverture pourrait à terme disparaître. En 2000, les ménages ont dépensé en moyenne 35 € pour le linge de lit et 18 € pour les accessoires de literie.

> Un meuble acheté sur quatre l'est dans le cadre de la prescription par un tiers, notamment un architecte ou un décorateur.

La décoration est de plus en plus personnalisée.

Les ménages refusent de plus en plus de suivre la mode en matière de décoration, même s'ils s'en inspirent parfois. Ils préfèrent mélanger les styles pour personnaliser leur logement. Comme pour le mobilier, on assiste à un engouement pour le contemporain et pour les produits originaux, tant en ce qui concerne les matériaux que les formes. Les matières utilisées sont souvent tactiles et douces, les teintes naturelles et chaudes. Les formes sont épurées, légères, rassurantes, et confortables.

La décoration subit une influence orientale, en particulier japonaise. Le souci d'exotisme et d'évasion se traduit aussi par la tendance au fantastique. Le monde des insectes et celui des minéraux sont de plus en plus présents, ce qui traduit la volonté générale de rapprochement avec la nature. L'influence scandinave se fait également sentir, avec notamment l'omniprésence des bougies, des petits napperons et des luminaires décoratifs (fer forgé, céramique, verre, cristal de sel...).

Alimentation

Les ménages ne consacrent plus que 14 % de leur budget à l'alimentation, contre 28,6 % en 1960...

Le budget alimentation, tel qu'il est mesuré par la comptabilité nationale, comprend les dépenses alimentaires de nourriture et boissons (non alcoolisées et alcoolisées) au domicile, ainsi que celles de tabac. Il inclut la production « auto-consommée » par les ménages d'agriculteurs et par ceux qui possèdent des jardins. La dépense annuelle moyenne consacrée à l'alimentation (au foyer, hors tabac) représentait 14,1 % en 2000, soit 5 600 € par ménage (466 € par mois).

Il faut lui ajouter les dépenses effectuées hors domicile (cantines, restaurants...) qui représentent environ 20 % du budget total contre 16 % en 1980 et 10 % en 1965. Environ un repas principal sur six est pris hors foyer (contre quatre sur dix aux Etats-Unis).

La viande représente environ un quart des dépenses, en léger retrait depuis une dizaine d'années. La part des produits laitiers atteint 11 % (en hausse), comme celle des produits à base de farine (en baisse).

... mais les Français ne mangent pas plus mal.

La baisse du budget alimentaire constatée depuis plusieurs décennies concerne sa part dans le budget total ; elle n'est vraie qu'en valeur relative. Les dépenses ont en effet continué d'augmenter en valeur absolue, et même en volume (2,3 % par an depuis 1960), mais à un rythme inférieur à celui de l'ensemble des dépenses (3,2 %). La baisse est aussi liée à une majoration modérée des prix d'un certain nombre de produits alimentaires, liée notamment au développement des grandes surfaces (66 % des achats alimentaires en 2000) et, plus récemment, des magasins de maxidiscompte.

Par ailleurs, le nombre de calories susceptibles d'être ingérées par une personne n'augmente pas avec son pouvoir d'achat. Avec la réduction des métiers manuels et l'amélioration

des conditions de travail, les besoins énergétiques ont même fortement diminué ; la ration moyenne est passée de 3 000-3 500 calories par jour au début du siècle à 1 700-2 000 aujourd'hui. C'est pourquoi l'accroissement du pouvoir d'achat a été en majorité consacré à d'autres postes de dépenses, plus extensibles que l'alimentation (loisirs, logement, transports...).

On constate une baisse relative de même nature dans la plupart des pays industrialisés, mais le budget alimentaire représente encore une part importante dans les pays les moins riches (environ 30 % en Irlande, en Grèce ou au Portugal).

Le petit déjeuner, un véritable repas

Conscients de son importance nutritionnelle, les Français sont de plus en plus attachés au petit déjeuner ; seuls 10 % n'en prennent pas. Parmi les autres, la grande majorité (70 %) choisit la version « continentale » : pain-croissant-confiture-café. On compte 13 % d'adeptes de la formule anglo-saxonne, 15 % de personnes pressées prenant simplement une boisson. Pour elles, le grignotage en cours de matinée (barres de céréales et autres en-cas) est un moyen de combler le déficit initial. 2 % des Français prennent leur petit déjeuner sur leur lieu de travail, 3 % au café ou chez des amis.
Dans les autres pays d'Europe, les pratiques diffèrent largement. Les Belges, les Allemands et les Hollandais prennent des petits déjeuners copieux avec de la charcuterie ou de la viande froide, car ils mangent peu ou pas du tout à midi, au contraire des Français. Les Scandinaves emmagasinent des calories le matin pour lutter contre le froid, alors que la chaleur incite les Grecs ou les Italiens à petit-déjeuner en deux fois : café au lever puis, dans la matinée, pain blanc ou gressins avec de la tomme de brebis et un cappuccino pour les Italiens, pains ronds au sésame, olives, tomates, feta et café pour les Grecs. Les Britanniques sont ceux qui prennent le petit déjeuner le plus copieux : thé ; céréales, oeufs, bacon, jus de fruits.

CFES, Nestlé/Sofres

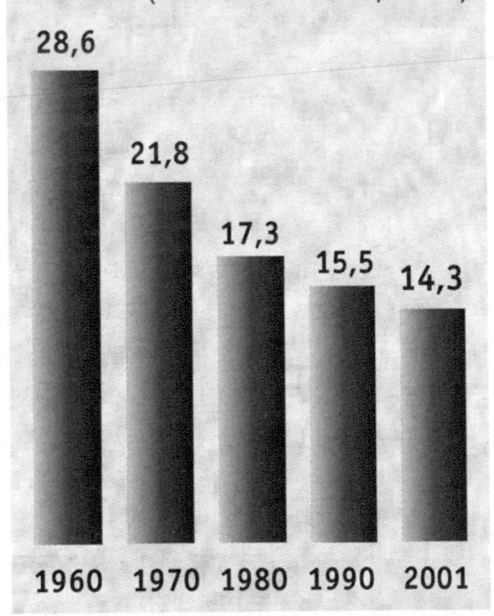

Après avoir régulièrement diminué, la durée moyenne des repas tend à augmenter.

En 1999, les Français ont consacré en moyenne 2 h 14 min aux repas, contre 2 h 02 en 1986 (INSEE). Cet accroissement concerne pour l'essentiel (12 minutes) les repas pris avec des amis, parents, etc. Les hommes restent 6 minutes de plus à table que les femmes. Le temps varie peu entre les actifs et les inactifs, mais les hommes retraités prennent 12 minutes de plus que les femmes. Les lycéens et étudiants sont ceux qui passent le moins de temps à table : 2 h 03.

Le temps consacré au petit déjeuner est celui qui augmente le plus : il est aujourd'hui de 18 minutes par jour en semaine contre 10 minutes en 1980 et 5 minutes en 1965 (Crédoc, 2001) ; sa durée atteint 34 minutes le week-end, contre 21 en 1998. Celle du dîner est de 33 minutes en semaine et de 45 minutes le week-end. Le temps de préparation des repas a en revanche diminué avec la généralisation du travail féminin, l'accroissement du taux d'équipement en congélateurs et en fours à micro-ondes. Il était en moyenne de 36 minutes en semaine en 2001 (contre 42 en 1998) et de 44 minutes le week-end contre 60. Le développement de l'offre a favorisé cette évolution : 11 % des ménages achètent des produits pré-préparés, 23 % combinent le frais et le pré-préparé ; 4 % achètent des plats cuisinés. Enfin, le recours à la livraison à domicile s'accroît : 19 % des ménages en 2001, 12 % au moins une fois par mois.

La déstructuration des repas se poursuit.

Les repas se déroulent de moins en moins à heure fixe, afin de prendre en compte les contraintes des différents membres du foyer, leurs activités et leurs souhaits. Cette flexibilité croissante explique que parents et enfants ne mangent pas toujours ensemble. Le grignotage en dehors des repas se généralise : 30 % des enfants prennent des en-cas à l'école et 57 % à la maison ; 12 % des adultes font de même sur leur lieu de travail, 44 % à la maison.

La composition des menus tend aussi à devenir plus flexible ; au cours des repas principaux, huit personnes sur dix ne prennent pas d'entrée (contre 64 % en 1978). Les entrées traditionnelles deviennent d'ailleurs souvent des plats principaux et les plats froids sont plus fréquents. 40 % des repas pris à domicile sont des repas principaux élaborés, 23 % des repas simples, 16 % des repas rapides. Cependant, pour plus de 80 % des Français, les repas de midi et du soir comprennent au moins deux plats.

Les repas quotidiens sont de plus en plus différenciés des repas de fête. Le temps et l'intérêt consacrés à ces derniers sont plus importants. Les produits utilisés sont généralement de meilleure qualité, plus traditionnels ou parfois plus exotiques. Le repas est alors davantage « mis en scène » par la vaisselle utilisée, le linge de table, la décoration des plats, l'ambiance visuelle (éclairages, décoration) ou sonore (musique), dans un but de plaisir sensoriel et de convivialité.

Les menus sont de plus en plus personnalisés

Soprano

L'Europe à table

Evolution de la dépense alimentaire dans les pays de l'Union européenne (en % de la consommation totale) :

	1987	1999
- Portugal	27,4	24,0
- Irlande	20,6	22,4
- Espagne	20,2	21,0
- Italie	19,9	20,9
- Grèce	31,9	20,1
- Suède	17,2	18,3
- Danemark	15,0	17,3
- Finlande	18,3	17,1
- Autriche	16,0	16,0
- Belgique	16,5	15,6
- FRANCE	16,2	14,6
- Allemagne	12,5	13,9
- Royaume-Uni	12,4	13,5
- Pays-Bas	12,4	12,6
- Luxembourg	13,6	12,1

Le nomadisme alimentaire se généralise.

Les Français prennent de plus en plus l'habitude de manger n'importe où : lieu de travail ; rue ; voiture ; transports en commun ; espaces publics... 32 % prennent leur repas de midi sans se mettre à table. 37 % mangent ou boivent dans la rue au moins une fois par mois. 32 % consomment parfois des produits amenés sur leur lieu de travail, contre 26 % en 1992. Un peu plus d'un sur quatre mange au moins une fois dans les transports en commun au cours d'une semaine.

La part des repas pris hors du foyer s'est accrue ; 70 % des Français ont mangé au moins une fois hors de leur domicile en semaine en 2001, contre 59 % en 1996. Un tiers des actifs rentrent chez eux pour déjeuner (surtout des habitants de petites villes, commerçants, artisans, petits patrons), mais 28 % fréquentent les restaurants d'entreprise et 35 % déjeunent sur leur lieu de travail. Au total, trois repas par semaine sont pris à l'extérieur contre deux en 1970.

Les connaissances nutritionnelles s'accroissent en même temps que l'obésité.

La montée de l'individualisme a favorise une attitude generale d'autonomie ; chacun se sent aujourd'hui davantage responsable de son corps et de sa santé. Un nombre croissant de Français possède en outre des rudiments de diététique et se trouve en mesure de mieux équilibrer son alimentation. 56 % atteignent ainsi en un seul jour le niveau maximal de diversité alimentaire (présence de toutes les catégories répertoriées) contre seulement 34 % des Américains. La consommation de lipides (graisses) diminue, mais celle de glucides (sucres et alcool) augmente (étude Suvimax, 1999).

On observe une volonté croissante de ne pas grossir. Depuis 1997, les Français ont réduit leur apport calorique moyen de 100 Kcal par jour pour les femmes et de 60 pour les hommes. Cette attitude est renforcée par des pressions sociales, notamment sur le plan professionnel, qui tendent à privilégier les personnes minces et en bonne condition physique. Pourtant, l'obésité s'accroît dans certaines catégories sociales (voir p. 72). Elle représente une véritable menace pour les plus jeunes.

La première attente est celle du goût.

Les Français refusent de faire des compromis dans leurs choix alimentaires et la qualité nutritionnelle ne doit pas exclure le plaisir de manger. S'ils sont désireux de ne pas grossir, ils détestent les contraintes. On trouve dans le domaine alimentaire la traduction d'une recherche plus générale de plaisir, même s'il faut pour cela transgresser les interdits (une attitude qui peut être en elle-même source de satisfaction) ou commettre quelques excès. La gourmandise n'est plus considérée comme un défaut. C'est ce qui explique par exemple l'accroissement de la consommation de sucreries à tout moment de la journée.

Mais les Français ont le sentiment que certains aliments ont de moins en moins de goût. C'est le cas de 50 % d'entre eux en ce qui concerne les fruits et légumes. La proportion est de 28 % pour la viande, 27 % pour le pain, 22 % pour les oeufs, 21 % pour la charcuterie (Saveurs de l'année/Ipsos, juin 2001).

L'évolution va dans le sens du mou et du doux.

Les Français apprécient de plus en plus les saveurs rassurantes, qui les replongent dans le monde de l'enfance (voir encadré). L'onctueux, le mou, le sucré et le tartinable ont ainsi leurs faveurs. On retrouve ces caractéristiques dans la confiserie, le chocolat, les produits laitiers, les jus de fruits ou les glaces, mais aussi dans de nombreux produits qui incorporent du sucre (conserves de légumes, plats cuisinés...).

D'une manière générale, les saveurs « sauvages » (gibier, viande rouge, aliments amers ou acides...), associées à la dimension animale de l'homme, sont de moins en moins bien acceptées. La viande rouge évoque le sang et elle est plutôt consommée hachée ou en tranches fines (carpaccio, viande à pierrade) ; les Français tendent à lui préférer la viande blanche. Les poissons et les volailles sont souvent vendus en morceaux non reconnaissables. Les jeunes trouvent le café trop amer ; en matière de fromages, ils préfèrent les pâtes molles au camembert.

Cependant, certaines textures craquantes, moussantes, les mélanges sucré-salé et les produits exotiques (le plus souvent adoucis) sont appréciés, car ils apportent de nouvelles sensations. 49 % des Français disent préférer le sucré, 45 % le salé, 4 % ni l'un ni l'autre (Ipsos/Agence Vitesse, octobre 2000). La plupart mangent trop de sel, le plus souvent sans le savoir. La consommation moyenne est de 9 à 10 grammes par jour (près de 4 kg par an), alors que la dose recommandée est de 6 à 8 grammes. Elle a augmenté de 70 % en dix ans, du fait de la place croissante des plats préparés dans l'alimentation. Cet excès accroît le risque d'hypertension artérielle et peut entraîner des problèmes cardio-vasculaires.

Bonbons et société

La progression de la consommation de confiserie depuis quelques années (3,7 kg par personne en 2001) est un révélateur du changement social. Elle témoigne d'abord d'un intérêt marqué pour ces « compléments alimentaires » d'un genre particulier. Elle illustre aussi le besoin de doux, de mou, de sucré et de coloré comme antidote à un monde perçu par beaucoup comme dur, sec, amer et sombre. 23 % des achats sont destinés à une consommation solitaire, auxquels il faudrait ajouter une partie des 42 % achetés comme alibi pour les enfants (Chambre syndicale nationale de la confiserie/Sofres, janvier 2002).
Illustration parfaite de la tendance individuelle et nomade, le bonbon participe aussi à la création de lien social et de convivialité : 26 % des Français en achètent pour les partager avec d'autres. Mais les comportements à l'égard de la confiserie témoignent d'un autre grand mouvement social, celui de la régression. Version contemporaine de la madeleine de Proust, le bonbon « évoque des souvenirs » pour 22 % des acheteurs (37 % parmi les cadres et professions intellectuelles supérieures).

L'exigence de sécurité est de plus en plus forte.

La peur concernant les produits alimentaires a été provoquée et entretenue par une succession de crises depuis vingt ans : veau aux hormones (1980) ; premier épisode de la « vache folle » (1985) ; contamination à la suite de la catastrophe de Tchernobyl (1986) ; culture du maïs transgénique autorisée, puis suspendue (1997) ; poulets à la dioxine (1999) ; fièvre aphteuse (2000)... Après les risques de l'alimentation animale se précisent ceux liés aux

produits végétaux, avec notamment les OGM (organismes génétiquement modifiés). La peur s'accompagne souvent de craintes irrationnelles, dues au caractère particulier des aliments (voir encadré) et renforcées par les médias.

Pourtant, la plupart des Français reconnaissent les avantages de l'industrialisation. 48 % se disent insuffisamment informés sur la qualité des produits alimentaires (51 % oui). 76 % considèrent que les risques alimentaires ne sont pas plus nombreux aujourd'hui (23 % de l'avis contraire), mais qu'ils sont mieux connus car les contrôles sont plus fréquents (Les états généraux de l'alimentation/Ipsos, octobre 2000). Mais ils souhaitent une information plus complète sur les produits. 85 % estiment nécessaire de connaître la composition des produits alimentaires, 81 % leur mode de fabrication, 79 % les signes de qualité (labels, certifications...), 74 % l'origine géographique (Saveurs de l'année/Ipsos, juin 2001). C'est pourquoi ils apprécient les garanties apportées par les marques et, surtout, par les labels décernés par des organismes indépendants.

L'engouement pour les produits biologiques se poursuit.

42 % des foyers ont acheté des produits biologiques en 2000 ; 19 % des Français disent en consommer régulièrement, contre moins de 3 % en 1990. La croissance des dépenses a été de 10 % par an au cours des six dernières années. Elles ne représentent encore que 0,7 % de l'ensemble du budget des ménages, mais le taux de croissance est de 25 %. Les légumes, les oeufs, les yaourts, le pain et la volaille sont les produits les plus courants. Plus de 40 % des produits issus de ce type d'agriculture sont achetés dans la grande distribution.

Le bio répond à une forte revendication sécuritaire, particulièrement sensible chez les mères de jeunes enfants qui souhaitent se déculpabiliser en appliquant le principe de précaution. Il repose aussi sur une vision idéalisée de la nature ; la *bio-attitude* ressemble en effet parfois à la béatitude. Aucune étude ne démontre en effet de manière irréfutable leur supériorité en matière de sécurité alimentaire (absence de pesticides, nitrates...) ou gustative. On sait, par ailleurs, que les fraudes sont nombreuses ; elles concerneraient la moitié des céréales « bio », notamment importées. Entre les excès de l'agriculture intensive et les promesses parfois non tenues du bio, l'agriculture raisonnée pourrait demain trouver sa place.

La consommation de viande a diminué, au profit des légumes.

Les effets des différentes crises liées à la « vache folle » se sont superposés à une tendance à la baisse de la consommation de bœuf et de veau sensible depuis le début des années 80, tandis que celle de porc s'est stabilisée à un niveau élevé depuis le début des années 90. Cette évolution s'est faite au profit de la volaille, dont la consommation a presque triplé depuis 1960 : 24 kg par personne contre 9 kg. En 2001, la consommation de bœuf a chuté de 19 % en quantité et de 16 % en valeur. La baisse a été moins forte pour la viande ovine : respectivement 19 % et 7 %. Les achats

Alimentation et symboles

L'alimentation remplit une triple fonction : nutritionnelle (énergie, éléments vitaux) ; hédoniste (plaisir gustatif) et symbolique. Cette dernière est liée au fait que les aliments sont ingérés, ce qui leur confère une intimité particulière avec le corps ; l'alimentation se rapproche en cela de la médicamentation, mais aussi de la sexualité. Dans l'inconscient individuel, les aliments sont dotés d'un pouvoir important : on est ou on devient ce que l'on mange (fort si l'on mange du bœuf, doux si l'on consomme de l'agneau...).

Les habitudes ou interdits alimentaires reflètent davantage les préceptes religieux ou mystiques que ceux liés à la santé ou à la nutrition. Les vitamines, oligo-éléments et autres compléments minéraux jouent aujourd'hui un rôle semblable à celui qu'avaient autrefois les porte-bonheur et les amulettes. Leur fonction est de conjurer le mauvais sort, de lutter contre le vieillissement et de retarder l'heure de la mort.

A cette symbolique ancienne s'ajoute celle, plus récente, des couleurs, largement utilisée dans l'industrie agroalimentaire. Le rouge stimule l'appétit et incite à l'achat. Le vert évoque un environnement préservé propice à la santé. Le blanc et la couleur argentée suggèrent des aliments peu caloriques. Le jaune est la teinte la plus rapidement perçue par le cerveau et sert à capter l'attention. L'orange est plutôt associé à un prix peu élevé, au contraire du noir et du doré, qui induisent l'idée de luxe. Le bleu et le violet ne sont guère utilisés, car elles ne sont pas perçues comme faisant partie de l'univers alimentaire.

Moins de bœuf, plus de porc et de volaille

Evolution de la consommation de viande (en kg par habitant et par an) :

	1970	1980	1990	1999
- Bovine (y compris veau)	30,0	33,0	29,8	27,0
- Porcine	30,6	33,8	37,1	37,3
- Mouton et chèvre	3,0	4,1	5,5	5,0
- Volaille	12,2	16,7	21,3	24,4
- Autres viandes	15,4	16,7	12,0	8,5
Total viandes	**75,8**	**87,6**	**105,7**	**102,2**

Agreste

Le sexe des aliments

CERTAINS aliments ont une image masculine : pain, vin, frites, steaks, charcuterie, pommes de terre, sauces, fromage... Ils évoquent l'idée du plaisir et de la convivialité. Les aliments à connotation féminine sont les légumes, les laitages, l'eau minérale ou le poisson. Ils évoquent surtout l'équilibre et la volonté de ne pas grossir. Le rapport de chaque sexe à l'alimentation est très différent, avec une culpabilisation plus marquée chez les femmes. Mais elle est aujourd'hui sensible chez les hommes, davantage soucieux de leur poids et de leur santé. Les écarts sont marqués chez les jeunes. Les filles de 5 à 17 ans consomment 68 % de calories de moins que les garçons du même âge (Observatoire Sodexo de la nutrition, 2001). Elles se soucient très tôt de leur image, tandis que les garçons dépensent plus d'énergie pour tenter d'affirmer leur domination sur les autres. Les repas des filles sont aussi plus équilibrés que ceux des garçons ; ils comprennent deux fois plus de légumes, fruits et laitages. Les garçons consomment en revanche trois fois plus de viande, de féculents et de sandwiches, quatre fois plus de pizzas, cinq fois plus de plats cuisinés.

de porc (frais) ont été stables en quantité, mais ils ont progressé de 14 % en valeur à la suite des hausses de prix liées aux coûts de sécurisation de la filière (notamment l'abandon des farines animales) et de la montée en gamme de la demande. L'évolution a été semblable pour la volaille : stabilité en volume (légère baisse de 2 % pour le poulet), mais augmentation en valeur (14 % pour la dinde, 7 % pour le poulet). La part des volailles « labellisées », jugées plus sûres, continue de s'accroître.

Avec 92 kg par personne et par an en moyenne, la France est l'un des pays d'Europe où l'on mange le plus de légumes frais. Mais les produits tendent à être de plus en plus souvent consommés préparés (voir ci-après). Ainsi, les quantités de pommes de terre achetées transformées (surgelés, chips...) sont aujourd'hui presque égales à celles de pommes de terre fraîches. La consommation de fruits frais a diminué en trente ans, mais elle a augmenté pour les produits jus de fruits et les compotes. Seule la tomate fraîche a connu une croissance importante (13 kg contre 8 kg en 1970), grâce à la désaisonnalisation de l'offre.

Les produits achetés sont de plus en plus élaborés.

Les exigences en matière alimentaire s'accroissent. Les consommateurs veulent concilier à la fois le plaisir et la santé, l'image du naturel et les avantages de l'industriel, le prix et la qualité, la rapidité de préparation et la possibilité d'ajouter une touche personnelle. Les choix des ménages se portent donc sur des produits de moins en moins basiques, plus sophistiqués et coûteux.

Ainsi, les achats de pommes de terre ont baissé d'un tiers depuis 1970 (68 kg par personne contre 96 kg), mais les produits transformés représentaient 26 kg en 2000 contre 8 kg en 1980. Les achats de sucre, d'abats ou de triperie se sont effondrés au profit de produits plus élaborés.

De la même façon, la consommation de vins AOC a fortement progressé alors que celle de vin de table s'est effondrée (voir p. 93). Dans le même temps, les achats de produits laitiers élaborés ont connu une croissance spectaculaire : triplement en trente ans pour les yaourts aromatisés, les desserts lactés et les fromages frais. Les plats cuisinés frais ont aussi connu une forte croissance.

La consommation de pain a subi une baisse régulière : 165 g par jour et par personne en 2001, contre 200 g en 1980, 500 g en 1945. Elle se maintient aujourd'hui grâce à la croissance des spécialités (pain complet, aux raisins, aux noix...). Les hommes consomment deux fois plus de pain

que les femmes, les cadres supérieurs deux fois moins que les agriculteurs. La baguette représente encore 80 % des achats.

Plus de deux kilos par jour

Evolution des quantités consommées de certains aliments (en kg ou litres par an) ;

	1980	1999
- Pain	80,6	57,4
- Pommes de terre	95,6	68,0
- Légumes frais	70,4	92,2
- Bœuf	15,6	14,9
- Volailles	14,2	23,8
- OEufs	11,5	15,2
- Poissons, coquillages, crustacés	9,9	14,7
- Lait frais	95,2	67,1
- Fromage	13,8	19,3
- Yaourts	8,6	20,5
- Huile alimentaire	8,1	11,9
- Sucre	20,4	7,6
- Vins courants	95,6	36,2
- Vins AOC	8,0	27,1
- Bière	41,4	37,7
- Eaux minérales et de source	39,9	146,1

La tradition culinaire laisse place à la cuisine d'assemblage.

Les Français passent moins de temps à préparer leurs repas et les générations se transmettent de moins en moins le savoir-faire culinaire du « bon-petit-plat-mijoté ». Mais on ne renonce pas pour autant aux plaisirs gustatifs et à la diversité de la tradition française. Après le « tout-surgelé » des années 80, on observe aujourd'hui un engouement pour la « cuisine d'assemblage », réalisée à partir de produits pratiques et de recettes élaborées.

Les Français veulent aussi apporter leur touche personnelle à la réalisation des recettes, mais en étant sûrs de les réussir. La cuisine ressemble donc de plus en plus à un *kit* dont les composants sont les aides culinaires (épices, croûtons, herbes aromatiques, mélanges divers...), les légumes mélangés, les préparations pour salades composées, les desserts à préparer ou d'aides à la pâtisserie, les sauces de nappage ou à cuisiner.

MAC 10

Un intérêt croissant pour les expériences culinaires « venues d'ailleurs »

Après plusieurs décennies de forte croissance, la consommation de surgelés se stabilise. 96 % des ménages les utilisent, en moyenne 30 kg par personne et par an, ce qui situe la France dans la moyenne européenne, devant l'Allemagne (35 kg), mais loin derrière le Royaume-Uni (64 kg). La consommation est encouragée par l'innovation : 20 % des produits proposés n'existaient pas il y a deux ans. Au total, les achats de produits préparés (y compris surgelés) représentent 26 % des dépenses, contre 12 % en 1960.

Les produits exotiques font de plus en plus d'adeptes...

Le mouvement général de mondialisation a touché les pratiques alimentaires, avec l'apparition du *world food* et l'intérêt pour les produits exotiques. 75 % des Français ont consommé à domicile des produits « venus d'ailleurs » en 2001, contre 40 % en 1999. 48 % des ménages ont déjà consommé des produits chinois, 39 % maghrébins, 29 % vietnamiens, 25 % créoles, 20 % grecs, 19 % tex-mex, 16 % indiens, 11 % japonais, 4 % cubains, 2 % cajuns (Exoscopie). Les initiés sont surtout des personnes âgées de moins de 40 ans ayant des enfants et appartenant aux catégories aisées. Si le plat principal est exotique (chinois, tex-mex, indien, japonais...), le reste du menu est généralement plus traditionnel (entrée, dessert).

Les produits exotiques répondent au désir de nouvelles expériences sensorielles, tant en ce qui concerne le goût (épices, saveurs) que l'apparence ou la texture. Pour être adoptés, ils doivent d'abord être adaptés aux habitudes gustatives françaises, afin que la surprise ne soit pas trop grande. Les lieux d'initiation privilégiés à ces cuisines sont les restaurants. L'intérêt pour les produits exotiques se double souvent d'une

curiosité pour la cuisine ethnique, évocatrice d'une culture culinaire différente et authentique. Le voyage dans l'assiette est un complément, une préparation ou un substitut au vrai voyage.

... de même que les produits du terroir.

Le goût pour l'exotisme n'est pas contradictoire avec l'intérêt pour les produits du terroir. Il s'agit dans les deux cas de trouver ou de retrouver des références et des racines, proches dans le premier, éloignées dans le second. Chacun espère ainsi se procurer des sensations agréables dans sa vie quotidienne. Ces deux tendances ne doivent pas être opposées ; pour un Alsacien, la gastronomie provençale peut être perçue comme « exotique », et réciproquement.

ALS BDDP

L'intérêt pour l'exotisme n'exclut pas le goût du terroir

Après avoir concerné les plats sophistiqués, puis les produits « venus d'ailleurs », la mode culinaire revient aujourd'hui aux choses simples : sardines à l'huile ; soupes de légumes ; jambon-purée ; oeufs sur le plat... Plus sans doute qu'un manque d'imagination de la part des chefs, cette attitude traduit une volonté d'humour et d'autodérision dans des groupes sociaux qui sont plutôt urbains et « branchés ». Elle montre en tout cas que tout mouvement dans une direction engendre un mouvement de sens contraire de la part de ceux qui l'ont initié, afin de conserver le sentiment exaltant d'être « différents » des autres et créateurs de modes.

La baisse régulière de la consommation de vin semble stoppée.

Les Français de 15 ans et plus consomment en moyenne 62 litres de vin par an, contre 127 litres en 1963 et 103 litres en 1980. Ils figurent toujours parmi les plus gros consommateurs au monde, mais ils sont dépassés par le Portugal et l'Italie. La baisse s'explique par celle du nombre de consommateurs réguliers (tous les jours ou presque) ; ils n'étaient que 24 % en 2000, contre 47 % en 1980 et 30 % en 1990 (Onivins). La proportion de consommateurs occasionnels continue en revanche de croître : 40 %, contre 30 % en 1980 et 34 % en 1990. On constate cependant que celle des non-consommateurs tend à se stabiliser : 37 % contre 36 % en 1990 (mais 24 % en 1980), tant parmi les femmes (63 % des non-consommateurs) que chez les hommes (37 %). On observe enfin une augmentation de la fréquence moyenne de consommation des occasionnels.

Le vin devient une boisson plus festive que quotidienne, comme en témoigne le fort accroissement de la consommation de « vins fins » (type AOC ou VDQS) au détriment des vins de table. Les premiers représentent aujourd'hui la moitié du volume total contre un quart en 1980, avec une tendance à la stabilité, après une baisse de plusieurs décennies. Les vins rouges représentent près des trois quarts des volumes (73 %). Les rosés ont dépassé les blancs (14 % contre 13 %), du fait de l'arrivée de nouveaux consommateurs et de la part croissante des cubitainers. Les

Plus de whisky que de pastis

Les Français ne consacrent plus que 9,5 % de leur budget aux achats de boissons alcoolisées (vin, bière, spiritueux...), contre plus de 12 % au début des années 60. Les achats de spiritueux représentaient un peu moins d'un cinquième (18 %) de la consommation d'alcool en 2000, une proportion en hausse par rapport à 1980 (14 %). Ils tendent à stagner depuis quelques années.
Les whiskies et les apéritifs anisés représentent l'essentiel des achats (respectivement 35 % et 30 % en valeur). Les liqueurs et crèmes ne comptent que pour environ 6 %. Les consommations régionales varient largement, entre un maximum proche de 5 litres d'alcool pur par habitant en Bretagne et dans le Nord-Picardie et un minimum inférieur à 3 litres en Alsace-Lorraine et en Champagne.

trois quarts des achats sont effectués dans les grandes surfaces (maxidiscomptes inclus).

La consommation de bière a été beaucoup plus stable depuis vingt ans que celle de vin avec laquelle elle est en concurrence, notamment dans le nord du pays. Elle est passée de 41 litres par personne en 1980 à 37 litres en 2000.

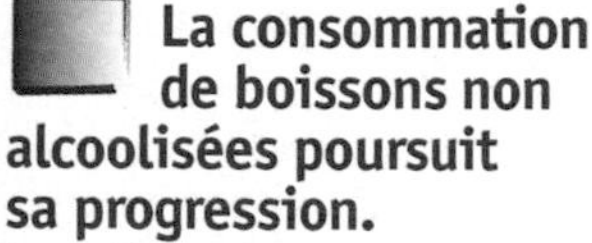

La consommation de boissons non alcoolisées poursuit sa progression.

Les Français ont consommé en moyenne 126 litres d'eau minérale en 2000. Ils occupent la deuxième place mondiale derrière les Italiens (150 litres) ; à titre de comparaison, la consommation n'est que de 6 litres au Japon, 12 au Royaume-Uni, 50 aux Etats-Unis. Depuis 1980, la hausse annuelle est en moyenne de 4 %, mais on constate une décélération depuis 1990. Les eaux plates représentent 83 % des volumes, mais la consommation des eaux gazeuses (37 %) progresse.

La consommation des boissons non alcoolisées (sodas, colas, jus de fruits...) a fortement augmenté depuis plusieurs décennies : + 5,8 % par an entre 1980 et 1997, avec aussi un ralentissement de la croissance depuis 1990. Elle est soumise à un effet de génération plus que d'âge et varie selon les conditions météorologiques. Les personnes nées après 1945 en consomment aujourd'hui moitié plus que celles de la génération précédente au même âge. L'eau minérale bénéficie d'un effet semblable. Depuis la guerre, chaque nouvelle génération en boit davantage que celle qui la précède. Il s'y ajoute une augmentation liée à l'âge, car les ménages les plus âgés en boivent 2,5 fois plus que les plus jeunes.

Entre 1960 et 2000, les dépenses des ménages en boissons ont doublé en monnaie constante. Mais celles consacrées aux boissons non alcoolisées ont été multipliées par six, notamment du fait des achats d'eau minérale qui représentent aujourd'hui 40 % du budget, contre 10 % en 1960. Les Français boivent en moyenne 15 litres de Coca-Cola (contre 75 aux Etats-Unis et près de 50 en Allemagne).

L'eau précieuse

87 % des Français se disent préoccupés par la pollution de l'eau, 68 % par la pérennité des ressources en eau. 71 % estiment cependant que la qualité de l'eau dans leur ville est bonne, 26 % étant de l'avis contraire (Brita/Ifop, avril 2001). 58 % disent boire le plus souvent de l'eau en bouteille, 42 % celle du robinet (5 % la boivent filtrée). 76 % estiment que le prix de l'eau est trop élevé. Il faut dire que celui-ci a doublé en dix ans. 86 % pensent qu'il va encore augmenter.

Dans la hiérarchie des préoccupations environnementales, la pollution de l'eau n'arrive cependant qu'en quatrième position (14 %), derrière les déchets nucléaires (24 %), la pollution de l'air (20 %) et le réchauffement de la planète (19 %).

Lyonnaise des Eaux/Ifop, septembre 2001

Un repas sur cinq est pris en dehors du domicile.

La dépense moyenne des ménages pour les repas pris à l'extérieur était d'environ 1 000 € en 2001, sur un budget alimentaire total de 5 400 €, soit 18 %. Le montant est presque double à Paris (2 000 € sur 5 700, soit 34 %). La restauration collective (entreprises, écoles, hôpitaux...) représente plus de la moitié des repas pris hors du foyer : 3,2 milliards de repas en 2000 contre 3,4 milliards pour la restauration commerciale (Gira Sic).

Mais les dépenses sont très différentes selon les secteurs : près de 10 € par repas en moyenne dans le commercial ; un peu plus de 3 € dans le collectif. Dans ce dernier secteur, on observe une croissance de la part du social (hôpitaux, maisons de retraite) liée notamment au vieillissement de la population. Les restaurants d'entreprise sont de plus en plus concurrencés par les restaurants commerciaux. Sur les 6,5 milliards de déjeuners pris hors domicile en 2000, 1,7 milliard seulement l'ont été sur le lieu de travail.

Les tendances lourdes du grignotage et du nomadisme expliquent la part croissante des dépenses effectuées hors des lieux de restauration classiques : boulangeries ; traiteurs ; bouchers ; boutiques disposant d'une coin-café (FNAC, Décathlon, Celio, Habitat...) ; cinémas ; distributeurs automatiques...

Les pratiques alimentaires se rapprochent.

On observe une convergence des comportements alimentaires entre les différents groupes sociaux. La dilution du sentiment de classe chez les ouvriers et, dans une moindre mesure, chez les agriculteurs a entraîné la disparition de certaines habitudes, comme la soupe quotidienne ou l'in-

Restauration à la chaîne

Les 86 chaînes de restauration représentent un poids croissant par rapport aux restaurants indépendants : 20 % des repas contre 15 % en 1992 et 8 % en 1980. La plus importante est McDonald's avec 914 unités fin 2001, devant Quick (326). La crise de la vache folle a ralenti la croissance des ventes de hamburgers, qui subissent aussi un phénomène de lassitude du public et sont accusés d'être les symboles de la « malbouffe ».
Les Français consomment aujourd'hui huit fois plus de sandwiches que de hamburgers. Mais ils les achètent moins souvent dans les cafés et les bistrots traditionnels, dont le nombre a connu une spectaculaire érosion : moins de 50 000 aujourd'hui contre 200 000 en 1960 et 80 000 en 1985. Ils se rendent plutôt dans des chaînes spécialisées (Brioche Dorée, Paul...), qui misent à la fois sur la qualité et la diversité des produits.
La restauration thématique a connu une croissance récente (tex-mex, chinois, japonais...) qui s'explique par l'intérêt pour les saveurs exotiques. On observe aussi un développement de la restauration sur les lieux de transport (gares, aéroports...).

fluence des saisons sur le choix des produits. Si les dépenses varient toujours largement en fonction des revenus et du statut social, les écarts diminuent.

Le rapprochement est apparent aussi entre les pays, notamment à l'intérieur de l'Union européenne. La consommation de ketchup, de céréales pour le petit déjeuner ou d'eau minérale a augmenté partout. Celle de vin et de bière s'est accrue dans les pays où elle était faible et réduite dans ceux où elle était forte. Le goût pour les produits exotiques porteurs de nouvelles sensations s'affirme, signe d'une ouverture des frontières et des esprits.

Pourtant, les traditions nationales et régionales demeurent. Les corps gras solides (beurre, margarine, saindoux) restent largement utilisés pour la cuisson dans les pays du Nord, tandis que les pays méditerranéens continuent de préférer l'huile d'olive. La France appartient aux deux cultures gastronomiques : le beurre et la bière sont surtout consommés au nord de la Loire, l'huile et le vin au sud.

Transports

Les ménages consacrent 12 % de leur budget aux transports.

La part des transports dans les dépenses des ménages était passée de 9,3 % en 1960 à 12,6 % en 1990. Elle s'est réduite depuis, du fait notamment de la baisse du prix relatif des achats de véhicules et du vieillissement du parc. Elle constitue cependant le troisième poste du budget, derrière le logement et l'alimentation. Chaque ménage dépense ainsi près de 5 000 € par an pour ses déplacements. L'entretien des véhicules est plus coûteux que leur achat (29 % du montant total contre 26 %) ; les carburants représentent 24 % et les transports collectifs 15 %.

Ces derniers sont délaissés par les Français dans la vie quotidienne, au profit des moyens de transport individuels. Leur part dans le trafic total (12 %) est inférieure en France à celle de la plupart des pays de l'Union européenne. Certaines municipalités ont cependant réagi en favorisant des transports urbains et périurbains. Disparu pendant des décennies, le tramway revient en force dans les grandes villes : Lyon, Nantes, Montpellier, Orléans, Nancy, Rouen, etc. Les nouvelles politiques de transports prennent davantage en compte les revendications de confort, rapidité, sécurité, convivialité et service des « usagers ». Les transports publics sont plus souvent utilisés par les femmes que par les hommes, par les jeunes et les personnes âgées que par celles d'âge moyen.

Le temps moyen de transport est d'environ une heure par jour.

Le temps de transport quotidien des Français est en moyenne de 55 minutes (enquête emploi du temps de l'INSEE, 1999). Les trajets domicile-travail représentent 20 minutes par jour (34 minutes pour les actifs non chômeurs), les autres déplacements 35 minutes. Le temps total est inchangé depuis 1986 en ce qui concerne les trajets professionnels. Il a diminué de 4 minutes pour les autres trajets.

Le nombre moyen de déplacements quotidiens par personne est un peu supérieur à trois (3,2), dont 2,0 en voiture, 0,75 à pied, 0,1 en deux-roues ; les transports en commun n'en représentent qu'une faible part. Ce nombre n'a presque pas varié depuis une vingtaine d'années. La distance moyenne parcourue a en revanche augmenté de 40 % en 15 ans, atteignant 15 km.

Malgré les difficultés de circulation, la vitesse moyenne a elle aussi

augmenté : 35 km/h contre 29 en 1982. La durée moyenne du trajet domicile-travail est de 27 minutes (19 minutes en voiture, 43 minutes par les transports en commun, utilisés pour des distances supérieures).

L'usage du train est de plus en plus fréquent...

Le trafic ferroviaire avait diminué jusqu'en 1995, année marquée par les grèves de décembre. Il a augmenté de 10 % sur l'ensemble des années 90, grâce à l'expansion du TGV sur les anciennes lignes sud-est et atlantique et à la montée en puissance de Thalys et d'Eurostar sur le nord du pays, Londres et Bruxelles. Après les ouvertures de Paris-Tours (1990), Paris-Londres (1994), Paris-Bruxelles (1996), Paris-Marseille (2001), celles prévues vers l'Espagne (2005) et vers l'Est (2006) devraient encore accroître le trafic au cours des prochaines années. Le TGV en représente déjà aujourd'hui un peu plus de la moitié. L'usage des trains express régionaux a également augmenté de 40 % en dix ans. Les Français effectuent en moyenne 14 trajets en train par an ; le maximum est de 67 au Japon, devant la Suisse (41).

... ainsi que celui de l'avion...

Les années 90 ont été celles de la démocratisation de l'avion. Le taux de croissance du trafic aérien a dépassé 60 % entre 1988 et 2000, contre 25 % pour le train et 10 % pour les autres transports terrestres (urbains, routiers, taxis). L'ouverture du ciel à la concurrence a multiplié les offres, fait baisser les prix et permis aux compagnies de recruter de nouveaux passagers. La France est le premier pays européen en ce qui concerne la densité de fréquentation des vols domestiques. 125 millions de voyages ont été effectués en avion en 2000, dont 75 millions depuis les deux aéroports parisiens (48 millions de Roissy, contre 29 en 1994). Près de 10 millions de passagers sont partis de Nice, entre 5 et 6 millions de Marseille, Lyon ou Toulouse. Le marasme dû aux attentats de septembre 2001 ne semble pas devoir remettre en cause la forte croissance du trafic attendue pour les dix prochaines années. D'autant qu'un Français sur trois n'a encore jamais pris l'avion. Le transport maritime est en revanche en régression constante depuis 1990.

... mais la plupart des déplacements sont effectués en voiture.

La place de la voiture ne cesse de s'accroître dans les déplacements. 59 % des Français s'en servent pour aller au travail. 15 % utilisent les transports en commun, 10 % s'y rendent à pied et 2 % à vélo (2001). Parmi ceux qui disposent d'un arrêt de transport en commun à moins de

Le peuple migrateur

On compte 14 millions de « migrants alternants » qui, tous les jours de semaine, quittent leur commune de résidence pour se rendre sur leur lieu de travail, soit 61 % de la population active (69 % en Ile-de-France) ; ils n'étaient que 41 % en 1982. La distance moyenne par trajet est passée de 13 km en 1982 à 15 km en 1999. Le nord et le nord-est sont les régions de plus forte mobilité, du fait du niveau d'urbanisation et de l'existence de pôles d'emploi. C'est en Corse, dans la région Provence Alpes-Côte d'Azur et dans le Limousin qu'on se déplace le moins, mais les écarts régionaux tendent à se resserrer.

On compte aujourd'hui plus de 10 000 « TGVistes », qui prennent chaque matin le train à grande vitesse pour venir travailler à Paris. La mise en place de la ligne du TGV Méditerranée, qui situe Marseille à trois heures de Paris, a mis en lumière l'existence des « navetteurs », actifs travaillant à Paris et habitant dans une autre ville, située à distance raisonnable d'une gare. Plus réalistes que les soixante-huitards qui partaient en Lozère élever des moutons (et revenaient le plus souvent à la ville après une expérience difficile), les navetteurs recherchent le meilleur des deux mondes : confort, installations culturelles et vie professionnelle parisienne ; espace, cadre de vie, proximité avec la nature accessibles en province.

On observe que le temps de transport n'est pas pour ces mutants un temps « mort », mais un temps de vie intermédiaire. Grâce aux outils nomades (téléphone mobile, ordinateur portable), ils peuvent travailler, mais aussi communiquer, lire ou se détendre. Ils vivent d'ailleurs le voyage comme une sorte de sas de décompression entre l'univers professionnel et celui de la vie familiale. Leur perception de l'espace en est affectée, de même que leur rapport au temps. La réduction du temps de travail leur permet d'ailleurs de concentrer sur une partie de la semaine leur présence au bureau et leurs déplacements. Quitte à compléter par le télétravail, que la plupart pratiquent déjà à temps partiel depuis leur domicile. En attendant pour certains de le faire à temps plein et de pouvoir ainsi s'installer en pleine campagne.

10 minutes à pied de chez eux, 57 % utilisent quand même leur véhicule personnel pour aller travailler. A Lille, 85 % des trajets sont effectués en voiture (malgré l'installation du tramway) contre 67 % en 1975, 80 % à Lyon contre 68 %, 75 % à Nantes contre 62 %. 89 % des habitants des agglomérations de plus de 30 000 habitants se disent dépendants de leur voiture pour leurs déplacements. Mais 50 % se déclarent prêts à prendre des transports publics s'ils deviennent plus performants.

Auto-psy

L'ÉVOLUTION du rapport à l'automobile est un excellent révélateur du changement social. Dans les années 50, Roland Barthes voyait en elle un objet magique « consommé dans son image, sinon dans son usage ». A la fin des années 60, Jean Baudrillard la décrivait comme « une sphère close d'intimité mais d'une intense liberté formelle ». Elle est aujourd'hui pour Régis Debray le symbole de « l'idéologie libérale de la privatisation du bonheur, de la concurrence et du libre choix individuel », alors que le train serait « social-démocrate », le vélo « libertaire-protestant-alternatif » (et la péniche « écolo-girondine »).

Dans son usage quotidien (trajets pour se rendre au travail ou utilisation personnelle), la voiture est certes au service de l'individualité. Comme son nom l'indique, l'automobile est le résultat du compromis entre la volonté d'autonomie et le besoin de mobilité. Grâce à la technologie, elle est de plus en plus « communicante » et permet d'être relié au monde tout en lui étant extérieur. Elle constitue aussi un moyen de défoulement de l'agressivité accumulée à l'égard de la société, favorisé par la protection de l'habitacle et la possibilité de fuir rapidement en cas de nécessité. Mais la fonction de convivialité est très présente dans les usages de loisir, comme en témoigne le succès des monospaces.

Le rapport des Français à la voiture est ambigu et schizophrène. Lorsqu'ils sont au volant, ils jugent l'automobile nécessaire et fustigent tout ce qui entrave son usage : embouteillages ; travaux ; couloirs de bus ; limitations de vitesse ; difficultés de stationnement ; comportements insupportables des autres conducteurs. Lorsqu'ils ne sont plus à bord, ils dénoncent les conséquences du « tout automobile » sur la vie quotidienne : bruit ; pollution ; insécurité ; accidents. 90 % estimaient ainsi en 2001 que le nombre des accidents est trop élevé, 86 % se disaient prêts à ne pas utiliser leur véhicule les jours de pic de pollution. Un Français sur deux trouve d'ailleurs « souhaitable et possible » l'interdiction des voitures dans le centre-ville, mais 47 % estiment impossible la réduction de leur nombre d'ici à 2010. Si l'automobiliste est un « piéton remonté dans sa voiture » (Pierre Daninos), il est aussi doué d'une grande capacité d'oubli.

Ailleurs exactement

La voiture, objet du quotidien

Entre 1985 et 2000, la distance moyenne des déplacements motorisés a augmenté de 40 % en moyenne, mais de 20 % en milieu urbain. Le trafic a progressé de 6 % au cours des années 90 dans Paris intra-muros, tandis que celui de Paris à banlieue diminuait d'autant et que celui de banlieue à banlieue augmentait de 18 % (30 % en grande couronne).

> 80 % des habitants des communes périurbaines travaillent hors de leur commune de résidence.

80 % des ménages possèdent une voiture, 30 % en ont au moins deux.

Le taux de possession d'une voiture a beaucoup augmenté depuis les années 60 ; il n'était que de 30 % en 1960, 58 % en 1970, 71 % en 1980. Il tend à stagner depuis une dizaine d'années (77 % en 1990). Le taux de multimotorisation (ménages disposant d'au moins deux voitures) est passé en vingt ans de 17 % à 30 %.

Avec 560 véhicules pour 1 000 habitants (y compris utilitaires), la France se situe au deuxième rang des pays de l'Union européenne, derrière l'Italie (618), légèrement avant l'Allemagne (556). La densité est de 785 aux Etats-Unis, 589 au Canada, 567 au Japon.

Le taux d'équipement est assez peu dépendant de la profession et du pouvoir d'achat pour les actifs (entre 85 et 90 %) ; il n'est que de 78 % chez les employés, mais atteint 91 %

Un Parisien sur deux, neuf ruraux sur dix

Evolution de l'équipement automobile des ménages :

	1980	1990	2000
Selon la catégorie socioprofessionnelle :			
- Exploitants agricoles	87,3	95,9	91,1
- Salariés agricoles	72,6	74,7	-
- Commerçants, artisans, chefs d'entreprise	91,1	95,2	90,6
- Professions libérales, cadres supérieurs	93,6	94,4	84,6
- Professions intermédiaires, contremaîtres	90,2	93,3	90,8
- Employés	75,4	78,3	77,5
- Ouvriers	80,4	87,2	88,7
- Personnels de service	57,9	59,3	-
- Autres actifs	91,2	90,2	-
- Inactifs	39,6	54,6	70,9
dont retraités	-	*59,4*	*76,0*
Selon la catégorie de commune :			
- Communes rurales	71,7	82,1	91,1
- Villes de moins de 20 000 habitants	69,6	76,6	86,1
- Villes de 20 000 à 100 000 habitants	72,3	77,3	84,2
- Villes de plus de 100 000 habitants	69,5	74,2	76,6
- Agglomération parisienne	69,3	77,0	60,4
- Ville de Paris	48,8	47,3	46,0
ENSEMBLE	**69,3**	**76,5**	**80,3**

parmi les agriculteurs. L'âge est en revanche un facteur important : seuls 75 % des retraités disposent d'une voiture. Il en est de même de la situation familiale : 96 % des couples avec deux enfants ont une voiture, contre seulement 54 % des personnes qui vivent seules. L'habitat est un autre critère discriminant : seuls 46 % des Parisiens sont équipés, contre 68 % en Ile-de-France et 90 % dans les communes rurales.

> 65 % des Français sortent des centres-villes pour effectuer leurs achats en périphérie.
> 14 % des Français ont respecté « la journée sans voiture » en 2001, en utilisant d'autres modes de transport.

Les achats d'automobiles neuves augmentent depuis cinq ans.

La forte chute des immatriculations de voitures particulières neuves enregistrée entre 1990 (2,3 millions) et 1996 (1,6) a été enrayée entre 1997 et 2001 (2 255 000 véhicules). L'embellie du marché au cours des dernières années s'explique surtout par l'accroissement du multiéquipement (deuxième ou troisième voiture). Elle a été favorisée par la baisse de la fréquence des renouvellements jusqu'en 1996. Elle est aussi la conséquence de l'évolution récente de l'offre, qui s'est adaptée à des attentes nouvelles. Mais la croissance enregistrée en 2001 (5,7 % en volume) cache une double réalité : augmentation des achats par les entreprises et les loueurs de voitures ; baisse de ceux des particuliers. Ces derniers ne représentent en effet plus que 60 % des immatriculations, contre 73 % en 1995.

Le parc de voitures particulières s'est ainsi accru de 2,1 % en 2001 pour atteindre 28 millions. Il se répartit environ en trois tiers entre Peugeot/Citroën (35 %), Renault (33 %), et les marques étrangères (32 %). Il s'y ajoute 5,1 millions de véhicules utilitaires légers, 286 000 véhicules industriels de 5 tonnes et plus, ainsi que 80 000 autocars et autobus.

Les achats d'occasion représentent plus du double des achats neufs.

Les Français achètent un peu plus de 5 millions de voitures d'occasion chaque année. Le nombre croissant des achats effectués par les loueurs de voitures explique celui des occasions récentes sur le marché : 700 000 voitures de moins d'un an ont été achetées en 2001, soit 13 % de l'ensemble des voitures d'occasion, contre 11 % en 1997. Mais 60 % des voitures achetées avaient plus de cinq ans (contre 48 % en 1990). La moitié des achats d'occasion entre ménages se font par l'intermédiaire d'un professionnel. Les ventes de gré à gré représentent 40 % et les 10 % restants sont des achats à des loueurs ou ceux de véhicules de démonstration.

L'achat d'une deuxième ou troisième voiture dans un ménage se fait

7 millions de voitures par an

Evolution du nombre de voitures achetées (neuves et d'occasion en milliers) et âge des voitures d'occasion (en %) :

	1980	1985	1990	1995	2000
Voitures neuves	1 873	1 766	2 309	1 931	2 134
Voitures d'occasion	4 441	4 803	4 759	4 129	5 082
Voitures de moins de 5 ans	-	-	52	43	40
- dont voitures de moins de 1 an	-	-	*12*	*12*	*12*
Voitures de plus de 5 ans	-	-	48	57	60

CCFA

plus souvent sur le marché de l'occasion, pour des raisons de coût mais aussi parce que leur utilisation est moins fréquente et qu'elle n'a pas le même rôle statutaire. La conséquence est un vieillissement continu du parc automobile. L'âge moyen a atteint 7,3 ans fin 2000 contre 6,0 ans en 1985, avec un kilométrage au compteur de 93 000 km contre 65 000. Ce mouvement a débuté vers 1992 et il n'a pu être totalement enrayé par la mise en oeuvre des primes gouvernementales, entre 1994 et 1996. S'il est lié à l'hésitation des Français à investir plus souvent dans l'achat d'une voiture, il est aussi justifié par l'amélioration de la qualité et de la durabilité des véhicules. C'est le cas notamment des modèles Diesel, dont la part s'est accrue au fil des années, pour représenter aujourd'hui un tiers du parc.

La cylindrée moyenne est en diminution régulière.

Les achats de voitures de très grosse cylindrée (plus de 10 CV) avaient été multipliés par près de six entre 1984 et 1989, mais on assiste depuis 1990 à une inversion de tendance. Leur part dans le parc global est ainsi passée de 10,2 % en 1980 à 4,3 % depuis 1999. Celle des moyennes cylindrées (de 6 à 10 CV) a aussi diminué, de 62 % à 56 %. Au contraire, celle des petites cylindrées (moins de 6 CV) a fortement augmenté, de 28 % à 39 %.
La part importante des voitures Diesel, dont la puissance fiscale est inférieure, explique en partie cette évolution. On a cependant constaté une inversion de tendance récente ; la cylindrée moyenne des voitures immatriculées en 2000 était de 1 704 cm^3, contre 1 648 cm^3 en 1998.

Le parc automobile français est ainsi concentré dans les gammes inférieure et surtout moyenne inférieure. En 2000, elles ont représenté 73 % des immatriculations de voitures neuves, contre 67 % en moyenne dans l'Union européenne. La gamme supérieure n'a représenté que 8 %, contre 13 % en moyenne (33 % en Suède, 23 % en Allemagne, mais 4 % en Grèce, 6 % en Irlande, au Portugal et au Danemark).

Sur le segment haut de gamme, la plus forte progression entre 1990 et 2001 est celle de Mercedes (+ 52 %, avec 43 389 immatriculations en 2000), devant Jaguar (+ 50 %, 1 939), Saab (+ 33 %, 3 265), BMW (+ 7 %, 31 576) et Audi (+ 7 %, 34 937). Les ventes de Porsche ont diminué de 36 %, à 825.

Parc plus grand, voitures moins puissantes

Evolution du parc de voitures particulières en fonction de la puissance (en %) :

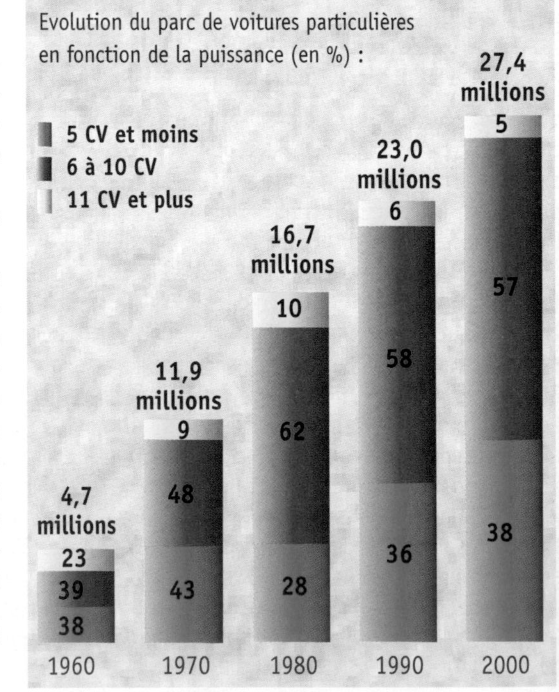

Un tiers du parc automobile est constitué de modèles Diesel.

Longtemps réservé aux camions et aux taxis, le moteur Diesel a conquis les particuliers, du fait de sa moindre consommation, de sa durée de vie plus longue et de l'écart de prix entre le supercarburant et le gazole. Les modèles Diesel représentaient 35 % du parc automobile en 2000, contre 14 % en 1990, 4 % en 1980 et 1 % en 1970. La France détient toujours le record européen de diésélisation du parc. On a même enregistré une forte poussée en 2001 : 56 % des immatriculations de voitures neuves, contre 49 % en 2000.

Afin de réduire la pollution due aux particules rejetées dans l'atmosphère, les constructeurs ont mis au point des moteurs plus propres et les pots catalytiques sont devenus obligatoires. Mais les voitures françaises restent parmi les moins équipées d'Europe dans ce domaine. La moitié des voitures du parc français roulent à l'essence sans plomb (49 % en 2000), 12 % au super plombé, 38 % au gazole. Les achats de véhicules roulant au GPL (gaz de pétrole liquéfié) représentent moins de 1 % des immatriculations annuelles.

La part des voitures étrangères s'est stabilisée à 40 %.

33,8 % des voitures neuves achetées en 2001 étaient des modèles commercialisés par le groupe PSA (20,7 % pour Peugeot, 13,1 % pour Citroën), 26,6 % étaient des Renault. La pénétration des marques étrangères avait atteint le niveau record de 44 % en 1997. Elles ne représentaient que 23 % des achats en 1980, puis elles avaient gagné dix points de part de

La montée du Diesel

Evolution de la part du diesel dans les immatriculations de voitures neuves (en %) :

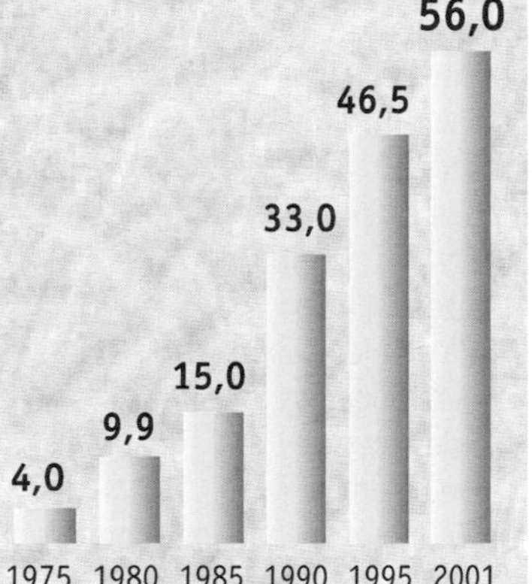
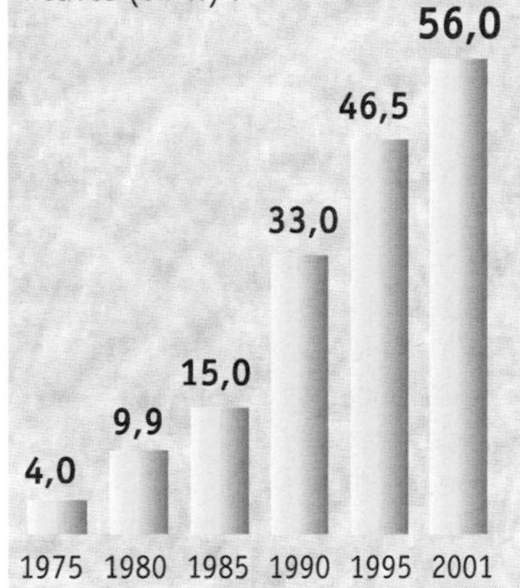

CCFA

marché entre 1983 et 1986. Leur part s'est aujourd'hui stabilisée à 40 %. Les marques allemandes sont celles qui se sont le mieux implantées (13 % des immatriculations neuves en 2000, contre 3 % en 1970), devant les américaines (13 % contre 7 %). Les marques italiennes ont connu une érosion depuis le milieu des années 90 et ne représentent plus que 5 %, comme les japonaises.

Les quatre principaux constructeurs présents sur le marché français sont Volkswagen (11,4 % des ventes en 2001), General Motors (6,3 %), Ford (5,5 %), Fiat (5,0 %). Les autres marques étrangères sont moins bien implantées : Daimler-Chrysler (3,0 %) ; BMW (1,7 %), Rover (0,4 %). Les voitures japonaises ont représenté ensemble 5,2 % des immatriculations (contre un peu moins de 3 % en 1990), les marques coréennes 0,9 %.

Le hit-parade 2001

Palmarès des dix voitures les plus vendues en 2001 (toutes énergies, en milliers d'exemplaires) :

1 - Peugeot 206	211 226
2 - Renault Clio	189 472
3 - Renault Mégane	175 053
4 - Citroën Xsara	146 585
5 - Renault Laguna	99 247
6 - Peugeot 307	86 213
7 - Renault Twingo	78 891
8 - Citroën Saxo	69 134
9 - Peugeot 406	66 186
10 - Volkswagen Golf	61 506

CCFA

La sécurité et le confort passent avant la performance.

Les nouvelles réglementations, les difficultés de circulation et l'émergence des valeurs féminines (voir p. 216) ont relégué l'idée de vitesse au second plan. D'autant que les performances mécaniques se sont dans le même temps banalisées et qu'elles sont de toute façon rarement utilisables dans des conditions normales et légales de circulation. Le confort et la sécurité sont en revanche des motivations croissantes. La surface vitrée s'est accrue, la climatisation a fait son apparition et l'habitacle a été complètement repensé. Les progrès de l'électronique ont permis notamment de développer la sécurité active, qui assiste le conducteur en cas de problème (freins ABS, tenue de route...).

La « technologie embarquée » permet aussi de connecter la voiture au monde extérieur : autoradio, téléphone, système de guidage électronique, jeux vidéo, lecteur DVD, ordinateur, téléviseur... Environ 25 000 systèmes de navigation GPS ont été

achetés par des automobilistes en 2000. Les modes de communication et les loisirs pratiqués à domicile sont désormais disponibles en voiture, ce qui en fait une véritable résidence secondaire.

Moins de bouchons

SELON certains experts, les embouteillages diminueraient dans certaines agglomérations. A Paris, ils seraient revenus à leur niveau de 1985, très en dessous de celui de 1990. L'accroissement des déplacements, dû pour une bonne part aux femmes inactives et aux retraités, se produit surtout en dehors des heures de pointe. De plus, l'étalement des rythmes sociaux, accentué par la semaine de 35 heures, contribue à une meilleure fluidité du trafic. Mais la mobilité croissante des Français, l'accroissement de leur temps libre et le développement du multi-équipement automobile pourraient entraîner une détérioration au cours des prochaines années.

La part des berlines diminue.

Les berlines ne représentaient plus que 71 % des achats de voitures en 2001, contre 81 % à la fin des années 80. Elles sont de plus en plus concurrencées par des voitures à vocation plus familiale, notamment les monospaces. Ceux-ci constituent en France une catégorie récente, inaugurée par Renault dans les années 80 avec l'Espace. En rupture avec les modèles traditionnels, ils se caractérisent par leur modularité et leur convivialité (voir ci-après). Ils ont représenté 14 % des achats en 2001, un niveau élevé en Europe, à égalité avec l'Allemagne et l'Autriche.

Les Français veulent de l'espace

La nouvelle génération, apparue en 2000, est celle des monospaces compacts. Plus urbains, plus ludiques et moins chers, ils sont adaptés aussi bien à des jeunes couples modernes qu'à des retraités soucieux de leur confort. Leurs achats ont connu une croissance de 19 % en 2001 en Europe occidentale. Si les dimensions horizontales (largeur et longueur) sont réduites, la hauteur est maintenue, ce qui donne une impression d'espace et une meilleure accessibilité. Une tendance que l'on retrouve sur certains modèles de berlines comme la Citroën C3.

Les breaks bénéficient aussi d'une esthétique beaucoup plus affinée que par le passé, d'une motorisation performante et d'un niveau d'équipement élevé, avec des prix souvent comparables aux berlines. Leur pénétration en France est en forte croissance, mais ils représentent seulement 6 % des immatriculations, contre plus d'un tiers en Suède (37 %), un cinquième en Allemagne ou au Danemark. Leur part devrait s'accroître au cours des prochaines années, en même temps que la demande pour des véhicules de loisir.

Les berlines sont aussi en concurrence croissante avec les 4 X 4 et d'autres modèles moins courants comme les coupés, les cabriolets ou les roadsters. Elles le seront aussi demain avec d'autres voitures « récréatives » comme les *light-trucks* américains (voitures utilitaires avec plateforme arrière). Peut-être aussi avec des modèles rétro mythiques redessinés, comme la Coccinelle de Volkswagen ou la Mini rénovée de Rover.

Environ quatre voitures sur dix sont achetées par des femmes.

L'apparition du monospace à la fin des années 80 avait été un révélateur du « changement de sexe » qui s'opérait dans la société, avec la prise en compte de l'émergence des valeurs féminines. Contrastant avec le 4 X 4 carré, agressif et très masculin, le monospace se caractérisait par sa forme de cocon, sa convivialité, son confort et son habitabilité. La facilité de conduite et les aspects pratiques (espace pour les enfants, volume du coffre pour les courses, bacs et tablettes de rangement...) sont ainsi devenus des critères de choix aussi importants que la puissance du moteur.

Sur un total de 26 millions d'automobilistes, on compte aujourd'hui 11 millions de conductrices. La part des permis de conduire délivrés aux

femmes est aujourd'hui de 44 %. Leur avis sur l'achat du véhicule principal ne se limite plus au choix de la couleur. Elles représentent entre 30 et 40 % des achats de véhicules neufs selon les marques. Sous leur impulsion, les constructeurs ont dû au fil des années modifier leur conception de l'automobile, en lui donnant des formes plus arrondies et en développant de nouveaux arguments de vente dans la publicité.

Le parcours annuel moyen s'est stabilisé.

La distance moyenne parcourue par les voitures de tourisme était de 13 800 km en 2000, stable depuis quelques années. Elle dépasse 16 000 km pour les cadres supérieurs et professions intellectuelles supérieures, les artisans, commerçants et chefs d'entreprise et les professions intermédiaires. Elle est presque deux fois plus élevée pour les voitures Diesel que pour les modèles à essence (19 000 km contre 11 000 km), mais l'écart diminue.

L'évolution du prix du carburant (multiplié par trois en francs courants entre 1975 et 1985, puis augmenté de 25 % entre 1985 et 2000) ne semble pas avoir eu d'incidence notable sur l'utilisation de la voiture. Mais la consommation moyenne d'essence par véhicule diminue depuis 1973, date du premier choc pétrolier, du fait des efforts des constructeurs, de la baisse de la cylindrée moyenne du parc et de la part croissante du diesel. Elle est aujourd'hui de 8,2 litres pour les voitures à essence et de 6,8 litres pour les modèles diesel.

Chère voiture

Budget automobile annuel moyen pour une Renault Clio essence avec un kilométrage de 11 400 km (2001, en euros et en %) :*

	Euros	%
- Acquisition	1 840	40,2
- Carburant	870	19,0
- Entretien (+ pneus et lubrifiants)	604	13,2
- Assurance	467	10,2
- Garage	430	9,4
- Frais financiers	233	5,1
- Péage	133	2,9
Total	4 577	100,0

* A titre de comparaison, le budget pour une Peugeot 307 diesel parcourant 18 700 km est de 7 087 €.

L'usage tend à devenir plus important que la possession.

Si la voiture reste un attribut du standing, elle est de plus en plus considérée comme un moyen de se transporter et de se faire plaisir. Le rapport que les Français entretiennent avec elle est donc en train de se transformer dans un sens à la fois plus utilitaire et plus personnel. Dans ce contexte, la jouissance devient plus importante que la possession et le mode d'acquisition évolue. L'entretien est considéré comme une contrainte dont on souhaite être déchargé. La diversité des usages entraîne un souhait croissant de pouvoir utiliser des véhicules différents selon les moments de la semaine ou de l'année.

Ce nouvel état d'esprit explique le développement de la location (voir encadré), mais aussi le succès des formules de location avec option d'achat, qui incluent l'entretien et l'assistance du véhicule ainsi que la possibilité d'en changer plus facilement. Les urbains, les cadres et les femmes sont ceux qui sont le plus attirés par ces formules novatrices ; leur souhait est de payer pour l'usage et non pour l'usure.

Le boom de la location

Les Français sont de plus en plus nombreux à recourir à la location de voiture. Ce fut le cas de 7 % des ménages entre juin 2000 et juin 2001, dont un tiers louaient pour la première fois (notamment des jeunes, des femmes et des ouvriers). La moitié des locations (51 %) sont motivées par des raisons professionnelles. 84 % concernent la France, 16 % l'étranger. En France, 24 % sont effectuées à la suite d'un trajet en avion, 12 % d'un trajet en train. 19 % ont lieu à l'occasion de week-ends, de ponts ou de jours fériés. 63 % des locataires sont des hommes, appartenant le plus souvent aux catégories sociales élevées (cadres supérieurs, professions libérales), âgés de 25 à 44 ans. Un sur trois habite la région parisienne (qui ne représente que 17,5 % de la population). Les locataires les plus fréquents (7 % plus de quatre fois dans l'année) représentent un tiers des locations. La durée moyenne des locations est de 4,1 jours, le kilométrage journalier est de 137 km.

Les achats de motos ont connu une forte hausse entre 1996 et 1999...

L'intérêt pour la moto avait beaucoup diminué pendant la première moitié des années 80. Cette désaffection s'était traduite par une division par deux des achats entre 1981 et 1985.

Elle avait été suivie d'un redressement jusqu'en 1990, puis d'une rechute rapide jusqu'en 1995. La création de nouveaux permis correspondant à de nouvelles classifications administratives avait notamment porté un coup très dur à la catégorie des 125 cm^3 ; les achats étaient passés de 75 000 en 1980 à 18 000 en 1995.

Le changement de législation intervenu en juillet 1996 autorisait la conduite de ces motos à tous ceux qui détenaient le permis automobile. Il est à l'origine d'une relance spectaculaire des achats à partir de 1996. Les 192 744 motos achetées en 1999 ont représenté un record depuis la fin des années 70, qui n'a pas été égalé depuis. Les cylindrées supérieures ont aussi tiré parti de cette évolution, avec une progression favorisée par les baisses de prix pratiquées par les marques japonaises.

La saga de la moto

Evolution des immatriculations et du parc de motocycles :

	1980	1985	1990	1995	2001
Immatriculations :					
- neuves	135 000	73 331	123 129	84 793	179 590
- occasion	-	237 833	273 930	250 000	-
Part des marques étrangères (en %)	-	95,3	94,6	94,7	95,1
Motos en circulation (au 31/12)	715 000	695 000	746 000	970 000	-

Chambre syndicale des importateurs d'automobiles et de

... avant de se stabiliser à un niveau un peu inférieur.

Les Français ont acheté 180 000 motos neuves en 2001, comme en 2000. La quasi-totalité (95 %) sont importées. Yamaha, Honda et Suzuki constituent dans cet ordre le trio de tête et représentent près des deux tiers des achats (61 %). Peugeot et MBK sont les deux seules marques françaises. Leurs ventes ont représenté respectivement 4 290 et 3 838 véhicules en 2001. Des chiffres faibles, mais en croissance de 6 % et 7 % sur un an.

Les nouveaux motards sont plus âgés. Les 35-50 ans, urbains en quête de gain de temps, sont souvent des « repentis » de la voiture. La mythologie attachée à la moto n'a pas disparu (l'intérêt pour les motos anciennes se confirme), mais les motivations d'achat sont moins liées à la volonté de rébellion qu'au désir de mobilité et d'efficacité. La recherche de la sécurité et du confort domine celle de la vitesse et les femmes représentent aujourd'hui plus de 10 % des nouveaux titulaires de permis moto.

Select Communications

Plaisir et liberté

Le scooter a de plus en plus d'adeptes.

Le scooter séduit un nombre croissant d'urbains à la recherche d'un moyen de transport rapide, pratique, confortable et assurant une meilleure protection contre les intempéries que la moto. En 2001, il a représenté la moitié des achats de deux-roues de 125 cm3 (35 000 contre 31 000 en 2000), alors que ceux de motos légères diminuaient de près de 10 %.

Comme pour la moto, 1996 avait été l'année de la reprise pour le scooter, avec 14 500 immatriculations, essentiellement des modèles de 125 cm^3. Mais on était encore loin des ventes des années 70. Les modèles de 100 cm^3 apparus en 1997 en remplacement des 80 cm^3 boudés par les acheteurs ont contribué à la relance du marché.

Les maxi-scooters de grosse cylindrée connaissent un engouement croissant : 5 000 achats en 2000. Ce succès (encore éloigné de celui de l'Italie, avec 18 000 achats) s'explique par le confort, la facilité de conduite et l'équipement. Il concerne notamment les professions libérales et les urbains nomades. Le cyclomoteur continue en revanche sa chute régulière et spectaculaire depuis une vingtaine d'années : environ 150 000 achats sont effectués chaque année contre un million en 1974, 500 000 en 1982.

Le vélo est beaucoup plus utilisé pour le loisir que le transport.

Les difficultés de circulation dans les villes continuent de s'accroître régulièrement : 64 % des Franciliens utilisent chaque jour leur voiture (18 % seulement les transports en commun) et un million de « banlieusards » se rendent chaque jour à Paris pour leur travail. Pourtant, le vélo n'a toujours pas acquis en France le statut de moyen de locomotion qu'il a notamment dans les pays du nord de l'Europe. Il ne représente que 4 % des déplacements urbains. On ne compte que 3 % de cyclistes réguliers à Paris, contre 22 % à Amsterdam, 10 % à Zurich, 8 % à Londres (10 % à Strasbourg).

Les préoccupations écologiques croissantes concernant la pollution de l'air par les véhicules automobiles n'ont pas eu non plus d'incidence sur son utilisation. Elles semblent au contraire constituer un frein, car les habitants des villes ont le sentiment de subir davantage la pollution en circulant à vélo qu'en voiture. Mais ils sont surtout découragés par les risques d'accident liés à ce type de véhicule, d'autant que les pistes cyclables restent assez peu nombreuses.

Les Français ont acheté 2,7 millions de vélos en 2000, ce qui les place en deuxième position en Europe, loin cependant derrière l'Allemagne (plus de 5 millions). 40 % des vélos achetés sont d'ailleurs des VTT (vélos tout-terrain) plutôt destinés aux chemins de campagne, 6 % seulement sont des modèles spécifiquement urbains. Ramené à la population, le taux d'achat national est de 45 pour 1 000 habitants, contre 91 aux Pays-Bas et 64 en Allemagne.

Vélo-écolo-maso, auto-macho-sado

Les atouts du vélo sont indéniables : zéro pollution, zéro bruit, zéro énergie (hors celle du cycliste), zéro agressivité. Aux avantages individuels en matière de santé et de forme physique s'ajoutent des avantages collectifs liés à un comportement citoyen. Mais le vélo souffre encore de quelques handicaps, liés à sa vulnérabilité, aux difficultés pratiques d'utilisation (insuffisance de garages, parkings, voies cyclables...) et aux aléas climatiques.
En forçant le trait, l'image du vélo apparaît aujourd'hui plutôt « écolo » et « maso », tandis que celle de la voiture serait « macho » et « sado ». Le développement de l'usage du premier passe par un engagement plus fort des élus en matière d'aménagements, relayé de préférence par des leaders d'opinion et une pédagogie utilisant notamment les expériences étrangères.

Animaux familiers

53 % des foyers possèdent un animal familier.

28 % des ménages ont au moins un chien, 26 % au moins un chat. 11 % ont au moins un poisson, 6 % au moins un oiseau, 5 % au moins un rongeur. Au total, un foyer sur deux possède un animal familier ; 46 % au moins un chat et un chien (FACCO/Sofres, 2000). Ces proportions se sont surtout accrues pendant les années 70 ; elles ont peu varié depuis plusieurs années.

Le nombre d'animaux continue en revanche de s'accroître : 17,1 millions de chiens et chats en 2001 contre 16,3 millions en 1997. La France occupe la première position en Europe dans ce domaine, devant le Royaume-Uni (14 millions de chiens et chats) et l'Italie (12 millions). Elle se situe cependant derrière la Belgique en ce qui concerne la proportion par rapport à la population, à égalité avec l'Irlande.

Il faut ajouter à la population canine et féline environ 28 millions de poissons, 7,5 millions de reptiles et batraciens, 7,3 millions d'oiseaux et 2,1 millions de rongeurs et petits mammifères (souris, hamsters, cochons d'Inde, lapins, écureuils, ratons laveurs...). Après avoir connu une progression importante, l'aquariophilie stagne, alors que les oiseaux font l'objet d'un regain d'intérêt.

Depuis le début des années 90, les chats sont plus nombreux que les chiens.

Pendant longtemps, les chiens ont été majoritaires dans les foyers français. Depuis une dizaine d'années, les chats sont plus nombreux : 8,9 millions contre 8,2 millions de chiens en 2001. Leur population a augmenté de 11 % entre 1995 et 2000. 88 % sont des chats de gouttière. 34 % ne sortent jamais de l'appartement ou de la maison ; cette sédentarité explique l'apparition de certaines pathologies : pertes de poils ; régurgitations ; obésité ; difficultés digestives...

La présence croissante des chats s'explique d'abord par la concentration urbaine ; l'absence d'un jardin rend plus difficile la possession d'un chien. De plus, le rythme de vie des citadins ne leur permet guère de

consacrer du temps à la promenade d'un chien, d'autant que la pollution canine est plus mal perçue dans les villes. Une autre raison est l'augmentation du nombre de foyers de personnes seules ; le chat, plus indépendant, est bien souvent pour elles le compagnon idéal. Enfin, le coût d'entretien d'un chat est inférieur à celui d'un chien.

La taille des chiens tend à diminuer.

Près de la moitié des chiens (40 %) pèsent aujourd'hui moins de 10 kg. La race la plus représentée est le caniche (17 % des foyers en possèdent), devant le labrador (9 %), le yorkshire (7 %), le berger allemand (7 %), l'épagneul breton (7 %), les autres races de bergers (6 %), le fox-terrier (4 %), le bichon (4 %), le cocker (3 %) et le colley (3 %). Comme la population française, celle des animaux vieillit : près de 60 % des chiens ont aujourd'hui plus de 12 ans, contre 51 % en 1996.

Le choix du chat ou du chien comme animal de compagnie n'est peut-être pas lié seulement à des considérations de place ou de coût. Le chat est le symbole de la liberté et de l'indépendance, valeurs auxquelles sont particulièrement attachés les intellectuels, les enseignants ou les fonctionnaires. L'image du chien est plutôt associée à la défense des biens et des personnes ainsi qu'à l'ordre, valeurs souvent jugées plus importantes dans des catégories comme les commerçants, artisans, policiers, militaires, contremaîtres...

> 85 % des foyers possédant des animaux familiers leur achètent des aliments industriels.
> 14 % des chats sont promenés en laisse.

Des animaux réels ou virtuels

On observe une diversification des animaux de compagnie, avec la mode de la gerbille (souris à pelage strié), du suricate (petite mangouste) ou du furet. Celle des serpents, iguanes, lézards ou caméléons est limitée par leurs particularités et la nécessité de leur donner comme nourriture des animaux vivants.

D'autres animaux, virtuels ceux-là, ont envahi les rayons jouets des magasins et les chambres des enfants. Ce sont des robots électroniques (chats, chiens, perroquets...) programmés pour établir avec l'enfant une relation de plus en plus poussée. Mais celle-ci ne peut remplacer le contact avec des vrais animaux, notamment sur le plan affectif. Le risque est que les enfants oublient que les animaux sont une espèce différente de l'espèce humaine et finissent par confondre virtualité et réalité.

Les animaux sont surtout présents dans les maisons.

Les trois quarts des chiens (77 %), mais aussi les deux tiers des chats (68 %) habitent des maisons individuelles (FACCO/Sofres, 2000). La présence d'un jardin favorise évidemment leur présence dans un foyer. On les trouve donc beaucoup plus fréquemment en zone rurale (41 % des chiens et 37 % des chats) que dans des villes, notamment entre 20 000 et 100 000 habitants (11 % des chiens et 12 % des chats). La proportion est cependant plus forte dans les villes qui comptent plus de 100 000 habitants : 24 % des chats et 21 % des chiens. L'agglomération parisienne constitue une exception ; on n'y trouve que 11 % des chiens et 8 % des chats.

Les régions comptant la plus forte densité sont le Nord, l'Ouest et le Sud-Ouest, au contraire de l'Est et de l'Ile-de-France. La présence d'un animal croît régulièrement avec la taille de la famille. 53 % des chiens et 46 % des chats vivent dans des foyers de 3 personnes et plus, mais cette proportion est en diminution. Les ménages biactifs sont surreprésentés. Les foyers les plus concernés sont ceux des agriculteurs (74 % ont au moins un chien ou un chat), mais la proportion est en baisse. Ils devancent les commerçants, artisans et chefs d'entreprise (66 %), les ouvriers (58 %), les employés (48 %), les professions intermédiaires (46 %), les inactifs (36 %), les cadres supérieurs et les professions libérales (35 %).

Le rôle social des animaux est d'abord affectif...

Les fonctions traditionnellement dévolues aux animaux telles que la garde de la maison et la protection de ses occupants pour les chiens ou la dératisation pour les chats n'ont pas disparu. Mais elles se sont effacées au profit des liens affectifs. La présence d'animaux familiers peut être selon les cas liée à celle d'enfants... ou à leur absence pour les personnes âgées vivant seules ou en couple. Il existe souvent une motivation écologique, car le contact avec les animaux permet de se sentir plus proche de la nature et des autres espèces vivantes.

Les chiens, chats, hamsters ou tortues sont un moyen de faire éclore chez les enfants des sentiments de tendresse qui pourraient être autre-

ment refoulés. Les animaux familiers aident à la socialisation et participent au développement de la personnalité. Les adultes considèrent les animaux comme des compagnons avec lesquels ils peuvent communiquer et partager parfois leur solitude.

L'attirance des enfants pour les animaux se traduit traditionnellement par leur intérêt pour les animaux en peluche. On constate qu'il est de plus en plus partagé par les adultes, qui manifestent ainsi un besoin d'affection et de compagnie et cherchent inconsciemment des moyens de retourner en enfance.

Les chiens présents dans plus d'un ménage sur quatre

... et parfois thérapeutique.

Des études montrent que la présence d'animaux familiers peut améliorer la qualité de la vie humaine et avoir dans certains cas des effets thérapeutiques ou socio-éducatifs (TFA, ou thérapie facilitée par l'animal). C'est le cas notamment pour des enfants autistes, des malades mentaux, des personnes âgées, des marginaux ou des délinquants en cours de réhabilitation. D'une façon générale, les possesseurs d'animaux feraient plus d'exercice physique que les autres et bénéficieraient d'un meilleur équilibre psychologique. On constate aussi une moindre fréquence des fractures du col du fémur chez les personnes âgées.

Les liens qui se tissent entre l'homme et l'animal entraînent souvent une véritable osmose. La présence d'un chien ou d'un chat peut aider certaines familles où les rapports sont conflictuels à retrouver des relations plus équilibrées. On observe d'ailleurs que l'existence de ces difficultés familiales peut être à l'origine d'une obésité ou de maladies dermatologiques chez l'animal ; les pathologies disparaissent lorsqu'on a soigné leurs maîtres.

D'une façon générale, l'animal familier est une source de bien-être. Il sert souvent de médiateur et apporte une relation apaisante dans un contexte social générateur d'angoisse et de stress. Il est aussi un révélateur des émotions et des personnalités dans un processus de « double empreinte » qui permet la communication et l'interaction entre les deux espèces en présence.

> Plus de 50 000 chiots seraient importés illégalement chaque année des pays d'Europe de l'Est.

Des compagnons quotidiens

89 % des possesseurs de chiens et 85 % des possesseurs de chats disent qu'il leur arrive de leur parler. Les autres pratiques, au moins occasionnelles, sont différenciées selon les animaux. 58 % emmènent parfois leur chien en vacances, mais seulement 38 % leur chat. 45 % dorment avec leur chat, 27 % avec leur chien. 32 % offrent des cadeaux pour Noël ou pour son anniversaire à leur chien, 23 % à leur chat. 23 % confient des secrets à leur chien, 23 % également à leur chat. 29 % achètent des vêtements, du parfum à leur chien ou l'emmènent chez le toiletteur, 9 % des possesseurs de chats. 20 % laissent la lumière, la télévision ou la radio allumés pour que leurs chats se sentent moins seuls, 12 % des possesseurs de chiens. Enfin, 12 % vont travailler avec leur chien, 8 % avec leur chat.

ANIWA-30 millions d'amis/BVA, janvier 2002

Les Français dépensent plus de 4 milliards d'euros par an pour les animaux.

Les achats d'animaux ont représenté 1,4 milliard d'euros en 2000, l'alimentation et les accessoires 2,7 milliards. Les dépenses d'alimentation se montent en moyenne à 130 € pour les chiens, 93 € pour les chats (2001). Elles ont été multipliées par quinze entre 1975 et 1995, mais restent inférieures à celles de la Grande-Bretagne (150 et 110 €). Il faudrait y ajouter les achats d'alimentation pour humains destinés aux animaux. 65 % des besoins caloriques des chiens et 55 % de ceux des chats sont

D'Arcy

Plus de chats que de chiens

apportés par les aliments industriels, le reste étant donné sous forme de nourriture préparée au foyer. 80 % des foyers mélangent la nourriture maison (30 % des dépenses), les restes de table (12 %) et la nourriture industrielle (58 %).

13,6 millions de foyers ont acheté des aliments pour chiens et chats en 2001, c'est-à-dire la totalité de ceux qui en possèdent. Les achats de croquettes, aliments secs se sont accrus de 17 % pour les chats, de 8 % pour les chiens. Cette progression s'est faite au détriment des aliments humides (baisse de 4 % pour les chiens, de 1 % pour les chats) qui sont plus chers, plus lourds et moins faciles à stocker. Mais ces derniers représentent encore 41 % des dépenses d'aliments pour chats et 25 % de ceux pour chiens. Les friandises et accessoires ne se montent qu'à 5 € par an contre 38 en Allemagne et 21 au Royaume-Uni.

> On a découvert l'existence de relations homosexuelles dans 450 espèces animales.

La tendance anthropomorphique se développe.

Beaucoup de possesseurs d'animaux leur prêtent des comportements semblables à ceux des humains et les traitent donc comme tels. Ils leur parlent de la même façon et interprètent leurs comportements comme s'ils étaient doués de la même logique et de la même appréhension du monde. On trouve aussi dans les modes d'alimentation des animaux des tendances qui ressemblent à celles qui concernent les humains. Par exemple, le « grignotage » se développe aussi chez les chiens et chats. 85 % des possesseurs leur donnent des en-cas au cours de la journée, contre 18 % en 1996. Les fabricants proposent des produits alimentaires de plus en plus élaborés : allégés pour animaux obèses ou manquant d'exercice ; laits antiallergiques ; ingrédients facilitant la digestion ; fortifiants ; antioxydants pour la longévité... Sans oublier les produits « bio » ou les portions-repas pour chats (pochons). Dans la même veine, on a vu récemment arriver sur le marché des parfums ou des bijoux pour chiens et chats, des restaurants spécialisés, des psychanalystes et même des offices religieux pour animaux.

La part animale

Les progrès de la civilisation n'ont pas fait perdre à l'homme sa dimension animale. On la voit au contraire resurgir dans certains comportements contemporains. Les sens, voire même l'instinct, sont aujourd'hui valorisés dans une société qui a peur de l'intelligence humaine et des problèmes qu'elle engendre (pollution, menaces nucléaires, guerres, terrorisme...). L'engouement pour les animaux en peluche témoigne de cette tendance. La fourrure naturelle est de nouveau à la mode.

L'animal apparaît alors comme un être plus « pur » que l'homme, car incapable de cruauté. Il est paré de toutes les qualités et occupe une place croissante dans les familles. Pour les adultes et les enfants, il constitue un pôle de sérénité, de stabilité et de fiabilité. C'est pourquoi, lorsqu'un couple se sépare, la question de la garde d'un animal est souvent presque aussi délicate que celle d'un enfant. Comme c'est le cas à l'égard des enfants, on observe d'ailleurs une diminution de l'autorité envers les animaux, qui favorise parfois des comportements agressifs de leur part.

Les animaux sont à l'origine de certaines nuisances.

Contrepartie de leur apport affectif ou sécuritaire, les animaux posent quelques problèmes à leurs possesseurs et à leur entourage, ainsi parfois qu'à l'ensemble de la collectivité. Les zoonoses, affections animales transmissibles à l'homme, tendent à se développer : teignes, gale, toxoplasmose, allergies... Surtout, les excréments de chiens polluent les villes et rendent la marche sur les trottoirs délicate. C'est le cas notamment à Paris où quelque 200 000 chiens déposent plus de 10 tonnes d'excréments par an sur les 2 700 km de trottoirs et sont à l'origine de plusieurs centaines d'hospitalisations.

Enfin, le nombre des morsures de chien est estimé à plus de 500 000 par an ; près de la moitié concernent des enfants de moins de 15 ans et un sur dix nécessite une hospitalisation.

Société

La vie sociale

Groupes sociaux

La profession n'est plus un critère suffisant pour définir la catégorie sociale.

La classification de la société française la plus couramment utilisée reste celle des catégories socioprofessionnelles (CSP) définies par l'INSEE en 1954 et remaniées en 1982. Cette grille d'analyse a le mérite de reposer sur des informations objectives et facilement mesurables. Si elle permet de mettre en évidence les évolutions dans le temps, elle rend compte de façon moins précise de la situation contemporaine, surtout lorsqu'on utilise le niveau agrégé (découpage en huit groupes), ce qui est le cas le plus fréquent.

Elle ne fait pas non plus la distinction entre les travailleurs du secteur public et ceux du privé, entre les étrangers et les Français, alors que ces critères peuvent avoir une influence déterminante sur les modes de vie et les systèmes de valeurs des groupes concernés. Elle intègre mal les nouveaux métiers et les nouvelles fonctions apparus depuis une vingtaine d'années, notamment dans le secteur des services. De plus, les professions répertoriées sont de moins en moins corrélées à des milieux sociaux différenciés, y compris d'ailleurs au sein d'une même profession.

Enfin, cette classification est centrée sur la vie professionnelle, alors que le temps libre occupe aujourd'hui une place prépondérante dans la vie (voir p. 134). Les 26 millions d'actifs ne représentent d'ailleurs à peine plus de la moitié (57 %) de la population française adulte ; les autres figurent dans le groupe hétérogène des « inactifs ».

> **La hiérarchie professionnelle bousculée**
>
> En quelques décennies, des changements importants se sont produits dans la composition socioprofessionnelle. La part des agriculteurs dans la population active a diminué de façon spectaculaire : 2 % contre 16 % en 1962. Il en est de même de celle des ouvriers (28 % contre 40 %). Dans le même temps, le nombre des employés et des membres des professions intermédiaires (techniciens, contremaîtres, agents de maîtrise, instituteurs...) s'est fortement accru. Ils comptent ensemble pour la moitié de la population active. Les effectifs des cadres et des « professions intellectuelles supérieures » (professeurs, professions de l'information, des arts et du spectacle, ingénieurs et cadres techniques...) se sont largement étoffés.
>
> Dans le même temps, les notables d'hier (médecins, enseignants, petits commerçants, avocats...) ont perdu une partie de la considération et des privilèges dont ils bénéficiaient. Poussés par la crise et la mondialisation, les cadres ont dû aussi se mettre à l'heure de l'efficacité et de la mondialisation, subir le stress et connaître parfois le chômage.
>
> A l'inverse, certains métiers manuels, indépendants et rentables, se sont revalorisés depuis quelques années : plombier, restaurateur, boulanger, viticulteur, garagiste, kinésithérapeute... Des professions nouvelles sont apparues, le plus souvent dans les secteurs de la technologie et de la communication : informaticien, infographiste, webmestre...

L'appartenance sociale repose davantage sur des critères d'identité.

D'une manière générale, les critères sociodémographiques traditionnels (profession, revenu, statut matrimonial, lieu d'habitation...) sont de moins en moins indicatifs de l'appartenance à un groupe social. Un cadre et un employé peuvent avoir des modes de vie beaucoup plus proches que deux cadres ou deux employés pris au hasard. Le sentiment d'appartenir à une « classe sociale » est d'ailleurs en forte diminution. L'évolution a commencé avec la classe ouvrière, puis elle a touché la classe paysanne. Elle concerne aujourd'hui les commerçants, les cadres ou les membres des professions libérales.

On trouve des illustrations de ce brouillage des découpages sociaux dans le domaine de la consommation. Ainsi, les acheteurs qui se rendent fréquemment dans les magasins de maxi discompte ne sont pas seulement comme on pourrait le penser ceux qui ont les revenus les plus modestes. Ce qui les caractérise est davantage une vision commune de la vie et du monde, une volonté de

Catégories socioprofessionnelles

Structure de la population de 15 ans et plus (2001, en %) :

	Hommes	Femmes	Total
- Agriculteurs exploitants	1,8	0,8	1,3
- Artisans, commerçants, chef d'entreprise	4,6	1,8	3,1
- Cadres, professions intellectuelles	9,9	4,9	7,3
- Professions intermédiaires	12,1	10,2	11,1
- Employés	8,2	23,7	16,3
- Ouvriers (y compris agricoles)	24,6	6,1	15,0
- Autres actifs	0,5	0,6	0,6
- Retraités	22,6	22,0	22,3
- Autres inactifs	1,5	29,7	22,9
Effectif total (milliers)	**22 845**	**24 731**	**47 576**
Effectif total (%)	100,0	100,0	100,0
dont actifs	*61,8*	*48,2*	*54,7*

résister aux sollicitations des fabricants ou des distributeurs et de rationaliser leurs dépenses. Les acheteurs de voitures, les sportifs ou les téléspectateurs ne peuvent plus non plus être décrits précisément à l'aide des critères sociodémographiques traditionnellement utilisés pour les identifier.

La croyance religieuse ne constitue plus un facteur d'appartenance à un groupe social, même si elle joue encore un rôle dans les choix moraux et dans les modes de vie familiaux. La pratique religieuse, qui est plus déterminante, concerne en effet une part de plus en plus réduite de la population (voir p. 282).

L'âge et surtout l'appartenance à une génération restent des facteurs de différenciation.

Parmi les critères sociodémographiques traditionnels, l'âge constitue encore un déterminant des opinions et des comportements dans de nombreux domaines. Il détermine assez largement une vision de la vie, une attitude plus ou moins favorable à l'égard des divers éléments constitutifs de la « modernité » : construction européenne ; mondialisation ; libéralisme économique ; nouvelles technologies...

Ainsi, les jeunes de 15 à 24 ans se caractérisent globalement par un système de valeurs qui fait une large place à la reconnaissance de l'individu, au refus de la norme et à la tolérance à l'égard des comportements « hors norme » (voir p. 171). Ils ont une vision à la fois hédoniste et pragmatique de la vie. Leur rapport au temps est fondé sur le court terme et l'improvisation.

A l'inverse, les personnes âgées sont plus réticentes envers le changement, l'innovation technologique, la globalisation de l'économie ou la disparition des frontières. Elles continuent de planifier leur temps et sont préoccupées par l'avenir des générations. C'est pourquoi les clivages existant en matière de vie familiale, de

L'individu multidimensionnel

CHAQUE individu présente plusieurs facettes qui se complètent ou s'opposent selon les moments de la vie, de l'année ou même de la journée. Tour à tour adulte et enfant, actif et oisif, observateur et acteur, exécutant et décideur, moderne et conservateur, élève et professeur, responsable et assisté, acheteur et vendeur, il change d'identité apparente en fonction de son humeur et de son environnement (professionnel, familial, social, médiatique...). S'il adhère à un système de valeurs cohérent (bien que changeant dans le temps), il n'a pas les mêmes réactions ni les mêmes attentes selon qu'il se trouve sur son lieu de travail, chez lui ou en vacances.

Ces rôles multiples sont parfois difficiles à assumer. Ils peuvent même s'avérer épuisants lorsqu'ils s'écartent trop de l'identité réelle de celui qui les pratique. Les postures prises dans les différentes situations sont alors ressenties par celui qui les prend comme des impostures. Cette sensation peut être dans certains cas à l'origine d'une prise de conscience salutaire qui lui permettra d'être enfin « lui-même » et de s'accepter comme tel. Mais elle fait aussi parfois apparaître une trop grande distance entre le modèle et la réalité. Elle peut alors conduire à la dévalorisation de soi, parfois même au refus de soi. Ainsi, les pressions exercées par l'environnement sont souvent à l'origine de dépressions et de maladies psychologiques.

consommation, de pratiques de loisirs ou même de comportement électoral s'expliquent souvent davantage par les différences d'âge que par celles de profession, de pouvoir d'achat, de statut matrimonial ou d'habitat.

On constate cependant que ces écarts ne sont pas linéaires. Ils sont davantage liés à des effets de génération qu'à des différences d'âge. Les quatre générations qui cohabitent de plus en plus fréquemment dans une même famille ont en effet connu des destins spécifiques. Chacune d'elles a développé un système de valeurs distinct qui détermine largement ses opinions, ses attitudes et ses comportements dans tous les compartiments de la vie.

Le niveau d'instruction est un facteur d'importance croissante.

Le facteur de clivage le plus apparent entre les groupes sociaux est peut-être aujourd'hui le niveau d'instruction. La culture générale conditionne en effet largement la capacité à comprendre le monde et à s'intéresser à son évolution (voir p. 120). Elle permet aussi de trouver plus facilement sa place dans la société et de disposer d'un pouvoir d'achat plus élevé, ce qui conduit souvent à une vision plus optimiste des choses.

On observe ainsi de fortes différences en termes d'opinion et de valeurs selon le niveau d'éducation. Les personnes peu diplômées ont souvent une vision plus radicale et négative de la société. Elles font preuve d'une plus grande sympathie à l'égard de partis situés aux extrémités de la palette politique, à droite comme à gauche. Le libéralisme économique, la construction européenne et la mondialisation leur apparaissent davantage comme des menaces que comme des opportunités.

L'instruction joue un rôle d'autant plus grand qu'elle a connu un développement différencié selon le sexe. Les femmes sont aujourd'hui plus nombreuses que les hommes à faire des études supérieures. Elles ont pour la plupart une activité professionnelle et donc une autonomie financière. Leur poids dans le couple s'est sensiblement accru, comme dans la vie collective en général. Les qualités ou valeurs féminines (capacité d'écoute, modestie, pacifisme, intuition, générosité...) sont en train d'imprégner l'ensemble de la société. Si la majorité des hommes s'en félicitent, d'autres s'inquiètent des conséquences de cette évolution sur leurs relations au sein du couple, dans la vie professionnelle ou sociale.

D'autres systèmes de classification font apparaître de nouveaux groupes sociaux.

Les styles de vie (approche développée dans les années 70 par le Centre de communication avancé) regroupent les Français en fonction de leurs manières d'être, de leur vision de la société et du monde. Ils sont issus d'enquêtes quantitatives régulières et matérialisés par une carte où figurent les différentes mentalités, positionnées par rapport aux axes qui expliquent le mieux les écarts mesurés.

On peut aussi représenter l'ensemble de la société de façon intuitive. Le sociologue Henri Mendras la représente sous la forme d'une toupie dont le corps est constitué d'une constellation centrale, d'une constellation populaire, d'indépendants et de divers groupes périphériques, entre l'élite située en haut et la pauvreté placée à la base. Pierre Bourdieu la concevait comme un mobile à la Calder, dans lequel « de petits univers se baladent les uns par rapport aux autres dans un espace à plusieurs dimensions ».

Les types d'appartenance (familiale, sociale, ethnique, religieuse, professionnelle, idéologique...) prennent une importance croissante. Selon Emmanuel Todd, les structures familiales (modalités des rapports entre parents et enfants ou entre frères...) seraient les déterminants des comportements individuels et collectifs.

Chacun de ces systèmes de représentation et d'analyse est porteur d'une part de l'explication du changement social, mais il ne peut prétendre l'expliquer seul. C'est en multipliant les approches que l'on peut décrire et comprendre l'état de la société française et son évolution.

La « classe moyenne » a éclaté.

Comme la plupart des pays développés, la France avait constitué dans les années 70 un groupe social central numériquement important (environ 60 % de la population). Cette « classe moyenne » était notamment issue de la période de croissance économique ininterrompue qui s'était poursuivie tout au long des « Trente Glorieuses » (1945-1974). Ses membres pensaient, consommaient, se divertissaient ou votaient de façon relativement homogène. Leur vie personnelle, familiale, professionnelle et sociale obéissait à des motivations semblables, à une vision commune de la société et du monde.

Le sentiment d'appartenir à cette classe moyenne s'est dissout avec la

crise économique et le changement social des trente dernières années. Les attitudes, les valeurs, les opinions et les comportements des Français se sont diversifiés au cours des années passées et il n'est plus possible de rendre compte du changement social en observant l'évolution d'un groupe central homogène. Un nouveau découpage social s'est mis en place.

Le pouvoir est aux mains d'une nouvelle aristocratie du savoir (« cognitariat »).

Au-dessus de la société plane toujours ce qu'il est convenu d'appeler « l'élite » de la nation ou « protocratie » (de *protos*, premier). Cette nomenklatura à la française tient les rênes du pouvoir politique, économique, intellectuel, social. Ses membres sont patrons, cadres supérieurs, professions libérales, gros commerçants, mais aussi hommes politiques, responsables d'associations, syndicalistes, experts, journalistes, etc.

Ils constituent une aristocratie moderne qui ne se reconnaît plus par la naissance mais par la réussite sociale et souvent financière, ainsi que par le pouvoir et l'influence. Leur force principale est de détenir l'information et la connaissance, matières premières de cette nouvelle ère. On assiste donc à la naissance d'un « cognitariat » qui bénéficie de l'avantage considérable d'accroître sa position avec le temps et l'expérience. Les heureux élus n'ont guère subi les effets de la crise, car celle-ci les a au contraire rendus indispensables. Ils sont au maximum 3 millions à détenir une parcelle de ce pouvoir récent mais essentiel et constituent ce qu'on appelle la « France d'en haut ».

Un protectorat s'est constitué à l'abri de la crise économique.

Il est composé de l'ensemble des fonctionnaires, de certaines professions libérales non menacées, d'employés et cadres d'entreprises du secteur privé non concurrentiel ou protégé. Il faut ajouter à ce groupe la plupart des retraités et préretraités, dont la situation financière n'a jamais été aussi favorable, bien qu'une minorité dispose encore de faibles revenus (voir *Les personnes âgées*).

Au total, ce protectorat regroupe près de 20 millions de Français qui ont peu senti les effets de la crise, mais qui n'ont pas non plus réalisé qu'elle donnait plus de prix à leurs privilèges. Leur situation n'est cependant pas assurée à long terme, car les pressions s'accroissent pour remettre en cause des avantages acquis en d'autres temps, dans un autre contexte économique, social et international. Malgré la résistance aux réformes, le statut de la fonction publique devra sans doute se rapprocher de celui des autres salariés (et des non-salariés) en termes d'efficacité, de flexibilité, de retraite ou d'avantages divers.

La classe moyenne a engendré vers le bas un néoprolétariat aux conditions de vie précaires.

Pendant longtemps, la société française a été intégratrice. Elle tend aujourd'hui à marginaliser ses membres les plus vulnérables, qui constituent la « France d'en bas ». Un certain nombre d'entre eux ont appartenu à la classe moyenne et se trouvent dans l'incapacité de se maintenir dans le système pour des raisons diverses (voir encadré).

Ce mouvement est à l'origine de la création d'un premier groupe que l'on peut baptiser « néoprolétariat ». Il est composé de quelque 10 millions de gens modestes, dont la situation a été rendue précaire par la crise. Alternant des périodes de travail, généralement courtes et mal rémunérées, et des périodes de chômage, ils éprouvent des difficultés à vivre et sont dans l'impossibilité de faire des projets d'avenir.

Les maillons faibles

Après avoir été soumise à des forces de type centripète, qui tendaient à maintenir ou ramener l'ensemble des citoyens à l'intérieur de la machine, la société française est aujourd'hui soumise à des forces centrifuges. Elles projettent un nombre croissant de personnes vers les marges, et tendent à exclure certaines d'entre elles. Les individus [illegible] sont ceux qui ne disposent pas des atouts nécessaires pour assumer leur autonomie, prendre les bonnes décisions, maîtriser leur destin.

Ces « maillons faibles » de la chaîne sociale souffrent d'un manque d'éducation ou de culture générale, de problèmes de santé, de handicaps physiques ou mentaux, d'une absence de réseaux relationnels sans lesquels il est difficile de survivre socialement. Comme dans un jeu diffusé par TF1, ils sont progressivement éliminés par leur environnement, au terme d'une sélection qui est davantage provoquée que naturelle. L'émergence d'une « société centrifuge » dans laquelle les forts éliminent les faibles (mais aussi dans laquelle les forts cherchent à s'éliminer entre eux) représente l'un des risque majeurs de la civilisation en préparation.

Mutants, Mutins et Moutons

A tout moment de son histoire, l'état de la société et sa vision de l'avenir se définissent par un débat entre les « anciens » et les « modernes ». Mais les enjeux sont aujourd'hui d'une importance particulière, en termes d'évolution des modes de vie et des valeurs, dans un contexte de transformations économiques, technologiques et scientifiques majeures, qui n'a pas d'équivalent depuis la fin du XVIIIe siècle. Au point que l'on peut parler d'un véritable changement de civilisation (voir p. 274). C'est pourquoi nous avons baptisé les deux principales forces en présence dans la société contemporaine les Mutants et les Mutins. Il s'y ajoute un troisième groupe, quantitativement important mais indéterminé dans sa vision du futur, constitué de ceux que nous appelons (sans intention péjorative) les Moutons.

LES MUTANTS

Ce sont les tenants du principe de modernité, voire de postmodernité. Ils souhaitent voir disparaître les tabous et pratiquent avec délectation le « socialement incorrect ». Leur sens de la transgression est apparent dans une forme d'humour très contemporaine où tout peut (et doit) être dit. Au nom de la liberté, ils se prononcent contre toutes les formes d'interdit et de censure ; ils se battent notamment pour une sexualité épanouie et prônent la tolérance à l'égard de toutes les minorités. Ils souhaitent faire disparaître un certain nombre de codes sociaux qui constituent à leurs yeux des artifices pour garder les distances et assurer la paix sociale.

L'Etat représente pour eux une contrainte qui limite la liberté des citoyens et les empêche d'être totalement autonomes. Il leur paraît donc nécessaire de le réformer et de limiter ses pouvoirs. Le monde est leur domaine et l'existence de nations ou de régions n'a guère de sens pour eux dans le « village planétaire ». La science et la technologie les font rêver car elles multiplient les capacités humaines et leur permettent d'évoluer dans un univers virtuel qui leur apparaît souvent plus riche que le monde réel. Ils s'intéressent par principe à la mode, manifestation joyeuse et renouvelée de la modernité. Elle est aussi pour eux un moyen de métissage des cultures et des modes de vie, qu'ils considèrent comme une source d'enrichissement. Leurs héros sont des chefs d'entreprise comme Bill Gates, des hommes politiques comme Alain Madelin ou peut-être Dominique Strauss-Kahn, des créateurs comme Jean-Paul Gaultier.

L'horizon des Mutants est au minimum celui de l'Europe, souvent celui de la planète. Ils aiment embrasser la globalité, qui leur donne le sentiment de ne pas limiter leurs ambitions. Ils apprécient le mouvement qui déplace les lignes, notamment celles qui séparent, isolent et entretiennent les inégalités. Ce sont des nomades qui vivent en tribus, réelles ou virtuelles. Ils ont une vision optimiste de l'avenir et font confiance à l'intelligence humaine qui, pour eux, vient toujours à bout des problèmes qu'elle engendre. C'est pourquoi ils entendent participer à l'invention de l'avenir et apporter leur contribution au progrès. Ils sont à la recherche d'émotions et d'aventures sans cesse renouvelées. Ils considèrent que c'est l'économie qui mène le monde. C'est par elle que l'on fera, selon eux, le bonheur des peuples et que l'on réduira les inégalité entre les pays et entre les individus.

LES MUTINS

Face à l'adoration du changement manifestée par les Mutants, les Mutins se laissent au contraire aller à la tentation réactionnaire, au sens de la physique. Face aux tendances, ils sont ainsi les inventeurs de contre-tendances. Leur vision du monde est à la fois plus limitée et plus inquiète. Leur conservatisme n'est pas un refus du principe de l'évolution et de la modernité, mais une volonté de préserver ce qui a été obtenu par le peuple au fil des siècles.

Leur attitude est souvent celle du repli protectionniste, de la méfiance à l'égard des autres, dans certains cas teintée de xénophobie. Face au gigantisme prôné par leurs adversaires, ils mettent en exergue le « petisme » si bien décrit par Philippe Delerm *(La première gorgée de bière et autres plaisirs minuscules)*. Au planétarisme, ils opposent le nationalisme ou le régionalisme. Ils revendiquent la lenteur, pratiquent le « socialement correct », prônent l'égalitarisme et le retour à un ordre moral.

Beaucoup sont convaincus que la société a amorcé sa décadence et qu'il faut arrêter le processus de changement, refuser les adaptations, préserver les avantages acquis. Pour cela, ils sont prêts à user des formes diverses de protestation, notamment les grèves et les manifestations diverses. Leurs héros (ou héraults) se trouvent dans diverses catégories sociales : José Bové, Marc Blondel, Robert Hue, Charles Pasqua, Jean Baudrillard, Alain Finkielkraut, Paul Virilio, Viviane Forester...

On retrouve, dans les discours et les actes de ces Gaulois contemporains le caractère de leurs ancêtres décrit par les historiens (Jullian, Thévenot,

Mutants, Mutins et Moutons (fin)

Lejeune ou Dottin) : impulsifs, coléreux, conservateurs, mais aussi hospitaliers, bons vivants, courageux. Comme celui des Gaulois, l'esprit critique des Mutins s'accompagne d'une forte capacité de solidarité contre les envahisseurs que sont pour eux selon les moments l'Amérique, Internet, les immigrés, le bœuf britannique ou les fraises d'Espagne.

Ils ne souhaitent pas l'ouverture des frontières, rejettent l'harmonisation des cultures et l'uniformisation des modes de vie. Ils préfèrent « conserver » les choses en l'état, avant qu'elles ne se détériorent davantage ou disparaissent. Ils résistent aux grands courants comme aux modes passagères. Ils se sentent plus à l'aise dans un environnement restreint, plus facile à comprendre et sur lequel on peut agir, que dans le village global rêvé par les Mutants. Ils préfèrent rester sur place, où ils ont leurs habitudes, que de prendre le risque d'aller voir ailleurs. La plupart ont d'ailleurs tendance à penser que c'est mieux « ici » mais aussi que c'était mieux « avant ». Ils apprécient les certitudes et se réfugient volontiers dans celles qu'ils se sont forgées au fil de leur existence et de leur expérience. L'économie les rebute, car ils ont le sentiment qu'elle oublie l'homme et la société.

Le débat nécessaire

Entre les Mutins et les Mutants, les différences sont nombreuses et fondamentales. Elles mettent en oeuvre des conceptions opposées de la vie, du monde et de l'avenir. Elles débouchent sur des fractures qui pourraient donner lieu à des tensions, voire à des affrontements. L'issue de la confrontation, que l'on espère pacifique, est par principe incertaine. Mais certains mouvements paraissent irréversibles, en tout cas dans un horizon temporel proche. La globalisation ne semble ainsi plus être un choix. La dématérialisation, la montée du « tribalisme », la mobilité, l'hédonisme ou l'autonomie sont des évolutions largement engagées. Qu'on le déplore ou qu'on s'en félicite, elles semblent plutôt donner raison aux Mutants. L'Histoire montre d'ailleurs que le mouvement finit toujours (à terme) par l'emporter sur l'immobilisme, l'avenir sur le passé, l'ouverture sur le repli, l'élargissement sur le rétrécissement.

Mais la victoire probable des Mutants ne doit pas laisser penser que les Mutins ont tort, voire qu'ils sont nuisibles à l'invention de l'avenir. Ils ont au contraire un rôle important à jouer, pour éviter les excès qui ne manqueraient pas d'être commis par les apprentis sorciers de la modernité. Leur présence devrait permettre de ralentir le processus de mutation, de le rendre moins dangereux et plus acceptable pour l'ensemble de la population.

Les Mutins représentent donc un garde-fou nécessaire contre le risque d'« horreur » économique et technologique. Mais ils devront prendre garde de rester crédibles dans leurs critiques et leurs propositions. Le principe de précaution ne doit pas en effet interdire l'innovation. La dénonciation de l'uniformité ne doit pas aboutir à une restriction de la liberté. La lutte contre les inégalités n'est pas toujours compatible avec le maintien des avantages acquis par certaines catégories. Pour inventer son avenir et jouer son rôle dans le monde, la France ne pourra pas simplement choisir entre la modernité et le repli. Elle devra permettre aux Mutins et aux Mutants d'échanger leurs arguments de façon objective et constructive, afin de faire émerger un compromis acceptable pour l'ensemble de la collectivité. Mais ils ne devront pas oublier que celle-ci compte un troisième groupe, numériquement important, que l'on peut baptiser les Moutons.

LES MOUTONS

Ce troisième et dernier groupe est constitué de tous ceux qui, par indifférence, lassitude ou incapacité à décoder les mouvements du monde, n'ont pas encore pris position dans le débat sur l'avenir. Leur voix est pourtant nécessaire, d'autant plus qu'ils sont aujourd'hui nombreux. Le sentiment croissant d'insécurité d'une partie d'entre eux, leur difficulté à se maintenir dans le système social et leur aversion pour les « élites » de la nation les ont rendus malléables aux discours populistes et simplificateurs, comme on a pu le voir lors de l'élection présidentielle de 2002. D'autres, cependant, ont préféré, sous la pression des médias et de leur environnement familial ou social, se ranger aux côtés des candidats traditionnels. Mais une partie importante des Moutons, incapable de différencier les candidats et les programmes, a préféré ne pas se rendre aux urnes. Or, il n'est pas souhaitable, tant pour la démocratie que pour la paix sociale, que l'avenir de la France se décide sans une partie de ses citoyens.

Le second groupe engendré par la précarisation et le changement social regroupe les « nouveaux pauvres », exclus de la vie professionnelle, culturelle, sociale. Ils forment ce qu'on peut appeler une « ectocratie » (du préfixe ecto qui signifie « en dehors ») forte d'environ 6 millions de membres. On pourrait dire aussi, par

référence au système de castes en vigueur en Inde, qu'ils sont des « intouchables ». Si les Français évitent souvent de les regarder, c'est bien davantage par impuissance que par mépris. La transformation de la société, les nouvelles technologies et l'entrée dans une nouvelle civilisation (voir *Valeurs actuelles*) laisse craindre le développement de nouveaux mécanismes d'inégalité et d'exclusion.

Les autres Français appartiennent à la néobourgeoisie.

Ce dernier groupe est numériquement important ; on peut en estimer le nombre à environ 20 millions de personnes. Commerçants, petits patrons, employés ou même ouvriers qualifiés, ainsi que certains représentants de professions libérales en difficulté (médecins, architectes, avocats...), ils ont un pouvoir d'achat acceptable ou confortable, mais restent vulnérables à l'évolution de la conjoncture économique et à la poursuite du bouleversement de la hiérarchie professionnelle.

L'émergence de ce groupe social a été favorisée d'abord par l'urbanisation du pays (les bourgeois habitent par définition les villes), mais aussi par le vieillissement général. Elle est la conséquence du passage progressif d'une culture plutôt élitiste au principe du « tout culturel » né dans les années 80 et dans lequel l'esprit néobourgeois se sent plus à l'aise. Il se caractérise par un désir d'ordre, un repli sur la sphère domestique et son corollaire, la recherche du confort. Le moindre attachement aux modes et aux modèles est un autre signe de cet embourgeoisement contemporain.

> On ne compte plus que 3 500 familles appartenant à la noblesse authentique (dont les ancêtres ont bénéficié de privilèges sous l'Ancien Régime. Mais près de 10 000 se donnent les apparences de la noblesse, dont la particule est la plus courante.

Des babas aux bobos

Les *babas cools* des années 70 étaient les héritiers des *hippies* des années 60. Ils ont trouvé récemment leurs successeurs avec les *bobos* (bourgeois bohêmes). On peut définir ces derniers par leur pragmatisme idéologique. La plupart « pensent à gauche », dénonçant l'accroissement des inégalités sociales ; certains sont ainsi des membres de ce que l'on appelle la « gauche caviar ». Mais les *bobos* « vivent à droite » en dépensant les revenus souvent élevés qu'ils perçoivent d'activités professionnelles largement issues d'un système libéral. Bourgeois riches, libéraux et branchés, ils sont hédonistes et égocentrés. Ils préfèrent le cynisme à l'humour, le thé au café.
Cette double appartenance les situe du côté des Mutants dans la vie quotidienne, avec une fascination pour la technologie et une acceptation des règles de la mondialisation. Mais elle les range parmi les Mutins lorsqu'il s'agit de penser, de rêver ou même de voter. Cette ambiguïté est révélatrice de la difficulté actuelle de penser le monde et de la nécessité de revoir les clivages idéologiques traditionnels.

La recomposition sociale s'accompagne d'une revendication identitaire.

Le besoin d'identité revêt une importance croissante dans une société qui ne fournit plus de repères collectifs. Mais il est difficile à décrire, car il s'applique à des domaines très divers. L'identité peut-être en effet sociale, ethnique, nationale, régionale, religieuse, sexuelle, professionnelle, culturelle, etc. Elle est souvent fondée sur l'appartenance à un groupe qui partage un mode de vie, un système de valeurs ou toute autre caractéristique commune forte. La quête identitaire traduit la volonté des personnes et des groupes d'exister, d'être reconnus socialement, de se différencier des autres, parfois de s'opposer à eux.

Elle est aussi parfois la réaction à une menace. C'est à partir du moment où les femmes ont accru leur poids dans la société que l'on a vu apparaître la notion d'identité masculine. La demande d'identité au travail a suivi la disparition des classes sociales fondées sur le statut professionnel (ouvriers, paysans, cadres, commerçants...). Le développement récent de certaines identités régionales répond à l'effacement de l'Etat et à la peur de la mondialisation. Pris dans un monde mouvant, partagé entre des sentiments multiples et souvent contradictoires, contraint à une autonomie difficile ou impossible, chaque individu s'efforce de construire ou de reconstruire son identité dans le but de maîtriser son destin.

La mobilité sociale est parfois un cadeau empoisonné.

L'un des aspects principaux du progrès social au XXe siècle est d'avoir donné à chaque citoyen la possibilité théorique d'accéder à toutes les positions sociales, tous les statuts. Un enfant né dans un milieu modeste

Communautarisme à la française

La reconnaissance des personnes se fait souvent à travers celle des communautés auxquelles elles appartiennent. On parle ainsi de la communauté catholique, juive, immigrée, beur, musulmane, noire ou même corse, à la fois pour évoquer les spécificités qui les fondent et le respect auquel elles ont droit. Les communautés ne sont guère reconnues par le modèle républicain, car elles apparaissent contraires à sa vocation uniformisatrice, mais elles bénéficient de sa volonté d'intégration. Le modèle républicain apparaissant affaibli, on assiste aujourd'hui au développement du communautarisme, qui cherche à lutter contre les discriminations et imposer l'idée du multiculturalisme.
L'exemple de la communauté homosexuelle est significatif de cette évolution. L'adoption du Pacs et le *coming out* (révélation, volontaire ou non, de l'homosexualité d'une personne) ont accéléré la disparition du tabou. Au point que deux Français sur trois considèrent aujourd'hui que l'homosexualité est une manière acceptable de vivre sa sexualité, contre 24 % en 1973 et 41 % en 1984 (Sofres).
Les homosexuels exercent une influence croissante dans certains domaines comme la mode vestimentaire, la musique, les médias (551 émissions leur ont été consacrées en 2000), voire la politique comme en témoigne l'élection en 2001 de Bertrand Delanoë à la mairie de Paris. C'est pourquoi les homosexuels sont de plus en plus courtisés par les entreprises, qui ont trouvé là un nouveau marché, à la fois acheteur et prescripteur. Ceux qui revendiquaient hier le droit à la différence ont donc été entendus. Mais beaucoup souhaitent aujourd'hui plutôt bénéficier d'un droit à l'indifférence, afin de pouvoir se fondre totalement dans la société.

peut avoir l'ambition légitime, s'il en a les capacités, de se hisser dans les catégories plus élevées de la hiérarchie. Ce principe égalitaire généreux se heurte dans la réalité aux différences entre les individus et au système de reproduction des inégalités, apparent dès le plus jeune âge. Il est donc une source de frustration pour ceux qui ne parviennent pas à prendre l'ascenseur social.

Ceux qui ont la chance d'y monter en tirent une fierté légitime, mais souvent de courte durée. Il reste en effet toujours des étages plus élevés à atteindre. Or, la pyramide sociale est plus large en bas qu'au sommet et le nombre de places diminue au fur et à mesure que l'on monte. Ceux qui restent bloqués à un étage intermédiaire en ressentent souvent une forte déception. De plus, pour éviter que les étages élevés ne soient trop encombrés, l'ascenseur fonctionne aussi dans l'autre sens, celui de la descente. C'est là d'ailleurs l'une des caractéristiques de cette époque où, pour la première fois sans doute dans l'histoire sociale, les jeunes ne sont pas assurés de connaître un meilleur destin que leurs parents.

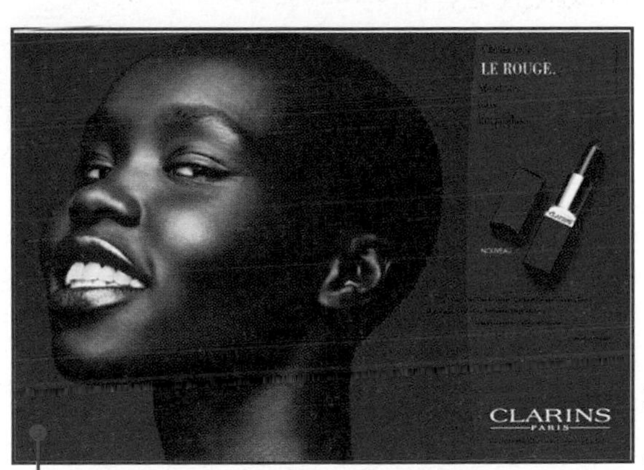

Leagas Delaney

La France, un pays pluriel

La possibilité d'une ascension sociale constitue dans l'absolu un progrès indéniable. Elle implique que les Français ne se satisfont plus de la position qui leur a été attribuée par la naissance, les caractéristiques personnelles ou le sort. Mais elle ne constitue en rien une certitude et elle est assortie de grandes frustrations ou déceptions. C'est pourquoi elle ne conduit pas dans la réalité à une satisfaction plus grande que l'obligation implicite de « rester à sa place ». Cela ne justifie évidemment pas la situation antérieure, mais montre la limite des promesses égalitaires qui ne peuvent être tenues.

Etrangers

3,3 millions d'étrangers vivent en France.

Au recensement de 1999, le nombre total d'étrangers était de 3,3 millions. Parmi eux, 510 000 étaient nés en France de parents étrangers. Le nombre des immigrés est, lui, plus élevé (estimé à 4,3 millions), car il

comprend les 1,6 million de Français par acquisition nés à l'étranger de parents étrangers et les 2,7 millions d'étrangers nés à l'étranger. Les estimations du nombre de clandestins varient entre 300 000 et un million. 120 000 réfugiés politiques vivent en France, dont les trois quarts ont moins de 40 ans. Les demandes d'asile varient selon les années, avec une moyenne d'environ 20 000 par an ; une sur cinq reçoit une réponse favorable (20 %), contre 2,5 % aux Pays-Bas, 12 % en Allemagne, mais 40 % en Autriche.

La proportion d'étrangers est élevée en Ile-de-France, où sont concentrés près de 40 % d'entre eux, dont environ 400 000 pour la seule ville de Paris. Elle est en revanche faible dans l'ouest du pays (moins de 1 % en Bretagne) et dans les communes rurales (2 %). Au total, un tiers des immigrés vivent dans l'agglomération parisienne, soit deux fois plus que la part qu'elle représente dans la population nationale (16 %).

La proportion d'étrangers en France se situe un peu au-dessus de la moyenne européenne (5,3 %, dont près d'un tiers viennent des autres pays de l'UE). Elle est inférieure à celle du Luxembourg (35 %, en grande majorité européens), de l'Autriche, de la Belgique et de l'Allemagne (environ 8 %). Les plus faibles sont celles de la Finlande, de l'Espagne, du Portugal et de l'Italie, inférieures à 2 %.

La proportion d'étrangers dans la population diminue depuis une vingtaine d'années.

On comptait 300 000 étrangers de plus au recensement de 1990 qu'à celui de 1999. La proportion dans l'ensemble de la population n'est plus que de 5,6 %, contre 6,3 %. Elle est revenue à un niveau proche de celui constaté lors du recensement de 1968 (5,3 %). Elle est en baisse régulière par rapport au taux maximum atteint en 1982 (6,8 %, au terme d'une augmentation régulière de près de trente ans (4,1 % en 1954). Le taux minimum correspond aux années comprises entre les deux guerres mondiales : 3,9 % en 1921.

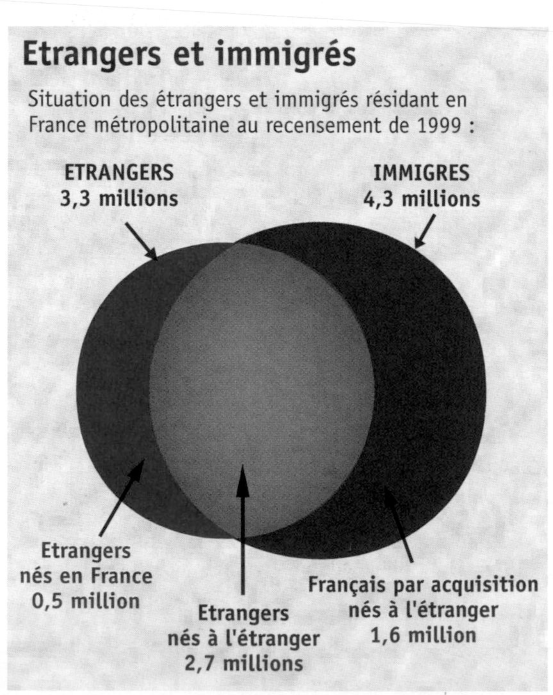

Les grandes périodes d'immigration ont eu lieu pendant les années de prospérité économique. La décolonisation a provoqué l'entrée de près d'un million et demi de rapatriés à partir de 1956, dont 650 000 d'Algérie en 1962. La politique d'immigration officielle a été interrompue en 1974 à cause du ralentissement de l'activité économique. Entre 1975 et 1990, le nombre d'étrangers avait progressé de 66 000, soit seulement un peu plus de 4 000 par an (un chiffre qui ne tient évidemment pas compte de l'immigration clandestine). Au cours des années 90, l'accroissement des mesures de contrôle aux frontières s'est traduit par une baisse des entrées.

Un peu moins d'un étranger sur trois obtient la nationalité française.

La diminution du nombre d'étrangers s'explique moins par les départs du territoire que par les phénomènes de naturalisation à la suite de mariages, de demandes exprimées par des étrangers nés en France, ou de décrets. C'est ainsi que le nombre d'étrangers nés en France a diminué entre les deux derniers recensements : 510 000 en 1999 contre 700 000 en 1990. Le nombre des Français par acquisition nés à l'étranger a en revanche augmenté de 260 000.

La part des immigrés qui avaient demandé et obtenu la nationalité française avait doublé entre 1911 et 1954 pour atteindre un tiers et s'est stabilisée depuis à un niveau légèrement inférieur. Elle varie fortement selon le pays d'origine, en fonction de l'ancienneté de la présence et du motif de l'immigration. Ainsi, parmi

Un siècle d'immigration

Evolution de la part de la population non française de naissance dans la population totale au cours du XXe siècle :*

Année de recensement	Population totale (milliers)	Part de la population totale (%)		
		Nés hors métropole	Français par acquisition	Etrangers
1901	38 451	2,7	0,6	2,7
1906	38 845	2,8	0,6	2,7
1911	39 192	3,2	0,6	3,0
1921	38 798	4,1	0,7	3,9
1926	40 228	6,1	0,6	6,0
1931	41 228	7,1	0,9	6,6
1936	41 183	6,2	1,3	5,3
1946	39 848	5,8	2,1	4,4
1954	42 781	6,2	2,5	4,1
1962	46 459	8,2	2,8	4,7
1968	46 655	10,2	2,7	5,3
1975	52 599	10,9	2,6	6,5
1982	54 296	11,1	2,6	6,8
1990	56 625	11,0	3,1	6,3
1999	58 520	12,5	4,0	5,6

* Jusqu'en 1946, population présente sur le territoire. Depuis 1954, population résidente en métropole.

les hommes de 35 à 59 ans, 61 % des Polonais, 47 % des Espagnols, 44 % des Italiens, mais 8 % seulement des Turcs, 13 % des Marocains et 15 % des Portugais sont devenus français.

Contrairement à une idée largement répandue, les étrangers qui postulent à la nationalité française sont plus jeunes, plus actifs et plus éduqués que la moyenne des Français. Parmi les personnes naturalisées au cours des années 90 (dont 45 % sont originaires du Maghreb et une part croissante de Turquie et d'Asie) un tiers avaient suivi des études supérieures, 37 % seulement n'avaient aucun diplôme, contre 45 % de la population française. 80 % vivaient en France depuis plus de dix ans. 62 % étaient des citadins (contre 32 % des Français) et 78 % disposaient d'un emploi (contre 75 %). Mais seul un quart des candidats disposaient d'un revenu supérieur à 1 800 € par mois, contre 45 % des Français (Crédoc).

La part des Africains a augmenté au détriment de celle des Européens.

La part des différentes nationalités dans la population immigrée s'est largement modifiée depuis les années 50. Ce sont les Maghrébins qui ont fourni l'essentiel des nouveaux arrivants, alors que le nombre d'étrangers en provenance des pays d'Europe diminuait. La France compte aujourd'hui sans doute plus d'un million de beurs, Français nés de parents maghrébins, (voir encadré).

En 1999, 37 % seulement des immigrés étaient originaires des autres pays de l'Union européenne, contre 54 % en 1975 et 43 % en 1982. Le nombre de personnes venues d'Espagne, d'Italie ou du Portugal a diminué de 210 000 entre les recense-

Le plus faible solde migratoire d'Europe

Le solde migratoire de la France (excédent des entrées sur les sorties du territoire métropolitain) a été de 60 000 personnes en 2001 (contre 50 000 en 2000), soit un pour mille habitants. Il est le plus faible de tous les pays de l'Union européenne. Les entrées de travailleurs permanents sont les plus nombreuses, suivies de celles de réfugiés et de leurs familles. Les entrées de familles françaises et celles effectuées au titre du regroupement familial augmentent dans une moindre mesure.

Les flux migratoires ne représentent en France qu'un cinquième de l'accroissement de la population, contre 100 % en Allemagne et en Suède, plus de 80 % en Italie, Autriche, Espagne, Portugal. Seuls trois pays de l'Union européenne ont un solde migratoire inférieur à l'accroissement naturel de la population : France, Pays-Bas, Finlande. Sans ces flux migratoires positifs, les populations de l'Allemagne, de l'Italie, de la Suède et de la Grèce auraient déjà diminué.

ments de 1990 et 1999. En revanche, celui des immigrés originaires d'autres pays européens a augmenté de 300 000. Celui des immigrés natifs du Maghreb a atteint 1,3 million, en hausse de 6 % ; cette évolution est due pour les trois quarts à l'arrivée de Marocains.

Le nombre des personnes originaires d'autres pays du monde s'est accru de 250 000 ; 16 % d'entre elles sont nées en Turquie, 35 % dans d'autres pays d'Asie, 37 % dans des pays d'Afrique subsaharienne. La proportion de femmes a fortement augmenté parmi la population étrangère non européenne vivant en France, du fait des regroupements familiaux ; elle est aujourd'hui égale à celle des hommes et même supérieure parmi les immigrés français par acquisition (55 %).

La population immigrée a un statut socioéconomique différent du reste de la population.

La répartition professionnelle des étrangers et, dans une moindre mesure, des immigrés ayant obtenu la nationalité française est très différente de celle de la population française d'origine. On compte parmi eux beaucoup plus d'ouvriers non qualifiés, d'artisans et de commerçants. Ils sont au contraire sous-représentés parmi les employés, les cadres et les professions intellectuelles supérieures, ainsi que dans les professions intermédiaires. Le taux d'activité des femmes reste peu élevé, en particulier pour celles qui viennent du Maroc.

Ces spécificités en induisent d'autres. Le pouvoir d'achat moyen des étrangers est largement inférieur à celui du reste de la population. Leurs conditions de logement et de confort sont également moins bonnes, d'autant que les familles sont souvent plus nombreuses (la fécondité des étrangères tend cependant à se rapprocher de la moyenne nationale, au fur et à mesure de l'ancienneté du séjour).

Plus d'Africains que d'Européens

Les immigrés selon leur pays de naissance en 1999 (en milliers) :

Algérie
Portugal
Maroc
Italie
Espagne
Tunisie
Turquie
Allemagne
Pologne

0 100 200 300 400 500 600

INSEE

L'immigration est toujours présente dans le débat public et politique.

Pendant les années de crise économique, l'attitude des Français envers les étrangers (mais aussi envers les immigrés) s'est radicalisée. Certains les ont accusés d'être responsables de la montée du chômage ou de celle de la délinquance. Le principal reproche qui leur est adressé st de ne pas s'adapter aux modes de vie et aux valeurs de leur pays d'accueil. Beaucoup de Français, attachés à l'identité nationale, craignent ainsi de la voir dissoute dans un multiculturalisme qui

Les beurs entre deux identités

Le nombre des beurs (nés en France dans des familles maghrébines pour la plupart immigrées pendant les Trente Glorieuses) est estimée au moins à un million, mais on ne dispose pas de chiffres fiables. Ils sont porteurs de deux cultures qu'ils ont parfois des difficultés à concilier. Une illustration en a été donnée lors du match de football France-Algérie du 6 octobre 2001. Ceux qui ont sifflé la *Marseillaise* ont montré leur hostilité au pays d'accueil de leurs parents et les limites de l'intégration à la française.

Mais cet incident ne saurait faire oublier que beaucoup d'autres beurs ont réussi, sans bruit, à se faire une place dans la société. Le plus souvent au sein des classes moyennes (certains peuvent être qualifiés de « beurgeois »), parfois dans des univers plus fermés comme le sport (Zinédine Zidane, Djamel Bourras...) ou le *show-business* (Smaïn, Laâm, Jamel Debbouze, Samy Nacéri...). Mais la plupart souffrent d'une image doublement stéréotypée : « sauvageons » de banlieue ou victimes d'un système social raciste et xénophobe.

Le débat sur la torture en Algérie, la commémoration des massacres du 17 octobre 1961 à Paris et la reconnaissance tardive des harkis ont rouvert des blessures qui ne se refermeront que lentement. Malgré les difficultés et parfois l'ostracisme auquel ils sont confrontés, les beurs n'ont pas envie de partir vers leurs pays d'origine. Ils attendent légitimement que la France leur permette de se faire une place, et beaucoup se disent prêts à faire les efforts nécessaires pour l'obtenir.

leur paraît dangereux. Ces reproches s'adressent surtout aux personnes d'origine maghrébine, dont la culture, la religion et les habitudes sont les plus différentes des pratiques nationales.

La reprise économique et la baisse du chômage constatées à partir de 1998 avaient donné le sentiment d'une modification de l'attitude des « Français d'origine » à l'égard des immigrés. La victoire de la France lors de la Coupe du monde de football et l'implosion du Front national avaient ainsi contribué à pacifier les relations. Mais les incidents dans les stades n'ont pas cessé, au point de justifier par exemple une campagne de communication antiraciste de la part du Paris-Saint-Germain. Les attentats de septembre 2001 ont accru les craintes face à un Islam intégriste, dont la France serait l'une des bases européennes. L'élection présidentielle de 2002 a montré que l'immigration et la place des étrangers dans la société constituaient des enjeux essentiels pour une part importante des Français.

Un recours à l'immigration sera peut-être nécessaire au cours des prochaines décennies.

Le nombre d'immigrés et d'étrangers présents sur le territoire au cours des prochaines décennies ne sera pas seulement lié aux mouvements migratoires vers la France. Il dépendra aussi des départs de Français ou d'immigrés vers leurs pays d'origine. En moyenne, un immigré sur quatre repart de France dans les dix ans qui suivent son arrivée. 24 % de ceux d'Algérie arrivés de 1962 à 1968 sont ainsi repartis entre 1968 et 1975. Entre 1975 et 1982, 14 % des personnes habitant Paris et nées hors de France sont retournées dans leur pays natal.

On peut estimer que les personnes originaires d'Italie et d'Espagne ont adopté leur pays d'accueil, comme celles (moins nombreuses) venant de Pologne ou d'Asie du Sud-Est. Le vieillissement en France des natifs d'Algérie et du Maroc est plus incertain. A l'horizon 2020, les immigrés âgés pourraient surtout provenir de pays de l'Europe du Sud, suivis de ceux du Maghreb.

Les Français restent partagés sur le statut à donner aux immigrés. 50 % sont favorables au droit de vote aux élections municipales des étrangers hors Union Européenne résidant en France depuis au moins 10 ans ; 47 % sont contre (Ipsos/*Figaro Magazine*, mai 2000).

Les élections de 2002 ont surtout abordé l'immigration sous l'angle de l'insécurité. Le débat pourrait prendre une autre forme au fur et à mesure que le déséquilibre démographique (vieillissement) et ses conséquences économiques (difficulté de financement des retraites, insuffisance de la main-d'œuvre) deviendront évidents. Un rapport de l'ONU indiquait en 2000 que l'Europe aura besoin de 700 millions de nouveaux immigrants d'ici 2050, soit 1,7 million par an pour la France.

Le multiculturalisme en marche

On peut à l'examen de certains indicateurs considérer l'intégration sociale comme un échec. Les actes de racisme, de xénophobie et d'exclusion sont encore fréquents envers des individus et des communautés différents par leur origine, leur culture, leur religion ou leurs valeurs (ces divers éléments ne sont évidemment pas indépendants). On peut cependant soutenir le point de vue inverse, en s'éloignant du débat partisan habituel et en observant l'acceptation et la reconnaissance croissantes des minorités.

La France a longtemps affirmé sa préférence pour un « modèle républicain » qui s'efforçait d'intégrer en assimilant. Au cours des dernières années, elle a choisi sans le dire un autre modèle, qui reconnaît les différences et cherche à les transcender. L'illustration emblématique mais trompeuse en est l'équipe de football « black-blanc-beur » qui a remporté la Coupe du monde en 1998 et l'Euro 2000. La reconnaissance des minorités et de leurs droits est aujourd'hui quasi totale sur le plan juridique (même si elle n'est pas toujours réalisée en pratique). Leur accès à l'éducation, aux responsabilités professionnelles ou aux médias connaît une progression continue.

On peut évidemment regretter que ces intentions soient régulièrement ternies par des comportements d'intolérance. Elles sont aussi parfois ralenties par la réticence de ces communautés à accepter les règles et les obligations liées à la vie commune. Mais le processus de reconnaissance du multiculturalisme est en marche. L'avenir dira s'il fonctionne mieux que le modèle républicain.

> 124 000 personnes ont bénéficié d'une autorisation de séjour permanente en 2000, contre 112 000 en 1999. 55 000 cartes de séjour ont été attribuées à des étudiants étrangers.
5 185 certificats de réfugiés ont été accordés. 7 502 travailleurs temporaires et saisonniers étrangers ont été admis.

Climat social

Le moral des Français s'est fortement dégradé pendant les années de crise...

Les Trente Glorieuses (1945-1974) avaient été suivies en France des Dix Paresseuses (1975-1984), années de montée du chômage dans un climat de torpeur nationale et de refus de la crise. Le réveil avait été brutal et douloureux. Il marquait l'entrée dans les Années Peureuses. Plusieurs indicateurs témoignaient du malaise ambiant : augmentation du taux de suicide, en particulier chez les jeunes ; troubles du sommeil attestés par la consommation de tranquillisants et de somnifères ; montée du racisme et de la xénophobie ; sentiment général d'insécurité ; inquiétudes croissantes vis-à-vis de l'avenir... Les enquêtes montraient que, de tous ceux de l'Union européenne, le peuple Français était le plus mal dans sa peau, le plus pessimiste. Un psychiatre aurait pu sans doute diagnostiquer une psychose collective, caractérisée par des accès répétés d'hypocondrie, de paranoïa et de schizophrénie.

La dégradation du climat social a été particulièrement sensible dans les grandes villes, où les habitants subissaient à la fois le stress urbain, la délinquance et les difficultés de cohabitation avec les minorités ethniques ou religieuses. Aux craintes objectives (chômage, insécurité, disparition du lien social...) s'ajoutaient des peurs irraisonnées, comme celle de la fin du siècle et du millénaire. Les Français avaient perdu leurs repères traditionnels et se retrouvaient sans boussole pour orienter leur vie et inventer leur avenir.

... puis il a connu une amélioration à partir de fin 1998.

Le moral des Français, tel qu'il est mesuré par les instituts de sondage, a enregistré son niveau le plus bas fin 1996. Il s'est sensiblement amélioré à partir de la fin de l'année 1998, retrouvant le niveau qu'il avait début 1990, après la forte baisse qui avait suivi les élections législatives anticipées de 1997.

Cette amélioration reposait en grande partie sur celle de la conjoncture économique. Les ménages intégraient la reprise dans leurs comportements, poussés par les chiffres démontrant pour la première fois depuis des années un recul du chômage.

L'amélioration du moral avait aussi une explication calendaire, avec le changement de siècle et de millénaire. Un prétexte pour solder les comptes du passé et entrer dans l'avenir, en s'efforçant de l'inventer plutôt que de le subir. La victoire des Bleus à la Coupe du monde de football constituait un point d'orgue à ce renouveau collectif. Elle était vécue comme une fable, un hymne à la fraternité retrouvée et au retour de la France sur la scène internationale, même si elle se limitait à celle du sport.

L'euphorie de la fin du siècle a été suivie d'une rechute.

La « reprise » qui avait suivi vingt années de crise économique, idéologique, culturelle et sociale aura été de courte durée. A peine les Français avaient-ils eu le temps de fêter la nouvelle victoire des Bleus à l'Euro 2000, le changement de millénaire et la baisse du chômage que les mauvaises nouvelles s'accumulaient à nouveau à l'horizon. Les promesses de la Nouvelle Economie et d'Internet n'étaient pas tenues et le cours des valeurs technologiques s'effondrait, entraînant avec lui la crainte d'une récession et la fin de l'embellie sur le front de l'emploi. Le moral des troupes s'en trouvait évidemment affecté ; il recevait un coup décisif avec les attentats du 11 septembre 2001 aux Etats-Unis.

Les Français, déjà aux prises avec de grosses difficultés (plans de licenciement dans les entreprises, 35 heures, passage à l'euro, insécurité, financement des retraites...) ont accusé le coup et ressenti le malaise des

Un grand besoin de changement

92 % des Français estimaient en juin 2001 que la société devait être changée : 27 % en profondeur, 38 % sur des aspects essentiels, 27 % sur quelques aspects. Seuls 8 % souhaitaient qu'elle soit changée le moins possible. 40 % ressentaient le besoin d'un changement fort dans leur vie professionnelle, 29 % dans leur vie personnelle.

Ces chiffres traduisent un malaise profond, qui concerne en proportions semblables les sympathisants de droite et de gauche, le secteur public et le privé, les diplômés et les non diplômés. Pour changer leurs relations avec les autres, il est significatif que les Français évoquent d'abord la volonté d'apprendre à dire non (29 %), devant celle de sympathiser avec leurs voisins (26 %). Une opinion prémonitoire, qui éclaire les résultats des votes du premier tour de l'élection présidentielle, le 21 avril 2002.

L'Expansion/CSA

lendemains de fête. Les péripéties électorales de 2002 ne les ont pas aidés à trouver la quiétude dont ils ont besoin. La dégradation a été sensible dans les enquêtes qui mesuraient les opinions sur la marche de la société et du monde. Ainsi, 82 % des Français estimaient en janvier 2002 que la société avait besoin de se transformer (Crédoc). 73 % estimaient en février 2002 que la sécurité des biens et des personnes n'était pas satisfaisante (*Valeurs Actuelles*/BVA).

Le climat social est altéré par un manque général de confiance.

L'attitude des Français se caractérise aujourd'hui par la méfiance à l'égard des autres, institutions, grands acteurs de la société ou simples individus. Elle est favorisée par la difficulté croissante de connaître la « vérité » dans de nombreux domaines. L'information apparaît tronquée, voire truquée, par ceux qui sont à la source ou qui la diffusent (voir p. 425). Chacun a le sentiment d'être manipulé à coups de publicités exagératrices ou mensongères, de discours lénifiants, de promesses non tenues, d'informations orientées et invérifiables.

Cette suspicion est entretenue par les liens, intellectuels et parfois financiers, qui existent souvent entre fonctionnaires et magistrats, scientifiques et industriels, journalistes et annonceurs, et qui peuvent les empêcher d'être totalement indépendants et objectifs.

Tous ceux qui sont en situation de décider ou d'influencer sont les cibles d'un *lobbying* permanent de la part des différents pouvoirs (économique, politique, syndical, culturel...). Ils en sont aussi parfois les complices, car le copinage joue un rôle important dans les entreprises ou dans l'administration.

Ce sentiment d'une vérité introuvable (voir p. 270) est renforcé par l'évolution technologique. Il est aujourd'hui très facile de manipuler les images (fixes ou animées) ou les sons. La médiatisation est donc une représentation de moins en moins objective de la réalité. Les citoyens en conçoivent une frustration constante qui les rend méfiants, parfois paranoïaques. Ils en veulent donc de manière diffuse à tous ceux qui sont en position de les manipuler.

Harcèlements

On a beaucoup parlé en France du *harcèlement sexuel*, au point qu'une loi a été votée pour tenter d'y mettre fin. Mais d'autres formes de harcèlement se sont développées au fil des années, qui perturbent de plus en plus la vie des Français. On a vu apparaître le *harcèlement moral*, pratiqué notamment dans certaines entreprises pour décourager des salariés, les pousser à la faute ou à la démission. Le *harcèlement médiatique* s'est lui aussi accru avec la multiplication des stations de radio, des chaînes de télévision et des magazines. Le *harcèlement commercial* est sans doute le plus fréquent. Il touche en effet tous les Français, soumis souvent contre leur gré à une pression publicitaire ou promotionnelle intense. On pourrait citer aussi le *harcèlement textuel* lié à l'inflation des lois et des textes à caractère administratif qui régissent le fonctionnement social et la vie des citoyens.

Tous ces stimuli envoyés en permanence aux Français contribuent à rendre leur vie plus stressante et plus fatigante. Ils favorisent chez beaucoup d'entre eux le développement d'un sentiment de méfiance à l'égard de l'environnement médiatique, commercial, politique ou professionnel.

Les tentatives de « lissage social » n'ont pas permis de supprimer les conflits...

On a assisté au cours des années passées à la montée des attitudes « socialement correctes ». Au prétexte de l'égalité et du respect des autres, les différences tendaient à être gommées. L'évolution du langage est à cet égard révélatrice : les filles-mères ont été remplacées par les mères célibataires, le concubinage par l'union libre, les concierges par des gardiennes, les bonnes à tout faire par des employées de maison, les femmes de ménage des entreprises par des techniciennes de surface, les noirs par des gens de couleur, les clochards par des sans domicile fixe...

De même, les distinctions traditionnelles entre les arts « majeurs » et « mineurs » ont été abolies (voir p. 121) ; le rap est devenu l'égal de la musique classique et les graffitis ont inspiré le même respect ou la même admiration que les toiles de maître. Les hommes politiques, de leur côté, pratiquent la langue de bois et recherchent le consensus. Un médiateur de la République a été nommé pour résoudre les conflits entre les citoyens et les administrations ; il a reçu environ 50 000 plaintes en 2001, un chiffre en constante et forte hausse depuis 1973, date de sa création (1 773 plaintes).

Cette attitude a pour objectif de réduire les risques d'affrontement entre les groupes sociaux, toujours possibles dans un pays qui préfère les révolutions aux évolutions. Mais la négation des différences est jugée hypocrite par un nombre croissant de Français. Elle entretient aussi l'idée qu'elles ne sont pas avouables. Enfin, le refus de dire les choses comme elles sont réduit à la fois l'intensité des débats et leur pertinence. Il prive de la créativité nécessaire pour inventer des solutions aux problèmes contemporains.

... et ont entraîné un rejet des codes sociaux.

La montée du « socialement correct » a engendré un désintérêt pour les codes traditionnels de la politesse et de la préséance. Le respect des règles de la vie commune est devenu « ringard », contraire à la liberté individuelle et à l'acceptation des autres. Le souci égalitaire a eu pour effet de supprimer les différences entre les sexes, les âges, les catégories sociales, les origines ethniques, les appartenances religieuses, les opinions et les valeurs, comme s'ils n'avaient pas de conséquences. L'évolution de la condition féminine a réduit les manifestations de la courtoisie masculine. Les nouveaux modes de communication (fax, Internet, téléphone portable) ont fait disparaître les formules de politesse. Enfin, la vie urbaine a transformé la convivialité en indifférence.

Les jeunes, en particulier, ont développé une vision cynique et transgressive du monde et de la société. Ils expriment un besoin de dérision par rapport aux institutions et à un « modèle républicain » dans lequel ils ne se reconnaissent pas. Parallèlement, les interdits sociaux se sont peu à peu estompés. L'argent s'affiche dans les médias et dans la vie courante. La pudeur, ressort traditionnel de la civilisation, recule, et la sexualité est de moins en moins cachée. La volonté de jouissance immédiate a remplacé la recherche d'une satisfaction née de l'attente et de l'effort. La morale s'est dissoute dans une philosophie du quotidien qui pousse chacun à faire « comme il le sent ».

Une société civile de plus en plus incivile

Les incivilités se sont multipliées.

L'attitude croissante de transgression explique la montée récente de l'incivilité dans la vie quotidienne : disparition des usages de la politesse ; non-respect de la parole donnée ; conflits de voisinage ; refus de payer sa place dans les transports en commun, etc. Dans les semaines qui ont suivi les attentats de septembre 2001, on a vu se multiplier les fausses alertes à la bombe et les fausses lettres contenant des poudres censées être de l'anthrax. On ne saurait qualifier de simples canulars ces comportements. Ils sont au mieux la conséquence de l'irresponsabilité ou de la bêtise. Au pire, ils témoignent d'une volonté d'entretenir la peur au sein d'une population déjà traumatisée ; ils sont alors à classer parmi les actes terroristes.

Les institutions ne sont guère plus vertueuses que les citoyens. Les médias sont pleins d'affaires de corruption d'hommes politiques. Si les fonds secrets des ministères ont été supprimés en 2002, il est toujours impossible de connaître le nombre exact de fonctionnaires ou le revenu précis de beaucoup d'entre eux. Pour augmenter leurs marges ou conserver leurs clients, les entreprises ont parfois des pratiques discutables (augmentations de prix avant le passage à l'euro, contrats illégaux, communication mensongère...). Comment s'étonner alors que les citoyens ne se sentent pas incités à faire preuve d'une morale sans faille ?

Un besoin de retour à l'ordre se manifeste.

Le refus des règles sociales était apparu à partir du milieu des années 60 ; il était au centre des revendications de Mai 68. Il s'est traduit au fil des années de crise par la multiplication des comportements de transgression (sexe, violence, incivilités...) dans la publicité, le cinéma ou la télévision. Les affiches de Benetton, les *tags*, le *rap*, l'humour des Nuls, des Inconnus ou des Guignols, puis les émissions comme *Loft Story* (M6), *On ne peut pas plaire à tout le monde*

(France 3) ou *Tout le monde en parle* (France 2) témoignent de cette volonté de tout dire et de choquer.

Pourtant, aux yeux de nombreux Français, le balancier de la transgression est allé trop loin. Le mouvement actuel dans l'autre sens traduit leur volonté de réagir à ce qu'ils considèrent comme des formes de laxisme et d'égocentrisme. Ils considèrent que le respect des autres n'a de sens que si l'on est respecté par eux. Ils ne font pas preuve de la même compréhension pour les agresseurs et pour les victimes. On retrouve là l'illustration d'un débat plus général sur l'équilibre entre les droits et les devoirs, entre la prévention et la sanction, entre la liberté et l'interdit, entre l'individu et la collectivité. Michel-Ange affirmait en son temps que « l'art naît dans la contrainte et meurt dans la liberté ». Il en est peut être de même de l'art de vivre ensemble.

La sociabilité n'a pas reculé...

On déplore depuis des années la disparition du lien social. Il est vrai que l'on mesure de façon irréfutable une baisse de l'appartenance religieuse, de l'engagement idéologique, syndical ou politique. Les liens familiaux apparaissent moins forts et surtout moins durables avec la multiplication des divorces et des familles recomposées. Les Français se parlent également moins dans leur vie professionnelle, les échanges tendant à se limiter aux sujets directement liés au travail.

Le manque de temps, l'individualisme, la disparition des petits commerces et des cafés, la solitude urbaine ou la télévision sont quelques-unes des causes invoquées de cette évolution. Elle traduit aussi l'incapacité de l'Etat et des institutions à proposer aux citoyens des projets communs, à leur donner un sentiment d'appartenance à la nation ou à la République. Elle est sans doute en partie responsable de la précarisation, de l'exclusion et de l'accroissement des inégalités.

Pourtant, une enquête réalisée en 1999 par l'INSEE montre que l'isolement amical (pas de contact au moins mensuel avec des amis) concerne 18 % des Français contre 21 % en 1997 et que l'isolement de voisinage reste stable à 40 % (les deux tendent à augmenter avec l'âge). Le temps global de sociabilité (56 minutes par jour en moyenne) a également peu évolué depuis une quinzaine d'années. Mais celui passé en conversations, téléphone ou courrier a diminué au profit des visites et réceptions des parents et amis ainsi que de la vie associative.

Le besoin de lien social varie fortement selon les phases de la vie. Les jeunes sont très attachés à leur vie amicale. Les relations professionnelles et familiales jouent ensuite un rôle croissant au cours de la vie active et de la création d'un foyer. Pendant la vieillesse, l'environnement social (voisins, commerçants) est un complément important aux relations familiales. Les interlocuteurs sont souvent recrutés dans le même milieu et leur nombre s'accroît avec la position dans la hiérarchie sociale.

... mais elle se renouvelle.

Les Français n'ont pas perdu le goût de la convivialité, voire de la communion. Des exemples récents en témoi-

Respect

Si le mot « respect » est de plus en plus souvent employé dans le langage courant, la publicité ou les médias, c'est parce qu'il exprime une attente forte et non satisfaite. Certains Français s'inquiètent ainsi du respect de la vie face aux perspectives des manipulations génétiques (en particulier du clonage). Le respect de la nature est mis en cause par les pratiques à l'égard des animaux (chasse, pêche, braconnage, expériences de laboratoire...) ou des végétaux (pollution, déforestation...). Le respect de l'individu et celui de sa vie privée apparaissent menacés par les nouvelles technologies (Internet, téléphone portable, systèmes vidéo...) qui favorisent la surveillance et le fichage des personnes. Les chiffres de la délinquance (voir p. 241) traduisent le peu de respect des personnes et des biens. La loi est aussi de moins en moins respectée dans certaines catégories sociales marginales (jeunes délinquants de banlieues sensibles) ou au contraire favorisées (politiciens, chefs d'entreprise...). Elle ne l'est pas davantage par les catégories en colère (indépendantistes, corses, paysans antimondialistes, routiers en colère...). Au point que ceux qui sont chargés de les faire appliquer (gendarmes, policiers, juges...) réclament à leur tour davantage de respect. D'autres professions appartenant autrefois à la catégorie des notables (médecins, politiciens, commerçants, avocats...) souffrent enfin d'être considérées comme de simples prestataires de service. Après avoir été banni du langage courant pour cause de transgression, le mot « respect » a donc devant lui un avenir prometteur.

gnent, comme les rassemblements spontanés qui se sont produits lors de la Coupe du monde de football de 1998, de celle de rugby en 1999, de l'éclipse de soleil ou des fêtes du changement de millénaire en 2000. Les « repas de quartier » sont d'autres réponses à cette volonté d'être ensemble ; plus d'un million de personnes de quelque soixante-dix villes de France y ont participé en 2001 dans le cadre de l'opération Immeubles en fête. La rue n'est pas seulement un espace de violence et d'insécurité ; elle peut être celui de l'échange et de la convivialité.

Le temps consacré à la communication interpersonnelle est aussi en augmentation sensible, comme le montre l'usage du téléphone mobile ou d'Internet (courrier électronique, forums). Les médias offrent des espaces croissants d'expression et d'échange à leurs lecteurs, auditeurs ou téléspectateurs. Les solidarités se sont accrues à l'intérieur des familles ou des « tribus ». Les activités extérieures se sont multipliées dans le domaine culturel, sportif et surtout associatif (voir ci-contre). La « mise en réseaux » de la société entraîne une évolution sensible du lien social, dans le sens de relations plus sélectives, mais aussi plus éphémères.

La participation à la vie associative est de plus en plus fréquente.

11 millions de Français sont engagés de façon bénévole dans quelque 900 000 associations. Il s'en crée chaque année environ 60 000 (contre 20 000 en 1975). 43 % des Français de 15 ans et plus étaient membres d'une association en 2000 (INSEE). Les personnes âgées sont les plus concernées : 47 % des 60 ans et plus sont adhérents et la moitié d'entre eux le sont d'au moins deux associations. 15 % des Français sont membres d'un club du troisième âge, presque autant que des associations sportives (18 %), loin devant celles de parents d'élèves (6 %), les syndicats (5 %) ou les partis politiques (2 %). La défense des droits individuels occupe une place croissante, au détriment des causes d'intérêt général. L'adhésion est en effet moins motivée par le militantisme que par la volonté de pratiquer des activités enrichissantes dans le cadre d'un groupe. Une vague d'adhésions aux partis politiques s'est cependant produite au lendemain de l'élection présidentielle de 2002.

Des formes nouvelles de solidarité sont apparues. On a assisté notamment à un développement des formes de parrainage, à destination des enfants du tiers-monde, des chômeurs, des sans-papiers, des SDF, des apprentis, mais aussi des étudiants ou des entreprises nouvelles *(business angels)*... Les entreprises participent au mouvement en parrainant des évé-

Associations de bienfaiteurs

Personnes faisant partie d'une association, selon le type (en % de la population adulte) :

Type	%
- Association sportive	18,7
- Association culturelle, de loisirs...	18,6
- Association confessionnelle	5,1
- Association de jeunes, d'étudiants	3,1
- Syndicat	5,5
- Association de défense de l'environnement	3,2
- Association de parents d'élèves	6,1
- Association de consommateurs	1,8
- Parti politique	1,8
- Autres associations	4,9

CREDOC

Plus de temps, moins d'argent

Le monde associatif, ou « tiers secteur », se situe entre le secteur public et le marché. Il vit des subventions du premier (près de 50 milliards d'euros en 2001) et des recettes du second (22 milliards d'euros). Il dépend aussi des dons des adhérents ou des bienfaiteurs. 43 % des Français versent de l'argent au moins une fois par an. 33 % le font en nature et 15 % donnent de leur temps. Les femmes sont plus concernées que les hommes (54 % contre 45 %), les personnes âgées plus que les jeunes (58 % de donateurs réguliers parmi les 50-64 ans contre 36 % chez les moins de 25 ans). Les sommes versées représentent environ 850 millions d'euros par an.

Les dons des particuliers tendent à stagner ou à diminuer en monnaie constante depuis 1995. Cette évolution s'explique en partie par les doutes sur la façon dont sont gérés les fonds recueillis, accrus par des affaires de corruption comme celle de l'ARC. Les associations dites « d'intérêt général » ont été les plus touchées par la baisse (10 % entre 1995 et 1998, près de 200 000 donateurs en moins). Celles reconnues d'utilité publique, qui reçoivent les trois quarts des dons, ont connu une forte chute en 1995. Les associations d'aide aux personnes en difficulté (Restos du cœur, Secours populaire...) ont vu en revanche les dons connaître une forte croissance.

nements de toute sorte : culturels, sportifs, humanitaires...

Les actions de proximité comme le bénévolat et le parrainage constituent des moyens de se montrer solidaire, de partager des expériences et d'assurer la continuité entre les générations. La motivation des personnes concernées n'est pas seulement désintéressée. Elle s'accompagne souvent d'une légitime recherche de lien social et d'épanouissement personnel.

Délinquance

Reprise

Evolution du nombre de crimes et de délits (en milliers) :

1950	1955	1960	1965	1970	1975	1980	1985	1990	1995	2000	2001
574	517	688	666	1 136	1 912	2 628	3 579	3 493	3 665	3 772	4 062

Ministère de l'Intérieur

Le nombre des délits s'est de nouveau accru en 2000 et 2001.

La baisse de la criminalité enregistrée en 1995 (6,5 %) avait été confirmée au cours des quatre années suivantes. Elle avait laissé espérer la fin du processus d'accroissement de l'insécurité engagé depuis la fin des années 50. Mais celui-ci a repris son cours en 2000 et 2001, avec des augmentations respectives de 5,7 % et 7,7 % du nombre des crimes et délits constatés par les services de police (73 % de l'ensemble) et de gendarmerie (27 %).

Le niveau constaté en 2001 (4 061 792 constats) est un record absolu. Même ramené à la population, qui a augmenté de plus d'un million entre 1993 et 2001, il est en augmentation par rapport à 1994, année du précédent record : 68,8 délits pour 1 000 habitants contre respectivement 67,8. Quatre régions enregistrent à elles seules plus de la moitié de la criminalité totale en France métropolitaine (54 %), alors qu'elles ne représentent que 43 % de la population : Ile-de-France, Provence Alpes-Côte d'Azur, Rhône-Alpes et Nord-Pas de Calais. A elle seule, l'Ile-de-France en concentre le quart (26 %), pour un cinquième de la population totale.

Le sentiment d'insécurité s'est accru en même temps que les chiffres de la délinquance. Il n'est pas étonnant qu'il ait été au centre de la campagne présidentielle en 2002. 76 % des Français estimaient en mars 2002 que la sécurité des biens et des personnes n'était pas satisfaisante et 72 % que la politique de lutte contre l'insécurité menée par le gouvernement était mauvaise (*Valeurs Actuelles*/BVA). Pourtant, la France est le pays d'Europe qui compte le plus de policiers et de gendarmes par habitant : un pour 265 contre seulement un pour 296 en Allemagne, un pour 380 au Royaume-Uni.

> 69 % des Français considèrent les bonnes manières comme l'une des valeurs les plus importantes à transmettre. Elles arrivent en troisième position, derrière le sens des responsabilités, alors qu'elles occupaient la sixième il y a vingt ans.

La délinquance a été multipliée par sept entre 1950 et 2001.

Le développement de la société de consommation a favorisé la montée de la délinquance. A partir du milieu des années 70, la crise économique et le chômage qui en est résulté ont aggravé les problèmes d'insertion et entraîné une forte hausse des délits. Mais l'évolution n'a pas été uniforme ; la décroissance régulière entre 1950 et 1955 a été suivie d'une remontée constante jusqu'en 1962. Entre 1963 et 1971, le nombre de délits a plus que doublé (+ 127 %, soit 10,8 % de croissance moyenne par an). Il a encore plus que doublé entre 1972 et 2001, malgré un retournement de tendance entre 1984 et 1988 (diminution de 15 %), puis une stabilisation entre 1995 et 1999. Il est passé

de 574 000 en 1950 à plus de 4 millions en 2001, alors que la population n'a augmenté que de 40 % pendant cette période. Le nombre de délits par habitant est passé de 14,1 en 1949 à 20,3 en 1969, 43,5 en 1979, 58,3 en 1989 et 61,0 en 1999, soit une multiplication par plus de quatre en un demi-siècle.

Cette forte hausse ne constitue pas un phénomène propre à la France. On la retrouve dans tous les pays de l'Union européenne depuis le milieu des années 50. Avec un taux de criminalité de 68 pour 1 000 habitants, la France occupe aujourd'hui une position moyenne, mais meilleure que celle de l'Allemagne, le Royaume-Uni et les pays Scandinaves (environ 100). Mais les comparaisons internationales doivent être considérées avec prudence, car les méthodes de comptabilisation ne sont pas identiques d'un pays à l'autre.

Discours sur la méthode

Le nombre des crimes et délits est l'addition d'éléments très différents dont les évolutions sont diverses et les gravités peu comparables. Il cumule des faits qui sont l'objet de plaintes ou de déclarations et d'autres que seuls les services concernés peuvent enregistrer (usage de stupéfiants, étrangers en situation irrégulière, infractions diverses...). Tous ne sont pas de même nature et leur nombre dépend parfois essentiellement de l'activité déployée par la police et la gendarmerie. Ainsi, une augmentation des délits constatés en matière de stupéfiants n'indique pas obligatoirement un progrès de la toxicomanie ; elle peut s'expliquer par une efficacité accrue des services concernés.

Par ailleurs, les chiffres ne comprennent pas les faits mentionnés en « main courante » des commissariats et non transmis à la justice, ni les infractions à la circulation routière, les fraudes fiscales ou douanières, celles du travail ou des services vétérinaires. Les faits qui n'ont pas de suite pénale et ceux qui ne sont pas signalés par les victimes échappent à la comptabilisation. A l'inverse, certains délits sont sans doute plus fréquemment déclarés par les victimes du fait de l'importance croissante de la police de proximité ou du meilleur accueil dans les commissariats.

Enfin, les comparaisons dans le temps ne sont pas toujours fiables car les méthodes utilisées pour comptabiliser la délinquance évoluent. La nomenclature mise en place en 1972 a été actualisée en 1988 et 1995 pour prendre en compte les modifications de la loi pénale. Les changements de la législation peuvent ainsi avoir des incidences sur le nombre des délits enregistrés ; c'est le cas par exemple des chèques sans provision, dont l'émission a été dépénalisée en décembre 1991. Pour toutes ces raisons, l'interprétation des chiffres globaux de la délinquance est délicate. Leur utilisation par les acteurs sociaux n'est pas non plus toujours objective.

La hausse du nombre des délits est surtout due à l'explosion de la petite délinquance.

Depuis 1950, le nombre des vols a été multiplié par 14. Dans la même période, celui des infractions économiques et financières était multiplié seulement par 9, celui des crimes et délits contre les personnes par 5. La criminalité liée aux stupéfiants a également connu une très forte hausse ; les faits constatés sont passés de quelques centaines jusqu'en 1968 à 92 000 en 2001. Il faut d'ailleurs noter que cette forme de délinquance en induit d'autres ; les utilisateurs sont souvent contraints de voler pour se procurer les sommes d'argent dont ils ont besoin pour s'approvisionner. En revanche, le taux d'homicides a baissé au cours des dernières années : 3,6 pour 100 000 habitants en 2001 contre 4,5 en 1990.

Les délits les plus graves ne sont donc pas ceux qui augmentent le plus. C'est la petite délinquance qui est la principale responsable de l'accroissement de l'insécurité. D'autant qu'elle s'accompagne de plus en plus fréquemment d'actes de violence ; depuis 1972, le nombre des infractions pour coups et blessures volontaires a été multiplié par quatre. Elle est souvent le fait de jeunes qui n'hésitent pas à sortir un couteau pour s'attaquer à un autre jeune, à un professeur, voire à un policier. Les armes sont de plus en plus présentes dans les quartiers sensibles où règne la terreur et qui sont devenues pour certaines des zones de non-droit.

La violence tend ainsi à devenir un mode d'expression. Elle s'exerce à l'école, dans la rue ou dans les stades, imitant parfois des scènes, réelles ou fictives, vues à la télévision ou au cinéma. Elle traduit la marginalisation d'une partie croissante de la population qui refuse les règles de la société et préfère vivre selon ses propres lois. Les taux de récidives, comme les « valeurs » défendues par certains délinquants, montrent qu'il sera difficile de les ramener dans un système qu'ils rejettent farouchement.

Sept fois plus de délits en cinquante ans

Evolution du nombre de délits par grande catégorie :

	1950	1960	1970	1980	1990	1995	2001
- Vols (y compris recels)	187 496	345 945	690 899	1 624 547	2 305 600	2 400 644	2 522 346
- Infractions économiques et financières	43 335	71 893	250 990	532 588	551 810	357 104	366 208
- Crimes et délits contre les personnes	58 356	53 272	77 192	102 195	134 352	191 180	279 610
- Autres infractions (dont stupéfiants)	285 102	216 656	116 540	369 178	500 950	716 392	893 628
TOTAL	**574 289**	**687 766**	**1 135 621**	**2 627 508**	**3 492 712**	**3 665 320**	**4 061 792**
- Taux pour 1 000 habitants	13,73	15,05	22,37	48,90	61,69	63,17	68,8

Ministère de l'Intérieur

Les vols représentent près des deux tiers de la délinquance.

La part des différentes catégories d'infractions varie peu. 62 % des délits constatés en 2001 étaient des vols (y compris les recels), en hausse de 8 % sur l'année. Ils arrivaient très loin devant les infractions économiques et financières (9 %), les crimes et délits contre les personnes (7 %) et les autres infractions (22 %, dont les stupéfiants).

Ce sont les vols avec violence sans arme à feu qui ont le plus augmenté (24 %). Il s'agit pour une large part de vols de portables à l'arraché : ils représentent la moitié de la catégorie à Paris. La forte hausse des cambriolages (12 %) concerne à la fois celle des résidences principales (+ 13 %), des résidences secondaires (+ 15 %) et des locaux industriels, commerciaux ou financiers (+ 14 %). Le risque d'être cambriolé au cours d'une année est de 1,3 %. Les vols à main armée ont progressé de 9 %, mais leur nombre reste inférieur à celui de 1993 (9 400 contre 11 200). Les vols de véhicules, et notamment de voitures, ont également augmenté (6 %), après voir diminué pendant plusieurs années.

Au total, la délinquance sur la voie publique, qui regroupe les infractions les plus durement ressenties par la population (cambriolages, vols de véhicules, vols à la roulotte, vols à la tire, destructions et dégradations, vols avec violence et à main armée) a connu une forte hausse (9 %). Elle marque une rupture de tendance, après le recul enregistré entre 1994 et 1999, qui suivait une hausse ininterrompue entre 1987 et 1993. Elle reste néanmoins en-dessous du niveau atteint en 1994 (2 337 000 faits contre 2 430 000). Sa part dans la délinquance générale est de 58 %.

La protection des biens, une préoccupation croissante

Resonnances & Cie

Les crimes et délits contre les personnes ont progressé de 10 % en 2001.

Cette catégorie connaît une hausse continue depuis 1972. Mais on a enregistré en cinq ans un doublement des délits : 280 000 délits en 2001 contre 134 000 en 1995. Dans le même temps, les vols avec violence ou avec armes ont augmenté de 83 %. Cette recrudescence s'explique

Vols et violences			
Evolution récente du nombre de vols :			
	2000	2001	Variation (%)
- Vols à main armée	8 613	9 363	+ 8,71
- Autres vols violents	101 223	124 918	+ 23,41
- Vols avec entrée par ruse	14 670	15 492	+ 5,6
- Cambriolages	370 993	416 297	+ 12,21
- Vols liés à l'automobile et aux deux-roues à moteur	1 071 234	1 139 762	+ 6,40
- Autres vols simples	735 337	783 096	+ 6,49
- Recels	32 626	33 418	+ 2,43
Total des vols	**2 334 696**	**2 522 346**	**+ 8,04**

Ministère de l'Intérieur

à la fois par l'évolution sociale et par l'amélioration de la protection des biens matériels (serrures renforcées, alarmes, digicodes...). Les délinquants sont donc amenés à s'attaquer aujourd'hui aux personnes, qui sont plus vulnérables que leurs biens. Les principales victimes sont d'ailleurs les personnes âgées, les mineurs et les femmes.

Les coups et blessures volontaires représentent près de la moitié de l'ensemble (42 %). Les infractions contre la famille et l'enfant sont également en forte progression (7 %), du fait des délits concernant la garde de mineurs. Cette hausse est liée en partie au fait que les victimes ou les témoins de violences, mauvais traitements et abandons d'enfants hésitent moins que par le passé à les dénoncer. Les atteintes aux mœurs sont en croissance de 6 %. Le nombre d'homicides est en revanche pratiquement stable depuis des années aux alentours de 1 000 par an, un chiffre comparable à celui des tentatives d'homicides.

Agressions			
Evolution récente du nombre de délits contre les personnes :			
	2000	2001	Variation (%)
- Homicides	1 051	1 046	- 0,48
- Tentatives d'homicide	1 115	1 243	+ 11,48
- Coups et blessures volontaires	106 484	116 568	+ 9,47
- Autres atteintes volontaires contre les personnes	70 026	79 885	+ 14,08
- Atteintes aux moeurs	33 538	35 451	+ 5,70
. dont viols	*8 458*	*9 574*	*+ 13,19*
- Infractions contre la famille et l'enfant	42 300	45 417	+ 7,37
Total	**254 514**	**279 610**	**+ 9,86**

Les violences sexuelles s'accroissent de façon préoccupante.

11 % des femmes de 20 à 59 ans disent avoir été agressées (la moitié avant l'âge de 17 ans), 8 % ont été victimes de viols ou de tentatives, 1 % des filles de 1 à 19 ans disent avoir été violées. Le nombre de condamnations pour viols sur mineurs a ainsi été multiplié par quatre entre 1987 et 1998 ; 316 garçons de moins de 18 ans étaient concernés, dont 33 avaient moins de 13 ans. Dans les banlieues, on a vu apparaître les « tournantes », soirées au cours desquelles des filles sont violées par un groupe de garçons. Ces viols collectifs représentent plus de 5 % des agressions ; dans un cas sur quatre, la victime est une mineure.

Les violences sexuelles constituent aujourd'hui la première cause d'incarcération, avec plus d'un détenu sur cinq (pour une durée moyenne de neuf ans). On a enregistré plus de 2 000 condamnations pour viol en 2001 contre 700 en 1990. Les violeurs sont de plus en plus jeunes ; près de 500 ont été condamnés en 2000. Les autres formes de délits sexuels comme les agressions, le harcèlement ou l'exhibitionnisme ont aussi augmenté de façon sensible : 9 000 en 2000 contre moins de 6 000 en 1995.

Violences ordinaires

La violence est apparente au quotidien dans le vocabulaire, les attitudes et les comportements. Elle s'exprime dans tous les lieux publics ou privés : cours de récréation, classes, routes, stades, familles, entreprises. En février 2002, 22 % des Français disaient avoir été victimes d'agressions verbales au cours des douze derniers mois, 17 % d'actes de vandalisme, 12 % de vols de voitures, 11 % de cambriolages, 11 % de vols ou de racket, 5 % d'agressions physiques (Ministère de l'Intérieur/BVA).

Les agressions avec coups et blessures sont en nette augmentation. Le nombre des vols et cambriolages s'accroît depuis plus de quarante ans, tout en suivant l'évolution de la société de consommation ; le vol de portable a remplacé celui de la mobylette. La violence perpétrée à l'école a pris des proportions inquiétantes. Elle s'exerce à la fois contre les élèves, les professeurs ou les bâtiments et va parfois jusqu'à l'homicide, comme en témoigne l'actualité. Les stades, les centres commerciaux ou les rues sont des lieux d'affrontement entre des bandes rivales.

Il est évidemment difficile de se prononcer sur les causes de cette évolution. La rapidité des changements, au plan national et international, ont rendu la vie plus difficile et plus incertaine. Les informations diffusées par les médias confirment l'impression des Français que la société est une jungle dans laquelle ne survivent que les plus forts. Certains jeux proposés par la télévision sont à cet égard révélateurs : tous les moyens sont bons pour éliminer les concurrents (délation, ententes...). L'influence des médias sur la violence est de plus en plus largement reconnue et dénoncée. Certaines études indiquent que la pratique du sport favoriserait aussi l'agressivité individuelle.

Faute de certitudes absolues, les partisans de l'ordre et de la répression se heurtent aux tenants de la prévention et du dialogue. Mais ce sont les premiers qui se sont exprimés avec le plus de force lors de la dernière élection présidentielle.

Le poids des images

On est tenté de rapprocher l'accroissement spectaculaire du nombre de viols de l'évolution de l'image qui est donnée de la sexualité par l'imagerie collective : magazines, publicité, télévision, cinéma, Internet. Le cinéma pornographique fait une place croissante à la violence et à la soumission ; les films concernés sont regardés par des spectateurs de plus en plus jeunes. La diffusion sur Internet de vidéos à caractère pornographique violent est une autre illustration de l'évolution en cours.

On observe que nombre de violeurs sont de fervents adeptes de ces images. Des études montrent par ailleurs que les personnes exposées à la violence dans les médias tendent à être plus agressives que les autres. C'est pourquoi certains psychiatres se demandent aujourd'hui si les vertus cathartiques de ces productions, mises en avant depuis les années 70, ne sont pas une illusion destinée à servir une idéologie libertaire.

La pédophilie pourrait aussi être favorisée par l'accès facile à des images interdites. La loi du silence a longtemps régné sur ces affaires, entretenue par certaines institutions, banalisée ou encouragée par certains intellectuels. On estime que, chaque année, environ 150 enseignants sont convaincus de violences sexuelles envers leurs élèves. En 2001, une trentaine de prêtres attendaient de répondre de leurs actes devant la justice.

Ce sont les infractions économiques et financières qui ont le moins progressé.

L'ensemble des fraudes fiscales, celles concernant l'urbanisme, les prix et la concurrence, les achats et ventes sans facture et le travail clandestin, s'est accru de 4 % en 2001, du fait notamment de la hausse des escroqueries, faux et contrefaçons (+ 5 %). Les autres infractions, liées à la délinquance économique proprement dite, ont baissé de plus de 8 %. La délinquance sur les machines à sous clandestines est en forte augmentation mais elle échappe très largement aux inspections.

Les délits concernant les chèques ont diminué de 8 %, car la plupart entrent dans le cadre de la dépénalisation des chèques sans provision initiée en 1991. Les falsifications et usages frauduleux des cartes bancaires ont diminué de 12 %, après la très forte augmentation des années précédentes. Elle avait amené les associations de consommateurs à réagir auprès des banques afin d'améliorer la sécurité des transactions. Enfin, les escroqueries et abus de confiance ont progressé de 8 %.

> La proportion de délinquants jugés irresponsables de leurs actes pour maladie mentale est passée de 17 % en 1980 à 0,2 % en 1997, à la suite d'une modification du Code pénal en 1993.

Escroqueries à la carte

Evolution récente des infractions économiques et financières :

	2000	2001	Variation (%)
- Escroqueries, faux et contrefaçons, dont :	317 044	334 064	+ 5,37
. escroqueries et abus de confiance	*142 583*	*154 107*	*+ 8,08*
. falsifications et usages de chèques	*114 346*	*125 704*	*+ 9,93*
. falsifications et usages de cartes de crédits	*48 997*	*43 340*	*- 11,55*
- Délinquance économique et financière	18 501	16 851	- 8,92
- Infractions à la législation sur les chèques (sauf usages de chèques volés)	16 619	15 293	- 7,98
Total	**352 164**	**366 208**	**+ 3,99**

Ministère de l'Intérieur

Les délinquants sont de plus en plus jeunes...

Si les délinquants sont de plus en plus violents, ils sont aussi de plus en plus jeunes. Le nombre de mineurs mis en cause pour des délits a augmenté de près de 40 % entre 1995 et 2001 ; il représentait 21 % de l'ensemble des mises en cause en 2001 et 36 % des faits de délinquance de voie publique. L'âge moyen des personnes qui comparaissent devant un tribunal ne cesse de diminuer : 15 000 enfants de moins de 16 ans ont été condamnés en 1999, contre 3 300 en 1995. Les garçons en représentent plus de 90 %. Contrairement à une idée reçue, la proportion d'étrangers parmi les délinquants mineurs est en baisse : un sur dix en 2000 contre un sur sept en 1996. Elle est cependant supérieure à leur poids dans la population (6 %). Les jeunes sont aussi en première ligne pour les infractions concernant les stupéfiants, qui représentent un quart de l'ensemble des délits. Elles ont connu en 2001 une baisse de 12 %, mais il est difficile de savoir si elle est due à celle de la vente et de la consommation ou à un plus grand libéralisme à son égard.

Face à cette montée de la délinquance des mineurs, les Français se raidissent. 63 % considéraient en novembre 2001 que la justice doit les traiter comme des adultes, contre 52 % en janvier 1999 et 43 % en décembre 1997 (*Paris-Match*/BVA). La proportion variait selon l'appartenance politique : 90 % chez les sympathisants du Front national, 73 % chez ceux de la droite parlementaire, 57 % chez ceux de la gauche et des écologistes. 70 % se prononçaient en faveur du rétablissement des maisons de correction (59 % en décembre 1997).

... et ne sont pas toujours conscients de leurs actes.

D'après une enquête menée par le sociologue Sebastian Roché, 74 % des 13-19 ans ont commis des actes de délinquance, mais seuls 2 % se sont fait prendre pour des petits délits, 7 % pour des faits plus sérieux. Les trois quarts des adolescents concernés affirment que quelqu'un les a vus, mais bien peu ont été dénoncés ou seulement sermonnés par des témoins. Cette indifférence et l'impunité dont ils bénéficient réduisent l'idée qu'ils se font de la gravité de leurs actes.

La liberté n'implique pas le droit à la délinquance

La violence est le quotidien de ces jeunes souvent défavorisés, qui vivent selon des règles d'un autre temps, où seule comptait la force et sa démonstration. Elle se nourrit d'un refus de la société et de toutes les

Sauvageons ou victimes ?

La délinquance en provenance des « quartiers sensibles » est indéniable, même si elle est parfois exagérée (des voitures ne sont pas brûlées tous les jours dans les banlieues ; il arrive en revanche qu'elles le soient à la demande d'équipes de télévision...). Mais, contrairement à ce qui est souvent dit, elle n'est pas gratuite. Les jeunes habitant ces quartiers y sont généralement attachés. C'est pourquoi ils cherchent à préserver, parfois par la violence, des territoires qui leur servent de terrain de jeu et de lieu de vie.

La violence est pour eux le moyen d'exprimer une révolte contre une société qu'ils perçoivent comme injuste. Certains ont tenté de la canaliser dans des mouvements ayant une vocation culturelle : la fin des années 80 a vu apparaître le *hip-hop*, le *rap*, le *break* et les *tags*. Mais ces activités n'ont pas empêché la montée d'un sentiment de « rage » ou de « haine » envers les institutions, conséquence d'une ségrégation croissante à l'égard des « populations à risque », matérialisée par la création de ghettos en périphérie des villes. Le principe de l'égalité des chances et de traitement leur est apparu comme une hypocrisie dans un contexte de chômage, de contrôles au faciès, de montée du racisme et de l'extrême droite. L'absence d'assistance familiale, de reconnaissance sociale et de perspectives d'avenir est lourde à porter dans une société qui glorifie la réussite, la puissance et l'argent.

Face à cette montée de la violence, certains Français condamnent de façon définitive les actes des « sauvageons » de banlieue. D'autres, au contraire, font preuve à leur égard d'un angélisme souvent mâtiné de « jeunisme ». Deux attitudes également excessives, davantage empreintes d'arrière-pensées politiques ou idéologiques que d'une réelle volonté de compréhension face à un problème qui est posé à l'ensemble de la collectivité.

La solution passe sans doute par des efforts de considération et d'intégration de la part de la société à l'égard de ces jeunes, mais aussi par des sanctions lorsque ces efforts ne sont pas réciproques et que la loi commune n'est pas respectée.

formes d'autorité, institutionnelle et surtout parentale. La violence des banlieues accompagne celle de la société en général. Il est possible même qu'elle la précède et laisse entrevoir ce que pourraient être demain les affrontements entre groupes sociaux dans une société déboussolée.

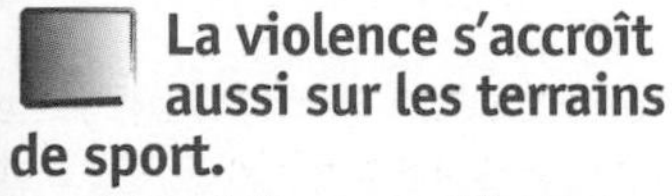

La violence s'accroît aussi sur les terrains de sport.

Les fêtes et les rassemblements populaires sont de plus en plus souvent l'occasion d'actes de violence. Ils sont particulièrement fréquents dans les stades, où les *hooligans* ne constituent pas une exception britannique. Un nombre croissant de spectateurs et de supporters français ne se rendent plus dans les stades pour assister à un spectacle sportif, mais pour voir gagner leur équipe à tout prix. Les débordements sont particulièrement fréquents au cours des matchs de football. Mais cette attitude est aussi celle des joueurs, dont certains sont prêts à tout (tricher, faire des fautes, agresser un adversaire) pour obtenir la victoire.

La professionnalisation du sport, l'importance croissante de l'argent et les pressions exercées par l'environnement (entraîneurs, sponsors, médias, public) expliquent que le résultat est aujourd'hui plus important que la manière ou le plaisir de jouer, et que les règles ne sont plus respectées. Cette évolution est d'autant plus préoccupante que les sportifs sont les héros de l'époque et qu'ils exercent sur les jeunes une influence grandissante.

De nouvelles formes de délinquance se développent.

Le vandalisme est une manifestation fréquente et visible de l'incivilité. A Paris, les graffitis, saccages de véhicules et de lieux publics ont progressé de 75 % entre 1994 et 2001. Ils concernent principalement les quartiers périphériques de l'Est et de l'Ouest. Mais d'autres formes de délinquance, plus modernes, sont apparues. C'est le cas notamment des fraudes technologiques, qui concernent les télécommunications, les détournements d'usage des téléphones cellulaires, les contrefaçons de logiciels, les altérations des systèmes de traitements informatisés, ou les atteintes aux libertés individuelles.

Le développement d'Internet, réseau impossible à surveiller à l'échelon planétaire, a considérablement augmenté le champ d'action du « vandalisme en col blanc ». Le développement du commerce électronique est ainsi freiné par les risques d'escroqueries portant sur les cartes bancaires. Plus encore, la multiplication des virus informatiques représente un coût gigantesque pour les entreprises

Le poids des mots

La violence prend des formes diverses. Elle peut être contenue dans un regard, un geste ou un simple mot. Interprétés comme des agressions et un manque de « respect », ils sont souvent à l'origine de bagarres, parfois de meurtres. 40 % des agressions relevées à l'école relèvent ainsi de la violence verbale. Le manque de vocabulaire constaté chez certains jeunes les empêche de réfléchir et limite leur capacité à communiquer. Il interdit le sens de la nuance et radicalise les rapports sociaux. La lutte contre l'illettrisme est sans doute une première façon de lutter contre la violence.

et pour les particuliers ; en mai 2000, les dégâts provoqués par le virus *I love you* et ses variantes avaient représenté plusieurs milliards de dollars dans le monde, en détruisant des fichiers de toutes sortes. Ces attaques deviennent une menace majeure pour les réseaux informatiques et pour les sociétés ; d'une dizaine en 1988, leur nombre est aujourd'hui supérieur à 50 000, dont un tiers capables de détruire ou d'endommager les ordinateurs.

Environ 450 000 condamnations sont prononcées chaque année.

Parmi les 4 millions de délits constatés en 2001, un million seulement ont été élucidés par les services de police et de gendarmerie. Le taux varie considérablement selon les délits : il est de 100 % pour les infractions concernant l'usage de stupéfiant ou les vols à l'étalage (résolus en même temps qu'ils sont constatés), 75 % pour les homicides, 70 % pour les coups et blessures volontaires, mais 8 % pour les cambriolages et 3 % pour les vols à la tire. Les hommes représentent 86 % des personnes mises en cause, les étrangers 19 %.

Le nombre des condamnations annuelles se rapproche du demi-million (à l'exception de 1995, année d'amnistie pour cause d'élections présidentielles, avec seulement 343 000) et conduisent à environ 50 000 mises en détention. La population carcérale représentait en 2001 moins de 50 000 personnes. Après la hausse constatée entre 1990 et 1995 (55 000 contre 49 000), la baisse qui a suivi s'explique en partie par la diminution de la part des prévenus en attente de procès : 35 % contre 40 % en 1995. Environ 40 % des condamnés ont commis des atteintes contre les personnes, un tiers contre les biens.

96,5 % des détenus sont des hommes. Ils ont en moyenne connu la vie de couple deux ans plus tôt que les autres hommes et ont eu leur premier enfant deux ans plus tôt. 40 % ont déjà subi une rupture conjugale avant leur incarcération, contre 18 % des autres hommes. 60 % des détenus n'ont pas de conjoint. La durée moyenne de détention ne cesse d'augmenter, de même que l'âge moyen des détenus et leur niveau d'instruction. Cette évolution est due en particulier à l'importance croissante prise depuis quelques années par la délinquance en col blanc.

> 80 000 étrangers en situation irrégulière ont bénéficié de la procédure de régularisation qui a suivi la circulaire de juin 1997.
Une trentaine de métiers ne peuvent être pratiqués que par des titulaires de diplômes français : chirurgiens-dentistes, puéricultrices, coiffeurs.. Ils représentent au total près de 1,5 million d'emplois.
> En 2000, la police a interpellé 90 000 étrangers sans papiers, dont la moitié aux frontières.
Les associations occupent 1,7 million de personnes, soit 5 % des salariés.
> La population des « gens du voyage » (Tsiganes, Manouches, Gitans, Yéliches, Rom...) représente environ 300 000 personnes, presque toutes de nationalité française, répartie presque par tiers entre itinérants, semi-sédentaires et sédentaires.
> Les cambrioleurs passent par la porte dans 80 % des cas, par la fenêtre dans 15 %.
> 55 % des voitures volées ont plus de cinq ans, 32 % ont entre deux et cinq ans, 12 % moins de deux ans.
> Sur cent déclaration de vol de voitures, 61 % concernent des vols d'accessoires ou d'objets à l'intérieur, 26 % sont retrouvées endommagées, 13 % ne sont pas retrouvées.
> Avec 55 délits constatés pour 1 000 habitants, la Corse se place en neuvième position des régions françaises. Elle arrive cependant en tête pour le nombre de crimes de sang, malgré une diminution régulière : 38 homicides en 2000 contre 63 en 1993. Le taux d'élucidation reste faible : plus d'un crime sur deux n'est pas résolu, contre un sur cinq en moyenne nationale.
> Les bagarres entre bandes font au moins une trentaine de morts chaque année.
> L'opération « pièces jaunes » mise en place depuis 1994 a recueilli 44 millions de francs en 2000 (333 millions de pièces pesant 1 100 tonnes).

Les institutions

Etat

L'Etat emploie près de 6 millions de personnes.

Depuis sa création par Bonaparte en 1800, le secteur public a connu une croissance impressionnante. Quelque 6 millions de Français travaillent aujourd'hui à son service, soit 23 % des actifs (voir p. 311). Leur part a doublé depuis 1970 (12 %), elle a quadruplé depuis 1936 (6 %)), quintuplé depuis 1870 (5 %). Parmi les pays développés, la France est l'un de ceux qui emploient le plus de fonctionnaires en proportion de la population, juste derrière les pays scandinaves et la Belgique (contrainte de doubler les effectifs, du fait de sa double nationalité wallonne et flamande).

La croissance spectaculaire de l'Etat après la Seconde Guerre mondiale a permis de faire face aux besoins de reconstruction. Elle s'est poursuivie ensuite avec la croissance économique et le progrès social, qui ont accru le nombre des tâches improductives laissées à sa charge. Elle s'est appuyée sur une culture jacobine qui confère aux administrations un rôle déterminant sur la vie économique et sur celle des citoyens. La loi sur les 35 heures est l'une des récentes illustrations d'une tendance nationale ancienne, qui donne la primauté au politique sur l'économique afin de peser sur le social.

Les citoyens sont critiques à l'égard des institutions.

Depuis Mai 68, le fossé se creuse entre les citoyens et les institutions. Il s'élargit aussi entre le « peuple » et les « élites », le premier estimant que les secondes sont déconnectées de la réalité. Il suffit pour s'en convaincre d'examiner l'image des hommes politiques dans les sondages ou l'accroissement des chiffres d'abstention aux élections. Le score des partis protestataires (extrême-droite et extrême-gauche) à la présidentielle de 2002 est un révélateur de l'hostilité envers les technocrates issus des grandes écoles.

Même s'il a commencé à se désengager de certaines activités qui ne sont pas directement stratégiques (transport aérien, chemins de fer, télécommunications...), l'Etat est encore présent dans la quasi-totalité des services d'intérêt général. C'est ce qui explique que les citoyens le rendent souvent responsable des difficultés qu'ils vivent au quotidien. Au fil des années de crise, la plaie du chômage et le sentiment d'un accccroissement des inégalités ont entamé le crédit des institutions. L'absence d'un « grand projet » collectif et la multiplication des « affaires » ont aussi pesé dans cette désaffection.

Aujourd'hui, les Français jugent l'Etat à la fois trop présent et trop

La société de défiance

Le rapport que les Français entretiennent avec l'ensemble de leurs « fournisseurs » fait apparaître un sentiment de méfiance croissant. Qu'il s'agisse des institutions, des fabricants, des distributeurs, des prestataires de services ou du corps médical, les individus citoyens consommateu sont de plus en plus attentifs aux promesses non tenues, aux fautes commises, aux mensonges proférés et n'hésitent pas à les sanctionner.

Ils sont de plus en plus nombreux à manifester leur mécontentement en cas de problème, utilisant pour cela tous les moyens : explications face à face ; appels téléphoniques ; courriers aux entreprises ou aux administrations ; recours aux médias, aux associations de consommateurs ou au médiateur de la République... Certains vont jusqu'à intenter des procès pour faire reconnaître les fautes commises et obtenir réparation.

Cette évolution traduit la reconnaissance de l'individu par rapport à la collectivité et son attitude de « client » à l'égard des institutions. Elle montre qu'un rééquilibrage à leur profit est en cours dans leurs rapports avec les institutions. Mais elle pèse sur le climat social et sur l'image de ceux qui détiennent le pouvoir politique ou économique. Si 63 % des Français disent avoir plutôt confiance dans les fonctionnaires (30 % non), 75 % ne font pas confiance aux hommes politiques, contre 18 % (Groupe de journaux de province/Sofres, juin 2001).

lointain ; ils considèrent les institutions comme des entités peu efficaces. Mais ils mettent davantage en cause leur fonctionnement que leur existence, à laquelle ils restent attachés. 82 % ont ainsi plutôt confiance dans l'école, 72 % dans la police, 67 % dans l'armée, mais 57 % seulement dans le Parlement, 51 % dans les lois, 45 % dans la justice, 42 % dans les syndicats (Groupe de journaux de province/Sofres, juin 2001).

Les services publics suscitent attachements et critiques.

Ce n'est généralement pas le caractère public des services de l'Etat qui est mis en cause par les citoyens, mais ses défauts : lenteur, lourdeur, qualité d'accueil insuffisante, horaires peu pratiques, incapacité à régler les problèmes des « usagers » (un terme condamné par ceux à qui il s'applique, qui se considèrent plutôt comme des clients)... Les Français acceptent de moins en moins de devoir faire la queue aux caisses de la Sécurité sociale. Ils attendent davantage de considération et d'efficacité et constatent dans ces domaines une différence importante avec le secteur privé qui, poussé par la concurrence, a amélioré la qualité des services et a placé le client au centre de sa démarche.

Surtout, les Français supportent de moins en moins d'être pris en otages par les grévistes des services publics. Ils étaient ainsi 82 %, en avril 2001, à demander que la loi impose aux salariés des entreprises de transports publics un service minimum en cas de grève (*Le Figaro*/BVA). La proportion était à peine moins forte chez les sympathisants de la gauche plurielle (78 %) que chez ceux de la droite modérée (88 %). Fait révélateur, elle était également comparable entre les salariés du secteur public (79 %) et ceux du privé (82 %). Les habitants de la région parisienne étaient les plus nombreux (89 %). C'est donc sans grand risque d'impopularité que cette proposition a été reprise par le candidat Chirac à l'élection présidentielle.

Loin des yeux, près du coeur

LES services publics qui recueillent les taux de satisfaction les plus élevés auprès des Français sont les fournisseurs d'énergie : Gaz de France (89 % de satisfaits) et Électricité de France (85 %). Les services de communication arrivent juste derrière : La Poste (76 %) et France Télécom (73 %). Viennent ensuite les services de transport : bus (68 %), trains (67 %) et métros (66 %).

On observe cependant que le taux de satisfaction à l'égard des services publics tend à diminuer avec leur fréquentation. Ainsi, les agences GDF et EDF n'ont été visitées au cours des douze derniers mois que par respectivement 10 % et 25 % des Français, contre 50 % pour celles de La Poste, 40 % pour les agences France Télécom et environ 33 % pour les guichets de la SNCF ou de la RATP.

Les critiques les plus nombreuses concernent des services dont le rôle est associé à des problèmes collectifs ou individuels. C'est le cas notamment de l'Agence nationale pour l'emploi (35 % seulement de satisfaits), de la police nationale (37 %, contre 76 % pour la Gendarmerie) et de la Sécurité sociale (40 %).

Init Satisfaction, mars 2002

Les services publics doivent être compétitifs

Les Français reprochent à l'Etat d'être un mauvais gestionnaire...

En 2000, la part des dépenses des administrations publiques dans le PIB atteignait 51 % en France, contre 48 % en Allemagne, 40 % au Royaume-Uni, 38 % en Espagne et au Japon, 30 % aux Etats-Unis. Parmi les pays développés, la France arrive en troisième position, derrière la Suède et le Danemark, où le taux est d'environ 55 %.

Les dépenses de protection sociale comptent pour 30 % du PIB ; leur poids a doublé depuis 1970. Le coût de la santé s'est considérablement accru, et certaines études montrent qu'il est plus élevé, à couverture et qualité égales, que dans d'autres pays comme l'Allemagne (l'écart serait supérieur à 15 milliards d'euros par an). En 2001, les cotisations sociales représentaient 20 % du PIB, un taux supérieur à celui constaté dans des

pays comparables, alors que le taux de remboursement est l'un des moins élevés du monde (73 %). Le coût croissant de l'éducation est lui aussi mis en question, dans la mesure où les effectifs scolaires diminuent (voir *Instruction*).

La conséquence est que la fiscalité qui pèse sur les citoyens est très lourde : 45 % de prélèvements obligatoires (impôts et cotisations sociales) en 2001, contre 40,6 % en 1980. Un taux qui n'est dépassé parmi les pays développés que par la Suède, le Danemark et la Belgique. Pourtant, malgré l'ampleur de l'impôt, la dette publique française est l'une des plus élevées du monde : 839 milliards d'euros en 2001 (57 % du PIB), soit 34 000 € par ménage. Le seul paiement des intérêts de la dette représente chaque année 14 % des dépenses de l'Etat, soit 1 500 € par ménage.

... de produire trop de lois...

L'un des rôles majeurs de l'Etat est de renouveler le droit et de le faire évoluer en même temps que les besoins de la société. Mais cette mission l'a conduit à exercer sur les citoyens et les entreprises un véritable « harcèlement textuel ». On estime le nombre de textes réglementaires (lois, décrets, arrêtés...) à 520 000 et celui des textes législatifs à 7 700 ; seules les années électorales correspondent à des pauses, les députés étant mobilisés par les campagnes.

Le droit perd de son sens lorsque la multiplicité et la complexité des textes le rendent flou, autorisent des interprétations contradictoires et accordent plus de place aux exceptions qu'à la règle générale. Cette évolution renforce en outre l'inégalité des citoyens devant la loi. Les procédures judiciaires et administratives sont aussi très lourdes, ce qui fait perdre beaucoup de temps et d'argent à ceux qui sont contraints d'y recourir.

Enfin, le droit national est souvent en contravention avec des règles édictées au niveau européen. La France est ainsi avec l'Espagne le pays de l'Union qui commet le plus d'infractions dans la transposition des directives européennes ; 394 dossiers étaient ainsi en cours en 2001. Les infractions les plus nombreuses concernent l'environnement et les questions liées au marché intérieur.

... et de ne pas les faire respecter...

Les citoyens ont le sentiment que l'Etat n'est pas en mesure de faire appliquer les lois qu'il a produites. Des indépendantistes corses peuvent ainsi commettre impunément des attentats et l'assassin présumé d'un préfet de la République reste introuvable après plusieurs années de recherches. Des agriculteurs antimondialistes détruisent des plantations expérimentales de maïs génétiquement modifié au mépris de la loi et de la recherche. Des jeunes organisent sans autorisation des *rave parties* aux conséquences coûteuses pour les municipalités concernées sous l'œil complaisant (et surtout impuissant) des gendarmes. Des grévistes cassent l'outil de travail de leur entreprise ou prennent des clients en otages sans en assumer les conséquences juridiques et financières. Les enquêtes font apparaître l'agacement des citoyens face à une délinquance quotidienne qui leur paraît trop peu sanctionnée : vols, agressions, trafic de drogue... Ils ne comprennent pas non plus que la police ne pénètre jamais dans certains quartiers sensibles.

Le sentiment s'est ainsi diffusé que la loi n'est pas appliquée, faute de moyens ou de courage politique. Il est aggravé par l'impression que la justice n'est pas la même pour tous ; si elle ne s'intéresse guère aux marginaux et aux délinquants, elle exonère parfois les puissants et laisse opérer des groupes structurés qui paralysent l'activité économique et font subir des préjudices aux citoyens. Il n'est guère surprenant, dans ce contexte, que les thèmes de la sécurité et de la justice aient été au centre des débats qui ont précédé l'élection présidentielle de 2002.

... ni de les respecter lui-même.

L'Etat s'applique rarement à lui-même les règles qu'il impose aux citoyens. Jusqu'en 2002, il n'hésitait pas à payer de façon occulte et en liquide les primes de certains fonctionnaires. Les fonds de pension, interdits aux salariés du privé, sont proposés depuis longtemps aux fonctionnaires (Préfon) ou aux élus locaux (Fonpel). De nombreuses constructions publiques sont entachées d'irrégularités (ponts, routes, bâtiments publics). Mauvais gestionnaire, l'Etat est aussi mauvais payeur, que ce soit à l'égard des prestataires du bâtiment et des travaux publics ou des simples citoyens. En cas de retard, les intérêts qu'il verse sont de moitié inférieurs à ceux qui lui sont dus par les débiteurs. Contrairement à eux, il est d'ailleurs insaisissable.

L'Etat est aussi parfois juge et partie. Ainsi, le Conseil d'Etat assure à la fois les fonctions de conseil du gouvernement et d'arbitre final dans les contentieux entre les pouvoirs publics et les citoyens. Les tribunaux administratifs sont généralement composés de hauts fonctionnaires qui peuvent difficilement juger avec objectivité les administrations et les services publics. Les ingénieurs des Directions départementales de l'équipement et de l'agriculture proposent, à titre libéral, leurs services aux collectivités locales (assurant notamment la maîtrise d'ouvrage) ce qui peut les inciter à délivrer certaines autorisations.

Enfin, l'Etat a tendance à ne pas appliquer à ses agents les lois qu'il impose aux autres travailleurs. La loi sur les 35 heures, d'abord appliquée au privé, ne l'a été que tardivement aux fonctionnaires qui n'en voulaient pas. Il faut à ce propos préciser que l'Etat est le plus grand pourvoyeur d'emplois précaires de France, avec un quart de non statutaires parmi les 2,5 millions de personnes qu'il emploie directement (notamment dans les collectivités locales).

Les Français attendent une réforme de l'Etat...

Les caractéristiques du modèle étatique national ont permis pendant des décennies à la France de concilier le développement économique et la justice sociale, grâce notamment à la politique industrielle des grands projets, au contrôle du marché du travail et des capitaux. Mais la tendance à la centralisation est peu adaptée à un monde complexe et mobile. De même, l'accroissement continu des dépenses est contraire à la recherche de l'efficacité.

Les effectifs du secteur public sont pléthoriques dans certains domaines ; le nombre des enseignants a ainsi continué d'augmenter au cours des dernières années alors que celui des élèves diminuait. Ils sont en revanche insuffisants dans d'autres secteurs. C'est le cas notamment de la justice ; entre 1985 et 1995, le nombre des juges a augmenté dix fois moins que le nombre de contentieux civils). Ils sont souvent mal répartis en fonction des besoins réels des régions, des départements ou des communes, tels ceux de la police ou de la gendarmerie.

Combien ça coûte ?

L'un des problèmes majeurs de la France est que la gestion publique coûte plus cher, à qualité égale, que dans les autres pays européens. Les dépenses publiques engloutissent 51 % du PIB français, contre 44 % en moyenne au sein de l'Union européenne. Cet écart de sept points représente un surcoût annuel un peu supérieur à 100 milliards d'euros, soit 15 % des dépenses publiques ou deux fois le montant de l'impôt sur le revenu (*Le grand gaspillage*, Jacques Marseille). Il n'apparaît pas plus justifié par l'existence mesurable d'un meilleur niveau d'instruction, de santé, d'emploi ou de richesse que dans les autres pays développés. Le taux de remboursement des dépenses de santé est en effet l'un des plus faibles d'Europe, celui du chômage l'un des plus élevés et le PIB par habitant des Français se situe désormais au douzième rang des quinze pays de l'Union européenne.
Chaque année, les rapports de la Cour des Comptes mettent en évidence les gaspillages pratiqués dans les administrations, au niveau national, régional ou local. Les dysfonctionnements du système hospitalier, la non utilisation des médicaments génériques ou la multiplication des consultations médicales coûtent chaque année plus de 20 milliards d'euros. L'excédent estimé du nombre des fonctionnaires représente un montant annuel de près de 30 milliards d'euros. La loi sur les 35 heures aura coûté 40 milliards d'euros entre 2000 et 2002, soit plus de 140 000 € par emploi créé, ou dix années de salaire d'un actif.

L'exception française

Partout, dans les pays développés, la réforme de l'Etat a été ou est aujourd'hui une priorité. Le Royaume-Uni, l'Australie, la Nouvelle-Zélande, l'Italie, l'Allemagne, les Pays-Bas, le Canada, la Suisse et la quasi totalité des autres pays développés se sont engagés dans des transformations profondes et courageuses concernant les dépenses publiques et les processus de décision.
La France reste ainsi l'un des seuls pays à ignorer le salaire au mérite des fonctionnaires, la décentralisation des responsabilités, la professionnalisation du service public, le respect des clients-citoyens lors des grèves. Elle a accordé aux fonctionnaires des avantages importants, dont certains sont de véritables privilèges (garantie de l'emploi, cotisations sociales, niveau de retraite...). Au risque de rendre de plus en plus difficile la cohabitation entre deux catégories de citoyens qui ne vivent pas dans le même monde. Louis XIV déclarait déjà il y a plus de trois siècles : « En matière d'administration, toutes les réformes sont odieuses. »

> 33 % des agents de la fonction publique territoriale sont non titulaires, contre 12 % dans celle de l'Etat.

... mais elle se heurte à de nombreuses résistances.

La réforme des structures et du fonctionnement de l'Etat, promise par le président de la République et confiée au gouvernement en place depuis les élections de 2002, devra franchir plusieurs obstacles. Le premier est constitué par les agents de la fonction publique eux-mêmes, qui ne se montrent guère enthousiastes chaque fois qu'il est question de modifier leurs habitudes ou leur statut. Ils disposent au sein des administrations d'un pouvoir de blocage considérable et n'hésitent pas à le mettre en oeuvre. On a pu le constater avec les projets de réforme avortés depuis quelques années, comme celui de la Sécurité sociale par Alain Juppé en décembre 1995 ou ceux de l'Education nationale (Claude Allègre) ou du ministère de l'Economie (Christian Sauter) en 2000.

Le second obstacle est la résistance d'une partie des citoyens. S'ils sont volontiers critiques à l'égard de l'Etat, beaucoup de Français ont encore l'habitude de se tourner vers lui lorsqu'ils connaissent des difficultés : agriculteurs touchés par des mauvaises récoltes ; particuliers subissant des catastrophes naturelles ; salariés menacés par des plans de licenciement...

Les « bombes à retardement » devront pourtant être désamorcées...

Les gaspillages se sont accumulés au fil des années. Les erreurs de gestion du seul Crédit Lyonnais vont coûter au total plus de 15 milliards d'euros aux contribuables. L'endettement de certaines entreprises publiques est considérable : environ 30 milliards d'euros pour la SNCF, autant pour France Telecom, 20 milliards pour les sociétés gestionnaires des autoroutes, 6 milliards pour le Commissariat à l'énergie atomique (démantèlement des centrales, élimination des déchets).

En outre, le financement des retraites futures va accroître la charge sur les entreprises et sur les particuliers : pour les seules pensions des fonctionnaires, la somme annuelle nécessaire est de 26 milliards d'euros d'ici 2015, plus de 60 milliards en 2040. Ces sommes gigantesques sont autant de traites sur les générations futures. Pour couvrir les retraites du seul secteur public, il faudrait accroître l'impôt sur le revenu de moitié d'ici 2015 (alors que l'objectif est de le réduire de façon sensible). L'existence de ces « bombes à retardement » implique un débat approfondi, une réforme des pratiques de dépense, une refonte de la comptabilité nationale. Elle nécessitera surtout beaucoup de courage politique et de pédagogie.

... et le modèle républicain adapté aux nouvelles réalités.

Au nom de l'égalité et de la fraternité, le modèle républicain à la française s'est donné dès l'origine la mission de réduire les différences entre les citoyens. Son principe consiste donc à les faire entrer dans un même moule. Il a utilisé pour cela l'école, l'armée et l'ensemble des institutions nationales porteuses des valeurs républicaines. Mais l'école ne joue plus aujourd'hui son rôle uniformisateur et elle éprouve beaucoup de difficulté à s'accommoder des différences entre les élèves qui lui sont confiés. Le service militaire a été supprimé avec l'approbation de tous. Quant aux institutions (partis politiques, syndicats, grandes administrations...), elles vont devoir se réformer pour retrouver la confiance de citoyens qui entretiennent avec elles des relations de plus en plus distantes.

Le modèle républicain semble donc aujourd'hui en décalage par rapport à la réalité sociale et aux aspirations des citoyens, dont la plupart veulent être reconnus en tant qu'individus et non plus seulement comme membres d'une communauté nationale. Ils attendent de l'Etat qu'il prenne en compte la singularité de chacun. Le débat qui a eu lieu sur le pacs est une illustration de cette volonté de reconnaissance de ce que l'on appelait jusqu'ici « les minorités ». Le pluralisme apparaît comme l'un des principes fondateurs de la

L'échelle de confiance

PARMI les diverses institutions, c'est aux hôpitaux que les Français ont le plus confiance (86 %), devant les associations de consommateurs (83 %), l'école (82 %), la police (72 %), les entreprises privées (69 %), l'armée (67 %), les entreprises publiques (66 %), le Parlement (53 %), l'Eglise catholique (45 %), la justice (45 %), les syndicats (42 %), la Bourse (29 %) et les médias (27 %).

Entre 1993 et 2001, les indices de confiance qui ont progressé concernent les entreprises publiques (15 points), les entreprises privées (13), l'école (9), les hôpitaux (8) et la police (2). Ceux qui ont diminué concernent l'Eglise catholique (9 points) et l'armée (4).

Groupe de journaux de province/Sofres, juin 2001

civilisation en préparation. Il s'était déjà traduit en politique par le concept de « majorité plurielle », qui avait permis à la gauche de faire accepter ses différences internes à l'opinion. Il s'accompagnera progressivement de la reconnaissance d'un pluralisme culturel, ethnique, religieux, sexuel...

Les Français ont toujours besoin d'assistance

Arfeuillères

Un équilibre devra être trouvé entre l'autonomie du citoyen et la solidarité nationale.

Les partisans d'un Etat social estiment que c'est aux institutions publiques de prendre en charge les citoyens qui ne peuvent assumer eux-mêmes leur destin. Les tenants du libéralisme économique (minoritaires dans le pays si l'on en juge par le score d'Alain Madelin à l'élection présidentielle) considèrent au contraire que le coût social de la fonction d'assistance (mesuré par le niveau des prélèvements obligatoires) est trop élevé et qu'il décourage l'autonomie nécessaire des individus.

Le débat ne saurait cependant être réduit à la primauté de l'économique ou du social. Il implique une réflexion sur le rôle et l'avenir de la démocratie. Celle-ci est fondée en partie sur la solidarité entre les citoyens d'une même nation, encouragée et organisée par les institutions étatiques. Le remplacement de certaines d'entre elles par des organismes privés peut sans doute conduire à plus d'efficacité, mais on peut se demander s'il aboutira à plus de justice. La solution consistera sans doute en partie à renforcer l'efficacité de l'Etat, ce qui permettra de réduire le gaspillage et le sentiment de frustration des citoyens qui financent des dépenses de solidarité nationale coûteuses. Cela permettra aussi de reconstituer une marge de manœuvre pour maintenir en l'améliorant le système de protection sociale.

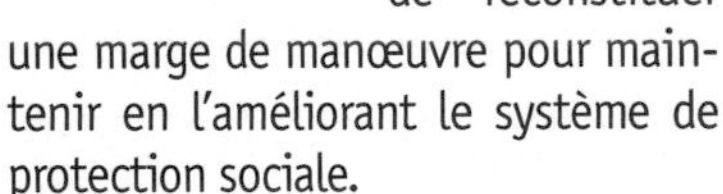

Politique

L'histoire électorale depuis 1974 est celle d'une longue série de déceptions.

Au tout début de la crise économique (1974), la France était gouvernée au centre droite, dans la continuité des élections qui avaient eu lieu depuis l'arrivée du général de Gaulle en 1958. Déçus de constater que la France n'avait pas réussi à maintenir la crise hors de ses frontières, les Français choisirent l'alternance en 1981, offrant à la gauche sa première chance depuis 23 ans. Valéry Giscard d'Estaing s'effaçait pour laisser place à François Mitterrand.

En 1986, une nouvelle déception amenait les électeurs à provoquer la première cohabitation. Elle n'allait guère profiter au nouveau Premier ministre, Jacques Chirac. En 1988, les Français reconduisaient le président sortant, pour la première fois dans l'histoire de la Ve République. Mais la réélection de François Mitterrand s'effectuait dans un contexte d'inversion idéologique, entre une droite jugée trop moderniste et aventureuse et une gauche qui se présentait opportunément comme conservatrice. Pas plus que les précédents, le gouvernement d'ouverture qui suivit ne trouva grâce aux yeux des Français. Ce fut donc à nouveau l'alternance et la cohabitation, entre 1993 et 1995, avec la nomination d'Edouard Balladur comme Premier ministre.

L'élection présidentielle de 1995 s'est jouée sur le terrain social...

L'élection présidentielle de 1995 fut l'occasion d'une nouvelle inversion apparente des rôles entre la droite et la gauche. Abandonnant le terrain économique traditionnel de la droite, Jacques Chirac l'emportait sur sa promesse de réduire la « fracture sociale ». Mais les Français eurent très vite le sentiment que les actes du gouvernement dirigé par Alain Juppé n'étaient pas en accord avec les promesses du président. Le projet de réforme de la Sécurité sociale, en décembre 1995, fut le prétexte d'une explosion de mécontentement. Pendant un mois, la France paralysée retrouvait des airs de Mai 68.

Les élections législatives anticipées de 1997 mirent en évidence une

nouvelle déception des électeurs, et la gauche, emmenée par Lionel Jospin, obtenait une nette majorité. Une troisième période de cohabitation s'engageait, inversée par rapport à celles de 1986 et 1993. Les élections régionales (et cantonales) de mars 1998 confirmaient le déclin de la droite modérée, en même temps que la croissance de l'extrême droite (15 % des voix), portée par le sentiment d'insécurité de nombreux Français et de lassitude face à la multiplication des affaires de corruption.

La consultation pour les élections européennes de 1999 mobilisait peu les Français (53 % d'abstentions), plus concernés par les problèmes nationaux. La gauche plurielle en sortait confirmée par rapport à une droite de plus en plus désunie. Deux ans après, celle-ci redoutait un raz-de-marée socialiste aux élections municipales de 2001. Mais la droite résistait beaucoup mieux que prévu ; ses divisions lui faisaient cependant perdre les deux grandes villes-symboles : Paris et Lyon.

... comme celle de 2002.

L'élection présidentielle de mai 2002, remportée par Jacques Chirac, a montré que la droite était plus crédible que la gauche pour traiter des problèmes de société, prépondérants à une époque de mutation des modes de vie et des systèmes de valeurs. Même si de nombreux électeurs se sont portés sur l'extrême droite, c'est en effet la droite républicaine qui, dans l'esprit de nombreux Français, a vocation à maintenir (ou rétablir) l'ordre et lutter contre l'insécurité, thème central du mécontentement général exprimé à cette occasion. La dimension « libérale » de la droite, qui était représentée par Alain Madelin (Démocratie libérale), ne concerne guère les Français, qui ne lui ont accordé que 4 % de leurs voix. Un autre enseignement de l'élection est que la gauche s'est éloignée de ses électeurs traditionnels, notamment parmi les catégories les plus modestes et vulnérables au changement social. D'autant que ceux-ci ont été sensibles aux larges promesses des trois candidats représentant l'extrême gauche (Laguiller, Besancenot, Gluckstein) et, phénomène plus surprenant, par les deux d'extrême droite (Le Pen et Maigret).

Lors des élections législatives qui ont suivi la présidentielle, les Français (les 60 % en tout cas qui ont voté) ont donné à la droite une très large majorité (399 sièges) avec la mission d'engager les actions d'urgence annoncées et de mettre en place les réformes promises. Mais les électeurs seront vigilants et le spectre de la cohabitation plane toujours sur la vie

> 53 % des 18-24 ans se sont abstenus au premier tour des élections municipales de mars 2001.

La balance présidentielle

Résultats des élections présidentielles depuis 1974 par grande famille politique (en % des suffrages exprimés) :

	1974	1981	1988	1995	2002
- Extrême-gauche	. 1er tour 2,70	. 1er tour 3,41	. 1er tour 4,47	. 1er tour 5,30	. 1er tour 10,44
- Gauche	. 1er tour 43,94 . 2e tour Mitterrand 49,19	. 1er tour 43,41 . 2e tour : **élu** **Mitterrand 51,76**	. 1er tour 40,87 . 2e tour : **élu** **Mitterrand 54,02**	. 1er tour 31,94 . 2e tour Jospin 47,36	. 1er tour 27,20
- Ecologistes	. 1er tour 1,32	. 1er tour 3,88	. 1er tour 3,78	. 1er tour 3,32	. 1er tour 7,13
- Droite	. 1er tour 50,88 . 2e tour : **élu** **Giscard 50,81**	. 1er tour 49,31 . 2e tour : Giscard 48,24	. 1er tour 36,50 . 2e tour Chirac 45,98	. 1er tour 44,16 . 2e tour : **élu** **Chirac 52,64**	. 1er tour 34,17 . 2e tour : **élu** **Chirac 82,21**
- Extreme droite	. 1er tour 0,75	. Pas de candidat	. 1er tour 14,38	. 1er tour 15,00	. 1er tour 19,16 . 2e tour Le Pen 17,79

politique française, même si l'adoption du quinquennat la rend moins probable.

La désaffection pour la politique avait atteint son paroxysme à la veille de la présidentielle.

Les Français ont longtemps éprouvé un intérêt réel pour la vie politique et fait preuve d'un respect certain envers ceux qui en avaient la charge. Mais l'absence d'un « grand projet » collectif, le report permanent de réformes difficiles mais nécessaires, la succession des « affaires » touchant les hommes politiques, la pratique de la « langue de bois » et la critique systématique des adversaires leur ont fait perdre la foi.

De nombreux citoyens ont le sentiment que les partis politiques se sont sclérosés et ne sont plus en mesure de comprendre le monde et ses enjeux, de les expliquer et de proposer des solutions. C'est pourquoi les partis se sont vidés de leurs militants. L'ambiance de corruption entretenue par les scandales (mairie de Paris, Elf, MNEF, sang contaminé...) a des relents de IIIe République. Le nombre d'élus mis en examen a été en moyenne de 250 par an au cours des dernières années.

Le séisme du 21 avril

Nul, parmi les observateurs de la vie politique française ou de la société, n'avait prévu la situation inédite qui apparaissait au soir du premier tour de l'élection présidentielle : le représentant de la gauche (Lionel Jospin) éliminé ; un second tour qui allait voir s'affronter la droite (Jacques Chirac) et l'extrême droite (Jean-Marie Le Pen). On peut citer plusieurs explications complémentaires à ce séisme : lassitude des électeurs à l'égard de la politique traditionnelle et attraction des candidatures de protestation ; confusion des offres de la droite et de la gauche modérées ; éparpillement des voix sur un nombre élevé de candidats (16) ; certitude induite par les instituts de sondage et les médias d'un premier tour joué d'avance qui verrait s'opposer les deux candidats « naturels ». Mais ces causes ne doivent pas faire oublier la principale : le mécontentement et la frustration ressentis par un grand nombre de Français, face à un monde qui va trop vite et qui leur paraît plus lourd de menaces que d'opportunités. Le sociodrame qui s'est joué entre les deux tours aura en tout cas apporté plusieurs révélations sur la société française. Il a d'abord montré que les Français, les jeunes en particulier, étaient encore capables de se mobiliser pour défendre des valeurs qui leur paraissaient menacées : liberté ; solidarité ; ouverture... Il a de nouveau posé la question du poids des médias dans le fonctionnement social et, singulièrement, dans la montée du sentiment d'insécurité et dans l'image de la politique. Il a montré leur non-représentativité par rapport à la société ; les journalistes sont globalement plus éduqués et plus à gauche que la population, mais ils ne peuvent en l'occurrence être accusés d'avoir favorisé Jospin. Il faut enfin reconnaître que l'entre-deux tours a mis en évidence leur non-objectivité, même si 80 % des Français peuvent s'en féliciter. Mais les autres risquent de se radicaliser, arguant du fait que la démocratie n'a pas été respectée.

La désaffection n'a pas seulement touché les partis politiques. Elle s'est étendue à l'ensemble des institutions : administrations ; syndicats ; Eglise ; entreprises ; médias. La perte de confiance envers les hommes politiques concerne l'ensemble des « élites » et des « experts ». A cet égard, la date du 6 mai 1986 marque sans doute un tournant. Dix jours après la catastrophe de Tchernobyl, un communiqué officiel indiquait en effet que « le territoire français, en raison de son éloignement, a été totalement épargné par les retombées de radio nucléides consécutives à l'accident de Tchernobyl ».

L'élection présidentielle de 2002 aura été l'occasion d'un début de réhabilitation de la politique. Les jeunes qui n'avaient pas voté au second tour ont compris qu'ils avaient failli à leur responsabilité de citoyens. Entre les deux tours, les partis ont battu les records de recrutement. Les manifestations du 1er mai se sont transformées en un front républicain anti-Le Pen. L'avenir dira si la leçon a été durablement entendue, à la fois par les hommes politiques, les partis et les citoyens.

On a assisté jusqu'en 2002 à une montée régulière de l'abstention.

Le taux d'abstention s'est accru de façon continue depuis les débuts de la Ve République et la plupart des élus de la République le sont par une minorité de la population. Le record a été obtenu en 2000, lors du référendum sur le quinquennat, avec 70 % de non-votants. La montée de l'abstention a été sensible aussi lors des élections présidentielles (voir tableau). Elle avait connu une exception en 1969 (22,4 %), à la suite de

Le président idéal

La déception des citoyens face à la politique était apparente dans le portrait-robot du candidat idéal qu'ils traçaient quelques semaines avant l'élection présidentielle. Celui-ci devait d'abord être jeune (moins de 50 ans pour 59 % des Français), de préférence membre de la société civile pour 57 % (membre d'un parti politique pour 36 % seulement), provincial pour 67 % (parisien pour seulement 14 %) et non pratiquant (pratiquant pour 34 %). La majorité des Français (52 %) disaient préférer comme Premier ministre une personnalité également issue de la société civile.

Si 50 % souhaitaient un président diplômé d'une grande école (ENA, Polytechnique...), 44 % le préféraient non diplômé. 74 % l'imaginaient issu d'un milieu modeste, 10 % seulement d'un milieu aisé. La moitié (50 %) des interviewés indiquaient leur préférence pour un candidat issu du secteur public, mais 39 % se prononçaient pour le secteur privé. La principale qualité d'un bon président de la République aux yeux des électeurs était l'honnêteté (76 %), devant la proximité (65 %), la sincérité (46 %) et la capacité de gestionnaire (37 %). Par rapport à la même enquête réalisée avant l'élection présidentielle de 1995, celle de 2002 mettait en exergue la demande de proximité, ce qui traduit le sentiment d'éloignement ressenti par les citoyens.

Sélection du Reader's Digest/CSA, février 2002

Les citoyens fatigués

Evolution du taux d'abstention aux élections présidentielles et législatives (en % des inscrits) :

	1er tour	2e tour
1974 Présidentielles	15,77	12,66
1978 Législatives	16,68	24,90
1981 Présidentielles	18,91	14,14
1981 Législatives	29,13	25,50
1986 Législatives	21,98	30,10
1988 Présidentielles	18,62	15,93
1988 Législatives	34,26	32,50
1993 Législatives	31,10	32,40
1995 Présidentielles	21,62	20,33
1997 Législatives	31,60	28,60
2002 Présidentielles	28,40	20,30
2002 Législatives	35,20	39,70

la démission du général de Gaulle et de la faible mobilisation entraînée par le débat Pompidou-Poher au second tour. L'autre exception est celle de 2002, où Jacques Chirac a été élu avec plus de 60 % des voix des électeurs inscrits. Mais elle s'explique aussi par une situation exceptionnelle.

Les électeurs sanctionnent aussi de plus en plus les partis. Entre 1981 et 2002, aucune majorité n'a été reconduite lors des six élections législatives qui ont eu lieu (1981, 1986, 1988, 1993, 1997, 2002). Cette attitude de rejet a favorisé l'émergence des partis de protestation comme l'extrême gauche, l'extrême droite ou l'écologie. En témoigne le bon score des Verts aux élections européennes de 1999 (9,7 %) ou celui d'Arlette Laguiller (Lutte Ouvrière) au premier tour de la présidentielle de 2002 (5,8 %).

La propension à l'abstention est plus forte chez les chômeurs, les salariés précaires et les personnes peu diplômées. Les jeunes et les plus de 75 ans sont les moins concernés, de même que les habitants des grandes villes. Elle est généralement le signe d'un désintérêt ou d'un mécontentement. Elle est parfois la conséquence d'un désaccord à l'égard du parti dont on se sent le plus proche et que l'on ne veut pas « trahir » en votant pour un autre.

Le rapport des forces politiques évolue plus rapidement et de façon plus marquée.

L'accroissement du taux d'abstention au fil des consultations électorales s'est accompagné d'une instabilité dans le rapport des forces entre la gauche et la droite (hors extrême droite et extrême gauche). Favorable à 44 % à la droite contre 37 % à la gauche aux élections présidentielles de 1995 (premier tour), il basculait aux législatives de 1997 en faveur de la gauche. Celle-ci obtenait 37 % aux régionales de 1998 (contre 36 % à la droite) et 38 % contre 35 % aux européennes de 1999. Mais le rapport s'inversait de nouveau aux législatives de 2002, où l'Union pour la majorité présidentielle obtenait 47 % des voix.

Les mouvements de l'électorat ouvrier sont révélateurs de ce *zapping* électoral. Dans les années 60, leur

vote se partageait entre droite et gauche. Il s'est massivement déplacé à gauche dans les années 70 et 80 (75 % aux législatives de 1978). Il était de nouveau plus partagé dans les années 90, mais il a récemment évolué en faveur de l'extrême gauche et, surtout, de l'extrême droite, traduisant une forte exaspération à l'égard du système politique.

On assiste en politique à une évolution semblable à celle qui prévaut en matière de consommation ; les programmes et les hommes sont considérés comme des produits que les individus-citoyens-électeurs-consommateurs essaient et dont ils changent lorsqu'ils ne sont pas satisfaits. Le *zapping* électoral traduit à la fois l'insatisfaction et la volonté de faire de nouvelles expériences.

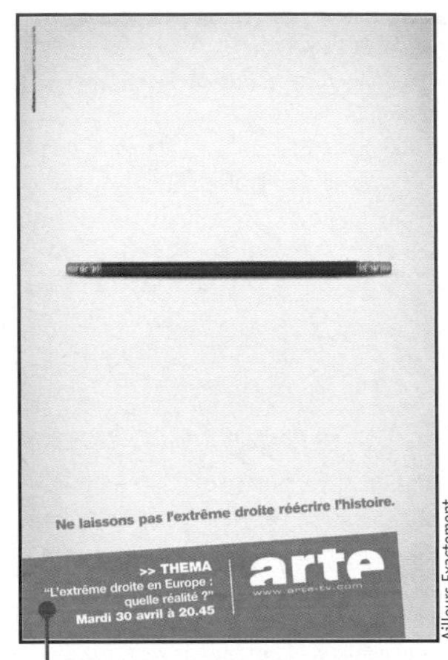

Ailleurs Exactement

La peur de l'extrême droite a provoqué un choc dans l'opinion

Le choix des mots

Le mot *écologie* a une évocation positive pour 69 % des Français, négative pour 21 %. Le mot *socialisme* est également bien perçu (60 % contre 20 %), devant les mots *gauche* (57 % contre 26 %), *centre* (49 % contre 31 %) et *gaullisme* (40 % et 40 %).
Le mot *droite* n'obtient que 38 % d'avis positifs contre 46 %, *communisme* 21 % contre 63 %, *gauchisme* 21 % contre 62 %, *conservatisme* 14 % contre 67 %, *marxisme* 7 % contre 74 %, *extrême-droite* 5 % contre 84 %. 21 % des Français se disent plus proche de la tendance socialiste, 19 % modérée, 13 % écologiste, 12 % libérale, 9 % gaulliste, 5 % social-démocrate, 5 % révolutionnaire, 4 % communiste, 3 % conservatrice.

Groupe de journaux de province/Sofres, mai 2001

Les Français refusent de plus en plus de se situer à droite ou à gauche...

Deux mouvements forts se développent aujourd'hui dans la société. Le premier est l'individualisation des vies. Il devrait en principe favoriser la recherche de l'enrichissement personnel, la disparition du tabou de l'argent, la poursuite de l'autonomie et le cheminement vers le libéralisme. Il devrait inciter les Français à voter à droite. Le second mouvement est la peur de l'avenir et le sentiment de mal-être. Il se nourrit des incertitudes liées à la mondialisation, aux nouvelles technologies, à la « marchandisation » de la vie. Il devrait pousser les citoyens vers la gauche.

Mais le clivage traditionnel droite-gauche a perdu pour beaucoup de Français sa pertinence, du fait de la difficulté de séparer le social et l'économique dans le monde contemporain. Les principaux partis (PS et RPR) ont eux-mêmes ajouté à la confusion en jouant sur les deux tableaux et en perdant leurs spécificités. Les autres partis (écologistes, extrémistes) ont fini de brouiller les cartes en cherchant à élargir leurs territoires naturels.

Les Français pouvaient auparavant reprocher aux partis traditionnels d'être hémiplégiques et de ne regarder qu'une moitié du monde. Ils leur reprochent depuis quelques années de n'être pas assez différenciés. Cela explique la stratégie d'alternance et de cohabitation choisie par le corps électoral. Mais les résultats ont été jugés décevants et la dernière élection présidentielle a fait resurgir les vieilles images d'une gauche spécialisée dans la protection sociale et d'une droite fascinée par l'ordre social. Le besoin d'ordre est apparu plus fort que celui de protection.

... mais le centre reste introuvable.

L'analyse précédente tendrait à montrer qu'il y a une place en France pour un centre, à la condition bien sûr qu'il ne se présente pas comme une soustraction des idées de la droite et de la gauche traditionnelles, mais comme leur addition intelligente. Pourtant, depuis des décennies, le candidat de centre-droit à l'élection présidentielle a toujours été largement battu : Lecanuet en 1965, Chaban-Delmas en 1974, Barre en 1988, Balladur en 1995, Bayrou en 2002. Si les Français voulaient toujours être gouvernés au centre, selon l'expression de Valéry Giscard d'Estaing, c'était davantage en organisant la cohabitation entre la gauche et la droite qu'en élisant un centriste. Il semble qu'ils aient plutôt décidé en 2002 de revenir à la droite, agitant même le spectre de l'extrême

Sociologie de l'électorat

Caractéristiques des électeurs au premier tour des élections présidentielles d'avril 2002 (en % des candidats ayant obtenu plus de 3 % des voix des inscrits) :

	Laguil-ler	Besan-cenot	Hue	Jospin	Mamère	Chevè-nement	Saint-Josse	Bayrou	Made-lin	Chirac	Le Pen
SEXE											
Homme	6	4	4	15	6	6	5	6	3	17	21
Femme	6	4	3	16	5	5	3	8	5	22	13
AGE											
18-24 ans	6	8	2	14	10	5	4	7	5	14	16
25-34 ans	4	5	3	13	8	7	2	8	5	18	17
35-44 ans	10	6	3	16	7	4	6	6	5	13	16
45-59 ans	7	5	5	15	4	5	6	7	3	18	19
60-69 ans	4	2	3	22	1	6	2	6	4	25	18
70 ans et +	2	1	5	17	1	5	3	7	2	34	15
DERNIER DIPLOME OBTENU											
BEP/CAP/Certificat d'études primaires	7	4	5	15	3	4	6	4	3	20	22
Baccalauréat	7	5	3	13	5	5	4	6	4	19	22
Enseignement supérieur	3	4	2	17	9	7	3	11	6	19	8
NIVEAU DE REVENU											
Modeste	6	5	4	17	5	3	3	4	4	18	23
Moyen	7	5	4	15	5	6	5	6	3	17	18
Elevé	3	2	2	17	4	6	2	12	8	23	11
CATEGORIE D'AGGLOMERATION											
Rural	6	4	3	14	5	3	9	6	4	19	21
Moins de 20 000 h.	8	5	4	17	4	4	5	5	3	18	17
De 20 000 à 100 000 h.	5	6	4	15	6	8	3	4	4	23	14
Plus de 100 000 h.	6	5	4	17	5	6	3	7	3	18	19
Agglomération parisienne	3	2	4	15	7	6	1	12	5	23	10
ENSEMBLE	5,8	4,3	3,4	15,9	5,3	5,4	4,3	6,9	4,0	19,4	17,2

droite pour accroître la force du message.

Pascal disait de l'infini que c'est un cercle où la circonférence est partout et le centre nulle part ; il en est de même de la vie politique française. La moindre pertinence du clivage gauche-droite n'a pas profité au centre, qui ne recueille spontanément qu'une voix sur dix lorsqu'on demande aux Français de se situer sur l'échiquier. Le centre n'apparaît plus aujourd'hui comme un lieu idéologique distinct, mais comme le point de rencontre du socialisme et du libéralisme, tous deux portés (à parts inégales) par la gauche et la droite. L'avenir dira s'il est le point Oméga de la politique auquel tout aboutit, mais le passé récent a montré qu'il n'est pas une position d'attente en période de vide idéologique.

Les extrêmes tendent à se rejoindre.

Les idéologies politiques ne s'étalent plus le long d'un axe qui va de l'extrême gauche à l'extrême droite. Elles se situent plutôt à l'intérieur d'un cercle où les extrêmes peuvent parfois se toucher. C'est ainsi qu'une part des électeurs du Parti communiste, déçus de son ancrage dans une « majorité plurielle » recentrée, se sont portés à la présidentielle sur le Front national. De même, on a pu observer des transferts entre l'extrême gauche et l'extrême droite de la part d'électeurs qui sont davantage sensibles à leur volonté commune d'un changement radical que par les idéologies respectives de ces partis, au demeurant fort éloignées. Le score de l'extrême gauche au premier tour de l'élection présidentielle (10,4 % pour les trois candidats qui la représentaient) est la manifestation de cette volonté d'en découdre avec le système politique et social.

C'est encore davantage le cas du score de l'extrême droite (19,2 % pour les deux candidats). Mais Jean-Marie Le Pen a davantage profité de l'embourgeoisement du Parti socialiste et de l'incapacité de la droite à mobiliser. Il a aussi utilisé plus habilement que les autres candidats protestataires les frustrations des Français. Il a compris en particulier que l'insécurité ne concerne pas seulement la délinquance dans les banlieues, mais la peur plus générale et diffuse de la « modernité ». Dans un monde où tout change vite, où les certitudes ont disparu, les « autres » (étrangers, terroristes, mais aussi européens ou américains) apparaissent comme des menaces sur l'identité nationale et la tranquillité de la vie quotidienne. Mais il a aussi bénéficié d'une conjonction inédite de facteurs qui lui ont permis d'être présent au second tour, alors que son score n'avait pas progressé de façon spectaculaire par rapport à 1995 en nombre de voix.

L'autre fracture sociale

LA forte présence de l'extrême droite modifie non seulement le paysage politique mais aussi social. Un cinquième de la France se dresse ainsi contre une autre France, largement majoritaire. Son mal-être est tel qu'elle est prête à tout pour se sentir mieux dans sa peau : quitter l'Union européenne et se replier sur ses frontières ; chasser les étrangers ; accepter d'être au ban des nations dans le monde. Longtemps silencieuse, elle est encore honteuse ou soucieuse de brouiller les cartes tenues par l'« établissement ». Ainsi, elle n'ose pas dire pour qui elle vote et les instituts de sondage sont obligés de doubler les pourcentages recueillis pour se rapprocher de la réalité. Mais elle a résisté au « front républicain » qui s'est bruyamment manifesté entre les deux tours et se sent aujourd'hui plus nombreuse et plus forte.

La France majoritaire a redécouvert avec stupeur et effroi cette minorité porteuse d'une autre vision du monde, qu'elle juge immorale, dangereuse, inacceptable. Le risque est celui d'une radicalisation des positions entre ces deux France que tout oppose, qui pourrait donner lieu à des affrontements et faire renaître les vieux démons. La fracture ne pourra être réduite que si le gouvernement en place s'appuie sur la majorité qui l'a amené au pouvoir sans marginaliser une minorité qui a sans doute des raisons de ne pas être satisfaite de son sort. Il est peut-être moins utile de la diaboliser en la traitant de raciste et de xénophobe que de lui expliquer pourquoi elle se trompe. Et, surtout, de lui enlever le sentiment d'être abandonnée.

L'écologie n'est pas perçue comme une attitude politique.

L'écologie était apparue en France au début des années 70 comme une suite logique de l'esprit de Mai 68. Mais la crise économique allait mettre au premier plan des préoccupations plus immédiates comme le chômage. L'écologie fut alors considérée comme un luxe hors de saison. Il aura fallu l'accident de Tchernobyl (1986), les craintes sur la fissure de la couche d'ozone, l'effet de serre ou la disparition de la forêt amazonienne pour qu'elle fasse un retour remarqué, d'abord dans les médias et les conver-

sations privées, puis dans les débats politiques. Le mouvement de prise de conscience se traduisait aux élections européennes de 1999 par le score de 9,7 % réalisé par les Verts.

Mais les Français n'ont pas aujourd'hui le sentiment que l'écologie puisse être monopolisée par un parti politique. Plutôt qu'une idéologie débouchant sur un système de gouvernement, elle leur apparaît comme une préoccupation transversale, qui doit être intégrée par tout parti au pouvoir. Elle constitue un garde-fou nécessaire contre les Mutants (voir p. 228) qui, au nom de la modernité, pourraient mettre en danger la planète et l'humanité. S'ils accusent volontiers les politiques et les industriels de ne pas protéger suffisamment la nature, les Français n'ont cependant pas tous acquis le réflexe, à l'échelon individuel, de participer à cet effort. Mais la sensibilité environnementaliste se développe et elle ne peut plus être ignorée par les partis politiques. Le score honorable obtenu par Noël Mamère au premier tour de l'élection présidentielle (5,3 %) en est une illustration.

La parité encore théorique

La politique retrouvera peut-être la confiance des citoyens lorsque les femmes et leurs valeurs seront mieux représentées. Aux élections législatives de 1993, l'Assemblée nationale ne comptait encore que 6,1 % de femmes, c'est-à-dire environ la même proportion qu'en... octobre 1946 (5,6 %).
La loi sur la parité des candidatures adoptée en 2000, peu respectée par les partis (notamment de droite) n'a guère permis d'accroître ce chiffre : 12,3 % aux élections législatives de 2002, contre 10,7 % à celles de 1997.
A titre de comparaison, la proportion de femmes dans la Chambre basse ou la Chambre unique est de 43 % en Suède, 38 % au Danemark, 37 % en Finlande, 36 % aux Pays-Bas, 31 % en Allemagne (mars 2002). Seules les chiffres de la Grèce (9 %) et de l'Italie (10 %) sont inférieurs à celui de la France.
La présence des femmes est mieux assurée dans les communes. Elle est de 33 % depuis les municipales de 2001 (mais 47 % dans les communes de 3 500 habitants et plus, 30 % dans les autres). Mais la proportion de femmes maires n'est que de 11 %, contre 7 % en 1995 et 1 % en 1959. Seules quatre villes de plus de 100 000 habitants sont dirigées par des femmes : Aix-en-Provence, Caen, Lille, Strasbourg. Au début de 2001, le gouvernement français comptait 29 % de femmes, contre plus de 40 % dans les pays du Nord (Suède, Danemark, Norvège) mais moins de 20 % dans les pays du Sud (Espagne, Italie, Royaume-Uni, Portugal, Grèce) et au Royaume-Uni (11 %).
Il avait fallu attendre 1944 pour que les femmes aient le droit de vote, 1947 pour que l'une d'entre elles devienne ministre (Germaine Poinso-Chapuis) et 1991 pour qu'une femme soit Premier ministre (Edith Cresson). Il aura fallu attendre 2002 pour qu'une femme soit nommée ministre de la Défense (Michèle Alliot-Marie).

Les facteurs socio-démographiques sont moins explicatifs des comportements électoraux.

La profession, le revenu, l'âge, le sexe ou la croyance religieuse n'exercent plus une influence aussi déterminante qu'autrefois sur les comportements électoraux. Certes, la sympathie à l'égard de la droite modérée s'élève encore avec l'âge et le niveau d'éducation et elle reste corrélée à la pratique religieuse. Mais chacun de ces critères n'intervient plus comme facteur unique. A droite, il peut être renforcé par le statut de chef d'entreprise (propriétaire) ou d'indépendant. A gauche, l'état de salarié et l'éloignement de la religion catholique se renforcent mutuellement.

Les cartes ont été brouillées depuis 1981. En accédant au pouvoir, la gauche s'est donnée une image moins idéologique et plus réaliste. Elle est même devenue peu à peu gestionnaire, tout en gardant une dimension culturelle et libertaire qui a séduit une partie de la population (notamment les Bobos, bourgeois bohêmes). La moitié des cadres supérieurs, autrefois supporteurs de la droite, ont ainsi voté à gauche en 1997 (contre un cinquième en 1973). Mais on observe une différence importante entre ceux du secteur public (69 % d'entre eux ont voté à gauche en 1997) et ceux du privé (36 %). Les professions indépendantes tendent à rester à droite, tandis que les salariés passent plutôt à gauche.

Mais les facteurs personnels liés aux opinions, à la vision du monde et de la vie interviennent de façon croissante. L'attitude à l'égard de l'Etat est un indicateur important : ceux qui sont favorables à son intervention votent plutôt à gauche, tandis que ceux qui sont plus attachés au libéralisme économique (bien que le mot ne soit guère utilisé) se situent à droite. Les préoccupations sociales dominent en effet dans les choix des électeurs et

l'économie joue un rôle indirect. On observe que la réélection des partis et des hommes au pouvoir est d'autant plus probable que les indices économiques sont favorables : chômage ; croissance des revenus ; inflation.

Monde

Le processus ancien de globalisation.

La mondialisation n'a pas commencé avec l'effondrement du bloc soviétique à la fin des années 80 ; elle était en marche depuis des siècles. Si l'on fait abstraction des tentatives d'hégémonie partielle des Romains et des Grecs, on peut remonter aux grandes découvertes maritimes des XVe et XVIe siècles et à la colonisation qu'elle a engendrée de la part des découvreurs. Le mouvement s'est poursuivi avec les progrès de la connaissance scientifique, qui ont unifié la pensée rationnelle, sinon la vision du monde.

La technique a ainsi largement contribué au processus de globalisation, notamment en facilitant les transports et la communication, donc les échanges économiques, politiques et culturels. La poursuite de la colonisation, jusqu'au début du XXe siècle, fut la conséquence de la révolution industrielle et de la nécessité de chercher des débouchés à une production devenue pléthorique. Elle a favorisé les relations entre les peuples mais exacerbé les différends entre occupants et occupés.

La fin du XXe siècle a vu un accroissement sans précédent des flux économiques, financiers et communicationnels entre les différentes régions du monde. L'explosion du commerce mondial, le poids croissant des entreprises multinationales et des organismes financiers a peu à peu modifié ou remplacé le rôle traditionnel des Etats, dans un contexte de déréglementation et aussi de crises touchant certaines régions du monde.

Les Français sont plus ouverts sur l'extérieur...

On constate depuis quelques années une ouverture croissante des Français sur le monde. La construction de l'Union européenne a pris depuis 1993 un tour nouveau pour les citoyens avec la création du Marché unique. Le sentiment d'appartenance à une communauté politique et économique a été récemment renforcé avec la mise en place de la monnaie commune (voir p. 266). Il a été aussi favorisé par un moindre attachement aux institutions nationales.

Les médias ont fait de leur côté un important travail de pédagogie en ouvrant davantage leurs colonnes et leurs antennes aux informations internationales et en fournissant des éléments de comparaison avec ce qui se passe ailleurs. Il n'est guère possible aujourd'hui d'ignorer les grands mouvements du monde et la prise de conscience d'une interdépendance s'est considérablement renforcée.

Surtout, les entreprises pluri- ou multinationales ont développé, fabriqué, commercialisé et distribué partout où elles étaient implantées des produits souvent identiques, disponibles dans des lieux d'achat semblables. La convergence des habitudes et des comportements de consommation est apparente dans les pays développés (voir p. 384). Elle a largement contribué au sentiment croissant d'appartenir à un monde de moins en moins différencié.

Enfin, la multiplication des échanges professionnels et des expériences personnelles (voyages, rencontres...) a incité les Français à s'ouvrir au reste du monde. Une forte demande d'exotisme et de métissage est ainsi apparue dans de nombreux domaines : musique ; cinéma ; sport ; alimentation ; habillement ; décoration... La plupart des Français sont aujourd'hui conscients qu'un processus irréversible est engagé et que les frontières seront de plus en plus perméables, ce qui entraînera une convergence des modes de vie et des valeurs.

... mais beaucoup résistent à la mondialisation.

Les Français sont aussi conscients des risques et inconvénients du processus en cours sur leur vie quotidienne. Les entreprises fusionnent ou délocalisent des emplois, ce qui favorise le chômage. La concurrence s'accroît dans tous les domaines et crée des contraintes pour les salariés, notamment une obligation d'efficacité. Les nouvelles technologies ont un impact croissant sur les modes de vie et font naître des incertitudes et des craintes : produits alimentaires transgéniques ; clonage ; détérioration de l'environnement, etc. Enfin, les cultures nationales sont de plus en plus influencées par une sorte de *world culture* d'obédience américaine qui déferle sur l'ensemble de la planète.

Ces craintes ont fait naître un mouvement de résistance contre la mondialisation, rendue responsable d'une bonne part des maux de la planète, de la « mal-bouffe » (symbolisée par les restaurants McDonald's), au « mal-être » de certaines catégories sociales. Il est incarné en France

La mondialisation est d'abord économique

par José Bové et la Confédération paysanne ou l'association Attac. Les anti-mondialistes dénoncent un système de libre-échange sans concurrent et sans morale, qui encourage les spéculations sur les monnaies et sur les prix des matières premières, qui s'intéresse aux régions du monde essentiellement en fonction de leur importance stratégique et de leurs ressources naturelles (Irak, Afghanistan). Ils lui reprochent d'accroître la dépendance des pays pauvres et de nourrir chez eux un sentiment d'humiliation. Un sentiment qui va parfois jusqu'à la haine, comme dans certains pays musulmans à forte présence intégriste où domine une tout autre conception du monde.

La mondialisation malheureuse

45 % des Français estiment que la mondialisation entraîne plus d'inconvénients que d'avantages pour la France ; 34 % pensent qu'elle a plus d'avantages que d'inconvénients, 12 % autant. Les plus hostiles sont les sympathisants communistes et d'extrême droite. Les personnes proches du PS, du RPR et de l'UDF ont une attitude partagée et semblable (*Le Journal du Dimanche*-RFM/Ipsos, novembre 2001).

39 % des Français craignent d'abord que la mondialisation accroisse les inégalités entre les pays du Nord et les pays du Sud, 37 % la domination de la Bourse et des marchés financiers, 24 % la domination des Etats-Unis sur le monde, 21 % la menace sur les emplois, 21 % la perte d'identité des pays (*Le Monde*/Sofres, juillet 2001).

Les attentats de septembre 2001 aux Etats-Unis ont accru la peur en Occident...

L'opération menée le 11 septembre 2001 par les intégristes musulmans du groupe Ben Laden a été symbolique à bien des égards. D'abord par les cibles visées : le commerce, le capitalisme, le renseignement, activités dont l'Amérique est le leader incontesté. Surtout, sans doute, par les images auxquelles elle a donné lieu, qui toutes étaient porteuses d'une même idée, celle de l'*effondrement*. Effondrement des tours du World Trade Center, qui gardaient l'entrée de Manhattan et des Etats-Unis. Effondrement de la population touchée directement ou indirectement par le drame, aux Etats-Unis et dans l'ensemble du monde occidental. Effondrement des bourses (entre 7 et 9 % de baisse le lendemain des attentats) et, de façon partielle et temporaire, de la première économie mondiale. Effondrement, enfin, de la vision occidentale du monde et de la morale qui lui est associée.

Cette tragédie historique a d'abord laissé de profondes cicatrices dans la population américaine, traumatisée par sa confrontation brutale à un hyperterrorisme qui ne connaît plus de limite dans l'atrocité. Mais elle a eu aussi de nombreuses répercussions dans les autres pays du « monde libre », sur lesquels pèsent des menaces d'un genre nouveau et d'une ampleur inédite, très difficiles à prévoir, plus encore à empêcher : aujourd'hui le terrorisme kamikaze, demain peut-être bactériologique, nucléaire ou électronique.

Ces menaces viennent s'ajouter à celles qui pèsent déjà sur l'avenir du monde : évolution démographique ; pollution ; manque d'eau ; réchauffement climatique, etc. Elles renforcent dans les pays développés le climat d'inquiétude et d'angoisse. Les modes de vie, les mentalités et les systèmes de valeurs en seront sans doute transformés, dans le sens d'un plus grand attachement à la vie et au présent, que l'on voit chez tous ceux qui ont approché la mort. Peut-être aussi dans le sens d'un fatalisme un peu cynique, parfois irresponsable.

... et modifié sa vision du monde...

La tragédie du 11 septembre 2001 ne saurait se résumer à des nombres : milliers de victimes ; dizaines de milliards de dollars perdus par les entreprises et par les marchés financiers ; centaines de milliers de chômeurs... Elle a plongé pendant quelques mois les économies des pays riches dans la

récession et perturbé la vie de leurs habitants. Elle a surtout ébranlé les fondements de la civilisation occidentale.

On aurait pu imaginer que la vision manichéenne de la lutte du bien (l'occident chrétien) contre le mal (l'orient islamiste extrémiste) allait trouver dans cet horrible drame des arguments. Si ce sentiment a pu être donné par les premières réactions (le président Bush a parlé de « nouvelle croisade » contre les terroristes et ceux qui les soutiennent) et les représailles qui ont suivi, on a très vite observé chez les acteurs de la société comme chez les citoyens le début d'une introspection probablement salutaire. Les questions portaient notamment sur l'image de l'Occident dans les autres régions du monde. Une telle haine à l'égard du « satan américain » et de ses alliés ou satellites ne serait-elle pas au moins partiellement justifiée par les actions, les choix, et les comportements à l'égard du reste du monde ?

... dans le sens d'une plus grande humilité.

Beaucoup d'occidentaux ont pris conscience à cette occasion de l'existence de logiques différentes, portées par d'autres conceptions du monde, de la vie et de la mort. Fait significatif, beaucoup de Français se sont rués dans les librairies dans les jours qui suivirent les attentats pour y acheter un exemplaire du Coran ; ils voulaient savoir ce que contiennent vraiment ces textes au nom desquels on tue et comment ils peuvent être interprétés de façon aussi diverse par l'ensemble des Musulmans.

Lorsqu'on cherche ainsi à entrer dans la logique de l'autre, il devient plus difficile de prétendre que l'on détient seul la vérité, que ce soit en matière religieuse ou politique. Plus difficile aussi de croire que l'intelligence et la vertu sont d'un seul côté du monde. Plus difficile de penser que la richesse des uns est aussi légitime que la pauvreté des autres. Plus difficile enfin de ne pas voir que cette richesse crée des obligations à l'égard de ceux qui en sont dépourvus, ne serait-ce que pour éviter qu'ils se rebellent contre ce qui apparaît à leurs yeux comme une injustice.

L'image que les Français ont des Etats-Unis s'est transformée.

Comme l'ensemble des habitants des pays occidentaux, les Français ont d'abord manifesté leur compassion et leur solidarité à l'égard des Américains durement touchés par les attentats. Le temps de l'émotion passé, beaucoup se sont aussi interrogés (de façon consciente ou non) sur les causes de ces actes barbares. Ils ont cherché à comprendre ce qui, dans les valeurs et dans les comportements des Etats-Unis à l'égard des autres pays du monde, devrait être changé pour éviter de semblables tragédies. Dans une société française qui se posait déjà des questions sur sa relation avec l'Amérique, ce drame a balayé des certitudes, introduit le doute dans les esprits.

Il a notamment mis en évidence la schizophrénie française à l'égard des Etats-Unis. D'un côté, le « rêve américain », synonyme de réussite individuelle, de modernité technologique et de multiculturalisme. De l'autre, le regret teinté de jalousie d'une France qui a perdu sa grandeur passée, qui ne propose plus un avenir au monde et se contente d'observer le labora-

Les guerres du futur

La violence a toujours accompagné l'histoire des peuples, conséquence de la volonté de domination de ceux qui les dirigent. Elle s'est même souvent confondue avec l'Histoire. La guerre en est la forme la plus apparente et la plus meurtrière, mais on observe qu'elle a changé de nature. Après les guerres incessantes et localisées des siècles passés, les deux guerres mondiales du XXe siècle ont été l'occasion de destructions massives et d'une recomposition du monde. C'est la « guerre froide » qui leur a succédé jusqu'à la chute du Mur de Berlin, en 1989.
Les guerres de la deuxième moitié du XXe siècle ont davantage concerné les ethnies que les pays. Celles entre les Etats développés sont devenues peu fréquentes, du fait de l'existence d'organisations internationales, mais aussi de la dissuasion nucléaire. Elles ont été remplacées par les rivalités économiques. Les affrontements du XXIe siècle devraient être d'une autre nature. Un terrorisme multiforme se développera sans doute, utilisant les armes les plus diverses : traditionnelles, électroniques, chimiques, bactériologiques, nucléaires. Pour certains pays pauvres ou organismes spécialisés dans la terreur, il constituera un moyen de s'affronter aux pays riches. Dans certains pays développés, de nouvelles guerres civiles pourraient aussi opposer des groupes sociaux porteurs de conceptions incompatibles. Enfin, les différences culturelles et religieuses pourraient être les ferments d'antagonismes débouchant sur des affrontements.

Pour beaucoup de Français, le monde apparaît comme une menace

toire américain afin d'imiter les recettes qu'il met au point, sans d'ailleurs se demander si elles sont transposables.

Les attentats de septembre 2001 ont jeté une lumière nouvelle sur la nature du système social et politique américain. Comme l'avait observé Alexis de Tocqueville vers 1835, la démocratie américaine reste fondée sur l'accroissement continu de sa richesse, le poids des associations et des organisations intermédiaires, mais aussi sur l'existence d'un fort sentiment national et le rôle central de la religion. Ces valeurs ne sont pas toutes partagées par les Français, qui ont une relation ambiguë avec l'argent, sont plutôt individualistes et vivent dans un Etat laïque.

La mémoire courte

Sous le coup de l'émotion qui a suivi les attentats du 11 septembre aux Etats-Unis, beaucoup d'observateurs imaginaient que rien ne serait plus jamais comme avant. Ils se sont peut-être trompés. Moins d'un an après, le monde semblait avoir oublié la menace terroriste. Il aura suffi de bombarder les troupes d'Al Qaida en Afghanistan, de resserrer les mesures de sécurité dans les aéroports et de déjouer quelques tentatives d'attentat pour que les citoyens occidentaux se sentent rassurés, ou plutôt reportent leur inquiétude sur d'autres motifs.

Comme les autres, les Français semblent avoir chassé de leur esprit la menace. Parce qu'aucun autre attentat ne les a touchés, et malgré plusieurs tentatives heureusement avortées, ils préfèrent imaginer qu'elle est écartée. La succession des crises nationales ou internationales (attentats, vache folle, grèves, cracks boursiers...) tend à les rendre fatalistes. Cette amnésie collective ne doit cependant pas être confondue avec de l'inconscience. Elle est un moyen de survivre, dans un environnement que l'on ne maîtrise pas. Mais elle est moins acceptable de la part des politiciens, des chefs d'entreprise, des intellectuels ou même des médias, qui ont une responsabilité à l'égard de la collectivité. Que se serait-il passé en France si l'attentat projeté en décembre 1994 contre la tour Eiffel à partir d'un Airbus parti d'Alger avait abouti ?

Cette courte mémoire ne fait sans doute pas l'affaire des terroristes, dont le but est de perturber durablement la vie des occidentaux. Mais elle peut aussi être considérée par eux comme de l'arrogance. Le danger, en tout cas, est qu'elle entraîne une baisse progressive de la vigilance qui pourrait leur permettre de reprendre les agressions et restaurer ainsi le processus de la peur.

Europe

Les Français sont en majorité favorables à l'Union européenne...

Les Français sont conscients que la construction de l'Union européenne est un gage de sécurité, comme en témoigne la période de paix ininterrompue depuis 1945 entre les pays qui la composent. La majorité d'entre eux considère également que la taille européenne est nécessaire aux entreprises pour faire face à la concurrence internationale.

Pour la plupart, l'Union apparaît aujourd'hui comme une réalité en marche, dotée d'une dynamique propre et irréversible. Mais beaucoup mesurent encore mal les conséquences de ce mouvement sur leur vie et sur celle des générations futures. A cet égard, la mise en place de l'euro constitue une innovation essentielle. Elle symbolise le passage de la théorie à la pratique, de l'Europe des institutions à celle des citoyens. Elle est la condition première de la création d'une adhésion à une réalité supranationale. Mais les enquêtes montrent qu'elle n'est pas encore ressentie : seuls 29 % des Français pensent à eux souvent ou très souvent comme à des citoyens de l'Europe, 42 % pas très souvent, 28 % jamais (Observatoire

Thalys/Ipsos, mai 2001). Les élections européennes sont celles qui mobilisent le moins les électeurs. Le taux moyen de participation dans les quinze pays concernés est même en diminution : 47 % en 1999 contre 53 % en 1994 (mais 49 % en 1989), 57 % en 1984 et 61 % en 1979. Le taux français est inférieur ; il s'établissait à 53 % en 1999.

BBDO Corporate

La construction de l'Europe est d'abord celle de la paix entre ses membres

... mais ils s'interrogent sur l'avenir de l'identité nationale.

Depuis ses débuts en 1957, la construction européenne a été jalonnée de crises. Elles ont été résolues par les ministres ou les fonctionnaires des pays concernés au terme de négociations souvent laborieuses. Les plus récentes, notamment depuis 1993 et la création du Marché unique européen, sont d'une autre nature, car elles concernent les citoyens. Le traité de Maastricht et la perspective de la monnaie unique n'ont pas provoqué l'enthousiasme. Ils ont au contraire avivé les craintes quant à l'avenir des identités nationales ou régionales.

Le soutien à la cause européenne n'est donc pas unanime, encore moins inconditionnel. Les Français sont sceptiques sur les conséquences en matière de création d'emplois, de contrôle de l'immigration clandestine ou de protection sociale. Ils reprochent à l'Union d'être trop technocratique et craignent que l'Etat n'abandonne une partie de sa souveraineté. Si les résistances idéologiques se concentrent au Parti communiste et à l'extrême droite, elles traversent aussi bien la droite que la gauche modérées.

Surtout, les perspectives d'élargissement à de nouveaux pays très différents sur le plan politique, économique, culturel ou religieux (Europe de l'Est, Turquie) leur paraissent prématurées. Elles sont considérées comme des handicaps dans la recherche d'une véritable unité de l'Europe, qui concernerait non seulement ses institutions mais l'ensemble de ses habitants.

La mise en place de l'euro est un événement sans précédent.

La création d'une monnaie commune dans douze des quinze pays de l'Union européenne représente une première dans le monde et dans l'histoire. Les enjeux d'ordre économique ont souvent été évoqués : croissance supérieure dans la zone concernée ; disparition des frais de change ; impossibilité de dévaluation ; moindre dépendance par rapport aux Etats-Unis ; comparaison immédiate des prix entre les pays. On a moins évoqué les enjeux politiques. L'euro peut être en effet le prélude à la constitution d'une fédération européenne.

On a surtout ignoré les retombées sociales et culturelles, qui sont peut-être à terme les plus importantes. L'euro est en effet le premier symbole fort envoyé aux citoyens de l'Union pour leur montrer qu'elle n'est pas une construction artificielle seulement destinée aux institutions et aux entreprises. Après l'adhésion des pays à une entité supranationale, la monnaie commune marque celle des individus. Elle est un instrument concret et quotidien au service d'une culture commune. Grâce à l'euro, l'Europe peut renouer avec sa mission première, telle qu'elle était exprimée par Jean Monnet, l'un de ses pères fondateurs : « Nous ne coalisons pas des Etats, nous unissons des hommes. » 47 % des Européens estiment d'ailleurs que c'est l'euro qui symbolise le mieux l'Europe, loin devant le drapeau européen (18 %) et le Parlement européen (15 %).

La phase d'introduction a été un succès...

Le scénario catastrophe redouté par les responsables politiques, les entreprises et certains citoyens ne s'est pas produit. Si les pratiques commerciales n'ont pas toujours été vertueuses (des hausses de prix injustifiées ont été constatées au cours du second semestre 2001 et au début 2002) on n'a pas observé de dérive globale. Malgré une conjoncture défavorable, la consommation n'a pas diminué. L'euro n'a pas été déprécié

par rapport au dollar ; il s'est même apprécié dans le courant de l'année 2002, tout en restant à un niveau inférieur à celui prévu lors de sa création.

Surtout, il n'a pas entraîné de réactions négatives de la part des Européens, tant en France que dans les autres pays de la zone concernée. C'est au contraire le scénario le plus favorable qui a prévalu, avec une adaptation rapide pour les achats de produits courants, un attentisme limité pour les produits « lourds » (biens d'équipement) et les achats d'impulsion. Les comportements ont été comme prévu très différenciés selon les groupes sociaux et les individus, des eurosceptiques aux euroconvaincus en passant par les eurorésignés. Les erreurs et les litiges se sont produits en nombre limité, grâce notamment à la vigilance des commerçants, des pouvoirs publics, des associations de consommateurs et des médias.

... mais l'appropriation de la nouvelle monnaie prendra du temps.

En janvier 2002, les Français ont vu leurs revenus divisés par plus de six, ce qui leur a donné un sentiment d'appauvrissement. Mais les obstacles psychologiques sont encore plus forts en matière de dépenses. Dans les magasins, les écarts de prix ont été aussi fortement réduits, ce qui rend les comparaisons plus difficiles, dans un contexte de crainte que les commerçants ou les fabricants ne profitent de la situation pour augmenter les prix.

Dans de nombreux domaines, les décisions d'achat sont donc plus complexes et plus longues, tant que de nouveaux repères ne sont pas trouvés. Les autres risques pratiques,

Publicis Etoile

Les Français agissent en euros, mais pensent en francs

notamment les erreurs de conversion ou la difficulté à repérer la fausse monnaie, devraient s'atténuer assez rapidement. Il faut s'attendre cependant à de grandes inégalités d'adaptation entre les groupes sociaux ; beaucoup de Français n'ont pas fini de parler en francs, bien au-delà de ceux qui en étaient restés aux anciens.

L'euro devra aussi faire face à d'autres dangers, notamment économiques. C'est le cas par exemple d'un « choc asymétrique » provenant d'un pays en difficulté, incapable de satisfaire aux critères fixés à Maastricht et qui viendrait perturber le fonctionnement de l'ensemble de la zone. On peut aussi redouter l'incapacité de la Banque centrale européenne à contrer d'éventuelles spéculations ou une forte dépréciation de la monnaie. Enfin, il ne faut pas sous-estimer le poids des europhobes, que l'on a pu mesurer lors de la campagne présidentielle de 2002. Inconsolables de la disparition du franc, ils ne voient dans la monnaie commune qu'une preuve supplémentaire de l'abandon de souveraineté de la France et de sa décadence.

Le futur moins présent sur le vieux continent

L'UNE des différences de fond entre les Etats-Unis et l'Europe est la place plus grande faite au futur et à sa préparation de l'autre côté de l'Atlantique. On compte ainsi 7,4 chercheurs pour 1 000 actifs aux Etats-Unis, contre 5,1 dans les pays de l'Union européenne (8,5 au Japon). Les entreprises européennes emploient 2,5 actifs pour 1 000 actifs contre 6,7 aux Etats-Unis (6,0 au Japon). La dépense nationale de recherche et développement représente 1,8 % du PIB des pays de l'UE, contre 2,7 % aux Etats-Unis (3,1 % au Japon). Loin de se combler, les écarts se sont au contraire creusés au cours des dernières années. Les publications scientifiques européennes, moins nombreuses que les américaines, ont en outre moins d'impact (citations dans les autres revues et médias) notamment en matière de recherche médicale et de biologie fondamentale.

La convergence des modes de vie n'exclut pas les singularités nationales ou régionales.

L'alimentation, l'habitat, les rapports au sein de la famille, la vie professionnelle ou les pratiques de loisirs se rapprochent entre les pays de l'Union. Les différences de structure des budgets des ménages se réduisent (voir p. 384). Des valeurs communes réunissent les Européens, comme la justice, le travail et la liberté. Cette

Proximités culturelles : la France plébiscitée

Chacune des nations qui composent l'actuelle Union européenne a des autres une certaine image, façonnée par l'histoire, la géographie, la religion, la culture, mais aussi par l'expérience individuelle et l'actualité quotidienne. Le mélange de ces ingrédients produit le sentiment d'une plus ou moins grande proximité des pays les uns des autres, mise en évidence par l'enquête de l'Observatoire Thalys.
On constate ainsi que la France, malgré ses singularités souvent dénoncées à l'étranger, est considérée comme le pays culturellement le plus proche par quatre des six autres pays interrogés. Seuls les Allemands et les Espagnols se disent plus proches d'un autre pays : respectivement l'Autriche et l'Italie. Ce statut privilégié de la France tient sans doute à sa situation géographique centrale (« l'empire du milieu » européen). Elle lui a permis d'emprunter au sud son tempérament latin et son art de vivre, mais aussi plus récemment au nord ses valeurs protestantes, fondées sur l'autonomie de l'individu, l'économie de marché, l'éthique ou la décentralisation.
Les Belges, les Italiens, les Néerlandais et les Britanniques se sentent plus proches de la France que les Français ne le sont à leur égard. La proximité ressentie par les Allemands à l'égard de l'Italie n'est pas partagée, pas plus que celle des Belges pour les Espagnols. Surtout, celle des Néerlandais pour les six autres pays n'est payée de retour que par les Britanniques. La complicité latine entre les Espagnols et les Italiens est plus fortement exprimée par les premiers que par les seconds. Celle, liée à une origine commune anglo-saxonne, des Allemands à l'égard des Britanniques, n'est guère réciproque. Ce sont ces derniers qui jouent le rôle des amoureux transis dans leur relation avec l'Espagne.

Le modèle culturel français

De quel pays européen vous sentez-vous le plus proche culturellement ? (en % des réponses exprimées dans chaque pays) :

	Belgique	France	Allemagne	Italie	Pays-Bas	Espagne	Roy.-Uni
France	11,8	-	14,1	18,1	1,5	15,8	5,5
Royaume-Uni	2,1	19,3	9,3	3,7	6,3	8,0	-
Allemagne	-	14,0	-	13,5	5,0	6,2	5,4
Espagne	0,3	14,7	2,2	33,5	0,8	-	2,6
Italie	2,1	32,0	6,9	-	0,6	20,9	2,1
Belgique	-	42,3	3,7	4,7	7,4	9,1	1,6
Pays-Bas	14,4	17,2	11,7	6,4	-	6,4	5,3

Observatoire Thalys Ipsos, mai 2001

convergence est l'une des manifestations du mouvement plus général de globalisation.

Pourtant, les différences nationales n'ont pas disparu. Elles restent sensibles en matière d'alimentation, d'habillement, d'équipement du logement ou de loisirs. Elles reposent sur l'histoire, la culture, le climat ou les habitudes. On observe aussi une résurgence des différences régionales. Les pays de l'Union européenne sont en effet de plus en plus constitués de régions ou d'entités administratives culturellement et souvent politiquement autonomes. C'est le cas de l'Espagne, de l'Italie, du Royaume-Uni, de la Belgique ou de l'Allemagne. La région tend à devenir le lieu le plus fort de l'enracinement.

Au total, la convergence l'emporte. Elle est apparente en matière d'opinions, de valeurs et de consommation. Les différences sont aujourd'hui plus marquées entre les groupes sociaux d'un même pays qu'entre les différents pays pour un même groupe. C'est ainsi que les jeunes ont des attitudes et des comportements de plus en plus proches dans l'ensemble des pays développés, ce qui devrait favoriser la poursuite de la construction européenne.

Le modèle européen devra réconcilier le libéralisme et l'humanisme.

Au cours de sa longue histoire, l'Europe a connu deux mouvements contradictoires. Celui du morcellement s'est traduit par l'émergence des Etats-nations, la diversification des cultures, des religions et des langues. Celui de l'unification s'est produit d'abord par la religion, puis par la conquête, enfin par la paix, la coopération et le traité de Rome de 1957. L'Union européenne s'est construite sur l'utopie d'un modèle social issu de valeurs humanistes, éthiques et esthétiques, qui la distinguent du reste du monde.

Ce mouvement d'unification devrait se poursuivre à l'avenir et l'Europe deviendra alors ce que Nietzsche appelait une « communauté de destins ». L'objectif poursuivi est au fond de réconcilier les deux grandes idées européennes : le libéralisme et le socialisme. La mise en place de la « troisième voie » entre l'économique et le social sera la tâche principale des acteurs qui feront l'Europe : politiciens, chefs d'entreprise, syndicats, artistes, mais aussi bien sûr citoyens. La forme qui sera choisie (juxtaposition d'Etats indépendants, fédération ou autre structure supranationale) devra permettre de réaliser cette ambition. L'avenir de l'Europe n'est pas à découvrir, mais à inventer.

Une ambition ancienne

LES premières tentatives de création d'une Europe unifiée remontent à la diffusion du christianisme. Au Moyen Age, le flambeau européen fut repris par Charlemagne puis par le Saint-Empire germanique. Les grandes croisades contre l'Islam, dès la fin du XIe siècle, furent aussi un facteur d'unité (Francs, Anglais, Italiens, Allemands) sous l'égide de l'Eglise. Mais c'est Charles Quint qui poussa l'idée le plus loin, sans cependant la mener à son terme.

Le rêve européen fut évoqué à de nombreuses reprises au cours d'une histoire tourmentée : « grand dessein » d'Henri IV et Sully ; programme de confédération européenne de Leibniz sous la double direction du Pape et de l'Empereur ; projet de William Penn et des Quakers, qui ne sera finalement réalisé qu'en Amérique. Artistes, philosophes, humanistes et marchands furent aussi les acteurs d'une unification silencieuse et pacifique : Philippe de Commynes (historien de Louis XI) ; Rousseau et la « République européenne » proposée en écho au projet de Charles-Irénée de Castel, abbé de Saint-Pierre... Montesquieu considérait l'Europe comme l'entité intermédiaire entre la patrie et l'ensemble de l'humanité : « Si je savais quelque chose d'utile à ma patrie et qui fût préjudiciable à l'Europe, ou bien qui fût utile à l'Europe et préjudiciable au genre humain, je la regarderais comme un crime. » Il exprimait ainsi la vocation universaliste de l'Europe.

L'élargissement est le prochain grand défi de l'Union.

La longue histoire de l'Europe, par ses origines chrétiennes et l'héritage des civilisations grecque et romaine, lui a conféré une identité commune, bien plus qu'elle n'a accentué les différences nationales ou régionales. La vocation de l'Union européenne est aujourd'hui de créer une synergie entre une croissance économique durable, la réalisation du plein emploi et l'amélioration de la cohésion sociale. Il s'agit en fait d'actualiser et d'approfondir le « modèle social européen », puis de l'élargir.

L'intégration d'autres pays voisins (Europe orientale, Turquie) sera en effet l'autre défi à relever pour les prochaines années ou décennies. Les différences de l'Union avec les pays candidats apparaissent plus grandes qu'elles ne l'étaient entre les pays de l'Europe à six (1957), à neuf (1973), à dix (1981), à douze (1986), puis à quinze (1995). C'est sans doute pourquoi les opinions sont majoritairement défavorables à l'élargissement au Royaume-Uni, en Autriche, en Allemagne, mais aussi en France. Il ne pourra pourtant se faire sans leur adhésion.

> Le mot mondialisation évoque quelque chose de positif pour 48 % des Français, de négatif pour 47 %.
> 77 % des Français jugent les pratiques du commerce mondial entre le Nord et le Sud inéquitables.
> 62 % des Français (contre 32 %) sont favorables à l'annulation de la dette des pays du Tiers-Monde vis à vis de la France.
> 63 % des Français jugent de manière positive la monnaie unique.
> 71 % des Français (contre 21 %) jugent que l'Europe est une bonne chose pour la France.
59 % des Français sont opposés à l'adhésion de la Turquie à l'Union européenne.
> 2 millions de Français vivent à l'étranger. 260 000 sont installés aux Etats-Unis, 230 000 au Royaume-Uni, 180 000 en Allemagne, 140 000 au Canada, 11 000 en Chine, 11 000 en Inde, 6 500 au Japon, 5 000 en Australie, 3 000 en Russie... 15 au Vatican.

Les valeurs

Valeurs actuelles

La mutation sociale a commencé au milieu des années 60.

Comme l'ensemble des sociétés développées, la France est engagée depuis plusieurs décennies dans un processus de transformation de ses valeurs et de son fonctionnement. Les mouvements de la société ont été autant de tentatives d'adaptation et d'ajustement aux changements profonds qui se sont produits en matière technologique, démographique, idéologique, politique, économique, spirituelle ou culturelle.

Dès le milieu des années 60, certains phénomènes, passés presque inaperçus, annonçaient déjà la « révolution des mœurs ». La natalité commençait à chuter, le chômage à s'accroître. La pratique religieuse régressait, en particulier chez les jeunes. Le nu faisait son apparition dans les magazines, dans les films et sur les plages. La délinquance connaissait une très forte croissance, avec un triplement du nombre de crimes et délits entre 1965 et 1975 (1 912 000 contre 666 000).

Dans l'ensemble des pays occidentaux, la productivité des entreprises diminuait, pour la première fois depuis vingt ans. Les coûts de la santé et de l'éducation amorçaient leur ascension, préparant le terrain de la crise économique des années 70. Les rapports des Français avec les institutions commençaient aussi à se détériorer. L'Eglise, l'armée, l'école, l'entreprise, l'Etat connaissaient tour à tour la contestation. Sans qu'ils en soient conscients, les Français entraient peu à peu dans une nouvelle société.

Les piliers traditionnels de la société se sont affaissés.

Dans un monde de plus en plus complexe et incertain, les Français cherchent des explications, des points de repère et d'ancrage. Ils ne sont plus aujourd'hui fournis par la religion. La séparation de l'Eglise et de l'Etat, qui date de 1905, s'est accompagnée dans les dernières décennies d'une érosion de la foi et des pratiques. L'influence du catholicisme sur les modes de vie et sur les valeurs a beaucoup diminué, notamment auprès des jeunes (voir p. 282). La perspective d'un paradis après la mort s'étant éloignée, les Français revendiquent des satisfactions « ici et maintenant ».

De leur côté, les institutions de la République laïque ne sont plus en mesure de fournir les réponses attendues par ses membres. L'école peine à remplir son rôle de formateur des individus-citoyens (voir *Instruction*). L'armée de conscription a été supprimée. Le crédit des partis politiques et des institutions s'est amenuisé (voir p. 254).

L'évolution du système social et celle des mentalités se sont accélérées au cours des trente dernières années. Elles ont abouti à ce que beaucoup de Français ont ressenti comme un effondrement des valeurs. Il s'agissait en réalité d'une transformation spectaculaire et inédite des fondements sur lesquels reposait jusqu'ici la société.

La vérité est devenue introuvable.

Contrairement à ce que l'on aurait pu croire, l'explosion des moyens de communication et d'information au cours des dernières décennies n'a pas permis d'accéder plus facilement à la réalité ou à la vérité. La première est de plus en plus médiatisée et virtualisée. La seconde est de plus en plus difficile à trouver. Sur la plupart des thèmes, les avis et les informations s'opposent, même lorsqu'ils proviennent d'experts reconnus. Comment savoir aujourd'hui si le clonage des êtres humains est à proscrire ou à encourager ? La culture des céréales génétiquement modifiées est-elle une chance ou une menace pour l'humanité ? La DHEA est-elle une molécule qui réduit le vieillissement ou qui favorise certains cancers ?

En se faisant l'écho d'avis contradictoires dans tous les domaines, les médias jouent leur rôle d'informateurs. Mais ils contribuent aussi à la confusion générale. Ils encouragent la tentation de certains experts de se distinguer en exprimant un avis contraire à celui généralement admis, quitte parfois à « tordre » un peu la réalité pour la rendre plus médiatique. La difficulté d'accéder à la vérité (et d'en avoir la preuve irréfutable) tient parfois au manque d'objectivité des sources d'information. De plus, les certitudes d'un jour sont souvent mises en question le lende-

La théorie des chocs

Depuis le milieu des années 60, les Français ont vécu de nombreux événements de toute nature. Certains ont été de véritables chocs, qui ont provoqué une transformation des modes de vie et des systèmes de valeurs. En même temps qu'il annonçait une rupture avec le passé, chacun de ces chocs a marqué le début d'une nouvelle ère.

1968 fut avant tout un choc culturel ; les Français descendirent dans la rue pour dénoncer la civilisation industrielle et ses dangers. Leur goût de plus en plus affirmé pour la liberté allait provoquer la levée progressive des tabous qui pesaient depuis des siècles. Avec, en contrepoint, la remise en cause des institutions républicaines. La « révolution introuvable » de Mai 68 aura été un moment essentiel de l'histoire contemporaine. Elle reste inachevée, mais correspond à la fin (provisoire ?) des utopies.

1973. Le choc économique sonna le glas de la période d'abondance, annonçant la montée brutale du chômage. Mais il fallut dix ans aux Français pour s'en convaincre. Cette période a coïncidé avec la fin de la croissance et de l'idée qu'elle peut être durable.

1981 fut pour les Français un choc politique, après 23 ans de monopole de la droite. Le plan de relance économique à contre-courant de l'année suivante fut l'occasion pour la gauche et pour l'ensemble des Français de découvrir l'interdépendance économique planétaire. Il annonçait la fin d'une vision binaire de la politique et la prépondérance de l'économique sur le politique.

1987. Le choc financier mit en évidence les déséquilibres entre les zones économiques, les limites de la coopération internationale, l'insuffisance des protections mises en place depuis 1929, l'impuissance des experts à prévoir et à enrayer les crises. Il correspond à la fin de la confiance envers les institutions.

1989, année de la chute du Mur de Berlin, marqua la fin de l'idéologie communiste, à défaut de celle de l'Histoire. Elle fut suivie d'une période d'angélisme qui laissait penser que la démocratie allait s'étendre sur le monde.

1991 allait mettre fin à cette illusion, avec le choc psychologique provoqué par la guerre du Golfe. La preuve était une nouvelle fois donnée que le monde est dangereux et la coexistence avec les autres pays précaire. Cette alerte sonnait la fin d'une vision du monde, centrée sur l'idée du progrès universel.

1993 fut un choc européen, avec le développement d'une crise qui, pour la première fois depuis 1957, ne concernait pas les institutions européennes mais les citoyens. Ceux-ci se demandaient si leurs identités nationales n'allaient pas se dissoudre dans celle, encore inexistante, de l'Union. Cette réaction marquait la fin d'une vision technocratique de l'Europe. 1993 était aussi marquée par un retournement de l'opinion ; pour la première fois, une majorité de Français se disaient prêts à partager le travail et les revenus pour lutter contre le chômage. Cette évolution annonçait la fin d'une civilisation organisée autour du travail (voir p. 141).

1995 a été marquée par le choc social de décembre, avec des grèves qui ont paralysé le pays comme en Mai 1968. Mais les deux mouvements étaient de nature très différente. Dans le premier cas, les jeunes et les travailleurs, solidaires, refusaient la société industrielle et revendiquaient davantage de liberté individuelle. Dans le second, les grévistes du secteur public s'efforçaient au contraire de préserver les acquis du passé. Plus qu'un simple rejet du plan de réforme de la Sécurité sociale ou une réelle solidarité entre les travailleurs du privé et ceux du public, c'est le divorce avec les institutions et le mécontentement à l'égard du gouvernement qui expliquent ce mouvement de colère. Il annonçait peut-être la fin de la période de transition commencée au milieu des années 60.

2000. Le choc calendaire de la fin du XXe siècle a été vécu par beaucoup de Français comme une période de grâce. Conscients du privilège de connaître un changement de siècle et de millénaire, ils se sont efforcés de solder les comptes du passé et de penser à l'avenir. Mais les lendemains de fête allaient être difficile.

2001. Les attentats du 11 septembre ont ébranlé l'ensemble du monde occidental (voir p. 263). Si les nouvelles formes du terrorisme ne mettent pas en cause l'existence même des démocraties (elles confirment au contraire leur supériorité sur les systèmes totalitaires), elles éclairent d'un jour nouveau leurs responsabilités à l'égard du reste du monde.

2002. Le premier tour de l'élection présidentielle a été un révélateur du malaise social et du fossé existant entre les groupes sociaux du sommet et de la base de la pyramide. Il a donné l'occasion aux politiciens de se réconcilier avec les citoyens.

Ces chocs ont été d'autant plus forts qu'ils se sont produits sur fond de mutation technologique : informatique, téléphonie mobile, Internet, biotechnologies... Ils ont provoqué des décalages et des inégalités entre les catégories sociales, préludes à la recomposition sociale en cours (voir p. 224).

Les fondations inversées

L'HISTOIRE de ces dernières décennies est celle d'une inversion spectaculaire des grands principes sur lesquels reposaient la conception et le fonctionnement et la société. Ainsi, l'importance du *lignage* s'est affaiblie avec le développement de la famille éclatée. La *transcendance*, issue d'une conception religieuse et éternelle du monde, a été remplacée par une vision matérialiste limitée au court terme. La *solidarité*, vertu des sociétés traditionnelles, a fait place à ce qui est apparu comme un individualisme forcené. Avec le décalage entre le discours de l'Eglise et la vie quotidienne, le *sacré* a été peu à peu remplacé par le profane. Le principe de *continuité* a lui aussi été mis en question par la généralisation des ruptures, très inconfortables à vivre pour la plupart des individus. Le principe d'*autorité*, sur lequel reposaient les sociétés antérieures, a été refoulé par l'idéologie libertaire. La primauté du *masculin* s'est érodée au profit de la célébration des valeurs féminines. La fin du deuxième millénaire aura donc défait en quelques décennies ce que les siècles précédents avaient patiemment construit, entretenu et préservé.

L'*Homo sapiens* des origines a laissé place à un *Homo zappens* dont la caractéristique essentielle est la mobilité, à la fois physique et mentale. Le changement répété et fréquent devient en effet une règle de vie et même de survie dans un monde de plus en plus mouvant. Cette mobilité, dont l'outil emblématique est aujourd'hui le téléphone portable, se traduit dans la vie professionnelle, conjugale, sociale ou dans les comportements de consommation (voir p. 362).

D'autres inversions se sont produites dans les mœurs contemporaines, qui sont liées à l'émergence de la « société du spectacle ». Le *paraître* remplace l'être, la *forme* prend le pas sur le fond, les *sens* sur le sens. Le prestige et l'argent ne viennent plus du travail accompli mais de la *notoriété*, de la capacité à se donner en spectacle dans les médias. Les hiérarchies ne sont plus fondées sur la connaissance, mais sur la *reconnaissance*. Celle-ci n'évoque plus aujourd'hui la récompense obtenue pour des services rendus par un individu à la collectivité. Elle indique sa capacité à être reconnu dans la rue parce qu'il est passé à la télévision.

main. C'est le cas par exemple en matière alimentaire, où les vertus et les risques liés aux aliments varient selon les moments.

Cette quasi-impossibilité de connaître la vérité est très inconfortable. Elle prive les individus de repères forts et permanents, favorise le doute et le stress. Elle concourt aussi à la perte de crédit de l'ensemble des institutions. Elle explique enfin la montée d'un certain fatalisme : dans une société où le risque est partout, il est vain de vouloir se protéger ; alors on vit au jour le jour en s'efforçant de ne pas penser au lendemain. Carpe diem (jouis du moment présent)...

Les mots ont changé de sens.

L'ampleur et la rapidité des transformations qui se sont produites depuis plus de trente ans expliquent l'interrogation actuelle de la société française sur les valeurs qui la fondent. Les mots qui les qualifient sont inchangés, mais ils n'ont plus le même sens. Ainsi, la *famille* n'est plus le centre de la transmission d'un héritage culturel et financier placé sous l'autorité exclusive du père ; elle est un lieu égalitaire où chacun doit pouvoir trouver son autonomie. La *patrie* n'est plus l'objet d'un attachement aussi fort dans un contexte de construction européenne et de mondialisation, même si le sentiment se réveille en certaines occasions comme les grandes compétitions sportives (Coupe du monde de football de 1998, Coupe Davis en 2001, Jeux Olympiques d'hiver de 2002...). Le *travail* est devenu pendant les années de crise un bien rare, en même temps qu'il perdait de son importance sociale avec la mise en place des 35 heures.

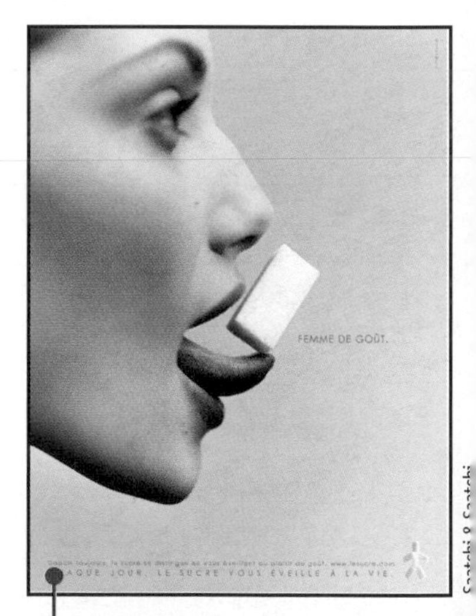

La société a changé de sexe

La revendication majeure des années 70 fut celle de la liberté individuelle. Les années 80 furent marquées par une demande matérialiste ; l'argent occupait une place croissante dans la société pour devenir l'étalon de la réussite et la condition du bon-

Les mots et les idées

Perception de différents mots évoquant l'économie et la politique (en %) :

	Evocation positive	Evocation négative	Sans opinion
ECONOMIE			
- Participation	82	8	10
- Concurrence	77	16	7
- Libre-échange	73	13	14
- Syndicat	68	22	10
- Flexibilité	62	21	17
- Internet	61	22	17
- Socialisme	57	28	15
- Euro	57	32	11
- Libéralisme	55	28	17
- Planification	52	26	22
- Bourse	49	33	18
- Fonds de pension	48	26	26
- Profit	47	41	12
- Privatisation	42	40	18
- Mondialisation	42	44	14
- Nationalisation	40	45	15
- Protectionnisme	36	48	16
- Capitalisme	31	55	14
- Stock-options	25	36	39
- Dirigisme	20	62	18
POLITIQUE			
- Ecologie	69	21	10
- Socialisme	60	26	14
- Gauche	57	26	17
- Centre	49	31	20
- Gaullisme	40	40	20
- Droite	38	46	16
- Social-démocratie	36	37	27
- Démocratie chrétienne	25	50	25
- Communisme	21	63	16
- Gauchisme	21	62	17
- Radicalisme	14	60	26
- Conservatisme	14	67	19
- Marxisme	7	74	19
- Extrême-droite	5	84	11

heur. La décennie 90 fut placée sous le signe d'une demande d'identité et de sens. Le début du XXIe siècle apparaît déterminé par une recherche de bien-être et d'harmonie, dans un contexte où chacun est de plus en plus responsable de son propre destin.

Les Français semblent avoir de plus en plus peur du vide qui s'est installé dans leurs vies.

Si la nature a horreur du vide, la nature humaine en est encore plus effrayée. C'est sans doute pourquoi les hommes ont inventé le travail, les tâches ménagères (qu'ils réservent encore largement aux femmes) et, plus récemment, le téléphone portable. Ce dernier est d'ailleurs sans doute l'objet emblématique de la société actuelle. S'il rend indéniablement des services à beaucoup de ses possesseurs, il leur permet aussi de se donner le sentiment d'exister : « Je suis appelé, donc je suis. »

Pour éviter le sentiment de vide et la chute inexorable qu'il entraîne vers la mort, la tentation est de « faire le plein ». C'est pourquoi les Français cherchent à remplir leur vie comme ils remplissent leur caddy au supermarché ou le réservoir de leur voiture. Mais les activités professionnelles, familiales, personnelles, sociales ne suffisent pas, apparemment, à « meubler » le temps dont ils disposent, qui a augmenté de plus de moitié au cours du XXe siècle (voir p. 128). Le temps de travail a été dans le même temps divisé par deux, tandis que le temps libre a été multiplié par cinq.

Il existe donc encore beaucoup de « temps morts » (le qualificatif n'est évidemment pas anodin) à remplir. La télévision, le sport, Internet et bien

sûr le téléphone portable sont en partie utilisés dans ce but. Ce qui n'empêche pas tous ceux qui cherchent inconsciemment à « tuer le temps » de se plaindre d'en manquer. Etre « libre » ou « occupé », telle est donc la question. Mais les deux termes, dans la langue française comme dans la plupart des langues, ont des sens contraires.

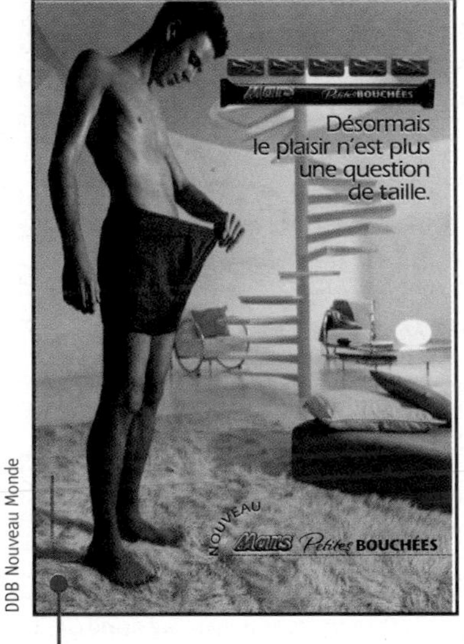

Le plaisir est devenu une valeur

Le postulat de la « modernité » est aujourd'hui remis en question.

Depuis la fin du XVIIIe siècle et la révolution industrielle, la notion de « modernité » est fondée sur un postulat selon lequel l'accroissement de la connaissance (en particulier scientifique) entraîne le développement des techniques, qui apportent de nouveaux services à l'humanité. L'innovation assure ainsi l'accroissement continu de la richesse collective et individuelle. Vecteur du bonheur matériel, elle permet aussi à chacun de s'accomplir dans une société à la fois plus riche et plus juste (et d'en profiter plus longtemps, grâce à l'allongement de la durée de la vie).

Beaucoup de Français contestent aujourd'hui cette vision de la modernité. Ils sont de plus en plus conscients des risques liés aux applications possibles de la science et de la technologie : dégradation de l'environnement ; clonage humain ; énergie nucléaire ; armes chimiques, biologiques ou électroniques ; atteintes à la vie privée, etc. La perception de l'avenir s'est assombrie avec la prise de conscience des menaces qui pèsent sur le monde. Le confort matériel s'est accompagné d'un inconfort moral. Après la foi religieuse, la croyance scientifique a fait place au doute et à l'anxiété.

Ce qu'on a pris pour la « fin de l'Histoire » n'était en fait que la fin d'une certaine vision de la modernité. Celle en tout cas avec laquelle la France vit depuis l'avènement, il y a deux siècles, de la civilisation industrielle. La contestation a d'abord pris la forme de l'écologie, plus récemment celle de l'antimondialisation. Les Mutins s'opposent aujourd'hui aux Mutants (voir p.228).

Une nouvelle civilisation est en préparation.

Les transformations technologiques, économiques et sociales qui se sont produites depuis plusieurs décennies ne peuvent être assimilées à un simple changement de société. Elles s'apparentent davantage à un changement de civilisation. Leurs incidences sur l'état de la société française (et, plus largement, sur l'ensemble des pays développés) sont en effet au moins aussi grandes que celles qui avaient provoqué à la fin du XVIIIe siècle la Révolution française, sur fond de révolution industrielle.

Cette nouvelle civilisation pourrait reposer sur trois principes fondateurs. Le premier est la place prépondérante prise par le *loisir*, au détriment du travail (voir p. 133). Le deuxième est la reconnaissance de l'*individu*, qui devient parfois plus important que la collectivité. Le troisième est le remplacement à terme du système actuel d'assistance par celui de la responsabilité et surtout de l'*autonomie*.

Ce changement de civilisation est la conséquence d'autres « tendances lourdes » de la société. La famille tra-

Le mythe du progrès

LA notion de progrès entretenue depuis des siècles (Bacon, Condorcet, Comte...) reposait sur trois idées-forces : la croyance absolue dans la science et dans la technique ; le primat de la raison sur la passion ; la réalisation de soi-même par le travail. Le bien-fondé de ces idées est aujourd'hui mis en doute par une partie croissante de la population. La science est ambivalente et ses perspectives sont aussi fascinantes qu'effrayantes. La passion apparaît comme une caractéristique incontournable de la nature humaine et comme le moteur de la vie, tant individuelle que collective ; dans une société hédoniste, la raison semble au contraire privative de plaisir et de liberté. Quant à la place du travail, elle s'est beaucoup réduite, tant sur le plan quantitatif, avec la diminution régulière et spectaculaire du temps consacré à la vie professionnelle, que qualitatif, avec la place croissante réservée aux loisirs.

ditionnelle s'élargit à un groupe plus électif, qui ressemble plutôt à une *tribu*. Les *valeurs féminines* imprègnent une société jusqu'ici dominée par les valeurs masculines. Enfin, la *mondialisation* et les outils de la *technologie* tendent à faire converger les modes de vie et les valeurs dans les pays développés.

Les conséquences de ces transformations en cours sont évidemment nombreuses. La société française traditionnellement verticale, hiérarchisée, devient *horizontale*, avec des citoyens qui appartiennent de plus en plus à des réseaux. Longtemps soumise à des forces centripètes, qui tendaient à ramener en permanence les membres de la société vers le milieu, la machine sociale est de plus en plus soumise à des forces *centrifuges*, qui tendent à marginaliser et à exclure ceux qui ne disposent pas des atouts nécessaires pour se maintenir (santé, instruction, relations...).

La nécessaire estime de soi

L'ÉGOLOGIE est une réponse à la difficulté d'être soi dans un monde chaotique et exigeant. Elle part du double principe de l'unicité et de l'autonomie. Cela implique à la fois de trouver son identité et de révéler ses potentialités. Le développement personnel est le moyen d'y parvenir. Il est de plus en plus présent dans les médias, comme en témoigne le succès du magazine *Psychologies* ou des émissions de télévision avec des « vrais gens » comme *Ça se discute* (France 2). Il est apparent dans la littérature, qui banalise l'introspection et valorise les différences. Il est manifeste dans les injonctions des psychologues qui prônent l'estime de soi. Les thérapies, séminaires, produits et stages de toute sorte se multiplient, et proposent de devenir plus efficace, plus « performant », donc plus heureux.

Cette évolution traduit la faillite du modèle de la société de consommation, qui tend à devenir une « société de consolation » (voir p. 369). L'accès par le plus grand nombre au confort matériel s'est accompagné d'un inconfort moral. La multiplication des objets et des équipements issus des progrès de la technologie ne parvient plus à combler un manque existentiel, philosophique et spirituel croissant. Elle engendre au contraire une frustration devant la diversité des offres et leur renouvellement permanent.

L'assertivité ou estime de soi est au fond une stratégie de survie. Elle a pour but d'aider chacun à devenir autonome, c'est-à-dire à prendre à tout moment les bonnes décisions. Il s'agit de maîtriser son destin ou, comme le suggérait Paulo Coelho, d'accomplir sa « légende personnelle », dans un monde où elle n'est plus tracée par une vision religieuse.

Mais, si le « je » occupe une place essentielle, il n'interdit pas le « nous », ne serait-ce que parce que l'on ne peut être heureux tout seul, sans appartenir à un groupe, une famille, une tribu. Pour la plupart des individus, l'estime de soi passe en effet par le regard des autres.

Les Français cherchent à réconcilier les contraires.

La crise économique et culturelle a eu des vertus pédagogiques. Après avoir longtemps privilégié une approche simplificatrice, parfois manichéenne de la vie, les Français ont acquis le sens des nuances. Ainsi, ils n'opposent plus de façon aussi nette le bien et le mal, l'homme et la femme, le corps et l'esprit, l'enfant et l'adulte, la gauche et la droite, le travail et le loisir, la nature et la culture, l'intérieur et l'extérieur, l'inné et l'acquis, la science et la conscience, l'individu et la collectivité...

Les Français cherchent donc à passer d'une logique d'opposition entre des notions supposées contradictoires à une logique de réconciliation. Les conséquences de cette évolution sont sensibles par exemple en politique avec la recherche d'une « troisième voie » entre droite et gauche, ou celle de l'agriculture raisonnée, à mi-chemin entre agriculture intensive et agriculture biologique. Dans tous les domaines, les « frontières », réelles ou mentales, tendent à s'estomper, voire à disparaître.

Mais beaucoup s'accrochent encore à une vision binaire et manichéenne du monde, plus confortable à leurs yeux. La dernière élection présidentielle a ainsi montré que de nombreux électeurs souhaitaient que la gauche et la droite retrouvent leurs identités traditionnelles. Sur la mondialisation, la construction européenne, la place des étrangers ou la responsabilité des hommes politiques, ils préfèrent afficher des certitudes que se poser des questions.

L'« égologie » mélange le moi et le nous.

Conscients de l'incapacité des institutions (partis politiques, administrations, syndicats, école, Eglise...) à résoudre les grands problèmes, les Français prennent peu à peu conscience de la nécessité d'être autonome. Cette reconnaissance de la personne

représente l'aboutissement d'une évolution inscrite dans les motivations de la Révolution française. Pour la première fois, chaque citoyen a ainsi la possibilité d'affirmer son identité, de « gérer » sa vie, de maîtriser autant que possible son destin.

Cette évolution en cours vers l'autonomie, que l'on peut baptiser « égologie », n'implique pas obligatoirement l'égoïsme ou l'égocentrisme. Le souci de soi n'exclut pas le sens de la responsabilité envers les autres. L'égologie est l'aboutissement, le concept fédérateur des valeurs « postmatérialistes » : liberté individuelle, tolérance, qualité de vie, paix, convivialité... Elle constitue une tentative pour faire cohabiter le « moi » et le « nous ».

Ecologie et égologie pourraient ainsi être deux des mouvements majeurs de ce début de XXIe siècle. La ressemblance entre ces deux attitudes ne se limite pas à celle des mots qui les qualifient. Toutes deux se caractérisent par une volonté de retour à la nature. Mais c'est à la nature humaine que l'égologie s'intéresse.

La liberté et la tolérance sont des valeurs croissantes.

Des trois composantes de la devise républicaine, la liberté apparaît aujourd'hui comme la plus importante aux yeux des Français. Les valeurs d'égalité et de fraternité sont un peu passées au second plan, même si elles sont reconnues dans leur principe. La reconnaissance de la liberté individuelle a favorisé la tolérance. Elle implique de ne pas porter de jugement de valeur sur les personnes, quels que soient leur origine géographique ou ethnique, leur milieu social, leur caractère, leurs aptitudes, leurs croyances... Tout individu a de bonnes raisons d'être ce qu'il est et de faire ce qu'il fait, si l'on tient compte de son histoire, de sa culture, de ses caractéristiques personnelles ou de sa conception du monde. De plus, l'incapacité à trier le vrai du faux, le bien du mal incite à une tolérance croissante, qui ressemble parfois à la permissivité.

Les droits sont plus souvent évoqués que les devoirs.

La double revendication de liberté et de tolérance est très présente depuis quelques années dans le discours ambiant ; elle est relayée par les médias et l'ensemble des acteurs sociaux. Elle a donné lieu à un allongement continu de la liste des droits de l'individu : droits des travailleurs, des femmes, des enfants, des minorités ; droit au logement, à l'expression, à la différence ; droit au loisir et au plaisir...

Dans le même temps, la liste des devoirs tendait, elle, à raccourcir. Le devoir de voter a été mis à mal lors de chaque élection (voir p. 256). Celui d'acheter un billet lorsqu'on utilise les transports en commun, de payer ses impôts, de rembourser ses dettes ou simplement de tenir ses engagements est contesté par un nombre croissant de citoyens. La liberté individuelle et la tolérance ont rendu la vie collective plus difficile, en provoquant et en banalisant les « incivilités ». Contrairement à ce qu'affirmait Rabelais, les gens libres n'ont pas toujours un « instinct qui les pousse naturellement à la vertu ». La prise de conscience que le développement des droits sans la reconnaissance des devoirs entraîne le désordre s'est d'ailleurs affirmée lors de la dernière élection présidentielle.

La dictature des soixante-huitards

Après avoir dans leur jeunesse contesté les institutions, les anciens de Mai 68 en détiennent aujourd'hui les rênes. Les années passant, beaucoup se sont accommodés de pratiques qu'ils dénonçaient alors ; la société de consommation ne les effraie plus et leur anti-américanisme primaire n'est plus qu'un souvenir de jeunesse. Omniprésents (parfois omnipotents) dans les partis politiques, les entreprises, les médias ou les syndicats, ils donnent aussi le ton en matière culturelle et intellectuelle.
Plus bourgeois que bohèmes, les anciens de Mai 68 ne sont pas indifférents à l'argent. Ils ont compris qu'il aide à « vivre sans temps mort et jouir sans entrave ». Forts de leur étiquette d'« ex-révolutionnaires », ils se montrent souvent peu ouverts envers ceux qui les contestent et qualifient volontiers de « fascistes » les objections et les mises en cause d'un système économique et social qu'ils ont largement contribué à fonder. Il n'est plus « interdit d'interdire » lorsqu'on est du côté de ceux qui font la loi.

Le besoin de transgression fait disparaître les derniers tabous.

L'une des conséquences de la demande de liberté et de tolérance est la disparition progressive des interdits dans le champ social. Le discours sur la drogue s'est fait plus libéral, avec l'ouverture du débat sur la dépé-

nalisation des drogues douces. L'homosexualité est aujourd'hui acceptée dans la société et elle a pris une place croissante dans les médias. La censure, explicite ou implicite, qui existait à l'égard de la mort, de la violence, de la sexualité, de la religion, de l'argent ou de la caricature disparaît peu à peu.

Cette tendance à la transgression est l'héritière des mouvements dadaïstes, zazous, punks, hippies, expressionnistes ou situationnistes. Elle est particulièrement apparente dans la production artistique, avec par exemple la musique *rap* ou des écrivains comme Michel Houellebecq ou Amélie Nothomb. Elle est très présente également dans l'humour contemporain incarné par les *Guignols de l'info* de Canal Plus. Les bornes qui permettaient jusqu'ici de distinguer le bien du mal, l'acceptable de l'inacceptable, la dérision du mauvais goût ont été repoussées.

Cette évolution entraîne dans une partie de l'opinion une réaction de rejet et une volonté de retour à un ordre moral disparu. Elle se manifeste par le nombre croissant des plaintes à l'encontre de publicités, films, livres, peintures ou autres créations jugées contraires à la décence. Elle se traduit aussi par la radicalisation de certains groupes sociaux à l'encontre de ce qu'ils considèrent comme un laxisme dangereux. C'est ainsi que se développent des réactions de racisme et de xénophobie ou que le droit à l'avortement est remis en cause.

Des valeurs nihilistes se développent dans certains groupes sociaux.

Beaucoup de Français, notamment parmi les jeunes, rejettent la culture et les valeurs de la société, au prétexte qu'elles n'ont pas su éviter les crises, le chômage ou la destruction de l'environnement. Ils développent en retour des attitudes empreintes de cynisme (tous pourris), de dérision (rien ne vaut rien) et de transgression (cassons les codes de la société). Ces attitudes se traduisent le plus souvent par une condamnation, un refus ou, chez les plus actifs, par une volonté de destruction du système économique et social. C'est le cas par exemple des groupes anti-mondialisation ou des adeptes du *no logo* (voir p. 375).

On peut observer cette tendance dans la création artistique contemporaine, qui ne parvient guère à se renouveler et qui porte haut les valeurs du nihilisme. Le *rap*, mais aussi la musique atonale et sérielle en sont des illustrations, comme le *body art*, le *video-art* ou les « installations » en matière picturale.

Ces réactions ne produisent guère de valeurs nouvelles et positives, susceptibles de mobiliser les jeunes et de leur fournir un projet de vie individuel ou collectif. Elles contribuent au contraire au sentiment de vide existentiel, que beaucoup s'efforcent de combler par des activités matérielles et immédiates : loisirs ; fête ; consommation.

Les Français sont plutôt heureux individuellement, mais malheureux collectivement.

Les enquêtes réalisées sur le bonheur montrent qu'une large majorité des Français (environ neuf sur dix) se considèrent comme heureux à titre personnel. La proportion varie selon les groupes sociaux et la corrélation reste forte entre le revenu disponible et le sentiment de satisfaction. Les Français sont en revanche beaucoup moins convaincus lorsqu'on les interroge sur le bonheur de leurs concitoyens.

Challenger House

Les plaisirs minuscules plébiscités

Cet écart récurrent s'explique par une perception pessimiste de l'état de la société. Elle est fondée en grande partie par l'information disponible. Or, celle-ci fait une part beaucoup plus grande aux problèmes (faits divers, catastrophes naturelles, corruption, violence...) qu'aux motifs de satisfaction. Il faut dire à la décharge des médias que l'actualité est riche de « dysfonctionnements » de toute sorte. Mais cette accumulation de mauvaises nouvelles a fini par installer dans l'esprit des Français l'image d'un monde qui va mal et d'une société à la dérive.

Le résultat est que ceux qui ne connaissent pas de difficultés importantes dans leur vie personnelle, familiale ou professionnelle se sentent plutôt privilégiés. Le malheur des autres (réel ou perçu) fait ainsi par

différence le bonheur de chacun. Mais personne ne se réjouit pour autant du malheur d'autrui et le sentiment d'être épargné s'accompagne d'une vision pessimiste de l'avenir. Si, pour beaucoup de Français, aujourd'hui est moins bien qu'hier (nostalgie), beaucoup pensent qu'il est mieux que demain.

L'avenir inspire plus d'inquiétude que d'espoir aux Français.

Dans la pyramide des besoins humains popularisée par Maslow, la base est constituée par les besoins de *survie* : se nourrir (alimentation), avoir chaud (vêtements), disposer d'un abri (maison). Juste après viennent les besoins de *sécurité physique* : être à l'abri des dangers qui menacent l'intégrité du corps, en provenance de la nature (accidents, catastrophes) ou des autres hommes (guerres, agressions de toutes sortes). On imaginait ces besoins de sécurité satisfaits par les progrès de la science et de l'esprit humain, de sorte que l'on s'était concentré depuis des décennies sur les étages plus élevés de la pyramide : besoins d'*appartenance*, puis de *reconnaissance*, enfin de *réalisation de soi*.

Les événements de ces dernières années ont montré que la survie physique n'était pas aussi assurée qu'on l'imaginait. Les menaces pesant sur l'environnement, les crises alimentaires et, plus récemment, le danger terroriste ont fait resurgir une angoisse primaire oubliée. Les Français, dans leur immense majorité, n'ont plus faim, froid ou soif ; mais beaucoup d'entre eux ont peur. Leurs craintes sont renforcées par les informations peu rassurantes qui leur parviennent quotidiennement sur l'état du monde. Elles sont aussi entretenues par les images de fiction très réalistes qui leur sont proposées par le cinéma ou la télévision.

Comme l'avait compris Valéry, les Français ont pris conscience que la civilisation occidentale, comme toutes les autres, est mortelle. Mais, en refusant le risque ou en le déléguant aux institutions (armée, police, justice...), ils accélèrent peut-être sans s'en rendre compte le processus. La phrase de Marat sonnerait alors comme une prophétie : « La trop grande sécurité des peuples est le signe avant-coureur de leur servitude. »

A défaut de pouvoir changer la vie, chacun s'efforce de changer la sienne.

Les contestataires de Mai 68 avaient la volonté de transformer la vie, afin de la rendre plus acceptable pour le plus grand nombre. Mais l'utopie généreuse du « mieux-vivre ensemble » s'est heurtée à la dure réalité, notamment économique. Et c'est plutôt le désir de mieux-être individuel qui s'est développé au cours des dernières décennies. « Jouir sans contraintes », mot d'ordre des contestataires de Mai 68, semble être repris en écho par les Français en ce début de XXIe siècle où l'individu a parfois du mal à se réconcilier avec la collectivité, le « je » avec le « nous ».

Conscients de la difficulté de réformer un système social soumis à de très fortes contraintes, devenues planétaires, les Français cherchent plutôt aujourd'hui à changer leur propre vie. L'utopie prend donc une dimension surtout personnelle et revêt des formes diverses : désir de tout recommencer en changeant de partenaire,

Réussir sa vie

FACE à l'idée de réussite, les Français se répartissent en quatre groupes. Les *néostoïciens* (41 %) recherchent la sagesse et le bonheur dans la modestie. A l'image d'Amélie Poulain, ils se satisfont de ce que la vie leur apporte et s'efforcent de la rendre supportable à ceux qui les entourent. Les *hédonistes* (28 %), se méfient de la réussite et cultivent leur jardin secret en prenant garde de ne pas laisser le travail envahir leur vie. Les *chercheurs d'excellence* (22 %) veulent mener à bien en même temps leur vie professionnelle et leur vie privée. Enfin, les *entrepreneurs* (9 %) recherchent la réussite matérielle et la reconnaissance sociale.

Ainsi, plus de deux Français sur trois ne se reconnaissent pas dans le modèle largement médiatisé de l'ambition, de la compétition, de la course aux responsabilités et à l'argent. Leurs aspirations sont de plus en plus individuelles, au détriment (ou à défaut) de grands idéaux collectifs. Elles sont davantage tournées vers l'obtention de petites satisfactions renouvelées que de grandes réalisations nécessitant un investissement personnel intense et prolongé.

Mais il est probable que cet apparent renoncement cache pour une partie de la population une réelle frustration. Devant la difficulté d'obtenir de la vie certaines satisfactions, on cherche à se convaincre qu'on ne les désire pas. D'autant qu'il n'est pas facile d'avouer qu'on n'est pas heureux dans une société qui ne tolère pas l'échec et qui montre surtout les « gagnants ».

L'Express/BVA, janvier 2002

de travail, de lieu d'habitation, d'apparence ; rêve de fortune avec les jeux d'argent. Mais la réalisation de ces ruptures est difficile ; le risque de lâcher la proie pour l'ombre fait hésiter de nombreux prétendants au changement radical, qui se rendent compte qu'ils ont peut-être plus à perdre qu'à gagner dans le processus. Dans une société qui ne pardonne guère les erreurs de parcours, la peur du vide s'accompagne ici d'une crainte que l'on pourrait qualifier trivialement de « peur du bide ».

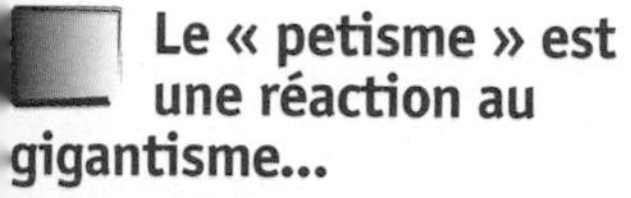

Le « petisme » est une réaction au gigantisme...

Après avoir longtemps fasciné, le gigantisme effraie. Ce sont symboliquement les deux plus grandes tours de Manhattan qui ont été détruites par les attentats du 11 septembre 2001. Le débat sur la mondialisation est l'expression la plus apparente de cette peur d'un monde global dans lequel l'être humain serait oublié. Dans l'esprit de ses opposants, le scénario catastrophe est celui de la disparition des Etats, de leur remplacement par des entreprises multinationales dont les intérêts divergent de ceux des citoyens et des consommateurs. Il implique ainsi la perte de l'identité, mais aussi de la liberté, sous la menace d'un *big brother* omniprésent.

La réaction perceptible à cette hostilité au gigantisme est l'émergence de ce qu'on pourrait appeler le *petisme*. Les grandes entreprises cherchent à se structurer en unités autonomes à taille humaine. Les Français s'intéressent aux « plaisirs minuscules » décrits par Philippe Delerm dans un livre à succès. Les hypermarchés redécouvrent le petit commerce en créant à l'intérieur de leurs grandes surfaces des boutiques spécialisées. On assiste partout à une demande de « proximité » et à un repli sur des structures à taille humaine.

... et le « bougisme » à la peur de l'immobilité et de la mort.

Les Français agissent ou s'agitent afin de tirer le meilleur parti du temps dont ils disposent et de « collectionner » le plus possible d'expériences et de souvenirs. Les jeunes courent pour concilier leurs contraintes scolaires et leur besoin de loisirs. Les adultes se hâtent pour mener de front leurs vies professionnelle, familiale et sociale. Les personnes âgées s'efforcent de ne pas rester inactives et cherchent à rattraper le temps libre perdu au cours d'une vie souvent consacrée au travail. Même en vacances, les Français refusent de perdre leur temps, ce qui les amène parfois à survoler les choses et les gens plutôt qu'à les voir vraiment.

Cette course à l'activité est favorisée par la multiplication des sollicitations de toutes sortes et par les modèles diffusés dans les médias. Les héros contemporains sont pour la plupart des personnages efficaces, qui mènent une vie riche et variée. Cette attitude à l'égard de la vie cache à la fois la peur de mal vivre et celle de mourir (« je bouge, donc je suis »). Elle traduit aussi la difficulté de se retrouver seul face à soi-même. Mais certains commencent à se lasser de cette course épuisante et sans fin. L'accélération du temps et le sentiment d'en manquer entraînent chez eux une frustration croissante. En réaction à la vitesse et à l'accélération, certains redécouvrent avec délice la lenteur.

Croyances

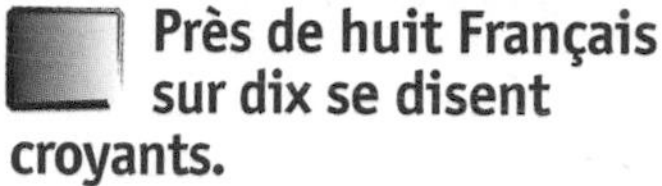

Près de huit Français sur dix se disent croyants.

Les attitudes à l'égard de la religion sont difficiles à mesurer car difficiles à exprimer, du fait de leur caractère intime et des incertitudes d'un nombre important de personnes en ce domaine. Dans la plupart des enquêtes, la proportion de Français adultes exprimant un sentiment d'appartenance religieuse est un peu supérieure aux trois quarts (voir tableau page suivante). La très grande majorité d'entre eux (environ les neuf dixièmes) se disent catholiques. Un quart se considère comme sans religion. On observe une érosion limitée mais régulière du sentiment religieux. Entre 1986 et 2001, la proportion de croyants est ainsi passée de 85 % à 78 % et celle des « autres religions » de 2,5 % à 7 % (*La Croix*/CSA).

L'appartenance religieuse est plus forte chez les femmes que chez les hommes. Elle varie selon les catégories sociales ; les ouvriers, cadres et membres des professions intellectuelles supérieures sont moins souvent croyants que les agriculteurs, commerçants, artisans et inactifs. Elle diminue surtout régulièrement avec l'âge : 40 % des 15-24 ans se disent sans appartenance religieuse, contre 14 % des personnes âgées de 60 ans et plus. Les athées ou agnostiques ont un niveau d'études plus élevé que la moyenne, habitent plus souvent l'agglomération parisienne et les régions méditerranéennes.

> 1,7 million de ménages ont donné de l'argent à l'Eglise en 2000, contre 1,8 en 1995 (en moyenne 100 €).

Trois adultes sur quatre sont catholiques.

Comme celle des croyants, la population des catholiques a diminué régulièrement, avec une accélération depuis le milieu des années 80. Ainsi, la proportion est passée de 81 % en 1986 à 69 % fin 2001 parmi les Français de 15 ans et plus (*La Croix*/CSA). Elle est inférieure si l'on considère l'ensemble de la population, du fait de la forte proportion de jeunes se disant sans religion. Elle est encore plus faible si l'on inclut les étrangers (un peu moins de 6 % de l'ensemble) dont une part importante est de confession musulmane.

La fille aînée de l'Eglise

Religion déclarée par les Français de 18 ans et plus (janvier 2002) :

- Catholique pratiquant régulier	7,2
- Catholique pratiquant occasionnel	20,0
- Catholique non pratiquant	44,2
- Musulmane	2,8
- Juive	0,5
- Protestante	1,7
- Autre	1,8
- Sans religion	20,9
- Ne se prononcent pas	0,9

Crédoc

Les adeptes d'autres religions que le catholicisme sont de plus en plus nombreux. La proportion est d'environ 7 % si l'on inclut les étrangers vivant en France, contre 2,5 % en 1986. C'est l'islam qui a connu la plus forte progression. Les autres religions représentées sont le protestantisme et le judaïsme. Les chrétiens orthodoxes sont très peu nombreux ; la majorité est constituée de Russes blancs émigrés après la révolution de 1917 et installés dans l'Ouest parisien.

La France compte environ 5 millions de musulmans...

L'islam est la deuxième religion de France, loin derrière le catholicisme, mais largement devant les autres confessions. On estime cependant que la moitié des quelque 5 millions de musulmans présents dans le pays n'ont pas la nationalité française. La plupart (environ 3 millions) sont des immigrés non naturalisés en provenance du Maghreb, 320 000 viennent de Turquie, 250 000 d'Afrique noire, 100 000 d'Asie. Parmi les musulmans originaires d'Algérie, environ 600 000 sont français ; ce sont principalement les familles harkies et leurs enfants nés depuis 1962. Un tiers des musulmans de France habitent en Ile-de-France (35 %), 20 % en Provence-Alpes-Côte d'Azur, 15 % en Rhône-Alpes et 10 % dans le Nord-Pas-de-Calais.

La très grande majorité des musulmans sont sunnites (plus de 90 %) ; ils se réclament du courant majoritaire de l'islam qui s'appuie sur la *sunna*, ensemble des paroles et actions de Mahomet et de la tradition qui les rapporte. Les autres sont pour la plupart chiites. La plupart des 900 imams (90 %) sont étrangers et ont été formés dans les universités coraniques d'Egypte, de Turquie et du Maghreb. Les principes du Coran sont interprétés différemment selon les communautés concernées.

> La France compte environ 1 500 mosquées et lieux de prière, dont plus des deux tiers accueillent moins de 150 fidèles.
> 65 % des musulmans déclarent ne pas boire d'alcool (61 % en 1994).

De plus en plus de pratiquants

La croyance et la pratique sont en augmentation dans l'ensemble de la population musulmane. 42 % se disent croyants, une proportion inchangée depuis 1994 mais supérieure à celle mesurée en 1989 (38 %). 36 % se considèrent comme croyants et pratiquants, un chiffre en forte hausse par rapport à 1994 (27 %), mais semblable à 1989 (37 %). Seuls 16 % se disent d'origine musulmane mais non croyants ni pratiquants, contre 24 % en 1994 et 20 % en 1989. 70 % des musulmans ont jeûné pendant le ramadan 2001, contre 64 % en 1994 et en 1989. 33 % disent prier chaque jour, contre 31 % en 1994, mais 41 % en 1989. 20 % disent aller à la mosquée le vendredi, contre 16 % en 1994 et en 1989.

Le Monde/Ifop, septembre 2001

La tolérance envers les musulmans s'est accrue, mais l'hostilité minoritaire est plus apparente.

L'image des musulmans reste influencée en France par les différences de conception religieuse et philosophique, ainsi que par les actes de terrorisme perpétrés sur le territoire et ailleurs dans le monde par des groupes intégristes. La crise économique et la montée de l'extrême droite pendant les années 80 ont fait

d'eux des boucs émissaires et rendu plus difficile la cohabitation dans certains quartiers ou banlieues des villes (voir p. 234). L'élection présidentielle de 2002 a mis en lumière les craintes à l'égard des étrangers et la tentation xénophobe.

Ces attitudes radicales masquent une tolérance globalement croissante à l'égard de la communauté musulmane. Ainsi, 22 % des Français se disent opposés à l'édification de mosquées lorsque des croyants musulmans le demandent, contre 31 % en 1994 et 38 % en 1989 (*Le Monde*/Ifop). 35 % seulement sont hostiles à l'élection d'un maire d'origine musulmane dans la commune où ils habitent, contre 55 % en 1994 et 63 % en 1989. 22 % estiment que le mot *fanatisme* correspond à l'idée qu'ils se font de l'islam, contre 37 % en 1994.

Le nombre de protestants est estimé à moins d'un million, mais leurs valeurs ont influencé la société française.

Le protestantisme est constitué en France de plusieurs Eglises : celles affiliées à la Fédération protestante de France rassemblent environ 900 000 personnes, dont 400 000 calvinistes, 260 000 luthériens, 70 000 représentants de la Mission évangélique tsigane. Les autres (pentecôtistes, méthodistes, adventistes et jéhovistes) en comptent 200 000. Au total, environ 2 % des Français sont protestants, mais 3 à 4 millions seraient proches de cette religion. Les désaccords avec les catholiques restent profonds quant à la morale personnelle (avortement, contraception...) et à la discipline des Eglises. Le mariage des prêtres et l'ordination des femmes, pratiqués par les protestants, sont ainsi toujours refusés par le Vatican. Des enquêtes montrent que la majorité (environ 60 %) des protestants ne se rendent jamais au temple.

Si le protestantisme est numériquement très minoritaire, les valeurs qu'il représente imprègnent depuis quelques années la société française. C'est le cas de l'individualisme, de l'économie de marché, de l'éthique et de la décentralisation, qui appartiennent davantage à la culture protestante que catholique. Seul face à Dieu, le protestant doit se prendre en charge, être responsable de sa vie. C'est précisément à ce mouvement vers l'autonomie que l'on assiste aujourd'hui en France (voir p. 60). Il existe cependant une tradition de la gauche protestante française peu favorable au libéralisme anglo-saxon ; elle a été incarnée par Michel Rocard et, plus récemment, par Lionel Jospin.

La France compte un peu moins d'un million de juifs.

La France est le pays de l'Union européenne qui compte proportionnellement le plus de juifs, avec une proportion estimée entre 1 et 2 % de la population, soit entre 600 000 et 1,2 million de personnes. Elle est suivie par le Royaume-Uni (400 000), puis loin derrière par l'Allemagne (100 000). On estime que la moitié vivent en Ile-de-France, plus de 70 000 à Marseille, entre 15 000 et 25 000 à Lyon, autant à Strasbourg, à Nice et à Toulouse.

Les ashkénazes (de culture et de langue yiddish) sont arrivés d'Europe centrale entre les deux guerres et représentent 40 % des juifs de France. Ils ont été suivis par les séfarades (juifs des pays méditerranéens) venus d'Afrique du Nord après la décolonisation, qui sont majoritaires (60 %). 15 % seulement des juifs sont des pratiquants réguliers (en particulier des Sépharades), 4 % des pratiquants occasionnels, lors des grandes fêtes. 40 % se considèrent comme laïques, voire athées, la condition juive étant fondée sur l'appartenance à un peuple autant qu'à une religion. Comme la plupart des membres des religions minoritaires en France, les juifs vivent souvent en communauté, afin de perpétuer leurs traditions et leurs modes de vie.

Antisémitisme et contexte international

Le poids de l'histoire se fait toujours sentir dans les agissements des Français d'origine ou d'adoption. L'antisémitisme, s'il a régressé, n'a pas disparu en France. Il se nourrit de l'histoire contemporaine agitée d'Israël et de ses relations avec la Palestine et les pays arabes. On a comptabilisé 116 actes de violence antisémite en 2000, contre 9 en 1999 et 1 en 1998. La forte tension qui s'est développée au cours de l'année 2002 a donné lieu à une recrudescence des actes de vandalisme et de destruction dirigés contre des synagogues, notamment au cours du week-end de Pâques. La fréquence et la gravité de ces actes apparaît corrélée à l'évolution des relations au Proche-Orient. Elles avaient diminué régulièrement après la fin de la Guerre du Golfe (1991), puis elles ont fortement augmenté à la fin septembre 2000 lors de la deuxième Intifada *(al-Aqsa)* ainsi qu'après les attentats du 11 septembre 2001.

La pratique catholique est de plus en plus occasionnelle.

La proportion de pratiquants et la fréquence des pratiques ont chuté de façon sensible depuis le milieu des années 60. La part des mariages religieux était de 42 % en 2001, contre 56 % en 1986 et 95 % en 1970. Celle des baptêmes est à peine supérieure à 50 %, contre 61 % en 1986. Cependant, de plus en plus d'enfants sont baptisés après leur première année (environ 3 000 chaque année sont des adultes) et 80 % des enterrements se font encore à l'église. Le nombre des donateurs à l'Eglise a diminué d'environ un million entre 1994 et 2000, mais la somme globale versée se maintient. 14 % des baptisés effectuent des dons à l'Eglise catholique ; seuls 4 % sont des pratiquants réguliers.

L'assistance régulière à la messe a elle aussi beaucoup régressé au cours des dernières décennies. On observe cependant une tendance à l'augmentation des pratiques occasionnelles (mariages, enterrements, grandes fêtes religieuses...). 48 % des catholiques disaient ainsi aller à la messe uniquement pour les grandes fêtes et les cérémonies en 2001, contre 44 % en 1990 (CSA). 23 % déclaraient s'y rendre de temps en temps (contre 16 % en 1990), 8 % tous les dimanches ou samedis (contre 9 %) et 6 % une ou deux fois par mois, une proportion identique à celle de 1990. Les femmes sont deux fois plus fréquemment pratiquantes que les hommes, du fait notamment de leur poids dans les classes âgées. La pratique régulière n'est guère influencée par la catégorie sociale (à l'exception des agriculteurs, traditionnellement plus concernés). Elle apparaît en revanche très liée au degré de pratique des parents.

La religion est encore présente, mais détournée

La prière, refuge personnel

La croyance s'exprime aujourd'hui davantage par des pratiques personnelles que collectives. 50 % des Français disent prier ou méditer, au moins occasionnellement, 49 % non. 12 % le font tous les jours, 10 % une ou plusieurs fois par semaine, 7 % une ou plusieurs fois par mois, 13 % rarement, 57 % jamais. 79 % des personnes concernées prient ou méditent chez elles, 48 % dans un lieu de culte. 65 % s'adressent le plus souvent à Dieu, 35 % à la Vierge Marie, 25 % au Christ. 43 % demandent quelque chose pour elles-mêmes ou leur entourage (réussite, guérison...), 49 % prient pour les grands problèmes du monde.

Le Pèlerin Magazine/Sofres, mars 2001

L'érosion a été particulièrement sensible chez les jeunes.

La proportion de Français se disant sans appartenance religieuse varie de 40 % chez les 15-24 ans à 13 % chez les 60 ans et plus. Celle des pratiquants est au contraire proportionnelle à l'âge ; elle s'étale de 8 % entre 15 et 24 ans à 27 % à 60 ans et plus. Les pratiquants sont ainsi de plus en plus âgés : la moitié ont au moins 65 ans.

Jusqu'ici, la déclaration d'une pratique régulière devenait plus fréquente pour une même personne lorsqu'elle vieillissait ; plus de 20 % des Français âgés de 40 à 59 ans en 1996 se disaient pratiquants réguliers, contre 15 % en 1987, lorsqu'ils avaient entre 31 et 50 ans (INSEE). Mais les jeunes ne semblent pas aujourd'hui suivre cette évolution : 37 % de ceux qui étaient âgés de 23 à 33 ans en 1996 se disaient sans religion, contre 33 % en 1987, lorsqu'ils avaient entre 14 et 24 ans. La question centrale pour l'avenir est donc de savoir si ce détachement croissant va se confirmer ou si au contraire la croyance et la pratique vont s'accroître ultérieurement, comme dans le cas des générations plus anciennes.

> Le salaire des prêtres varie entre 700 et 1000 € par mois net, sans compter le logement (gratuit).
> 1,7 million de ménages ont donné de l'argent à l'Eglise en 2000, contre 1,8 en 1995 (en moyenne 100 €).

Profil des catholiques					
Profil sociodémographique des catholiques (2001, en % par modalité) :*					
	Catholiques	Pratiquants réguliers	Pratiquants occa-sionnels	Catholiques non pratiquants	Population totale
SEXE					
- Hommes	56	32	46	51	52
- Femmes	44	68	54	49	48
AGE					
- 18-24 ans	8	6	9	10	12
- 25-34 ans	16	7	17	15	19
- 35-44 ans	20	13	21	21	20
- 45-64 ans	32	27	34	27	29
- 65-74 ans	13	23	11	13	11
- 75 ans et plus	11	24	8	14	9
CATEGORIE SOCIOPROFESSIONNELLE					
- Agriculteurs	2	2	2	-	2
- Artisans, commerçants, chefs d'ent.	3	2	3	4	3
- Cadres et professions intel. supérieures	6	5	6	7	8
- Professions intermédiaires	10	6	11	10	12
- Employés	16	11	18	15	18
- Ouvriers	13	5	16	13	14
- Retraités	29	43	25	29	26
- Chômeurs	3	3	3	3	4
- Etudiants	6	5	5	7	8
- Femmes au foyers et autres inactifs	12	18	11	11	5
DIPLOME					
- Inférieur au Bac	66	69	69	65	55
- Bac	13	11	13	15	18
- Supérieur à Bac +2	21	20	18	20	27
PROXIMITE POLITIQUE					
- Droite	33	49	32	25	27
- Gauche	40	26	41	47	45
- Autre	3	1	3	2	3
- Sans	24	24	24	26	25
PART DANS LA POPULATION (18 ANS ET PLUS)					
	69	10	49	10	-

* Total 100 pour l'ensemble des modalités de chaque critère.

L'influence du catholicisme sur les modes de vie s'est beaucoup affaiblie.

Le pouvoir et l'influence de la religion catholique ont régulièrement diminué depuis la fin du XIXe siècle, avec la séparation progressive du temporel et du spirituel. La fonction d'assistance aux plus défavorisés, traditionnellement assumée par l'Eglise, a été peu à peu transférée à l'Etat. L'Eglise a donc perdu deux de ses rôles essentiels : proposer un système de valeurs servant de référence commune ; contribuer à l'égalisation de la société. Dès lors, son utilité est apparue moins nettement à l'ensemble des catholiques.

Au cours de ces trente dernières années, la société s'est efforcée de s'affranchir de la vieille morale chrétienne qui met en avant la famille, le travail et la nation et qui considère l'argent, la sexualité ou parfois les loisirs comme des sujets tabous. La religion n'est plus pour la plupart des Français la référence ultime de la morale. Les discours de l'Eglise exercent une influence de plus en plus faible sur leurs attitudes et sur leurs comportements. Lorsque le pape se prononce contre le divorce, la pilule ou l'avortement, plus des trois quarts des catholiques (et plus de la moitié des pratiquants) déclarent ne pas en tenir compte.

L'influence de la religion reste sensible en matière politique. Au premier tour de l'élection présidentielle de 2002, 31 % des catholiques pratiquants réguliers ont ainsi voté pour Jacques Chirac et 13 % pour François Bayrou, contre respectivement 10 % et 3 % de ceux qui se disent sans religion. A l'inverse, seuls 9 % d'entre eux ont voté pour Lionel Jospin,

Du culte de Dieu au culte de soi

On peut faire remonter l'histoire de l'individualisme à la Révolution française, qui définit les Droits de la personne au sein de la collectivité. Mais leur reconnaissance est plus ancienne. On en trouve des signes au moment de la Renaissance, chez les philosophes du XVIe siècle. Montaigne écrivait ainsi : « je n'ai affaire qu'à moi. » Au XVIIe, Descartes l'exprimait de façon différente : « Je pense, donc je suis. »
La montée de l'individualité est la contrepartie de l'éloignement de la religion et de l'Etat. Abandonné par les puissances qui le guidaient auparavant, chaque individu est désormais « propriétaire de lui-même », comme l'exprimait John Locke. Il dispose à ce titre du droit de faire ce qu'il veut de son corps, de son travail et des revenus qu'il perçoit. Il a la liberté de s'opposer aux modèles qui lui sont proposés, notamment en matière de morale et de valeurs, afin d'être son propre modèle et l'acteur unique de sa vie.
Cette révolution morale explique la difficulté actuelle de mobiliser les individus (citoyens, consommateurs ou salariés) au service d'une cause commune. Elle justifie aussi la place croissante de l'introspection dans la vie quotidienne et ses conséquences parfois douloureuses. Rares sont ceux qui se jugent conformes à l'idéal qu'ils se sont fixés, ou même simplement capables de définir cet idéal. La difficulté d'être et la dépression sont ainsi les sous-produits d'un processus d'individuation qui se poursuit depuis plusieurs siècles. Le confort des rôles sociaux établis à l'avance par la famille, la religion, le travail ou l'Etat a laissé place à la possibilité, jubilatoire mais inconfortable, de la construction de soi.

contre 21 % des sans religion. 12 % de ces derniers avaient voté Noël Mamère, contre 2 % des pratiquants.

Le besoin de spiritualité n'a pas disparu...

Les individus ne sont plus « reliés » comme auparavant par la religion (c'est le sens étymologique du mot latin *religare*). Le catholicisme est attaqué de tous côtés. Il est devenu socialement incorrect (ou « ringard ») d'afficher sa foi alors que les médias, la publicité, les humoristes et les intellectuels lui font en permanence un procès pour non modernité. En même temps, le lien social s'est appauvri dans les lieux où il s'exerçait autrefois : au travail, l'obligation d'efficacité a réduit les temps improductifs et les discussions à caractère personnel entre les salariés. Dans les actes de consommation, les relations se réduisent à quelques mots échangés à la caisse des hypermarchés. Dans la vie familiale, la télévision a occupé une partie croissante du temps d'échange traditionnel. En outre, les membres d'une même famille sont de plus en plus éloignés les uns des autres, ce qui ne facilite pas les rencontres et les réceptions. Enfin, la science n'a pas réussi à fournir les réponses aux questions essentielles.

Les Français ne constituent donc plus une communauté soudée par des valeurs religieuses communes et par un lien social fort. Cette évolution entraîne souvent une frustration, car le besoin d'échange et de transcendance n'a pas disparu. Beaucoup s'efforcent donc de restaurer les pratiques de sociabilité par le mouvement associatif, la pratique sportive, le tribalisme ou l'appartenance à des réseaux, notamment virtuels (Internet). Ils tentent de restaurer le lien spirituel en se tournant vers d'autres sources de valeurs, d'autres motifs d'adhésion : ésotérisme ; Nouvel Age ; religions « exotiques » ; voyance ; astrologie...

... mais il s'exprime différemment.

Après avoir connu une progression inquiétante, les sectes semblent aujourd'hui moins influentes ; le nombre de leurs adeptes est estimé entre 300 000 à 400 000 personnes, dont environ 100 000 Témoins de Jéhovah. La baisse d'activisme et d'audience des gourous serait la cause de cette érosion. Elle s'explique aussi par les mises en garde répétées des médias et le travail de fond effectué par certaines associations pour dénoncer la déstabilisation mentale et l'embrigadement des adultes et surtout des enfants. On constate cependant que des mouvements sectaires tendent à se développer au sein des religions officielles : groupes de guérison, de lutte contre le mal animés par des leaders charismatiques au nom de la Bible, du Coran ou du Talmud.

Certains Français à la recherche de valeurs fortes se tournent aussi vers la franc-maçonnerie. Leur nombre serait d'environ 120 000, pour 7 millions dans le monde. La principale obédience est le Grand Orient, devant la Grande loge de France et la Grande loge nationale française (passée en dix ans de 5 000 à 10 000 membres). Née à l'époque des Lumières, la franc-maçonnerie a toujours été entourée d'ombre et de mystère. On lui re-

proche encore aujourd'hui un manque de transparence, qui alimente toutes les craintes et les fantasmes sur son rôle dans la démocratie. Il est jugé d'autant plus important qu'il est occulte et que les loges fonctionnent comme des systèmes sociaux parallèles.

La tentation bouddhiste

Le bouddhisme a été pendant des années l'objet d'un intérêt croissant. On estime qu'un peu plus de 10 000 Français sont de véritables pratiquants de cette religion-philosophie, mais plusieurs millions se disent sympathisants. L'engouement paraît un peu retombé aujourd'hui ; il est en tout cas moins médiatisé.
Le bouddhisme séduit par ses principes affichés de sagesse, de tolérance et de compassion. Il apparaît comme un contrepoids possible à une société jugée trop matérialiste. L'absence de dogmes, de contraintes et aussi d'erreurs historiques comparables à celles des autres grandes religions apparaît comme un autre atout du bouddhisme. Il propose une autre vision de l'homme, qui n'est pas fondée comme celle de l'Occident sur l'idéal d'un citoyen autonome et libre, d'un système scientifique et social qui cherche à dominer la nature.

La religion tend à devenir une valeur plus individuelle.

Si Dieu est mort, comme l'affirmait Nietzsche, c'est davantage en tant que notion collective que comme certitude individuelle. La sphère privée prend aujourd'hui en effet une importance croissante. La foi n'est plus une tradition familiale et sociale, elle est devenue une question personnelle. Beaucoup de Français s'efforcent aujourd'hui de « bricoler » des croyances et des comportements sur-mesure, sans lien réel avec les structures de l'Eglise catholique. Ils piochent dans des croyances diverses ce qui leur apparaît conforme à leur mode de vie et de pensée. Les pratiques sont adaptées, éclatées, modifiées en fonction des circonstances de la vie. A côté, ou peut-être à la place des religions classiques, se profile l'invention d'un monde aux formes de spiritualité multiples.

Ces aménagements individuels sont parfois à l'origine de communautés nouvelles en marge des structures traditionnelles ; c'est le cas par exemple du Renouveau charismatique. Ils alimentent aussi un débat au sein de l'Eglise officielle. Les réformateurs y sont de plus en plus nombreux et réclament avec insistance la prise en compte de la réalité sociale contemporaine. L'ordination des femmes, le célibat des prêtres, le silence sur certaines pratiques immorales comme la pédophilie, le secret de la confession dans les cas graves ou l'attitude face à la sexualité sont quelques-unes des questions qui sont aujourd'hui posées.

Science et technologie

La technologie a bouleversé les modes de vie...

Les applications de la recherche scientifique et technique ont eu une influence déterminante sur la façon de vivre des Français. C'est le cas en particulier en matière de communication. La diffusion du téléphone portable, l'accès à Internet et au multimédia sont en train de transformer le rapport au temps, en imposant le « temps réel » qui est celui de l'immédiateté. Elle modifie aussi le rapport à l'espace en satisfaisant le vieux rêve d'ubiquité, en faisant éclater les frontières géographiques, politiques, linguistiques ou culturelles dans un contexte de mondialisation.

Surtout, les outils technologiques transforment le rapport aux autres. Pour la première fois dans l'histoire du monde, tout habitant d'un pays développé pourront bientôt être connecté par le son et par l'image à la plupart des autres. Il pourra appartenir à des groupes ou à des « tribus » dont les membres n'auront pas besoin d'appartenir à une même communauté, qu'elle soit nationale, ethnique, religieuse, intellectuelle, ni d'être présents physiquement dans un même lieu pour se rassembler... Des nouvelles formes de *diasporas*, communautés virtuelles durables ou éphémères, sont ainsi en train de se créer. Ces transformations ne seront pas sans effet sur la façon de vivre, de penser et de concevoir le monde.

... et les perspectives scientifiques sont ambivalentes.

Alors que la révolution de la communication se poursuit, une autre se prépare, celle des biotechnologies et de la génétique. On peut dès aujourd'hui modifier les cellules germinales d'un individu. Cette possibilité ouvre la voie à des progrès considérables dans la lutte contre certaines maladies, notamment génétiques. Elle permet aussi d'envisager un accroissement de la longévité, grâce à la production de tissus et d'organes à

partir d'embryons. Mais cette avancée offre aussi la possibilité de modifier l'espèce humaine et d'en créer d'autres. On pourra demain cloner n'importe quel individu, à sa demande ou à son insu, à partir d'un morceau d'ADN pris dans un de ses cheveux. L'idée resurgit alors d'une « sélection » des individus qui naîtront demain. Le risque est accru par l'appropriation du vivant par des laboratoires et des entreprises qui pourraient en faire une marchandise. Le décryptage du génome, s'il s'accompagne de sa privatisation, pourrait en effet en quelques décennies modifier l'espèce humaine dans ses fondements physiques et philosophiques. Et rendre floue la différence entre l'homme, l'animal et la machine, au risque d'oublier ce qui la fonde : la conscience. Avec les nouvelles avancées de la science, ce sont les lois fondamentales de la vie qui sont remises en question. Avec, pour la première fois dans l'histoire, la possibilité de les changer.

Du collectif à l'individuel

PENDANT des siècles, la science et la technologie se sont attachées à l'amélioration du bien-être collectif. L'appareil photo, la voiture, l'avion ou l'ordinateur étaient ainsi des innovations mises à la disposition de l'ensemble de la société, même si leur utilisation concernait des personnes. Les applications ou perspectives des inventions les plus récentes concernent au contraire l'individu dans son intégrité physique et mentale. C'est le cas notamment de la génétique, des nanotechnologies ou des prothèses électroniques qui pourront modifier les capacités sensorielles ou intellectuelles d'une personne et lui conférer une espérance de vie beaucoup plus longue.

Le passage du collectif à l'individuel est l'aboutissement d'une longue évolution, qui est bien antérieure au Siècle des Lumières. Il accroît le risque de la création de « surhommes » porteurs de l'idée de « perfection » propre à leurs créateurs. Son application entraînerait sans aucun doute un accroissement dramatique des inégalités entre les individus « normaux » et ceux produits dans les laboratoires. Sans oublier les questions que cela poserait sur le sens de la vie, le principe de la reproduction de l'espèce ou même l'évolution de la démographie mondiale.

Les Français sont de plus en plus sceptiques sur les bienfaits de la technologie.

La science a permis depuis des siècles de lutter contre l'ignorance, de soigner les maladies, d'allonger la durée de vie. Elle a fourni au monde les moyens de se nourrir, de se déplacer, de travailler, de communiquer, de se divertir. Les Français sont conscients de ces avancées. Mais ils ont compris que la science est ambivalente. Elle fait aussi peser de lourdes menaces sur l'avenir de l'Humanité : pollution de l'environnement ; risques climatiques ; utilisation du clonage humain ; généralisation des aliments transgéniques ; risques nucléaires ; développement des armes bactériologiques...

Contrairement à ce que l'on a longtemps cru, la science ne bénéficie pas d'une indépendance intellectuelle ou philosophique ni d'une conscience collective, car les enjeux économiques sont trop importants. Dans de nombreux domaines, la recherche a franchi au cours des dernières années un nouveau pas, qui la situe désormais au-delà de ce qu'était il y a peu la science-fiction. L'alimentation, la santé, la communication, le transport, le logement, les loisirs sont progressivement gagnés par des technologies aux possibilités à la fois fascinantes et angoissantes. On peut lire dans l'Ecclésiaste, écrit il y a plus de 2 000 ans : « Celui qui accroît sa science accroît sa douleur. »

Le début du XXIe siècle a été marqué par une véritable déprime technologique.

L'entrée dans le XXIe siècle aurait dû logiquement favoriser l'engouement pour la science. Elle a été paradoxalement marquée par une crise de confiance à son égard. Celle-ci a débuté en 2000 avec les interrogations concernant la « nouvelle économie ». Aussi brutalement (et irrationnellement) qu'elles avaient séduit les investisseurs et les boursiers, les *start ups* entrèrent dans la tourmente. Leur valeur en bourse s'effondrait à partir d'avril 2000. La tonalité des discours sur l'avenir d'Internet passait de l'enthousiasme au catastrophisme. Le paradis virtuel annoncé n'était pas au rendez-vous. L'insécurité informatique (virus, vol de numéros de cartes bancaires, fichage des Internautes, etc.) jetait en outre le trouble sur les perspectives de développement.

Une désaffection semblable a touché les biotechnologies. L'annonce de la découverte du génome avait fait naître les espoirs les plus fous en matière de lutte contre les maladies et d'allongement de la durée de vie. Mais les experts se montraient tout à coup beaucoup plus mesurés sur les progrès possibles à court terme. En

La science se cherche une conscience

même temps, le secteur de la téléphonie subissait un véritable coup de grisou, après le développement fulgurant et inédit du mobile. Le WAP, censé permettre un accès facile à Internet, était un échec retentissant. Les perspectives des nouvelles générations (GPRS, UMTS) s'annonçaient plutôt sombres et des opérateurs comme France Télécom perdaient brutalement la confiance qu'ils avaient inspirée.

Dans le même temps, les attentats du 11 septembre mettaient en évidence l'incapacité des services de renseignement américains et occidentaux, pourtant dotés d'une technologie très sophistiquée, à prévenir ce type de tragédie. L'armée la plus moderne du monde, capable de gagner la « guerre des étoiles », s'avérait impuissante à s'attaquer à un terrorisme fondé sur une logique et des moyens différents (idéologie, kamikazes...). En peu de temps, l'idée s'est donc répandue que la technologie ne tient pas ses promesses, qu'elle met en danger la liberté individuelle, que ses progrès s'accompagnent de risques importants pour les générations actuelles et futures.

La relation entre progrès scientifique et progrès social ne paraît plus évidente.

De nombreux Français ont aujourd'hui le sentiment que la qualité de la vie s'est détériorée. Ce changement de perception remet brutalement en cause le postulat, né à la fin du XVIIIe siècle, sur lequel est fondée la civilisation occidentale : le progrès technique engendre la croissance économique et le bien-être à la fois collectif et individuel (voir p. 274). L'idée d'un découplage entre les progrès scientifiques et la qualité de la vie est totalement nouvelle. Elle était déjà perceptible à travers l'accueil réservé par exemple aux *Visiteurs* en 1993 (14 millions de spectateurs en salles) : débarqués brutalement de leur Moyen Age, les deux héros démontrent de façon comique combien l'utopie moderniste peut paraître pitoyable.

La réflexion qui s'est amorcée remet en cause le rêve matérialiste jusqu'ici inséparable de la conception de la « modernité ». Beaucoup de Français sont désormais conscients des inégalités engendrées par l'abondance économique, non seulement entre les pays mais aussi à l'intérieur de chacun d'eux. Certaines catastrophes écologiques leur ont montré que le progrès scientifique et ses applications techniques constituent une menace pour la survie de la planète. Le rationalisme du XVIIIe siècle et le scientisme du XIXe, qui plaçaient dans la science tous les espoirs de l'humanité, font place aujourd'hui à un doute croissant.

La planète en danger

A l'échelle planétaire, les principales menaces qui pèsent sur l'environnement sont liées à la pollution agricole, à la pêche, aux émissions de gaz à effet de serre, à la pollution atmosphérique par les transports automobiles et aériens. Il faut y ajouter la production d'ordures ménagères de plus en plus difficiles à éliminer, de même que les déchets radioactifs produits par les centrales nucléaires, dont certaines sont aujourd'hui anciennes.

Les conséquences pourraient être considérables. On risque d'assister à une réduction de la biodiversité, à une diminution de la superficie des forêts tropicales. La détérioration de la qualité des eaux souterraines et de l'air dans les villes, ainsi que la présence des produits chimiques dans l'environnement pourraient contribuer au développement de certaines maladies. Enfin, les changements climatiques pourraient mettre en péril des populations nombreuses ou même des pays entiers situés près des côtes.

Les craintes concernant l'environnement se généralisent...

Les accidents liés au développement technologique ont provoqué en France, comme dans d'autres pays industrialisés, une montée des inquiétudes. Au début de la décennie 90, les Français ont pris conscience de la pollution de l'eau et de la nécessité de préserver l'environnement. On estime que 40 % des eaux superficielles

utilisées pour la production d'eau potable sont aujourd'hui de mauvaise qualité bactériologique. La moitié de la population n'est pas raccordée à une station d'épuration et la moitié des logements délivreraient une eau contenant trop de plomb. 97 % des cours d'eau contiennent des pesticides. La qualité des eaux de plage s'est en revanche améliorée : 95 % des plages françaises étaient jugées propres en 2000, contre 89 % en 1990.

La qualité de l'air est plus incertaine. La quantité de dioxyde de soufre a diminué de 20 % depuis le début des années 90. Celle de plomb est passée de 0,71 microgramme par mètre cube à 0,28. Mais les émissions de dioxyde de carbone ont augmenté de 2 % et la pollution engendrée par les véhicules s'est beaucoup accrue ; les transports routiers ont ainsi rejeté 126 millions de tonnes de polluants en 2000, contre 109 en 1990. L'accroissement des cas d'asthme dans les villes, notamment chez les enfants, semble indiquer une réelle détérioration.

Saatchi & Saatchi

Les catastrophes naturelles sont de plus en plus mal acceptées

Tous écolos

L'ÉTYMOLOGIE indique que consommer, c'est détruire. Les Français sont de plus en plus conscients du risque de destruction lié à une consommation sans limite et sans garde-fou. C'est pourquoi la fibre écologiste se développe et les consommateurs sont de plus en plus exigeants à l'égard des fabricants et des distributeurs. Ils sanctionnent plus rapidement et durement les pratiques peu vertueuses de certaines entreprises, allant parfois jusqu'au *boycott*. Ils privilégient les produits biologiques ou « éthiques » (fabriqués dans des conditions respectant les droits humains).

S'ils ont le désir de préserver la nature, les Français souhaitent aussi que l'espèce humaine garde sa place dans l'ensemble de l'univers et du cosmos. La communion qui a accompagné l'éclipse de soleil d'août 1999 en a été le révélateur. L'événement était d'autant plus significatif qu'il se situait au point de rencontre de la rationalité scientifique (la date et les lieux étaient prévus avec une grande précision) et de l'irrationalité humaine, dans une ambiance de fin de siècle et de millénaire. Le soleil qui s'éclipse, c'est le monde qui disparaît, ce qui explique les prévisions apocalyptiques des gourous des sectes, ainsi que de quelques illuminés.

... notamment en matière climatique.

On assiste depuis quelques années à une augmentation sensible des situations climatiques extrêmes. Une pluviométrie exceptionnelle a entraîné de graves inondations : Vaison-la-Romaine en septembre 1992 ; Provence-Alpes-Côte d'Azur en novembre 1994 ; Hérault en janvier 1996 ; l'ensemble du sud de la France en juin 2000 ; la Somme au printemps 2001... Certaines régions ont subi des périodes de sécheresse exceptionnelles, comme celle de Rennes en juin-juillet 1996 ou de Provence en 1999-2000... Au total, les années 90 auront été les plus chaudes du XXe siècle, même si les disparités régionales restent fortes. Cette évolution va dans le sens d'un réchauffement annoncé par les spécialistes, avec des conséquences importantes dans les zones côtières (élévation du niveau de la mer) ou de montagne (absence de neige dans les stations de basse et moyenne altitude, risques d'avalanche en haute altitude).

Les changements de climat, associés à d'autres modifications environnementales, pourraient aussi menacer la survie des espèces animales et végétales. 20 % des espèces connues de mammifères seraient menacées de disparition (71 % en Hongrie), 14 % de celles d'oiseaux (37 % en Autriche), 7 % de celles de poissons. In fine, c'est la survie de la planète qui paraît menacée. C'est pourquoi les attentes de prévention, de prévoyance et de protection sont de plus en plus fortes dans la société. Au nom d'un principe plus général, qui est celui de précaution.

> 48 % des Français (contre 46 %) sont opposés à l'abandon de l'énergie nucléaire.

L'inquiétude à l'égard de la sécurité alimentaire s'accroît.

La crise de la « vache folle » a été le révélateur des risques liés à l'industrialisation de l'alimentation. Le fait de transformer des bovins herbivores en carnivores est apparu aux Français comme une transgression dangereuse des lois de la nature. D'autres crises se produisent périodiquement (poulet à la dioxine, bœuf aux hormones, fromage à la listériose...). Elles renforcent le sentiment que le rapport bénéfices/risques de l'innovation est de moins en moins favorable. C'est le cas par exemple des OGM (organismes génétiquement modifiés) ou des perspectives du clonage.

On assiste donc à une diabolisation de la science, qui s'appuie sur l'impossibilité pour les individus-citoyens-consommateurs d'apprécier les risques et d'accéder à la vérité. D'autant que la logique de marché et la compétition qu'elle engendre entre les grandes entreprises mondiales favorisent une vision à court terme, peu compatible avec le doute scientifique et le principe de précaution. C'est pourquoi certains se tournent aujourd'hui vers les aliments biologiques, supposés moins dangereux, bien que la démonstration irréfutable reste à faire.

Les Français acceptent de plus en plus mal le risque individuel.

La phobie du risque propre aux sociétés développées s'est construite sur l'idée (scientiste) que l'homme est capable de maîtriser son environnement. C'est pourquoi l'opinion publique juge aujourd'hui inacceptables les risques liés à la présence d'usines chimiques ou de centrales nucléaires, les maladies causées par des produits alimentaires, les accidents dus à l'utilisation d'équipements collectifs ou même les « dommages collatéraux » inhérents aux guerres. Même les catastrophes naturelles (inondations, avalanches, tornades, tempêtes...) devraient être dans leur esprit au moins annoncées, si possible évitées, en tout cas remboursées dans leurs conséquences.

Si le risque est ainsi refusé par les Français, c'est parce qu'il a changé de nature. Il n'est plus perçu comme collectif mais comme individuel. Ses conséquences ne sont plus limitées dans le temps ni dans l'espace ; elles peuvent être planétaires et définitives. L'idée que l'on ne puisse se prémunir contre les événements aléatoires est de plus en mal acceptée. Au point que l'on cherche à chaque fois des responsables ou des boucs-émissaires. Les élus locaux tremblent à la perspective d'un panneau de basket mal fixé tombant sur un de leurs administrés et entraînant ainsi leur responsabilité juridique. Dès le lendemain de la survenance d'un accident, la « polémique » surgit dans les médias, une enquête est ouverte, des négligences possibles sont évoquées, des noms cités, des mesures revendiquées. Comme s'il fallait exorciser l'accident, afin qu'il ne se reproduise plus.

Le refus du risque entraîne celui du hasard.

Comme la plupart des citoyens riches de la planète, les Français ont oublié l'existence du hasard. Ils attendent des institutions une protection totale, le risque zéro. Mais le hasard est indissociable de la vie ; il est d'ailleurs responsable de son déroulement. Il en est de même de la vie collective. La philosophie et l'art de la Grèce antique, qui constituent nos racines, auraient sans doute été changés si l'empereur Alexandre, menacée par un Perse sur un champ de bataille, n'avait été sauvé par son garde du corps. De simples aléas météorolo-

Une échelle des risques

Tous les risques ne se valent pas. On pourrait, pour mesurer leur gravité perçue, utiliser une gradation selon six axes distincts et complémentaires. Le premier serait celui de la *visibilité* ; un risque invisible est jugé plus inquiétant qu'un risque apparent. Un deuxième axe concernerait la *prévisibilité* ; le risque imprévisible est plus redouté que celui qui peut être estimé à l'avance. On pourrait ensuite établir une échelle *de temporalité*, avec à une extrémité les risques temporaires ou ponctuels et à l'autre les risques durables, avec lesquels on n'en aura jamais fini.
Un quatrième axe indiquerait la *naturalité*, séparant les risques naturels, que l'on accepte par fatalisme, et ceux qui sont artificiels, pour lesquels il est possible de rechercher des responsabilités. Bien sûr, l'échelle distinguerait aussi la *gravité* potentielle des risques, qui permettrait d'établir les priorités. Enfin, une indication importante serait fournie par l'axe de la *connaissance* des risques ; les risques connus sont évidemment plus faciles à réduire que les inconnus. L'utilisation de cette classification permet par exemple de constater que le risque terroriste se situe au maximum de chacune des six échelles ; il est en effet invisible, imprévisible, durable, artificiel, grave et inconnu.

giques ont à plusieurs reprises modifié le cours du monde. Si l'été de 1529 n'avait été si humide, les Turcs auraient pu prendre Venise et peut-être s'installer plus facilement et durablement en Occident. Si le temps n'avait pas été clément le 6 juin 1944, le débarquement n'aurait pu avoir lieu et l'issue de la Seconde Guerre mondiale aurait pu été différente.

Le refus du risque et du hasard implique la disparition de la notion de probabilité. Pourtant, un simple calcul montrerait souvent que le danger est plus faible qu'on le croit et son acceptation permettrait d'économiser des sommes considérables qui, de toute façon, ne le suppriment pas. Pour beaucoup, le seul hasard acceptable est celui qui est favorable. C'est celui qu'ils invoquent lorsqu'ils jouent, adressant une sorte de prière à la Providence dans l'attente d'une sorte de miracle. Du hasard, les Français ne veulent connaître que la face positive, c'est-à-dire la chance.

La vie privée est de moins en moins respectée.

Les ordinateurs connectés à des réseaux, les téléphones portables, les caméras de surveillance placées dans des lieux publics ou les cartes à puce sont autant de moyens qui permettent de suivre à la trace les faits et gestes des citoyens. Chacun laisse partout où il passe des « empreintes électroniques » qui peuvent être décodées en temps réel, archivées dans des bases de données et utilisées par des entreprises commerciales, des administrations ou des particuliers, à l'insu des personnes fichées.

Les Français ont le sentiment que leur liberté de mouvement tend à se restreindre et que le respect de leur vie privée est de moins en moins assuré. Les développements de l'électronique et de l'informatique leur laissent craindre l'avènement d'un *Big Brother* capable de surveiller chaque individu. Cette peur est renforcée par des exemples nombreux et objectifs : repérage des téléphones portables ; écoute des communications ; utilisation de *cookies* placés dans les ordinateurs pour enregistrer les sites visités par les Internautes, etc. La peur pourrait demain se transformer en paranoïa et donner lieu à une forme nouvelle d'obscurantisme. Si le doute à l'égard de la science est une attitude nécessaire pour éviter les risques qu'elle engendre, il peut aussi paralyser la recherche et ses applications souvent utiles pour la société.

La résistance aux excès de la modernité commence à s'organiser.

On assiste depuis le début des années 90 à une transformation profonde des comportements des consommateurs, dans le sens d'une méfiance croissante (voir p. 361). Les valeurs matérielles sont devenues moins prioritaires, les besoins plus intériorisés, les comportements d'achat plus rationnels, les acheteurs moins fidèles. Le succès des produits est moins lié à la mode. Dans toutes les couches de la société, la « néophilie » caractéristique des années 80 a fait place à une méfiance à l'égard de la nouveauté, voire à une « néophobie ».

Le contrôle social de l'activité scientifique apparaît aussi de plus en plus nécessaire. Les Français considèrent que la science est une chose trop importante pour être laissée aux scientifiques. La bonne conscience de ces derniers apparaît parfois empreinte de naïveté, tandis que certaines de leurs attitudes frisent l'arrogance. Mais il n'apparaît pas plus crédible aux citoyens de laisser prendre les décisions par les hommes politiques ou les chefs d'entreprise. C'est pourquoi ils estiment aujourd'hui nécessaire d'être consultés ou représentés dans les débats sur les applications des recherches, voire sur la nature même de ces recherches. Face à la science contemporaine, la conscience du peuple devient un contre-pouvoir nécessaire.

Oléopro 2002
Venez voir pousser l'avenir

B.G.S. Exploration Publicité

Les Français s'intéressent au sort des générations futures

> 49 % des Français (contre 44 %) sont favorables à l'interdiction des OGM.
> 65 % des Français (contre 31 %) sont opposés à la poursuite des recherches sur le clonage génétique.

Travail

La population active

Image du travail

La conception du travail a été longtemps « religieuse »...

Le travail constitue l'un des principes fondateurs de la civilisation judéo-chrétienne : « Tu gagneras ta vie à la sueur de ton front... » Il fut longtemps placé au centre de la société, déterminant à la fois son fonctionnement et ses structures. Il se trouvait aussi au cœur de la vie de chaque individu, indiquant sa « situation », c'est-à-dire son appartenance à une classe sociale, laquelle était fortement indicative de son niveau de revenu, de son mode de vie et de son système de valeurs.

Selon cette conception, le travail était considéré comme une part essentielle et inéluctable du destin individuel, mais aussi comme un devoir à l'égard de la collectivité, de la famille et de soi-même. Ce n'est qu'après avoir effectué son labeur quotidien que l'on pouvait s'accorder un repos mérité, éventuellement un peu de loisirs. Il s'agissait au fond pour chaque chrétien d'assumer le péché originel et de racheter les fautes de ses lointains ancêtres. Dans ce contexte, l'intérêt que l'on portait à son travail était secondaire ; il suffisait à chacun d'effectuer avec application les tâches qui lui étaient confiées, sans chercher à sortir de sa condition.

Cette conception « religieuse » du travail est en voie de disparition. Elle concerne encore des actifs âgés, mais elle s'éloigne au fur et à mesure qu'ils quittent la vie professionnelle. Elle est de moins en moins présente chez les plus jeunes, qui considèrent que l'existence ne peut plus être seulement fondée sur le travail.

... puis « sécuritaire » pendant les années de crise...

La transformation du rapport au travail s'était amorcée vers le milieu des années 60, avec la mise en cause explicite du travail-obligation et la revendication d'une liberté individuelle qui s'accommode mal des contraintes liées à la vie professionnelle. Mais cette évolution des mentalités avait été mise entre parenthèses pendant les années de crise économique. On avait vu alors se développer une attitude de crainte, notamment dans les catégories qui étaient en situation de vulnérabilité pour des raisons diverses : manque de formation ; charges de famille ; emploi situé dans une région sinistrée ; entreprise ou secteur d'activité menacé.

Cette crainte croissante du chômage avait donné lieu pendant les années 80 à une conception « sécuritaire » du travail. Les personnes concernées s'accrochaient à leur emploi pour éviter de le perdre et de subir les conséquences du chômage sur leur vie personnelle, familiale et sociale. Le travail était alors essentiellement un moyen de gagner sa vie.

Et, si l'argent ne fait pas le bonheur, il fournit au moins la possibilité de consommer et d'exister socialement en possédant des biens matériels. Les motivations étaient beaucoup plus pratiques que spirituelles.

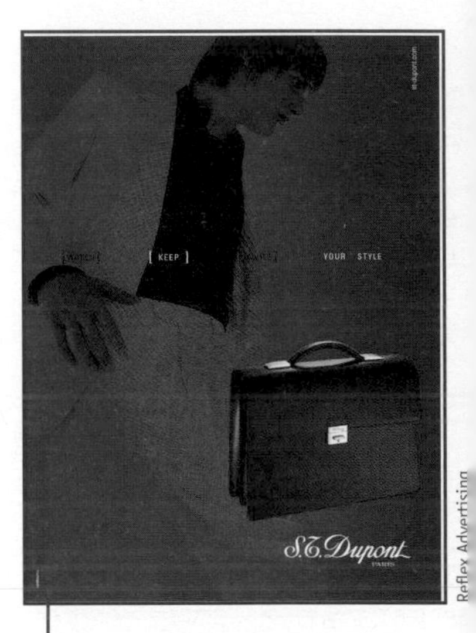

Reflex Advertising

L'image du travail évolue

... « libertaire » avec la reprise économique...

Les idées de Mai 68 n'ont pas disparu avec la crise économique. Elles étaient présentes de façon sous-jacente dans les mentalités, mais rarement exprimées dans un contexte social devenu incertain. C'est ce qui explique la frustration ressentie par beaucoup d'actifs obligés d'effectuer un travail dans des conditions qui ne les satisfaisaient pas, en acceptant des contraintes qui leur paraissaient incompatibles avec la liberté individuelle dont ils ont besoin.

La sortie de la crise, à partir de fin 1998, a incité les Français à se montrer plus exigeants dans leur vie pro-

fessionnelle. Les jeunes ont été les plus concernés. S'ils attachent aujourd'hui une grande importance au montant de leur salaire, la nature des tâches qu'ils effectuent joue un rôle croissant. Ainsi, le cadre de travail et les relations avec les collègues ou la hiérarchie sont des éléments auxquels ils sont de plus en plus sensibles.

... et « aventurière » pendant la courte période de la nouvelle économie...

La création des *startups*, entreprises basées sur les nouvelles technologies, a fait croire pendant environ deux ans que le monde était entré dans une « nouvelle économie » dont les règles n'avaient plus rien à voir avec celles de l'ancienne. Cette idée a aussi donné naissance à une nouvelle conception du travail, fondée sur l'aventure personnelle. Les fondateurs et les salariés des entreprises concernées ont eu le sentiment exaltant de participer à la construction d'un nouveau monde, de défricher des terres inconnues.

Pour ces mutants de l'économie, il devenait possible de créer et de réaliser quelque chose par soi-même, tout en s'enrichissant très rapidement. La contrepartie était une disponibilité et une mobilité sans limite, peu compatibles avec les contraintes administratives et les réglementations du travail, notamment le respect des 35 heures hebdomadaires. Mais la nouvelle économie a fait long feu et le retour aux règles de l'ancienne a remis en vigueur d'autres conceptions du travail.

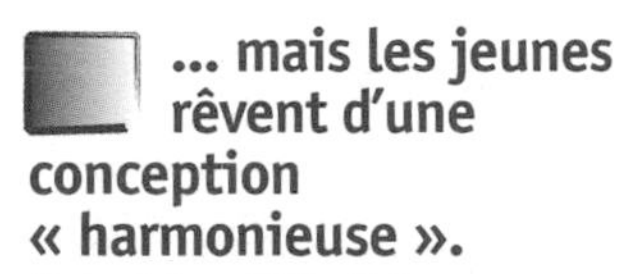

... mais les jeunes rêvent d'une conception « harmonieuse ».

Malgré les difficultés encore sensibles dans l'obtention d'un emploi, ou plus probablement à cause d'elles, le travail reste une valeur importante pour les jeunes. Il est la clé de l'indépendance financière et familiale et une condition de l'existence sociale. Les femmes se montrent souvent les plus exigeantes, car l'activité est pour elles un moyen plus récent de satisfaire des ambitions personnelles. Le désir de s'épanouir dans sa vie professionnelle s'impose, mais il ne doit pas venir en contradiction avec la réussite de la vie familiale, amicale, personnelle. La revendication d'harmonie concerne aussi bien le travail proprement dit que l'équilibre entre la vie professionnelle et les autres compartiments (de moins en moins étanches) de la vie. La famille, les amis, les centres d'intérêt personnels sont des motivations fortes, aussi importantes que le travail, parfois davantage.

> 27 % des salariés déclarent avoir été témoins de pratiques discriminatoires sur leur lieu de travail.

La malédiction du travail

PENDANT très longtemps, le travail a été considéré comme une punition, voire une malédiction. Le paradis terrestre, d'où Adam et Eve furent chassés, se caractérisait notamment par le fait qu'on n'était pas obligé d'y travailler. L'origine latine du verbe travailler, *tripaliare*, signifie torturer avec un *trepalium*, instrument à trois pieux utilisé pour ferrer les bœufs. Condition de la « richesse des nations » selon l'économiste Adam Smith, mais aussi de celle des individus, le travail manifestait pour Marx l'exploitation de l'homme par l'homme et constituait la cause de son aliénation. Cette vision a été renforcée par la division du travail qui s'est opérée tout au long du XXe siècle, dans le but de le rendre plus productif.

Pourtant, le rapport au travail a longtemps gardé un caractère affectif, lié au partage de valeurs et de pratiques communes (culture d'entreprise), au sentiment de participer à une oeuvre collective. Il a même été le lieu principal de la sociabilité, en complément de la famille (le « grand intégrateur » décrit par Durkheim). Mais la crise économique, la contrainte d'efficacité qui en est résultée, les fusions-absorptions d'entreprises et la mondialisation ont mis en évidence la précarité de l'emploi, et le rapport au travail a plus à voir avec la raison qu'avec la passion.

Il apparaît aujourd'hui plus difficile de construire son identité et de se réaliser par le travail. Cette évolution est aussi la conséquence des mutations de l'emploi du temps de la vie, qui ont donné une place prépondérante au loisir (temps choisi) par rapport au travail (temps subi). Il reste donc à inventer ou réinventer des formes d'épanouissement personnel et d'implication sociale susceptibles de remplacer ou de compléter le travail. Elles passent sans doute par une redéfinition du statut de salarié et une remise à plat du traitement de la « ressource humaine » dans les entreprises, dans le sens du développement personnel. En attendant peut-être la déclaration d'un droit au non-travail, qui annoncerait la fin de la malédiction.

Dans ce contexte, les attentes de nature qualitative tendent à s'accroître. La compétition et le stress sont plus mal acceptés. La nature des produits et des services, l'engagement de l'entreprise dans son environnement social prennent aussi une place croissante. La grande entreprise, lieu de prédilection des « jeunes loups » des années 60, n'est plus le seul terrain d'expression des ambitions professionnelles. Les petites structures dynamiques, qui autorisent une plus grande autonomie, ont souvent les faveurs des diplômés comme de ceux qui sont sortis prématurément du système scolaire.

L'insatisfaction des salariés s'est accrue.

La conception harmonieuse du travail reste un souhait qui n'est pas encore exaucé pour le plus grand nombre. Le niveau de satisfaction dans la vie professionnelle a en effet diminué depuis quelques années. Cette évolution traduit à la fois la baisse de la confiance dans les entreprises et la frustration générale. Elle est particulièrement sensible chez les cadres, dont le statut s'est paradoxalement dévalorisé au fur et à mesure qu'on leur demandait des efforts supplémentaires (voir p. 313).

L'insatisfaction est particulièrement sensible chez les trentenaires. Enfants de la crise économique, beaucoup ont connu la « galère » de la recherche du premier emploi, puis la succession des « petits boulots ». La précarité de leur situation les a amenés à accepter des tâches parfois éloignées de leurs souhaits ou de leurs compétences, et des salaires peu élevés. Il en est résulté un décalage avec les plus jeunes qui ont profité de l'embellie économique entre 1998 et 2001, marquée par le feu de paille de la « nouvelle économie ».

Le travail et la vie

Est-ce que votre vie de travail vient en conflit avec votre vie personnelle ? (2002, en % des actifs occupés) :

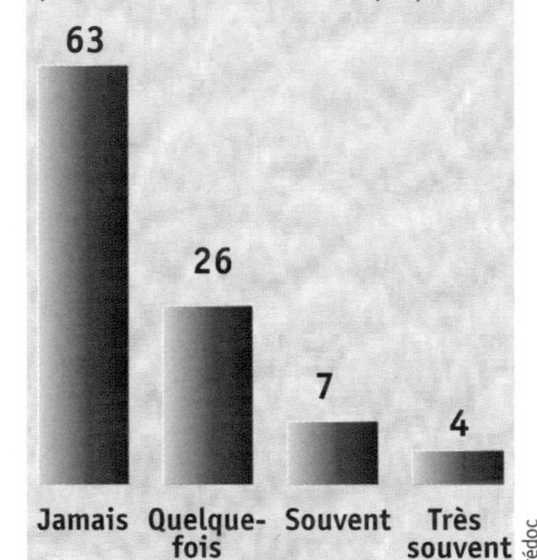

Crédoc

Le « mariage » avec l'entreprise est remplacé par l'union libre.

L'amélioration du marché de l'emploi a permis à un nombre croissant de salariés insatisfaits de leur vie professionnelle de chercher à améliorer leur sort. Un tiers des cadres ont ainsi changé de travail en 2000 (un sur dix d'entreprise, un sur cinq d'établissement). Cette mobilité est la conséquence d'une infidélité croissante à l'entreprise. Elle traduit un sentiment de doute à son égard (étymologiquement, l'infidèle est celui qui a perdu la foi), conséquence de déceptions accumulées au fil des années. L'intérêt maintes fois affiché pour la « ressource humaine » n'a pas empêché les vagues de licenciement, la montée du stress ou du harcèlement au travail.

L'infidélité actuelle des salariés indique un changement important dans la relation entre employeurs et employés. Autrefois fondée sur l'affectivité et l'identification à l'entreprise, elle fait place aujourd'hui à une relation de type contractuel. Le contrat précise les droits et obligations des parties. Chacune d'elles peut le dénoncer lorsqu'elle n'y trouve plus son compte. « Etre fidèle, c'est enchaîner l'autre », écrivait Sacha Guitry ; les salariés ne veulent plus aujourd'hui être enchaînés à leur entreprise. Même si, comme l'indiquait Sénèque : « La prospérité demande la fidélité et l'adversité l'exige. » Les Français ne sont plus aujourd'hui « mariés » à l'entreprise ; ils vivent avec elle en union libre.

La loi sur les 35 heures tend à réduire la valeur du travail dans la société.

La RTT (réduction du temps de travail) a été l'occasion d'un débat sur la place du travail pour les individus et pour la société. Elle a mis en lumière la demande d'une plus grande harmonie entre vie professionnelle et vie familiale, sociale et personnelle. On a vu à cette occasion les cadres exprimer une frustration liée à une quantité de travail accrue, alors que la considération dont ils sont l'objet diminue au sein de l'entreprise et de la société. Les jeunes ont pu aussi manifester leur volonté de ne pas se définir uniquement par le travail.

La loi a accéléré le processus ininterrompu de réduction du temps de travail, de sorte que celui-ci ne représente plus qu'une faible fraction du temps de vie disponible (voir p. 132). Elle a renforcé l'idée que le progrès social va de pair avec la diminution de la place accordée au travail. Il est significatif que, après sa mise en

La population active

place, la majorité des salariés (54 %) disaient encore préférer gagner moins d'argent à l'avenir et avoir plus de temps libre, contre 47 % désireux de gagner plus d'argent et d'avoir moins de temps libre (*L'Express*/Ifop, février 2001)

La RTT a sans doute contribué à une dévalorisation de la notion de travail aux yeux des Français. Elle a uniformisé vers le bas la durée, alors que les motivations sont différentes entre les individus et changent tout au long de la vie. Elle a enfin accru les inégalités entre les salariés, qui travaillent moins et bénéficient d'un maintien de leur salaire antérieur, et les indépendants qui continuent de travailler beaucoup plus de 35 heures par semaine.

Le temps de loisir est très supérieur au temps de travail

Activité

Six Français sur dix n'exercent pas d'activité professionnelle.

La population active occupée (salariés et non-salariés, hors chômeurs) comprenait 23,8 millions de personnes en 2001, soit 40 % de la population nationale. Près des deux tiers des Français n'ont donc pas d'activité professionnelle. Ils sont enfants, étudiants, chômeurs, inactifs, retraités ou préretraités.

La proportion d'inactifs s'est beaucoup accrue au cours des dernières décennies. Le travail commence en effet plus tard, du fait de l'allongement de la scolarité : seuls 24 % des 15-24 ans occupaient un emploi en 2001, contre 32 % en 1993. La période active se termine aussi plus tôt : l'âge légal de départ à la retraite est fixé à 60 ans depuis 1981 (il est inférieur pour certaines professions, notamment du secteur public), mais l'âge moyen de cessation d'activité se situe à 58 ans. La proportion d'actifs parmi la population de 15 ans et plus n'est que de 50 %.

Sur 100 Français âgés de 15 ans et plus et habitant des villes de plus de 20 000 habitants, 46 travaillent (dont 38 à temps plein, 8 à temps partiel). 9 sont à la recherche d'un emploi, 22 sont retraités, 13 sont femmes au foyer ou sans profession, 10 étudiants ou lycéens (Ministère de la Ville/ Sofres, mai 2001).

Le taux d'activité s'est accru depuis la fin des années 60...

Entre 1911 et 1968, la proportion d'actifs dans l'ensemble de la population avait diminué de 20 %. Cette évolution était liée au vieillissement de la population, à l'allongement de la scolarité, à l'avancement de l'âge moyen de départ à la retraite et à la réduction de l'activité féminine.

Depuis la fin des années 60, le taux d'activité est remonté, à cause de la diminution de la fécondité, de l'arrivée sur le marché du travail des générations nombreuses du baby-boom et des flux d'immigration importants jusqu'en 1974, en provenance principalement des pays du Maghreb.

Mais c'est le redémarrage de l'activité féminine, particulièrement sensible depuis 1968, qui explique le mieux cet accroissement du taux d'activité global (voir ci-après). En 2001, 48 % des femmes de 15 ans et plus étaient actives, un taux qui reste cependant inférieur au maximum de 52 % observé en 1921.

... mais la durée de la vie active a diminué de 11 ans en 30 ans.

Les jeunes entrent dans la vie active en moyenne à 22 ans, contre 18 ans en 1969. La sortie se fait environ sept ans plus tôt qu'à la fin des années 60. Cela signifie que la durée moyenne de la vie active a diminué de onze ans en trente ans. Entre 55 et 59 ans, seuls 68 % des Français exercent une activité professionnelle (contre 83 % en 1970), ce qui place la France au dernier rang des pays européens. Depuis 1990, 500 000 personnes ont bénéficié de mesures de retraite anticipée. Entre 60 et 64 ans, seuls 17 % des hommes et 15 % des femmes sont en activité.

Obnubilées par la volonté d'offrir des « plans de carrière » et d'identifier au plus tôt les « collaborateurs à fort potentiel », les entreprises ont oublié l'apport des plus anciens en matière de rapports humains et de capacité à penser le long terme. Pour-

Le travail plus tard, la retraite plus tôt

Evolution des taux d'activité selon l'âge et le sexe (en % de la population active) :

	Hommes		Femmes	
	1968	2001	1968	2001
- 15 à 19 ans	42,9	11,0	31,4	6,2
- 20 à 24 ans	82,6	56,2	62,4	46,9
- 25 à 54 ans	95,8	94,1	44,5	78,7
- 55 à 59 ans	82,4	66,9	42,3	52,0
- 60 à 64 ans	64,7	15,5	32,3	13,0
- 65 ans et plus	19,1	1,7	6,9	0,9
15 ans et plus	**74,4**	**61,8**	**36,1**	**48,3**

INSEE

tant, la compétence et l'expérience des « quinquas » devraient être davantage exploitées, afin de maintenir le lien nécessaire entre les générations de salariés. D'autant que l'allongement de la vie a préservé l'état physique et mental des personnes concernées.

Cette évolution a fortement aggravé le déséquilibre du système de répartition des retraites. Les actifs versent chaque année près de 230 milliards d'euros aux retraités, alors que ceux-ci ne devraient percevoir que 150 milliards compte tenu des cotisations qu'ils ont versées pendant leur vie professionnelle. La différence, soit 80 milliards d'euros par an, est à la charge des actifs.

La population active devrait diminuer à partir de 2006.

Le nombre d'actifs (occupés ou non) pourrait passer de 26 millions en 2001 à près de 28 millions en 2006. Sans changement majeur, il diminuera ensuite avec le départ à la retraite des générations du baby-boom. Les conséquences prévisibles sont à la fois une baisse mécanique du chômage et une difficulté à pourvoir les postes qui sont vacants dans certains domaines : ouvriers qualifiés, techniciens administratifs, assistantes maternelles, aides aux personnes âgées, informaticiens, etc.

La situation est différente en Europe selon les pays. La population active de l'Italie a déjà commencé à diminuer depuis 1999, celle de l'Allemagne depuis 2001. Le Danemark devrait être concerné à partir de 2003, l'Autriche en 2004, la Finlande en 2006, l'Espagne en 2007, la Grèce en 2009, le Portugal en 2010, la Belgique, le Royaume-Uni et les Pays-Bas en 2011, l'Irlande en 2014, la Suède en 2015, le Luxembourg en 2023.

L'effet de l'augmentation récente de la natalité (voir p. 162), si elle se poursuit, ne devrait se faire sentir qu'à partir de 2015. Une évolution de l'immigration aurait en revanche des incidences immédiates. La généralisation de la scolarité à bac + 2 ferait diminuer encore plus sensiblement la population active. A l'inverse, le recul de cinq ans de l'âge effectif de départ à la retraite (de 58 à 63 ans) la ferait augmenter de 10 %.

Les femmes représentent près de la moitié de la population active...

L'accroissement du travail féminin est l'une des données majeures de l'évolution sociale de ces quarante dernières années. Entre 1960 et 1990, le nombre des femmes actives avait augmenté de 4,3 millions, contre seu-

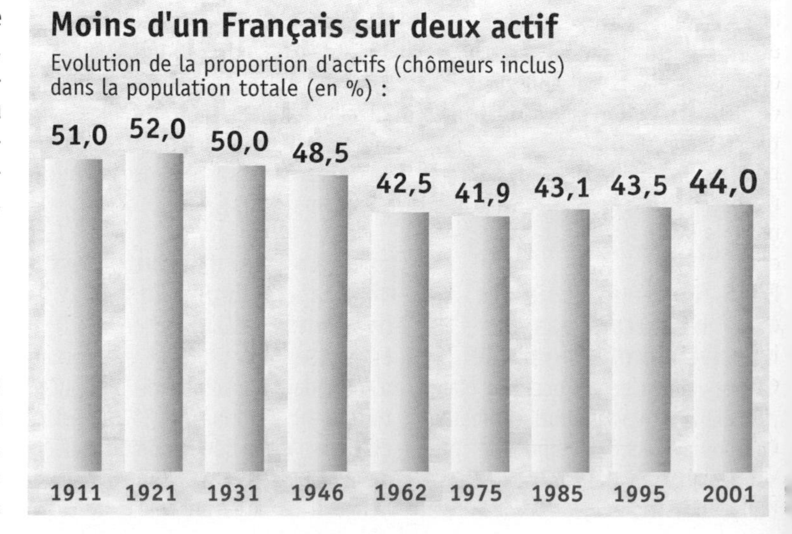

lement 900 000 pour les hommes. L'écart a continué de se combler au cours des années 90, de sorte que les femmes représentaient 46 % de la population active en 2001 contre 35 % en 1968.

Des femmes actives toujours plus nombreuses

Le taux d'activité des femmes de 15 ans et plus (48,3 % en 2001) est cependant comparable à ce qu'il était au début du siècle. Il avait fortement baissé jusqu'à la fin des années 60 (39 % en 1970) sous l'effet de l'évolution démographique. Il a augmenté depuis, alors que celui des hommes diminuait. Huit femmes sur dix âgées de 25 à 49 ans sont aujourd'hui actives, contre quatre en 1962 ; la proportion est de 86 % parmi celles qui n'ont pas d'enfant, 83 % si elles ont un enfant, 75 % dans le cas de deux enfants, 50 % trois enfants et plus. La France est de tous les pays de l'Union européenne celui où l'écart entre les taux d'activité masculin et féminin est le plus faible.

Cette évolution est d'abord liée à celle de la condition féminine. Le travail rémunéré a représenté pour les femmes le moyen d'accéder à l'autonomie, de s'épanouir et de participer à la vie économique. La diminution du nombre des mariages, l'accroissement du nombre des femmes seules, avec ou sans enfants, la sécurité (parfois la nécessité) pour un couple de disposer de deux salaires sont d'autres causes de cette évolution. Le couple biactif est devenu la norme ; il représente aujourd'hui les deux tiers des cas. Par ailleurs, les changements intervenus dans la nature des emplois, notamment ceux de services, ont été favorables à l'insertion des femmes. Il en est de même du développement du travail à temps partiel.

... mais les inégalités de carrière restent marquées.

Les femmes n'ont la possibilité de pratiquer une activité professionnelle sans le consentement de leur mari que depuis 1965. Le congé de maternité (indemnisé à 90 %) date de 1971 et la première loi sur l'égalité professionnelle de 1983. Elle a été suivie en 1986 de la féminisation des noms de métiers, en 1992 de la loi sur le harcèlement sexuel.

Malgré l'arsenal juridique mis en place, les écarts restent importants. Les femmes sont très largement majoritaires parmi les employés (76 %), mais elles ne représentent que 35 % des cadres et professions intellectuelles supérieures (24 % en 1982) et 7 % des cadres dirigeants des entreprises de plus de 500 personnes. Seule une entreprise de plus de 10 salariés sur cinq est dirigée par une femme et la proportion diminue avec la taille de l'entreprise. Le taux de chômage féminin est supérieur au

Travailleuses, travailleurs

Réussir sa vie professionnelle et sa carrière apparaît indispensable à 15 % des femmes, important à 77 % ; pour les hommes, les proportions sont respectivement de 10 % et 77 %. 65 % des femmes et 57 % des hommes estiment indispensable de réussir sa vie personnelle et familiale, 35 % et 43 % important. Mais 45 % des femmes et 36 % des hommes pensent qu'être une femme est un handicap pour sa carrière (55 % et 63 % non).
Les images des hommes et des femmes sont très différenciées. L'intuition est considérée comme une qualité plutôt féminine par 66 % des Français, masculine par seulement 1 %. Les autres qualités féminines sont : la capacité d'écoute et de dialogue (44 % contre 4 %), le sens de la communication et des relations (36 % contre 4 %), le courage (20 % contre 5 %).
42 % estiment en revanche que l'esprit de compétition est plutôt une qualité masculine, 6 % une qualité féminine. Les autres qualités jugées plus masculines sont l'autorité (40 % contre 5 %) et la capacité d'encadrer une équipe (19 % contre 3 %). Les autres (complément à 100 du total hommes-femmes) estiment qu'une qualité donnée est partagée entre hommes et femmes.

L'Express/Louis Harris, février 2001

taux masculin (10,7 % contre 7,1 % en 2001).

Malgré la législation sur l'égalité des salaires (la première loi remonte à 1945), les hommes gagnent en moyenne un quart de plus que les femmes. Mais une partie de l'écart s'explique par les différences de poste ; à fonction égale, il est encore d'au moins 10 % (voir p. 343). Il devrait cependant disparaître progressivement, du fait notamment du niveau d'éducation féminin ; les femmes représentent aujourd'hui 57 % des bacheliers et 56 % des étudiants de l'enseignement supérieur. 57 % des femmes et 45 % des hommes estiment que les deux sexes n'ont pas aujourd'hui les mêmes perspectives professionnelles en général, mais seuls 30 % des femmes et 31 % des hommes pensent que c'est le cas dans leur entreprise (*Enjeux-Les Echos*/ Sofres, mai 2001).

30 % des femmes et 5 % des hommes travaillent à temps partiel.

La part du travail à temps partiel s'est accrue régulièrement depuis les années 80. D'après la définition retenue par le BIT (Bureau international du travail), il concerne toute personne qui « occupe de façon régulière, volontaire et unique un poste pendant une durée sensiblement plus courte que la durée normale ». On considère en pratique que le temps partiel commence en dessous de 30 heures hebdomadaires. La durée habituelle était de 23,3 heures par semaine en 2001.

En 2001, 3,9 millions d'actifs occupés (hors chômage) étaient concernés, soit 16,4 % de la population active contre 13,7 % en 1993, mais 17,2 % en 1999. La proportion a un peu diminué au cours des deux dernières années pour les deux sexes. Un tiers des salariés des petites entreprises (moins de 10 employés) sont dans cette situation, soit davantage que dans les grandes entreprises. Près de 30 % des agents des collectivités territoriales travaillent à temps partiel, mais seulement 11 % dans la fonction publique d'Etat.

La proportion de femmes est six fois supérieure à celle des hommes. Malgré l'augmentation des dernières décennies, la France reste en retrait par rapport aux pays du nord de l'Europe ; deux femmes sur trois travaillent à temps partiel aux Pays-Bas, près d'une sur deux au Royaume-Uni, mais environ une sur dix en Grèce, en Italie et au Portugal.

Le travail plus partiel au Nord

Travailleurs à temps partiel dans l'Union européenne, par sexe (1999, en % de la population active) :

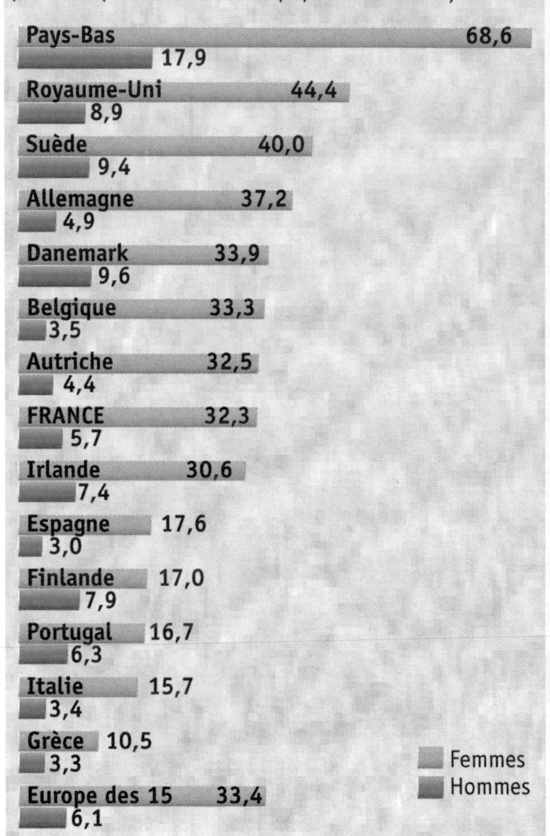

6 millions d'actifs sont sans emploi ou occupent des emplois précaires.

Depuis le début des années 80, le modèle traditionnel de l'activité professionnelle (un emploi stable à plein temps) a laissé place à des formes plus complexes, plus souples et moins stables, qui concernent aujourd'hui plus de 3 millions de salariés. Un tiers des nouvelles embauches dans les entreprises de plus de 50 salariés se font avec des contrats à durée déterminée, un tiers à temps partiel.

Parmi les actifs occupés début 2001, 2,2 millions disposaient d'emplois à durée limitée : 929 000 étaient titulaires de CDD (contrats à durée déterminée), 605 000 étaient intérimaires, 408 000 bénéficiaient de contrats aidés par l'Etat (contrats emploi solidarité, stages de formation professionnelle...) et 260 000 étaient apprentis. Les femmes, les jeunes et

les personnes peu qualifiées sont les plus concernés. Un jeune de 15 à 29 ans sur trois occupe un emploi temporaire et un sur quatre travaille dans un secteur à forte mobilité comme le commerce, les industries agricoles et agroalimentaires ou les services aux entreprises (notamment l'intérim). On estime que seul un emploi précaire sur cinq se transforme en contrat à durée indéterminée.

On pourrait ajouter les quelque 1,5 million d'emplois à temps partiel concernant des personnes qui travaillent (involontairement) moins que la durée normale dans leur activité ou sont à la recherche d'un travail complémentaire. Cette situation concerne 42 % des hommes travaillant à temps partiel et 32 % des femmes. Au total, ce sont donc près de 6 millions d'actifs qui sont soit sans emploi (2,3 millions en 2001), soit en situation de travail précaire.

Le travail intérimaire continue de progresser.

On comptait 605 000 actifs intérimaires début 2001, contre 447 000 en 1999 et 171 000 en 1993. Les trois quarts occupaient des postes d'ouvriers, 53 % travaillaient dans l'industrie. La croissance économique a incité beaucoup d'entreprises à faire appel à ce type de main-d'œuvre, pour des raisons de flexibilité ou parfois pour éviter d'embaucher de nouveaux salariés. Depuis 1995, la part de l'intérim est supérieure à 1 % de la population active. Elle a atteint 2,5 % en 2001, ce qui situe la France au troisième rang mondial.

Si la moitié des intérimaires effectuent plus de dix missions dans l'année, d'autres n'en obtiennent qu'une à trois, ce qui fait d'eux des travailleurs au statut très précaire. La durée moyenne des contrats est d'environ trois mois. La demande a été particulièrement forte dans les secteurs exportateurs : biens d'équipement professionnels, chimie, métallurgie, papier-carton, transports et, plus récemment, biens de consommation, automobile et bâtiment-travaux publics. On observe une évolution de l'image et de l'utilisation de l'intérim chez les actifs. Ce type d'activité est de moins en moins considéré comme une voie de recours lorsqu'on ne parvient pas à trouver un travail fixe, mais comme un mode de vie qui autorise plus de liberté et permet d'éviter la routine. Les jeunes sont les plus concernés par cette réhabilitation de l'intérim et certains d'entre eux refusent les postes fixes qui leur sont proposés.

Groupe Jump

Les emplois sont souvent à durée limitée

> 25 000 emplois ont été supprimés en 2001 dans la distribution, dont 15 000 dans le petit commerce. Le secteur ne compte plus que 2,5 million de salariés contre 2,8 en 1996.

On compte 1,6 million de travailleurs étrangers.

Beaucoup d'étrangers sont arrivés en France pendant les années 60, période de prospérité économique, pour occuper des postes généralement délaissés par les Français. Leur nombre a continué d'augmenter sous l'effet des nouvelles vagues d'immigration, mais il s'est stabilisé depuis une vingtaine d'années. Il était de 1 618 000 en 2001, soit 6,8 % de la population active totale, une proportion comparable à celle du début des années 30. 57 % des femmes immigrées (étrangères et françaises par acquisition) sont actives, contre 41 % en 1982.

Les travailleurs étrangers les plus nombreux sont les Portugais (371 000 en 2001, soit 23 %), devant les Algériens (234 000), les Marocains (186 000), les ressortissants d'Afrique noire (185 000), les Espagnols (87 000), les Tunisiens (84 000), les Turcs (82 000), les Italiens (72 000), les Yougoslaves (24 000) et les Polonais (16 000). On compte 306 000 ressortissants d'autres pays, dont 199 000 hors de l'Union européenne.

Les étrangers occupent les postes les moins qualifiés et les moins bien rémunérés : la moitié sont ouvriers (47 %), un quart employés (27 %). Ils sont concentrés en Ile-de-France, en Corse, dans la vallée du Rhône et dans la région Provence-Alpes-Côte d'Azur.

Chômage

Le chômage a repris la hausse en 2001, après deux années de baisse.

Le taux de chômage avait connu une première baisse en 1994 et 1995, suivie d'une remontée au cours des deux

années suivantes. La décrue a ensuite repris entre 1997 et le premier semestre 2001, avec un retour à un taux inférieur à 9 % pour la première fois depuis 1984. Elle a profité davantage aux jeunes, aux hommes adultes et aux personnes les moins diplômées. Les dispositifs d'emplois jeunes dans les activités non marchandes et les allègements de charges sociales sur les bas salaires ont eu notamment des effets positifs. Mais le second semestre 2001 a vu une nouvelle dégradation, liée à un climat économique détérioré qui a prévalu au premier semestre 2002, renforcé par le climat d'attentisme habituel en période électorale.

Les chiffres du chômage et leur comparaison dans le temps doivent cependant être examinés avec prudence, du fait des changements intervenus dans les modes de comptabilisation au fil des années. La baisse enregistrée ne concernait ainsi qu'une partie de la population sans emploi, celle des demandeurs « immédiatement disponibles, à la recherche d'un emploi à durée indéterminée à temps plein ». Elle ne prenait pas en compte d'autres catégories dans lesquelles le taux de chômage s'est accru : personnes inscrites à l'ANPE à la recherche d'un emploi à temps partiel ou à durée déterminée ; demandeurs exerçant une activité réduite de plus de 78 heures par mois mais dans l'attente d'un emploi durable ; chômeurs âgés de plus de 55 ans dispensés de recherche ou chômeurs de longue durée sortis des statistiques, comme les jeunes n'ayant jamais travaillé et ne percevant aucune indemnité, etc. Le « vrai » nombre des sans-emploi approche donc sans doute 4 millions, alors qu'il n'était officiellement que de 2,3 millions en mars 2002.

Depuis le début des années 90, la France a moins bien réussi à préserver l'emploi que ses partenaires de l'Union européenne. Son taux de chômage se situe au troisième rang, derrière l'Espagne, à égalité avec la Finlande et l'Italie.

Une histoire longue et douloureuse

Le chômage a commencé à progresser à partir du milieu des années 60. Le cap des 500 000 chômeurs, atteint au début des années 70, fut considéré à l'époque comme alarmant. Le seuil symbolique du million était cependant dépassé en 1976. Le mal gagnait encore pour toucher 1,5 million de travailleurs au début de 1981, puis 2 millions en 1983. Entre 1960 et 1985, le nombre de chômeurs était multiplié par dix. Entre 1985 et 1990, il se stabilisait avant de reprendre sa croissance. Le cap des 3 millions était officiellement franchi en 1993. Il l'a été en réalité bien avant si l'on tient compte de l'ensemble des personnes à la recherche d'un emploi non comptabilisées dans les statistiques. La hausse s'est poursuivie au cours des années 90 jusqu'à l'embellie économique de 1998 et la rechute de 2001.

Un ménage sur sept compte au moins un chômeur.

Si la proportion officielle de chômeurs dans la population active est passée en dessous de 9 % fin 1999, celle des ménages touchés par le chômage de l'un au moins de ses membres est supérieure, à environ 15 %. Dans près de 100 000 cas, les deux parents sont au chômage. Dans 110 000 ménages, un adulte et un jeune sont concernés. Le taux de chômage est logiquement plus élevé chez les couples biactifs (13 %) que parmi les monoactifs (8 %), mais il est inférieur à celui mesuré dans les familles monoparentales (16 %). On constate que, dans les couples monactifs, lorsqu'un des deux membres perd son emploi, il est de plus en plus fréquent que l'autre se mette à en chercher un. Ce comportement fait baisser mécaniquement la proportion de couples avec un seul actif au chômage. 44 % des ménages dont un membre est au chômage sont dans cette situation depuis au moins un an, soit 800 000 ménages.

Au cours des dix dernières années, plus d'un actif sur trois a connu le

Retournement de tendance

Evolution du nombre de chômeurs au sens du BIT* (en mars de chaque année, en milliers) et du taux de chômage (en % de la population active) :

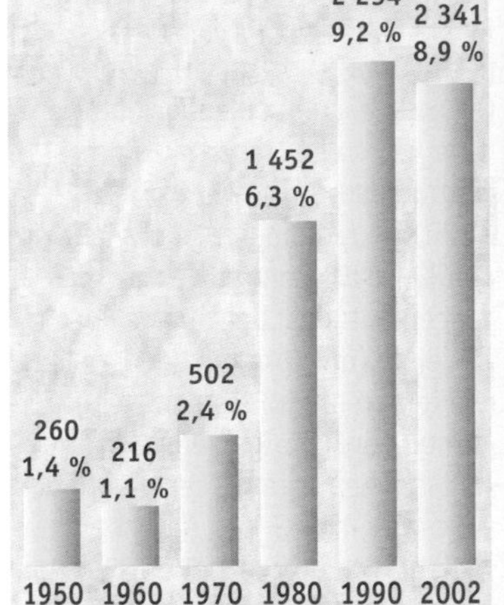

* Bureau international du travail : personnes au chômage cherchant effectivement un emploi (à plein temps ou à temps partiel) ou ayant trouvé un emploi qui commence ultérieurement.

chômage, un sur quatre pendant les trois dernières, un sur dix au cours des douze derniers mois. La proportion est encore plus élevée (environ une personne sur six sur un an) si l'on exclut du nombre total d'actifs les 6 millions de fonctionnaires ou assimilés qui bénéficient de la garantie de l'emploi.

La mise en place des 35 heures aurait créé environ 300 000 emplois.

Il est difficile de différencier les emplois créés directement par la réduction du temps de travail de ceux qu'elle a permis de sauvegarder ou de ceux liés à la croissance économique.

> 54 % des Français (contre 36 %) sont opposés au rétablissement de l'autorisation administrative de licenciement.
> 66 % des Français pensent que 60 ans est l'âge idéal pour partir à la retraite.

On estimait cependant à 285 000 le nombre des emplois créés lors de la mise en place de la loi sur les 35 heures en avril 2001. Ce chiffre ne représente cependant que le cinquième des emplois créés pendant la même période par l'ensemble de l'économie. Dans le secteur concurrentiel, le tertiaire est le principal moteur de la création d'emplois. Les effectifs des établissements de plus de 200 salariés ont augmenté deux fois plus vite que ceux des plus petites unités.

Les emplois imputés aux 35 heures sont subventionnés, ce qui a permis aux entreprises de maintenir les salaires antérieurs versés pour une durée de travail de 39 heures. Mais elles devront prendre le relais de l'Etat à partir de 2003. Cette charge supplémentaire sera plus ou moins difficile à assumer selon la conjoncture économique qui prévaudra.

La France à la traîne

Comparaison des taux de chômage dans les pays de l'Union européenne, aux Etats-Unis et au Japon (février 2002, en % de la population active) :

Pays	%
Pays-Bas	2,3
Lux.	2,6
Autriche	3,9
Danemark	4,2
Irlande	4,3
Portugal	4,3
Royaume-Uni	5,1
Suède	5,1
Japon	5,3
Etats-Unis	5,5
Belgique	6,7
Allemagne	8,1
FRANCE	9,0
Finlande	9,0
Italie	9,0
Grèce (2000)	11,1
Espagne	12,9

Les diplômés sont beaucoup moins touchés par le chômage.

Le taux de chômage des diplômés de l'enseignement supérieur n'était que de 5 % en mars 2001, soit près de deux fois moins que celui des bacheliers (8 %) et trois fois moins que celui des personnes sans diplôme ou titulaires du seul CEP. On retrouve des écarts importants entre les catégories professionnelles : 11 % des ouvriers et des employés étaient au chômage, contre seulement 3 % des cadres et professions intellectuelles supérieures. La disparité se retrouve aussi au sein de chaque catégorie : ainsi, 17 % des ouvriers non qualifiés étaient sans emploi, contre 7 % des ouvriers qualifiés. On note cependant une tendance à la réduction des écarts en fonction du diplôme. La reprise économique a davantage profité aux catégories les plus vulnérables.

Pour les personnes sorties du système éducatif depuis un à cinq ans, le taux de chômage en mars 2001 était de 17 %, contre 10 % pour ceux sortis depuis 5 à 10 ans. Parmi les premiers, il variait de 9 % pour les diplômés de l'enseignement supérieur à 43 % pour ceux qui avaient au mieux le certificat d'études (de 5 % à 27 % pour les seconds). Deux ans après la fin de leurs études, huit jeunes diplômés du supérieur sur dix occupaient un emploi en 2001. Ils ont cinq fois plus de chances que les diplômés du second degré d'exercer une profession supérieure (cadre, profession libérale, enseignant, chef d'entreprise...) ou intermédiaire (technicien...) : 65 % contre 13 %.

L'intérim, un mode de vie

Les jeunes sont plus touchés que la moyenne...

Le taux de chômage des 15-24 ans était encore de 20 % en mars 2002. Ce chiffre n'est cependant pas représentatif de la situation de l'ensemble des jeunes de cet âge, car la moitié d'entre eux poursuivent encore des études, notamment dans l'enseignement supérieur. La part des actifs parmi les 15-24 ans n'est en effet que de 33 % chez les hommes et de 27 % chez les femmes. Mais ces éléments signifient qu'une part non négligeable des chômeurs de cet âge, surtout parmi les plus jeunes, a eu une scolarité courte et une qualification faible, qui explique leur taux de chômage élevé.

Le taux de chômage diminue avec l'âge : 20 % des 15-24 ans sont sans emploi, contre seulement 8 % des 25-49 ans et 6 % des 50 ans et plus. Mais le taux concernant cette dernière catégorie est faussé par le nombre important des préretraites et le fait qu'un certain nombre d'autres sont « dispensés de recherche d'emploi » pour des motifs divers. En outre, les plus de 50 ans au chômage éprouvent toujours des difficultés à retrouver un emploi. La France apparaît dans ce domaine très en retard par rapport aux autres pays européens. Le taux d'emploi des 55-64 ans est le plus faible d'Europe. Les entreprises considèrent davantage les « seniors » comme un marché que comme une source de travail, de connaissance, d'expérience et de création. Un recul de l'âge de cessation d'activité dans le cadre de la réforme de la retraite pourrait modifier cette situation. A moins qu'il ne faille instaurer un quota de « vieux » dans les effectifs, comme on l'a fait avec les handicapés, les femmes en politique ou les chansons françaises à la radio.

... de même que les femmes...

10 % des femmes actives étaient au chômage en mars 2002, contre 8 % des hommes. Dans toutes les tranches d'âge, les femmes sont plus souvent sans emploi : 23 % contre 18 % chez les 15-24 ans ; 10 % contre 7 % parmi les 25-49 ans. La proportion est en revanche identique à partir de 50 ans (7 %). On observe une tendance à la réduction du chômage féminin en période d'accroissement générale du chômage et au contraire à son augmentation en période de diminution.

La durée moyenne de recherche d'emploi est aujourd'hui légèrement inférieure pour les femmes (14,3 mois contre 14,7 mois pour les hommes), alors qu'elle était supérieure d'environ un mois jusqu'en 2000. 36 % d'entre elles étaient sans emploi depuis plus d'un an en 2001 contre 35 % des hommes. Le resserrement des écarts se vérifie à tous les âges.

... les étrangers...

19 % des étrangers actifs étaient au chômage en mars 2002, soit près de trois fois plus que les Français (7 %). 53 % étaient des hommes (contre 43 % des Français), du fait d'un taux d'activité masculin parmi les étrangers encore très supérieur à celui des femmes. La situation diffère largement selon la nationalité : le taux de chômage est relativement faible chez les Portugais, très élevé chez les Algériens. Les beurs (Français nés de parents immigrés maghrébins) éprouvent également plus de difficultés que les autres à trouver un emploi.

A ces différences s'ajoutent celles concernant la qualification et le secteur d'activité. 16 % des étrangers actifs sont salariés du bâtiment, alors que celui-ci ne représente que 6 % de l'ensemble des salariés. Ils y occupent en outre des postes particulièrement vulnérables au chômage (manœuvres, ouvriers non qualifiés...).

On observe dans presque tous les pays de l'Union européenne que la part des étrangers dans le nombre des chômeurs est nettement plus élevée que dans la population. Une étude de l'OCDE montre en revanche qu'il n'existe aucune corrélation entre la proportion d'étrangers dans un pays et son taux de chômage.

... et les handicapés.

Le taux de chômage des actifs handicapés est plus de deux fois plus

Age, sexe, profession et chômage

Taux de chômage selon la catégorie socioprofessionnelle, le sexe et l'âge (2001, en % de la population active :

	Hommes	Femmes	Ensemble
AGE			
- 15 à 24 ans	16,2	21,8	18,7
- 25 à 49 ans	6,6	10,5	8,4
- 50 ans et plus	5,1	7,2	6,1
CATEGORIE SOCIOPROFESSIONNELLE			
- Agriculteurs exploitants	0,3	1,5	0,7
- Artisans, commerçants, chefs d'entreprise	3,2	4,1	3,5
- Cadres et professions intellectuelles supérieures, dont :	3,0	3,4	1,5
. *professions libérales*	*1,4*	*1,6*	*3,4*
. *cadres d'entreprise*	*3,1*	*4,2*	*4,7*
- Professions intermédiaires	4,0	5,5	4,7
- Employés	9,1	11,7	11,0
- Ouvriers, dont :	9,4	16,5	10,9
. *ouvriers qualifiés*	*6,4*	*14,0*	*7,3*
. *ouvriers non qualifiés*	*16,0*	*17,6*	*17,1*
. *ouvriers agricoles*	*12,4*	*20,2*	*14,6*
TOTAL	**7,1**	**10,7**	**8,8**

élevé que la moyenne nationale : 18 %. Cet écart provient en partie de leur plus faible qualification : 43 % ont un niveau d'études inférieur au BEPC contre 22 % de la population, 22 % un niveau supérieur au bac (contre 44 %).

Les personnes handicapées représentent 4 % des effectifs des entreprises privées et 3 % de celles du secteur public. Nombre d'entre elles préfèrent verser une contribution à l'Agefiph, comme le prévoit la loi (secteur privé) plutôt que d'avoir 6 % de personnes handicapées dans leurs effectifs. 37 % des entreprises n'en ont même jamais embauché. Une situation d'autant plus paradoxale que de nombreuses personnes sont devenues handicapés à la suite d'accidents du travail. C'est le cas de 70 % de celles qui travaillent dans le secteur privé.

Le chômage frappe inégalement les régions et les types de communes.

En 2001, les taux de chômage les plus élevés concernaient le Languedoc-Roussillon, le Nord-Pas-de-Calais et la région Provence-Alpes-Côte d'Azur. Les quatre régions les plus épargnées étaient l'Alsace, la Franche-Comté, le Limousin et l'Ile-de-France. Depuis 1980, celles dont la situation s'est le plus dégradée sont celles qui avaient déjà les plus forts taux de chômage initiaux. On constate cependant de fortes disparités à l'intérieur d'une même région, entre les départements qui la composent. Les départements d'outre-mer ont des taux de chômage nettement plus élevés qu'en métropole : le double aux Antilles et en Guyane et le triple à la Réunion. Le chômage de longue durée, le travail à temps partiel et les emplois intérimaires y sont en outre plus fréquents.

La taille de la commune est un autre facteur discriminant ; le taux de chômage tend à augmenter avec elle, de même que la durée moyenne de recherche d'emploi. Le chômage n'est ainsi que de 6 % dans les communes rurales et il atteint 11 % dans les unités urbaines de plus de 200 000 habitants. L'agglomération parisienne fait cependant exception, avec un taux de 8 %.

L'ancienneté de la recherche d'emploi varie de 13 mois dans les communes à 16 mois dans l'agglomération parisienne. Le chômage dans les ZUS (zones urbaines sensibles) a connu une forte hausse au cours des années 90, malgré la baisse sensible du nombre de leurs habitants. Il concernait près de 20 % de la population active en 2001, soit plus du double du taux national. Les jeunes sont les plus touchés.

La durée moyenne du chômage est de 15 mois.

L'ancienneté moyenne de la recherche d'emploi avait plus que doublé entre 1975 et 1985, quel que soit l'âge considéré. Elle avait ensuite diminué jusqu'en 1992, du fait de l'arrivée massive de nouveaux chômeurs, puis augmenté de nouveau entre 1993 et 1998. Cet accroissement était lié au

fait que c'étaient les demandeurs d'emploi les plus récents qui trouvaient du travail, ce qui accroissait la proportion de chômeurs de longue durée.

Depuis 2001, la durée moyenne de recherche d'emploi a diminué à 13 mois, contre 16 en mars 2000. Cette diminution a profité aussi bien aux femmes qu'aux hommes, mais elle a été plus faible pour les hommes de plus de 50 ans. Les cadres et les employés retrouvent un emploi plus rapidement. Les demandeurs d'emploi ayant subi un licenciement économique et les ouvriers spécialisés mettent plus de temps.

La cessation d'un emploi à durée déterminée est la principale cause de recherche (42 % des cas). La part des licenciements est en baisse régulière (26 % contre 28 % en 1998 et 30 % en 1997). Celle des démissions s'est accrue (8 % des cas), ce qui peut s'expliquer à la fois par la reprise économique qui incite à nouveau à changer d'emploi et l'existence de conditions de travail jugées moins satisfaisantes. L'amélioration de l'environnement économique explique aussi que les reprises d'activité sont un peu plus fréquentes (10 % contre 9 % en 1997).

L'arrêt chômage

Evolution de l'ancienneté moyenne du chômage selon le sexe (en mois) :

	Hommes	Femmes
- 1975	6,7	8,3
- 1980	10,6	12,8
- 1985	13,7	16,2
- 1990	14,2	14,9
- 1991	13,9	15,1
- 1992	12,5	13,9
- 1993	11,5	13,2
- 1994	12,4	13,6
- 1995	14,3	14,9
- 1996	14,0	15,3
- 1997	14,4	15,5
- 1998	15,5	16,4
- 1999	14,4	15,2
- 2000	15,4	16,2
- 2001	14,7	14,3
- 2002	12,2	13,4

INSEE

Une année au moins pour un chômeur sur trois

Après avoir dépassé 40 % en 1998, la proportion de chômeurs de longue durée (un an et plus) a reculé à 32 % en 2002. Cette amélioration est liée à celle du marché du travail, qui a encouragé les inactifs à se mettre à la recherche d'un emploi et les actifs occupés à démissionner pour en trouver un autre.

La durée de recherche d'emploi augmente très fortement avec l'âge : 53 % des hommes chômeurs de 50 ans et plus sont au chômage depuis au moins un an, contre 30 % des 25-49 ans et 13 % des 15-24 ans. L'ancienneté moyenne du chômage est proportionnelle à l'âge. Parmi les chômeurs de 50 ans et plus, un sur trois est sans emploi depuis au moins deux ans, un sur quatre depuis au moins trois ans. La situation est semblable pour les hommes et les femmes.

Le retour au plein-emploi se heurte à des facteurs structurels...

Le facteur essentiel de baisse du chômage est la croissance économique, qui remplit les carnets de commandes des entreprises et les amène à embaucher. La récession qui a sévi au second semestre 2001 et au début de 2002 a stoppé le processus de baisse du chômage engagé en 2000. Le feu de paille de la « nouvelle économie » n'a pas permis les créations d'emplois escomptées dans les secteurs technologiques. Les effets induits par la réduction du temps de travail ont déjà eu lieu et ils ont été limités.

En l'absence d'une reprise économique durable, il faudra compter sur la diminution naturelle de la population active liée au vieillissement de la population et au faible taux de fécondité, qui devrait intervenir à partir de 2006. Mais ce scénario est fondé sur un maintien de l'âge actuel de départ à la retraite. Or, il sera de fait repoussé, avec l'augmentation de la durée de cotisation nécessaire pour percevoir une retraite complète (40 ans au lieu de 37,5 ans) qui touche les salariés du secteur privé.

... et au coût du travail.

Il existe d'autres freins à une baisse sensible du chômage en France. Le coût du travail non qualifié représente un poids important dans la valeur ajoutée des entreprises, plus élevé que dans d'autres pays développés. Les gains de productivité devront donc se poursuivre, ce qui limitera les embauches et pourra même entraîner des licenciements dans certains secteurs où existent encore des sureffectifs.

Par ailleurs, le nombre des fonctionnaires apparaît globalement trop élevé (un quart de la population active) par rapport aux autres pays développés. Il est donc peu probable que des embauches massives se produisent, sauf dans des secteurs spécifiques comme la police ou la gendar-

La peur toujours présente

Pouvez-vous me dire si le risque de chômage vous inquiète ? (inquiétude pour soi-même ou pour des proches) début 2002, en % :

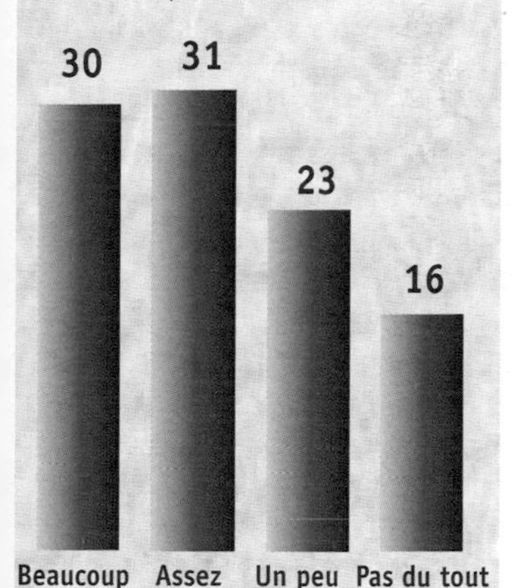

merie, afin de répondre au besoin croissant de sécurité de la population, tel qu'il a été exprimé lors des dernières élections. Mais la moitié des agents devraient partir à la retraite d'ici 2015, sauf si la durée de cotisation du secteur public est allongée afin de rétablir l'équité avec le privé.

La précarité du travail et le sous-emploi constituent un autre problème. Seules 5 % des embauches à la sortie du système scolaire donnent lieu à des contrats à durée indéterminée. Par ailleurs, les agences d'intérim ne fournissent un emploi régulier qu'à environ 20 % de leurs effectifs. Enfin, l'existence d'allocations de chômage et de minima sociaux peut constituer une incitation à ne pas chercher de travail et à rester plus longtemps au chômage.

> Les femmes non mariées (célibataires, veuves ou divorcées) sont plus fréquemment actives que la moyenne (70 % contre 48 %). Ce sont les femmes d'ouvriers, mais aussi de cadres ou de professions intellectuelles supérieures qui ont les taux d'activité les plus faibles.
> L'espérance de vie après la cessation de l'activité professionnelle s'est considérablement allongée ; à 58 ans, une femme a encore en moyenne un peu plus de 29 ans à vivre, un homme plus de 24 ans.
> Si elles avaient le choix, 52 % des femmes préféreraient avoir un homme comme supérieur hiérarchique, 16 % une femme. 27 % des hommes choisiraient un homme, 23 % une femme.
> 47 % des femmes (contre 48 %) jugent que le fait de prendre un congé maternité risque de freiner leur carrière.

Les métiers

Professions

La structure de l'emploi s'est transformée en quelques décennies.

La répartition de la population active entre les différentes catégories socioprofessionnelles a connu une véritable mutation. Le nombre des agriculteurs (exploitants et ouvriers agricoles) s'est considérablement réduit depuis le milieu du XXe siècle. Celui des ouvriers a diminué plus récemment, à partir du début des années 70. Les « cols bleus », manœuvres et ouvriers de toutes qualifications qui avaient profité des deux premières révolutions industrielles (machine à vapeur et électricité) ont été touchés par la troisième révolution, celle de l'électronique.

Les professions intermédiaires (techniciens, contremaîtres, chefs d'équipe, instituteurs...) ont connu dans le même temps une forte progression de leurs effectifs. Il en est de même des cadres et les professions intellectuelles supérieures (professeurs, professionnels de l'information, de l'art et des spectacles...). Les artisans et commerçants ont vu au contraire leur nombre se réduire au fur et à mesure du développement des grandes surfaces.

On a assisté globalement à une « tertiarisation » des emplois : 72 % concernent les services, marchands ou administrés. La féminisation de la société a eu des incidences sensibles ; les femmes représentaient 46 % de la population active en 2001. Enfin, le salariat s'est développé et regroupe aujourd'hui 89 % des actifs.

Les agriculteurs représentent moins de 3 % de la population active...

En 1800, les trois quarts des actifs travaillaient dans l'agriculture. Le changement s'est amorcé dès 1815. Pendant toute la période 1870-1940, les effectifs se sont maintenus, malgré la baisse régulière de la part de l'agriculture dans la production nationale. Dès la fin de la Seconde Guerre mondiale, la mécanisation a accéléré l'exode rural. Le déclin s'est poursuivi depuis et les effectifs ont encore diminué de moitié entre 1980 et 1995. On ne comptait plus en 2001 que 613 000 agriculteurs exploitants, contre 671 000 en 1999 (et 7,5 millions en 1946). Il s'y ajoute 246 000 ouvriers agricoles (contre 284 000 en 1999). Le nombre des exploitations (650 000 en 2000) a été divisé par trois depuis 1960, sous l'effet de la concentration des terres.

La disparition des agriculteurs est celle d'une classe sociale, dont beaucoup de Français sont issus. Au-delà des difficultés de reconversion, c'est un drame plus profond qui s'est joué au cours de la seconde moitié du XXe siècle : la perte progressive des racines de tout un peuple. Les trois quarts des paysans qui partent en retraite n'ont pas de successeur, du fait des perspectives limitées offertes par la profession en général.

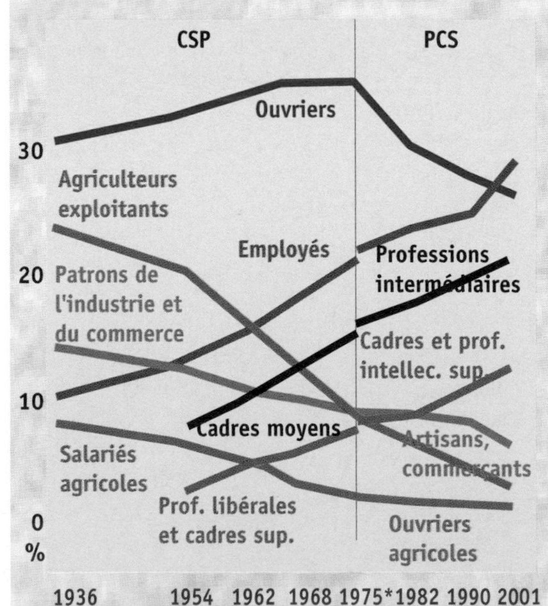

* Nomenclature modifiée par l'INSEE en 1975.

La classe paysanne menacée de disparition

... et ils sont de plus en plus proches des citadins.

Les paysans ne sont plus des ruraux au sens traditionnel. Leur travail s'est transformé avec la mécanisation et la course à la productivité. Un quart d'entre eux habite aujourd'hui dans des communes urbaines (contre 14 % en 1968), la moitié en périphérie des villes. Cette proximité explique que le conjoint travaille le plus souvent à l'extérieur, et parfois, le chef d'exploitation lui-même. Elle est à l'origine d'un rapprochement sensible du mode de vie des paysans de celui du reste de la population. Il est favorisé par le rajeunissement progressif, avec un âge moyen des chefs d'exploitation de 50 ans, contre 53 ans en 1955.

Les exploitants actuels sont devenus de véritables chefs d'entreprise. Le nombre d'exploitations en société a augmenté de 55 % en dix ans pour atteindre 100 000, mais l'essentiel du travail agricole est toujours effectué par la famille. Le nombre des agricultrices exploitantes représente même aujourd'hui un tiers (33 %) de l'ensemble, contre 8 % en 1970. 36 % des exploitations ont une surface inférieure à 10 hectares et représentent seulement 3 % de la superficie agricole totale ; 11 % font au moins 100 hectares et comptent pour 43 % de la superficie totale.

> Les professions qui inspirent le plus confiance aux Français sont celles de pompier (99 %), médecin (93 %), scientifique (87 %), gendarme (85 %), instituteur (84 %), commerçant (77 %), policier (76 %) et plombier (74 %).

Les ouvriers sont aujourd'hui moins nombreux que les employés...

Les « cols blancs » (employés, cadres et techniciens) ont pris la relève des « cols bleus ». On ne comptait plus que 7,1 millions d'ouvriers en 2001, soit un million de moins qu'en 1975 contre 7,7 millions d'employés. La crise économique a contraint les entreprises industrielles à mettre en place des programmes d'accroissement de la productivité, qui se sont traduits par des réductions massives d'effectifs dès la fin des années 70. Entre 1982 et 1990, plus de 400 000 postes d'ouvriers non qualifiés ont ainsi disparu du fait de l'automatisation de certains secteurs (sidérurgie, automobile...) et de la restructuration qui s'est opérée dans d'autres (textile, mines, cuir...).

La part des ouvriers dans la population active reste cependant élevée : 27 % contre 40 % au début des années 60. Près d'un salarié sur trois est concerné. Le nombre d'ouvriers qualifiés et de contremaîtres continue de s'accroître, alors que celui des manœuvres et des ouvriers spécialisés diminue. Huit ouvriers sur dix sont des hommes (79 % contre 77 % en 1962) ; la proportion est encore plus forte parmi les ouvriers qualifiés (88 %).

... et ils ne constituent plus une classe spécifique.

La nature du travail ouvrier a changé. Les tâches de production ont cédé la place à d'autres, plus qualifiées. Aujourd'hui, deux ouvriers sur trois sont employés dans le tertiaire, la majorité dans des entreprises de moins de 500 salariés. Par ailleurs, beaucoup de postes d'ouvriers se sont transformés en postes d'employés, avec des conditions de travail plus diversifiées.

La « classe ouvrière », dont l'identité s'était forgée autour du travail dans la grande industrie, est donc en voie de disparition. De même, la « conscience de classe » s'est beaucoup atténuée ; le déclin des effectifs syndicaux en est l'une des manifestations. Les modes de vie des ouvriers tendent à se rapprocher de ceux des autres catégories sociales, de la façon de manger à l'habillement, en passant par les achats de biens d'équipement. On constate d'ailleurs une quasi-absence des ouvriers dans les médias, en dehors des conflits sociaux qui se produisent dans les entreprises.

Certains comportements ouvriers restent cependant différents en ce qui concerne les loisirs. Ils sont ainsi moins nombreux à partir en vacances que les autres catégories : 45 % contre 86 % pour les cadres et professions intellectuelles supérieures. Sur-

tout, le rattrapage culturel se fait de façon assez lente ; on compte encore trois fois moins de bacheliers parmi les enfants d'ouvriers que parmi ceux des cadres supérieurs et des professeurs, mais le rapport était de 4,5 il y a vingt ans.

Le nombre des commerçants est en diminution régulière...

On ne comptait que 654 000 commerçants en 2001, contre un million en 1960. Les femmes représentent 40 % des effectifs, mais elles occupent plus fréquemment des postes d'exécution que les hommes. Le secteur a connu en France un véritable bouleversement avec le développement des grandes surfaces, d'abord alimentaires puis généralistes et plus récemment spécialisées (bricolage, jardinage, équipement de sport, ameublement...). Cette évolution de l'offre a accompagné celle de la demande. Les consommateurs ont plébiscité le libre service, la possibilité de faire l'ensemble de leurs courses dans un même lieu, les prix inférieurs rendus possibles par la puissance d'achat des grandes centrales de la distribution.

La conséquence est que les trois quarts des dépenses alimentaires des ménages sont aujourd'hui effectuées dans les 1 100 hypermarchés, 8 000 supermarchés et 2 700 magasins de maxi discompte implantés sur le territoire. Entre 1990 et 1999, l'érosion du petit commerce a été spectaculaire : 54 % des magasins de bricolage ont disparu, 41 % des épiceries, 39 % des boutiques d'habillement, 35 % des magasins d'ameublement, 25 % des boucheries, soit au total près de 100 000 commerces.

... comme celui des artisans...

Les artisans ne font guère parler d'eux du fait de leur faible représentation syndicale. En 1960, leur nombre était semblable à celui des commerçants (un million). Mais ils ont souffert de l'industrialisation des objets et des services, qui a permis une baisse des prix et un renouvellement plus rapide des équipements, donc un recours moins fréquent à des spécialistes.

Le nombre d'entreprises artisanales a diminué de 16 % au cours des années 90, La baisse a été de 21 % pour les entreprises de peinture, 19 % pour celles de menuiserie, 17 % pour celles de maçonnerie. Mais de nombreux regroupements se sont opérés

> 93 % des Français ont une bonne opinion des commerçants. 83 % les trouvent disponibles, 81 % attentifs. 90 % trouvent qu'ils jouent un rôle essentiel dans la vie de la commune, 92 % dans la vie d'un quartier, 84 % dans l'image de la France auprès des touristes étrangers, 67 % dans la création des emplois. 66 % se rendent avec plaisir chez un commerçant. 63 % les trouvent plutôt tournés vers l'avenir, 30 % vers le passé.

Métiers d'hier et d'aujourd'hui

Evolution de la structure de la population active totale (effectifs en milliers et poids en %) :

	1975	2001	% en 2001
- Agriculteurs exploitants	1 691	618	2,4
- Artisans, commerçants, chefs d'entreprise	1 767	1 500	5,8
- Cadres et professions intellectuelles supérieures, dont :	1 552	3 493	13,4
. *professions libérales*	*186*	*329*	*1,3*
. *cadres*	*1 366*	*3 164*	*12,1*
- Professions intermédiaires, dont :	3 480	5 293	20,3
. *clergé, religieux*	*115*	*14*	*0,1*
. *contremaîtres, agents de maîtrise*	*532*	*531*	*2,1*
. *autres professions intermédiaires*	*2 833*	*4 748*	*18,1*
- Employés, dont :	5 362	7 737	29,7
. *policiers et militaires*	*637*	*523*	*2,0*
. *autres employés*	*4 725*	*7 214*	*27,7*
- Ouvriers, dont :	8 118	7 139	27,4
. *ouvriers qualifiés*	*2 947*	*3 334*	*12,8*
. *chauffeurs, magasinage-transport*	*960*	*1 104*	*4,2*
. *ouvriers non qualifiés*	*3 840*	*2 414*	*9,3*
. *ouvriers agricoles*	*371*	*287*	*1,1*
- Chômeurs n'ayant jamais travaillé	72	237	0,9
Population active (y compris le contingent)	**22 042**	**26044**	**54,7**

et, contrairement au petit commerce, le nombre d'emplois a progressé. On compte aujourd'hui 704 000 entreprises (contre 815 000 en 1986), soit un tiers (35 %) des entreprises françaises. Elles représentent 300 corps de métiers différents et emploient chacune moins de dix salariés (non compris le patron et, le cas échéant, son conjoint), soit au total 2,3 millions de personnes, dont 1,7 million de salariés. Le bâtiment reste le principal domaine d'activité (40 % des entreprises), devant l'alimentation (30 %), la réparation, les transports et services divers (12 %). La part des femmes dans l'artisanat (24 %) est presque deux fois moins importante que dans le commerce.

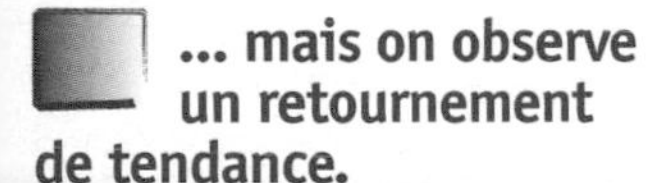

... mais on observe un retournement de tendance.

On constate aujourd'hui un regain d'intérêt pour le commerce de centre-ville, sous l'impulsion des municipalités et des pouvoirs publics. La banalisation des grandes surfaces leur a fait perdre une partie de leur pouvoir d'attraction. Les attentes des consommateurs se sont modifiées (voir p. 372) dans un sens favorable au commerce de « proximité », dans sa signification à la fois géographique et relationnelle. Celui-ci offre en outre souvent des services que ne peuvent rendre les géants de la distribution : heures d'ouverture plus larges ; spécialisation ; conseils ; personnalisation de l'accueil...

De leur côté, les artisans les plus dynamiques ont su adapter leurs services, leur structure et leur façon de travailler aux nouvelles attentes de la clientèle. La revalorisation du travail manuel, le goût de l'indépendance, mais aussi l'accroissement du chômage ont incité un certain nombre de Français à s'installer à leur compte au cours des dernières années. Certains se sont associés au sein de coopératives ou de franchises qui leur ont permis de disposer d'une force d'achat commune, d'une marque, d'une capacité de réflexion, de réaction et d'anticipation des changements. Beaucoup ont misé notamment sur la rapidité d'intervention.

Près d'un actif sur trois occupe un poste d'employé.

Les 7,7 millions d'employés représentent 30 % des actifs. Ils accomplissent des tâches d'exécution dans les fonctions administratives et commerciales ou assurent des fonctions de service. Leur poids a doublé en cinquante ans, du fait de la tertiarisation de l'économie et de l'accès massif des femmes à ce type d'emploi.

L'évolution a cependant été différente selon les catégories. Le nombre des employés administratifs a stagné vers le milieu des années 70, puis diminué dans les années 80 avec l'automatisation et l'informatisation de certaines tâches administratives. A l'inverse, celui des employés de commerce a augmenté, comme celui des personnels de service avec le développement des hôpitaux, des écoles, des hôtels et des restaurants.

Les employés sont devenus au milieu des années 90 la catégorie socioprofessionnelle la plus nombreuse, devant les ouvriers. Les femmes représentent 76 % des effectifs, mais elles sont beaucoup plus concernées que les hommes par le temps partiel, qui représente au total près d'un poste sur trois. Un emploi sur dix est temporaire (contrats à durée déterminée, stages).

Géographie de l'emploi

Entre les recensements de 1990 et 1999, toutes les régions sauf l'Ile-de-France ont bénéficié de la forte croissance des emplois de professions intermédiaires et d'employés. Les postes d'ouvriers ont diminué partout sauf à l'Ouest. C'est aussi à l'Ouest que les emplois de cadres ont le plus progressé. L'Ile-de-France a connu une très forte chute des emplois d'ouvriers et d'employés non qualifiés. La couronne du Bassin Parisien et les régions de l'Est (à l'exception de l'Alsace) n'ont pas créé suffisamment de postes de cadres pour compenser la perte des emplois de production. A l'inverse, les emplois non agricoles de tous niveaux ont augmenté dans les régions de l'Ouest et, à un moindre degré, du Sud-Ouest. Dans celles du Sud-Est, ce sont les effectifs du secteur tertiaire qui ont le plus progressé.

Près de trois actifs sur quatre travaillent dans le secteur tertiaire.

72 % des actifs travaillaient dans les activités tertiaires en 2001 : commerce ; transport ; finance ; immobilier ; services aux entreprises ou aux particuliers ; éducation ; santé et action sociale ; administration. Contrairement à ce que l'on croit souvent, le secteur tertiaire n'est pas une invention récente. La société française a eu très tôt besoin de tailleurs, barbiers, commerçants, scribes, cantonniers et autres allumeurs de réverbères. En 1800, à l'aube de la révolution industrielle, les travailleurs impliqués dans les activités de services représentaient un quart de la population

Saatchi & Saatchi

Plus de deux emplois sur trois dans les services

active et près d'un tiers de la production nationale. Le développement de l'industrie a largement contribué à celui des services connexes (négoce, banques, ingénierie...). Mais c'est l'émergence de la société de consommation dans les années 50 et 60 qui lui a donné son importance actuelle.

La place des services marchands n'a cessé de se développer depuis, avec un doublement des effectifs en trente ans et une production multipliée par cinq. Depuis 1980, les effectifs du tertiaire ont augmenté de près d'un tiers, alors que ceux de l'agriculture diminuaient de plus de moitié, ceux de l'industrie automobile de plus d'un quart. Le salariat a fortement progressé dans le tertiaire et la qualification des salariés concernés est sensiblement supérieure à celle des autres branches. La part de l'emploi féminin est restée stable, à 45 %.

La majorité des nouveaux emplois sont créés dans les services.

Sur les 437 000 emplois créés entre mars 2000 et mars 2001, 373 000 l'ont été dans les services. Le secteur des services aux entreprises (activités informatiques, intérim, télécommunications...) est le plus créateur, devant celui des transports (56 000 emplois créés) et l'immobilier (19 000). Cette hausse a bénéficié à toutes les catégories de salariés, mais plus particulièrement aux cadres et aux professions intellectuelles supérieures. Elle a concerné davantage les femmes que les hommes : 111 000 emplois contre 81 000. Mais l'amélioration constatée a été interrompue à partir du second semestre de 2001.

Malgré le niveau encore élevé du chômage, on estime qu'environ 800 000 emplois ne trouvent pas preneur, dans des secteurs comme le bâtiment, l'alimentation, les transports, l'informatique, les télécommunications. La situation est particulièrement délicate dans l'hôtellerie et la restauration. Les difficultés de recrutement dans les secteurs technologiques s'expliquent par une pénurie de personnes compétentes. Celles qui concernent des postes à plus faible qualification est due au peu de motivation des chômeurs pour des métiers exigeants sur le plan des horaires et assez mal rémunérés.

> Les entreprises d'artisanat emploient 2,3 millions de personnes (13 % de l'emploi total), dont 1,7 million de salariés. 40 % n'emploient aucun salarié (55 % en 1985).
> Plus de la moitié des plombiers, menuisiers, peintres, terrassiers travaillent seuls. 45 % des artisans de l'alimentaire et de la réparation automobile et 50 % des coiffeurs emploient de 1 à 3 salariés.

Une économie de services

Evolution de la structure de la population active occupée par grand secteur (en %) :

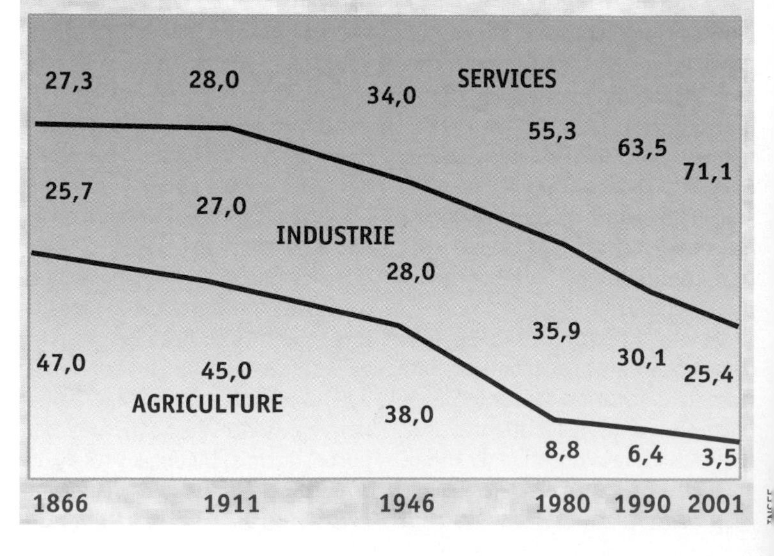

INSEE

Services et commerces en tête

Professions ayant créé le plus d'emplois entre les recensements de 1990 et 1999 (évolution en %) :

Profession	Évolution
- Moyens détaillants en alimentation (3 à 9 salariés)	+ 361
- Professions intermédiaires commerciales (responsable commercial, assistant marketing)	+ 197
- Conseillers familiaux	+ 175
- Cadres spécialisés du recrutement, de la formation	+ 145
- Moyens grossistes en produits non alimentaires	+ 142
- Employés de libre-service	+ 121
- Ingénieurs et cadres d'études divers	+ 121
- Assistantes maternelles, gardiennes d'enfants et travailleuses familiales	+ 106
- Indépendants divers prestataires de services (communication, informatique, surveillance et gardiennage...) moins de 10 salariés	+ 104
- Militaires du rang	+ 103
- Artistes dramatiques, danseurs	+ 98
- Cadres des transports et de la logistique	+ 95
- Animateurs socioculturels et de loisirs	+ 93
- Avocats	+ 92
- Techniciens des télécommunications	+ 91

Statuts

89 % des actifs sont salariés...

L'une des conséquences de la révolution industrielle a été l'accroissement régulier de la proportion de salariés. On en compte aujourd'hui 21 millions parmi les 24 millions d'actifs occupés, soit près de neuf sur dix. Les non-salariés sont principalement des agriculteurs, des commerçants ou des artisans, dont le nombre a diminué (voir ci-dessus). Les aides familiaux (femmes de ménage, domestiques, etc.) sont aussi beaucoup moins nombreux ; leur nombre a baissé d'un million en vingt ans.

De plus, beaucoup de femmes sont venues rejoindre les rangs des salariés des entreprises depuis une vingtaine d'années ; 92 % des actives occupées sont salariées. Mais ce sont les postes créés dans la fonction publique qui ont le plus contribué à l'accroissement des emplois salariés au cours des dernières décennies (voir ci-après).

> Seules 3 % des entreprises de plus de 500 employés sont dirigées par des femmes, contre 11 % de celles de 11 à 20.

... mais un salarié sur dix a un statut particulier.

10,2 % des salariés, soit 2,2 millions de personnes, sont embauchés avec une forme d'emploi particulière : intérim ; contrat à durée déterminée, apprentissage, contrats aidés. Leur nombre a quadruplé en quinze ans, alors que l'effectif des emplois classiques restait stable. Le nombre de contrats à durée déterminée est passé de 550 000 en 1991 à 929 000 en 2001, celui des contrats de travail temporaire de 164 000 à 605 000. Le nombre des contrats aidés et des stages s'est accru moins fortement.

Ces statuts précaires plus fréquents ont en outre une durée de plus en plus longue. Après un an, près de la moitié des personnes concernées continuent d'occuper un emploi de ce type et un quart sont au chômage ; seules trois sur dix obtiennent un emploi stable. La probabilité de faire partie de cette dernière catégorie augmente avec le niveau d'instruction. Celle d'être au chômage est inversement proportionnelle ; elle est notamment plus forte chez les jeunes.

6 millions d'actifs travaillent dans le secteur public...

Les effectifs du secteur public comprennent d'abord ceux de la fonction publique, elle-même subdivisée en trois composantes :

. 2,2 millions d'agents de la fonction publique d'Etat (ensemble des agents employés dans les ministères, dans les établissements publics, ainsi que les enseignants des établissements privés sous contrat), titulaires et non titulaires, ouvriers d'Etat et militaires, auxquels s'ajoutent

456 000 employés de France Télécom et de La Poste ;

. 1,5 million d'agents de la fonction publique territoriale (communale, intercommunale, départementale et régionale) ;

. 857 000 agents de la fonction publique hospitalière (hôpitaux et maisons de retraite publics).

L'Etat dinosaure

Si l'on peut se féliciter de la qualité individuelle des fonctionnaires français, on peut en revanche s'inquiéter du manque de productivité de la machine publique dans son ensemble, comme en témoignent de nombreuses études, rapports et livres blancs. L'administration est à la fois centralisée et éclatée et ses services communiquent mal entre eux. Elle attache plus de prix à la dépense qu'à l'investissement, aux procédures qu'aux résultats. Pourtant, si les effectifs sont globalement pléthoriques, ils sont parfois insuffisants. La France manque ainsi d'infirmières ou de juges. De plus, la répartition géographique des enseignants ou des policiers n'est pas adaptée aux besoins locaux.
Aucun gouvernement n'a pourtant jusqu'ici réussi à réformer la fonction publique. Le dialogue social entre l'Etat et ses agents reste difficile, parfois archaïque. Il se transforme souvent en rapport de force, comme on a pu le constater lors de tentatives concernant par exemple l'éducation nationale ou le ministère des Finances. Une occasion historique se présente cependant : d'ici 2015, la moitié des fonctionnaires en poste aujourd'hui seront partis à la retraite (sauf changement de l'âge de départ).

Il faut ajouter 336 000 employés des établissements publics inclus ou apparentés à la fonction publique d'Etat (CNRS, CEA, ANPE, CROUS, Caisse des dépôts et consignations...) et 148 000 enseignants du privé sous contrat, ce qui porte l'effectif à 5,5 millions de personnes.

Enfin, le secteur public comprend les entreprises à statut d'établissement public (comme la SNCF, la RATP, EDF-GDF...) et les sociétés nationales, nationalisées ou d'économie mixte contrôlées majoritairement par l'Etat ou par les collectivités locales. Ce sont donc au total quelque 6 millions de Français qui travaillent pour le service public, soit un actif sur quatre.

L'Etat a notamment grossi avec l'école, qui compte 1,6 million d'enseignants, un effectif inégalé dans le monde pour un Etat ou une entreprise. Le nombre des militaires a en revanche diminué à la suite du processus de professionnalisation et, plus récemment, de la suppression de la conscription. L'armée de terre a ainsi perdu en dix ans 43 % de ses effectifs, l'armée de l'air 31 %, la marine 27 %. De même, le rôle de l'Etat dans l'économie marchande tend à se réduire depuis quelques années. Fin 2000, il contrôlait environ 1 600 entreprises employant 1,1 million de salariés, contre plus de 3 000 en 1985 employant près de deux millions de salariés.

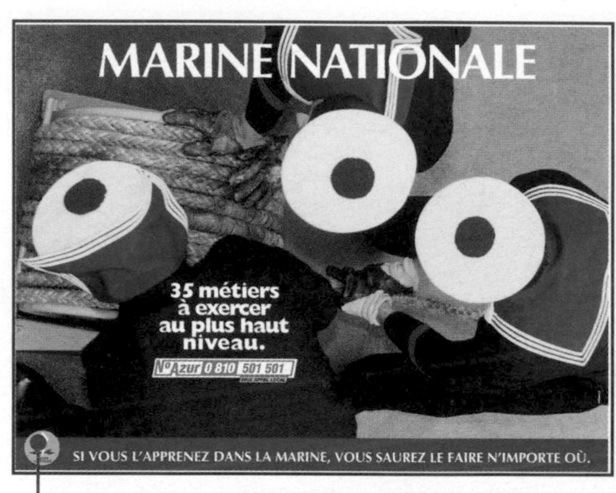

La fonction publique a beaucoup recruté

Alliance

La part du secteur public a doublé depuis 1970, quadruplé depuis 1936.

En un siècle, le secteur public n'a jamais cessé de grossir et sa part dans la population active est passée de 6 % en 1936 à 23 % aujourd'hui. Les effectifs s'étaient accrus avec le processus de nationalisation d'entreprises privées engagé après la Seconde Guerre mondiale et repris en 1982. La croissance s'est poursuivie depuis (un million de plus entre 1980 et 2000) malgré les privatisations réalisées en 1987-1988 puis à partir de 1993.

Le coût de fonctionnement du secteur public représente aujourd'hui 54 % du PIB, une proportion très supérieure à celle de pays comparables. Le ministère de l'Economie et des Finances emploie ainsi deux fois plus de personnes que celui de Grande-Bretagne. Les effectifs du ministère de la Culture ont augmenté de 20 % en dix ans. Le nombre des fonctionnaires du ministère de l'Agriculture a doublé en trente ans, alors que celui des agriculteurs était divisé par

quatre. Au cours des années 90, la masse salariale des fonctionnaires s'est accrue de 37 %, avec la création de 100 000 postes et des gains de pouvoir d'achat supérieurs à ceux des salariés du privé (voir p. 341). Dans le même temps, l'Allemagne supprimait 150 000 postes au niveau fédéral et 295 000 dans les Länder.

Le nombre de cadres a doublé entre 1970 et 1990...

Dans le processus de recomposition de la population active, la disparition des paysans et la réduction du nombre des ouvriers ont surtout profité aux cadres. On compte aujourd'hui 3,5 millions de cadres et professions intellectuelles supérieures, contre 900 000 en 1962. La création de ce statut répondait à un besoin croissant de compétences techniques et scientifiques, à la nécessité de superviser des tâches administratives complexes et d'avoir des commerciaux performants. La proportion de femmes s'accroît régulièrement et représente 35 % des effectifs ; elle est cependant d'autant moins importante que l'on s'élève dans la hiérarchie. Un peu plus d'un cadre sur quatre a moins de 35 ans, un sur quatre a au moins 50 ans.

Le rôle des cadres a pris de l'importance au fur et à mesure du développement des activités de services, fortes consommatrices de matière grise. Mais le statut qui leur est associé est une spécificité française, qui introduit une discontinuité dans la hiérarchie professionnelle. Il a été créé initialement comme une sorte de récompense pour services rendus à l'entreprise, un bâton de maréchal assorti d'une sécurité de l'emploi et de privilèges divers. Son élargissement a fini par constituer un groupe très hétérogène, dans lequel les fonctions, les responsabilités et les salaires sont très diversifiés.

L'école des cadres

La barrière des diplômes est de plus en plus difficile à franchir pour accéder au statut de cadre. Seuls 4 % des titulaires du seul baccalauréat y parviennent au cours des cinq premières années de leur vie professionnelle (entre 1992 et 1997) contre 14 % des DUT ou BTS et 59 % des titulaires de licences ou de maîtrises. La proportion est de 60 % pour les anciens élèves des grandes écoles de commerce et de 90 % pour ceux des écoles d'ingénieurs. A diplôme égal, l'incidence de l'origine sociale reste importante : au niveau CAP, un fils de cadre a quatre fois plus de chances de le devenir qu'un fils d'ouvrier.

... mais leur statut est devenu moins favorable.

Le modèle social du cadre a permis pendant des décennies de faire rêver les salariés. Il a permis d'unifier les classes moyennes et supérieures de la société. Mais il est en voie de disparition. 32 % des cadres constatent une dégradation de leurs conditions de travail, contre 25 % des ouvriers (Epsy, janvier 2001). 66 % estiment que leur charge de travail s'est accrue et 44 % se disent prêts à « accompagner un mouvement social » dans leur entreprise. 54 % disent éprouver parfois ou souvent un malaise dans leur activité professionnelle, 51 % de la résignation, 48 % un « ras le bol » (*Rebondir*/Ipsos, mars 2001).

Ce désenchantement des cadres s'explique par le sentiment d'une perte progressive de pouvoir, de statut, de sécurité, mais aussi de pouvoir d'achat. Leurs privilèges se sont peu à peu estompés (salaires, notes de frais, avantages en nature...) en même temps que la sécurité et la considération dont ils bénéficiaient. La crise économique leur a imposé une obligation de résultats à laquelle tous n'étaient pas préparés. Ils ont dû apprendre à animer, convaincre, décider, utiliser les nouveaux outils technologiques et atteindre des objectifs. Ils ont aussi été frappés par une fiscalité défavorable, tandis que leur image dans la société perdait de son lustre. L'ambiguïté de la figure du cadre dans le processus de production est alors apparue au grand jour.

Les cadres recherchent aujourd'hui un nouvel équilibre entre vie personnelle, familiale et professionnelle. Cette attitude se traduit par une prise de distance à l'égard de l'entreprise, une volonté de travailler moins et dans de meilleures conditions mentales. Le stress a fait des ravages dans leurs rangs et beaucoup sont à la recherche de sérénité et d'harmonie.

Les membres des professions libérales sont de plus en plus inquiets.

Les difficultés des cadres concernent aussi les membres des professions libérales, qui en sont proches par la formation, les responsabilités et les revenus. A la pression fiscale s'est ajoutée pour eux l'augmentation des charges sociales. Même si les revenus moyens restent élevés, les disparités au sein de chaque catégorie se sont accrues. Seuls les pharmaciens, les notaires ou les huissiers, qui bénéfi-

Une vie de cadre

Malgré l'évolution récente, les cadres conservent encore quelques avantages. 10 % d'entre eux gagnent plus de 69 000 € par an, contre 2 % de l'ensemble de la population active. 74 % sont équipés d'un téléphone portable (contre 65 %), 68 % d'un ordinateur au foyer (contre 45 %), 37 % d'un caméscope (contre 27 %). 31 % sont abonnés à Canal Plus (contre 31 %), 13 % à la télévision par câble (contre 11 %), 18 % à la télévision par satellite (contre 16 %). (Ipsos, juin 2001).

Mais ces avantages sont acquis au prix d'une durée de travail plus longue que la moyenne. Un cadre sur deux commence sa journée avant 8 h 30 et les trois quarts avant 9 heures. Un sur deux la termine après 19 h et un quart après 19 h 30. Le temps de travail moyen est de 9 h 10 par jour et le temps passé hors domicile est de 11 h 10. 34 % affirment rester au-delà de la durée normale pour finir leur travail et 7 % doivent l'achever chez eux.

76 % des cadres disent avoir été victimes du stress dans le cadre de leur travail. 60 % jugent leur charge de travail excessive. La réduction du temps de travail semble cependant avoir eu pour effet de réduire la proportion de ceux qui se disaient surchargés de travail (56 % en 2001 contre 60 % en 2000). Mais la surcharge, lorsqu'elle existe, est plus souvent ressentie comme permanente : 83 % contre 79 %. Un cadre sur trois a changé de travail en 2000. 9 % ont changé d'entreprise et 21 % d'établissement, de service ou de fonction. Une mobilité voulue ou parfois subie.

cient du *numerus clausus,* sont encore à l'abri de la concurrence.

Certains médecins, avocats ou architectes connaissent aujourd'hui des difficultés financières, du fait d'une concurrence plus vive ou d'une clientèle plus rare. La liberté d'installation au sein de l'Union européenne a peu influé, car elle a été jusqu'ici peu utilisée.

Le temps de l'adaptation est donc venu pour les professions libérales. Elle peut passer par exemple par le regroupement, à l'exemple des avocats, des notaires, des agents d'assurances ou des conseillers financiers qui s'efforcent ainsi d'offrir de meilleurs services à leur clientèle.

> 49 % des cadres estiment que les responsabilités qui leur sont confiées au travail se sont plutôt améliorées depuis quelques années, 18 % qu'elles se sont dégradées, 33 % qu'elles sont restées identiques.

Avenir

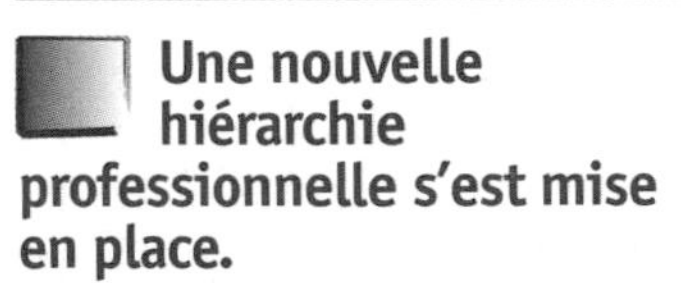

Une nouvelle hiérarchie professionnelle s'est mise en place.

La restructuration économique et sociale a entraîné une transformation de la nature et de la hiérarchie des professions. Beaucoup de notables d'hier ne bénéficient plus d'un statut social aussi valorisant. C'est le cas de certaines professions libérales, de commerçants ou d'artisans qui jouissaient d'une position sociale et financière enviable et qui sont soumis aujourd'hui à une concurrence croissante et à une clientèle plus exigeante.

Les détenteurs de l'information (journalistes, professions intellectuelles...) et ceux qui sont en mesure de l'analyser (experts, consultants...) détiennent au contraire une part de plus en plus grande du pouvoir éco-

Le monopole des baby-boomers

La génération aujourd'hui âgée de 45 à 59 ans est issue pour l'essentiel du *baby-boom* des années d'après-guerre, qui s'est poursuivi jusqu'à la fin des années 50. Son influence s'exerce d'abord sur le plan démographique, puisqu'elle représente 19 % de la population. Elle se fait aussi sentir sur le plan économique, politique, idéologique, social ou culturel, car la grande majorité des dirigeants et acteurs sociaux en font partie. Elle monopolise les postes de responsabilité et le pouvoir d'achat, impose ses idées et ses valeurs, au détriment des plus jeunes.

Ces derniers éprouvent ainsi des difficultés à trouver leur place dans la société. On peut regretter à cet égard que leur tentative de créer une « nouvelle économie » ait avorté. Elle aurait pu être pour eux l'occasion de prendre la relève et de proposer de nouvelles conceptions, de nouvelles valeurs. Cette frustration explique en partie l'hésitation des jeunes à accepter l'héritage qui leur est laissé par les *baby-boomers*. Elle est aussi à l'origine d'un conflit larvé aujourd'hui perceptible entre les générations. La cohabitation risque d'être encore plus difficile lorsque les *baby-boomers* arriveront à la retraite au cours des prochaines années, celle-ci devant être en partie financée par les plus jeunes.

nomique et social, formant une sorte de « cognitariat » (voir p. 227).

Dans le même temps, certains métiers manuels ou de service ont été revalorisés : plombier, restaurateur, viticulteur, garagiste, kinésithérapeute... Ils profitent de l'accroissement général du pouvoir d'achat, de la volonté d'être dépanné rapidement en cas de problème, du vieillissement de la population et de l'attachement à la santé.

La notion d'activité se transforme.

La conception du travail a été remise en cause par les contraintes liées à la crise et à la mondialisation de l'économie. Le statut traditionnel de salarié à plein temps et à durée indéterminée est de plus en plus rare. Environ 4 millions d'actifs occupent aujourd'hui un emploi précaire (contrat à durée déterminée, intérim, stages...) ou travaillent à temps partiel. Certains salariés ont été « externalisés » dans une structure indépendante. D'autres partagent un même emploi dans une entreprise. Au total, ce sont environ 20 % des actifs qui sont concernés par ces situations hors normes.

Les frontières entre l'emploi et le chômage, entre la période d'activité et la retraite, entre le statut de salarié et celui d'indépendant tendent ainsi à devenir de plus en plus floues. Les horaires et les lieux de travail sont diversifiés afin de satisfaire les exigences de flexibilité des entreprises. Par ailleurs, l'appartenance à des réseaux de travailleurs prend de l'importance, ainsi que le télétravail (voir ci-après), les délocalisations ou le travail en mission. Plutôt que de chercher des emplois, les actifs devront demain se mettre en quête de clients à qui ils vendront leurs compétences, leur expérience, leurs idées et leur temps.

Le télétravail se développe.

Le travail à distance concerne environ 450 000 télétravailleurs en France (contre 20 millions aux Etats-Unis et 1,5 million au Royaume-Uni), soit moins de 2 % des actifs, majoritairement des femmes. Il se développe dans les secteurs de la communication, banque, assurance, traduction, secrétariat, journalisme, architecture, etc. Le pionnier est France Télécom, où 14 000 agents

La technologie favorise le télétravail

DDB Nouveau Monde

Technologie et emploi

L'INVENTION de la machine à vapeur, à la fin du XVIIIe siècle, est à l'origine de la première révolution industrielle. Elle a permis à l'homme de disposer pour la première fois d'énergie en quantité importante. On lui doit le développement considérable de l'industrie qui a suivi. La deuxième révolution industrielle fut la conséquence de la généralisation de l'électricité, à la fin du XIXe siècle. Elle reposait notamment sur le transport de l'énergie et son utilisation par les industries et les particuliers.

La troisième révolution industrielle est celle de l'électronique. Elle a commencé à la fin de la Seconde Guerre mondiale et a connu trois phases successives. Le transistor, inventé en 1948, annonçait le véritable début des produits audiovisuels de masse (radio, télévision, électrophone...) et des calculateurs électroniques. Le microprocesseur, qui date des années 60, est à l'origine du développement de l'industrie électronique. La télématique, qui marie le microprocesseur et les télécommunications, a donné naissance au multimédia et à ses innombrables perspectives, dont Internet et le téléphone portable sont aujourd'hui les plus spectaculaires.

Les mutations technologiques, celles de l'informatique en particulier, ont détruit des emplois en permettant des gains de productivité. Elles en ont créé davantage, notamment sous la forme de nouveaux métiers. Mais ces nouveaux emplois ne sont pas créés en même temps que d'autres sont supprimés. Ils ne se situent pas non plus dans les mêmes secteurs d'activité que les anciens. Enfin, ils requièrent d'autres compétences, généralement d'un niveau plus élevé, que ceux qui disparaissent.

La troisième révolution

Cycle de vie des trois révolutions industrielles successives :

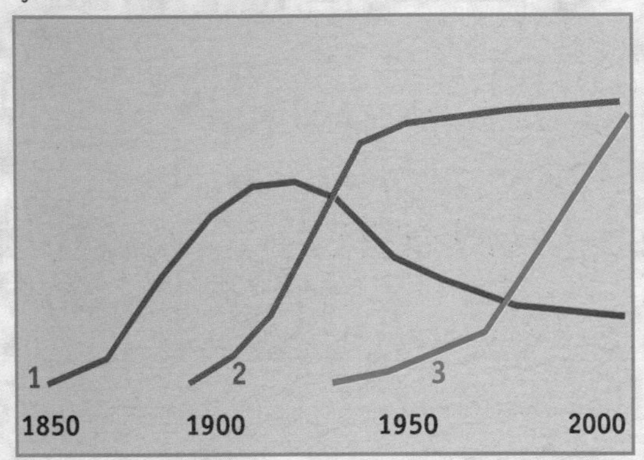

1 Charbon, acier, textile
2 Mécanique, automobile, avion, pétrole, chimie, électricité
3 Electronique, télématique, robotique, biotechnologie, biomasse, atome

travaillent à distance ; on en trouve 2 000 à EDF. Les avantages sont évidents pour l'entreprise : réduction des surfaces de bureaux et des charges afférentes ; accroissement de la productivité ; diminution de l'absentéisme. Ils le sont aussi pour les salariés concernés : autonomie ; choix des horaires ; cadre de travail plus calme ; suppression des temps de transport ; réduction des temps de réunion.

Pourtant, beaucoup d'employeurs hésitent à franchir le pas, craignant le coût élevé des investissements et une baisse de productivité accrue par une difficulté de contrôle. De leur côté, de nombreux salariés hésitent à abandonner leurs habitudes (dépendance hiérarchique, relations avec les collègues...). Ils redoutent que l'autonomie n'engendre l'isolement et que leur vie professionnelle à domicile ne perturbe leur vie personnelle.

> Un cadre sur trois exerce son activité en dehors d'une entreprise.

Certains secteurs d'activité vont prendre une place croissante.

L'évolution technologique explique le développement récent d'un certain nombre d'activités. C'est le cas en particulier des secteurs utilisateurs de l'électronique et de l'informatique : téléphonie portable ; télévision par câble ou par satellite ; produits multimédias ; centres d'appels ; conception assistée des produits ; robotique... L'industrie et les services liés à l'environnement connaissent aussi une forte croissance, avec le traitement des eaux, le recyclage des déchets (industriels ou ménagers) ou l'entretien de la nature.

Au cours des prochaines années, les possibilités offertes par la technologie vont engendrer de nouvelles activités. La généralisation de l'accès au réseau Internet entraînera un développement du cybercommerce, tant pour les particuliers que pour les entreprises. Elle s'accompagnera d'une forte croissance des métiers liés à la logistique (transport et livraison de marchandises).

Outre les achats et livraisons, toutes les activités et services proposés directement au domicile des clients devraient aussi connaître une forte croissance. Ce sera le cas de la domotique, des outils de télétravail et d'éducation *(e-learning)*. L'accroissement de l'autonomie devrait aussi favoriser l'auto médecine (prévention, diagnostic, médication et thérapie). Enfin, la réduction du temps de travail et la tendance lourde à l'hédonisme assureront la croissance des activités de loisirs. Celui du tourisme en particulier, qui devra répondre au désir croissant de se « ressourcer ».

Concentré de matière grise
GR-DVP3
CAMÉSCOPE NUMÉRIQUE
EISA
ÉLU CAMÉSCOPE DE L'ANNÉE
JVC
http//www.jvc.fr
L'intelligence est la première valeur ajoutée

La formation jouera un rôle déterminant dans l'adaptation individuelle.

L'instruction et la formation permanente sont les clés de l'adaptation aux évolutions en cours (voir p. 114).

Le niveau d'études initial, sanctionné par un diplôme, est un atout essentiel pour accéder aux activités les plus motivantes et rémunératrices. Les emplois non qualifiés ne représentent plus que 22 % des emplois salariés contre 27 % en 1980 et le niveau d'instruction des personnes concernées a progressé. Si les connaissances sont nécessaires, c'est surtout la capacité à les relier entre elles et à en faire une synthèse intelligible qui sera déterminante. Les employés et les cadres seront ainsi appelés à chercher des informations pertinentes, à les actualiser et à les appliquer dans un contexte particulier.

Dans cette optique, la culture générale redeviendra essentielle. L'histoire, la géographie, la sociologie, la géopolitique, la philosophie et l'art seront des outils de plus en plus utiles aux cadres et aux dirigeants dont le métier est d'analyser le présent afin d'inventer l'avenir. Enfin, certaines qualités personnelles comme la capacité à communiquer, l'ouverture d'esprit, le dynamisme, l'humilité et, surtout, la créativité devraient avoir une importance accrue. Les entreprises ne pourront plus reposer sur la division du travail, mais sur l'addition des compétences et la synergie entre les personnes.

> Un artisan sur dix déclare avoir pris la succession de ses parents. 22 % des artisans travaillent plus de 65 heures de travail par semaine.
> Les femmes représentent 76 % des employés, 46 % des professions intermédiaires, mais seulement 34 % des cadres et professions intellectuelles supérieures et 20 % des ouvriers. Elles comptent pour 57 % des effectifs du secteur public et seulement 43 % de ceux du privé.
> 39 % des cadres estiment que l'ambiance au travail s'est plutôt dégradée depuis quelques années, 22 % considèrent qu'elle s'est plutôt améliorée, 37 % qu'elle est restée identique.

Métiers de confiance

63 % des Français ont plutôt confiance dans les fonctionnaires (contre 30 %), 58 % dans les juges (contre 36 %), 54 % dans les avocats (contre 38 %), 52 % dans les chefs d'entreprise (contre 38 %), 51 % dans les notaires (contre 41 %), 51 % dans les garagistes (contre 42 %), 49 % dans les prêtres (contre 42 %), 36 % dans les journalistes (contre 58 %), 18 % dans les hommes politiques (contre 75 %).

En 2001, on comptait en France 6,2 millions de cadres et dirigeants, contre 5,7 millions en 1995 et 4,8 millions en 1990. 66 % étaient des hommes. 45 % avaient entre 35 et 49 ans, 29 % moins de 35 ans, 26 % 50 ans et plus. 66 % habitaient en province. 71 % avaient effectué des études supérieures.

La vie professionnelle

Entreprises

Le nombre des créations d'entreprises est en baisse...

Après la croissance des années 1983 à 1989, le nombre des créations pures d'entreprises (hors reprises et réactivations) avait fortement diminué jusqu'en 1993. La baisse avait touché en particulier les industries agroalimentaires, alors que les créations étaient plus nombreuses dans le secteur des transports et des services. La croissance enregistrée en 1994 avait été suivie d'une nouvelle baisse entre 1995 et 1998.

En 1999 et 2000, l'avènement de la « nouvelle économie » s'est traduit par un accroissement du nombre d'entreprises créées. La reprise économique avait aussi incité des actifs disposant d'un emploi à prendre le risque de l'abandonner pour se lancer dans l'aventure de la création. En 2000, 177 000 entreprises ont été ainsi créées *ex nihilo*, un chiffre pratiquement inchangé en 2001 (178 000), dans une conjoncture plus difficile et un climat de méfiance à l'égard des nouvelles technologies.

Les créations en 2001 concernaient pour la plus grande part le commerce (27 %), devant les services aux entreprises (22 %), les services aux ménages (15 %), la construction (15 %), les hôtels, cafés, restaurants (11 %), l'industrie (5 %), les transports (3 %) et les industries agroalimentaires (2 %). Elles ont été effectuées pratiquement pour moitié par des personnes physiques (52 %) et par des personnes morales (sociétés). Les proportions sont semblables pour les reprises (respectivement 48 % et 52 %), mais très différentes pour les réactivations (95 % et 5 %).

... et il est peu élevé par rapport aux autres pays développés.

La France se trouve dans le peloton de queue des pays développés en ce qui concerne la création d'entreprises. Seuls 2 % des actifs sont impliqués dans le démarrage de nouvelles entreprises, contre 9 % aux Etats-Unis, 7 % au Canada, 3 % en Italie ou au Royaume-Uni. Seuls la Finlande et le Japon ont des scores inférieurs à la France. La France se distingue aussi par le plus faible taux d'implication des femmes dans la création (moins de 1 % contre 7 % aux Etats-Unis).

La proportion d'entrepreneurs apparaît aussi très faible en regard du nombre de Français qui se disent désireux de créer une entreprise (13 millions) ou qui ont un projet (1,3 million). Les freins administratifs longtemps invoqués sont aujourd'hui moins forts, avec le regroupement des formalités. Ceux liés à la fiscalité et au financement restent en revanche importants. C'est pourquoi un certain nombre de créateurs préfèrent tenter leur chance à l'étranger, dans un environnement qu'ils jugent plus favorable. Mais les principaux freins sont d'ordre culturel. Les Français manifestent traditionnellement un faible intérêt pour le changement. Les programmes scolaires sont davantage orientés vers la pensée que vers l'action. Enfin, la peur de l'autonomie, celle de l'effort et de l'échec sont d'autres facteurs explicatifs de la mentalité nationale à l'égard de la création d'entreprise.

Le nombre des reprises connaît aussi en diminution régulière.

Comme celui des créations d'entreprises, le nombre des reprises avait diminué au début des années 90,

Démographie des entreprises

Evolution du nombre d'entreprises créées, reprises, réactivées et des cessations :

	1985	1990	1995	2001
- Créations nouvelles	192 200	216 620	179 049	177 767
- Reprises	52 320	56 800	46 540	41 847
- Réactivations	-	-	59 390	52 218
TOTAL	244 520	273 420	284 979	271 832
- Cessations	26 425	46 170	52 595	37 176
SOLDE : créations moins cessations	**+ 165 775**	**+ 170 450**	**+ 126 454**	**+ 234 656**

atteignant en 1995 le plus bas niveau jamais observé : 46 540. On avait constaté également une baisse du nombre des réactivations. Le mouvement a été confirmé depuis ; il n'y a eu que 42 000 reprises en 2001, comme en 2000.

La moitié d'entre elles sont liées au départ en retraite du dirigeant. Deux fois sur trois, il s'agit d'un fonds de commerce de très petite taille. Seules 4 % concernent des PME (10 à 499 salariés), mais celles-ci représentent la moitié des emplois. Un repreneur sur trois reprend l'entreprise dans laquelle il travaillait. Entre 1986 et 1995, environ 400 000 entreprises ont changé au moins une fois de propriétaire.

La reprise d'une entreprise requiert une plus grande préparation que la création. La mise de fonds est en général plus importante. Mais le taux de survie après trois ans est plus élevé ; il est proche de 80 %. Celles qui concernent l'industrie ont les meilleures chances de succès (85 % existent encore après trois ans), celles de l'hôtellerie les plus faibles (73 %). En 2000, le nombre d'entreprises nouvelles (créations pures, reprises, réactivations) s'est élevé au total à 272 072, un niveau proche de celui de 1993.

Les faillites sont presque aussi nombreuses que les créations.

On a dénombré 37 000 défaillances d'entreprises en 2001. Après avoir fortement augmenté entre 1980 et 1992 (notamment après la loi de 1985 relative au redressement et à la liquidation judiciaires), le nombre des faillites avait chuté en 1993 et 1994, puis s'était stabilisé jusqu'en 1997. On avait assisté à un nouveau recul en 1998 et 1999, en même temps que le nombre des créations commençait à se redresser. Mais l'amélioration a cessé en 2000 et 2001, à la suite notamment des difficultés des *startups* de la nouvelle économie. Le taux de défaillance (nombre de dépôts de bilan de l'année divisé par le nombre d'entreprises existantes en début d'année) est de l'ordre de 10 %. On constate qu'une proportion croissante des dépôts de bilan (neuf sur dix) aboutit à une liquidation.

K Agency

Les entreprises se décentralisent

Les cessations d'activité sont moins nombreuses dans l'industrie (notamment dans les biens intermédiaires et les biens d'équipement) et le bâtiment. Elles sont stables dans le commerce de détail et les services aux particuliers, plus nombreuses dans l'immobilier et le secteur des cafés-hôtels-restaurants. Les entreprises les plus touchées ont entre deux et cinq ans d'existence ; les plus anciennes sont les moins affectées. Le taux de disparition est maximal pour celles qui comptent de 10 à 20 salariés. Celles qui emploient plus de 50 personnes sont beaucoup moins touchées, de même que les artisans et les commerçants.

Le solde entre créations et disparitions d'entreprises donne une idée erronée de la situation de l'emploi. Les entreprises qui naissent ont en effet une taille moyenne très inférieure à celle des entreprises qui disparaissent.

Une entreprise sur deux meurt avant cinq ans.

Un peu moins de 300 000 entreprises sont créées, reprises ou réactivées chaque année, sur un nombre total de 2,3 millions, ce qui signifie que plus d'une sur dix a moins d'un an d'existence. Sept sur dix n'ont pas de salarié au moment de leur création, et leur taux de mortalité est beaucoup plus élevé. Neuf sur dix ont moins de 5 salariés. Après cinq années d'activité, la moitié des entreprises pérennes ont au moins un salarié et la moitié réalisent un chiffre d'affaires supérieur à 80 000 €.

Sur 100 entreprises créées en 1994, 58 ont fêté leur troisième anniversaire en 1997 (contre 68 dans le cas des reprises) et 46 leur cinquième. La première année est la plus difficile, avec 17 % d'échecs. Le taux de réussite est d'autant plus élevé que les projets et les moyens mis en oeuvre lors du lancement sont importants (la moitié des entrepreneurs

investissent moins de 8 000 € au démarrage). La survie est particulièrement faible dans le secteur de l'industrie textile et du commerce de détail. Les sociétés résistent mieux que les entreprises individuelles : 54 % de survie à cinq ans contre 40 %.

Le profil des créateurs a une influence sur la pérennité des entreprises. Les chances de succès augmentent avec l'expérience, donc avec l'âge. Les cadres et les indépendants sont ceux qui réussissent le mieux, avec un taux de survie à trois ans de 74 %, contre 61 % pour les employés, les ouvriers ou les chômeurs. Le taux de succès des hommes est supérieur à celui des femmes : 67 % contre 60 %. L'existence de relations avec d'autres entreprises et la possibilité de recevoir des conseils limitent le risque d'échec dans les premières années.

Portrait du créateur

Dans près des deux tiers des cas (70 %), les créateurs d'entreprises sont des hommes. La majorité (68 %) sont âgés de 25 à 44 ans, mais 8 % ont moins de 25 ans. 43 % des diplômés ont un niveau Bac + 2, 17 % un niveau Bac + 5, 13 % un diplôme d'école de commerce ou d'ingénieur. Les filières d'études privilégiées sont l'économie, la gestion, le droit, les sciences et techniques. La plupart ont occupé un emploi entre la fin de leurs études et la création ; un sur quatre a été cadre (24 %), un sur trois est un ancien chômeur.
Le principal secteur de création est le service aux entreprises, devant le commerce et la réparation, les services aux particuliers et la construction. La motivation principale est le goût d'entreprendre (43 %), devant l'opportunité (25 %), l'idée nouvelle (11 %). La moitié des entrepreneurs ont fait appel à des conseillers pour monter leur projet. Seuls 1 % déclarent n'avoir rencontré aucune difficulté lors de la création. La première citée est la lourdeur et la complexité des démarches auprès des banques et des administrations.
INSEE

L'image de l'entreprise s'est dégradée depuis plusieurs années.

Après s'être améliorée de façon spectaculaire au cours des années 80, l'image de l'entreprise a évolué défavorablement dans l'opinion depuis le milieu des années 90. La reprise économique a fait resurgir chez les salariés, et notamment chez les cadres, une liberté de parole qui avait été refoulée pendant les années de crise. La mondialisation et les craintes qu'elle a fait naître ont favorisé cette évolution. Le poids des licenciements dans la montée du chômage a été d'autant plus mal perçu que beaucoup d'entreprises ont reconstitué leurs marges et affiché dans les années récentes des profits en forte croissance.

La montée insolente de la Bourse jusqu'en 2000 est aussi apparue à beaucoup comme une provocation. 59 % des Français considèrent que les plans sociaux des grandes entreprises (fermetures de sites et suppression d'emplois) sont essentiellement dus à la pression des marchés financiers et des actionnaires, 21 % à la dégradation de la situation économique en France, 9 % à la dégradation de la situation de ces entreprises (*L'Humanité*/BVA, mai 2001). 76 % seraient ainsi favorables à ce qu'une disposition soit introduite dans le code du travail pour permettre l'annulation d'un licenciement collectif si l'entreprise concernée réalise des bénéfices (17 % non).

La désaffection générale des Français à l'égard des institutions s'est donc étendue aux entreprises. Les affaires de corruption concernant certains patrons et la publication de leurs revenus ont également contribué à détériorer leur image. La relation que les salariés entretiennent avec elles a changé de nature ; elle est devenue plus contractuelle qu'affective. Les tensions se sont accrues en même temps que le stress engendré par la vie professionnelle se généralisait.

Le contrôle des salariés s'est accru...

Les Français avaient connu plusieurs décennies de progrès en matière de liberté au travail : horaires variables ou « à la carte » ; enrichissement des tâches ; encouragement des initiatives... Depuis quelques années, certaines tendances vont dans le sens contraire. Ainsi, la « culture d'entreprise » (ensemble de valeurs, objectifs, attitudes et comportements propres à une entreprise) est souvent présentée comme un modèle auquel chacun doit adhérer et se conformer, au risque parfois d'abandonner une partie de son identité et de sa créativité. La vie professionnelle est aussi davantage codifiée, qu'il s'agisse de la tenue vestimentaire (parfois même de l'apparence corporelle) ou des comportements vis-à-vis des supérieurs ou des clients.

Par ailleurs, les progrès de la technologie permettent de surveiller avec précision les faits et gestes des salariés : conversations téléphoniques ; utilisation des ordinateurs... Le tra-

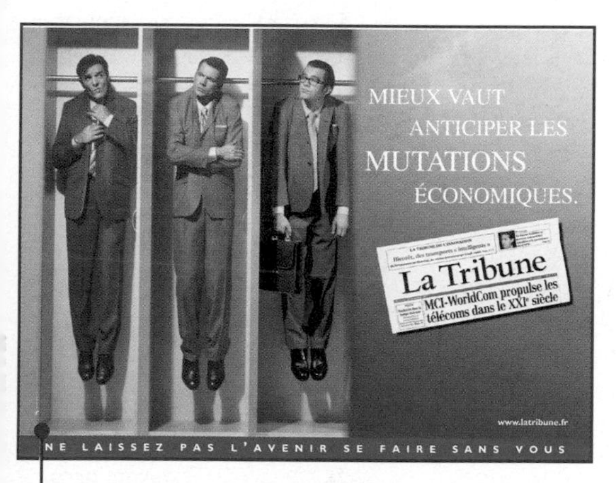

Les emplois sont en mutation

vail des employés peut être contrôlé par des caméras, leurs déplacements enregistrés au moyen de badges électroniques... Les méthodes permettant d'accroître la productivité ne concernent plus seulement les chaînes de fabrication ; elles se sont étendues au secteur des services, tant pour les tâches administratives que commerciales, dans un mouvement qui vise la « qualité totale ». Ce néotaylorisme touche aujourd'hui les « cols blancs », en leur imposant des procédures spécifiques ; il conduit au fractionnement des tâches et entraîne une surqualification générale des cadres et des employés.

... de même que les contraintes.

Soumises à une concurrence devenue planétaire, les entreprises exercent une pression croissante sur leurs employés. Le phénomène a été renforcé par la mise en place des 35 heures à salaire égal, qui nécessite un nouvel accroissement de la productivité. Il se traduit par une demande de flexibilité de la part des employeurs. Les horaires sont donc plus variables au cours de la semaine, ce qui ne facilite pas l'équilibre de la vie personnelle et familiale. Cette pression est à l'origine d'une augmentation du niveau de stress, qui occasionne parfois des réactions violentes : colères, insultes, menaces, agressions physiques et morales.

La multiplication des statuts de précarité et l'incertitude sur l'emploi constituent d'autres facteurs anxiogènes, réapparus au milieu de 2001 après une embellie de courte durée. C'est le cas aussi des outils de communication comme le téléphone mobile, l'ordinateur portable et Internet, qui tendent à supprimer la frontière entre vie professionnelle, familiale et personnelle. Beaucoup de salariés souffrent par ailleurs de ne pas savoir pour qui et pourquoi ils travaillent, dans un climat de méfiance et d'incommunication. D'autres, enfin, ont le sentiment de ne pas être reconnus par leurs supérieurs, leurs collègues ou leurs clients. La perte de la confiance dans les autres et celle de l'estime de soi sont souvent des éléments annonciateurs de difficultés psychologiques.

> Les deux tiers des présidents des entreprises cotées au CAC 40 sont diplômés de Polytechnique ou de l'ENA.
> Sur les 400 premières en termes de chiffre d'affaires, 159 sont présidées par des énarques ou des polytechniciens.

Vie professionnelle, vie privée

64 % des Français craignent que les tests génétiques, qui permettent de savoir si une personne a une prédisposition pour certaines maladies, soient utilisés par les employeurs lorsqu'ils recrutent du personnel. 76 % craignent qu'ils soient pris en compte par les organismes d'assurance-santé dans le cas de souscription d'une assurance. 10 % disent d'ailleurs avoir été victimes de discriminations liées à leur état de santé de la part des entreprises, banques ou compagnies d'assurance. S'ils savaient que l'obtention d'un emploi était conditionné par les réponses à un questionnaire de santé, 62 % des Français se disent prêts à ne pas dire toute la vérité sur leur situation médicale.

Viva/Ipsos, septembre 2000

Les entreprises doivent répondre à des demandes traditionnelles...

La désaffection relative dont souffre aujourd'hui l'entreprise de la part des salariés, des consommateurs ou des citoyens n'empêche pas ceux-ci d'exprimer des attentes nombreuses à son égard. Car ils sont conscients de l'importance et du poids qu'elles représentent dans la marche de l'économie et, par voie de conséquence, de la société. D'autant que beaucoup sont convaincus de l'incapacité des institutions à faire le travail de pédagogie et d'accompagnement qu'elles assumaient.

Les entreprises doivent d'abord répondre à des attentes traditionnelles.

La création d'emplois est sans doute la première. Elle est inséparable (notamment dans le secteur privé concurrentiel) de la création de richesse, à la fois collective (PIB) et individuelle (pouvoir d'achat des salariés). Elle passe par le développement et l'offre de nouveaux produits et services. Il s'y ajoute une attente de considération de la part de l'entreprise, tant envers ses employés qu'envers ses clients, avec notamment un respect la vie privée des uns et des autres. Cette demande est assortie de celle d'une réduction des inégalités (revenus, éducation, santé physique ou mentale) auxquelles les Français sont de plus en plus sensibles.

... et à d'autres, beaucoup plus récentes.

D'autres demandes apparaissent aujourd'hui à l'égard des entreprises, parfois éloignées de la vocation habituelle. On exige d'elles qu'elles préservent l'environnement, non seulement par leur comportement industriel mais aussi en s'impliquant dans des actions plus globales. On souhaite qu'elles participent à la restauration du lien social distendu en fournissant aux individus des occasions de se parler. Leur dimension souvent internationale et leurs moyens d'investigation et de communication importants font également que l'on attend d'elles des efforts de pédagogie pour expliquer le monde et son évolution.

Enfin, devant l'incapacité apparente des politiques et des intellectuels à proposer un monde nouveau et meilleur, les citoyens commencent à se tourner vers elles pour qu'elles participent aux grands débats et même qu'elles proposent des solutions aux problèmes de l'époque. Pour redorer leur blason et satisfaire aux attentes de la population, les entreprises devront donc demain faire émerger des idées, des projets, peut-être même des théories ou des idéologies. La « refondation sociale » ne peut sans doute ignorer l'importance croissante de l'économie, dans un contexte où la politique a montré les limites de son pouvoir.

L'entreprise vertueuse

Les attentes nombreuses à l'égard des entreprises s'expliquent par la complexité du monde et par la prise de conscience des menaces qui pèsent sur lui. Elles se justifient par le fait qu'elles constituent le principal moteur du changement social et jouent un rôle important sur l'environnement. Au-delà de leur rôle économique traditionnel, les entreprises françaises prennent aujourd'hui conscience de ce rôle social. Les pressions qui s'exercent sur elles émanent à la fois de l'Etat, des salariés, des actionnaires, des consommateurs (ou des associations qui les représentent), des médias et plus largement de l'ensemble des citoyens. Elles se développent au niveau national, européen et de plus en plus souvent mondial. Elles sont exacerbées par le jeu de la concurrence, qui incite les entreprises à se différencier en débordant de leur rôle économique et commercial. Contrairement à la préoccupation « éthique », souvent artificielle, née dans les années 80, les concepts actuels de commerce équitable, de développement durable, d'entreprise responsable ou citoyenne ne constituent pas des phénomènes de mode. Car les enjeux sont considérables et concernent le long terme. Heureusement, les entreprises qui se montrent vertueuses sont récompensées. Elles bénéficient d'un meilleur climat interne et d'une image favorable auprès de leurs différents publics. Elles peuvent donc accroître leur part de marché et la fidélité de leurs clients, juste retour des efforts qu'elles déploient tant pour leur survie que pour celle de la planète. A l'inverse, celles qui manquent à la morale sont de plus en plus sévèrement sanctionnées, jusqu'à être parfois menacées dans leur survie.

Les entreprises françaises cultivent encore de nombreuses singularités...

Vue par des observateurs étrangers, la conception française de la gestion des entreprises est marquée par certaines spécificités : culte des diplômes ; très faible représentativité syndicale ; centralisation des décisions ; faible transparence ; mobilité réduite ; attachement à la fonction plus qu'à la mission qu'elle recouvre. Ces « exceptions françaises » ne permettent guère l'expression des individualités. Elles nuisent à l'épanouissement personnel des salariés et à leur créativité. Les entreprises n'ont pas encore réalisé qu'elles devaient satisfaire les attentes distinctes de leurs différents publics : salariés ; actionnaires ; clients ; citoyens ; fournisseurs.

Des progrès ont été accomplis, notamment pour impliquer davantage les salariés et les cadres dans les processus de décision. Ils ont permis notamment aux entreprises françaises

de se développer à l'international. Mais ils apparaissent encore insuffisants. L'élitisme reste très présent dans le choix des dirigeants des grandes entreprises françaises ; les grandes écoles, l'Etat et les familles possédantes jouent un rôle central dans la « méritocratie » nationale. Beaucoup sont encore gérées selon des principes de hiérarchie et d'autorité calqués sur ceux de l'armée. L'initiative individuelle et la créativité n'y sont guère valorisées. La pression induite par la mise en place des 35 heures ne facilite pas le rôle de formateur des cadres, ni les relations entre les différents niveaux hiérarchiques. Dans de nombreuses entreprises, les dirigeants sont encore des « chefs ».

... et elles devront s'adapter pour relever les nouveaux défis.

L'entreprise contemporaine doit être capable de réconcilier des notions qui peuvent paraître contradictoires et de répondre à des questions complexes. L'individualisation des tâches et de la société est-elle compatible avec le travail en équipe ? L'autonomie attendue par les salariés peut-elle s'accompagner d'une adhésion à une culture d'entreprise forte ? Peut-on satisfaire la volonté légitime de développement personnel en proposant des objectifs communs ? Les besoins affectifs des collaborateurs sont-ils compatibles avec des pratiques tournées avant tout vers l'efficacité ?

C'est en établissant un lien permanent entre l'individu et le groupe, entre le rationnel et l'irrationnel, entre le court terme et le long terme que l'entreprise pourra s'adapter aux contraintes de son environnement à la fois externe (clients, concurrents, fournisseurs, pouvoirs publics...) et interne (salariés, actionnaires).

De nouveaux profils de dirigeants devront émerger.

Dans un contexte de responsabilités nouvelles pour les entreprises, les qualités nécessaires aux dirigeants évoluent. En plus des connaissances et de l'expérience, la première qualité qui leur est demandée est sans doute la capacité d'ouverture et de vision dans une économie globalisée. Outre la maîtrise de l'anglais, ils doivent avoir une bonne capacité d'utilisation des outils technologiques (ordinateur, Internet...). Surtout, on attend d'eux des qualités de communicateur et d'animateur d'équipes, tant à l'intérieur qu'à l'extérieur de l'entreprise. Ils devront aussi être capables de sang froid pour gérer les crises de toute sorte. Ils devront être capables d'anticiper les changements et d'inventer de nouvelles réponses à des questions inédites. Enfin, la mobilité et la moralité (vertu) sont deux autres aspects essentiels du profil idéal du dirigeant.

Cette évolution n'est pas favorable au recrutement de « chefs » ou même de « leaders charismatiques », souvent peu créatifs. Elle ne l'est pas non plus au système de sélection (ou de cooptation) français, qui puise ses dirigeants dans les « grandes ecoles ». Au contraire, il sera de plus en plus nécessaire de favoriser le pluriculturalisme, qui favorise l'ouverture d'esprit, l'innovation et le développement international. La parité hommes-femmes sera bien sûr l'un des ingrédients de base de ce mélange.

L'obligation d'efficacité (mesurée par la satisfaction du client final), la nécessité de convaincre et de faire adhérer les collaborateurs à un projet commun tout en leur laissant la possibilité de s'épanouir à titre personnel constituent les nouveaux défis des entreprises et de leurs dirigeants. Pour les relever, les qualités personnelles seront plus déterminantes que les diplômes, la mission plus que la fonction, l'humilité plus que l'arrogance, le pragmatisme plus que l'idéologie, la différence plus que la conformité. Le profil du haut fonctionnaire distant et sûr de lui pourrait donc disparaître peu à peu au profit de celui d'animateur, capable de bien s'entourer et d'instaurer des relations de confiance au sein de l'entreprise et auprès des interlocuteurs extérieurs.

Conditions de travail

Le climat social s'est dégradé dans les entreprises.

Les préoccupations qualitatives en matière de conditions de travail étaient présentes dans les revendications de Mai 68. Elles ont donné naissance en 1973 à l'Agence nationale pour l'amélioration des conditions de travail (ANACT) et permis des progrès sensibles jusqu'au milieu des années 80. L'enquête sur les conditions de travail réalisée en 1991 par le ministère du Travail avait cependant fait apparaître à l'époque une inversion de tendance ; les salariés avaient le sentiment de subir plus fréquemment des contraintes qu'en 1984, date de la précédente enquête.

Cette évolution a été confirmée depuis. Elle se traduit par l'impression ressentie par les salariés d'une plus

Publicis et Nous

La vie professionnelle est une course

grande difficulté à accomplir leur travail. Une crainte qui ne semble pas infondée car le nombre des accidents du travail est en augmentation depuis cinq ans (voir p. 101), de même que celui des accidents de trajet, des arrêts pour maladie ou des maladies professionnelles (voir p. 91).

Le stress a envahi la vie professionnelle.

Dans un monde économique où la compétition est partout et les certitudes nulle part, le culte de la performance est apparu comme une réponse nécessaire. Les entreprises ont mis en place des systèmes de gestion par objectifs, renforcé les procédures de contrôle et généralisé la rémunération au mérite. Les Français ont eu quelque difficulté à accepter que leur salaire et leur statut professionnel dépendent de leur ardeur au travail et de leurs résultats personnels. L'habitude des « plans de carrière » dans le secteur privé et celle de l'avancement à l'ancienneté dans la fonction publique avaient renforcé leur goût naturel pour le confort.

Le climat de peur et de compétition qui s'est instauré dans les entreprises a eu des incidences néfastes sur les conditions de travail. 34 % des salariés déclaraient en octobre 2000 craindre le stress et le harcèlement dans leur activité professionnelle (Ipsos/Ministère de l'Emploi et de la Solidarité). 11 % avaient déjà eu au moins un arrêt de maladie lié au stress professionnel. Les cadres sont les plus concernés, du fait du surmenage, de la concurrence interne croissante, d'une insuffisance de communication ou de considération, d'une incapacité à mener de front vie professionnelle et vie privée. 60 % jugeaient leur charge de travail excessive en 2000, contre 43 % en 1992 (APEC). L'obligation d'être « performant » et la nécessité d'aller toujours plus vite conduisent beaucoup d'entre eux à se doper comme certains sportifs de haut niveau.

Ce n'est pas le salarié, mais le client qui est au centre de la réflexion stratégique.

L'amélioration des processus de production, l'importance croissante de la gestion des ressources humaines et la plus grande autonomie accordée aux travailleurs auraient dû améliorer durablement le climat social dans les

Une brève histoire du travail

Avec la révolution industrielle, l'usine était devenue le lieu principal d'exercice du travail. La dureté des conditions et la division des tâches avaient pour effet de maintenir la discipline et l'ordre, tout en accroissant la production. Seule l'administration échappait à cette contrainte et développait le bureaucratisme, qui rigidifiait les structures tout en créant des emplois.

Le capitalisme inventa ensuite le fordisme et le taylorisme, qui donnèrent des bases scientifiques à la mesure et à l'amélioration de la productivité. Dans le même temps, mais sur des fondements idéologiques opposés, le communisme engendrait le stakhanovisme et l'exaltation idéologique du travail. Dans les pays industrialisés, le développement progressif des syndicats allait permettre le dialogue social et l'amélioration des conditions de travail, au prix parfois de durs conflits.

En France, notamment, les intérêts des employés et des employeurs sont très souvent apparus antagonistes. Ils sont encore l'objet d'un rapport de force, malgré la reconnaissance par les entreprises de l'importance de la « ressource humaine ».

Aujourd'hui, la tendance est à la flexibilité et à la décentralisation, dans une économie de plus en plus globalisée. La contrainte d'efficacité est de plus en plus forte et elle oblige les entreprises à des efforts permanents d'adaptation, au moyen notamment des nouvelles technologies. Si les conditions du travail ont changé, sa finalité reste la même ; il s'agit toujours de produire au moindre coût afin d'être compétitif et rentable, pour conserver ou accroître sa part de marché, donc les emplois et les salaires. Sans oublier la rémunération des actionnaires et la contribution aux recettes fiscales de l'Etat.

entreprises. On observe au contraire une tendance à sa dégradation, tant pendant les périodes de croissance économique que pendant celles de récession.

Cette évolution est due pour une part à la précarisation des emplois (intérim, contrats à durée déterminée, temps partiel...) qui s'est produite sous l'effet de la crise économique. Elle est aussi la conséquence du développement des horaires décalés et du travail de nuit. La mise en place des 35 heures, en contrepartie d'une flexibilité plus grande des salariés, a d'ailleurs favorisé ce mouvement. Enfin, les opérations de fusion, absorption, restructuration dans les entreprises ont entraîné des changements d'organisation. C'est le cas aussi de l'introduction des nouvelles technologies, qui ont remis en cause les habitudes de travail.

Ce ne sont plus aujourd'hui les salariés mais les clients (parfois aussi les actionnaires) qui sont au centre de l'entreprise et qui conditionnent son fonctionnement. Cette nouvelle réalité bouleverse la conception du travail, de même que son organisation.

> 21 % des salariés du secteur privé se disent prêts à travailler dans un environnement plus stressant à condition de gagner plus d'argent, 76 % ne le souhaitent pas.

Les conditions physiques de travail se sont détériorées...

La dernière enquête du ministère de l'Emploi, réalisée en 1998, montrait une augmentation de la pénibilité des tâches. 72 % des salariés déclaraient faire des efforts physiques dans leur travail, 54 % devaient rester longtemps debout, 38 % portaient des charges lourdes, 37 % restaient longtemps dans des postures pénibles, 35 % effectuaient des par-

Harcèlement

Evolution de la perception de la pénibilité mentale (en % des salariés) :

PROPORTION DE SALARIES DECLARANT QUE ...	1991	1998
... une erreur dans leur travail peut ou pourrait entraîner :		
- des conséquences graves pour la qualité du produit ou du service	60	65
- des coûts financiers importants pour l'entreprise	44	50
- des conséquences dangereuses pour leur sécurité ou celle d'autres personnes	31	38
- des sanctions à leur égard (risque pour l'emploi, diminution importante de la rémunération)	46	60
... ils doivent fréquemment abandonner une tâche qu'ils sont en train de faire pour en effectuer une autre non prévue	48	56
... l'exécution de leur travail leur impose :		
- de ne pas le quitter des yeux	26	32
- de lire des lettres ou des chiffres de petite taille, mal imprimés, mal écrits	22	30
- d'examiner des objets très petits, des détails fins	12	16
- de faire attention à des signaux visuels brefs, imprivisibles ou difficiles à détecter	12	13
- de faire attention à des signaux sonores brefs, imprévisibles ou difficiles à détecter	12	13
... même de niveau modéré, le bruit les gêne dans l'exécution de leur travail	26	26
... pour exécuter correctement leur travail, ils n'ont pas, en général :		
- un temps suffisant	23	25
- des informations claires et suffisantes	18	21
- la possibilité de coopérer	13	14
- des collaborateurs en nombre suffisant	21	24
... ils vivent souvent des situations de tension dans leurs rapports avec le public	22	30

Ministère du Travail

cours à pied longs ou fréquents, 24 % d'autres efforts physiques importants. Entre 1984 et 1998, la part de ceux qui cumulaient au moins trois types d'efforts avait régulièrement augmenté : 16 % en 1984, 29 % en 1991, 38 % en 1998.

La situation ne s'est guère améliorée au cours des dernières années. Des enquêtes plus récentes montrent que plus d'un salarié sur dix subit dans son travail un niveau sonore supérieur à 85 décibels. La même proportion est exposée à des produits considérés comme cancérigènes (huiles minérales, poussières de bois...). Les plus concernés sont les mécaniciens automobiles, devant les ouvriers du bois, ceux des travaux publics, du bâtiment et de la métallurgie.

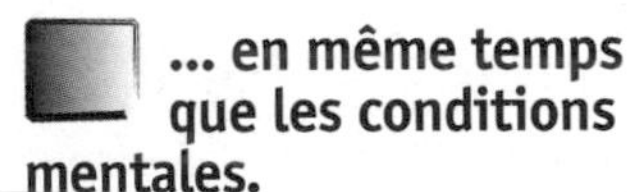

... en même temps que les conditions mentales.

65 % des salariés estimaient en 1998 qu'une erreur de leur part aurait des conséquences graves sur la qualité du produit ou du service qu'ils contribuaient à fabriquer contre 60 % en 1991. Pour 60 % d'entre eux, le fait de commettre une erreur entraînait une sanction (46 % en 1991). De plus, 56 % des salariés devaient souvent abandonner la tâche qu'ils étaient en train d'effectuer pour une autre non prévue (48 % en 1991). 32 % ne pouvaient quitter leur travail des yeux, contre 26 %. 30 % vivaient des relations de tension avec le public (usagers, clients, patients...) contre 22 %.

La recherche par les entreprises d'une meilleure efficacité et d'une plus grande flexibilité les a amenées à revoir les conditions de travail de leurs employés. La pression de la clientèle s'est fait en particulier davantage ressentir. Elle a eu des répercussions sur le travail d'un salarié sur deux, de deux employés ou cadres sur trois.

L'univers professionnel est de plus en plus impitoyable. La mondialisation de l'économie a entraîné une obligation de « création de valeur ». Elle engendre une violence croissante dans les relations professionnelles, qui se manifeste par des agressions verbales, mentales ou physiques. Elle est à l'origine de nombreuses maladies psychosomatiques et de dépressions. Le *burn out* américain, syndrome d'épuisement nerveux au travail, et le *karôshi* japonais, mort subite par hémorragie cérébrale ou spasmes cardio-vasculaires, pourraient bientôt trouver leur traduction en français.

Une nouvelle forme de taylorisme s'est mise en place.

Contrairement à une idée reçue, la proportion d'ouvriers travaillant à la chaîne progresse. Elle était de 15 % en 1998 chez les ouvriers qualifiés (contre 7,5 % en 1984), 30 % chez les non-qualifiés (contre 20 %). Ce mode de travail s'est notamment développé dans les industries agricoles et alimentaires. Il gagne aujourd'hui les services, qui sont confrontés à des contraintes de productivité accrues. Dans une enquête de l'INSERM de 1999, 23 % des salariés déclaraient souffrir d'une très grande somnolence au moins un jour par semaine. Leur absentéisme était deux fois plus élevé que la moyenne (13 jours contre 6).

La détérioration des conditions de travail est particulièrement sensible dans certaines catégories professionnelles. Des salariés sont employés à temps très partiel ou au contraire contraints à des horaires allant jusqu'à 70 heures par semaine : télé-opérateurs, employés de la grande distribution, ouvriers des abattoirs ou des entreprises de confection, chauffeurs routiers, agents de nettoyage... Souvent employés par des PME soumises à une concurrence de plus en plus rude, ils travaillent aussi parfois dans la fonction publique sans bénéficier du statut de fonctionnaire, beaucoup plus onéreux. En renforçant le coût du travail, la mise en place de la loi sur les 35 heures exerce une pression nouvelle sur la productivité de ces salariés.

La France est le pays du monde industrialisé où l'on travaille le moins.

Les salariés des entreprises françaises concernées par la loi sur les 35 heures hebdomadaires (plus de 20 salariés), ne travaillent plus désormais que 1 355 heures par an (temps effectif, voir p. 329), contre 1 771 heures en 1998. Le mouvement de baisse du temps de travail est général dans les pays développés, à l'exception des Etats-Unis où la durée est passée de 43 à 47 heures entre 1980 et 2000. Mais la durée moyenne reste comprise entre 1 700 et 1 800 heures par an dans la plupart des autres pays de l'Union européenne ; elle est un peu inférieure en Allemagne (1 573) et au Danemark (1 665), un peu supérieure au Portugal (1 823) et en Irlande (1 802). La France est désormais le pays du monde industrialisé dans lequel on travaille le moins.

La diminution de la durée du travail est une constante depuis plus d'un siècle et demi. L'année professionnelle comptait en moyenne 3 015

heures en 1830. Elle est passée à 2 500 heures vers 1915, 2 000 vers 1936, 1 800 vers 1970, 1 500 vers 1990. Cette réduction spectaculaire est la conséquence des lois successives (voir encadré). L'évolution est encore plus spectaculaire si on l'examine à l'échelle d'une vie. On s'aperçoit alors que le travail ne représente plus aujourd'hui que 5,5 années pleines sur une durée de vie moyenne de 75,5 ans pour un homme, contre 12 années sur 46 en 1900 (voir p. 132).

La France paresseuse

Temps de travail hebdomadaire habituel (2001, salariés à temps plein, en heures)

Royaume-Uni	43,5
Grèce	41,1
Espagne	40,5
Portugal	40,2
Autriche	40,1
UNION EUROPEENNE	40,1
Suède	40,0
Allemagne	39,9
Irlande	39,7
Luxembourg	39,3
Belgique	39,2
Danemark	39,2
Pays-Bas	39,0
Italie	38,5
France	38,3

Un mouvement historique

Le processus de réduction du temps de travail a commencé dès 1814, avec la législation sur le chômage des dimanches et jours de fête catholiques. Pendant la révolution de 1848, le décret de Louis Blanc limitait la journée de travail à 10 heures à Paris et 11 heures en province ; il fallut cependant attendre 1912 pour que ces dispositions entrent dans les faits. La journée fut réduite à 8 heures en 1919, répondant ainsi à une demande apparue dès 1880. Le repos hebdomadaire était obligatoire depuis 1892.

Les pressions sociales pour réduire le temps de travail s'exprimèrent ensuite à l'échelle de la semaine, avec une durée maximum de 48 heures en 1919, de 40 heures en 1936. Puis elles concernèrent l'année, avec la mise en place des congés payés : 12 jours ouvrables en 1936, portés à 18 en 1956, 24 en 1969, 30 en 1982 (cinq semaines), davantage aujourd'hui avec les journées de congés de récupération ou de compensation liés à la RTT. A l'échelle de la vie, le temps de travail a été en outre réduit par l'avancement de l'âge de la retraite, fixé pour l'ensemble du régime général à 65 ans vers 1950, puis à 60 ans en 1982. Mais les nouvelles dispositions de 1993, en augmentant le nombre de trimestres de cotisation nécessaires, ont considérablement restreint le nombre d'actifs qui pourront en bénéficier à cet âge.

L'histoire s'est poursuivie avec la loi sur les 35 heures votée en 1998, entrée en application en 2000. L'entrée dans le XXIe siècle a marqué le passage d'une civilisation centrée sur le travail à une autre, dans laquelle le temps libre est quantitativement et qualitativement prépondérant.

Le passage aux 35 heures ne fait pas l'unanimité parmi les salariés...

Avant la mise en place de la loi sur la réduction du temps de travail, les Français se montraient majoritairement favorables à son principe. On avait cependant assisté à partir de septembre 1999 à un retournement de l'opinion ; 54 % seulement des actifs estimaient que les 35 heures auraient dans leur entreprise des conséquences plutôt positives, contre 59 % en mai ; 46 % étaient de l'avis contraire contre 41 % (Epsy/Entreprise & Carrières). Au début 2002, la moitié des salariés étaient concernés par la RTT (deux sur trois dans les entreprises de plus de 20 salariés, un sur dix dans les autres). 59 % d'entre eux déclaraient qu'elle avait amélioré leur vie quotidienne, mais 28 % estimaient qu'elle l'avait dégradée (contre respectivement 61 % et 30 % début 2001). Cette proportion de mécontents est loin d'être négligeable, dans la mesure où la réduction du temps de travail a été généralement assortie d'un maintien du salaire antérieur. La principale explication est l'accroissement de la pression exercée sur les salariés concernés, tant en matière de productivité que de flexibilité. Les effets sur la charge de travail sont en effet jugés négativement par 59 % des salariés concernés contre 33 % qui la considèrent positivement (*L'Express*/Ifop, février 2001). Par ailleurs, certains salariés craignent une baisse future de leur pouvoir d'achat, du fait de la raréfaction des heures supplémentaires et de la modération des hausses de salaires négociées avec les syndicats lors de la mise en place des 35 heures. Enfin, l'argument initialement avancé de centaines de milliers de créations d'emplois ne s'est pas vérifié, ce qui a

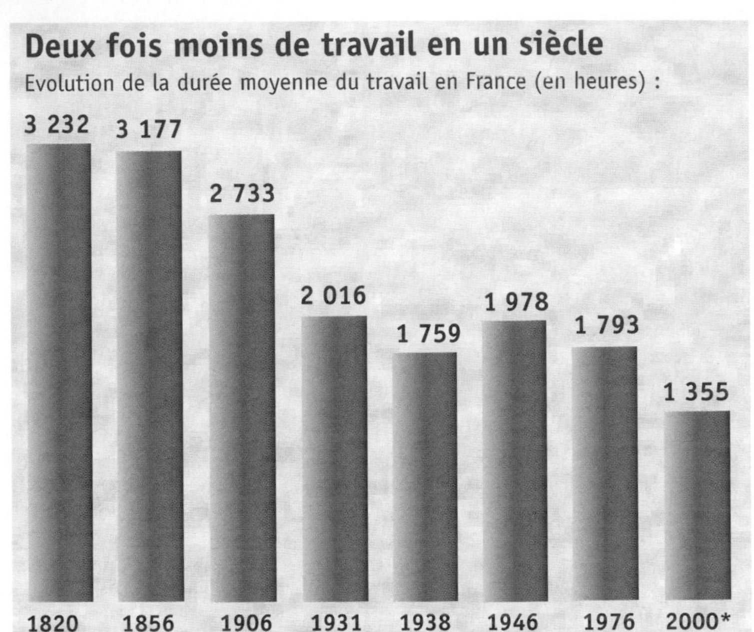

INSEE, Ministère du Travail

pertes de part de marché par rapport aux concurrents étrangers mieux armés, tant à l'intérieur qu'à l'exportation.

Sur le plan social, on peut aussi se demander si l'image du travail n'a pas été dévalorisée par les idées qui peuvent apparaître comme sous-jacentes à la RTT : moins on travaille et mieux on vit ; on ne peut s'épanouir que dans des activités non professionnelles. On incite ainsi à penser que le travail ne peut pas contribuer à donner un sens aux vie individuelles et l'on oublie que le travail a été, tout au long de l'histoire des sociétés, la condition de leur fonctionnement et de leur enrichissement.

La loi sur les 35 heures est en fait révélatrice de l'attitude traditionnelle de l'Etat français, qui cherche à uni-

entraîné une déception chez les salariés qui attendaient un meilleur partage du travail entre actifs et chômeurs.

... et présente un risque à la fois économique et social.

Le passage aux 35 heures est plutôt perçu par les entreprises comme un handicap que comme un avantage. Leur compétitivité a été affectée par le maintien des salaires antérieurs, malgré une amélioration de la souplesse dans la gestion des ressources humaines. Le coût de la main-d'œuvre, déjà élevé du fait des charges sociales, s'est accru dans un contexte de compétition croissante. Surtout, la facture à payer après le désengagement de l'Etat sera très lourde, notamment pour les petites entreprises. Elle risque d'entraîner des augmentations de prix, donc des

Décalage horaire

La durée du travail est de plus en plus inégale entre les actifs. 2,7 millions de travailleurs indépendants (agriculteurs, artisans, commerçants, chefs d'entreprise, professions libérales, aides familiaux...) ne sont en effet pas concernés par la loi sur les 35 heures. En 2001, ils ont travaillé en moyenne plus de 50 heures par semaine, soit 43 % de plus que les salariés bénéficiant de la RTT ou l'équivalent de deux journées de travail.
De leur côté, les fonctionnaires se sont montrés très réticents à l'application de la loi, comme en témoignent les mouvements de grève qui ont affecté plusieurs secteurs lors des négociations avec l'Etat, notamment à La Poste. Selon le rapport Jacques-Roché remis au gouvernement début 1999, 70 % d'entre eux travaillaient déjà moins de 39 heures par semaine. La durée ne dépassait pas 30 heures dans certains ministères comme la Culture ou la Justice. A la SNCF, les contrôleurs ne sont ainsi au contact des clients que trois heures par jour et ne travaillent que 200 jours par an.
Les inégalités se sont aussi accrues à l'intérieur des entreprises entre les catégories de salariés. La réduction s'effectue sous la forme de demi-journées ou de journées supplémentaires de temps libre dans 33 % des cas ; les employés qualifiés sont les plus concernés. La diminution de la durée journalière concerne 24 % des salariés ; elle est surtout appliquée aux ouvriers. Dans 15 % des cas, notamment pour les cadres supérieurs, des semaines de congés supplémentaires sont proposées. Les autres situations sont des combinaisons entre ces trois systèmes ; elles sont utilisées dans toutes les catégories professionnelles.

formiser, dans l'espoir d'égaliser. Mais la revendication majeure des citoyens est aujourd'hui la reconnaissance des individus dans leur diversité et dans leur richesse (voir p. 276). Chacun souhaite donc pouvoir travailler pendant le temps qui lui paraît nécessaire selon les moments de sa vie, en fonction de ses besoins financiers ou de l'intérêt qu'il porte à son emploi. Il en est de même de l'âge de la retraite et d'une manière générale de la façon de vivre. C'est donc d'un travail ou d'une retraite « à la carte » que les Français rêvent, plutôt que d'un menu identique pour tous et imposé par l'Etat.

Le temps de travail effectif est très inférieur au temps théorique.

La durée moyenne effective du travail des salariés tient compte des différents éléments qui viennent en déduction du temps théorique (47 semaines de 35 heures sur 5 jours). 16 % des actifs (32 % des femmes et 5 % des hommes) travaillent ainsi à temps partiel, dont 85 % de femmes. Dans la moitié des cas (52 %), ce type de travail est imposé par l'employeur. Dans 30 % des cas, il est choisi par l'employé pour s'occuper de ses enfants et dans 18 % pour d'autres motifs.

L'absentéisme représente en moyenne 7 % du temps théorique de travail des salariés. Il est dû pour un peu moins de la moitié à la maladie, le reste se répartissant entre les conditions climatiques, les congés de maternité, les formations, etc. Les salariés bénéficient en moyenne de 10 jours fériés par an, auxquels s'ajoutent parfois des « ponts » qui permettent de les prolonger, notamment au cours du mois de mai. Le temps de travail réel est aussi affecté par les grèves (voir ci-après). Les jours de congés supplémentaires (ancienneté, négociations de branche, congés de fractionnement, repos compensateurs...) atteignent fréquemment une semaine par an, de sorte que la durée moyenne des journées payées non travaillées est de l'ordre de huit semaines annuelles.

Les pauses viennent aussi en diminution du temps de travail. Leur durée est très variable selon les branches et les entreprises. Dans l'industrie, le personnel travaillant en équipe a droit en général à une demi-heure par jour, soit 15 jours par an, mais elles peuvent atteindre plusieurs heures par jour dans certaines entreprises. Enfin, deux autres facteurs influent sur le temps de travail réel, dans des sens opposés : le recours aux heures supplémentaires ; le chômage partiel pratiqué dans certaines entreprises lorsque leurs carnets de commandes ne sont pas suffisamment remplis. Au total, le temps de travail effectif annuel est estimé en moyenne à 1 355 heures, pour un temps théorique d'environ 1 600 heures (1 715 dans celles de plus de 20 salariés et 1 780 dans les plus petites).

Du temps tous les jours ou tous les ans

Forme prise par la réduction du temps de travail selon les catégories professionnelles (en %) :

	Semaines de congés supplémentaires	1/2 jour ou 1 jour périodiquement	Réduction de la durée journalière	Combinaison entre les formes précédentes
- Ouvriers non qualifiés	8,3	34,4	41,3	6,6
- Ouvriers qualifiés	22,9	24,0	26,1	18,3
- Employés non qualifiés	11,6	34,5	26,5	18,1
- Employés qualifiés	10,9	43,3	18,1	18,6
- Agents de maîtrise	23,8	40,1	13,6	19,0
- Techniciens	10,5	22,8	18,1	42,1
- Cadres	16,8	38,9	7,4	30,5
- Cadres supérieurs	42,9	14,3	0,0	28,6
Total	**14,9**	**33,2**	**24,0**	**18,7**

CFD

Le nombre des conflits du travail s'accroît depuis 1999.

Après le record de 1968 (150 millions de journées de grève, les conflits du travail n'avaient cessé de diminuer et

Un temps pour chacun

19 % des personnes en activité disent travailler moins de 35 heures, 22 % 35 heures, 20 % entre 36 et 39 heures, 20 % entre 40 et 49 heures, 16 % au moins 50 heures.
44 % des actifs ont des horaires classiques, de 8 h ou 9 h le matin à 17 h ou 18 h le soir. 50 % ont des horaires décalés ; ils commencent plus tôt ou finissent plus tard. 47 % accepteraient facilement de travailler plus tard le soir ou de travailler le week-end, 51 % non.
55 % des personnes en activité disent avoir un temps de travail fixe chaque semaine, 45 % variable. 48 % des personnes en activité disent travailler habituellement le samedi, 23 % le dimanche. 51 % ont leur samedi et le dimanche de libre, 26 % n'ont que le dimanche, 22 % n'ont ni le samedi ni le dimanche, 1 % n'ont que le samedi.
65 % des actifs ne passent pas plus de 30 minutes entre leur domicile et leur travail, y compris les étapes qu'ils font en chemin (déposer les enfants à la crèche ou à l'école...), 26 % plus de 30 minutes (8 % plus d'un heure).
Sondages divers

leur durée moyenne s'était raccourcie. Si l'on fait abstraction de 1995, marquée par les manifestations du mois de décembre contre le plan Juppé (784 000 journées perdues), la moyenne annuelle était de 684 000 entre 1990 et 1997, contre 1 338 000 entre 1980 et 1989 et 3 556 000 entre 1970 et 1979. En 1998, on avait comptabilisé 353 000 jours de grève, le plus bas niveau depuis plus de vingt ans, pour environ un million de journées de travail perdues.

On a assisté depuis à une remontée sensible des conflits. La progression du nombre de jours de grève avait été de 28 % en 1999, puis de 41 % en 2000. L'année 2001 a confirmé cette tendance à la hausse, du fait notamment des conflits liés à l'application des 35 heures, essentiellement dans la fonction publique. L'emploi et les salaires restent cependant des causes de conflits plus fréquentes que la réduction du temps de travail, en particulier dans le secteur privé.

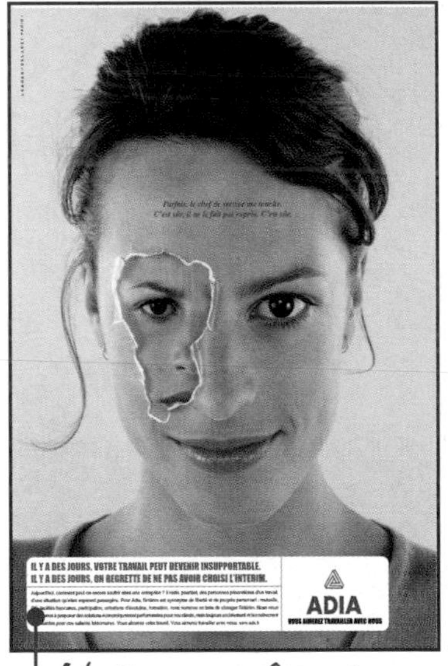

L'intérim, une façon de travailler à son rythme

Leagas-Delaney

70 % des grèves se produisent dans la fonction publique.

L'accroissement récent du nombre des conflits et de leur durée concerne surtout les grandes entreprises. La part de la fonction publique s'accroît régulièrement ; elle représentait 70 % des jours de grève en 2000, alors que les fonctionnaires ne comptent que pour un quart des salariés. 28 % des jours de grève ont concerné le secteur des transports ; la SNCF, qui représente 1 % de la population active, totalise régulièrement une forte proportion des journées de grèves (40 % en 1998). Les trois quarts des mouvements de grève sont déclenchés par les syndicats, environ un dixième par des coordinations de salariés ; les autres (près d'un sur cinq) se produisent de façon spontanée.

Trois conflits sur quatre se soldent par une satisfaction partielle ou totale des revendications. On observe que c'est dans les entreprises qui ont des politiques de personnel plutôt favorables, avec des syndicats relativement puissants, qu'ils sont les plus fréquents et que les négociations sont les plus favorables aux salariés. Il est relativement exceptionnel que les fonctionnaires se voient déduire le temps de grève de leur feuille de paie.

La France est le pays développé le moins syndiqué du monde.

Le taux de syndicalisation national est estimé à 7 % de la population active en 2000, contre 10 % en 1990, 17 % en 1980, 22 % en 1970 et 42 % en 1950. La proportion est plus élevée dans le secteur public, où elle avoisine 20 %, contre environ 6 % dans le privé. Les estimations les plus fiables indiquent un nombre de syndiqués inférieur à deux millions, très en-deçà des effectifs déclarés par les grandes centrales : 1 million pour FO, 760 000 pour la CFDT, 650 000 pour la CGT, 190 000 pour la CGC. On constate aussi un vieillissement des adhérents : sept sur dix ont plus de 40 ans.

Le taux de syndicalisation français est le plus faible de tous les pays industrialisés. Il se compare à des

Un dialogue social plus difficile

Evolution du nombre de journées de travail perdues à la suite de conflits du travail (en milliers) :

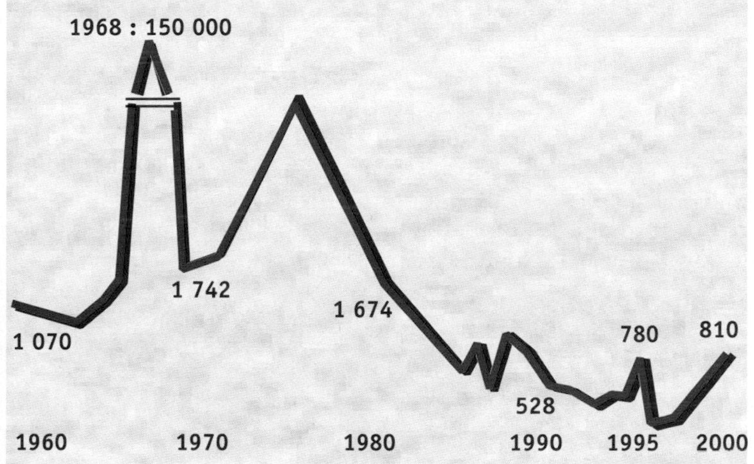

chiffres d'au moins 80 % dans les pays de l'Europe du Nord (Suède, Danemark, Finlande), plus de 25 % en Italie, au Royaume-Uni, en Allemagne ou aux Pays-Bas (voir tableau). La proportion est encore plus du double en Espagne et aux Etats-Unis. Les centrales syndicales françaises sont donc peu représentatives du monde du travail, ce qui n'est pas sans poser de problèmes pour l'évolution de la vie professionnelle.

Le déclin du syndicalisme remonte au début des années 80.

Jusqu'à la fin des années 70, l'audience des grandes centrales syndicales s'était globalement maintenue, l'important recul de la CGT ayant bénéficié aux autres organisations confédérées. Les grandes centrales ont vu ensuite leur fonds de commerce s'éroder avec la disparition progressive de la classe ouvrière (voir p. 307). La conception traditionnelle de la lutte des classes, censée oppo-

L'exception syndicale française

Taux de syndicalisation dans les principaux pays industrialisés (en % du nombre de salariés) :

	1995	Variation 1985-95
- Suède	91	+ 9
- Danemark	80	+ 2
- Finlande	79	+ 16
- Italie	44	- 7
- Autriche	41	- 19
- Royaume-Uni	33	- 28
- Allemagne	29	- 18
- Pays-Bas	26	- 11
- Portugal	26	- 50
- Japon	24	- 17
- Grèce	24	- 34
- Espagne	19	+ 60
- Etats-Unis	14	- 21
- France	9	- 37

Des conflits plus longs et plus durs

Les entreprises ont dû au cours des dernières années s'adapter à des contraintes nouvelles : passage à l'an 2000 ; réduction du temps de travail ; passage à l'euro. Elles n'ont pu ainsi initier des projets forts et mobilisateurs pour leurs salariés. Par ailleurs, les embauches massives de jeunes ont modifié les grilles de salaires et provoqué le mécontentement des employés en place. C'est pourquoi les grèves tendent à être plus nombreuses et plus dures. C'est le cas en particulier dans le secteur public, dont les avantages sont de plus en plus montrés du doigt.

Les conflits sont souvent liés aux différences de perspective des salariés et des dirigeants. Les premiers établissent leurs revendications en fonction des résultats passés de l'entreprise ; ils tendent donc à accroître leurs revendications lorsque les bénéfices augmentent. Les seconds se projettent au contraire dans le futur, anticipant des périodes de reprise ou de ralentissement. Ce décalage est à l'origine d'incompréhensions de part et d'autre et pourraient être évité dans le cadre d'un dialogue social repensé.

Les Français acceptent de plus en plus difficilement d'être pris en otages par les grèves, notamment celles qui touchent le secteur public. C'est pourquoi ils sont 82 % à réclamer l'instauration d'un service minimum dans les entreprises de transports publics en cas de grève, 89 % parmi les habitants de la région parisienne (*Le Figaro*/BVA, avril 2001).

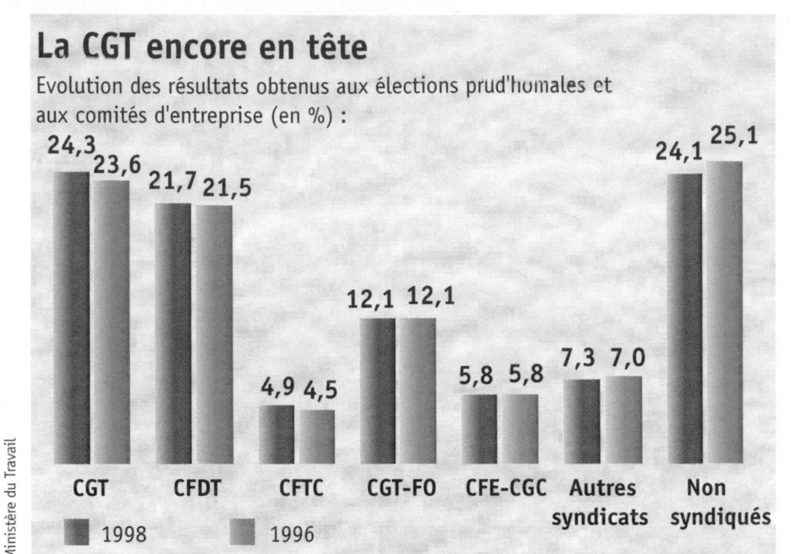

ser patrons exploiteurs et salariés exploités, a volé en éclats avec le développement des classes moyennes.

On a assisté au début des années 80 à une progression des candidats non syndiqués aux élections de comités d'entreprise. Entre 1985 et 1995, la proportion de salariés syndiqués a diminué de 37 %. La baisse a concerné toutes les catégories professionnelles et tous les âges, indépendamment de l'appartenance politique. S'ils sont restés attachés au principe de la représentation des salariés, les Français sont devenus plus réservés à l'égard de l'action syndicale. Les moins enclins à l'adhésion sont les femmes, les jeunes, les travailleurs précaires et les personnes les plus qualifiées.

Les Français reprochent aux syndicats leur manque d'adaptation...

Les sondages montrent que les Français ont le sentiment que le fonctionnement des syndicats est trop souvent lié à des arrière-pensées politiques et à la difficulté à voir le monde tel qu'il est. Il est vrai que certains syndicats ont été pris de court par les mutations sociales et économiques et que la rigidité de leurs positions idéologiques a eu des conséquences négatives pour des entreprises ou des secteurs entiers de l'économie, comme les chantiers navals, la presse ou les transports.

Les syndicats ont subi la montée de l'individualisme et n'ont pas toujours su se remettre en cause pour répondre aux inquiétudes des travailleurs. En se focalisant sur la lutte pour le pouvoir d'achat pendant la crise économique, ils ont certes permis aux salariés de continuer d'accroître leur pouvoir d'achat, mais ils ont aussi favorisé la montée du chômage. Les grandes centrales n'ont d'ailleurs pas toujours accordé la même attention aux chômeurs qu'aux actifs pourvus d'un emploi ou même qu'aux retraités.

C'est pourquoi, depuis 1986, beaucoup de conflits du travail se sont déroulés en dehors du cadre syndical ; les infirmières, les chefs de clinique, les cheminots, les étudiants, les routiers ou les salariés de la fonction publique en grève se sont tour à tour regroupés en coordinations nationales indépendantes. De nouveaux syndicats sont apparus. Ainsi, SUD (Solidaires unitaires démocratiques), créé en 1989, représente aujourd'hui près d'un quart du personnel de France Télécom et plus de 10 % de celui de La Poste.

... mais les centrales ont récemment repris l'initiative.

Les syndicats sont aujourd'hui présents dans 72 % des entreprises d'au moins 50 salariés, contre 63 % en 1993. Cet accroissement s'explique par les absorptions de PME sans délégué syndical par des plus grosses entreprises. D'autre part, les accords sur les 35 heures ont dû être signés avec des délégués syndicaux ou des salariés mandatés par une centrale, afin que les entreprises puissent percevoir les aides correspondantes de l'Etat. Enfin, on observe une montée de la syndicalisation, sensible par exemple dans la diminution de la part des non-syndiqués lors des élections aux comités d'entreprise depuis 1992.

La longue éclipse syndicale est donc peut-être en train de s'achever. En décembre 1995, les grévistes de la fonction publique avaient paralysé la France pendant plusieurs semaines, mais leur image avait souffert de cette épreuve de force qui avait entraîné des difficultés importantes pour de nombreuses entreprises. Elle semble s'être récemment redressée dans l'opinion, même si elle reste globalement peu favorable (voir encadré page suivante).

Une image moins négative

LES Français sont partagés dans leur appréciation des syndicats. En février 2000, 46 % des 18 ans et plus disaient faire confiance à leur action, 44 % non. Cette proportion est l'une des plus élevées enregistrées depuis 1997. Le minimum de confiance était de 31 % en septembre 1985.

38 % des Français (et 48 % des salariés) estiment que l'influence des syndicats n'est pas assez importante, 18 % qu'elle est trop importante (13 % des salariés), 35 % qu'elle est juste ce qu'il faut (32 %). Là encore, les proportions varient dans le temps : seuls 15 % des Français trouvaient l'influence des syndicats insuffisante en octobre 1983, contre 43 % en novembre 1992.

29 % des Français estiment que c'est la CGT qui traduit le mieux les aspirations et les revendications des travailleurs, devant la CFDT (18 %) et FO (15 %).

Groupe de journaux de province/Sofres

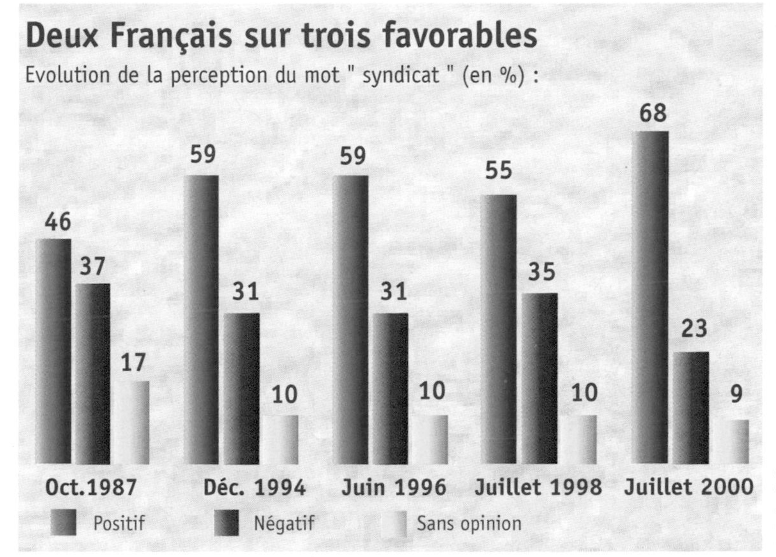

Le Point/Sofres pour 1987, *Le Nouvel Economiste*/Sofres pour 1994, presse de province/Sofres pour 1996, 1998 et 2000

Aujourd'hui, la poursuite de la construction européenne, le libéralisme dominant dans les échanges économiques et les contraintes liées à la globalisation sont des thèmes de débat majeurs sur lesquels les syndicats ont vocation à s'exprimer. Dans le monde agricole, la Confédération paysanne emmenée par José Bové a ainsi connu un rapide essor, grâce à ses actions spectaculaires contre la mondialisation. Mais les syndicats ne pourront se contenter de regretter le monde qui disparaît ou dénoncer les risques des évolutions en cours ; ils devront se montrer réalistes, constructifs et créatifs afin d'apporter leur contribution à l'adaptation de la France à ce nouveau monde, si possible même à son invention.

> 8 % des créations d'entreprises sont des filiales d'entreprises existantes.
> 9 % des actifs se disent victimes de brimades au travail. Un peu plus de la moitié des plaintes pour harcèlement moral émanent des fonctionnaires.
> En 1998, on estimait que moins de 200 entreprises étaient connectées à Internet. Elles le sont presque toutes aujourd'hui.
> 45 % du capital des entreprises françaises cotées au CAC 40 sont détenus par des non-résidents en France, contre 10 % à la fin des années 80.

Argent

L'ARGENT DES FRANÇAIS

La structure des chapitres consacrés à l'argent correspond au schéma ci-dessous (numéros de pages entre parenthèses) :

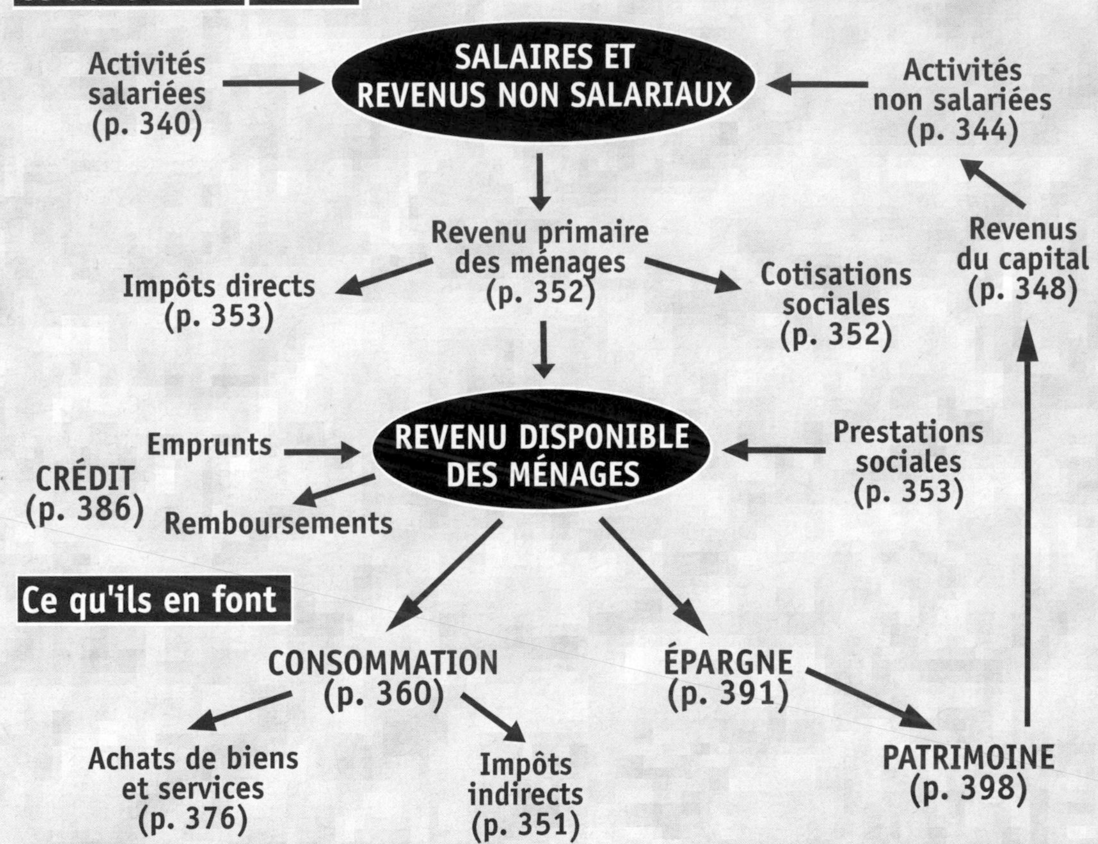

Pour déterminer le revenu réellement disponible des ménages, il faut ajouter aux revenus bruts du travail ceux du capital (placements), puis déduire les cotisations sociales (Sécurité sociale, chômage, vieillesse...) et les impôts directs prélevés sur ces revenus (impôt sur le revenu, taxe d'habitation, taxe foncière, impôts sur les revenus des placements). Le résultat de ces opérations, effectuées pour les différents membres du ménage, constitue le revenu primaire du ménage.
La prise en compte des prestations sociales reçues pour les différents membres du ménage (allocations familiales, remboursements de maladie, indemnités de chômage, pensions de retraite...) permet ensuite de déterminer le revenu disponible du ménage. Cette dernière notion est la plus significative. C'est en effet celle qui reflète le mieux la situation financière réelle des Français, car la consommation, l'épargne ou l'investissement sont généralement mesurés à l'échelle du ménage dans son ensemble plutôt qu'à celle des personnes qui le composent. Ces différentes étapes illustrent la complexité des transferts sociaux et leur incidence considérable sur le pouvoir d'achat des Français. Il faut enfin préciser que les chiffres figurant dans ces chapitres correspondent à des moyennes. Par définition, chacune d'elles gomme les disparités existant entre les individus du groupe social qu'elle concerne. Mais cette simplification, nécessaire, présente aussi l'avantage de la clarté...

Les revenus

Image de l'argent

Le rapport à l'argent s'est transformé depuis les années 80...

La relation d'un peuple à l'argent est déterminée par son histoire, sa religion, sa culture. La mentalité française a longtemps été hostile à l'argent, comme en témoigne la tradition littéraire et intellectuelle, de La Bruyère à Péguy, en passant par Balzac ou Zola. Les proverbes, qui sont souvent l'expression de la culture populaire, traduisent un certain mépris à son égard : « l'argent ne fait pas le bonheur » ; « peine d'argent n'est pas mortelle » ; « l'argent est bon serviteur et mauvais maître »...

Le rapport à l'argent dépend aussi du contexte socioculturel de chaque époque. Depuis le début des années 50, l'émergence d'une société matérialiste et individualiste a modifié les règles du jeu social et donné à l'argent une place centrale. Gagner de l'argent et rêver d'en avoir beaucoup est devenu peu à peu une ambition commune et légitime. La consommation, les loisirs et le plaisir sont apparus comme des valeurs au moins aussi importantes que le travail. L'atomisation des modes de vie et la nécessité pour chacun de maîtriser son propre destin ont rendu l'argent plus légitime et les écarts de revenus plus acceptables.

En rendant l'argent plus rare, la crise économique des années 70 et 80 l'a aussi rendu plus « cher », c'est-à-dire plus désirable par tous ceux qui ont vu (ou cru) leur pouvoir d'achat réduit ou menacé. La gauche, idéologiquement hostile au « mur de l'argent », a reconnu au début des années 80 la notion de profit. Cette évolution coïncidait avec l'affaiblissement des points de repère moraux et la médiatisation croissante de l'argent ; les salaires des uns et la fortune des autres ont fait la une des magazines et les beaux soirs de la télévision. Les enquêtes montrent depuis une acceptation croissante du principe de l'enrichissement personnel, qu'il provienne des salaires, des gains au jeu ou des plus-values en Bourse. On a pu croire que les Français étaient enfin réconciliés avec l'argent.

... sous l'effet notamment de sa dématérialisation.

L'argent connaît les trois états de la matière. Solide, il est constitué d'« espèces sonnantes et trébuchantes ». Zola parlait en son temps de la « toute-puissante pièce de cent sous ». Liquide, il se présente encore sous la forme de pièces et de billets ; l'argent peut être d'ailleurs « versé » sur un compte ou à un fournisseur. Il est en outre assimilé aux liquides corporels : le sang (l'argent est un autre sang, dit un proverbe allemand), l'eau et même le sperme, car il donne un pouvoir et un plaisir qui s'apparentent à ceux de la sexualité masculine. Mais l'argent liquide n'est plus aujourd'hui représentatif du pouvoir d'achat, sauf dans certains groupes sociaux qui exhibent volontiers des liasses de billets.

L'essentiel de l'argent disponible est en effet devenu invisible. Après le solide et le liquide, il s'est dématérialisé et s'apparente à un gaz. Mais ce gaz n'est pas incolore ; on parle de la couleur de l'argent, en référence à son passé matériel (le billet *vert* est devenu la référence planétaire, après le métal *jaune*). Il est en revanche inodore si l'on se réfère à la sagesse populaire (l'argent n'a pas d'odeur). Il est surtout indolore, avec notamment l'usage de la carte bancaire. L'acte de dépense est devenu virtuel, puisqu'il n'y a plus d'échange au sens strict ; lorsqu'elle est récupérée, la carte n'a pas changé en apparence. Sa présentation n'est d'ailleurs même plus nécessaire dans le cas des paiements électroniques. La dimension ludique de l'argent en est renforcée, comme le sentiment de puissance qu'il procure. Le passage à l'euro a montré que l'attachement à l'argent était au fond assez peu lié au support utilisé pour la monnaie.

La transparence favorise le voyeurisme.

Le changement d'attitude à l'égard de l'argent n'a pas entraîné la disparition totale et définitive des tabous qui lui sont liés. La décontraction affichée est en effet superficielle et les traditions culturelles et religieuses continuent de peser sur les attitudes. Il reste difficile en France d'interroger un citoyen sur ses revenus, plus peut-être que sur sa vie amoureuse. Les hommes politiques, les stars du show business ou les sportifs ont d'ailleurs

compris que ce n'est pas leur intérêt. Si l'on veut attirer la sympathie, mieux vaut avoir l'air pauvre et malade que riche et bien portant... Quelques patrons, sous la pression du Medef, ont cependant décidé de lever le voile. Les chiffres qui parviennent aux Français sur l'argent des autres sont donc rarement de véritables informations. Ils sont souvent « volés », repris et colportés sous forme de rumeurs invérifiables. En révélant les revenus (souvent très élevés) de leurs concitoyens les plus célèbres, les médias répondent à des interrogations légitimes. Mais ils favorisent un voyeurisme en partie responsable du climat social délétère. Le règne de l'argent fou est aussi celui de l'argent flou.

Les fonctions de l'argent

L'ARGENT est d'abord un moyen de transaction économique entre les individus ; il permet de substituer aux objets leur valeur marchande, résultat d'une négociation ou d'une confrontation entre l'offre et la demande. Mais il a en réalité beaucoup d'autres fonctions, à la fois collectives et individuelles. Il constitue sans doute le principal marqueur social, attribut du statut personnel et de la place occupée dans la hiérarchie. Il est ainsi au service de l'identité et participe à l'estime de soi, qui n'est évidemment pas indépendante du regard des autres. Pendant longtemps, l'argent a servi de lien social. Mais cette fonction s'est estompée au fur et à mesure qu'il se dématérialisait.

L'argent reste chargé de symboles et porteur d'imaginaire. Il est à la fois un instrument de rationalité (gestion) et d'irrationalité (compulsion, obsession). Il permet d'assouvir les désirs et il est en lui-même un objet de désir. Au point de devenir parfois une drogue ou d'engendrer la violence. Si l'argent ne fait pas le bonheur, chacun se comporte comme s'il en était la condition nécessaire, jusqu'à ce qu'il s'aperçoive qu'elle n'est pas suffisante.

DU 27 AVRIL AU 8 MAI 2001
Foire de Paris, la cité des envies.
FOIRE DE PARIS
www.foiredeparis.fr
Paris expo - Porte de Versailles

L'envie est satisfaite, mais aussi provoquée par l'argent

A l'inverse du protestantisme, la tradition catholique a toujours été circonspecte à l'égard de l'argent. De plus, le rôle central de l'Etat et la nationalisation des outils économiques (notamment des banques) ont été en France un frein à la reconnaissance de l'économie de marché. C'est pourquoi la culture économique y est plutôt moins développée que dans les pays anglo-saxons. L'Etat reste très présent dans les produits d'épargne, avec les livrets, plans et autres produits à fiscalité dérogatoire. La réticence de la gauche envers les fonds de pension est une autre illustration de cette exception française, qui devrait s'atténuer avec la poursuite de la construction européenne.

L'étalage des inégalités est source de frustration.

Beaucoup de Français se disent choqués par les revenus de certains personnages connus. Ils trouvent indécent que des animateurs de télévision gagnent l'équivalent de vingt ou trente ouvriers, parfois bien davantage lorsqu'ils sont les producteurs de leurs émissions. Ils se demandent s'il est normal qu'un patron de grande entreprise gagne à lui seul autant que 200 de ses salariés payés au SMIC, dans une société où plusieurs millions de personnes sont à la recherche d'un emploi. Ils s'étonnent que certains acteurs perçoivent 2 millions d'euros pour un film dont le tournage représente quelques semaines de travail. Ils s'interrogent sur la justification des revenus de certains sportifs et autres personnages très médiatisés. La piètre performance de l'équipe de France lors de la Coupe du monde de football en 2002 a ainsi mis en évidence le manque de motivation de champions devenus des hommes d'affaires.

Lorsqu'ils comparent ces sommes gigantesques à leurs propres revenus, beaucoup de Français se sentent frustrés. Ils le sont encore plus en comparant les patrimoines, dont certains se comptent en centaines de millions d'euros. Ces inégalités créent un sentiment d'injustice chez tous ceux qui ne peuvent espérer s'enrichir qu'en gagnant au Loto. Cela explique que

les valeurs matérialistes soient aujourd'hui contestées, que certains citoyens prônent un « retour à la morale » ou que d'autres prennent au contraire des libertés avec elle. S'il n'est plus honteux de gagner de l'argent, il reste suspect d'en gagner trop, trop vite.

Pouvoir, mode, morale, vie

Lorsqu'on analyse l'image de l'argent dans la société contemporaine, notamment au moyen d'études sémiométriques (analyse de la proximité sémantique des mots évocateurs des diverses conceptions de la vie et des systèmes de valeurs), on s'aperçoit qu'elle est corrélée à quatre notions distinctes. L'argent est considéré comme un outil de *pouvoir* et de domination sur les autres. Il est aussi au service de la *mode* et de la *modernité*, car il permet de se doter de ses attributs les plus visibles. Il pose par ailleurs la question de la *morale*, car il est considéré comme corrupteur et inégalitaire. Enfin, l'argent évoque la *vie*, dont il est à chaque moment l'un des outils principaux.

Les Français souhaitent une réconciliation de l'argent et de la morale...

La succession des « affaires » mettant en cause des personnages publics (hommes politiques, chefs d'entreprise, responsables d'associations...) a convaincu depuis quelques années les Français d'un recul important de la morale. Le gaspillage de l'argent public les choque aussi de plus en plus (voir p. 252). Il apparaît comme la conséquence d'un affairisme d'Etat, d'une incompétence institutionnelle et d'une irresponsabilité individuelle qui expliquent la forte dégradation de l'image des acteurs institutionnels.

Les citoyens en retirent l'impression que certains vivent dans un autre monde où la vertu, le sens de la mesure et celui de l'intérêt général n'ont plus cours, de même que la loi commune. Ils constatent avec tristesse que l'argent est au centre de la société et que tous les moyens sont bons aux yeux de certains pour en avoir davantage ; qui ne veut pas gagner des millions ?

Cette évolution entraîne un fort besoin de moralisation. 72 % des Français (contre 22 %) sont ainsi favorables à la mise en place d'une taxe sur les échanges internationaux de capitaux (*Figaro Magazine*/Ipsos, mai 2000). La méfiance prévaut aujourd'hui dans les relations aux institutions. Les dons aux associations humanitaires ont ainsi diminué récemment de façon sensible (voir p.240).

L'assistanat en question

Le désir de réconcilier l'argent et la morale ne s'exprime pas seulement à l'égard de ceux qui s'enrichissent facilement. Il concerne aussi le système d'assistance aux personnes modestes. 29 % des Français trouvent ainsi qu'il y a trop de prestations familiales accordées aux plus défavorisés (Crédoc, 2002). 37 % estiment que la pauvreté est la conséquence d'un manque d'effort. 37 % pensent que la prise en charge des familles défavorisées leur enlève le sens des responsabilités. 53 % considèrent que le RMI n'incite pas à travailler. L'opinion publique se montre de plus en plus favorable à ce que l'indemnisation du chômage soit conditionnée à une recherche d'emploi active. La France laborieuse et ambitieuse se dresse ainsi contre une autre France, qu'elle juge paresseuse et profiteuse.

... mais continuent de préférer l'argent au temps.

Les Français affichent depuis longtemps une préférence pour l'accroissement de leur pouvoir d'achat plutôt que de leur temps libre. Ceux qui disent préférer le temps sont logiquement d'autant plus nombreux qu'ils disposent de revenus élevés. Le choix est cependant faussé par le fait que le temps libre s'est accru dans des proportions considérables depuis un siècle (voir *Le temps*). L'évolution récente de la durée du travail, avec la réduction à 35 heures hebdomadaires, n'a fait que renforcer une évolution historique lourde.

Les deux notions de temps et d'argent ne doivent cependant pas être opposées. L'accroissement du temps libre n'a pas empêché les Français de voir leurs revenus augmenter de façon spectaculaire (voir *Revenus disponibles*), même si tous les groupes sociaux n'en ont pas également profité. Par ailleurs, la volonté de gagner plus d'argent est souvent une façon de chercher à avoir plus de temps (en achetant des produits et services qui en font gagner) ou de se procurer du « bon temps » (vacances, loisirs...). Le temps pourrait bien devenir le luxe du XXIe siècle. Mais il implique d'abord de disposer de « suffisamment » d'argent et ce seuil est sans cesse repoussé vers le haut.

> 77 % des Français (contre 22 %) jugent le système fiscal français complexe.

L'argent plus que le temps

Evolution de la préférence entre une augmentation de pouvoir d'achat et un accroissement du temps libre (en % des actifs occupés) :

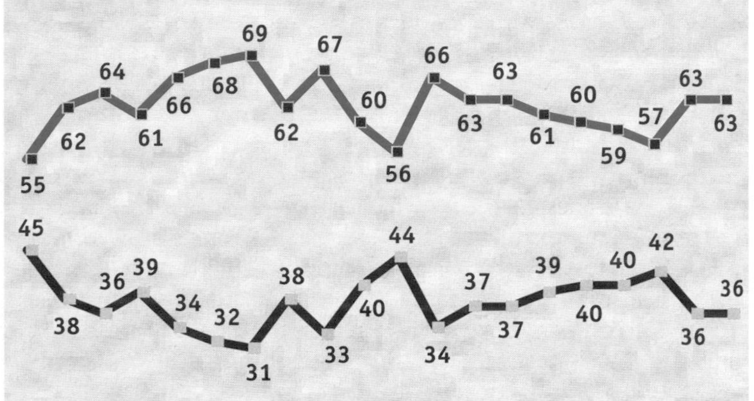

1983 84 85 86 87 88 89 90 91 92 93 94 95 96 97 98 99 2000 01 02

Une amélioration du pouvoir d'achat

Un temps libre plus long

Crédoc

Salaires du privé	
Salaires annuels nets de prélèvement par grande catégorie socioprofessionnelle en 2000 (en euros) :	
- Cadres	39 360
- Professions intermédiaires	21 190
- Employés	14 850
- Ouvriers	14 960
ENSEMBLE	**20 440**

INSEE

Salaires

Les salariés à temps plein des entreprises privées ont gagné en moyenne 1 700 € net par mois en 2000...

Le salaire moyen dans les entreprises du secteur privé (et semi-public) s'est élevé à 25 130 € bruts. Le salaire moyen net de cotisations sociales, CSG (contribution sociale généralisée) et CRDS (contribution au remboursement de la dette sociale) était de 20 440 €, soit 1 700 € par mois. La part des prélèvements sociaux à la source était de 20,5 %, inchangée depuis plusieurs années. Ces chiffres concernent l'ensemble des salariés travaillant à temps complet, hors agents de l'Etat et des collectivités territoriales, salariés agricoles, personnels des services domestiques, salariés de l'éducation, de la santé et de l'action sociale, apprentis et stagiaires. Ils comprennent les primes et indemnités. Le salaire net moyen avait dépassé pour la première fois 1 500 € en 1993.

Les revenus évoluent à la fois avec les prélèvements à la source (cotisations sociales, CSG, CRDS), l'évolution des salaires de base et des primes, ainsi que le nombre d'heures de travail effectuées (heures supplémentaires, chômage partiel). Le pouvoir d'achat global des salaires nets après inflation (1,7 % en 2000) a augmenté de 0,5 % en 2000, contre 1,6 % en 1999. L'évolution est moins favorable à structure constante, c'est-à-dire sans tenir compte des évolutions personnelles liées à l'ancienneté et aux changements de poste ; le pouvoir d'achat des salaires nets a baissé de 0,2 %, après une hausse de 1 % en 1999 et de 0,7 % en 1998.

... et ceux du secteur public ont perçu en moyenne 1 944 €.

Le salaire brut moyen des agents de la fonction publique s'est élevé à 27 744 € en 2000, soit 2 312 € par mois. Leur salaire net se montait à 23 323 €, soit 1 944 € par mois. Il était de 27 348 € pour les seuls enseignants (2 279 € par mois). Les personnes concernées sont les agents des ministères civils de l'Etat, titulaires et non titulaires, travaillant en métropole, soit 1,8 million de salariés. Elles comprennent les enseignants des établissements privés sous contrat et les emplois jeunes de la Police nationale et de la Justice. Les agents en congé de fin d'activité ne sont pas inclus, de même que les salariés des établissements publics (notamment les emplois jeunes dans les établissements d'enseignement), les salariés de La Poste et de France Télécom devenus exploitants publics depuis 1991.

Le pouvoir d'achat des salaires (bruts ou nets) s'est accru de 1,9 % en euros courants en 2000, et de 0,2 % en monnaie constante (après inflation) contre 1,2 % en 1999. A structure constante, c'est-à-dire à

corps, grade et échelon identiques, il a diminué de 0,1 %, contre une progression de 0,8 % en 1999 et 0,3 % en 1998.

Salaires du public

Salaires nets de prélèvements selon la catégorie socioprofessionnelle ou le statut en 2000 (en euros constants) :

Cadres	**28 849**
- Administratifs et techniques	38 136
- Enseignants	27 348
Professions intermédiaires, dont :	**20 076**
- Enseignement	18 656
- Administration	22 429
- Police et prisons	27 269
- Techniques	20 996
Employés et ouvriers, dont :	**17 072**
- Employés administratifs	17 175
- Police et prisons	21 191
- Ouvriers, agents de service	14 631
Titulaires	**24 298**
- Catégorie A	29 549
- Catégorie B	21 698
- Catégorie C	17 576
ENSEMBLE	**23 323**
dont tous enseignants	*24 948*

Les primes comptent pour plus d'un dixième du salaire.

Les primes et les rémunérations annexes perçues par les salariés du secteur public représentaient 4 235 € en 2000, soit 13 % du salaire brut. La proportion était presque identique dans le secteur privé : 14 %. Mais les primes ou les compléments de salaire ne concernent que huit salariés du privé sur dix, contre la totalité de ceux du public. La moitié environ sont mensuelles ; dans deux cas sur trois, elles ont une périodicité fixe, comme le treizième mois, les primes de vacances ou de rentrée. Celles liées à l'ancienneté ou à la situation familiale sont perçues par 40 % des salariés.

Les ouvriers et les professions intermédiaires sont plus concernés que les autres catégories et leurs primes comptent pour une part plus importante de leur rémunération. Un sur quatre perçoit des primes de compensation pour des contraintes liées au poste de travail, près de quatre sur dix des primes de performance (individuelle, d'équipe, ou de l'entreprise). Les femmes reçoivent moins de compléments salariaux que les hommes, mais l'écart diminue lorsqu'on s'élève dans la hiérarchie. Parmi les ouvriers, les hommes effectuent deux fois plus d'heures supplémentaires que les femmes et leurs primes mensuelles représentent une part plus importante de leur salaire (environ 9 % contre 6 %).

Une hausse ininterrompue, mais réduite par la crise

Dans le secteur privé, la hausse du salaire net moyen a été de 4 % par an en monnaie constante entre 1951 et 1976. Elle a été réduite à 0,5 % par an à partir de 1977, avec l'arrivée de la crise économique. L'accroissement de la qualification des salariés explique près du quart de l'augmentation entre 1950 et 1978. Les écarts de salaires entre les sexes ont diminué au fur et à mesure de la féminisation de la population active. En revanche, les différences de salaires entre les tranches d'âge se sont accrues jusqu'à la fin des années 80, alors que les jeunes étaient de plus en plus qualifiés.

Le coût salarial, incluant les charges sociales salariales et patronales, a augmenté plus vite que le salaire net. Depuis 1979, l'augmentation sensible des taux de cotisation sur la partie supérieure au plafond de la Sécurité sociale et, plus récemment, les allègements de charges sur les bas salaires, ont renchéri davantage le coût des salariés les plus qualifiés.

Le salaire moyen est plus élevé dans le secteur public...

Le salaire moyen des agents de l'Etat était supérieur de 14 % à celui des entreprises du secteur privé (et semi-public) en 2000. Mais la comparaison directe des revenus n'est pas pertinente, car la structure des emplois diffère. La qualification moyenne est en effet supérieure dans le secteur public, du fait notamment de la forte proportion d'enseignants et de la plus faible présence d'ouvriers. A sexe, âge, diplôme et poste identiques, on constate que le secteur public verse des salaires supérieurs à ceux du privé aux femmes, aux personnes peu diplômées et en province. Pour les hommes, les salaires perçus dans le public sont plus élevés jusqu'au niveau du bac inclus ; la situation est inversée pour les diplômes supérieurs, l'écart se creusant avec l'âge.

Les agents du secteur public ont un pouvoir d'achat moyen supérieur à celui du secteur privé depuis 1992, du fait des revalorisations catégorielles du début des années 90. Exprimé en monnaie constante, le revenu des fonctionnaires d'Etat a augmenté de 10 % entre 1990 et 2000, alors que celui des salariés du privé

n'augmentait que de 3 %. L'écart a cessé de se creuser au cours des dernières années. Le salaire minimum des fonctionnaires est également plus élevé que le SMIC (il était de 1 145 € brut par mois au 1er juin 2001, soit 971 € net, contre 1 127 et 890 pour le SMIC). Enfin, les charges salariales des fonctionnaires sont inférieures d'un quart à celles des travailleurs du privé (16 % du salaire contre 20 %).

... et la dispersion est moindre que dans le secteur privé.

On peut mesurer l'éventail des salaires en examinant le rapport entre ceux du neuvième et dernier décile (montant au-dessus duquel se trouvent les 10 % de salariés les mieux rémunérés) et ceux du premier décile (montant au-dessous duquel se trouvent les 10 % les moins bien rémunérés). Ce rapport avait diminué jusqu'en 1984. Il était remonté entre 1985 et 1993. Tous secteurs confondus (public et privé), il s'établissait à 2,9 en 1989 contre 2,6 en 1983.

Au cours des dernières années, l'écart a retrouvé le niveau antérieur et la hiérarchie des salaires est stable. Dans le secteur privé, le salaire net des cadres a augmenté un peu moins vite que celui des employés ou des ouvriers. La forte hausse du salaire horaire ouvrier, conjuguée à une montée de l'inflation, a entraîné celle du SMIC. Le salaire net moyen des cadres du secteur privé, y compris les chefs d'entreprise salariés, s'est élevé à 39 360 € en 2000 (3 280 € par mois) contre 14 960 € pour les ouvriers (1 247 € par mois), soit un rapport de 2,6. Le rapport entre déciles était de 3,1 en 2000 comme en 1999. Il était inférieur dans le secteur public : 2,4 en 2000 comme en 1999.

Les salaires varient largement selon les caractéristiques individuelles, ...

Le principal facteur influant sur le niveau de salaire est la profession : les cadres du privé gagnent en moyenne 2,6 fois plus que les ouvriers ou les employés (salaire net) et 1,9 fois plus que les professions intermédiaires (techniciens, agents de maîtrise...). Le salaire mensuel médian (tel que la moitié des salariés gagne moins, l'autre moitié plus) était de 1 376 € en 2000. La différence entre le salaire net moyen (1 703 €) et le salaire médian s'explique par la dispersion plus forte au niveau des hauts salaires. Le sexe joue aussi un rôle important, mais les écarts entre hommes et femmes (23 % dans le privé au détriment de ces dernières) ne peuvent s'apprécier qu'à poste, responsabilité et ancienneté comparables, ce qui est rarement le cas (voir ci-après).

L'âge intervient de façon non linéaire dans le déroulement de la vie professionnelle. En début de carrière, un homme cadre gagne près de moitié plus qu'un employé ou un ouvrier. Les écarts s'accentuent par la suite, car la progression des salaires est moins importante pour les professions les moins qualifiées ; à 50 ans, le salaire d'un homme cadre est environ le double de celui d'un cadre débutant, alors que le ratio n'est que de 1,2 pour les ouvriers. L'ancienneté dans l'entreprise apparaît comme un facteur plus important que l'âge pour les professions les moins qualifiées, qui en bénéficient davantage que les cadres ou les professions intermédiaires.

C'est le niveau d'instruction qui est le plus déterminant dans le montant et l'évolution du salaire. Les salariés possédant un diplôme d'enseignement supérieur perçoivent en moyenne des revenus moitié plus élevés que ceux qui se sont arrêtés aux études secondaires. La différence n'est que de 40 % au Royaume-Uni, 35 % en Suède, 32 % en Espagne.

... le secteur d'activité et le type d'entreprise.

Le secteur d'activité est un facteur prépondérant. Les salaires moyens varient du simple au double selon le domaine, avec un maximum dans le secteur pétrolier ou la chimie et un minimum dans l'habillement et le commerce. Mais les poids respectifs des catégories socioprofessionnelles y sont très différents. Les salaires moyens des ouvriers sont par exemple deux fois plus élevés dans l'aéronautique que dans l'habillement.

Salaires de patrons

Un dirigeant sur quatre perçoit plus de 17 000 € net par an (hors dividendes, parts de société ou stock-options éventuels), un sur quatre plus de 46 000 €. Le rapport est ainsi de un à trois, contre un à deux pour les autres salariés. Un gérant de SARL employant moins de dix employés percevait en 2000 un salaire net moyen de 23 000 €, alors qu'un PDG de société anonyme de plus de 200 salariés gagnait plus de 150 000 €.

Les écarts entre hommes et femmes sont également plus élevés que dans les autres catégories. Ces dernières représentent moins de 20 % des effectifs des dirigeants ; celles qui sont gérantes gagnent en moyenne 20 % de moins que les hommes et l'écart est de 30 % pour celles qui sont PDG.

La taille de l'entreprise est un autre facteur déterminant. Les salariés de celles qui comptent plus de 500 salariés gagnent en moyenne environ 20 % de plus que dans celles qui ont 10 à 49 employés. Dans un même secteur et à taille égale, on constate aussi que le dynamisme de l'entreprise joue un rôle croissant.

Enfin, les salaires varient selon la région. Celui d'un Francilien est en moyenne supérieur d'environ 40 % à celui des habitants des autres régions.

Les femmes gagnent en moyenne 20 % de moins que les hommes dans le privé.

Mesurée dans l'autre sens, l'inégalité est encore plus spectaculaire : les hommes gagnent en moyenne 25 % de plus que les femmes dans les entreprises privées et semi-publiques. En 2000, les écarts variaient de 9 % (employés) à 32 % (cadres) en faveur des hommes. Ils sont plus importants en valeur relative pour les revenus les plus élevés et s'accroissent avec l'âge, ce qui tend à prouver que les évolutions de carrière sont moins favorables aux femmes. Ils sont moins importants dans le secteur public que dans le privé.

Mais la comparaison des salaires moyens n'est pas directement pertinente. Elle traduit le fait que les femmes occupent encore de façon générale des postes de qualification inférieure à ceux des hommes, même à fonction égale. Ainsi, en 2000, 18 % des hommes salariés étaient cadres, contre 12 % des femmes. La durée moyenne du travail féminin est également plus courte et comporte moins d'heures supplémentaires que celle des hommes. Enfin, les femmes bénéficient d'une moindre ancienneté.

L'écart entre les sexes tend à diminuer lentement et de façon irrégulière depuis le début des années 50. Chez les ouvrières, il s'était creusé entre 1950 et 1967, puis il avait diminué de 1968 à 1975 pour retrouver le niveau de 1950. Chez les cadres supérieurs, la tendance au redressement était apparue plus tôt (vers 1957), mais elle avait été enrayée à partir de 1964. Le resserrement général qui s'est produit à partir de 1968 est dû principalement au fort relèvement du SMIG (puis du SMIC) qui a profité davantage aux femmes, plus nombreuses à percevoir des bas salaires.

Sexe, salaire et profession

Revenus par sexe et par grande catégorie socioprofessionnelle dans le secteur privé en 2000 (en euros) :

Hommes	**21 940**
- Cadres	41 940
- Professions intermédiaires	22 380
- Employés	15 770
- Ouvriers	15 390
Femmes	**17 540**
- Cadres	31 690
- Professions intermédiaires	19 290
- Employées	14 420
- Ouvrières	12 540

INSEE

Plus d'un salarié sur dix perçoit le salaire minimum.

2,6 millions de salariés, soit 14 % de la population active, étaient rémunérés au SMIC (salaire minimum interprofessionnel de croissance) au début 2002. La proportion est beaucoup plus élevée dans les petites entreprises (30 % dans celles de moins de 10 salariés) que dans les grandes (4 % dans celles qui en comptent au moins 500). Les salariés du secteur tertiaire sont deux fois plus concernés que ceux de l'industrie (41 % des effectifs de l'hôtellerie, 32 % de ceux de l'habillement). La revalorisation de juillet a porté le montant du SMIC à 1 154 € bruts par mois pour 169 heures et 1 036 € pour 35 heures.

Les femmes sont deux fois plus nombreuses que les hommes (16 % contre 8 %). La proportion de smicards varie avec l'âge : près d'un jeune de moins de 26 ans sur trois. Les écarts entre les tranches d'âge et les sexes tendent cependant à se réduire. Les personnes concernées sont aussi celles qui subissent les conditions d'emploi les plus précaires ;

Du simple au double en Europe

Salaires mensuels minimaux dans l'Union européenne* et aux Etats-Unis (février 2002, en euros) :

Luxembourg	1 290
Pays-Bas	1 207
Belgique	1 163
France	1 126
Royaume-Uni	1 124
Etats-Unis	1 011
Irlande	1 009
Espagne	516
Grèce	473
Portugal	406

* Il n'existe aucune législation imposant un salaire minimum au niveau national en Allemagne, Autriche, Danemark, Italie, Finlande et Suède.

Eurostat

20 % ont des contrats à durée limitée, contre 5 % des autres salariés. Elles sont deux fois plus nombreuses que les autres salariés à travailler le samedi (une sur trois).

La proportion de bas salaires (en dessous des deux tiers d'un salaire médian, tel que la moitié des salariés gagnent plus, l'autre moitié moins) était passée de 13 % en 1976 à 10 % en 1987. Elle a peu évolué depuis, mais elle continue de s'accroître pour les ouvriers non qualifiés, les employés du commerce et les hommes jeunes.

Revenus non salariaux

2,6 millions d'actifs occupés ont un statut de non-salarié, contre 3,4 millions en 1991.

Les non-salariés représentaient 11 % de la population active occupée en 2001, contre 12 % en 1999. Parmi eux, 270 000 travaillent à temps partiel. La moitié (1,3 million) sont des indépendants, un million sont des employeurs et 263 000 des aides familiaux. Les plus nombreux travaillent dans l'artisanat (687 000), l'agriculture (614 000), le commerce (621 000), les professions libérales (295 000) et les professions intermédiaires de l'enseignement (132 000). Les hommes sont largement majoritaires : 1,7 million, soit 67 %.

Le nombre des non-salariés est en diminution régulière depuis une quarantaine d'années ; il était de 6,5 millions en 1954 et de 4 millions en 1972. On constate une forte disparité des revenus à l'intérieur de chaque catégorie.

De nombreux facteurs influent sur l'évolution des revenus des non-salariés.

Par principe, les revenus des professions non salariées sont des bénéfices, qui dépendent d'abord du chiffre d'affaires réalisé. Celui-ci est lié à l'évolution de la consommation ou de la demande pour un produit ou un service donné. Les bénéfices dépendent aussi des charges supportées. Les principales sont la masse des salaires versés aux employés, le coût des matières premières éventuellement utilisées et les investissements en matériel nécessaires pour maintenir ou accroître le volume d'activité et la productivité (amortissements).

Par ailleurs, la variation, locale ou nationale, du nombre d'entreprises dans une profession donnée modifie les données de la concurrence, donc l'activité et les prix. Les changements qui interviennent dans les différents circuits de distribution modifient la part de marché qui revient aux professions concernées. Enfin, l'évolution des prix relatifs a une incidence considérable à la fois sur l'activité et sur la marge bénéficiaire des non-salariés.

Derrière ce paysage,
il y a des agriculteurs
qui le préservent.
Avec passion.
AGRICULTEURS D'AUJOURD'HUI
CAVAC

Des revenus agricoles aussi variés que les activités

Les revenus des agriculteurs sont très variables selon l'activité...

Les revenus des agriculteurs varient par principe d'une année à l'autre, en fonction des conditions d'exploitation et des marchés. Mais la réforme de la politique agricole commune (PAC) a fortement modifié l'origine de leur revenu, avec le contingentement de la production par un gel des terres, une réduction du soutien des prix compensée par des aides directes.

La diminution du nombre d'exploitations (voir p. 306), accentuée par les mesures de préretraite instituées en 1992, s'est traduite par l'accroissement de leur superficie moyenne, de sorte que le résultat agricole net par actif avait augmenté de 5 % par an entre 1991 et 1998 en monnaie constante. Il a diminué de 2 % en 1999 et s'est stabilisé en 2000 ; le revenu agricole moyen par exploitation s'élevait à 22 900 €, en baisse de près de 7 % par rapport à 1998, mais le rythme de croissance moyen reste positif (6,4 % par an depuis 1993). On observe de fortes disparités selon la taille de l'exploitation. La fourchette est de un à sept entre une exploitation de moins de 24 hectares (en équivalent blé) et une unité de plus de 150 hectares. Elle varie aussi largement selon la spécialité, de 16 000 € pour un éleveur de bovins à 54 000 € pour un viticulteur.

Mais la plupart des foyers d'agriculteurs (90 %) disposent d'autres sources de revenus que leur exploitation, notamment les traitements et salaires des conjoints, les revenus de la propriété, etc. Cet apport représente près du quart du revenu global moyen. De sorte que le revenu total annuel est de l'ordre de 30 000 € en 2001. L'existence de ces revenus d'appoint atténue les inégalités entre les diverses catégories d'agriculteurs.

... de même que les bénéfices des professions libérales de santé.

Les revenus de ces professions dépendent étroitement de l'évolution de la tarification des actes, de la démographie et des politiques menées pour réduire les dépenses dans ce domaine. Le revenu net moyen des auxiliaires médicaux (charges sociales et professionnelles déduites, avant impôts) a retrouvé une évolution positive depuis 1997 ; il s'élevait à 27 000 € en 1999. Celui des chirurgiens-dentistes était de 58 200 €, celui des médecins de 62 200 €. Les spécialistes ont gagné en moyenne 93 000 €, avec un large éventail : 49 000 € pour un pédiatre, 168 000 € pour un radiologue. Derrière les radiologues, les spécialistes les mieux rémunérés sont les anesthésistes (environ 137 000 € brut), les urologues (130 000 €), les chirurgiens (115 000 €), les cardiologues (95 000 €) et les ophtalmologistes (91 000 €). Les autres spécialistes gagnent entre 69 000 et 84 000 €. Les charges représentent en moyenne 45 % des revenus bruts.

Le pouvoir d'achat du revenu libéral des professionnels de santé a connu une baisse au début des années 80, avant de se redresser. Entre 1993 et 1999, il a baissé de 1,9 % pour les masseurs-kinésithérapeutes, 1,2 % pour les infirmiers, 0,5 % pour les généralistes. L'évolution a été plus favorable pour les spécialistes (+ 0,7 % par an). Les rémunérations des auxiliaires de santé exerçant à titre libéral se sont accrues sensiblement pendant les années 80, puis plus modérément depuis le début des années 90. L'évolution du revenu libéral des professionnels de santé a été nettement plus favorable en 1998 qu'au cours des années 1993-1997. Elle n'a pas suffi pour compenser la baisse de pouvoir d'achat sur cinq ans des chirurgiens-dentistes (0,6 % par an), des infirmiers (1,4 %) et des masseurs-kinésithérapeuthes (2,3 %).

Les revenus des petits commerçants et artisans ont connu une évolution moins favorable.

Depuis 1986, les commerces (hors pharmacies) ont pour la plupart enregistré une baisse de leurs résultats en monnaie constante, à l'exception de ceux d'alimentation spécialisée, de produits d'hygiène beauté et de culture-loisirs, qui ont connu une faible progression.

Un redressement a eu lieu entre 1998 et 2000, conséquence de la reprise économique, mais le niveau de 1993 n'a pas été retrouvé (la baisse a été de 0,4 % par an depuis 1993). Le revenu net moyen de l'ensemble des petits entrepreneurs individuels de l'artisanat, du commerce et des services était un peu supérieur à 21 000 € en 2000. L'échelle va de un à sept entre le revenu moyen des transporteurs de voyageurs (environ 12 000 €) et celui des pharmaciens (86 000 €).

Les commerces liés à la santé (pharmacies, opticiens) arrivent très largement en tête du palmarès, avec plus de 4 600 € de revenu net mensuel (résultat courant d'exploitation), alors que celui de certains commerces de services comme les teintureries ou les cordonneries est inférieur à 1 500 €. Le revenu d'un patron de café-tabac se montait à 3 400 € en 2000, celui d'un patron d'hôtel restaurant à 2 500 €. Les commerces d'alimentation générale, ceux d'équipement de la personne et du foyer ont connu une stagnation. La situation a été plus favorable dans les services, où les revenus ont en général nettement augmenté. La hausse a été limitée dans le secteur de l'artisanat et du bâtiment. Les transports routiers de marchandises ont connu une baisse sensible, notamment entre 1986 et 1993.

Petits et grands patrons

Le salaire net moyen des dirigeants de sociétés était un peu supérieur à 39 000 € en 2000. Il a connu une reprise depuis 1998, après la baisse des revenus réels entre 1993 et 1996. Le pouvoir d'achat moyen s'est cependant accru de 0,4 % par an depuis 1993. La dispersion est plus importante au sein des dirigeants salariés que parmi les salariés non dirigeants : 31 000 € pour les dirigeants d'entreprises de moins de vingt salariés en 2000, contre 160 000 pour ceux d'entreprises de plus de 500 salariés.

> Le patron le mieux payé de France était Jean-Marie Messier, avec 4,5 millions d'euros par an, sans compter les actions attribuées.

Le palmarès des commerces	
Revenu annuel moyen de certains commerces (2000, en euros) :	
- Pharmacie	109 585
- Optique, lunetterie	64 668
- Ambulance et taxi-ambulance	48 052
- Agence immobilière	44 065
- Prothésiste dentaire	40 592
- Café-tabac, jeux, journaux	39 519
- Hôtel sans restaurant	37 275
- Boulangerie-pâtisserie	36 183
- Tabac, journaux, jeux	34 360
- Plomberie, chauffage	33 951
- Garage (avec carburant)	32 185
- Charcuterie	31 844
- Boucherie-charcuterie	29 640
- Hôtel-restaurant	29 199
- Restaurant	29 063
- Electroménager, radio, TV, hifi	28 324
- Librairie, papeterie, presse	27 072
- Prêt-à-porter	23 955
- Café-restaurant	23 951
- Fleurs	23 669
- Chaussures	22 905
- Café	21 586
- Salon de coiffure	18 487
- Taxi	16 760

FCGA

La pyramide des revenus non salariaux s'est élargie à la base et au sommet.

Au sein d'une même profession, les situations individuelles font apparaître des écarts considérables. Parmi les professions libérales, un avocat au Conseil d'Etat et à la Cour de cassation perçoit en moyenne plus de 13 000 € par mois, soit cinq fois plus qu'un architecte. Chez les artisans, commerçants et membres des professions de services, l'écart est de un à quatre. Certains médecins généralistes gagnent l'équivalent du SMIC, alors que des grands spécialistes de renom perçoivent des revenus très élevés (mais la hausse du tarif des consultations de juin 2002 devrait sensiblement accroître le revenu moyen). On trouve aussi des fortes disparités chez les agriculteurs ou les restaurateurs. Enfin, il faut préciser que les montants officiels des revenus non salariaux sont probablement sous-évalués, du fait d'une évasion fiscale plus fréquente (sans doute parce que plus facile) dans les professions concernées.

12 millions de Français perçoivent une pension de retraite.

Un Français sur cinq reçoit une pension directe. 600 000 personnes ne perçoivent qu'une pension de réversion et 700 000 le minimum vieillesse. Le montant moyen des retraites était de 1 200 € par mois en 2001 (voir p. 186). Entre 1990 et 2001, les pensions de droit direct (hors réversion) ont augmenté en moyenne de plus de 3 % par an en moyenne, alors que l'inflation était à peine supérieure à 2 %. Dans le même temps, la situation des actifs a été moins favorable, du fait du développement de la précarité et du travail à temps partiel. La conséquence est que les ménages d'inactifs ont aujourd'hui un revenu par personne au moins équivalent à celui des actifs, alors qu'il était inférieur de 20 % en 1970. Cette situation se retrouve aux deux extrêmes de la pyramide des revenus : les 10 % de ménages retraités les plus pauvres disposent d'un revenu par unité de consommation supérieur à celui des 10 % de ménages d'actifs les plus pauvres ; il en est de même pour les 10 % de ménages les plus aisés.

Le pouvoir d'achat des retraites nettes de cotisations sociales a cependant baissé depuis 1994 (sauf pour les bénéficiaires du minimum vieillesse). Les pensions sont soumises depuis 1991 à la CSG (Contribution sociale généralisée), qui a été majorée en 1993 et 1997. Il s'y est ajouté en 1996 la CRDS (Contribution au remboursement de la dette sociale), de sorte que les prélèvements obligatoires sur les pensions des régimes de base sont passés de 1,4 % en 1990 à 6,7 % en 1998. Ceux concernant les pensions des régimes

complémentaires sont passés de 2,4 % à 7,7 %.

Le financement des retraites apparaît aujourd'hui très menacé (voir p. 181). A l'horizon 2020, le déficit du régime général s'élèvera à 15 milliards d'euros, celui de la fonction publique d'Etat à 18 milliards, celui des collectivités locales et de la fonction publique hospitalière à 8 milliards, celui des régimes complémentaires à 1,5 milliard.

Les retraites en retrait

Montant des retraites par sexe, selon le régime de base d'affiliation et le type de carrière (1997, en euros par mois) :

	Hommes	Femmes
UN SEUL REGIME DE BASE		
- Salariés du secteur privé (régime général et régimes complémentaires)	1 603	1 022
- Agents de la fonction publique d'Etat (civils et militaires)	2 015	1 706
- Agents des collectivités locales (CNRACL)	1 679	1 410
- Salariés agricoles (MSA)	806	965
- Autre régime (EDF, SNCF, RATP, Mines, Marine...)	1 818	1 047
Ensemble des anciens salariés	1 637	1 109
- Exploitants agricoles (chefs d'exploitation, conjoints, aides...)	464	263
- Artisans (CANCAVA)	789	504
- Commerçants (ORGANIC)	534	571
- Professions libérales	2 426	-
Ensemble des anciens non-salariés	**493**	**268**
ENSEMBLE DES UNIPENSIONNES	**1 489**	**938**
PLUSIEURS REGIMES DE BASE		
Régime de base et :		
- salarié agricole	1 162	846
- exploitant agricole	1 002	522
- artisan	1 053	756
- commerçant	1 192	806
- fonctionnaire ou CNRACL	1 759	1 259
- Un autre régime de base	1 729	1 233
- Deux autres régimes de base ou plus	1 211	968
Salariés agricoles et exploitants agricoles		
- uniquement	638	394
- avec un autre régime	888	575
- Autres situations à deux régimes ou plus	1 383	877
ENSEMBLE DES MULTIPENSIONNES	**1 229**	**824**
ENSEMBLE TOTAL	**1 352**	**903**

Des rentrées d'argent plutôt en baisse pour les retraités

Les inégalités entre les retraites restent fortes.

Malgré la hausse sensible des pensions au cours des trois dernières décennies, les disparités sont importantes. 15 % des ménages de retraités perçoivent les deux tiers de la masse totale. La pension moyenne des hommes est près de deux fois et demie supérieure à celle des femmes. Cet écart s'explique par celui existant entre leurs revenus professionnels antérieurs et par les durées de cotisation inférieures pour les femmes. Il est moins élevé dans le secteur public que dans le privé. Les fonctionnaires qui ont eu une carrière professionnelle complète ont reçu en moyenne une pension proche de 1 500 € par mois en 2001, ceux du secteur public un peu plus de 2 000 € (voir encadré).

Les retraités de 65 à 69 ans ont un niveau de vie supérieur à celui de leurs aînés, qui ont eu des carrières globalement moins bien rémunérées et qui ont moins profité de la forte revalorisation intervenue au cours des années 70. Aux pensions s'ajoutent souvent des revenus du patrimoine qui représentent environ 20 % du revenu disponible. Les différences de patrimoine des retraités expliquent que les écarts entre leurs revenus disponibles sont plus élevés que ceux qui existaient entre leurs salaires lorsqu'ils étaient en activité.

Près de 10 % des personnes de 65 ans et plus relèvent du Fonds national de solidarité et reçoivent plus de 50 % du salaire minimum (SMIC) ; ce sont principalement des femmes très âgées et veuves qui ont très peu ou pas du tout cotisé à un régime de retraite. Pour une personne seule, le minimum vieillesse représentait 569 € pour une personne seule au 1er janvier 2002, soit près d'une fois et demie le RMI.

Deux poids, deux mesures

Les actifs et les retraités du secteur public sont indiscutablement privilégiés par rapport à ceux du privé. Pendant la durée d'activité, leurs cotisations ont été inférieures : 7,8 % contre 12 % (cadres) ou 9,3 % (non cadres). La durée de cotisation reste pour eux fixée à 37,5 ans contre 40 ans dans le privé à partir de 2008, ce qui repoussera pour beaucoup la cessation d'activité à 65 ans contre 60 ans dans le secteur public (50 ans pour les conducteurs de train de la SNCF ou les policiers, 55 ans dans de nombreux cas). Si les primes des fonctionnaires ne sont pas prises en compte dans le calcul de leurs retraites, ceux-ci disposent à la différence des autres salariés de fonds de pension défiscalisés (Prefon).

Les sommes perçues par les fonctionnaires à la retraite représentent en moyenne 75 % de leur dernier salaire (calculé sur les six derniers mois de traitement, qui bénéficient souvent d'une augmentation, baptisée « coup de chapeau ») contre 47 % en moyenne dans le privé (calculé sur les 25 meilleures années à partir de 2008 !). Il faut ajouter que la revalorisation des retraites des fonctionnaires est identique à celle des traitements des actifs.

Au total, on peut estimer que les fonctionnaires perçoivent en moyenne sur la durée de leur retraite 180 000 € de plus que les anciens actifs du secteur privé. Enfin, le déficit croissant des retraites versées aux fonctionnaires par rapport aux cotisations perçues est financé en partie par les employeurs et par l'Etat, c'est-à-dire encore par les contribuables du secteur privé.

Les revenus du patrimoine représentent une part croissante des ressources.

Le revenu des ménages n'est pas seulement constitué de salaires. Si ces derniers représentent plus de 90 % du revenu fiscal des cadres, professions intermédiaires, employés et ouvriers, ils n'interviennent que pour environ 20 % dans celui des professions libérales, des agriculteurs et des inactifs. Dans ces ménages, les deux tiers des revenus sont respectivement des bénéfices non commerciaux, des bénéfices agricoles et des pensions de retraite. Ils sont pour certains complétés par des revenus issus du patrimoine, qui peut être personnel ou professionnel (dans le cas des non-salariés).

La part des revenus financiers dans les revenus globaux des ménages s'est nettement accrue depuis le début des années 70, passant d'environ 5 % en 1980 à 13 % en 2001. Cette évolution est liée à l'augmentation du taux de détention d'actifs financiers par les ménages et à l'accroissement des rendements de ces actifs au cours des vingt dernières années (voir *Placements*).

Environ 6 millions de personnes vivent des minima sociaux...

En 2001, environ 10 % des ménages bénéficiaient d'une allocation couverte par un minimum social. Ces minima sont accordés aux personnes disposant de ressources insuffisantes et représentent environ 30 % du revenu moyen des ménages. Ils sont au nombre de huit (montants mensuels au 1er janvier 2002) :

. RMI : revenu minimum d'insertion (406 € pour une personne seule, 608 pour un couple, 30 % de plus pour chaque personne supplémentaire à charge, 40 % à partir du troisième enfant).

. Minimum vieillesse : 6 833 € par an pour une personne seule, 12 257 € pour un couple ;

. Allocation d'adulte handicapé : 569 € par mois ;

. Allocation spécifique de solidarité : 401 € (576 au taux majoré) ;

. Allocation de parent isolé : 513 € pour une femme enceinte sans enfant, 684 pour un parent isolé avec

un enfant, 171 € par enfant supplémentaire ;

. Minimum invalidité : même montant que le minimum vieillesse ;

. Allocation de veuvage : 593 € ;

. Allocation d'insertion : 282 €.

Les ménages concernés représentent près du tiers de la population dans les DOM-TOM et en Corse du Sud. Plus de la moitié des bénéficiaires sont des personnes isolées, un ménage sur cinq est un couple sans enfant. Dans les autres foyers concernés, on compte 1,5 million d'enfants. Le nombre des allocataires a augmenté de près de moitié depuis 1975. La part des jeunes s'est accrue, comme celle des couples et des familles, au contraire des personnes isolées.

... dont plus de deux millions du RMI.

Créé fin 1988 par Michel Rocard, le revenu minimum d'insertion était perçu par un peu plus d'un million d'allocataires en 2001, contre 336 000 en 1989. Si l'on inclut les conjoints et les enfants, il concerne 2,2 millions de personnes, soit 3 % de la population métropolitaine et 14 % de celle des départements d'outre-mer. L'âge moyen est de 38 ans ; un allocataire sur trois a moins de 30 ans. 22 % de ceux âgés de 25 à 29 ans ont un niveau supérieur au bac. 60 % vivent seuls ou dans une famille monoparentale (sept hommes sur dix et quatre femmes sur dix), un sur quatre vit en couple. 40 % étaient auparavant ouvriers (dont les deux tiers non qualifiés), un peu moins de 10 % occupaient des postes de techniciens ou de cadres. 20 % des allocataires ont un emploi.

Le RMI a permis à beaucoup de ménages de survivre pendant les périodes de chômage. Mais il a beaucoup moins bien rempli sa mission d'insertion dans la vie professionnelle. Un tiers des allocataires du RMI sortent du système dans les six mois, la moitié dans les dix-huit mois. Pour ceux qui le sont depuis plus de 18 mois, la perspective de retour sur le marché du travail est limitée ; la moitié seulement déclarent rechercher effectivement un emploi.

3 millions d'allocataires

Allocataires des minima sociaux en 2000 et part de chacun (en %) :

	Nombre d'allocataires	Répartition en pourcentage
- Revenu minimum d'insertion	1 000 032	31,2 %
- Allocation supplémentaire vieillesse	700 000	22,6 %
- Allocation aux adultes handicapés	689 000	22,3 %
- Allocation de solidarité spécifique	429 700	13,9 %
- Allocation de parent isolé	156 000	5,1 %
- Allocation supplémentaire d'invalidité	99 000	3,2 %
- Allocation d'insertion	32 100	1,0 %
- Allocation veuvage	19 000	0,6 %

Impôts

Les prélèvements obligatoires dépassent 45 % du PIB depuis 1999...

Le niveau des prélèvements obligatoires mesure la pression fiscale globale (impôts, cotisations sociales) sur les particuliers et les entreprises pour financer les dépenses de l'Etat et les régimes de protection sociale. Il représentait 45 % du produit intérieur brut en 2001. Les Français reversent donc près de la moitié de leurs revenus, sous des formes multiples (par ordre décroissant d'importance) : cotisations sociales ; taxe sur la valeur ajoutée ; contribution sociale généralisée ; impôt sur les revenus des personnes physiques (travail et patrimoine) ; impôt sur les sociétés ; taxe sur les produits pétroliers ; taxe professionnelle ; taxes foncières (propriétés bâties et non bâties) ; taxe d'habitation ; droits d'enregistrement et de timbre ; droits sur les tabacs, etc.

Les recettes des administrations fiscales proviennent pour 66 % de cotisations sociales et pour 23 % d'impôts (contre 78 % et 8 % en 1995). Entre 1993 et 1999, le taux de prélèvements obligatoires avait augmenté plus vite que le PIB. Le programme pluriannuel de finances publiques, rédigé avant les élections de 2002, prévoyait une diminution en dessous du niveau de 44 % en 2004.

... et ils ont augmenté de 11 points depuis 1970.

Malgré la volonté affichée par les gouvernements successifs d'engager une politique de réduction des impôts, la hausse des cotisations so-

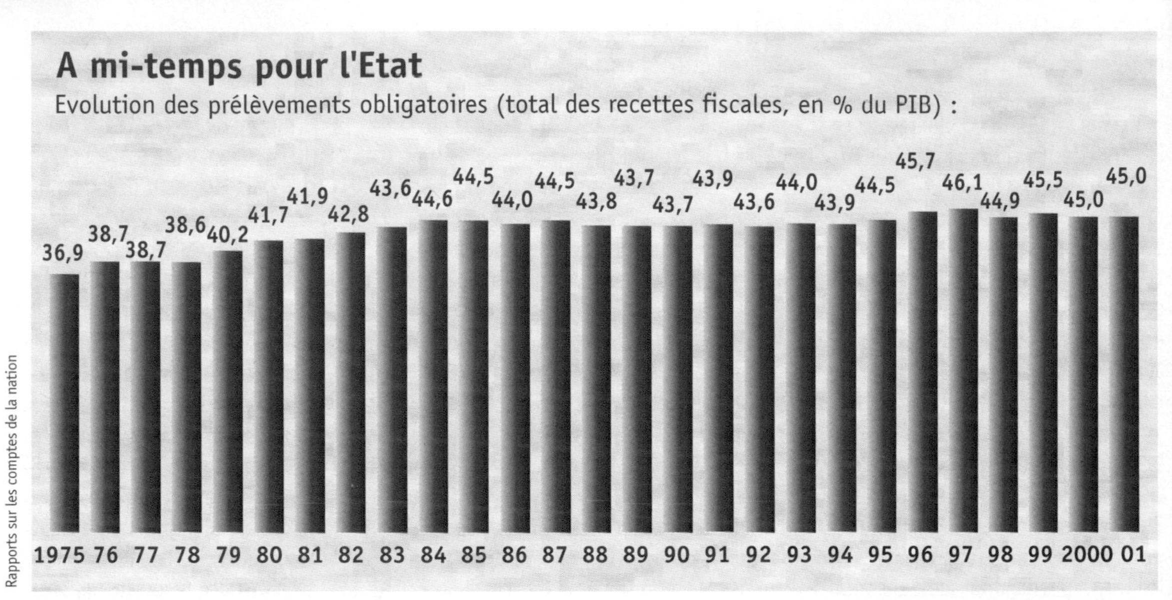

Rapports sur les comptes de la nation

ciales s'est poursuivie au fil des années. Le taux des prélèvements était ainsi passé de 34 % du PIB en 1970 à 41 % en 1980. L'augmentation avait encore été de quatre points au cours des années 80, contre trois en moyenne dans les pays de l'Union européenne et au Japon, et deux aux Etats-Unis. Au total, le taux de prélèvement national s'est accru de onze points en trente ans.

On a assisté au cours des années 90 à la création de prélèvements en principe exceptionnels, mais régulièrement reconduits. Il en est ainsi de la CSG, créée en 1991, qui rapporte aujourd'hui davantage que l'impôt sur le revenu des ménages (voir encadré). Le RDS (remboursement de la dette sociale) est venu s'ajouter en 1996, pour une durée théorique de 13 ans. Il est destiné à faire face aux déficits publics, tel celui de la Sécurité sociale (qui a été globalement résorbé depuis 2000, avec des résultats divers selon les branches). Le taux de TVA est passé quant à lui pour les produits courants de 18,6 % à 20,6 % en 1995, mais il a été ramené à 19,6 % en avril 2000. Enfin, l'impôt sur la fortune a été surtaxé de 10 % et les tranches ne sont pas relevées depuis plusieurs années, ce qui renchérit son coût et élargit son assiette. Le produit de la fiscalité locale (taxe d'habitation, taxe professionnelle, taxe sur le foncier bâti, impôt foncier) a également augmenté ; il représentait 4,7 % du PIB en 1999, contre 2,6 % en 1979.

La France est l'un des pays du monde où le taux global d'imposition est le plus élevé.

La France dépasse d'environ 3 points le taux moyen de prélèvements des pays de l'Union européenne (45 % contre 42 %), de 16 points celui des Etats-Unis (29 %) et de 17 celui du Japon (28 %). Seuls la Suède, le Danemark et la Belgique appliquent des taux plus élevés. La France est aussi l'un des pays développés qui cumu-

Plus de CSG que d'impôt sur le revenu

Créée en 1991, la contribution sociale généralisée est destinée à financer les régimes de protection sociale. Depuis 1998, elle rapporte plus que l'impôt sur le revenu : 58 milliards d'euros en 2000, contre 49. Initialement fixée à 1,1 %, elle a été portée à 2,4 % en 1993, à 3,4 % en 1997 et à 7,5 % en 1998. Elle se substitue en partie aux cotisations salariales de maladie, qui sont passées de 5,5 % à 0,75 %.

Contrairement aux impôts sur le revenu, payés seulement par la moitié des ménages, la CSG est acquittée par tous ceux qui perçoivent un revenu ; 82 % du montant total proviennent des salaires et des autres revenus d'activité, 11 % des revenus de remplacement (retraites, allocations de chômage...), le reste (7 %) des revenus financiers et de l'épargne.

lent le plus de types d'impôts différents : épargne, patrimoine, plus-values, transmission, cession...

Le ratio entre le coût de gestion de l'administration fiscale et les recettes encaissées est en outre particulièrement élevé en France : 1,6 %, contre 0,5 % aux Etats-Unis ou en Suède, 0,8 % à 1 % en Irlande, en Espagne ou au Canada, 1,2 % au Royaume-Uni et aux Pays-Bas, 1,5 % en Italie. Seul le fisc allemand a un coût de fonctionnement plus élevé (1,7 %).

La France se distingue enfin en détenant à la fois le record européen du taux de cotisations sociales avec 20 % du PIB, et celui de la plus faible part des impôts sur le revenu et le patrimoine (10 %), alors que ces deux types de prélèvements sont à peu près égaux dans les autres pays de l'Union européenne.

Plus d'impôts au Nord

Recettes totales des administrations publiques dans les pays de l'Union européenne (2000, en % du PIB) :

Pays	% du PIB
Suède	62,5
Danemark	56,3
Finlande	55,6
France	51,4
Autriche	50,8
Belgique	50,0
Pays-Bas	47,6
Allemagne	47,1
Grèce	46,5
Luxembourg	46,2
Italie	46,1
Portugal	43,2
Royaume-Uni	42,1
Espagne	39,7
Irlande	36,5
Union européenne	46,2

La dette publique représente 27 000 € par ménage.

Bien que très élevé, le taux de prélèvement français reste trop faible pour financer les dépenses de l'Etat. C'est pourquoi celui-ci a dû émettre et garantir des emprunts, dont le montant a quadruplé en monnaie courante entre 1985 et 1999, passant de 163 milliards d'euros à 654 milliards, alors qu'il était presque inexistant au milieu des années 70. La dette de l'Etat représentait en 2001 une somme de 11 000 € par habitant, soit 27 000 € par ménage, l'équivalent de 14 années d'impôt sur le revenu. Elle fait peser sur les générations futures une charge importante, qui s'ajoutera à celle du financement des retraites.

Cette forte croissance de l'endettement public s'explique par le cumul des déficits budgétaires et les taux d'intérêt réels élevés, dans un contexte de désinflation. De sorte que les seuls intérêts annuels de la dette représentent 14 % des dépenses de l'Etat, soit environ 1 500 € par ménage. Selon la définition européenne fixée par le traité de Maastricht, la dette représente 57 % du PIB (contre 45 % en 1993 et seulement 21 % en 1980), un niveau très proche du plafond imposé (60 %).

Les impôts indirects sont parmi les plus élevés d'Europe...

Les impôts indirects comportent principalement la taxe sur la valeur ajoutée, la taxe sur les importations, les produits pétroliers, les droits sur les tabacs, ceux d'enregistrement, de timbre ou de douane. En 2001, les Français ont acquitté 153 milliards d'euros d'impôts sur l'ensemble de ces biens et services, dont 109 milliards de TVA (net de remboursements et dégrèvements d'impôts) et 25 milliards de taxe intérieure sur les produits pétroliers. Au total, les impôts indirects représentent 61 % des recettes fiscales brutes de l'Etat (ménages et entreprises).

Les impôts indirects ne sont pas progressifs en fonction du revenu. Ils pèsent donc beaucoup plus sur les faibles revenus que sur ceux des ménages aisés. Ils représentent ainsi moins de 10 % du revenu d'un cadre et près d'un tiers de celui d'un chômeur en fin de droits. Leur part est supérieure en France à celle de la plupart des pays développés.

... mais l'impôt sur les revenus est l'un des plus faibles.

La part des impôts directs dans les recettes fiscales (brutes) de l'Etat s'est accrue jusqu'en 1980, avant de se stabiliser à environ 18 %. La France reste un pays de faible imposition sur le revenu par rapport à ses voisins : 26 % en moyenne dans les pays de l'Union européenne. En vingt ans, on a assisté à une inversion de la part des impôts et des cotisations sociales dans les recettes de l'Etat. Les montants d'impôts payés sur les revenus des dernières années ont cependant connu une hausse liée à celle du pouvoir d'achat des ménages. Le plafonnement du quotient familial (1999) qui a touché les revenus élevés a été compensé par les baisses intervenues depuis.

La fiscalité des revenus de l'épargne est globalement plus favorable que celle des revenus d'activité. Entre 1985 et 1995, le taux de taxation du travail était passé de 38 % à 45 %. Dans le même temps, celui du capital avait diminué, de 26 % à

19 %. Mais les dispositions prises depuis 1997 ont renforcé la taxation des capitaux, avec la généralisation de la CSG sur l'ensemble des revenus et l'accroissement des taux de prélèvement. Ainsi, les dividendes d'actions sont taxés au taux maximum de 34 % après avoir fiscal, CSG, etc.

Exceptions fiscales françaises

L'UNE des singularités françaises en matière de fiscalité est que près de la moitié des ménages fiscaux (13 millions sur 28 millions) ne paient pas d'impôt sur le revenu, contre par exemple 15 % seulement des Britanniques. Pour une famille avec deux enfants, le seuil de non-imposition est ainsi 2,5 fois supérieur à celui des autres pays de l'Union européenne. Mais le taux supérieur de l'impôt sur le revenu en France est le plus élevé d'Europe (avec la Belgique) : 62 % en intégrant les prélèvements sociaux (CSG et CRDS), contre 49 % en moyenne dans l'Union européenne (40 % au Royaume-Uni, 45 % en Italie, 53 % en Allemagne).

La pression fiscale globale, le poids relatif de l'impôt sur le revenu et les cotisations des salariés à la sécurité sociale dans la combinaison des impôts nationaux varient sensiblement d'un pays à l'autre. Le revenu moyen disponible d'un ouvrier célibataire dans l'industrie en pourcentage de ses revenus bruts représente ainsi un maximum de 82 % en Espagne et un minimum de 56 % au Danemark, contre 72 % en France (2000). Pour un couple marié avec deux enfants, il varie de 91 % en Espagne à 63 % au Danemark ; il est de 79 % en France.

> 63 % des Français (contre 34 %) sont opposés à la baisse des impôts sur les hauts revenus.

Avis de tempête

La baisse des charges, une revendication permanente

Revenus disponibles

Le revenu primaire brut des ménages s'est élevé à 42 800 € en moyenne en 2000.

Le calcul du revenu primaire brut des ménages est la première étape de la détermination de leur revenu disponible (voir schéma en début de chapitre). Il est obtenu en ajoutant aux revenus professionnels perçus par les différents membres du ménage (salaires et revenus non salariaux) ceux du capital (placements mobiliers et immobiliers, voir *Patrimoine*). Il ne tient pas compte à ce niveau des transferts sociaux, c'est-à-dire des cotisations sociales et des impôts directs payés par les ménages, ni des prestations sociales reçues.

Entre 1960 et 1980, le poids des salaires dans les revenus primaires avait augmenté de 12 points, passant de 61 % à 73 %. Il a ensuite légèrement régressé, pour se stabiliser à 70 % depuis le début des années 90. La croissance des revenus du patrimoine est supérieure à celle des revenus du travail depuis 1982 ; ils représentaient 8,9 % du revenu primaire brut en 2000.

Du revenu primaire au revenu disponible

Structure du revenu disponible des ménages (2000, en % du revenu primaire) :

Revenu primaire brut dont :	**100,0**
- rémunération des salariés	70,3
- EBE* et revenu mixte des entreprises individuelles	20,8
- revenus du patrimoine	8,9
Transferts nets de redistribution dont :	**- 13,5**
- impôts courants sur le revenu et le patrimoine	- 12,7
- cotisation sociales versées	- 27,6
- prestations sociales reçues	26,8
- autres transferts nets	- 0,2
Revenu disponible brut	**86,5**

* Excédent brut d'exploitation.

Les cotisations sociales payées par les ménages représentent plus du quart de leur revenu primaire brut...

Les cotisations sociales sont destinées au financement de la Sécurité sociale (maladie, infirmité, accidents du travail, maternité, famille, vieillesse, veuvage...), des caisses de chômage et de retraite complémentaire. Elles concernent l'ensemble des revenus du travail (y compris les pensions de retraites) et sont réparties entre employés et employeurs, à raison d'un tiers pour les premiers et deux tiers pour les seconds.

Le poids des cotisations sociales a augmenté dans des proportions considérables à partir des années 60 : elles représentaient 16 % du revenu primaire brut en 1960, 21 % en 1970, 27 % en 1980 et 31 % en 1990. Leur part a diminué dans les années 90 pour atteindre 28 % en 2000. Celle des cotisations salariales (Sécurité sociale, ARRCO, AGIRC, chômage, ASF, AGS, CSG et CRDS) varie fortement avec le montant du salaire, s'accroissant avec lui. La part payée par les salariés a été multipliée par quatre en un quart de siècle pour les salaires dépassant deux fois le plafond de la Sécurité sociale. Dans le même temps, celle de l'employeur n'a été que doublée, mais elle est deux fois plus élevée que celle des salariés à partir d'un salaire d'environ 1 500 € par mois. En moyenne, un salarié perçoit en salaire net moins de 60 % du coût de son travail tel qu'il ressort pour l'entreprise, contre 70 % en 1970.

... de même que les prestations sociales qu'ils reçoivent.

Depuis la création de la Sécurité sociale, en 1945, les dépenses de protection sociale ont augmenté deux fois et demie plus vite que la richesse nationale ; elles représentent aujourd'hui 31 % du PIB contre 12 % en 1949. D'une manière générale, leur part dans les revenus des ménages est inversement proportionnelle au montant de ces revenus, en raison de l'effet redistributif recherché et de leur plafonnement. Elle varie ainsi de moins de 5 % pour les cadres supérieurs à 75 % pour les inactifs.

La forme principale concerne les prestations « vieillesse » : retraites, pensions de réversion, minimum vieillesse. Ce sont celles qui ont connu la plus forte progression ; elle absorbent près de la moitié des dépenses (44 % en 2000). Elles ont suivi l'augmentation du nombre des retraités liée à l'évolution démographique et à l'instauration de la retraite à 60 ans (1983), de même que la revalorisation importante des pensions et le développement des régimes complémentaires.

La croissance des prestations de santé et de chômage tend à ralentir.

Les dépenses de santé arrivent en deuxième position des prestations versées aux ménages et en représentent un tiers (34 %). Elles ont aussi fortement progressé avec l'allongement de l'espérance de vie, la généralisation de la couverture sociale et l'inflation des dépenses médicales. Leur croissance s'est cependant ralentie depuis 1993, sous l'effet des plans successifs de redressement de la Sécurité sociale, qui ont mis fin au déficit à partir de 1999.

Les prestations d'allocations familiales et de maternité comptent pour 10 % de l'ensemble. Elles sont les seules à avoir régressé en proportion du PIB, du fait du recul de la natalité (enrayé depuis 1999) et du déclin des familles nombreuses, malgré la forte revalorisation de 1982, à laquelle s'est ajoutée l'augmentation des allocations de rentrée scolaire, l'élargissement des prestations logement aux étudiants et la création du RMI en décembre 1988.

Les allocations de chômage, de préretraite (jusqu'en 1992) et d'inadaptation professionnelle sont celles qui ont le plus augmenté au cours des vingt dernières années, à cause de la détérioration de l'emploi depuis le début des années 70 : elles représentaient 7 % en 2000 contre 2 % en 1970. Mais elles ont baissé par rapport à 1998 (8 %), avec l'amélioration de l'emploi à ce moment.

16 000 € par ménage

Prestations sociales reçues par les ménages en 2000 (en euros par ménage) :*

Santé :	**5 585**
- maladie	4 512
- infirmité, invalidité	811
- accidents du travail	262
Vieillesse-survie :	**7 241**
- vieillesse	6 266
- survie**	975
Maternité-famille :	**1 672**
- maternité	205
- famille	1 467
Emploi :	**1 152**
- formation professionnelle	119
- chômage	1 033
Logement	**512**
Exclusion sociale* **	**230**
Total des prestations sociales	**16 392**

* En espèces et en nature.
** Pensions de réversion, capitaux décès.
*** RMI et prestations diverses en nature.

INSEE

Les impôts directs sur le revenu et le patrimoine représentent 12 % du revenu primaire brut.

Les impôts prélevés directement sur les revenus des ménages complètent

le dispositif de redistribution. Ils sont progressifs, c'est-à-dire que leur taux augmente avec le montant des revenus. Les impôts indirects (par exemple, la TVA payée par les ménages sur les achats de biens et services) n'interviennent pas dans le calcul du revenu disponible total, car ils concernent son utilisation dans le cadre de la consommation, et non sa constitution.

Au fil des années, la fiscalité directe a évolué dans deux directions. Le poids de l'impôt (revenus et patrimoines) a augmenté pour les ménages qui le paient : il représentait 13 % du revenu primaire brut des ménages en 2000 contre 6 % en 1970. Son rôle redistributif s'est également accentué. C'est ainsi que les deux tiers des foyers (64 %) étaient imposés en 1980, contre la moitié aujourd'hui.

En 2000, le revenu disponible brut par ménage a atteint 37 000 €, soit 3 090 € par mois.

Le revenu disponible brut est celui qui reste effectivement aux ménages pour consommer et pour épargner. Il prend en compte les transferts sociaux (cotisations et prestations sociales, impôts directs), dont l'incidence sur les revenus est croissante. L'algèbre des transferts sociaux traduit l'importance du financement de l'économie nationale par le biais des impôts et des cotisations. Ce financement est en partie déterminé par la politique sociale mise en place par le gouvernement sous la forme de prestations. En dehors des professions indépendantes et des cadres, les ménages perçoivent plus de prestations sociales qu'ils ne paient d'impôts directs et de cotisations. C'est ce qui explique que le revenu disponible des ménages les plus modestes soit supérieur à leur revenu primaire brut. Le système redistributif de la fiscalité est en effet conçu pour que les prestations diminuent lorsque le revenu augmente, tandis que les impôts s'accroissent proportionnellement plus vite que le revenu.

L'éventail des revenus disponibles est beaucoup plus resserré que celui des revenus primaires.

Le rapport entre les salaires nets moyens d'un cadre supérieur et d'un manœuvre est d'environ 4. Il n'est plus que de 2 lorsqu'on compare les revenus disponibles moyens d'un ménage où la personne de référence est cadre supérieur et ceux d'un ménage où elle est manœuvre. La différence est due pour partie aux mécanismes de redistribution, qui avantagent les faibles revenus. Mais le resserrement des écarts s'explique aussi par la présence croissante d'autres revenus salariaux dans les ménages (généralement celui du conjoint dans les couples biactifs). Cette situation est plus fréquente dans les ménages modestes, où la femme est plus souvent active et perçoit un salaire plus proche de celui de son mari que dans les ménages plus aisés. Ainsi, de nombreux ménages biactifs occupant des fonctions modestes ont des revenus supérieurs à ceux de ménages monoactifs dans lesquels la personne active a un salaire relativement élevé.

Globalement, les écarts entre les revenus disponibles se sont réduits depuis le début des années 80. Le changement est surtout notable entre l'Ile-de-France et les autres régions : l'écart n'est plus que d'environ 20 %, alors qu'il atteignait 33 % en 1982.

Pouvoir d'achat

La croissance du pouvoir d'achat a été presque ininterrompue...

L'évolution du pouvoir d'achat des ménages dépend à la fois du montant de leurs revenus et de l'évolution des prix à la consommation (inflation), qui lamine la valeur d'échange des revenus. Sa croissance est un phénomène plus que séculaire. Ainsi, entre 1856 et 1906, le salaire annuel net des ouvriers avait doublé, passant de 11 000 à 22 000 francs de 1995 (1 680 à 3 350 €). Pendant les Trente Glorieuses (1945-1974), il avait plus que triplé (+ 230 %), alors que la durée annuelle moyenne de travail avait baissé de près de 200 heures.

Pendant cette période, la grande majorité des Français se sont plus enrichis que pendant tout le siècle précédent ; entre 1950 et 1970, le pouvoir d'achat du salaire moyen a doublé. Une proportion croissante de ménages a ainsi pu progressivement acquérir une résidence principale et s'équiper des produits phares de la société de consommation : voiture, réfrigérateur, télévision, machine à laver, etc.

Au cours du XXe siècle, le salaire moyen d'un ouvrier a été multiplié par quatre en monnaie constante. Mais la durée annuelle de son travail a été divisée par deux, de sorte que son salaire horaire a été multiplié par huit. Dans le même temps, le coût de

> Le salaire moyen brut des ingénieurs était de 4 730 € par mois en 2000.
> En 2000, 70 écrivains ont gagné plus de 100 000 €, dont 10 plus de 500 000.

son travail pour l'entreprise a été multiplié par sept.

... y compris pendant les années de crise économique.

Contrairement au sentiment général, le pouvoir d'achat des ménages a poursuivi sa croissance pendant la crise économique. Entre 1974 et 1985, les salaires ont continué d'augmenter et les écarts se sont réduits, malgré les nuages qui s'accumulaient sur l'économie et la forte poussée de l'inflation (14,7 % en 1973). Les revenus des cadres ont moins progressé que ceux des ouvriers ou des employés, et la forte revalorisation du SMIC depuis 1968 a entraîné celle de l'ensemble des bas salaires. Un phénomène inverse de celui constaté au cours des vingt années précédentes.

La croissance du pouvoir d'achat s'est accélérée entre 1985 et 1989, poussée par celle de l'économie. Elle a bénéficié de la réduction de l'inflation et de la meilleure santé des entreprises. Elle a aussi profité de mesures spécifiques comme la stabilisation du taux des prélèvements obligatoires ou l'instauration du revenu minimum d'insertion (RMI). Enfin, elle s'est nourrie de la forte augmentation des revenus du capital, avec des taux d'intérêt réels élevés.

Entre 1970 et 1990, le pouvoir d'achat des ménages a progressé de 60 %...

Les données de la comptabilité nationale montrent que le pouvoir d'achat du revenu des ménages a continué de s'accroître en moyenne de 2,4 % par an entre 1970 et 1990. La croissance a été cependant beaucoup plus forte au cours des années 70 (4 % par an)

Publicis Etoile

Le recours au crédit s'est accru avec le pouvoir d'achat

que pendant les années 80 (1 %). Cette évolution est mesurée à partir du revenu fiscal (avant impôts et hors prestations sociales). D'autre part, afin de gommer les écarts dus à la composition démographique différente des ménages, elle est calculée par unité de consommation avec une pondération de 1 attribuée à la personne de référence du ménage et de 0,35 aux autres personnes. Cependant, la prise en compte des transferts sociaux ne modifie pas les résultats qualitatifs de cette étude ; ils restent valables si l'on s'intéresse au revenu disponible des ménages. Elle réduit en revanche sensiblement les inégalités, notamment au profit des familles avec enfants.

... puis de 18 % au cours des années 90.

A partir de 1991, la croissance du pouvoir d'achat s'est poursuivie à un rythme moins soutenu jusqu'en 1997. Les forts taux de croissance du revenu disponible brut enregistrés à la fin des années 80 (3,5 % en moyenne entre 1988 et 1990) n'ont pas été retrouvés au cours de la décennie. La reprise amorcée en 1998 a cependant permis une progression du pouvoir d'achat supérieure à 2 %, dans un contexte de faible inflation (moins de 1 % en 1999).

Le pouvoir d'achat moyen du revenu disponible brut des ménages a ainsi encore progressé de 13 % entre 1991 et 1999, de 2,8 % en 2000 et de 3,3 % en 2001. Il s'est donc accru

Toujours plus

Evolution du pouvoir d'achat du revenu disponible brut des ménages (en % annuel) :

Année	Pouvoir d'achat	Année	Pouvoir d'achat
- 1960	7,9	- 1981	2,6
- 1961	4,8	- 1982	2,5
- 1962	10,1	- 1983	- 0,8
- 1963	6,8	- 1984	- 0,7
- 1964	5,1	- 1985	1,7
- 1965	5,0	- 1986	2,4
- 1966	4,6	- 1987	0,4
- 1967	5,6	- 1988	3,2
- 1968	4,0	- 1989	3,7
- 1969	4,3	- 1990	3,4
- 1970	7,3	- 1991	1,9
- 1971	4,5	- 1992	1,0
- 1972	6,2	- 1993	0,4
- 1973	5,8	- 1994	0,3
- 1974	3,0	- 1995	2,7
- 1975	3,8	- 1996	0,0
- 1976	2,5	- 1997	1,5
- 1977	3,4	- 1998	2,8
- 1978	6,0	- 1999	2,8
- 1979	1,2	- 2000	2,8
- 1980	- 0,1	- 2001	3,3

INSEE

d'environ 90 % en cumul depuis 1970, malgré les années de crise économique. Au cours du XXe siècle, il a été multiplié par cinq. Ce gain est d'autant plus spectaculaire qu'il a été obtenu en réduisant considérablement la proportion d'actifs dans la population (36 % aujourd'hui contre 50 % au début du siècle) ainsi que la durée du travail (voir p. 295).

Cette évolution doit cependant être nuancée par le fait que la population, essentiellement rurale au début du siècle, est devenue urbaine ; or, on vit généralement moins bien en ville qu'à la campagne, à revenu égal. Il faut également préciser que les taux de croissance du pouvoir d'achat ont été plus faibles à partir de 1974, début de la crise économique, que pendant les Trente Glorieuses. Par ailleurs, les jeunes ont moins profité de la croissance que les plus âgés, notamment les retraités. Enfin, la France a régressé dans le classement des nations développées en matière de pouvoir d'achat (voir ci-après).

Le PIB par habitant des Français a cependant moins augmenté que celui des autres Européens.

Début 2002, 41 % des Français estimaient que leur pouvoir d'achat avait diminué depuis 1995, 22 % qu'il avait augmenté, 36 % qu'il était resté stable (France 3-Radio France/CSA-TMO). Comme le montrent les chiffres (voir ci-dessus), ce sentiment est globalement erroné. Pourtant, si l'on utilise comme indicateur le PIB par habitant, la France n'arrive plus qu'au douzième rang des pays de l'Union européenne, avec 23 320 SPA en 2001 (unités standard de pouvoir d'achat permettant des comparaisons internationales plus fiables que la monnaie) contre un maximum de 44 460 au Luxembourg et un minimum de 15 890 en Grèce (voir graphique).

La France douzième sur quinze en Europe

Produit intérieur brut par habitant (en unités standard de pouvoir d'achat, 2001) :

Luxembourg	44 460
Irlande	28 070
Danemark	28 020
Pays-Bas	26 430
Autriche	25 610
Belgique	24 610
Allemagne	24 170
Italie	23 750
Royaume-Uni	23 680
Finlande	23 540
Suède	23 400
France	23 320
Espagne	19 320
Portugal	17 110
Grèce	15 890
Union européenne	23 180

Eurostat

Ce recul sensible de la France par rapport aux autres pays européens (elle ne devance plus que l'Espagne, le Portugal et la Grèce) s'explique par une croissance nationale plus faible au cours des dix dernières années et une augmentation de la population plus forte. Le PIB par habitant de l'Irlande est ainsi supérieur de 20 % à celui de la France, alors qu'il était largement inférieur au cours des années 80. Sur 207 pays classés par la Banque mondiale, la France n'occupe plus que le 23e rang en matière de produit national brut par habitant.

> L'aide personnalisée à l'autonomie (APA) devrait concerner fin 2003 environ 600 000 personnes.

Les revenus du capital ont davantage progressé que ceux du travail.

Au cours des années 90, les salariés ont été moins favorisés que les rentiers. Si le revenu disponible de ces derniers a sensiblement augmenté grâce aux bonnes performances des placements (voir p. 393), le revenu fiscal des salariés (hors revenus du patrimoine) a diminué en monnaie constante, revenant au niveau de 1984. Cet écart de rémunération entre capital et travail est à l'origine d'un fort creusement des inégalités entre ceux qui disposent d'une épargne, notamment placée en valeurs mobilières, et les autres.

Ces inégalités risquent de se poursuivre et même se renforcer au moment de la retraite. Ceux qui auront constitué une épargne au cours de leur vie active pourront obtenir des revenus de complément qui représenteront dans certains cas une part significative de leur revenu global. Les plus modestes ne disposeront que de leur pension, avec le risque qu'elle diminue en monnaie constante au cours des prochaines décennies, sous l'effet du déséquilibre entre actifs et inactifs. C'est la raison pour laquelle des formes nouvelles d'épargne retraite devront sans doute être proposées aux salariés.

7 % des Français peuvent être considérés comme « pauvres »...

Les études sur la pauvreté se réfèrent souvent à un « seuil de pauvreté »,

Le troc, une alternative pour les revenus modestes

défini comme la moitié du revenu médian (qui divise la population en deux moitiés). Il serait ainsi en France d'environ 530 € par mois par unité de consommation (une unité pour le premier adulte, 0,7 pour le second et 0,5 par enfant). Selon cette définition, 7 % des Français pouvaient être considérés comme pauvres à la fin des années 90. A titre de comparaison, la proportion était de 5 % aux Pays-Bas, mais de 11 % aux Etats-Unis. Le critère utilisé, lié au revenu relatif par rapport à l'ensemble de la population, explique que la proportion de « pauvres » reste mécaniquement stable lorsque les augmentations de pouvoir d'achat sont également réparties sur l'ensemble des ménages.

Les inégalités salariales apparaissent sensiblement les mêmes entre le début et la fin du XXe siècle (*Les hauts revenus en France*, Thomas Piketty). Mais les détenteurs des revenus les plus élevés ont changé. Ils se trouvent plus souvent dans le secteur privé, tandis que la haute fonction publique est moins privilégiée. Les revenus non salariaux se sont par ailleurs effondrés et les rentiers ont pratiquement disparu.

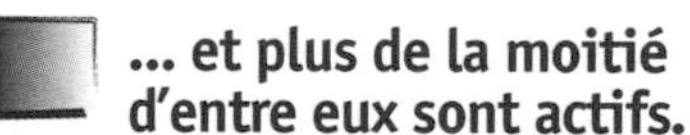

... et plus de la moitié d'entre eux sont actifs.

Les « travailleurs pauvres » (moins de 530 € par mois pour une personne seule) représentent 60 % du nombre des pauvres. On distingue parmi eux trois groupes. 320 000 sont des non-salariés (principalement des petits agriculteurs, artisans ou commerçants). 450 000 sont des salariés, dont la moitié travaillent à temps plein, doivent faire face à des charges familiales importantes (conjoint inactif et enfants) et reçoivent peu de prestations. Enfin, 400 000 alternent des périodes de chômage et d'activité salariée. En incluant les enfants et les autres personnes à charge, 2,7 millions de personnes sont concernées. Leur nombre a augmenté entre 1990 et 1997, du fait de la montée du sous-emploi et de la progression du travail temporaire.

En 1997, 12 % des ménages de la zone euro étaient considérés comme défavorisés selon 17 critères d'évaluation des conditions de vie. La proportion variait de 7 % aux Pays-Bas à 16 % au Portugal, la France occupant une position moyenne. Les personnes concernées étaient pour la plupart isolées ou appartenaient à des familles monoparentales ou nombreuses. En matière de logement, 2,5 % des ménages (dans les dix pays étudiés) ne disposaient pas d'une baignoire ou d'une douche, 1,9 % de toilettes, 3,2 % d'eau chaude courante et 14,5 % avaient des logements trop petits. En matière d'équipement, 3 % ne disposaient pas, par manque de ressources, du téléphone, 10 % d'une voiture, 9 % d'un magnétoscope, 10 % d'un four à micro-ondes, 16 % d'un lave-vaisselle. 5 % ne pouvaient acheter de la viande ou équivalent au moins un jour sur deux, 13 % ne pouvaient acheter que des vêtements d'occasion. 13 % ne pouvaient inviter des amis ou des membres de leur famille au moins une fois par mois, 28 % ne pouvaient partir une semaine en vacances au moins une fois par an.

Les inégalités de revenu se sont récemment estompées...

Les disparités de revenus se sont réduites au cours des années 90. C'est le cas notamment entre les salaires masculins et féminins. Les écarts étaient dus pour une large part à une plus grande ancienneté des hommes (voir p. 343), ce qui explique le mouvement de convergence en cours. Le rapport entre les revenus des cadres et ceux des ouvriers a également diminué : 2,6 en 2000 contre 2,8 en 1990. Cette évolution s'explique en partie par l'accroissement du SMIC, qui a été plus élevé que la moyenne des salaires, avec notamment deux revalorisations de 4 % en 1995 et 1997.

Les cadres ont vu leurs salaires augmenter moins vite que la moyenne des salariés au cours des dix dernières années, à l'exception de certaines catégories comme les commerciaux. C'est la conjoncture économique défavorable qui explique ce retard entre 1991 et 1996, mais surtout les effets de structure (les salariés devenus cadres par promotion interne ont tiré la moyenne vers le bas). L'arrivée des femmes, moins bien rémunérées que les hommes, a eu un effet

Ménages en difficulté		
Indicateurs de conditions de vie difficiles en 1997 et 2001 (en % des ménages) :		
	1997	2001
Contrainte budgétaire :		
- part du remboursement sur le revenu (supérieure à 1/3)	5,1	3,5
- découverts bancaires (très souvent)	7,1	7,7
- couverture des dépenses par le revenu difficile	10,3	17,1
- aucune épargne à disposition	25,0	26,7
- recours aux économies	22,0	22,0
- opinion sur le niveau de vie : « c'est difficile, il faut s'endetter pour y arriver »	18,4	15,6
Retards de paiement		
En raison de problèmes d'argent, impossibilité de payer à temps à plusieurs reprises :		
- factures (électricité, gaz, téléphone...)	6,0	5,2
- loyer et charges	3,5	2,5
- versements d'impôts	2,0	1,2
Restrictions de consommation		
Les moyens financiers ne permettent pas de :		
- maintenir le logement à bonne température	7,9	11,5
- payer une semaine de vacances une fois par an	33,8	29,6
- remplacer des meubles	37,3	30,9
- acheter des vêtements neufs	10,1	7,9
- manger de la viande tous les deux jours	5,6	5,2
- recevoir	12,2	8,8
- offrir des cadeaux	13,0	9,1
- posséder deux paires de chaussures	7,0	4,8
- absence de repas complet pendant au moins une journée au cours des deux dernières semaines	4,0	2,6
Difficultés de logement		
- surpeuplement important ou modéré	10,7	9,1
- absence de salle de bains à l'intérieur du logement	3,1	2,6
- absence de toilettes à l'intérieur du logement	2,1	2,0
- absence d'eau chaude	1,8	1,0
- absence de système de chauffage	11,7	10,6

INSEE

semblable. Mais le revenu de chaque cadre, pris individuellement, a augmenté davantage que ne l'indique la moyenne.

> Entre 1999 et 2000, le nombre de journées de chômage partiel a diminué des deux tiers, du fait d'une conjoncture favorable.

... mais la pauvreté ne recule plus depuis une quinzaine d'années.

La pauvreté avait fortement chuté entre 1970 et le milieu des années 80 ; elle concernait 16 % des Français en 1970, 13 % en 1975 et 9 % en 1979. Elle s'est cependant stabilisée depuis une quinzaine d'années à 7 %. Ce sont surtout les ménages retraités qui ont le plus profité de l'amélioration : un sur vingt-cinq était pauvre en 1997 contre un sur quatre en 1970. En revanche, le taux de pauvreté des ménages de salariés ou de chômeurs (notamment les plus jeunes), stable entre 1970 et 1990, s'est accru entre 1990 et 1997. La croissance du PIB enregistrée entre 1998 et 2000 (supérieure à 3 % par an) ne s'est pas accompagnée d'un recul de la pauvreté. La baisse du chômage n'a pas réduit le nombre des emplois précaires et les minima sociaux ont été moins revalorisés que le pouvoir d'achat moyen.

Les étudiants constituent un groupe particulier. 90 % des ménages étudiants de 19 à 24 ans ont des revenus inférieurs au seuil de pauvreté. Mais la proportion est en réalité de 20 % si l'on prend en compte le fait que neuf sur dix bénéficient d'une aide régulière de leur famille, sous la forme de dons d'argent, d'aide au logement ou de participation aux dépenses alimentaires. Ce sont les jeunes ménages dont les membres sont au chômage ou inactifs (et non étudiants) qui sont dans la situation la plus précaire ; 50 % sont au-dessous du seuil de pauvreté après prise en compte des aides familiales.

Les problèmes familiaux sont souvent à l'origine des difficultés rencontrées.

L'absence d'entraide familiale est l'un des éléments déterminants de l'exclusion et de la marginalisation. Les enquêtes réalisées auprès des allocataires du RMI montrent que les personnes les plus vulnérables sont celles qui sont coupées des réseaux familiaux. Les familles monoparen-

Le voyage sans retour

Comme les toxicomanes et les prostituées, les SDF (sans domicile fixe), nom politiquement correct donné aux anciens « clochards » ou « mendiants », sont souvent ignorés par les Français. Cette indifférence est peut-être la conséquence d'un individualisme croissant. Elle s'explique surtout par un sentiment de malaise et d'impuissance qui les incite à détourner les yeux. Victimes de la « crise » et des « dysfonctionnements » de la société, les SDF témoignent de la difficulté d'entrer ou de se maintenir dans un système social de plus en plus dur à l'égard des personnes vulnérables.

Leur nombre est très difficile à estimer. Un consensus, qu'aucune enquête ne peut scientifiquement justifier compte tenu de la difficulté d'investigation, s'est établi autour d'une fourchette de 200 000 à 300 000. La plupart sont concentrés dans les grandes villes, notamment à Paris. On peut estimer que 30 000 parmi eux (dont 15 000 dans la capitale) ne pourront pas être « récupérés », car la clochardisation est pour eux un voyage sans retour (*Les Naufragés*, Patrick Declerc).

Les personnes concernées sont fragilisées par des difficultés psychologiques innées ou acquises dès l'enfance. Les accidents de la vie, qui en sont souvent la conséquence, ont contribué à les éloigner de la « normalité ». Malgré les filets largement tendus de la protection sociale (SAMU, aides de toutes sortes), la plupart ne pourront être réintégrées dans le système social. D'abord, parce qu'elles refusent de se faire soigner ou de loger dans un foyer. Ensuite, parce que la très grande majorité des clochards sont alcooliques et relèvent de soins psychiatriques trop aigus pour être vraiment guéris. La bonne volonté collective et les efforts méritoires des institutions ou des associations ne pourront pas facilement venir à bout de cette réalité. Mais le fait de la reconnaître est sans doute un préalable pour mettre en place des moyens mieux adaptés.

tales sont les plus exposées à la pauvreté. Bien qu'elles représentent l'une des catégories les plus aidées (avec les familles nombreuses), leur situation financière s'est dégradée au cours des dix dernières années, de sorte qu'elles représentent 20 % des ménages « pauvres », contre 14 % en 1984. Les causes de cette situation tiennent à la disponibilité d'un seul revenu (le plus souvent féminin) et à l'importance relative des dépenses de logement, d'éducation ou de transport.

Si la pauvreté ne diminue pas globalement, elle s'est en revanche modifiée dans sa répartition, avec un déplacement des campagnes vers les villes, des personnes âgées vers les jeunes, des retraités vers les actifs. Pour y remédier, il apparaît essentiel de commencer par l'éducation, en réduisant le nombre de personnes qui sortent du système scolaire sans qualification (environ 150 000 personnes par an). L'aide au logement, la lutte contre le chômage de longue durée et l'accompagnement psychologique (parfois aussi administratif) sont également à privilégier. Ainsi que la prise de conscience individuelle, complément indispensable de la solidarité collective.

> 89 % des Français (contre 10 %) sont opposés à la possibilité pour les entreprises d'embaucher au dessous du SMIC.

> Le traitement mensuel net d'un instituteur varie entre 1 500 et 2 000 € selon l'ancienneté, celui d'un professeur certifié de 1 400 à 3 000 €, celui d'un professeur agrégé de 1 500 à 3 700 €, celui d'un professeur d'université de 4 600 à 5 500 €.

> Parallèlement à leurs études, un tiers des élèves ou étudiants de 17 à 30 ans exercent dans le courant de l'année une activité rémunérée (un sur deux après 25 ans). Le revenu moyen est d'environ 600 € par mois d'activité.

La consommation

Attitudes et comportements

L'histoire de la consommation est intimement liée à celle des modes de vie...

La vie des Français a connu de véritables bouleversements au cours des dernières décennies (voir *Rétroscopie*). La scolarité s'est prolongée et le niveau d'éducation s'est élevé. Les enfants sont devenus adolescents plus tôt, mais adultes plus tard. L'état de santé s'est amélioré et la durée de vie s'est allongée. La condition féminine s'est transformée et les femmes sont de plus en plus souvent actives et autonomes. La majorité des ménages habitent une maison individuelle. Le temps libre des actifs s'est considérablement accru au fur et à mesure de la diminution du temps de travail...

L'évolution démographique a été tout aussi spectaculaire. Le nombre de couples (surtout mariés) a diminué, ainsi que celui des enfants. Les ménages sont plus nombreux mais de taille plus réduite. La proportion de personnes âgées s'est fortement accrue, comme celle des divorces, des familles monoparentales ou recomposées...

... et des systèmes de valeurs.

Parallèlement aux transformations objectives des modes de vie, la conception de la vie et du monde a changé. Le souci du corps et de la santé est devenu prépondérant. L'attachement à la sécurité s'est généralisé. Les craintes concernant l'avenir se sont multipliées. La confiance dans les institutions s'est érodée. La vision collective de la société a fait place à une vision individuelle...

Tous ces changements sociaux ont eu des incidences très sensibles sur les modes de consommation. Ils ont modifié les rapports avec les différents opérateurs : entreprises, produits, marques, distributeurs, médias. Les attitudes et comportements des consommateurs ne sont en effet que le reflet des valeurs, des opinions, des désirs et des craintes des individus qui composent la société. On ne peut donc comprendre ce qui se passe dans les magasins qu'en prenant en compte ce qui a changé très en amont, dans les esprits et dans les mœurs.

Entre 1945 et la fin des années 80, la consommation a connu deux phases distinctes.

Entre 1945 et 1974, les Trente Glorieuses furent une période de croissance forte et ininterrompue au cours de laquelle les Français découvrirent les délices de la société de consommation. La voiture permettait de se déplacer de façon autonome et de découvrir la France et les pays limitrophes. L'équipement électroménager (réfrigérateur, machine à laver, aspirateur...) allait « libérer la femme » sans pour autant concerner les hommes. Les équipements de loisirs comme la télévision ou la chaîne hi-fi allaient donner une autre dimension à la culture et permettre une ouverture sur le monde.

Les mouvements de Mai 68 firent cependant émerger des interrogations apparues dès le milieu des années 60 sur le bien-fondé de ce type de société. Mais ces questions furent mises entre parenthèses par la crise économique amorcée avec le premier choc pétrolier de 1974. Entre 1974 et le début des années 80, les Français refusèrent implicitement l'idée d'une crise économique, revendiquant la poursuite de l'accroissement du pouvoir d'achat. Le réveil allait être brutal ; il se traduisit à partir de 1983 par l'explosion du chômage et par une sorte de dépression collective et individuelle.

La guerre du Golfe a modifié les attitudes à l'égard de la consommation.

Le choc psychosociologique lié à la guerre du Golfe, en 1991, fut le révélateur d'un changement des mentalités déjà sensible à la fin des années 80. Après environ 25 ans d'une transition à la fois économique, culturelle, psychologique et idéologique, les Français éprouvaient le besoin de souffler. D'autant qu'ils avaient été pendant ces années les témoins et les acteurs d'une véritable mutation sociale et avaient vu se multiplier les

menaces sur l'environnement et l'avenir de l'espèce humaine. Le tout sur fond d'innovation technologique et de mondialisation.

La crise économique et la guerre du Golfe ont eu des effets pédagogiques sur la consommation. Elles ont servi de révélateur et d'accélérateur à des attitudes nouvelles, caractérisées par une plus grande rationalité, une méfiance croissante à l'égard de l'offre, une volonté d'autonomie. La société de consommation n'a pas disparu, mais elle s'est transformée. L'accumulation et la dépense sont devenues moins valorisantes. La recherche identitaire, existentielle et philosophique représente une motivation croissante des actes d'achat. Les consommateurs sont entrés en résistance ; beaucoup ont découvert qu'ils avaient le pouvoir de dire non.

La période 1998-2000 a été euphorique...

1998 constitue une autre date-clé dans l'évolution des modes de consommation. La reprise économique tant attendue était intégrée par les Français et on assistait à une transformation spectaculaire du climat social. La victoire des Bleus lors de la Coupe du monde de football, le début de la baisse du chômage et la perspective de l'an 2000 ont entretenu un climat d'euphorie collective qui contrastait avec le pessimisme antérieur des Français, inégalé dans les autres pays de l'Union européenne.

Ces changements d'attitude se sont produits dans un contexte de rupture technologique, avec l'arrivée du téléphone portable et d'Internet, les promesses de la recherche génétique et l'émergence de la « nouvelle économie ». Ils ont été favorisés par les mutations sociologiques en cours. Mais la coïncidence n'était pas fortuite ; la perspective statistiquement exceptionnelle d'un changement de siècle et de millénaire constituait un très fort prétexte à s'interroger sur l'avenir.

La consommation, révélateur du changement social

... mais les lendemains de fête ont été difficiles.

L'euphorie aura été de courte durée. Dès le printemps 2000, la « nouvelle économie » avait donné des signes de faiblesse et les start-up étaient moins triomphantes. Internet ne tenait pas ses promesses et les biotechnologies paraissaient en panne, après le décodage du génome humain. La croissance s'essoufflait au cours du premier semestre 2001 et le chômage augmentait à nouveau. Les attentats du 11 septembre portaient un coup décisif au moral des citoyens. Ils relançaient les débats sur la mondialisation, mais aussi plus largement sur le sens de la consommation.

Ainsi, la propension à consommer des Français ne dépend pas seulement de la conjoncture économique. Elle est de plus en plus liée à la conjoncture pyschosociologique. Le sentiment diffus d'insécurité lié à un événement national ou international constitue par exemple un frein à la consommation. Mais il est vite effacé par une actualité plus favorable.

Les consommateurs ont développé une attitude de méfiance...

Au cours des années de crise, beaucoup de Français ont eu le sentiment d'avoir été trompés par des entreprises qui augmentaient artificiellement leurs prix, multipliaient les fausses innovations ou ne tenaient pas leurs promesses. Ils regardent donc avec plus de circonspection les produits, les marques et la publicité. Certaines pratiques commerciales discutables (vente forcée, faux rabais, publicités trompeuses...) ont éveillé leur esprit critique. 64 % des Français estiment ainsi que les enseignes d'hypermarchés et de supermarchés ne défendent pas vraiment ou pas du tout leurs intérêts (*LSA*/Sofres, septembre 1999).

Cette méfiance n'est pas seulement apparente en matière de consommation. Elle s'exprime dans tous les domaines de la vie courante, à l'égard des institutions, des hommes politiques, du corps médical ou des médias. Elle traduit la capacité croissante des Français à décrypter les propositions de toute nature qui leur sont faites et à choisir parmi elles. Elle montre aussi le rééquilibrage qui s'est opéré dans le rapport de forces traditionnel entre l'offre et la demande, au profit de cette dernière.

... qui s'accompagne d'une forte exigence...

Dans ce contexte de méfiance à l'égard de l'offre, les Français attendent toujours plus et mieux. Ils acceptent mal les attentes aux caisses, les ruptures de stock, les produits non conformes et n'hésitent pas à manifester leur mécontentement. Ils refusent aussi de choisir entre des demandes autrefois jugées contradictoires : plaisir et santé ; esthétique et praticité ; qualité et prix...

C'est pourquoi ils plébiscitent les produits plurifonctionnels comme les vêtements tous usages, les « deux-en-un » (shampooing-démêlant, éponge absorbante et essuyante, produits d'entretien lavants et désinfectants...) ou plus récemment les produits d'hygiène beauté « trois-en-un ». Ils sont aussi de plus en plus demandeurs de services (informations, livraison à domicile, facilités de paiement...) et de garanties en cas de problème (reprise, réparation, échange...).

La logique d'alliance ou de fusion tend donc à remplacer celle d'opposition. On en trouve d'autres illustrations en matière politique avec la cohabitation politique que les Français ont provoqué à trois reprises (1986, 1993, 1997), dans la vie familiale (il faut être heureux ensemble *et* séparément) ou professionnelle (les 35 heures ont été l'occasion de travailler moins *et* de maintenir le salaire antérieur).

... et d'un besoin croissant d'information.

Plus d'un tiers des Français se disent insuffisamment informés sur les produits qu'ils achètent : provenance, ingrédients, fabrication, utilisation... Ce besoin d'information s'explique d'abord par les craintes à l'égard des produits, en particulier dans le domaine alimentaire. Mais la quête sécuritaire n'est pas la seule explication. Les consommateurs veulent pouvoir choisir en toute connaissance de cause et souhaitent disposer des éléments nécessaires à leur décision, compte tenu de la complexité et de la multiplicité des offres. Même s'ils n'utilisent pas toujours les informations disponibles (un acheteur sur cinq avoue lire rarement ou jamais les étiquettes), ils sont rassurés de constater leur existence sur les emballages.

La demande d'information et l'exigence des consommateurs s'expliquent par la difficulté de décider, dans un monde où l'offre est surabondante et où les prestataires cherchent en permanence à séduire et à retenir les consommateurs qui les font vivre. Elle traduit aussi l'émergence d'une attitude d'autonomie, qui n'est pas toujours facile à mettre en œuvre et qui nécessite une veille permanente.

Pouvoir d'achat, savoir d'achat, vouloir d'achat

Pendant les années de crise, les Français ont continué d'accroître leur pouvoir d'achat (voir p. 355). Ils ont aussi accru ce qu'on pourrait appeler leur « savoir d'achat ». Cette période a eu des effets pédagogiques en matière de consommation. Les comportements sont devenus plus rationnels, ce qui n'exclut pas les achats d'impulsion (mais ils semblent eux aussi d'une certaine façon rationalisés). Les consommateurs ont ainsi appris à étudier et à comparer les offres et n'hésitent pas à faire jouer la concurrence pour réaliser de bonnes affaires. Dans ce nouveau modèle de décision d'achat, le « bouche à oreille » joue un rôle décisif ; il est un concurrent de la publicité, et constitue dans tous les cas (notamment défavorables) une caisse de résonance. Cette compétence s'est traduite par une forte exigence à l'égard des produits et des prestataires commerciaux.

On a vu aussi se développer à partir de 1998 un « vouloir d'achat ». Pour beaucoup de Français, les années difficiles avaient été marquées par la frustration, parfois accompagnée d'un sentiment de privation. La reprise économique et le changement de siècle ont favorisé la montée d'un nouvel hédonisme. Il se traduit par la volonté affichée de retrouver du plaisir dans la consommation. Les Français cherchent ainsi à satisfaire des désirs refoulés pendant les longues années de crise. Cette évolution des mentalités est à l'origine de la forte hausse de la consommation au cours des dernières années.

L'infidélité apparente est en réalité la conséquence de l'opportunisme ambiant.

Il est courant d'affirmer que les consommateurs sont devenus imprévisibles et infidèles. S'il est vrai qu'ils changent plus souvent de produits, de marques et fréquentent des circuits de distribution plus diversifiés, c'est parce qu'ils sont plus autonomes par rapport aux fournisseurs et plus rationnels dans leur processus de décision. Les ménages s'apparentent à

des microentreprises qui s'efforcent de réduire ou d'optimiser leurs dépenses (à défaut de pouvoir facilement accroître leurs recettes). Pour les achats de quelque importance, ils effectuent une véritable « étude de marché », dans laquelle le bouche-à-oreille joue un rôle essentiel.

Les achats effectués pendant les périodes de soldes et de promotions représentent ainsi une part croissante des dépenses (plus du tiers de celles d'habillement). Le poids des marques de distributeur, généralement moins chères à qualité comparable que les marques nationales, s'accroît régulièrement dans les achats ; il varie de 5 % pour l'hygiène beauté à 75 % pour les papiers essuie-tout. En alimentation, il représente 33 % pour les surgelés, 29 % pour les produits frais, 24 % pour la crémerie, 19 % pour l'épicerie, 13 % pour les liquides (Secodip, AC. Nielsen, IBC, septembre 2001). Le succès des magasins de maxidiscompte repose aussi sur cette volonté de mieux gérer le budget du ménage.

Enfin, les consommateurs commencent à utiliser Internet pour comparer les prix. Ils se regroupent dans des centrales d'achats pour particuliers, s'initient aux subtilités des ventes aux enchères, redécouvrent les achats d'occasion et le troc. Les Français sont donc devenus opportunistes. Ils cèdent plus facilement aux offres qui leur paraissent alléchantes et réévaluent plus souvent leurs produits et leurs fournisseurs habituels, les mettant en concurrence avec d'autres.

> Un consommateur insatisfait informe en moyenne dix personnes, un satisfait n'en informe que trois.

Le consommateur butineur

Le comportement opportuniste des Français est aussi la manifestation de leur éclectisme. La plupart ne peuvent en effet rester insensibles à la multiplication des offres dans tous les domaines et ils font preuve d'une curiosité croissante à leur égard, afin de déterminer celles qui leur apportent de véritables satisfactions.
Cet éclectisme s'explique aussi par la volonté de renouveler les sensations et de donner un peu de piment au quotidien. Si la consommation ne permet pas vraiment de donner du sens à la vie (voir p. 369), elle peut au moins lui donner du goût. Elle est en tout cas l'outil privilégié de la recherche de plaisir, dans une société matérialiste et hédoniste.
Mais l'éclectisme des consommateurs est aussi la conséquence d'une lassitude de plus en plus rapide. La satisfaction éprouvée en essayant les nouveautés se dissipe en peu de temps et le cycle de vie traditionnel des produits, tant sur le plan collectif qu'individuel, se raccourcit.
Ce que l'on prend pour de l'infidélité de la part des consommateurs à l'égard des produits et des marques n'est donc en réalité qu'un « butinage », en réponse à la diversité de l'offre et à des sollicitations commerciales qui s'apparentent parfois à un harcèlement. Il est aussi la conséquence d'un éclectisme qui témoigne aussi bien d'une curiosité accrue que d'une insatisfaction permanente.

La sécurité est une revendication prioritaire...

Conscients des menaces qui pèsent sur l'avenir, les Français sont plutôt pessimistes. Beaucoup craignent pour leur emploi, leur logement, leur retraite, leur santé, leurs biens, l'avenir de leurs enfants ou celui de la planète. Ce sentiment d'inquiétude permanente et multiforme est renforcé par la persistance du chômage, la montée de la délinquance, les problèmes écologiques, les risques technologiques, les déséquilibres démographiques ou économiques. Il est à l'origine d'un très fort besoin de sécurité, dont témoigne par exemple l'engouement pour les labels et, à un moindre degré, des marques (voir encadré).

Les produits et services permettant d'éloigner ou de supprimer les risques perçus sont donc de plus en plus recherchés. C'est le cas en particulier dans le domaine alimentaire, où les menaces apparaissent les plus fortes (voir p. 204). Mais la quête sécuritaire concerne l'ensemble des produits et des biens d'équipement. Ainsi, dans les critères de choix d'une voiture, la possibilité de rouler vite est devenue moins importante que celle de s'arrêter rapidement ou d'être protégé en cas d'accident (voir p. 215). La peur du risque explique aussi l'intérêt pour les services d'assistance et d'assurance, tant pour les personnes que pour les biens.

... de même que la « praticité ».

Les Français n'ont jamais disposé d'un capital temps aussi important (voir p. 127), mais ils n'ont jamais eu autant le sentiment d'en manquer. Ce paradoxe s'explique par la diversité des offres de produits, services et d'activités, dont l'achat et l'expérimentation pourraient utiliser le temps et l'argent de plusieurs vies. C'est pourquoi les Français sont de plus en plus attentifs à ne pas perdre leur temps à

des choses inutiles et peu agréables : recherche et comparaison des produits ; attente aux caisses des magasins ; ouverture des emballages ; déchiffrage des modes d'emploi...

B.G.S. Exploraction Publicité

Les consommateurs à la recherche de « praticité »

La « praticité » est donc une revendication d'importance croissante. Elle est particulièrement sensible en matière alimentaire, et elle a favorisé la croissance des produits pratiques à acheter, à ouvrir, à préparer, à consommer ou à conserver. Dans le même esprit, les livraisons à domicile se développent. 19 % des ménages y ont déjà eu recours en 2000, dont 12 % sont des utilisateurs réguliers. La proportion augmente avec le niveau de revenu et avec la taille de la famille (60 % de celles qui ont trois enfants et plus y recourent). Le panier moyen est de 108 €. 5 % des dépenses alimentaires des Parisiens ont été livrées à domicile en 2000. Cette attitude devrait favoriser le développement d'Internet, à condition que son utilisation devienne plus pratique et plus sûre.

> 61 % des Français trouvent qu'il y a aujourd'hui trop de choix dans les grandes surfaces.

La mobilité et le nomadisme s'accroissent.

La mobilité résidentielle des Français est plutôt en baisse (voir p. 192), mais ils se déplacent davantage au quotidien pour des raisons professionnelles, familiales ou personnelles. Cette mobilité les amène à consommer dans des endroits de plus en plus diversifiés : bureau, voiture, espaces publics, transports en commun, rue... Les lieux de transit prennent ainsi une place croissante (gares, stations-service, aéroports...). Le nomadisme concerne aussi bien l'alimentation (bouteille d'eau minérale transportable, barres de céréales...) que les loisirs (téléphone portable, rollers...).

Mais la mobilité est aussi virtuelle. Elle est encouragée par la possibilité de se déplacer depuis son fauteuil au moyen d'instruments électroniques et informatiques. Internet supprime la notion de distance et de frontière et confère le don d'ubiquité. La consommation de produits exotiques (alimentation, habillement, décoration, musique...) est une autre façon de se transporter ailleurs sans quitter son environnement.

Enfin, la mobilité est souvent potentielle ; beaucoup de ménages achètent des meubles à roulettes qu'ils ne déplacent pas ou rêvent de voyages qu'ils n'entreprennent jamais. Mais, même si elle n'est pas utilisée, la mobilité est l'un des attributs nécessaires de la liberté.

Les consommateurs expriment une demande de considération...

Même si elle prend souvent la forme d'un jeu de séduction et d'une négociation « gagnant-gagnant », la relation entre l'offre et la demande a toujours été un rapport de force, compte tenu des enjeux économiques considérables qu'elle représente. Pendant une longue période, les consommateurs ont été plutôt dépendants des prestataires, du fait de la domination de certaines marques, de l'influence de la publicité, du poids de la grande distribution et des pratiques de vente forcée en vigueur dans certains secteurs d'activité (ameublement, automobile, assurance...).

Le rapport leur est aujourd'hui plus favorable, dans un contexte de concurrence croissante entre les offres. Ils peuvent donc user de leur compétence et des nouveaux moyens mis à leur disposition pour enrichir et faciliter les choix : tests comparatifs réalisés par les organisations de consommateurs ; multiplication des promotions et des offres spéciales ; diversité des produits et des circuits de distribution...

Conscients de leur pouvoir, les consommateurs attendent donc aujourd'hui de la considération de la part des prestataires commerciaux. Ceux-ci déploient des efforts pour placer leurs clients ou leurs prospects au centre de leur réflexion et de leur action et dérouler devant eux le « tapis rouge ». C'est le cas en particulier des distributeurs, qui cherchent par tous les moyens à fidéliser leurs clients, sachant que cela coûte moins cher que d'en conquérir de nouveaux.

Le luxe pour tous

La forte demande de considération, sur fond d'hédonisme, s'accompagne dans la plupart des domaines d'une montée en gamme. On observe ainsi une attirance pour les produits de luxe, dont la croissance est depuis quelques années tirée davantage par les classes moyennes que par les clients traditionnels. Les Français veulent pouvoir accéder au moins à certains moments de leur vie à des privilèges autrefois réservés à une « élite » sociale ou financière. Beaucoup sont prêts pour cela à « casser leur tirelire ».

Outre ses attributs classiques (qualité, beauté, rareté, cherté, intemporalité, universalité), le luxe est aujourd'hui associé à d'autres notions comme l'esthétisme, la modernité, l'exotisme. Il répond à la fois à un besoin de régression (nostalgie, kitch...) et de transgression (suppression des codes traditionnels). Dans cette nouvelle acception du luxe, le futile devient utile, l'accessoire est essentiel, le superflu est nécessaire. Comme l'écrivait Coco Chanel, « le luxe n'est pas le contraire de la pauvreté, mais celui de la vulgarité ». Il a pour vocation de réenchanter la vie quotidienne des consommateurs.

...et de personnalisation.

Chaque consommateur a le sentiment, justifié sur le plan biologique et psychologique, d'être unique et d'avoir des besoins différents de ceux des autres. Il attend donc un traitement personnalisé et des produits conçus pour lui seul. Cette évolution s'explique par l'individualisation croissante des vies et par la volonté de s'épanouir à titre personnel. Elle est aussi pour les fournisseurs un moyen de répondre au besoin de considération des clients et de se différencier des concurrents.

On assiste donc depuis quelques années au développement du « sur-mesure » de masse. Il concerne par exemple l'équipement de la personne (chemises, costumes, jeans, chaussures...). Certains ordinateurs sont fabriqués à la demande, selon la configuration souhaitée par le client (processeur, mémoire, disque dur, écran, carte son, accessoires, logiciels...). C'est le cas aussi de marques de voitures, qui ne lancent la fabrication qu'à partir d'un bon de commande comprenant des centaines d'options. En matière alimentaire, on peut choisir dans des restaurants les ingrédients des sandwiches ou des salades composées. Les téléphones portables ont des fonctions, des façades et des sonneries personnalisées. Des fabricants de cosmétiques proposent aussi de réaliser des vernis à ongles, des fonds de teint ou des parfums sur mesure.

La limite de la personnalisation est le prix additionnel à payer par le client et l'intrusion qu'elle implique dans son intimité : prise de mesures pour réaliser un vêtement ; questions posées sur l'usage du produit... Elle tend aussi à réduire la fonction de conseil jouée par la marque ou par le vendeur et oblige le client à prendre des décisions parfois difficiles.

L'arrivée de l'euro a fait disparaître les repères de prix.

La phase de mise en place de l'euro a été un incontestable succès (voir p. 266), dans la mesure où elle ne s'est pas accompagnée des problèmes redoutés : refus des consommateurs ; difficultés de conversion ; fausse monnaie ; affichages erronés ; baisse de la consommation... Les seuls dérapages ont concerné les prix de certains produits. Ainsi, les lessiviers avaient réduit à plusieurs reprises le poids de leurs produits tout en maintenant le même prix de vente (mais en accroissant le pouvoir lavant) ; les barils de certaines marques sont passés de 4,5 kg début 2000 à 3,28 kg en juin 2001, soit une hausse du prix au kilo atteignant parfois 40 % (*60 Millions de consommateurs*). Des hausses très fortes ont été également constatées sur des produits alimentaires, cosmétiques, etc. Ces pratiques entretiennent la méfiance des consommateurs à l'égard de l'offre commerciale en général. Elles accroissent le stress lié aux actes d'achat et justifient l'infidélité croissante aux marques et aux enseignes.

Si les Français ont appris à agir en euros, ils n'ont pas encore appris à penser dans la nouvelle monnaie. Cette seconde phase sera beaucoup plus longue, car elle nécessite de reconstituer un référentiel de prix dans les esprits. On constatait cependant avant l'arrivée de l'euro que seuls 2 % des Français connaissaient le prix exact des produits courants, un sur cinq l'estimait à plus ou moins 5 % près, 40 % se trompaient d'au moins 20 %.

L'ajustement sera plus rapide pour les produits d'usage courant (alimentation, essence...) que pour les biens d'équipement ou les services. Certains achats importants ou non urgents ont pu ainsi être repoussés. Enfin, les écarts de prix sont divisés par un peu plus de six, ce qui modifie leur perception.

Prix : la logique introuvable

Les consommateurs éprouvent des difficultés croissantes à appréhender les prix. D'abord, parce qu'ils varient pour un même objet ou un même service selon de nombreux critères : âge, ancienneté ; capacité de négociation du client ; période de l'année ; montant de l'achat ; circuit de distribution... Le prix d'un billet d'avion peut ainsi varier de un à six sur une compagnie régulière ; l'écart peut être important aussi pour une chambre d'hôtel ou un séjour touristique. Les tarifs sont en outre souvent difficiles à comparer, les caractéristiques et les références étant différentes d'un magasin ou d'un circuit à l'autre.

Surtout, les prix échappent de plus en plus à la logique commune, qui voudrait que les prix élevés soient associés à des produits à forte valeur ajoutée. Or, en matière par exemple d'équipements technologiques, le matériel (ordinateur, téléphone portable, montre...) est parfois vendu moins cher que le consommable (logiciel, abonnement, pile, cartouche d'imprimante...). Les prix des équipements sont parfois conditionnés à la souscription de services : un téléphone portable peut être gratuit si l'on achète en même temps un forfait.

Il existe aussi des prix cachés, liés par exemple à l'obligation d'appeler un serveur vocal ou un numéro payant pour obtenir une information, effectuer une réservation ou une opération bancaire. Cette pratique courante est d'autant plus mal acceptée que les entreprises qui l'imposent réduisent en même temps leurs charges de personnel. Le malaise est accru lorsque le temps de communication est artificiellement prolongé par des attentes interminables (souvent « meublées » par des messages publicitaires) et par l'impossibilité d'obtenir un interlocuteur ou une réponse. On peut citer enfin l'obligation d'acheter des éléments nécessaires au bon fonctionnement d'un appareil, mais non compris dans le prix affiché : batteries ; câbles ; logiciels ; garanties... Toutes ces subtilités finissent par décourager et frustrer le consommateur le mieux disposé. Elles expliquent la méfiance croissante envers l'offre.

Le traditionnel rapport qualité/prix tend à être remplacé par un rapport valeur/coût.

La qualité d'une offre, telle qu'elle est perçue par le consommateur, ne peut plus être réduite à celle du produit qu'elle contient (valeurs d'usage). Il s'y ajoute des valeurs immatérielles, qui pèsent de plus en plus lourd dans les décisions d'achat et dans le niveau de satisfaction final : notoriété de la marque ; attributs de son image ; facilité d'accès aux produits ; information disponible ; relation avec les interlocuteurs ; services associés ; garanties...

Au dénominateur de la fraction, le prix n'est plus que l'un des éléments du coût global pour l'acheteur. Il s'y ajoute une estimation de la dépense énergétique nécessaire pour se procurer le produit (fatigue, essence, frais de parking...). Il intègre également le temps consacré à cette démarche et qui viendra en concurrence avec d'autres activités possibles. Enfin, il inclut un coût lié à la réflexion nécessaire à la prise de décision, qui implique de réunir des informations, de les comparer et de choisir entre elles. Si les Français sont attentifs aux prix, ils ne recherchent pas systématiquement le prix le plus bas et recherchent ce que l'on pourrait qualifier de « légitime dépense ».

Le modèle de décision d'achat s'est donc transformé, afin d'intégrer les nouvelles attitudes et les nouveaux comportements en matière de consommation. C'est en fonction de l'estimation d'un coût global (financier et non financier) attaché à une valeur globale que chaque offre est évaluée. Au terme de cette procédure en partie inconsciente, l'acheteur détermine celle qui lui paraît la plus conforme à ses souhaits.

Les critères sociodémographiques ne suffisent plus à expliquer les comportements.

Les caractéristiques personnelles comme le sexe, la situation de famille ou le revenu sont de moins en moins explicatives des modes de consommation, encore moins prédictives. Ceux-ci sont davantage liés aux modes de vie et aux systèmes de valeurs. C'est ce qui explique par exemple que l'on trouve des représentants de tous les groupes sociaux dans les magasins de maxidiscompte ou que la corrélation entre le prix d'achat des voitures et le pouvoir d'achat de leurs propriétaires soit moins forte qu'autrefois.

Les phases du cycle de vie sont en revanche des critères de « segmentation » de plus en plus pertinents : les ménages n'ont pas les mêmes besoins ni les mêmes attitudes selon qu'ils s'installent dans leur premier logement ou qu'ils partent à la retraite, que leurs enfants sont en bas âge ou à l'université.

L'analyse des modes de consommation montre aussi que les profils d'emploi ont une incidence plus forte que la catégorie socioprofessionnelle ou même le milieu social. Ainsi, les catégories dirigeantes accordent une préférence aux services par rapport aux biens, à la consommation par rapport à l'épargne et consacrent une part plus importante de leurs revenus au logement (INSEE, 2001). Dans les classes moyennes, les dépenses des ménages travaillant dans le secteur tertiaire sont davantage tournées vers l'extérieur du foyer, alors que les ménages travaillant dans le secteur industriel sont plus casaniers. Le budget des foyers comportant des indépendants est marqué par le manque de temps de loisirs et la sédentarité.

Pouvoir d'achat et consommation

Les critères traditionnels d'explication de la consommation ne sont pas pour autant caducs. La façon d'acheter reste souvent liée au niveau de revenu. Les écarts sont notamment sensibles en ce qui concerne les produits « de luxe » comme les voyages organisés, les locations de villas, les frais de résidences secondaires, les services domestiques ou les assurances. De même, l'alimentation pèse deux fois plus lourd dans le budget des manœuvres que dans celui des professions libérales. Le budget habillement d'un cadre moyen est près de deux fois supérieur à celui d'un agriculteur, son budget loisirs près de trois fois. Pourtant, à revenu égal, les habitudes de dépenses peuvent être très différentes.

La consommation est de moins en moins sexuée.

De nombreux domaines de consommation jusqu'ici plutôt masculins se sont féminisés au cours de ces dernières décennies : automobile ; bricolage ; sport ; tabac ; alcool ; informatique ; rasage... A l'inverse, les hommes sont de plus en plus concernés par les secteurs traditionnellement plus féminins : soins corporels ; parfums ; teinture des cheveux ; gymnastique ; mode vestimentaire ; produits alimentaires allégés... Ce rapprochement des modes de consommation est la conséquence de celui des modes de vie et des systèmes de valeurs. Il a été favorisé par le « rattrapage » spectaculaire des femmes en matière de niveau d'instruction (voir p. 112).

On observe encore cependant des différences. Les femmes attachent plus d'importance aux produits engagés sur le plan écologique ou humanitaire. Les hommes sont plus attachés aux dimensions ludiques de la consommation et privilégient l'innovation technologique. Ils apprécient davantage la négociation et le marchandage, alors que les femmes préfèrent « fouiller » dans les magasins et dénicher la bonne affaire.

> 57 % des Français se disent mal informés sur l'origine réelle ou la provenance des produits.

Robinson

La voiture, objet de consommation courante

L'âge reste le critère le plus différenciateur.

De tous les critères habituels, l'âge reste le plus explicatif et prédictif des comportements de consommation. Il est par exemple déterminant dans le statut d'occupation du logement : les jeunes ménages sont plus souvent locataires et dépensent proportionnellement plus que les autres pour l'équipement. D'une manière générale, les jeunes représentent un poids important dans la consommation, autant par leurs dépenses personnelles que par le rôle de prescripteurs qu'ils jouent le plus souvent à l'égard de leurs parents (voir p. 170).

A l'autre extrémité de la pyramide des âges, les « seniors » représentent le nouvel eldorado des marques (voir p. 189). Conscientes de leur pouvoir d'achat élevé, de leur disponibilité et de leur envie de consommer, les entreprises s'efforcent de les séduire en prenant en compte leurs spécificités : perception sensorielle atténuée (vision, ouïe...) ; mobilité plus réduite ; besoin de confort ; recherche de sécurité et de convivialité ; résistance à l'innovation (bien qu'elle soit en train

de se réduire avec l'arrivée de nouvelles générations de retraités beaucoup plus proches des jeunes).

Conso solo

La situation de famille reste un déterminant important de la consommation. L'accroissement des divorces, le phénomène croissant de décohabitation (couples n'habitant pas ensemble) et l'allongement de la vie ont accru le nombre de personnes vivant seules, au moins à un moment de leur vie. Les « solos » représentent aujourd'hui un tiers des ménages, soit plus de 7 millions de personnes, notamment de femmes. On pourrait ajouter les 2 millions de ménages monoparentaux (un parent, généralement la mère, élevant seul un ou plusieurs enfants).

Le poids économique de ces ménages unipersonnels est important. Ils constituent autant de foyers qu'il faut équiper et ils sont souvent de gros consommateurs. C'est la raison pour laquelle une offre spécifique se développe à leur destination : plats préparés ; clubs de vacances ; séries télévisées ; services divers.

Satiété française

A l'intérieur du foyer, les biens d'équipement et de loisir sont de plus en plus nombreux. La quasi-totalité des ménages disposent d'un réfrigérateur, d'un lave-linge, d'un four, d'un téléviseur et de plusieurs radios. Les trois quarts ont un four à micro-ondes, les deux tiers un téléphone portable. De nombreux ménages sont aujourd'hui en situation de multi-équipement (téléviseurs, voitures, montres, objets de toute nature, placements financiers ou même résidences). D'autres remplacent régulièrement des équipements qui suffisent pourtant à leurs besoins (ordinateurs, téléphones mobiles, appareils photo...) sous la pression des entreprises et des distributeurs.

Pour tous ceux qui sont concernés, cette « satiété française » est une course sans fin qui engendre une frustration croissante. Elle amène certains à se demander s'il existe une corrélation véritable entre la multiplication des objets matériels et le bonheur de vivre. Est-on plus heureux lorsqu'on dispose de dix costumes, de six montres, de quatre téléviseurs ou de trois voitures ? Un nombre croissant de Français se posent la question et considèrent que la réponse n'est pas obligatoirement positive. Les comportements de consommation pourraient en être affectés, dans le sens d'une résistance aux sollicitations, d'un plus grand discernement, voire d'un ascétisme volontaire.

La consommation engendre à la fois plaisir et frustration.

Les progrès techniques, l'évolution du pouvoir d'achat et les systèmes de redistribution sociale ont permis depuis des années de satisfaire les besoins primaires des individus. Pour l'immense majorité des Français, la question de l'alimentation, de l'habillement ou du logement ne se pose pas. Aussi, les produits alimentaires ou vestimentaires ne remplissent plus seulement leurs fonctions de base (nourrir, protéger du froid). Ils se sont diversifiés et complexifiés à l'extrême pour apporter des satisfactions d'autres natures : mode ; statut social ; originalité ; diversité ; régression ; transgression... La recherche du plaisir tend à remplacer celle de la simple satisfaction de besoins basiques.

Pourtant, la possibilité pour le plus grand nombre de se doter des attributs de la modernité ne va pas sans frustration. Car il est difficile (et coûteux) d'acquérir tous les nouveaux biens d'équipement électroménager ou de loisirs qui sont proposés en permanence. C'est pourquoi une proportion importante de Français (58 %) a le sentiment de s'imposer des restrictions (Credoc, 2002). C'est le cas de 83 % en ce qui concerne les vacances et les loisirs, 71 % pour l'habillement, 68 % pour les équipements ménagers, 60 % pour les soins de beauté, 59 % pour les dépenses de téléphone, 52 % pour celles de voiture, 36 % pour celles de logement, 34 % pour celles d'alimentation (voir p.388). Il est significatif que ces proportions restent assez stables dans le temps, malgré l'accroissement du pouvoir d'achat moyen. L'insatisfaction apparaît consubstantielle à la consommation.

La recherche du bien-être n'est plus seulement matérielle.

La consommation a pour fonction croissante de participer à la recherche d'un équilibre, d'une satisfaction intérieure, d'une harmonie avec soi-même, avec les autres et avec l'univers tout entier. Chaque produit ou service doit être porteur d'identité. Il doit aider son utilisateur à mieux se connaître et s'estimer. Il peut dans certains cas l'aider à changer d'iden-

tité, à jouer avec elle en devenant quelqu'un d'autre.

Consommer, ce n'est plus aujourd'hui seulement vivre et *avoir* ; c'est *être* et se sentir bien dans sa peau. Les produits, les services mais aussi les lieux de vente et la publicité doivent être les vecteurs d'un bien-être physique (avec notamment les produits liés à la santé) mais aussi et surtout mental. Les consommateurs attendent d'eux un moyen de lutter contre le stress, d'éprouver du plaisir, de créer des ambiances ludiques, de favoriser la convivialité. C'est-à-dire au fond de « réenchanter » le monde. Certaines marques tentent de répondre à ce besoin en proposant des « produits zen », inspirés de l'Orient : tisanes ; yaourts au bifidus ; eaux minérales enrichies ; produits d'aromathérapie ; diffuseurs d'huiles essentielles ; tissus relaxants et massants...

Le bien-être passe aussi par la simplicité et la facilité d'utilisation. Les consommateurs sont irrités par les télécommandes trop complexes, les bouchons impossibles à enlever, les boîtes de conserve difficiles à ouvrir, les modes d'emploi incompréhensibles. Leur temps est précieux et ils ne veulent pas le perdre en accomplissant un travail qui devrait être fait pour eux par les fabricants, les distributeurs et autres prestataires de services.

La société de consommation tend à devenir une société de consolation.

On voit apparaître une prise de distance de la part des Français à l'égard de la consommation. Comme si leur « vouloir d'achat » récent (voir p. 362) se transformait en « devoir d'achat » par rapport à eux-mêmes. Comme s'ils cherchaient à remplir par la consommation une sorte de vide existentiel, accru dans certains cas par la réduction du temps de travail. « Je consomme, donc je suis », telle semble être la devise de ces personnes pour qui la dépense tient parfois lieu d'activité, voire de projet personnel. Faute de penser à un futur dont les contours leur apparaissent flous et peu engageants, elles préfèrent se réfugier dans le présent, et même dans l'instant. L'achat et l'utilisation des produits, services et biens d'équipement est une façon d'occuper son temps, sans penser au lendemain.

Il est courant d'associer la hausse de la consommation à celle du moral des ménages. Elle peut être au contraire la conséquence de sa dégradation. Ainsi, on a vu le niveau de confiance des ménages dans l'évolution de leur niveau de vie et de pouvoir d'achat s'accroître fortement entre 1996 et 1999 pour atteindre 50 % d'optimistes (contre 32 % en décembre 1996), puis stagner à ce niveau. Cet optimisme ne s'est pourtant pas traduit par une envie de dépenser plus, mais au contraire d'épargner davantage. Le réflexe de sortir faire les magasins pour oublier les soucis quotidiens n'est pas l'apanage des femmes déprimées. Il concerne aujourd'hui une partie croissante de la population des deux sexes et de tout âge (avec cependant une propension plus marquée chez les jeunes).

S'ils sont favorables à l'économie, ces achats de compensation s'accompagnent souvent d'une mauvaise conscience, celle de ne pas avoir trouvé un sens plus élevé et moins matériel à la vie. On retrouve cet état d'esprit dans la consommation des médias ; il explique en particulier l'écart entre l'image des chaînes de télévision et leur audience (voir p. 422).

Tout doit disparaître !

Étymologiquement, consommer signifie détruire. Le destin des biens de consommation, à commencer par ceux qui sont périssables et « consommables » (piles, pellicules photo, recharges de toute sorte...) est donc de disparaître, généralement sous la forme de déchets qu'il faut ensuite éliminer. Les biens « durables » (équipements) connaissent un sort identique, même si leur durée de vie est plus longue. On observe d'ailleurs qu'elle tend à diminuer au fur et à mesure que le rythme d'innovation s'accélère. Elle est aussi raccourcie par le fait qu'on ne les répare plus lorsqu'ils cessent de fonctionner. Les périodes de soldes constituent une double illustration de la finalité destructrice de la consommation. D'abord parce qu'elles marquent la fin des productions de la saison précédente. Ensuite parce qu'elles ont pour objet de liquider (le terme n'est pas innocent) les invendus. Dans une société qui a peur de mourir, la consommation est une façon de s'assurer que l'on est en vie. Tout en sachant qu'un jour ou l'autre tout disparaîtra.

La tendance régressive est de plus en plus marquée.

Un vent de nostalgie et de régression souffle sur la France depuis quelques années. Les plus jeunes n'ont pas envie de couper le cordon ombilical ; adolescents plus tôt, ils sont adultes plus tard et restent plus longtemps dans le cocon parental. Les trente-

naires sont les plus touchés. Ils circulent en rollers ou en trottinette, achètent des bonbons, des sucettes, des bouillottes, des peluches, boivent l'eau minérale à la tétine... Ils apprécient le mou, le doux (avec son symbole éternel, le doudou), le câlin, et fondent devant les vieux dessins animés (Goldorak, Casimir...) ou les séries télévisées qui leur rappellent leur enfance. Des marques oubliées reviennent à la mode : Petit Bateau, Kelton, Haribo, K.Way, Kickers... De nouvelles se sont inscrites dans la tendance « mélancolie » comme les magasins Résonances, les radios RFM, Europe2 ou RTL2. Cette régression est également apparente dans le souci des Français de protéger la nature, leur attachement au jardin et aux plantes ou leur rapport aux animaux domestiques (voir p. 219).

Ces comportements s'expliquent par la peur. Celle de l'avenir, qu'il est bien difficile d'imaginer dans un monde mobile et dangereux ; les actes terroristes de 2001 ont évidemment renforcé ce sentiment. Peur du vide aussi, avec la disparition des certitudes (religieuses, scientifiques, idéologiques...) au profit d'un doute lancinant. Peur, enfin, de l'autonomie, nécessaire mais souvent difficile et parfois impossible, car elle implique une veille de tous les instants et une adaptation au changement qui n'est pas à la portée de tous.

Dans une société mal dans sa peau, l'idée se répand que « c'était mieux avant », à une époque où la technologie et la science ne faisaient pas peur, où les institutions veillaient sur les citoyens, où la compétition était moins féroce entre les individus, où chacun au fond acceptait la place qui lui était attribuée par la naissance.

Dufresne & Corrigan

L'odorat, un sens de plus en plus sollicité

Les consommateurs recherchent des satisfactions sensorielles.

Dans une société très hédoniste, la recherche du plaisir passe d'abord par la satisfaction des sens. Les Français veulent voir, entendre, toucher, sentir, goûter. L'émotion devient un moteur essentiel de la consommation et les produits polysensoriels se multiplient. C'est le cas notamment dans le domaine alimentaire, avec les produits « de fête » (saumon, foie gras, champagne...), le grignotage en cours de journée, les bonbons qui pétillent ou les produits exotiques.

La vue est sans doute le sens le plus sollicité. Le design prend depuis quelques années une importance croissante dans la consommation et dans la vie, en proposant des objets porteurs d'identité et de beauté (voir encadré), que l'on a envie de s'approprier. L'odorat, qui avait été jusqu'ici un peu délaissé, est l'objet d'efforts particuliers de la part des industriels et des distributeurs (marketing olfactif). Les distributeurs diffusent ainsi des odeurs dans les rayons des magasins. La RATP fait de même dans les stations de métro parisiennes. Les parfums d'ambiance, les bougies odorantes ou les produits d'aromathérapie sont entrés dans les foyers. Le toucher constitue un autre axe d'innovation pour les fabricants de matières synthétiques, avec des produits comme les microfibres, le Lycra ou les tissus relaxants. L'ouïe est également davantage sollicitée, avec une présence croissante de musique et d'ambiances sonores dans les magasins ou les lieux publics. Les constructeurs automobiles travaillent ainsi sur le bruit des moteurs ou celui des portières pour qu'il soit agréable et évocateur du type de voiture.

Comme les produits, les magasins et points de vente de l'avenir devront proposer des sensations à leurs visiteurs et être en mesure de les renouveler. Cela implique de créer des espaces esthétiques, ludiques, conviviaux, originaux. Les centres commerciaux sont les principaux lieux d'exposition du monde contemporain et les plus fréquentés avec les gares et aéroports. On y trouve la plupart des objets et services qui jouent un rôle dans la vie des Français. Mais ils ne sauraient être de simples musées du présent. Les objets qu'ils présentent doivent être mis en scène, « animés » au sens étymologique (dotés d'une âme). Ils doivent avoir pour ambition de réenchanter le quotidien de ceux qui les visitent.

> 65 % des Français estiment qu'ils manquent souvent de repères et d'informations pour choisir entre différents produits de même type.

Résonner plutôt que raisonner

On a cru pendant longtemps que la puissance de la raison permettrait de comprendre le monde (à travers notamment la recherche scientifique) et de le rendre meilleur. Mais les progrès de la connaissance et les applications des découvertes scientifiques n'ont pas induit le sentiment d'un progrès véritable ; ils ont en tout cas engendré autant de questions pour l'avenir qu'ils apportaient de réponses sur le présent (voir p. 274).
C'est pourquoi les Français cherchent aujourd'hui à ressentir les choses plus qu'à les appréhender par le raisonnement. Les individus et les consommateurs sont davantage à la recherche de satisfactions sensorielles qu'intellectuelles. Les saveurs, les odeurs, les formes, les textures jouent un rôle croissant dans l'hédonisme contemporain. L'intelligence est moins valorisée que les sens. L'émotion prime souvent sur la réflexion, comme en témoigne l'évolution de l'offre en matière de loisirs. Le cinéma, la télévision, le sport, les pratiques artistiques donnent souvent plus à voir, entendre, sentir, toucher qu'à penser. Ils invitent à résonner plutôt qu'à raisonner.

La consommation se dématérialise.

Dans un contexte général où le monde virtuel tend à compléter ou parfois remplacer le monde réel, les produits et les biens d'équipement deviennent plus abstraits. Cette évolution est déjà apparente en ce qui concerne les transactions monétaires. L'argent a d'abord été solide (les espèces « sonnantes et trébuchantes »), puis « liquide » (billets) ; il a été remplacé peu à peu par l'argent électronique (cartes de crédit, porte-monnaie électronique) qui s'apparente davantage à un gaz, inodore, incolore, mais pas sans saveur (voir p. 337).

On observe que les valeurs ajoutées immatérielles, intangibles, impalpables jouent un rôle croissant dans les attentes des consommateurs : image de la marque ; ambiance des points de vente ; qualité de l'accueil ; diversité des services proposés ; garanties et labels ; service après-vente, etc. Ces aspects joueront un rôle croissant dans la différenciation d'offres de plus en plus semblables, parfois identiques. Les produits seront de plus en plus perçus comme une addition de services. Des services qui seront d'ailleurs moins associés aux produits eux-mêmes qu'à leurs acheteurs et utilisateurs. Dans cet esprit, les marques devront véhiculer des valeurs de réassurance : authenticité, naturalité, transparence, morale, vérité, vertu.

L'acquisition n'est plus le seul mode d'accès à la consommation.

Les Français sont en train de perdre le sens de la propriété qui les a longtemps caractérisés. Ses avantages s'émoussent au fur et à mesure qu'apparaissent ses inconvénients : entretien ; réparation ; assurance ; revente ; remplacement... Ce n'est plus la possession qui importe mais le service obtenu et le plaisir qu'il procure. Les Français veulent l'usage sans l'usure, et, dans cette optique, il est parfois peu rationnel d'acheter. De leur côté, les entreprises commencent à se rendre compte que leur vocation n'est pas de produire des biens matériels et de les vendre, mais de proposer à leurs clients la satisfaction de leurs besoins ou de leurs envies.

L'accès aux biens et aux services ne passe donc plus seulement par leur acquisition. Il peut s'effectuer par le biais de la location (voir encadré), de l'abonnement ou de toute autre formule qui ne transfère pas la propriété mais la jouissance. Le système du forfait connaît ainsi un succès croissant. Il est utilisé pour la téléphonie mobile, la télévision, Internet, l'automobile, les vacances, la restauration, le crédit, etc. Dans des domaines où règne la complexité des prix, il est rassurant de savoir ce que l'on va payer et les services auxquels on a droit, plutôt que de prévoir ou calculer en temps réel ses dépenses. Ce qui n'interdit pas de dépasser le forfait souscrit (les entreprises s'efforcent évidemment d'y pousser leurs clients en leur proposant des services complémentaires) ou d'en choisir un autre, mieux adapté à ses besoins.

Cette évolution du rapport à la propriété traduit la volonté de renouvellement des consommateurs, qui aiment modifier leur environnement et se donner le sentiment de changer de vie. Mais, s'il présente des avantages, le système peut être générateur d'inégalités. Car les formules d'accès sont parfois réservées à certaines personnes et refusées à d'autres. C'est le cas notamment de l'accès à des lieux publics (administrations, écoles, institutions diverses) ou privés (entreprises, logements, lieux de divertissement...).

> Dans un magasin, seuls 10 % des consommateurs connaissent le prix du produit qu'ils viennent de prendre en main, contre 47 % aux Etats-Unis.

Tout soit loué !

L'attachement des Français à la possession de leur résidence principale est moins fort, comme en témoigne la stagnation de la proportion de propriétaires (voir p.194). Ils sont aussi de plus en plus nombreux à louer des voitures plutôt qu'à les acheter (voir p.217). Il en est de même pour les outils de bricolage ou de jardinage, les équipements de loisirs (téléviseur, ordinateur, Caméscope, chaîne hi-fi, matériel de camping...), ceux de sport (ski, planche à voile, bateau...) ou même les robes de mariée. La location fait gagner du temps ; elle évite de s'engager dans la durée à une époque où l'on recherche une jouissance immédiate, même si elle est éphémère.

L'intérêt des Français pour les formules de location montre qu'ils recherchent davantage l'usage et la jouissance des objets que leur possession, laquelle est souvent synonyme de soucis ou d'ennuis. Cette attitude est particulièrement apparente chez les jeunes, qui ne veulent pas s'attacher aux objets et qui veulent pouvoir en changer au gré des modes et des envies. Elle s'explique par la mobilité croissante des esprits et par le besoin de renouvellement des émotions. Elle est due aussi à la rapidité de l'évolution technique, qui rend plus rapidement obsolètes les biens et les équipements.

Les lieux d'achat se sont diversifiés au profit des grandes surfaces...

Depuis l'ouverture du premier hypermarché (le Carrefour de Sainte-Geneviève-des-Bois, près de Paris, en 1963), les grandes surfaces ont connu un développement spectaculaire. En 2001, les Français ont effectué 64 % de leurs dépenses alimentaires dans les 1 155 hypermarchés et les 8 000 supermarchés existants (voir p. 383). La grande distribution alimentaire a capté 42 % des dépenses de détail des ménages, au détriment des petits commerces.

3.2.1...
SOLDES
-50%
Avec Carrefour je positive !
A PARTIR DU 26 JUIN
Altavia Mindeos

La course aux bonnes affaires se généralise

Entre 1966 et 1998, le nombre des petites épiceries a ainsi diminué de 84 %. La baisse a été de 76 % pour les crémeries, 71 % pour les boucheries, 55 % pour les poissonneries, 52 % pour les magasins de chaussures, 50 % pour les charcuteries, 42 % pour les commerces de vêtements. Mais la part de marché des hypermarchés s'effrite depuis 1998 et la grande distribution va être contrainte à se réinventer au cours des prochaines années.

Une nouvelle donne est en train de s'opérer entre les différents types de magasins. Les produits non alimentaires représentent 46 % des ventes des hypermarchés, contre 36 % en 1970. Ceux-ci réalisent ainsi plus de la moitié des ventes d'hygiène beauté, mais ils sont distancés par les grandes surfaces spécialisées (GSS) en matière d'habillement, de chaussures et d'articles de sport. Les GSS ont connu une forte croissance au cours des années passées dans les domaines du bricolage, du jardinage, de l'équipement de sport ou de l'ameublement. Les 2 800 magasins de maxidiscompte (apparus en France dans les années 90) sont fréquentés par 15 % des ménages et représentent une part croissante des dépenses alimentaires.

... mais le petit commerce trouve un second souffle.

Le commerce traditionnel a connu une érosion régulière pendant plusieurs décennies et ne représente plus que 17 % de l'ensemble des achats des ménages. Mais il a réussi à maintenir une position dominante dans certains secteurs comme l'optique photographie, la maroquinerie ou l'horlogerie bijouterie. On assiste aujourd'hui à une redynamisation des magasins de centre-ville au détriment des grandes surfaces de périphérie. Les Français ne se satisfont plus des prix bas ; ils attendent des services et attachent une importance croissante à la relation avec les vendeurs.

Plus généralement, on observe chez les consommateurs une volonté de transgresser le système économique classique, dont les règles sont édictées par la grande distribution et dans lequel ils se sentent un peu pris

Les hypers gagnent

Evolution de la répartition des dépenses des ménages entre les différents types de distribution (2001, en %) :

	Produits alimentaires (hors tabac)		Produits non alimentaires*	
	1995	2001	1995	2001
Alimentation spécialisée et artisanat commercial	**18,5**	**16,3**	0,9	0,7
dont : - boulangeries-pâtisseries	7,3	6,5		
- boucheries-charcuteries	7,1	6,0		
Petites surfaces d'alimentation générale et magasins de produits surgelés	**10,0**	**8,5**		
Grandes surfaces d'alimentation générale	**63,2**	**66,2**	**18,7**	**20,1**
dont : - supermarchés	29,1	29,9	6,4	7,3
- hypermarchés	33,1	34,7	12,0	12,4
Grands magasins et autres magasins non alimentaires non spécialisés	**1,1**	**1,1**	**2,0**	**1,8**
Pharmacies et commerces d'articles médicaux			**9,3**	**9,4**
Magasins non alimentaires spécialisés			**41,9**	**41,5**
Vente par correspondance			**3,2**	**3,0**
Autres, hors magasin (marchés...)	**3,4**	**3,2**	**2,0**	**1,6**
ENSEMBLE COMMERCE DE DETAIL ET ARTISANAT	**96,3**	**95,3**	**79,1**	**78,2**
Ventes au détail du commerce automobile	0,3	0,6	15,4	16,3
Autres ventes au détail**	3,4	4,1	5,5	5,5
ENSEMBLE DES VENTES AU DETAIL	**100,0**	**100,0**	**100,0**	**100,0**

* Y compris les ventes et réparations de motocycles, les produits liés à l'automobile, mais à l'exclusion des ventes et réparations de véhicules automobiles.

** Ventes au détail d'autres secteurs : cafés-tabacs, grossistes, ventes directes de producteurs...

INSEE

au piège. C'est ce qui explique leur intérêt pour les formes de distribution qui permettent de faire des économies, mais aussi de reprendre l'initiative dans la relation commerciale. C'est l'une des raisons du succès des maxidiscomptes, des magasins d'usine, des formules de troc, de dépôt-vente ou d'achat d'occasion (transactions entre particuliers, brocantes). L'arrivée d'Internet participe au mouvement en cours de « redistribution de la distribution ». On peut d'ailleurs remarquer que les formes de commerce anciennes se développent rapidement dans le circuit de distribution le plus moderne qu'est Internet : sites spécialisés dans les achats groupés ; sites permettant les comparaisons de prix entre fournisseurs ; sites de vente aux enchères ; sites de troc et de vente d'occasion, etc. Les achats effectués aujourd'hui par le canal du cybercommerce sont encore très minoritaires, mais leur croissance est rapide (voir p. 384).

Les marques sont à la fois recherchées....

Les consommateurs ont une vision ambivalente des marques. Beaucoup ont besoin d'elles pour se rassurer. La marque permet en effet à un fabricant ou à un distributeur de certifier la qualité de ses produits et la satisfaction de ses clients, de signifier ses engagements. Elle confère une identité, exprime des valeurs, évoque un univers, définit un concept, préempte un territoire, différencie une

De l'exhaustivité à la sélectivité

Les hypermarchés et les grandes surfaces commerciales ont fondé leur réussite sur le double concept du libre-service et du nombre élevé de produits proposés. Cette deuxième dimension apparaît aujourd'hui moins nécessaire à des consommateurs confrontés à une surabondance de l'offre (plus de 100 000 références dans un grand hypermarché) et qui éprouvent des difficultés à choisir. Ils cherchent donc une offre plus réduite, à l'intérieur de laquelle ils peuvent rapidement trouver le produit qui leur convient.

L'exhaustivité de l'offre n'est donc plus le premier service attendu par les consommateurs. Ainsi, le fait qu'Amazon.com compte à son catalogue 13 millions de titres de livres (contre moins de 200 000 dans les plus grandes librairies « en dur ») est sans doute moins important pour les visiteurs du site que les listes des meilleures ventes, les suggestions des vendeurs ou les critiques des lecteurs. Certains grands magasins tentent de répondre à cette évolution de la demande en réduisant leurs gammes et en sélectionnant pour leurs clients des produits plus faciles à comparer.

offre par rapport à celles des concurrents. La marque donne aussi une plus-value immatérielle aux objets, car elle contient une part de rêve ; on n'achète pas des produits, mais un peu de plaisir, de statut social, parfois de bonheur.

Au cours des années de crise, le poids des marques s'était accru dans les critères d'achat des consommateurs. Elles servaient de caution, de garantie et de label, notamment dans le cas de produits à risques. Elles créaient aussi une adhésion avec l'utilisateur, à laquelle les jeunes étaient particulièrement sensibles. Elles leur fournissaient des identifiants, des codes, des signes d'appartenance et de reconnaissance. C'était le cas notamment des marques de vêtements ou de chaussures de sport, qui ont misé sur la connivence avec les acheteurs et réussi à les transformer en ambassadeurs et en relais publicitaires en leur faisant porter leurs logos.

... et critiquées.

L'omniprésence des marques dans la vie quotidienne, la pression publicitaire et médiatique qu'elles engendrent et le coût additionnel qu'elles représentent dans les prix de vente sont à l'origine d'une résistance croissante à leur égard. Beaucoup de consommateurs les jugent prétentieuses, voire impérialistes. Certaines pratiques commerciales sont dénoncées, comme le marketing de la rareté lors de la sortie de nouveaux produits. C'est le cas aussi de pratiques industrielles comme le recours à des enfants pour la fabrication, ou sociales (licenciements dans des entreprises en bonne santé financière...).

La perception des marques déborde de plus en plus largement de l'univers commercial. C'est leur dimension symbolique, idéologique, voire politique qui est mise en question. Certains voient dans les marques des entreprises multinationales l'expression d'un capitalisme dur et d'un libéralisme générateur d'inégalités. C'est pourquoi ils s'en prennent à elles de plus en plus fréquemment (voir encadré).

Les entreprises concernées réagissent et tentent de reprendre l'avantage qu'elles ont récemment perdu. De nombreuses marques régionales ou nationales disparaissent ainsi au profit de marques internationales, qui permettent une stratégie globale. Les groupes s'efforcent d'accroître ou de restaurer leurs marges et leurs parts de marché par des concentrations. C'est le cas notamment dans la distribution ; où de nombreuses enseignes (Euromarché, Félix Potin, Continent, Prisunic...) ont été touchées par les fusions-acquisitions. Mais ce processus aboutit à une restriction du choix proposé au consommateur, qui réagit en se tournant vers d'autres circuits de distribution.

Les entreprises diversifient leurs pratiques de marketing...

Confrontées à la reprise du pouvoir par le consommateur, les entreprises n'ont d'autre choix que de s'adapter. Elles cherchent donc à « segmenter » leur offre et leur communication de façon plus fine, mettant en oeuvre de nouvelles approches. Dans cet effort, le marketing joue un rôle essentiel et il tend à se diversifier. Le *géomarketing* permet de cibler les zones de chalandise au niveau du quartier et même de l'immeuble. Le *marketing tribal* s'adresse à des groupes ayant des centres d'intérêt et des comportements communs. L'*ethnomarketing* concerne des communautés caractérisées par leur origine ethnique, leur couleur de peau, leur culture et leurs modes de vie. Le *marketing relationnel* (ou *one to one*) s'adresse individuellement à chaque client ou prospect en tenant compte de ses attentes spécifiques ; celles-ci sont mesurées par des enquêtes et placées

Logorrhée ou no logo ?

FACE aux marques et à la pression qu'elles exercent sur eux, les consommateurs développent deux attitudes contradictoires. Certains se laissent atteindre par ce qu'on pourrait appeler la « logorrhée », maladie transmise par les logos et autres éléments sémiologiques : signes graphiques, visuels ou sonores et autres manifestations. Ils sont adressés au public par les marques à travers les différents canaux de communication, de façon ostentatoire (publicité dans les médias, parrainage d'émissions), indirecte (relations publiques, création d'événements) ou parfois subliminale (placement de produits dans les médias audiovisuels).

D'autres, de plus en plus nombreux, sanctionnent les marques jugées non vertueuses dans leurs pratiques commerciales, industrielles ou sociales. Les réactions d'hostilité concernent en priorité les marques américaines (McDonald's, Marlboro, Nike, Goodyear, Marks et Spencer...), symboles de la toute-puissance américaine et de son arrogance dans le monde. Ils donnent alors la préférence aux marques de distributeurs sur les marques nationales ou internationales. Les « marques alternatives » qui viennent attaquer les marques *leaders* bénéficient aussi d'un capital de sympathie : Virgin Cola contre Coca-Cola ; Linux contre Microsoft ; Télé2 contre France Télécom... L'aboutissement ultime de la démarche est la « démarque », le *no logo* prôné par le livre de Naomi Klein.

dans des bases de données. Le *marketing viral* cherche à transformer ses clients en prosélytes, utilisant Internet comme support privilégié de rumeurs favorables sur les produits et les marques. Face à la complexité croissante des cibles, les entreprises s'efforcent de multiplier les moyens de les toucher.

... et communiquent de plus en plus par le « hors-médias ».

L'accroissement de la consommation passe par une communication de plus en plus abondante de la part des marques et des entreprises. Mais le recours à la publicité traditionnelle à travers les médias s'essouffle au profit des opérations « hors médias » (relations publiques, publipostage, marketing téléphonique...) qui représentent aujourd'hui plus de 60 % des investissements publicitaires. Un bon exemple de ces opérations est l'implantation depuis 1995 de la journée de Halloween. Trois Français sur cinq l'ont fêtée en octobre 2001. Importée des Etats-Unis, cette fête d'origine celte est un nouveau prétexte à consommer, comme celles des pères ou des grands-mères, créées respectivement par Gillette et Café Grand-Mère. Certains croyants dénoncent ce retour au paganisme. Ils joignent leurs voix à celles des opposants à l'invasion de la culture américaine (voir p. 122) et des adversaires du mercantilisme forcené. Mais la plupart des enfants sont heureux de cette occasion supplémentaire de se donner des frissons, de se déguiser tout en mangeant des bonbons.

> 30 % des clients des grandes surfaces estiment que les courses sont une corvée.

Les consommateurs sont tentés par la résistance.

La réticence à l'égard des marques ou parfois leur rejet est l'un des moyens mis en oeuvre par ceux qui s'inquiètent des perspectives de la marchandisation de la vie et de la mondialisation. Elle exprime la volonté de ces « Mutins » (voir p. 229) de ne pas dépendre d'entreprises toutes-puissantes qui décideraient à leur place de ce qui est bon pour eux et organiseraient le monde selon leurs seuls intérêts économiques.

Ce changement d'attitude et de comportement dans les modes de consommation ne saurait être confondu avec un simple mouvement d'ajustement provoqué par les variations de la conjoncture économique ou sociale. Le passage du matériel à l'immatériel, de l'usage à l'identité, du signe au sens, de l'amoralité à l'éthique, de l'indifférence à l'environnementalisme traduit une évolution générale qui s'inscrit dans la mise en place progressive d'une nouvelle société, et plus encore d'une nouvelle civilisation (voir p. 274).

Face à la résistance de citoyens et de consommateurs inquiets, les entreprises devront énoncer et défendre des valeurs fortes dans lesquelles ils se reconnaîtront. Elles devront contribuer à l'amélioration de l'environnement (économique, naturel, humain) et s'efforcer de répondre aux attentes de plus en plus nombreuses et complexes auxquelles elles sont confrontées (voir p. 321).

Les attentes écologiques et humanistes se font plus pressantes.

Les Français se montrent de plus en plus concernés par le respect de la

nature, dont ils savent qu'elle est menacée par le progrès technologique et la société de consommation. Ils sont conscients des risques pesant sur l'environnement en général et de leurs répercussions probables sur l'espèce humaine. C'est pourquoi ils plébiscitent les aliments biologiques, les produits « verts » ou « socialement corrects » fabriqués par des entreprises responsables.

Les idées de développement durable et de commerce équitable cheminent dans l'esprit des consommateurs. Elles impliquent la préservation de l'environnement, un meilleur partage des richesses, la limitation des effets pervers du libéralisme et de la mondialisation. Les consommateurs y sont de plus en plus sensibles, et sanctionnent de plus en plus durement les manquements à la morale. Ils apprécient les marques qui s'engagent dans des actions à vocation écologique ou humanitaire. Ainsi, les produits « charitables » ou « citoyens » sont de plus en plus recherchés. Les femmes y sont les plus attachées.

Les fabricants et les distributeurs s'en préoccupent de plus en plus et s'efforcent de devenir des entreprises « responsables ». Des labels garantissent aux consommateurs le respect de règles éthiques (Max Havelaar, Human Inside...). L'économie solidaire se développe : associations ; coopératives ; mutuelles (Caisses d'épargne, Crédit agricole, Banques populaires, Maif, Macif...) ; organisations non gouvernementales. Elle concerne 1,8 million de salariés, dont 1,3 million dans des associations et représente 8 millions de bénévoles, 31 millions de mutualistes. Elle mobilise 40 % des dépôts des banques et des ressources globales d'environ 150 milliards d'euros.

L'art d'accommoder les restes

Chaque ménage produit en moyenne 750 kg de déchets par an. Les emballages alimentaires ont représenté 126 kg par habitant en 1999, contre 88 kg en 1979. La part des déchets ménagers en plastique est passée de 10 % à 15 % en vingt ans, celle du verre de 14 % à 18 %, celle du carton est restée stable, celle des matières putrescibles de 35 % à 30 %. Plus de 30 millions de pneus sont abandonnés chaque année dans la nature.

Une part croissante des déchets est recyclée. 2,5 milliards de bouteilles en plastique alimentaire ont ainsi été récupérées en 2000, 1,3 million de tonnes de verre, 175 000 tonnes de boîtes en acier, 385 millions de briques alimentaires et 200 000 tonnes de cartons d'emballage.

Dépenses

La consommation a triplé en monnaie constante en un demi-siècle.

Le taux de croissance de la consommation en volume (après prise en compte de l'inflation) a été positif chaque année depuis la fin de la Seconde Guerre mondiale. Il a globalement suivi l'évolution du pouvoir d'achat, avec parfois un léger décalage dans le temps. Le rythme d'accroissement, très élevé au cours des années 60 (le maximum a été obtenu en 1962, avec 7,6 %), s'est ralenti depuis le premier choc pétrolier (1974).

La modulation par les ménages de leur taux d'épargne ou le report de certaines dépenses, notamment de biens d'équipement, leur a permis de continuer d'accroître leur consommation dans les périodes de plus faible croissance du pouvoir d'achat. Mais, sur l'ensemble de la période 1945-2001, la croissance annuelle moyenne de la consommation et celle du pouvoir d'achat ont été pratiquement identiques : 3,6 %.

Entre 1949 et 1969, la consommation a augmenté au même rythme que le pouvoir d'achat, soit environ 5 % par an en moyenne. Les années 60 ont été marquées par l'ouverture des frontières, l'industrialisation et l'avènement des produits de consommation de masse. C'est dans ce contexte qu'est survenue la crise de 1973. La croissance de la consommation s'est ralentie entre 1970 et 1973 au profit de l'épargne. La consommation a progressé plus vite que les revenus entre 1974 et 1987 ; l'arrivée de la crise économique n'a pas modifié les comportements d'achat des Français, qui ont donc préféré puiser dans leur épargne. Entre 1988 et 1997, la hausse moyenne de la consommation a été inférieure à celle du pouvoir d'achat, à l'exception de 1994 et 1996. Cette période correspond à un changement important d'attitude en matière de consommation (voir encadré). Enfin, entre 1998 et 2001, la reprise économique a entraîné celle de la consommation.

Les dépenses avaient retrouvé une forte croissance entre 1998 et 2001...

1998 avait été l'année du renouveau de la consommation avec une hausse de 3,4 % en volume, un niveau inconnu depuis 1986. Ce taux de croissance élevé, conséquence de la re-

Les Français sont de nouveau plus attentifs aux prix

Elle les ont incités à accroître leur consommation tout en maintenant un effort d'épargne important, proche de 16 % du revenu disponible brut. Enfin, la période a été marquée par une forte hausse du pouvoir d'achat du revenu disponible brut des ménages : 2,8 % en 1998, 2,5 % en 1999, 2,8 % en 2000 et 3,3 % en 2001.

prise économique, a été confirmé depuis avec des augmentations de 2,9 % en 1999, 2,7 % en 2000 et 2,8 % en 2001. Il s'explique par les effets conjugués de la reprise économique, de la décrue du chômage (jusqu'au premier semestre 2001), de la baisse d'un point de la TVA (19,6 % au lieu de 20,6 %) et des réductions d'impôts.

L'émergence des nouveaux biens d'équipement technologiques (ordinateur multimédia, téléphone mobile, lecteur de DVD, appareil photo numérique...) et le renouvellement de l'offre automobile ont aussi favorisé la croissance de la consommation. La reprise de l'immobilier s'est traduite par un accroissement des dépenses d'aménagement et d'équipement de l'habitat, encouragées par l'offre de crédit à la consommation. Tous les produits et services ont profité de cette conjoncture, à l'exception des achats de tabac (en volume, car les augmentations de prix se sont traduites par des dépenses plus importantes en valeur). Ces améliorations ont contribué à une amélioration de la confiance des ménages en l'avenir.

... mais on a assisté dans le courant de 2001 à un retournement de tendance.

La baisse de la consommation constatée fin 2001 ne peut être seulement imputée aux attentats du 11 septembre aux Etats-Unis. Un changement de climat social était déjà perceptible en France au cours des mois précédents. Il était la conséquence de plusieurs phénomènes : ralentissement de la croissance ; reprise du chômage après une embellie d'environ deux ans ; lassitude à l'égard des nouvelles technologies (téléphonie, Internet). Les actes terroristes ont amplifié ce mouvement de pessimisme renaissant, en lui ajoutant la dimension de la peur. Des changements socio-économiques importants l'ont renforcé en 2002 : fin de la mise en place des 35 heures ; avènement de l'euro ; élections présidentielle et législatives ; défaite prématurée de la France à la Coupe du monde de football ; chute de la Bourse, etc.

Les grandes crises internationales sont souvent révélatrices et amplificatrices de changements dans les comportements de consommation ; ce fut le cas notamment lors de la guerre du Golfe, en 1991. On observe généralement une désaffection des consommateurs pour les achats de produits et services « à risque » (transport aérien, voyages, sorties dans des lieux publics) ainsi que pour les produits de luxe jugés ostentatoires dans une période où le moral n'est pas bon et où l'opposition entre les riches et les pauvres est plus apparente. A l'inverse, les produits de « distanciation » (télévision, lecteur

Une marge de manœuvre limitée

Les Français ne sont guère conscients que les moyens dont dispose l'Etat pour gérer l'économie et amortir les à-coups de la consommation sont de plus en plus réduits. Avec la mise en place de l'euro, il ne peut plus utiliser l'arme des taux de change. Celle des taux d'intérêt n'est applicable qu'au niveau européen, par une décision de la Banque centrale. L'arme budgétaire (hausse des dépenses publiques ou baisse des impôts) est également inaccessible, car le budget de la France connaît un déficit important et les contraintes imposées par le traité de Maastricht interdisent son accroissement. Ces contraintes sont des garde-fous destinés à éviter les dérives budgétaires et les décisions qui mettent en péril la situation des pays à long terme. Celles par exemple qui ont permis à la France de repousser depuis des années la réforme inévitable des retraites et celle de l'Etat.

Postures et impostures

Dans sa vie quotidienne (familiale, professionnelle, sociale), chaque individu est amené à jouer un rôle, à se conformer à ce que l'on attend de lui ou à l'image qu'il entend donner de sa personne. Les « postures » (attitudes et comportements) adoptées en matière de consommation sont souvent guidées par ce souci. Elles sont alors plutôt des « impostures », conscientes ou inconscientes, qui sont peut-être le fruit d'un malentendu.
Un autre ressort important de la consommation est en effet qu'elle fournit au consommateur la preuve qu'il est en vie. Le « système des objets », longuement décrit par Jean Baudrillart, donne à l'existence un contenu matériel, palpable, mesurable à l'aune de l'argent et comparable entre les êtres. La consommation est même considérée comme un chemin d'accès privilégié à la réussite et au bonheur. Avec le risque d'engendrer la déception et la frustration chez beaucoup de consommateurs. En 1965, Georges Perec le faisait déjà remarquer dans *les Choses* : « Ceux qui ne veulent que vivre, et qui appellent vie la liberté plus grande, la seule poursuite du bonheur, l'exclusif assouvissement de leurs désirs ou de leurs instincts, l'usage immédiat des richesses illimitées du monde [...], ceux-là seront toujours malheureux. »

de DVD...) sont plébiscités, comme ceux qui permettent un repli sur le foyer : appareils ménagers ; alimentation-plaisir ; bricolage ; jardinage ; ameublement et décoration. D'une manière générale, les produits et services porteurs de « bien-être », de plaisir immédiat mais aussi pour certains de sens sont davantage recherchés : aménagement de la maison ; santé ; loisirs.

L'inflation est en hausse, après avoir atteint en 1999 son niveau le plus faible depuis 1954.

La bonne tenue de la consommation au cours des dernières années a été confortée par la faible inflation des prix, avec un taux de 0,7 % en 1998 et 0,4 % en 1999 (pour l'ensemble de la consommation finale des ménages). Ce dernier chiffre était le plus faible mesuré depuis 1954. Après avoir enregistré une hausse annuelle de 10 % entre 1974 et 1983, les prix à la consommation avaient connu une décélération régulière et s'étaient stabilisés en dessous de 3 % à partir de 1992.

En 2000 et en 2001, la hausse des prix s'est accrue, avec respectivement 1,6 % et 1,4 %. En 2001, le net repli des prix des produits pétroliers (14 %) a compensé partiellement la hausse des prix de l'alimentation, liée en partie aux crises alimentaires, ainsi que les augmentations de certains produits manufacturés domestiques et de services à forte main-d'œuvre.

Entre 1990 et 2001, les prix ont augmenté globalement de 20 %. Les prix des produits manufacturés (équipements électroménagers, informatique, loisirs, voitures...) n'ont progressé que de 12 %. Mais ceux du tabac ont plus que doublé, ceux des loyers et de l'eau ont augmenté plus de deux fois plus vite que la moyenne, un peu plus que les services du secteur privé. Pendant la période, les prix des services aux ménages ont progressé presque deux fois plus vite que la moyenne.

L'évolution des dépenses reflète celle de la société.

Les changements intervenus dans la répartition des dépenses des ménages sont d'abord liés à l'accroissement du budget disponible ; certaines dépenses de loisirs, de transports ou de santé ne se développent qu'à partir du moment où les besoins primaires (alimentation, habillement, logement) sont satisfaits.

Mais ces changements reflètent surtout ceux qui se sont produits dans les modes de vie et dans l'attitude des Français face à la consommation. Ils apparaissent très clairement dans l'évolution de la part de chaque poste de consommation dans le budget des ménages, conséquence des arbitrages effectués.

On ne peut établir de lien absolu entre le moral des ménages et leur consommation, même s'il existe une certaine corrélation. On observe en revanche une augmentation des dépenses lorsque les consommateurs ont le sentiment qu'il existe des opportunités d'achat. On a pu le constater avec les primes d'Etat destinées à l'acquisition de voitures neuves ; on

> 41 % des Français estiment que les produits de grande consommation sont de plus en plus sophistiqués et compliqués à utiliser
> 34 % des Français déclarent ne pas comprendre les informations mentionnées sur les étiquettes des produits dans les magasins.
> Les foyers reçoivent en moyenne 14 mailings par mois ; leur nombre varie de 8 (juillet) à 17 (octobre).

Typologie de crise

Face aux menaces et aux crises économiques et morales qu'elles engendrent, les réactions des Français diffèrent selon leur âge, leurs valeurs, leur vision de la vie et de l'avenir. On peut identifier quatre groupes distincts :

. **Les Craintifs**. Traumatisés par les risques qui s'accumulent, certains, dignes descendants de leurs ancêtres gaulois, ont peur que le ciel leur tombe sur la tête. Ils se replient sur le foyer et la cellule familiale et font le gros dos en attendant des jours meilleurs. La succession des crises et les craintes liées au terrorisme ont récemment accru leur nombre.

. **Les Rationnels**. Conscients des menaces, ils s'efforcent de les peser afin de limiter les risques, sans s'interdire pour autant de vivre. S'ils ne refusent pas de prendre l'avion ou de fréquenter les lieux publics, ils sélectionnent les destinations et évitent les cibles potentielles (stades, lieux symboliques, etc.). Mais leur rationalité n'est jamais totale et ils basculent parfois dans un autre groupe. Leur nombre diminue au fur et à mesure que s'accroît la difficulté de comprendre le monde et d'appréhender les risques.

. **Les Fatalistes**. Convaincus de l'omniprésence du danger mais aussi de l'impossibilité de l'évaluer correctement, ils ont décidé de vivre sans se soucier des menaces. Ils ne les intègrent pas dans leurs comportements de consommation et comptent sur la chance ou sur le destin pour y échapper (« qui vivra verra »). Ce groupe, dont on pouvait observer la croissance depuis plusieurs années (à l'occasion notamment des crises alimentaires) a fait de nombreux adeptes depuis le 11 septembre 2001. On trouve parmi eux un sous-groupe, que l'on pourrait baptiser les *Antédiluviens*. Persuadés que le « déluge » est proche (sous la forme d'un attentat nucléaire, chimique ou bactériologique, d'une troisième guerre mondiale, d'un cataclysme d'origine naturelle ou divine), ils s'efforcent de profiter des derniers instants. Ils cherchent donc essentiellement à se faire plaisir sans retenue *(carpe diem)* en attendant la fin du monde. Comme le fatalisme dont elle est issue, cette mentalité a connu une croissance récente ; elle s'accompagne parfois d'un refus de la réalité et de difficultés psychologiques.

. **Les Citoyens**. Certains consommateurs refusent de se laisser atteindre par les menaces qui pèsent sur l'avenir du monde. A titre personnel, ils se forcent à consommer, même si le cœur n'y est pas, ne serait-ce que pour montrer leur mépris à l'égard de ceux qui voudraient les empêcher de vivre. Il s'agit pour eux d'une question de dignité individuelle. Mais leur attitude a parfois une dimension collective et solidaire. Conscients du rôle que chacun joue dans l'économie, ils estiment qu'il faut continuer de faire vivre les entreprises, sous peine de favoriser la poursuite du chômage et de renforcer les inégalités au sein de la société. Leur part est aujourd'hui faible en France ([illegible] beaucoup plus forte aux Etats-Unis). Son évolution dans le temps constituera un bon indicateur de la capacité de la France à faire face aux menaces nouvelles qui pèsent sur les démocraties.

le vérifie chaque année pendant les périodes de soldes.

Les dépenses d'alimentation ont été divisées par deux en valeur relative depuis les années 60...

Le poste alimentation, tel qu'il est décrit par la comptabilité nationale, comprend les produits alimentaires, les boissons (alcoolisées et non alcoolisées) et le tabac. Il a représenté 14,3 % des dépenses de consommation effective des ménages en 2001 (voir définition au bas du tableau ci-après) contre 28,6 % en 1960. Sa part a donc été divisée par deux en quarante ans. Il faut préciser que cette baisse du budget alimentaire a eu lieu en valeur relative, c'est-à-dire par rapport à l'ensemble des dépenses (voir encadré).

Après avoir subi les effets de la crise de l'ESB, la consommation de viande poursuit sa baisse (1,2 % en volume en 2001). La consommation de bœuf et surtout de mouton diminue, mais aussi celle de veau et de volailles, contrairement à l'année précédente. Les prix de ces viandes se sont fortement accrus, du fait des coûts de dépistage de l'ESB, des nouvelles règles sanitaires et de la demande de qualité. La désaffection à l'égard de la viande a profité au poisson et aux produits de la mer surgelés et en conserve (2 % en volume). La consommation de légumes frais a augmenté de 1,4 % en volume et celle des fruits a baissé de 1,7 %, mais les prix ont fortement augmenté du fait des conditions climatiques défavorables du printemps. Les achats de boissons poursuivent leur croissance (2,6 % en volume pour les non alcoolisées, 2,1 % pour les alcoolisées). Malgré l'augmentation des prix

Consommer ou épargner

Evolution de la consommation, du revenu et du taux d'épargne des ménages (en %) :

	1990	1991	1992	1993	1994	1995	1996	1997	1998	1999	2000	2001
Consommation en volume*	2,4	1,2	0,9	0,6	1,2	1,2	1,3	0,1	3,4	3,2	2,5	2,6
Prix à la consommation	3,1	3,4	2,5	2,4	2,2	2,0	1,9	1,4	0,7	0,4	1,4	1,6
Pouvoir d'achat du revenu disponible brut	3,4	1,9	1,0	0,4	0,1	2,7	0,1	1,4	2,8	2,8	2,8	3,3
Taux d'épargne (en % du revenu disponible brut)	12,5	13,2	14,7	15,7	14,8	16,0	15,1	16,1	15,6	15,3	15,5	16,1

* Après déduction de l'inflation sur la consommation en monnaie courante.

INSEE

(5,2 % en 2001), la consommation de tabac progresse en volume de 1 %.

... de même que celles d'habillement.

En 2001, les ménages ont consacré à l'habillement 3,9 % de leur consommation effective (voir définition dans le tableau), contre 10 % en 1960. Au cours des dernières décennies, la baisse relative de ce poste a été encore plus marquée que celle de l'alimentation. Elle est la conséquence de la moindre importance des modes (voir p. 77), mais aussi de comportements d'achat orientés vers la recherche du meilleur prix : part croissante des achats en solde ; recours aux circuits courts de distribution. On constate d'ailleurs que les prix des vêtements achetés baissent en valeur relative depuis une quinzaine d'années.

Les dépenses avaient connu une hausse en 1997 (+ 1,5 % en volume), après six années consécutives de baisse. Elle a été confirmée depuis, avec un taux de croissance de 0,9 % en volume pour l'habillement et 1,1 % pour les chaussures en 2001. Les périodes de promotion et de soldes rythment de plus en plus les achats au cours de l'année (voir *Habillement*). Les dépenses de prêt-à-porter ont connu une légère baisse, alors que celles d'accessoires, de maroquinerie, de bijoux et surtout de vêtements en cuir poursuivent leur progression.

Select Communications

Les dépenses de soins du corps sont en progression constante

La part des dépenses de santé a plus que doublé depuis 1960.

Les ménages ont consacré 2,8 % de leur consommation effective (voir définition dans le tableau) à la santé en 2001, contre 1,5 % en 1970. Ces deux chiffres ne représentent que les dépenses restant à la charge des ménages, après remboursement de la Sécurité sociale (9,9 % de la consommation effective). Au total, les dépenses de santé comptent donc pour 10,4 % du budget total. Cette part a connu une forte augmentation (en volume plus encore qu'en valeur) au cours des quinze dernières années, à l'exception de la baisse de 1987, due au plan de rationalisation des dépenses mis en place par les pouvoirs publics. Cette hausse a été en partie masquée depuis quelques années par

Une baisse toute relative

La baisse de la part de l'alimentation dans le budget des ménages ne signifie pas que les Français mangent moins en quantité et plus mal en qualité. Le poste des produits alimentaires et boissons non alcoolisées a connu en effet une hausse moyenne annuelle de 2,3 % en volume sur la période 1960-2000, celui des boissons alcoolisées et tabacs une hausse de 1,5 %. Mais ces taux sont inférieurs à ceux constatés pour l'ensemble de la consommation effective des ménages (3,4 %), ce qui fait que la part des dépenses alimentaires dans l'ensemble des dépenses a diminué.
Cette évolution s'explique par l'accroissement régulier du pouvoir d'achat, qui a permis aux Français de consacrer une part plus grande de leurs revenus à d'autres types de dépenses, notamment celles liées au confort du logement, aux loisirs, à la santé, aux transports et aux communications. Elle est aussi la conséquence de la diminution des besoins caloriques dans un contexte de moindre dépense physique dans la vie professionnelle. Elle s'explique enfin par la concurrence accrue entre les entreprises du secteur agroalimentaire, le développement des grandes surfaces et, plus récemment, des magasins de maxidiscompte, qui a fait baisser les prix de certains produits.

la diminution des prix relatifs, liée à la compression des marges de l'industrie pharmaceutique et des pharmaciens.

L'augmentation en volume de tous les grands postes s'est accélérée en 2001 : 7,5 % pour les médicaments,

Quarante ans de consommation

Evolution de la structure des dépenses des ménages (en %, calculés aux prix courants) :*

	1960	1970	1980	1990	2001
Produits alimentaires, boissons non alcoolisées	23,2	18,0	14,5	13,1	11,6
Boissons alcoolisées, tabac	5,4	3,8	2,8	2,4	2,7
Articles d'habillement et chaussures	9,7	8,1	6,1	5,4	3,9
Logement, chauffage, éclairage, dont :	10,7	15,8	16,8	17,4	18,8
- location de logement	*5,6*	*10,5*	*10,0*	*12,0*	*13,3*
- chauffage, éclairage	*3,6*	*3,3*	*4,7*	*3,3*	*3,1*
Equipement du logement	8,4	7,3	6,8	5,6	5,0
Santé	1,5	2,1	2,0	2,7	2,8
Transports, dont :	9,3	10,4	12,1	12,6	12,1
- achats de véhicules	*2,2*	*2,6*	*3,6*	*4,1*	*3,3*
- carburants, lubrifiants	*2,6*	*2,7*	*3,2*	*2,7*	*2,7*
- entretien	*2,3*	*3,0*	*3,1*	*3,5*	-
- transports collectifs	*2,1*	*1,7*	*1,7*	*1,7*	*1,8*
Communications	0,5	0,6	1,3	1,5	1,8
Loisirs et culture	6,2	6,8	7,1	7,0	7,1
Education	0,5	0,5	0,4	0,5	0,5
Hôtels, cafés, restaurants	6,5	5,4	5,5	6,0	6,0
Autres biens et services	5,7	6,0	6,2	6,1	6,3
Total dépense de consommation des ménages	87,6	84,9	81,5	80,4	78,6
Dépense de consommation des ISBLSM**	1,1	0,8	0,7	0,7	0,9
Dépense de consommation des APU***, dont :	11,3	14,3	17,8	18,9	20,5
- santé	*4,1*	*5,9*	*7,7*	*9,0*	*9,9*
- éducation	*5,3*	*5,9*	*6,2*	*5,8*	*6,3*
Consommation effective des ménages	100,0	100,0	100,0	100,0	100,0

* Les dépenses effectives sont celles directement supportées par les ménages, auxquelles on ajoute celles supportées par l'Etat mais dont les bénéficiaires peuvent être précisément définis (remboursements de Sécurité sociale, coûts d'hospitalisation publique, frais d'éducation). ** Dépenses de consommation des institutions sans but lucratif au service des ménages en biens et services individualisés. *** Dépenses de consommation des administrations publiques en biens et services individualisables.

INSEE

4,2 % pour les soins non hospitaliers et 3,1 % pour les soins hospitaliers. Plus que jamais, la santé apparaît comme un atout essentiel dans la vie tant personnelle que sociale et surtout professionnelle. C'est donc autant par conviction que par obligation que beaucoup investissent pour entretenir ce capital, sachant qu'ils en percevront les intérêts.

LMY&R

La maison au centre du budget familial

Le logement est le premier poste de dépenses.

Depuis la fin des années 60, les ménages consacrent plus d'argent à leur logement qu'à leur alimentation. La part était de 18,8 % de la consommation effective des ménages en 2001 (voir définition dans le tableau) contre 10,7 % en 1960 et 17,4 % en 1980. Elle recouvre les loyers réels payés par les ménages locataires, ou fictifs pour les propriétaires (ceux qu'ils paieraient s'ils étaient locataires de leur logement), ainsi que les dépenses de chauffage et d'éclairage. L'accroissement sur longue durée s'explique par l'augmentation du nombre de maisons individuelles, plus coûteuses que les appartements et celle de la taille moyenne des logements (voir p. 196). En 2001, la croissance des dépenses a atteint 2,7 % en volume, contre 1,8 % et 1,7 % les deux années précédentes.

A ces dépenses concernant l'occupation du logement s'ajoutent celles de son équipement (meubles, tapis, appareils ménagers...) qui représentaient 5 % des dépenses effectives des ménages en 2001. Elles ont connu une croissance de seulement 0,8 % en volume, après 3,5 % en 2000 et 3,2 % en 1999. Les dépenses d'ameublement renouent avec la baisse (0,8 % en volume), après la croissance retrouvée entre 1998 et 2000. L'électroménager enregistre une faible croissance en volume (0,9 %) après les taux élevés des années précédentes (5,8 % en 2000, 7,4 % en 1999).

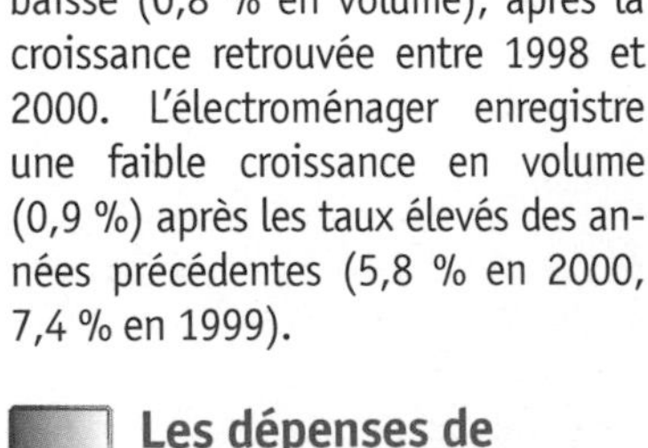

Les dépenses de transports et de communications poursuivent leur croissance.

En 2001, les ménages ont consacré 12,1 % de leurs dépenses de consommation effective (voir définition dans le tableau) aux transports. Le rythme de croissance est resté soutenu (3,2 % en volume) grâce aux achats de véhicules, qui se sont accrus de 8,6 % sur l'année, après la quasi-stagnation de 2000 (+ 0,6 %) et la très forte augmentation de 1999 (12,1 %). La sortie de nouveaux modèles, la baisse des prix et le rattrapage d'une année 1997 particulièrement défavorable (- 16 % pour le marché du neuf et - 21 % pour celui de l'occasion) expliquent l'évolution positive depuis 1998, sur fond d'amélioration du climat économique. L'accroissement de la proportion de ménages disposant d'au moins deux automobiles (30 % en 2001 contre 17 % en 1980) est une autre explication sur le plus long terme.

En contrepartie, les dépenses de transports ferroviaires n'ont augmenté que de 2,4 %, la plus faible hausse depuis 1995. Celles de transports aériens ont régressé de 1,8 %, du fait notamment des attentats de septembre et de la mise en service du TGV Méditerranée en juin 2001. Ce chiffre contraste avec la hausse à deux chiffres des deux années précédentes.

Les dépenses de communication ont représenté 1,8 % du budget global, avec une très forte croissance en volume (15,3 %), favorisée par la baisse des prix. Le téléphone mobile a connu encore une forte croissance : 37 millions de Français en étaient équipés fin 2001, contre 30 millions

> La part des marques de distributeurs dans les achats en valeur est de 22 % en France, contre 54 % en Suisse, 45 % en Grande-Bretagne, 33 % en Allemagne, 21 % aux Pays-Bas, 21 % en Espagne, 17 % en Italie.

fin 2000 et 23 millions fin 1999. Les dépenses de services de télécommunications ont augmenté de 17,3 % en volume au cours de l'année.

Les dépenses réelles de loisirs représentent au moins un cinquième du budget des ménages.

Les dépenses de loisirs et de culture, telles qu'elles sont prises en compte par la comptabilité nationale, représentaient 7,1 % de la consommation effective des ménages en 2001 (voir définition dans le tableau). Elles regroupent à la fois les biens d'équipement (télévision, radio, hi-fi, photo, sport, etc.) et les dépenses de spectacles, livres et journaux. Leur part est stable depuis une vingtaine d'années, en particulier en ce qui concerne les biens d'équipement.

Cette évolution s'explique par la baisse des prix relatifs, alors que l'augmentation en volume reste forte (3,7 % en 2001, après 6,7 % en 2000 et 5,7 % en 1999). Malgré la décélération enregistrée, elle était encore de 9,1 % pour les appareils électroniques et informatiques (contre 15,3 % en 2000 et 14,3 % en 1999). La croissance a été entretenue en 2001 par l'intérêt pour de nouveaux biens d'équipement, comme les lecteurs de DVD (+ 64 % en volume en 2001) ou les téléviseurs grand écran (+ 34 %). Le rythme de croissance des achats de téléphones portables (23 %) a été inférieur à celui des années précédentes.

Il faudrait cependant ajouter au poste loisirs d'autres dépenses, comme l'alimentation de loisir (réceptions à domicile, restaurants), les frais d'hôtel, une partie des frais de transports et communications ou les dépenses effectuées auprès des agences de voyage, qui sont comptabilisées dans d'autres postes. Leur poids est difficile à estimer, mais il représente sans doute au moins le double du seul poste loisirs. Le budget total des Français concernant les loisirs est donc probablement supérieur à 20 %.

L'hyper cherche un nouveau souffle

Après plusieurs décennies de croissance ininterrompue, les hypermarchés connaissent depuis deux ans une érosion de leur part de marché, au profit des supermarchés (notamment, des maxidiscomptes) et des grandes surfaces spécialisées (bricolage, jardinage, équipement de sport, ameublement...). Ils ont ainsi perdu 1,3 point sur le secteur des produits de grande consommation et des produits frais en libre service en 2001 (Secodip).

Cette relative désaffection s'explique par l'usure du concept : le libre-service s'est généralisé, les prix se sont rapprochés par rapport à ceux des autres formats de distribution (l'écart avec les supermarchés a été réduit de moitié en quelques années) ; l'avantage du « tout sous le même toit » est moins évident pour des acheteurs à la recherche de plaisir et de relation. Surtout, les consommateurs recherchent plus de proximité et de plaisir dans l'acte d'achat. Le travail des femmes et la semaine de 35 heures ont aussi modifié les comportements de consommation.

Pour stopper l'érosion, les hypermarchés tentent de retrouver leur avantage en matière de prix. Ils s'efforcent aussi de passer de leur logique de distributeur à celle du client, qui est sensiblement différente. C'est ainsi par exemple qu'ont été créés des « univers de consommation », regroupant les biens d'équipement et les consommables. On trouve ainsi des pellicules avec les appareils photo et des disquettes avec les ordinateurs ; le rayon de la maison mélange l'équipement ménager, le linge de maison, le bricolage, le rangement, les accessoires de salle de bains et la vaisselle. Les hypermarchés développent les services aux clients et améliorent le cadre et l'ambiance des magasins.

Les grandes surfaces représentent les deux tiers des dépenses alimentaires et un cinquième des autres dépenses.

Les Français effectuent un tiers de leurs achats de détail (hors automobiles) dans les grandes surfaces (hypermarchés, supermarchés et grands magasins) contre un quart en 1987. En 2002, on comptait environ 1 200 hypermarchés et 8 000 supermarchés (moins de 2 500 m^2) dont près de 3 000 de type maxidiscompte (Aldi, Ed, Leader Price, Lidl...). Les hypermarchés représentaient 35 % des dépenses alimentaires des ménages en 2001, contre seulement 16,3 % pour les petits commerces d'alimentation générale. Les hypers ne captent cependant que 12,4 % des dépenses de produits non alimentaires, loin derrière les magasins spécialisés 41,5 %).

Les ménages fréquentent en moyenne 3,2 enseignes de magasins, un nombre stabilisé depuis trois ans après une croissance régulière. Les clients des hypermarchés (94 % des ménages) s'y rendent en moyenne

38 fois dans l'année (3,2 fois par mois), pour un montant de 27 € à chaque visite. Le magasin principal représente environ 70 % des dépenses, le magasin secondaire 25 %. En dix ans, le nombre de produits référencés dans les hypermarchés a été multiplié par 2,5, mais le temps moyen de visite est passé de 55 à 45 minutes.

Avec l'accroissement du temps libre, les centres commerciaux connaissent une fréquentation croissante : 3,1 milliards en 2001 (CNCC). Contrairement aux hypermarchés, la majorité (52 %) sont des hommes ; plus de la moitié ont moins de 35 ans. 30 % viennent en couple et 50 % en famille. La dépense moyenne est de 73 €. Les trois quarts des clients viennent en voiture et mettent en moyenne 18 minutes pour faire le trajet. L'hypermarché du centre commercial ne constitue le but principal de la visite que dans 39 % des cas. 54 % viennent pour les magasins des galeries et 6 % se promènent sans intention d'achat.

Le cybercommerce représente une part faible des achats...

Fin 2001, 27 % des 16 millions d'internautes français avaient déjà effectué des achats via Internet, soit 4,3 millions contre 2,2 millions fin 2000. Les sommes dépensées ne représentent pas encore une part significative des dépenses des ménages : 2 milliards d'euros en 2001 (contre seulement 70 millions en 1999), pour un total de 7,2 millions de transactions, soit une moyenne de 277 € par transaction et de 520 € par internaute acheteur (en baisse par rapport à 2000). Seuls 4 % des acheteurs ont fait appel aux hypermarchés en ligne, contre 7 % en 2000. La montée en puissance est cependant sensible dans certains domaines comme le voyage, la billetterie ou l'équipement du foyer.

La proportion d'acheteurs par rapport au nombre de visiteurs d'un site commercial est faible, de l'ordre de 1,5 % contre 30 % dans les magasins « en dur ». Les marques bénéficiant d'une notoriété antérieure et d'une existence dans le « monde réel » *(brick and click)* sont les plus recherchées, car elles rassurent les internautes ; les *pure players* (entreprises n'existant que sur Internet) n'occupent qu'une position marginale. L'usage des nouvelles technologies est en effet anxiogène par nature, et les consommateurs hésitent moins à acheter et surtout à payer lorsque le prestataire a au sens propre « pignon sur rue ».

Les sites commerciaux sont aujourd'hui souvent utilisés pour trouver des informations sur les offres, s'adresser aux marques, échanger leurs expériences avec d'autres internautes, plutôt que pour commander les produits. Les acheteurs potentiels apprécient de pouvoir comparer les offres en toute tranquillité, sans subir la pression des vendeurs.

... mais sa croissance devrait se poursuivre.

La part des achats des ménages effectués sur Internet devrait s'accroître rapidement au cours des prochaines années avec l'augmentation du taux d'équipement en ordinateurs et celui de l'accès au réseau. Surtout, la généralisation du haut débit permettra une navigation plus rapide et agréable. La sécurisation des paiements sera aussi assurée dans des conditions comparables à celles des autres modes d'achat. L'appropriation de l'outil devrait enfin être facilitée par l'arrivée de nouveaux ordinateurs plus simples à utiliser et de sites plus pratiques et conviviaux.

Il n'y aura sans doute pas de substitution systématique entre le commerce électronique et les circuits de distribution traditionnels (magasins, boutiques...). Les lieux physiques resteront nécessaires dans des domaines où les consommateurs éprouvent le besoin de voir, toucher, sentir les produits (habillement, biens d'équipement domestiques...) et de se promener dans le monde réel ; certains de ces lieux ressembleront davantage à des *showrooms* qu'à des magasins destinés à la vente. Les sites virtuels trouveront en priorité leur développement avec les produits immatériels (réservations de vacances, transport, hôtellerie, assurances, services bancaires, placements...).

Les achats sont de moins en moins différenciés entre les pays européens...

Les attitudes et les comportements des consommateurs tendent à se rapprocher dans l'ensemble des pays développés. C'est le cas notamment au sein de l'Union européenne, qui a pris une nouvelle dimension économique pour ses habitants avec la mise en place de l'euro. On peut mesurer cette convergence en examinant l'évolution des budgets des ménages. Partout, les arbitrages vont dans le même sens : une part croissante affectée à la santé, au logement, à la communication et aux loisirs, au détriment de l'alimentation et de l'habillement.

Ce rapprochement s'explique par celui des modes de vie et des sys-

Les budgets des Européens

Structure du budget des ménages dans les pays de l'Union européenne (1999, en %) :

	Alimentation boissons	Habillement	Logement ameublement	Santé	Transports communications	Loisirs éducation	Hôtels restaurants et divers
- Belgique	15,6	5,4	32,7	4,7	14,7	11,2	15,7
- Danemark	17,3	5,5	34,8	2,4	16,2	11,6	12,2
- Allemagne	13,9	5,7	38,6	3,6	15,8	12,4	9,9
- Grèce	20,1	8,6	29,4	6,3	14,5	6,9	14,3
- Espagne	21,0	7,4	32,5	2,5	14,5	7,6	14,3
- France (1994)	18,9	5,6	30,8	5,2	16,5	8,1	15,0
- Irlande	23,1	6,2	21,9	1,6	15,5	10,5	13,2
- Italie	20,9	7,5	32,3	4,4	16,2	7,1	11,7
- Luxembourg	12,1	5,9	35,6	2,4	17,5	8,8	17,6
- Pays-Bas	12,6	6,0	33,9	1,1	12,5	11,6	22,3
- Autriche	16,0	6,6	31,1	2,4	17,0	12,6	14,3
- Portugal (1994)	24,0	6,3	26,6	4,6	17,7	5,0	15,7
- Finlande	17,1	4,6	32,6	3,7	19,8	10,9	11,2
- Suède	18,3	5,2	31,8	3,0	16,0	14,7	11,0
- Royaume-Uni	13,5	5,5	35,6	1,1	15,9	14,7	13,7

Eurostat

tèmes de valeurs dans les pays développés. Il est favorisé par une ouverture croissante aux produits étrangers, la multiplication des voyages (professionnels ou privés), l'information comparative diffusée par les médias, dans un contexte de mondialisation. Les entreprises cherchent à élargir leur marché national avec des produits à vocation planétaire. Les distributeurs proposent des assortiments semblables dans les pays où ils opèrent. Les services des banques et des assurances sont de moins en moins différenciés.

Il en est de même des techniques de marketing utilisées par les entreprises (communication, opérations promotionnelles, distribution, merchandising, prix).

Le rapprochement observé concerne en particulier les jeunes. Beaucoup se reconnaissent dans une même culture mondiale, fondée sur une musique commune, des goûts semblables en matière d'habillement ou de pratique sportive, un moindre intérêt pour la nation et un engouement pour les produits d'origine américaine. Les habitants des grandes agglomérations ont notamment des comportements de consommation de plus en plus semblables.

... mais des différences subsistent entre le nord de l'Europe...

Si les mouvements de convergence dans les attitudes et les comportements des consommateurs européens sont de plus en plus apparents, certaines singularités nationales demeurent. Les Grecs, les Portugais, les Espagnols et les Irlandais consacrent encore plus de 20 % de leur budget à leur nourriture, contre 12 % au Luxembourg et 13 % aux Pays-Bas.

Les comportements dans les pays d'Europe du Nord (Allemagne, Pays-Bas, Scandinavie...) sont davantage tournés vers la recherche de l'hédonisme. Le travail joue un rôle moins important que par le passé et la consommation est le plus souvent une source de plaisir. On y trouve aussi un plus grand esprit critique que dans les pays du Sud, avec une grande attention portée au rapport qualité/prix. Les décisions d'achat sont plus longuement mûries, les

Publicis Etoile

Tous les Européens sont sensibles aux prix

achats d'impulsion moins fréquents, l'influence de la publicité moins forte. Les marques nationales bénéficient d'une plus grande fidélité, voire d'une préférence. Le luxe exerce une plus grande attirance.

... et le sud.

Les pays d'Europe du Sud (Espagne, Italie, Portugal, Grèce) apparaissent un peu plus sensibles aux aspects qualitatifs. Le besoin de confort, de relations humaines, de réalisation par la consommation y est plus fort que dans les pays du Nord. L'épicurisme du Sud se différencie de l'hédonisme du Nord par l'importance attachée à l'affectivité, aux rapports de séduction. La dimension culturelle est également plus marquée, à travers les soucis esthétiques et artistiques. L'ouverture aux autres cultures est en revanche moins forte au Sud, les habitants étant souvent plus attachés à leur propre passé et plus fiers de leurs traditions. Mais la sensibilité aux marques étrangères est en revanche plus fréquente.

Les pays concernés n'ont pas encore atteint le degré de maturation de ceux du Nord et la consommation est davantage considérée comme un moyen d'exister. Pour les mêmes raisons, la fibre écologiste est moins développée que dans les pays du Nord.

Les différences face à la consommation sont aujourd'hui plus grandes entre les catégories sociales d'un même pays qu'entre les pays pour une même catégorie.

La France reste « l'empire du milieu » de l'Union européenne.

Géographiquement et culturellement, la France se situe au centre de l'Europe. Les attitudes et les comportements des Français empruntent donc traditionnellement aux deux types de culture, en matière de consommation comme dans beaucoup de domaines. On le constate par exemple en ce qui concerne l'alimentation, avec la coupure entre le nord du pays, adepte de la cuisine au beurre et fort consommateur de bière, et le sud, qui utilise l'huile et préfère le vin. On a pu cependant constater au cours des années de crise une tendance de la société française à se « protestantiser », c'est-à-dire à adhérer à des valeurs d'austérité, de simplicité, de dépouillement, d'éthique ou d'écologie. L'individualisme, le libre arbitre, la reconnaissance de l'utilité du profit et de l'économie de marché sont d'autres manifestations croissantes d'un certain éloignement par rapport à la morale judéo-chrétienne traditionnelle.

Pourtant, les valeurs « latines » n'ont pas disparu de la mentalité collective. Elles sont même réapparues avec la reprise économique de la fin du XXe siècle et l'amélioration du moral des ménages qui l'a accompagnée. Le début du XXIe siècle est marqué par une recherche de plaisir, de bien-être et une volonté d'hédonisme dans laquelle la consommation joue un rôle ambigu. La société de consommation tend à devenir une société de consolation (voir p. 369).

Crédit

Les Français ont une attitude plus favorable à l'égard du crédit...

Pour préserver leurs dépenses pendant les années de crise, les Français ont d'abord prélevé une partie de leurs réserves. C'est ainsi que le taux d'épargne est passé de 18,6 % du revenu disponible en 1975 à 10,6 % en 1987. Mais le retournement de la valeur des actifs du patrimoine (baisse de l'immobilier et de la Bourse) à partir de 1989-1990 a contraint certains ménages à restreindre leur consommation et à relever leur taux d'épargne financière (rapport de la capacité de financement au revenu

disponible brut) afin de se désendetter. Après avoir atteint 7,9 % en 1998, celui-ci représentait 6,6 % en 2000, contre 1 % en 1988.

L'autre moyen utilisé pour maintenir ou accroître la consommation en période de crise est le recours au crédit, anticipation sur les revenus à venir. Les ménages ont ainsi sensiblement accru leur endettement bancaire pendant les années 80, de sorte qu'il représentait 55 % de leur revenu disponible brut en 1990. Il a ensuite diminué jusqu'en 1997, avant de remonter fortement et de retrouver le niveau du début de la décennie : 54,6 % fin 2000.

... et l'intègrent dans leurs modes de consommation.

Au cours des trente dernières années, le développement du crédit a sans doute autant fait pour le rapprochement des conditions de vie des Français que la croissance économique. Pour un nombre croissant de ménages, le recours au crédit est devenu le moyen d'obtenir la satisfaction immédiate de leurs besoins, même en période d'augmentation sensible du revenu disponible. La réticence psychologique et morale qui a longtemps prévalu (hors crédit immobilier) est en voie de disparition et le comportement des Français se rapproche de celui des habitants des pays anglo-saxons.

L'accroissement de l'offre (établissements spécialisés, agences bancaires, concessionnaires automobiles, grandes surfaces, vépécistes...) est l'une des causes de cette évolution. Les crédits liés aux cartes privatives proposées par les distributeurs connaissent aujourd'hui une forte croissance. Le crédit renouvelable ou permanent (revolving) est de plus en plus utilisé.

Consommer, épargner s'endetter

Les ménages se sont longtemps efforcés de maintenir un certain niveau de consommation en puisant dans leur épargne lorsque leur pouvoir d'achat se réduisait. A l'inverse, ils reconstituaient leur épargne dans les périodes de hausse sensible des revenus. Au cours des dernières années, les comportements sont devenus plus complexes. Dans un environnement économique plus favorable (croissance, baisse du chômage) les ménages ont accru simultanément leur consommation, leurs placements financiers (notamment à long terme) et leurs investissements immobiliers. La constitution d'une épargne de précaution n'a donc pas nui à la hausse de la consommation. Cette évolution s'explique à la fois par la hausse du pouvoir d'achat et par le recours plus fréquent au crédit.

Un ménage sur deux est endetté.

53 % des ménages avaient au moins un crédit en cours (tous types confondus) en 2001 (la proportion la plus élevée jamais observée), pour un encours global proche de 500 milliards d'euros. La plus grande partie (63 %) était constituée des dettes liées à l'habitat. Le reste concernait les crédits de trésorerie contractés pour acheter un bien d'équipement (voiture, électroménager, loisirs...) ou pour d'autres raisons (études des enfants, paiement des impôts...). Par ailleurs, environ 5 % des ménages sont endettés dans le cadre de leur activité professionnelle : agriculteurs, commerçants et autres professions indépendantes. Plus d'un quart des ménages cumulent un crédit de trésorerie et un découvert bancaire.

L'endettement moyen des ménages endettés se montait à près de 30 000 € en 2001. Ce chiffre est proche du revenu disponible brut moyen, ce qui signifie que les ménages endettés doivent rembourser presque l'équivalent d'une année de revenu. La plus grande partie de cette dette concerne les crédits immobiliers, mais la forte hausse qui s'est produite depuis 1985 est due à l'importance croissante des crédits de trésorerie.

L'endettement immobilier reste de loin le plus important.

9 % des dettes non professionnelles des ménages proviennent de leurs emprunts immobiliers et les deux tiers des ménages endettés ont contracté un emprunt immobilier. En 2001, un ménage sur quatre (24 %) avait un crédit en cours pour l'acquisition de sa résidence principale. La durée moyenne d'emprunt est proche de 15 ans.

Ce type d'endettement est d'autant plus fréquent et son montant d'autant plus substantiel que les ménages ont un revenu élevé. Ainsi, la moitié des ménages ayant un revenu annuel situé entre 40 000 et 50 000 € ont un crédit immobilier en cours pour leur résidence principale, contre 15 % de ceux qui gagnent entre 14 000 et 20 000 €. Si la dette moyenne des premiers est plus élevée, leur effort financier de remboursement (rapport de l'annuité de remboursement au revenu global du ménage) est plus réduit.

Restrictions

Proportions de Français déclarant s'imposer des restrictions sur certains postes (en %) :

Restrictions sur :	1980	1985	1990	1995	2000	2002
- les achats d'équipement	53,5	66,7	68,1	74,5	69,4	67,9
- l'alimentation	27,1	29,7	25,2	30,4	32,3	33,8
- l'habillement	66,4	72,8	70,4	76,2	72,3	71,4
- la voiture	52,1	56,1	50,8	54,9	52,8	51,7
- les vacances et les loisirs	71,6	80,5	79,3	79,1	81,6	83,4
Restrictions en général	**59,3**	**65,9**	**59,4**	**62,4**	**59,1**	**58,4**

Credoc

La proportion de ménages endettés pour l'achat de leur logement varie avec l'âge. Elle est maximale entre 40 et 49 ans (près de la moitié), puis elle diminue fortement après 50 ans : 30 % entre 50 et 59 ans ; 10 % entre 60 et 69 ans ; 2 % à partir de 70 ans. Seuls 10 % des retraités ont une dette immobilière.

Un ménage sur trois recourt au crédit à la consommation...

35 % des ménages avaient contracté au moins un crédit de trésorerie en cours en 2001, contre 30 % en 1996. L'encours représentait 103 milliards d'euros, soit une moyenne de 1 700 € par habitant. Le taux de croissance avait dépassé 20 % par an entre 1985 et 1989, du fait notamment de la suppression de l'encadrement en 1985. Il avait diminué dans les années 90 ; 27 % des ménages étaient concernés en 1995 contre 31 % en 1991. La hausse a repris depuis 1996, avec un taux annuel d'environ 6 % (5 % en 2001). 35 % des ménages ont aujourd'hui au moins un crédit de trésorerie.

L'endettement français se situe dans la moyenne européenne. L'encours moyen par habitant est inférieur à celui constaté en Allemagne ou au Royaume-Uni, où il atteint pratiquement le double, avec une proportion semblable de ménages endettés. Il est supérieur à celui du Portugal et de l'Espagne, où seul un quart des ménages est endetté, ou a fortiori de l'Italie (moins d'un ménage sur cinq). Pendant longtemps, l'encours moyen des crédits à la consommation a représenté un peu plus de 10 % des revenus en Allemagne, Belgique ou Pays-Bas, contre seulement 5 % dans les pays du sud de l'Europe. L'écart s'est progressivement resserré, mais l'encours ne représente encore qu'un dixième des achats en valeur des Français, contre un quart aux Etats-Unis, un cinquième en Allemagne, un sixième au Royaume-Uni.

La vie à crédit

SEPT voitures sur dix, un téléviseur sur trois, un magnétoscope sur trois, un lave-linge ou un lave-vaisselle sur quatre sont achetés à crédit. Les ménages concernés par ces emprunts sont beaucoup plus jeunes que ceux qui réalisent une opération immobilière et leurs revenus sont plus modestes. Leur dette représente en moyenne 30 % de leur revenu annuel global. Parmi les ménages ayant un crédit de trésorerie en 2000, 45 % de l'encours total de 98 milliards d'euros correspondait à des prêts personnels, 24 % à des comptes permanents (credits revolving), 21 % à des crédits pour des achats à tempérament et 10 % à d'autres types de crédit (loisirs, études des enfants...).
Les banques traditionnelles (AFB) représentaient 41 % de l'encours total des crédits de trésorerie, devant les banques mutualistes (30 %) et les sociétés financières (28 %).

La généralisation des cartes bancaires ou accréditives a favorisé le recours au crédit.

L'utilisation de la carte bancaire est une singularité française. Son usage, longtemps limité aux retraits d'argent dans les billetteries, s'est étendu aux paiements en même temps que se développait le réseau des commerçants qui les acceptent. Il est le résultat de la volonté des pouvoirs publics d'obliger les banques à mettre en place l'interbancarité. La plupart des ménages disposent en outre de cartes privatives fournies par les grandes surfaces, les grands magasins, les organismes de crédit, les sociétés de vente par correspondance, les hôtels, les compagnies aériennes... La généralisation de ces cartes a contribué à l'accroissement du crédit à court terme.

Fin 2001, les Français possédaient 43,3 millions de Cartes bleues (+ 6 % en un an), dont 38,8 millions de cartes internationales (+ 9 %). Les trois quarts des personnes de 18 ans et plus en possèdent une. 4,8 mil-

500 milliards de dettes	
Encours des crédits consentis aux ménages par les établissements de crédit (2000, en euros par ménage) :	
Total des crédits aux ménages, dont :	**19 694**
- total des crédits aux particuliers	15 910
- total des crédits aux entrepreneurs individuels	3 784
Trésorerie des particuliers, dont :	**4 086**
- avances en comptes débiteurs	245
- prêts personnels	1 837
- financement des ventes à tempérament	890
- utilisation d'ouvertures de crédits permanents	947
- crédit-bail et opérations assimilées	61
- autres crédits de trésorerie	106
Crédits à l'habitat des particuliers, dont :	**12 457**
- prêts conventionnels	1 449
- prêts principaux d'épargne logement	1 327
- prêts aidés à l'accession à la propriété	412
- prêts à 0 %	314
- autres prêts à l'habitat	8 955

liards de paiements et retraits ont été effectués en 2001, soit davantage que par chèques. Le nombre moyen de transactions par carte était de 119 dans l'année, dont 93 achats d'un montant moyen de 46 € et 26 retraits d'un montant moyen de 60 €.

3,3 millions de ménages sont équipés de terminaux personnels, dont 2 millions sont des décodeurs TV bifentes, 650 000 des téléphones portables, 600 000 des Minitel de type Magis, 20 000 des lecteurs sécurisés pour Internet. 2 à 3 % des mensualités de paiement réglées à l'aide de cartes de crédit sont impayées. La moitié sont recouvrées après une ou deux relances.

Les modes de paiement des Français diffèrent de ceux des autres pays développés.

Les Français règlent peu souvent leurs dépenses en argent liquide ; la masse monétaire en circulation ne représente ainsi que 3 % du PIB contre 11 % en Espagne ou 7 % en Allemagne. Outre l'usage très fréquent des cartes bancaires, ils sont les plus gros utilisateurs de chèques au monde : près de 5 milliards ont été émis en 2001, soit plus de 80 par personne, loin devant les Allemands et les Italiens (une dizaine) ou même les Britanniques et les Irlandais (environ 50). L'évolution vers un système où les paiements par chèque seront payants (en échange d'une rémunération des comptes bancaires) devrait modifier la situation actuelle. Alors que l'usage du chèque avait baissé en moyenne d'un tiers (32 %) en Europe entre 1990 et 1996, il avait augmenté de 6 % en France. Le chèque représente la moitié des moyens de paiement scripturaux (hors argent liquide), contre 20 % pour les cartes bancaires et 17 % pour les virements. Les prélèvements directs sur des comptes bancaires sont aussi en augmentation.

Près de 150 000 ménages sont surendettés.

Les ménages surendettés sont ceux dont les remboursements d'emprunts à court ou à long terme dépassent 60 % de leurs revenus. Ils ont souvent des crédits immobiliers en cours, auxquels s'ajoutent ceux destinés à financer l'acquisition de biens d'équipement (voiture, appareils électroménagers ou de loisirs...). Le nombre de dossiers acceptés par les commissions instituées dans le cadre de la loi Neiertz de 1990 avait stagné jusqu'en 1995 aux environs de 60 000. Il était passé de 56 000 en 1995 à 107 000 en 1999 (sur 142 000 déposés) et

La moitié des ménages ont un crédit en cours

Résonnances et Cie

Chèques en bois

Le nombre de chèques impayés s'est accru de plus de 40 % en 2001 et la tendance s'est confirmée en 2002. Ces pratiques sont de plus en plus souvent le fait de réseaux organisés. Elles sont favorisées par le relâchement de la vigilance des banques, qui envoient des chéquiers par le courrier normal, et par celui des commerçants, qui oublient parfois de contrôler l'identité de l'émetteur. En outre, les délais de mise à jour du fichier national de chèques irréguliers se sont allongés, passant de deux jours à près d'une semaine. Enfin, la loi de 2001 encadrant l'utilisation des chèques a réduit la durée d'interdiction bancaire de dix à cinq ans et diminué les pénalités encourues. 900 000 personnes interdites de chéquier ont ainsi retrouvé l'usage, licite ou non, d'un chéquier.

avait atteint 148 265 en 2000. Il a cependant diminué de 7 % en 2001, à 137 882. On estime que 400 000 personnes sont en cours de procédure amiable ou judiciaire.

58 % des personnes surendettées en 2001 étaient célibataires, divorcées ou séparées, contre 30 % en 1990. 57 % avaient au moins un enfant à charge, ce qui signifie que les familles monoparentales sont massivement représentées. L'âge moyen était de 47 ans ; 56 % avaient entre 35 et 55 ans, 31 % ont moins de 35 ans, 5 % moins de 25 ans. Plus de la moitié (55 %) étaient ouvriers ou employés, alors que ces catégories comptent pour 30 % de la population totale. 72 % disposaient de revenus inférieurs à 1 500 €. Seuls 15 % étaient propriétaires de leur résidence principale. La quasi-totalité des dossiers fait l'objet d'un traitement à l'amiable ; plus de 2 000 ménages ont même bénéficié d'un effacement des dettes par des créditeurs (banques, entreprises publiques...). Le montant des remboursements mensuels s'élève en moyenne à 640 €.

De nouveaux modes d'acquisition des biens se développent.

L'attachement traditionnel à la propriété tend à se réduire, au profit de la jouissance des biens (voir p. 371). Ainsi, la proportion de foyers propriétaires de leur logement stagne ; le statut de propriétaire est socialement moins valorisé que par le passé, notamment par les jeunes. Beaucoup considèrent qu'il est un frein à la mobilité et la baisse constatée au cours des années 90 a montré qu'il ne constitue plus un placement sûr.

En matière automobile, la location et les systèmes de vente avec option d'achat connaissent un succès croissant. Les Français privilégient de plus en plus l'usage de la voiture par rapport à sa possession ; ils apprécient de bénéficier d'un contrat d'entretien et de pouvoir changer de véhicule facilement. Les Français sont aussi moins fascinés par l'accumulation des biens. C'est pourquoi ils s'intéressent au troc et fréquentent les brocantes ou les vide-greniers, qui leur permettent de se débarrasser des objets anciens ou inutiles et de les remplacer par d'autres. Ils souhaitent aussi de cette façon résister au système marchand et aux circuits traditionnels, qui les poussent en permanence à la dépense.

> La moitié des crédits immobiliers ont été renégociés depuis 1978 pour prendre en compte la baisse des taux, un quart depuis 1997.
> On recensait 36 910 distributeurs de billets en France fin 2001.
Le virement est le moyen le plus utilisé par les entreprises et les administrations pour les règlements aux particuliers.
> Au cours des quinze dernières années, les tarifs des services bancaires ont augmenté 2,5 fois plus vite que les prix à la consommation.
> 17 % des Français déclarent avoir déjà fait des achats sur Internet.
> 70 % des cyberacheteurs disent préférer acheter dans des magasins.

Le patrimoine

Epargne

Le taux d'épargne a connu une évolution très contrastée depuis 1945.

Le taux d'épargne des ménages représente le solde entre les revenus et les dépenses de consommation. Il mesure la part de leur revenu disponible (brut) consacrée à l'épargne ou à l'investissement. A l'épargne financière (livrets de caisse d'épargne, placements en obligations, actions, bons à terme, liquidités...) s'ajoute l'endettement à moyen et à long terme, contracté en vue de l'achat et de l'amélioration d'un logement (qui a pour effet d'accroître le capital) ou, dans le cas des entrepreneurs individuels, de l'investissement en biens professionnels.

Pendant les Trente Glorieuses (1945-1975), le taux d'épargne était passé de 12 % à 20 % du revenu disponible brut des ménages, dans un contexte de forte croissance du pouvoir d'achat. Les Français étaient alors devenus l'un des peuples les plus économes du monde. Au cours des années 60, cette épargne fut principalement utilisée pour l'acquisition d'un logement, avec un endettement assez faible.

Entre 1978 et 1987, le taux a diminué de moitié, passant de 20 % à moins de 11 %. Cette baisse s'expliquait principalement par celle de l'inflation (les deux facteurs varient généralement dans le même sens) et par la boulimie de consommation caractéristique des années 80. Elle était aussi liée à la forte baisse du rythme de croissance du pouvoir d'achat à partir de 1979 et à la pyramide des âges défavorable (moins de jeunes avaient besoin d'un logement).

Depuis 1988, les Français ont retrouvé le chemin de l'épargne.

Le taux d'épargne s'est stabilisé vers 15 % depuis 1992. Le changement de mode de calcul intervenu en 1995 (les revenus des ménages ne comprennent plus les transferts sociaux en nature comme les remboursements de Sécurité sociale et les allocations logement) augmente artificiellement le taux d'un peu plus d'un

Les bas de laine se remplissent

Evolution du taux d'épargne des ménages (en % du revenu disponible brut*) :

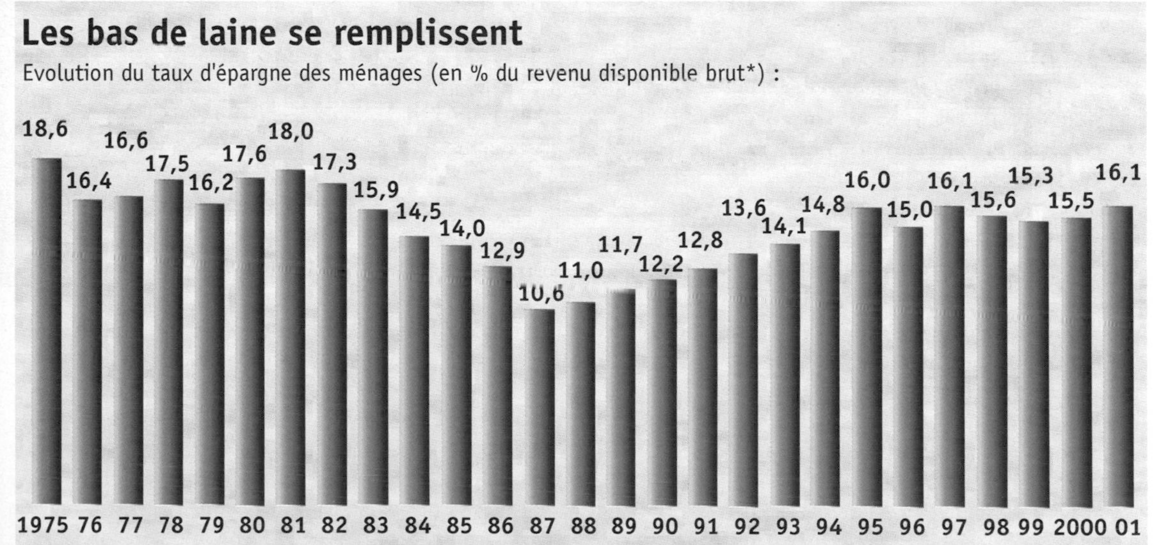

* A partir de 1995, le revenu disponible brut des ménages ne comprend plus les transferts en nature (remboursements de Sécurité sociale et allocations logement). De ce fait, le taux d'épargne est relevé d'environ un point.

INSEE

point depuis cette date. Cette hausse de l'effort d'épargne des ménages a été favorisée par la croissance du pouvoir d'achat et par l'inquiétude face au chômage et aux menaces pesant sur le financement des retraites. Les changements d'attitude intervenus en matière de consommation (voir chapitre précédent) ont eu pour effet de renforcer l'épargne de précaution. La maîtrise de l'inflation a aussi contribué à cette évolution.

Les ménages ont épargné 16,1 % de leur revenu disponible en 2001.

Près de deux ménages sur trois déclarent mettre de l'argent de côté. Leur principale motivation est de faire face à l'imprévu, en particulier à la perte d'un emploi. La constitution d'un complément de retraite n'arrive qu'en quatrième position (24 %), derrière celle du patrimoine immobilier et l'épargne destinée à assurer l'avenir de ses proches.

Le taux d'épargne varie dans de fortes proportions selon la catégorie socioprofessionnelle : il atteint environ 25 % du revenu disponible brut des professions libérales, des artisans, commerçants et chefs d'entreprise, près de 20 % pour les cadres, mais à peine plus de 12 % pour les agriculteurs et les professions intermédiaires. L'épargne des professions disposant d'un capital professionnel est proportionnellement plus élevée (agriculteurs, professions libérales, commerçants...) que celle des salariés.

Les ménages de 30-44 ans consomment une partie de leur épargne financière en prélevant régulièrement de l'argent pour subvenir à leurs besoins. Les 45-59 ans consacrent près de la moitié de leur capacité d'épargne au remboursement d'emprunts. Les 60 ans et plus représentent près des trois quarts de l'ensemble des placements effectués par les Français, pour moins d'un tiers de la population. Les plus de 75 ans ont un taux d'épargne deux fois plus élevé que la moyenne. En moyenne, le total de l'épargne et des crédits représente 24 % des revenus disponibles des ménages.

Les fourmis de l'Europe

Les Français sont les plus gros épargnants de l'Union européenne, devant les Italiens et les Belges. Le taux d'épargne est inférieur à 5 % en Suède, aux Pays-Bas, en Finlande et au Danemark. Les habitants des autres pays épargnent entre 6 et 12 % de leurs revenus. L'épargne nette (après amortissement du patrimoine physique) est de 11 % en France, contre 8 % en Allemagne. Le taux français reste très supérieur à celui des Etats-Unis mais inférieur à celui du Japon.

Contrairement aux autres Européens, les Français n'ont pas ralenti leur effort d'épargne pendant la reprise économique, à partir de 1997-1998. Les incertitudes sur l'avenir des retraites et les contraintes de long terme de certains placements (PEA, assurance-vie) expliquent cette attitude. Si elle nuit a priori à l'accroissement de la consommation, cette épargne abondante est redirigée en partie vers les entreprises, ce qui favorise leur investissement.

L'épargne financière est plus importante que l'épargne immobilière.

L'un des changements les plus significatifs de ces trente dernières années est la diminution de la part de l'épargne liquide (espèces, livrets d'épargne, comptes de dépôt, bons de capitalisation, comptes à terme) au profit des placements financiers, mieux rémunérés : valeurs mobilières, épargne monétaire, assurance-vie. Au début des années 70, les livrets constituaient 80 % de l'épargne nette. A partir de 1980, on a assisté à une substitution en faveur des obligations, puis des OPCVM (organismes de placements collectifs en valeurs mobilières).

A partir de 1987, la reprise économique et la conviction que la hausse des prix était maîtrisée ont accéléré le transfert entre les liquidités et les placements, favorisé par des taux d'intérêt réels élevés. Le taux d'épargne financière des ménages (rapport de leur capacité de financement à leur revenu disponible brut) est ainsi passé de 3 % en 1990 à 7 % en 1992, retrouvant le niveau élevé des années 70. Il s'est stabilisé ensuite à un niveau proche : 6,6 % en 2000. Depuis le milieu des années 90, il est supérieur à la part de l'investissement immobilier, alors qu'il était de moitié inférieur en 1980. Les flux des placements ont approché 100 milliards d'euros en 2001.

La remontée de l'épargne traduit un changement de perception de l'avenir.

Les comportements en matière d'épargne sont liés à des facteurs objectifs tels que l'évolution du pouvoir d'achat, le niveau d'inflation, le coût du crédit, la rentabilité des placements ou la croissance du chômage, qui pèsent sur les revenus et le rendement de l'épargne. Mais ils sont de plus en plus conditionnés par des facteurs subjectifs, qui touchent aux modes de vie et aux systèmes de va-

leurs. Ainsi, au cours des années 80, la plus grande instabilité familiale et sociale avait renforcé le goût pour le court terme, donc favorisé la consommation au détriment de l'épargne. La multiplication et la banalisation des crédits à la consommation avaient aussi largement participé à ce changement des mentalités, même si elles ne l'avaient pas créé.

Au cours des années 90, on a assisté à une évolution différente. Les craintes concernant l'avenir et la défiance à l'égard des institutions ont incité les Français à se prémunir contre les aléas de la vie (chômage, maladie...) et la baisse des pensions de retraite. C'est ce qui explique que le désir d'épargne soit plus fort depuis quelques années chez les moins de 35 ans.

Placements

Neuf ménages sur dix possèdent un patrimoine financier.

Un ménage sur deux a souscrit à un produit d'assurance-vie. Un sur quatre détient des actions en direct ; cette progression a été encouragée par les privatisations et les performances de la Bourse au cours des années passées, jusqu'en 1999. Globalement, la part de l'épargne liquide (livrets, comptes de dépot, bons, comptes à terme) a beaucoup diminué au profit de l'épargne investie, que ce soit à la Bourse ou dans des contrats d'assurance-vie.

Par ailleurs, plus de la moitié des ménages disposent d'un patrimoine immobilier ; 55 % sont propriétaires de leur résidence principale, 10 % d'une résidence secondaire et 12 % d'un bien immobilier de rapport (ces chiffres ne s'additionnant pas). Seuls 6 % des Français ne disposent d'aucun patrimoine (financier ou immobilier), contre 10 % en 1986. Ce sont des ménages à faible revenu, souvent d'ouvriers non qualifiés. A l'inverse, 10 % possèdent un patrimoine complet, comportant à la fois de l'immobilier et les principaux actifs financiers : livrets d'épargne, assurance-vie, épargne logement et valeurs mobilières. Ils n'étaient que 4 % en 1986. Ce sont surtout des ménages aisés d'indépendants ou de cadres, âgés de 40 à 70 ans.

Les taux d'intérêt des placements sont supérieurs à l'inflation depuis 1984.

La possibilité de protéger son capital avec des placements sans risque rapportant plus que l'inflation est une situation exceptionnelle pour les épargnants. C'est pourtant celle qui prévaut depuis une bonne quinzaine d'années. Elle a été rendue possible par la maîtrise de l'inflation engagée dans les années 80 ; entre 1980 et 1986, la hausse des prix est passée de 13,4 % à 2,6 %. Les taux d'intérêt n'ont pas baissé dans les mêmes proportions, de sorte que même ceux des livrets de caisse d'épargne sont depuis 1984 supérieurs à l'inflation. La baisse des taux, amorcée à la fin de 1993, a atteint son terme fin 1999. Elle a été suivie d'une hausse en 2000 et 2001. Les performances des sicav monétaires ont ainsi diminué de moitié en quelques années et se sont rapprochées de celle du livret A de la Caisse d'épargne : 3 % en moyenne entre 1994 et 2001, contre 6,6 % entre 1988 et 1993. Il faut remonter au début du XXe siècle pour retrouver une période aussi faste. En 1900, l'inflation était proche de zéro et les placements en obligations rapportaient plus de 4 % net. La Bourse de Paris était avec celle de Londres la première du monde. De plus, les impôts sur le travail et sur les plus-values n'existaient pas.

Ailleurs Exactement

Les Français sont plus exigeants en matière de placement

Les Français ont été longtemps attachés à la sécurité et à la liquidité...

Par culture, les Français n'aiment guère risquer leur argent. Cette attitude a longtemps conditionné la gestion de leur épargne. Elle explique la priorité qu'ils ont accordée aux placements sûrs comme le livret A, le plan d'épargne logement mais aussi l'assurance-vie à rendement stable. Ils ont longtemps boudé en revanche les actions et les obligations, dont ils connaissaient assez mal le fonctionnement. En 2001, on comptait 6,1 millions de ménages actionnaires, dont la majorité par le biais de sicav ou de fonds communs de placement.

Les actifs des actifs

Taux de possession des différents types d'actifs selon la catégorie socioprofessionnelle (2000, en % des ménages) :

	Livrets d'épargne	Epargne logement	Valeurs mobilières	Assurance-vie, PEP retraite	Epargne en entreprise	Résidence principale	Autre logement
- Agriculteur	87,3	65,1	28,8	65,8	3,6	80,3	23,8
- Artisan, commerçant, industriel	84,7	47,9	34,9	64,3	6,5	68,8	37,4
- Profession libérale	89,4	68,0	58,0	81,7	10,9	71,4	49,7
- Cadre	91,9	65,3	52,0	62,7	35,5	62,8	33,8
- Profession intermédiaire	89,5	53,6	32,6	50,5	30,3	54,0	15,3
- Employé	84,6	36,6	15,7	42,7	14,9	32,6	9,8
- Ouvrier qualifié	84,0	39,6	14,7	44,3	27,2	51,0	8,4
- Ouvrier non qualifié	73,5	23,6	8,8	29,1	13,6	31,0	8,7
- Agriculteur retraité	88,7	34,8	22,3	44,7	0,5	69,8	22,5
- Indépendant retraité	79,1	31,4	37,2	47,1	0,0	76,7	42,1
- Salarié retraité	83,6	32,3	25,0	47,1	4,1	65,9	23,2
- Autre inactif	79,2	20,6	13,5	27,4	1,8	37,2	12,2
ENSEMBLE	**84,5**	**39,7**	**25,1**	**46,6**	**15,2**	**54,5**	**19,1**

INSEE

Une proportion en augmentation, mais qui reste faible par rapport à d'autres pays, notamment d'Europe du Nord, et très inférieure à celle des Etats-Unis.

L'incertitude à l'égard de l'avenir explique le goût des Français pour la liquidité. C'est pourquoi les livrets de caisse d'épargne ou les Codevi restent populaires, malgré leur faible rentabilité. Les trois quarts des ménages possèdent un produit d'épargne liquide (livret, compte ou plan d'épargne...). Ils utilisent également la possibilité d'obtenir des avances dans les contrats d'assurance-vie avant le terme des huit années de versement.

> 57 % des Français affirment vouloir épargner pour constituer un patrimoine à transmettre à leur descendance, mais 38 % préfèrent ne pas épargner et profiter de leur argent en le dépensant.

... mais ils s'intéressent aujourd'hui davantage aux performances des placements.

Après avoir longtemps placé l'essentiel de leurs économies à la Caisse d'épargne, dans l'or ou dans la pierre (sans oublier les matelas et les bas de laine), les Français ont cherché des moyens plus efficaces de protéger leurs patrimoines. Il faut dire que ceux-ci avaient été sérieusement érodés au cours des années 70 par une inflation persistante ; une somme placée en 1970 sur un livret A de la Caisse d'épargne avait perdu un quart de sa valeur en francs constants en 1983, avant que les taux réels ne soient positifs. Au cours des années 80, les épargnants ont découvert la Bourse, dont la croissance a été très élevée, ainsi que l'assurance-vie (voir ci-après).

L'intérêt actuel pour des placements plus risqués ne traduit pas seulement le souhait des Français de mieux préserver leur capital ; il marque aussi leur volonté de prendre davantage en charge leur vie et leur avenir, en s'assurant notamment de compléments de revenu pour la retraite. Les attentes et les motivations des épargnants ont changé en même temps, et dans le même sens, que celles des consommateurs. Ils sont devenus plus compétents, plus ra-

tionnels et plus mobiles. C'est ce qui les autorise à être aujourd'hui plus exigeants quant à la rentabilité de leurs placements.

Les livrets de caisse d'épargne sont délaissés...

Le livret A avait connu huit années consécutives de soldes négatifs (dépôts moins retraits) entre 1985 et 1993. Après deux années positives en 1994 et 1995, la collecte a été de nouveau négative à partir de 1996, avec la baisse du taux à 3,5 % au lieu de 4,5 % et le transfert d'une partie des sommes sur les livrets Jeunes (4,75 % d'intérêt). L'érosion s'est poursuivie avec la nouvelle baisse des taux de 1997, à 2,25 %. En 1998, la collecte nette des livrets A n'avait représenté que 5 milliards de francs (contre 14 milliards en 1997), avec une « décollecte » de 55 milliards de francs. Elle était encore de 8,4 milliards d'euros en 1999 et de 3,5 en 2000.

Le taux est repassé à 3 % en juin 2000. C'est ce qui explique que, pour la première fois en cinq ans, la collecte de 2001 a été positive de 1,6 milliard d'euros pour les livrets A de la Caisse d'épargne et de La Poste. L'encours atteignait 108,6 milliards d'euros fin 2001 (avec les intérêts), contre 104 l'année précédente. Mais les livrets représentent aujourd'hui moins de 5 % de l'épargne des ménages.

La désaffection de ces dernières années a profité aux placements à plus fort potentiel de rémunération. Fin 2000, plus de huit ménages sur dix (85 %) possédaient encore des livrets défiscalisés (livret A, livret Bleu, livret Jeunes), moins d'un sur dix des livrets imposables (livrets B ou Orange). Près d'un sur deux (40 %) disposait d'au moins un plan ou un compte d'épargne logement. 12 % détenaient des produits d'épargne retraite. L'autorisation accordée aux banques de proposer des produits défiscalisés leur a permis de drainer une partie importante de l'épargne nouvelle. Lancé fin 1989, le PEP (Plan d'épargne populaire) a connu très vite un succès supérieur à celui du PER (Plan d'épargne retraite), qu'il remplaçait.

... au profit de produits d'épargne longue comme l'assurance-vie.

On observe un intérêt des Français pour les placements longs, dans le but de constituer une épargne de précaution, face aux risques de chômage et aux difficultés de financement des régimes de retraite. En 1992, l'assurance-vie est devenue le premier placement des Français. Plus d'un ménage sur trois (40 % en 2001) possède au moins un contrat. Ils ont versé en moyenne 1 450 € sur leur contrat en 2001, une somme proche de celle investie par les Suédois (1 400), les Néerlandais (1 400), les Belges et les Danois (1 200), la moitié de celle des Britanniques (2 900), mais le double de celle des Allemands (700) ; elle était inférieure à 100 € dans les autres pays européens. Les fonds gérés s'élèvent à un peu plus de 750 milliards d'euros, dont plus des deux tiers en obligations et emprunts d'Etat. L'assurance-vie représente aujourd'hui environ les deux tiers de l'ensemble des placements financiers, soit quatre fois plus qu'en 1985.

Le nombre de détenteurs d'assurance-vie tend cependant à stagner (10,4 millions), ainsi que les sommes investies. Cette situation s'explique par la baisse des rendements des

L'épargne retraite favorisée

Evolution des taux de détention d'actifs patrimoniaux (en % des ménages) :

INSEE

contrats en francs, qui suivent l'évolution des obligations sur lesquelles ils sont pour l'essentiel adossés. La rémunération ne dépasse guère 6 % depuis quelques années, avec des avantages fiscaux réduits, mais encore significatifs en matière successorale. Cette évolution a favorisé le transfert vers les produits multisupports (investis partiellement en actions) ainsi que sur d'autres produits de placements. Entre 1984 et 1999, la valeur des contrats avait triplé, alors que la hausse des prix cumulée était de l'ordre de 50 %.

L'immobilier est sorti de la crise fin 1997.

La baisse des prix des logements a été spectaculaire et générale entre 1990 et 1997. Elle a atteint 29 % en moyenne à Paris. Le prix moyen d'un cinq-pièces était ainsi revenu à 3 millions de francs, contre 5,4 millions en 1990 ; la chute avait été moins brutale pour les petites surfaces (studios et deux-pièces). Le patrimoine immobilier des ménages propriétaires avait donc fondu (avec des pertes estimées à 45 milliards d'euros au niveau national), alors que celui des valeurs mobilières avait connu une forte croissance (voir ci-après).

La construction de nouveaux logements a redémarré au premier trimestre 1998, tandis que l'on constatait une reprise sensible des transactions de logements anciens. Elle s'est traduite par un raccourcissement des délais de vente et une forte hausse des prix jusqu'à la fin du premier semestre 2001. La hausse a concerné la plupart des régions, en particulier celles qui avaient subi la plus forte baisse. A Paris, la flambée a atteint 25 à 30 % en moins de deux ans. Elle a surtout profité aux grandes surfaces, recherchées par les familles et les étrangers fortunés. Les prix tendent depuis à se stabiliser à un niveau qui reste inférieur de 15 à 20 % à celui de 1990 (un peu plus de 3 000 € le mètre carré, tous arrondissements confondus).

La terre a souffert d'une désaffection qui s'est traduite par une baisse continue des prix depuis 1976 ; l'hectare vaut en moyenne environ 3 000 € et la location des terres rapporte moins que les livrets de caisse d'épargne. 13 % des ménages possèdent des biens fonciers.

Les Français ont découvert la Bourse au cours des années 80...

Les efforts des pouvoirs publics pour diriger l'épargne des particuliers vers les valeurs mobilières avaient été favorisés par la forte croissance de la Bourse entre 1983 et 1986 (avec des hausses respectives de 56 %, 6 %, 45 % et 50 %). Ce climat euphorique et les privatisations réalisées en 1986 et en 1987 avaient décidé un grand nombre de Français à devenir actionnaires ; 20 % des ménages étaient concernés à la fin de 1987, contre la moitié trois ans plus tôt.

Le séisme d'octobre 1987, avec une baisse de 30 % de la Bourse de Paris, allait remettre en question ces comportements. Malgré la forte remontée au cours des deux années qui suivirent, les petits porteurs étaient devenus plus hésitants, privilégiant les instruments de placements collectifs à vocation défensive ou d'attente (sicav de trésorerie, fonds communs obligataires ou indiciels...). Un nouvel effondrement des cours se produisit en août 1990, entraînant une baisse de 29 % sur l'année. Mais elle allait être largement effacée par les bonnes performances des années suivantes.

... et profité d'une décennie 90 très favorable...

Malgré les crises, la décennie 90 aura été une période particulièrement bénéfique pour les actionnaires. Un accident de parcours se produisit en août 1998, à la suite de la crise financière en Russie, mais il fut oublié très rapidement, avec un taux de croissance du CAC 40 de 31 % sur l'année. La performance fut encore meilleure en 1999 : + 51 %. Le CAC 40 avait ainsi plus que triplé en dix ans ; il avait été multiplié par cinq depuis décembre 1987. De plus, la distribution de dividendes par les entreprises avait été plus généreuse que dans le passé, avec un doublement entre 1992 et 1999.

De nombreux actionnaires ont donc vu leur patrimoine augmenter dans des proportions importantes. La composition des portefeuilles a évolué pendant cette période. Les mesures fiscales et les performances boursières ont fait reculer la détention de sicav monétaires et d'obligations au profit des actions : un ménage sur six (16 %) détient aujourd'hui huit des actions cotées en Bourse et 15 % ont ouvert un PEA (plan d'épargne en actions).

... avant de connaître deux années difficiles en 2000 et 2001.

L'an 2000 a marqué une rupture dans l'évolution des marchés financiers. L'effondrement des valeurs technologiques de la « nouvelle économie », amorcé en avril, s'est accéléré à partir de septembre. L'indice CAC 40 a ré-

Les bonnes actions

SUR le long terme, les actions apparaissent presque toujours gagnantes. Entre 1950 et 2000 (avant les fortes baisses de 2001 et 2002), celles cotées à la Bourse de Paris ont eu une rentabilité moyenne supérieure à 7 % par an après inflation. Celle des obligations a été inférieure à 2 %, celle des fonds monétaires s'est établie à 1 %. Malgré les krachs (1981, 1987, 1990 et 1998), les actionnaires ont vu leur capital multiplié par plus de trente en un demi-siècle. Pendant la période, les obligations ont à peine doublé, tandis que les placements sans risque ont tout juste conservé leur valeur, grâce aux taux réels positifs des quinze dernières années.
La hiérarchie des placements a sensiblement évolué dans le temps. Entre 1972 et 2000, les actions l'ont emporté. Mais leur plus-value n'a été que de 5,7 % par an entre 1972 et 1982 (avec une inflation de 11 %, soit une baisse en monnaie constante) alors que l'or gagnait en moyenne 24,5 %. L'immobilier a connu quatre années de hausse entre 1997 et 2001, se rapprochant ainsi du niveau record atteint en 1991.

sisté, en ne cédant que 0,5 %. Mais il s'est écroulé en 2001, avec une baisse de 22 % liée au ralentissement économique constaté notamment aux Etats-Unis. La chute qui a suivi les attentats de septembre a été rapidement enrayée, mais la tendance baissière s'est poursuivie avec l'incertitude sur la croissance et la remontée des cours du pétrole. La tendance était encore nettement à la baisse à la fin du premier semestre 2002, avec une grande volatilité des marchés d'actions.

On dénombrait 6,1 millions d'actionnaires en France en 2001, soit 500 000 de plus que l'année précédente. Les proportions de jeunes, d'ouvriers et de personnes aux ressources modestes sont celles qui ont le plus augmenté. Les 15-34 ans représentent 13 % des actionnaires, mais les plus de 65 ans restent les plus nombreux (38 %), devant les 50-64 ans (29 %) et les 35-49 ans (20 %). 36 % des portefeuilles comptent moins de 7 600 €, 21 % entre 7 600 et 10 000, 16 % entre 10 000 et 38 000, 11 % entre 38 000 et 76 000, 13 % plus de 76 000.

Le nombre de salariés actionnaires de leur entreprise a connu une forte augmentation ; il représentait en 2001 un montant estimé à 13 milliards d'euros, contre 7 milliards en 1988. On compte par ailleurs 3 millions de salariés détenant de l'épargne placée en entreprise. Les PEA (plans d'épargne en actions), créés en 1992, représentaient un encours de 100 milliards de francs début 2002. 6,5 millions de Français en ont ouvert, pour un montant moyen de 15 500 €. Le nombre des détenteurs d'obligations est en revanche en diminution. Il a été divisé par deux entre 1992 et 2001 (1,7 million contre 3,3).

L'or et l'art ont perdu leur statut de valeurs refuges.

L'or, traditionnellement thésaurisé par les Français, n'est plus depuis des années considéré comme un placement. Le cours du lingot n'a pratiquement pas cessé de baisser depuis 1984. Il valait presque le même prix, en monnaie courante, début 2002 qu'à la fin des années 70. Par rapport au début des années 50, les quelque 5 000 tonnes d'or détenues par les ménages ont perdu au moins la moitié de leur valeur ; à titre de comparaison, un portefeuille d'obligations valait sept fois plus, un portefeuille d'actions cinquante fois plus. Le napoléon, qui avait atteint le cours maximum de 172 € en janvier 1980, ne valait plus que 100 €. L'importance des stocks, la faiblesse de la demande industrielle et les ventes d'or des banques centrales de certains pays sont d'autres causes de ce déclin du métal jaune.

Le marché de l'art a connu lui aussi bien des vicissitudes. A la fin des années 80, les prix (en particulier ceux de la peinture) avaient atteint des sommets, reflétant au moins autant les modes que la valeur intrinsèque des oeuvres. La forte médiatisation, le besoin grandissant de culture et d'esthétique, joints aux perspectives de plus-values importantes, avaient amené une petite minorité de Français à s'intéresser à ce type de placement. Mais, comme pour l'immobilier, la bulle spéculative s'était dégonflée à la fin des années 80, mettant en évidence les excès.

En même temps que celui des logements, et pour les mêmes raisons (fin de la spéculation, assainissement du marché, reprise économique), le marché de l'art avait trouvé à partir de 1998 un nouveau dynamisme, avec le retour de la spéculation sur l'art moderne. Mais la fin de l'embellie économique en 2001 et les événements du 11 septembre ont réduit le nombre des transactions et fait baisser les prix.

> 45 % des Français sont favorables (contre 34 %) à l'augmentation de la taxation des plus-values sur les stock-options.

Le baromètre des placements

Espérance de gain et variabilité des performances de trois types d'actifs selon la durée de placement (période 1913-2000, en %) :

	1 an	5 ans	10 ans	30 ans
ACTIONS				
- Espérance de gain (moyenne des performances)	4,0	4,0	4,0	3,0
- Variabilité (écart-type des performances)	22,8	11,4	7,1	2,4
- Probabilité de réaliser un gain	55,2	66,3	67,9	87,9
OBLIGATIONS				
- Espérance de gain (moyenne des performances)	- 1,0	- 0,8	- 0,6	- 1,9
- Variabilité (écart-type des performances)	13,8	11,0	9,2	5,1
- Probabilité de réaliser un gain	57,5	63,9	70,5	41,4
OR				
- Espérance de gain (moyenne des performances)	0,1	0,4	0,5	0,5
- Variabilité (écart-type des performances)	18,9	9,1	6,9	2,6
- Probabilité de réaliser un gain	49,4	45,8	51,3	56,9

INSEE, Euronext, Reuters

Les placements ont connu des performances diverses au cours des dernières décennies.

Au cours des années 60, les placements les plus rémunérateurs étaient les terres louées, les obligations et le logement. L'or, les livrets d'épargne et les bons, largement présents dans les patrimoines des ménages, avaient une rentabilité réelle négative.

Dans les années 70, le placement le plus rentable était l'or, suivi des terres louées, du logement et des obligations. Les produits d'épargne logement, livrets et bons avaient un rendement négatif et les actions (françaises, notamment) réalisaient des performances modestes.

La décennie 80 a été particulièrement favorable aux actions françaises, devant les obligations et le logement de rapport. L'or et les terres louées furent les placements les moins avantageux. Ainsi, l'équivalent de 15 € investis en or en 1987 en représentait moins de 11 en 1998, alors que 15 € placés à la Bourse de New York en valaient 53.

Les années 90 resteront comme une période très favorable aux détenteurs de valeurs mobilières, alors que les placements immobiliers ont connu une forte crise. La hiérarchie des placements a sensiblement évolué dans le temps.

> 57 % des Français (contre 36 %) sont favorables à une augmentation des impôts sur les plus-values boursières.

Fortune

Les Français détiennent au total environ 7 000 milliards d'euros brut.

La valeur du patrimoine global des Français (résidant en France) ne peut être définie avec la même précision que leurs revenus. Il est en effet difficile de connaître la nature des biens possédés et surtout leur valeur réelle, souvent très fluctuante. Un actif (mobilier ou immobilier) soumis à un marché n'a en effet de valeur que lorsqu'il est vendu. Les droits à la retraite accumulés par les ménages ne sont pas pris en compte, car ils ne sont pas cessibles (ils sont cependant transmissibles en partie au conjoint survivant) et sont surtout difficiles à évaluer.

A partir des données disponibles, on peut estimer le patrimoine actuel brut (avant endettement) des ménages à 6 500 milliards d'euros au début 2002. La part du patrimoine financier ne cesse d'augmenter ; elle représente la moitié de l'ensemble (53 %) dont la moitié en actions et titres d'OPCVM (organismes de placements collectifs en valeurs mobilières). Le patrimoine non financier s'élève à 3 000 milliards d'euros, dont 1 800 en logements et 1 000 en terrains. Il faut ajouter à ces chiffres environ 500 milliards d'euros pour les objets de collection, les oeuvres d'art et les biens d'équipement détenus par les ménages (véhicules, meubles, appareils ménagers...).

Le patrimoine brut des Français peut donc être évalué au total à

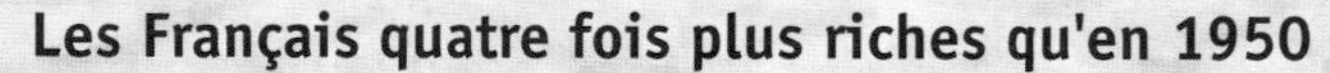

Le patrimoine

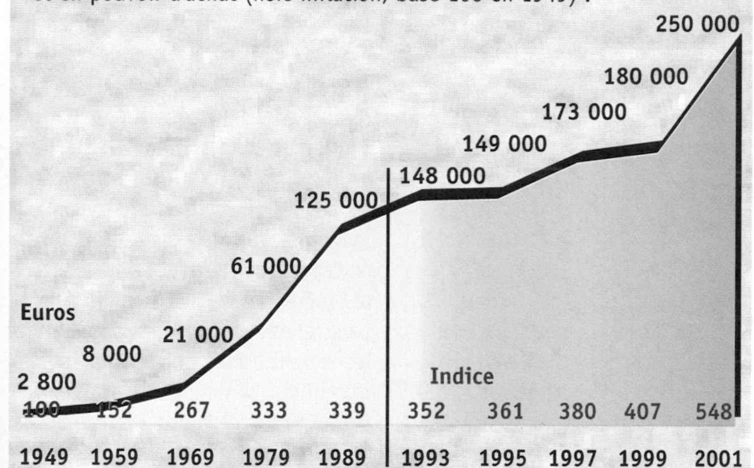

quelque 7 000 milliards d'euros, soit 283 000 € par ménage (24,7 millions de ménages début 2002).

Le patrimoine net moyen des ménages est d'environ 250 000 €.

Il faut retrancher au montant brut du patrimoine total des ménages celui de leur endettement (crédits à rembourser) ; il s'élevait à environ 700 milliards d'euros fin 2001. Cela conduit à un patrimoine net de 6 300 milliards d'euros, soit un peu plus de 250 000 € par ménage.

Il faut signaler que la moyenne des patrimoines est environ deux fois plus élevée que la médiane (montant tel que la moitié des ménages a un patrimoine supérieur, l'autre moitié un patrimoine inférieur) ; cette dernière peut en effet être estimée à 120 000 €. La différence entre les deux chiffres traduit le poids très important des ménages les plus fortunés par rapport aux plus pauvres ; les premiers possèdent une part considérable du patrimoine total, tandis que les seconds en possèdent une part très faible (voir p. 403).

Ces chiffres n'incluent pas la fortune des Français résidant à l'étranger. Bien qu'elle ne puisse être précisément estimée, il semble qu'une fuite de capitaux se soit produite depuis quelques années, vers des destinations fiscales plus attrayantes (Belgique, Suisse, Royaume-Uni, Luxembourg...).

Les patrimoines ont davantage augmenté que les revenus...

Le revenu des Français a pratiquement été multiplié par cinq depuis 1950 en pouvoir d'achat (après prise en compte de l'augmentation des prix). Mais leur patrimoine a bénéficié d'une croissance encore plus forte pendant la seconde moitié du XXe siècle. Entre 1949 et 1959, le patrimoine moyen des ménages avait augmenté en moyenne de 4,4 % par an en monnaie constante, un rythme de croissance très proche de celui du revenu (4,5 %). La croissance a été encore plus spectaculaire entre 1959 et 1969 : 5,9 % par an, contre seule-

Patrimoine national

Fin 2000, la France détenait un patrimoine total de 6 000 milliards d'euros, soit l'équivalent de quatre années de PIB. La valeur des actifs non financiers provenait pour 35 % des logements, pour 31 % d'actifs productifs (bâtiments, infrastructures, moyens de transport, machines...), pour 24 % de terrains et pour 6 % de stocks. Le reste était constitué de biens immatériels (brevets, fonds de commerce...). Le patrimoine financier (93 milliards d'euros) a doublé depuis 1995. Le patrimoine des administrations publiques augmente moins vite depuis 1980, du fait de l'accroissement de leur endettement, qui représente près des deux tiers de l'actif.
Cependant, une grande partie du domaine public n'est pas prise en compte dans cette définition. C'est le cas notamment des monuments, des oeuvres d'art et des richesses naturelles. Les domaines terrestre (rivages...), maritime et aérien ne sont pas non plus estimés, de même que les concessions de services publics comme les autoroutes. Selon cette définition très restrictive, les ménages détiennent l'essentiel du patrimoine national (93 %) contre 70 % en 1970. Plus de la moitié est constituée d'actifs financiers. 83 % de leurs actifs non financiers sont des biens immobiliers. Les autres détenteurs du patrimoine national sont les entreprises (1 %) et les administrations publiques (7 %).

La voiture, outil de plaisir et signe extérieur de richesse

ment 5,5 % pour les revenus. Elle s'expliquait par les très fortes plus-values réalisées dans l'immobilier, l'augmentation des revenus et de l'épargne, ainsi que l'accroissement du recours au crédit.

Les années 70 ont été moins favorables, compte tenu du fort accroissement de l'inflation, de la mauvaise tenue des valeurs mobilières (les actions françaises ont stagné pendant la période) et des livrets d'épargne. Au total, le patrimoine moyen s'est tout de même accru d'un quart en francs constants pendant cette décennie. Sur la période 1970-1985, patrimoines et revenus se sont développés au même rythme. La décennie 90 a été particulièrement faste pour les premiers (voir encadré). De sorte qu'entre 1983 et 2000, le patrimoine net des ménages (après déduction de l'endettement) a augmenté en moyenne de 3,2 % par an, alors que leur revenu disponible augmentait de 2,5 %.

... et les inégalités entre les patrimoines sont beaucoup plus fortes qu'entre les revenus.

On observe que le rapport entre le montant du patrimoine et celui des revenus augmente avec le niveau de revenu, ce qui signifie que les écarts de richesse entre les ménages sont plus élevés que ceux existant entre les revenus. Entre les professions libérales, qui disposent en moyenne d'un patrimoine de près d'un million d'euros, et les ouvriers, qui possèdent moins de 100 000 €, le rapport est de un à dix. Il est deux fois et demi plus élevé qu'entre les revenus de ces mêmes catégories (un à quatre). La première cause de ces inégalités est l'existence d'un capital professionnel chez les non-salariés (entrepreneurs, commerçants, artisans ou agriculteurs) qui les différencie des salariés. Si on soustrait la valeur de ces biens professionnels, on constate que les patrimoines des non-salariés se rapprochent de ceux des salariés.

La deuxième explication est que les hauts revenus génèrent eux-mêmes une épargne proportionnellement plus importante, qui vient s'ajouter chaque année au patrimoine accumulé. C'est pourquoi les patrimoines augmentent plus vite que les revenus (voir ci-dessus) et que l'écart entre les patrimoines s'agrandit sans cesse.

Enfin, les héritages perçus par les personnes qui disposent des revenus les plus élevés sont aussi les plus conséquents, ce qui accroît encore les inégalités de patrimoine à partir d'un certain âge. Il faut s'attendre à ce que les inégalités de patrimoine renforcent celles des conditions de vie entre les retraités au cours des prochaines décennies, notamment dans l'hypothèse où le déséquilibre entre actifs et inactifs se traduirait par une diminution du montant des pensions.

Une riche décennie 90

Au cours des années 90, les patrimoines des ménages ont augmenté en moyenne de 4,6 % par an contre 1,9 % pour les revenus. Leur patrimoine net a ainsi doublé, passant de 3 200 à 6 300 milliards d'euros. Logements et terrains représentent près de la moitié du patrimoine global (47 %) ; ils ont profité de la reprise de l'immobilier depuis 1998, après des années de marasme. Les actifs financiers (24 %) ont largement profité de la hausse de la Bourse, avec une croissance annuelle de 18 % entre 1995 et 2000. L'assurance-vie représente aujourd'hui 12 % de la fortune des Français, soit environ 750 milliards d'euros. La différence d'évolution des patrimoines et des revenus fait que le patrimoine moyen des ménages représente aujourd'hui sept années de leur revenu disponible, contre quatre à la fin des années 70.

Revenus et patrimoines

Taux de détention d'actifs en fonction du revenu annuel du ménage (2000, en % des ménages) :

	Livrets d'épargne	Epargne logement	Valeurs mobilières	Assurance-vie, PEP retraite	Epargne en entreprise	Résidence principale	Autre logement
- Moins de 9 150 €	73,2	15,2	7,5	19,3	0,6	29,8	7,1
- De 9 150 à 15 250 €	79,5	24,8	13,8	33,9	4,6	42,9	11,3
- De 15 250 à 22 900 €	84,1	38,9	18,8	48,1	14,5	55,7	16,6
- De 22 900 à 36 600 €	91,6	53,9	31,7	58,1	24,9	64,8	21,2
- De 36 600 à 45 700 €	94,0	60,0	50,1	70,1	29,5	77,6	38,4
- Plus de 45 700 €	90,3	67,4	67,3	72,1	31,7	77,3	49,2

INSEE

La part des actifs financiers est supérieure à celle de l'immobilier.

Depuis 1997, le patrimoine moyen des ménages français comporte plus d'actifs financiers (valeurs mobilières, liquidités) qu'immobiliers (logements, terrains), ce qui constitue une première. Cette situation s'explique par l'évolution favorable des placements en valeurs mobilières au cours des années 90, dans un contexte de crise immobilière. Leur valeur s'est en effet appréciée de 4 % par an en moyenne, contre 1,6 % pour les actifs non financiers.

En 1980, l'immobilier (logements et terrains non bâtis) représentait 69 % du patrimoine total net (déduction faite des dettes) des ménages ; il ne comptait plus que pour 47 % en 2001. La part du patrimoine domestique (hors capital professionnel), dont l'essentiel est la résidence principale (plus de 80 % du total), a peu varié ; elle représente environ un tiers de l'ensemble, avec les résidences secondaires et les liquidités du ménage.

Le patrimoine de rapport, qui comprend les actifs financiers (livrets, bons, épargne logement, valeurs mobilières, assurance) et les biens immobiliers (logements loués) et fonciers (terres), a vu sa part progresser à un peu plus de 50 %, contre 45 % en 1975.

Les inégalités de richesse se sont accrues.

Le système de « reproduction sociale » joue un rôle essentiel en matière de patrimoine, car la mobilité professionnelle entre les générations est peu développée. Les enfants de familles aisées sont plus nombreux que les autres à occuper des postes salariés à revenus élevés ou à exercer des activités non salariées impliquant un capital professionnel. L'importance des écarts entre les héritages perçus par les différentes catégories sociales tend à accroître ces inégalités (voir ci-après).

Par ailleurs, on constate que les patrimoines les plus conséquents obtiennent les rendements et les plus-values les plus élevés. Leurs propriétaires bénéficient en effet d'une meilleure information sur les opportunités existantes, d'un meilleur service de la part des intermédiaires financiers et de frais réduits (en proportion des investissements) sur les opérations effectuées. Chacun de ces facteurs va dans le sens d'un renforcement des inégalités.

Le patrimoine des indépendants est plus du double de celui des salariés.

La composition du patrimoine des ménages s'est transformée depuis le début de la crise économique. La part du patrimoine professionnel détenu par les non-salariés (agriculteurs, professions libérales, industriels, artisans et commerçants) est passée de 19 % en 1975 à moins de 10 % aujourd'hui, du fait de la réduction de leur nombre (de 3,8 millions en 1975 à 2,5 millions en 2001). Ce capital est constitué principalement des locaux ou cabinets, des machines et équipements, ainsi que des clientèles.

Le patrimoine moyen des ménages d'indépendants peut être estimé à 420 000 €, soit plus du double de celui des salariés. Mais l'écart tend à s'atténuer fortement lors de l'arrivée à la retraite. A ce moment, le capital professionnel est souvent transmis aux enfants ou vendu pour un prix inférieur à son estimation antérieure. Une partie est en outre prélevée pour faire face à la baisse des revenus. Après 55 ans, le patrimoine des indépendants diminue ainsi très rapidement, alors que celui des salariés reste stable.

L'émotion n'interdit pas la raison

Pour 72 % des Français, l'héritage n'est pas un sujet tabou ; mais il le reste pour plus d'un quart de la population (27 %). Les mots qu'il évoque renvoient à deux dimensions apparemment contradictoires. 48 % associent d'abord l'héritage aux droits de succession, 45 % à la mort. L'émotion, liée à la perte d'un membre proche de sa famille, arrive donc après les aspects pratiques et fiscaux. L'argent est cité en troisième (24 %). Les autres évocations viennent assez loin derrière : injustice (11 %) ; désarroi (10 %) ; chantage affectif (4 %).

Ces chiffres montrent que l'héritage est considéré comme un événement normal de la vie. Pour la grande majorité des Français, les patrimoines doivent survivre à ceux qui les ont accumulés et être transmis aux générations suivantes. 72 % d'entre eux estiment d'ailleurs qu'évoquer les questions d'héritage est une manière d'éviter les conflits ultérieurs. 63 % pensent aussi que c'est une manière de réduire les coûts de succession, c'est-à-dire de faire des économies d'impôt. Il est donc de plus en plus facilement admis que l'on puisse « gérer » les successions en s'y prenant à l'avance.

Outre le poids de l'impôt, les Français regrettent aussi que l'héritage soit défini de manière rigide par la loi. 83 % considèrent que l'on devrait pouvoir avantager un enfant qui se serait montré plus proche et plus actif à l'égard d'un parent décédé. 78 % pensent que l'on devrait avantager le conjoint survivant plutôt que les enfants. 33 % souhaiteraient en priorité hériter d'un bien immobilier, 25 % d'une somme d'argent, 24 % d'objets à valeur sentimentale, 7 % de terres, 3 % d'une entreprise, 2 % de tableaux ou de bijoux de valeur. Enfin, 74 % des Français estiment que les droits de succession sont trop élevés.

Sélection/CSA, octobre 2001

Publicis et Nous

L'art de la table, une forme d'héritage

Six Français sur dix reçoivent un héritage, pour un montant moyen de 80 000 €...

Au cours de leur vie, six Français sur dix héritent de leurs parents ou en reçoivent une donation. Le patrimoine transmis par héritage est en moyenne d'environ 32 000 € par héritier. L'âge moyen des bénéficiaires est de 46 ans, mais la première donation intervient vers 40 ans.

Les sommes en jeu sont très variables : un peu plus de 10 % des successions dépassent 150 000 €. Le montant des héritages reçus par les enfants d'ouvriers (nets de droits de succession) est en moyenne trois fois moins élevé que celui des enfants d'agriculteurs et cinq fois moins que ceux des enfants de cadres supérieurs.

Parmi les biens légués, les logements comptent pour la moitié, les liquidités et bons représentent 16 %, les terres, 14 % (dans la moitié des cas, il s'agit d'exploitations agricoles), les valeurs mobilières, créances, fonds de commerce et immobilier d'entreprise 17 %, les meubles, les bijoux, l'or et les oeuvres d'art 5 %. Parmi les ménages ayant hérité d'un logement, plus de huit sur dix ont reçu leur résidence principale de leurs parents, un sur dix a reçu une résidence secondaire et un sur cinq d'autres biens immobiliers.

... soit près de la moitié du patrimoine moyen.

L'enrichissement des personnes âgées au cours des dernières décennies leur a souvent permis d'accumuler des biens, financiers ou non, qu'ils transmettent à leurs descendants. Sur plus de 500 000 décès survenant chaque année en France, un peu plus de la

moitié font l'objet d'une déclaration de succession. Un peu moins de 100 000 donnent lieu au paiement d'un impôt (dont 2 000 au taux maximal de 40 %). L'héritage est donc devenu plus fréquent et sa part dans les patrimoines est loin d'être négligeable, puisqu'elle représente 40 % en moyenne. Elle tend cependant à diminuer au fil des années, du fait de l'accroissement de la richesse accumulée en propre par les ménages. Cette baisse est aussi due à l'allongement de la durée de la vie, qui fait que l'on accumule un patrimoine pendant un temps plus long et que l'on hérite de plus en plus tard.

1 % des ménages les plus fortunés détiennent près de 20 % de la richesse totale.

Les patrimoines des Français sont très concentrés. La moitié la plus riche des ménages possède 93 % de la valeur totale, les 10 % supérieurs en détiennent plus de la moitié. Le phénomène est particulièrement marqué à Paris, où 10 % des ménages les plus fortunés se partagent les trois quarts du total (la moitié en province). La concentration est encore plus forte que pour les revenus : les 10 % de ménages percevant les revenus les plus élevés ne représentent que 30 % de la masse totale. A l'inverse, les 10 % de ménages les moins fortunés possèdent une part infime du patrimoine (0,1 %). On n'arrive qu'à 1 % en considérant les 20 % les plus pauvres et 7 % avec la moitié inférieure.

La structure des patrimoines est également très étirée à l'intérieur de chaque catégorie sociale. La concentration est plus forte chez les agriculteurs et les membres des professions libérales que chez les ouvriers ou les employés. L'âge est un autre facteur important : le patrimoine des 40-60 ans (tranche d'âge où il est maximum) est onze fois plus élevé que celui des moins de 30 ans.

5 % des ménages détiennent la moitié des actifs financiers.

La moitié des actifs financiers sont détenus par 5 % des ménages, alors que la moitié des ménages se partagent 5 % des actifs. Les 5 % de ménages les plus fortunés détiennent un tiers de l'ensemble des actifs.

Chez les salariés, les 10 % les mieux rémunérés perçoivent un tiers des revenus et possèdent un peu plus de la moitié du patrimoine. Le rapport entre le salaire annuel net moyen des ouvriers et celui des cadres supérieurs est de 2,8, alors que celui existant entre leurs patrimoines est de 4.

Les écarts à l'intérieur d'une même catégorie sont d'autant plus sensibles que le patrimoine moyen de la catégorie est élevé. Ainsi, le rapport entre les patrimoines des ouvriers du premier décile (les 10 % ayant les patrimoines les moins élevés) et ceux du dernier décile (les 10 % ayant les patrimoines les plus élevés) peut être estimé à 3 ou 4. Il est dix fois plus élevé chez les cadres supérieurs, le rapport entre leurs patrimoines pouvant atteindre 30 ou 40.

Plus on est riche et plus on possède d'actifs financiers.

C'est la part relative de l'immobilier et des valeurs mobilières qui différencie le plus les fortunes. Les petits patrimoines contiennent proportionnellement plus d'immobilier, les gros ayant plus de valeurs mobilières. Dans beaucoup de cas, celles-ci sont en fait des biens professionnels détenus par les industriels. Plus de 60 % des ménages ayant un patrimoine supérieur à un million d'euros sont des indépendants (actifs ou retraités) dont un tiers de chefs d'entreprise et de professions libérales ; près du tiers de leur patrimoine est de nature professionnelle.

Les portefeuilles boursiers font aussi la différence, pesant près de la moitié des plus grosses fortunes. L'ensemble des valeurs mobilières et de l'assurance-vie représente les deux tiers du patrimoine non professionnel et les trois quarts du patrimoine de rapport pour les ménages disposant de plus d'un million d'euros. Les actifs non professionnels sont à peu près également répartis entre les biens immobiliers, les valeurs mobilières et les liquidités. Les immeubles de rapport constituent environ la moitié du parc immobilier en valeur, les résidences principales en représentent un peu moins du quart, tandis que les résidences secondaires comptent pour un dixième.

Près de 300 000 foyers payent l'impôt sur la fortune.

La création, en 1981 (puis en 1988), de l'ISF (impôt de solidarité sur la fortune) a permis d'éclaircir en partie le mystère qui entourait les grandes fortunes. 265 000 foyers disposant d'un patrimoine supérieur à 780 000 € (hors dettes et biens exonérés tels que l'outil de travail ou les oeuvres d'art) ont payé l'impôt en 2001. Ils n'étaient que 100 000 environ entre 1982 et 1986, 140 000 en 1990, 175 000 en 1995.

Les sommes versées par les contribuables concernés ont atteint

La richesse implique la considération

2,6 milliards d'euros en 2001, soit le double de celles de 1995. La forte hausse des marchés financiers ainsi que la reprise de l'immobilier depuis 1998 expliquent cette hausse. La collecte devrait cependant être moins abondante en 2002, après une année difficile pour les patrimoines financiers.

Près des trois quarts des foyers concernés par l'ISF se situent dans quatre régions. L'Ile-de-France en représente 56 %, devant les régions Rhône-Alpes et Provence -Alpes-Côte d'Azur (7 %) et Nord-Pas-de-Calais (4 %). Trois arrondissements de Paris représentent à eux seuls un cinquième des contribuables (VIIe, XVe et XVIe arrondissements).

> En 1950, la Bourse représentait le même poids dans les patrimoines qu'aujourd'hui.
> Les trois personnes les plus riches du monde possèdent une fortune supérieure aux PIB combinés des 48 pays les plus pauvres. Les 225 personnes les plus riches détiennent une fortune totale de 1 000 milliards d'euros, équivalente au revenu annuel de la moitié des habitants les plus pauvres de la planète (2,5 milliards).
> 11 % des actionnaires utilisent Internet pour gérer leur portefeuille ou s'informer sur les cours ; 41 % ont moins de 35 ans.
> 72 % des actionnaires individuels ont effectué moins de trois opérations boursières au cours de l'année 2000, 12 % plus de six.

Loisirs

Le temps libre

Temps et budget

Le temps libre représente un peu moins du tiers de la vie éveillée.

L'accroissement régulier du temps libre est une donnée sociologique majeure, conséquence directe de la réduction du temps de travail (sur la journée, la semaine, l'année et la vie) et de l'allongement de l'espérance de vie. En 1900, la durée du travail représentait en moyenne 12 années sur une durée de vie de 46 ans pour un homme, soit un quart. Elle ne représente plus aujourd'hui que 5,5 années sur une espérance de vie de 75,5 ans, soit 7 % seulement du capital-temps.

La conséquence est que le temps libre, celui qui reste après le travail, le temps physiologique (sommeil, alimentation, soins du corps), le temps d'enfance scolarité et celui de transport, a connu une croissance spectaculaire. Il peut être évalué à 15,5 années sur une vie d'homme, soit plus du double du temps de travail, contre 3 années en 1900. Il représente donc 21 % du temps de vie. Si l'on raisonne en « temps éveillé » (en enlevant à la durée de vie totale le temps de sommeil, estimé en moyenne à 7 h 30 par jour), le temps libre représente alors 30 % du temps disponible, soit près du tiers.

Les Français disposent en moyenne d'environ 7 heures de temps libre par jour.

L'enquête sur l'emploi du temps réalisée en 1999 par l'INSEE indiquait un temps de loisirs moyen de 3 h 35 par jour (3 h 55 pour les hommes, 3 h 17 pour les femmes), comprenant celui consacré à la télévision, à la lecture, à la promenade, aux jeux et au sport. On peut lui ajouter le temps de sociabilité (conversations, téléphone, courrier, visites et réceptions), ce qui représente près d'une heure quotidienne (56 minutes, une durée égale pour les hommes et les femmes). On pourrait aussi prendre en compte le temps consacré aux repas (hors préparation, soit 2 h 14), au bricolage (18 minutes), au jardinage et aux soins des animaux (20 minutes). Enfin, le temps de transport (hors trajets domicile-travail) est souvent un temps de loisirs (35 minutes). On arrive alors à un temps libre total de 7 h 20 par jour, ce qui représente près de la moitié du temps éveillé (16 h).

La réalité se situe cependant en deçà de ce chiffre, si l'on considère que le temps libre ou de loisir ne peut comprendre l'ensemble des repas quotidiens (mais ceux par exemple pris avec des amis ou en famille), que le bricolage et le jardinage ont parfois un caractère obligatoire, comme certains transports quotidiens (courses, transport des enfants...). Il reste que le temps libre disponible n'est probablement pas inférieur à 6 heures pas jour en moyenne (voir tableau ci-après).

Enfin, ces chiffres ne prennent pas en compte la réduction du temps de travail à 35 heures hebdomadaires intervenue depuis l'enquête. Son effet sur le temps de loisirs est très impor-

L'effet de levier des 35 heures

Pour les salariés concernés (environ la moitié au début 2002), la mise en place des 35 heures a accru leur temps libre de façon sensible. Quatre heures de travail ont été supprimées par rapport aux 39 heures légales qui prévalaient, soit 10 %. Mais elles représentent 48 minutes de temps libre supplémentaire par jour de travail, soit 21 % de plus que celui dont ils disposaient auparavant. Pour les cadres qui ont obtenu une compensation sous forme de congés supplémentaires (généralement deux semaines par an), la durée des vacances a augmenté de 40 % (sept semaines au lieu de cinq). L'effet des 35 heures de travail est donc d'abord un effet de levier sur le temps libre.

On observe que le temps dégagé est essentiellement utilisé de deux façons distinctes : pour soi (loisirs culturels ou sportifs, repos, shopping...) ; pour les autres (famille, enfants, amis...). La « gestion » du temps libéré nécessite un apprentissage et des arbitrages qui ne sont pas toujours aisés. Elle implique aussi un pouvoir d'achat suffisant pour financer les activités de loisirs supplémentaires.

C'est pourquoi une partie non négligeable du temps gagné est utilisée par les ménages pour se rendre des services à eux-mêmes (bricolage, entretien de la maison...) et réaliser ainsi des économies.

Loisirs au jour le jour	
Temps consacré en tout ou partie à des activités de loisirs (1999, en minutes par jour) :	
ACTIVITES DE LOISIRS :	
- Télévision	127
- Lecture	25
- Promenade et tourisme	20
- Conversations, téléphone, courrier et autres (non professionnel)	17
- Visites à des parents et connaissances	16
- Jeux (enfants, adultes)	16
- Pratique sportive	9
- Autres sorties	7
- Ne rien faire, réfléchir	7
- Participation associative et activités civiques	6
- Spectacles	5
- Radio, disques, cassettes	4
- Participation religieuse	2
- Pêche et chasse	2
TOTAL : 4 h 23	**263**
ACTIVITES ESSENTIELLEMENT ASSIMILABLES :	
- Repas à domicile	102
- Trajets hors travail	36
- Repas hors domicile (hors lieu de travail ou d'études)	25
- Bricolage, entretien	17
- Jardinage	13
- Soins aux animaux	7
- Repas hors domicile (lieu de travail ou d'études)	6
TOTAL : 3 h 26	**206**

tant pour les actifs, qui disposent de 48 minutes de plus par jour au cours d'une semaine de travail de cinq jours (voir encadré) ou de 34 minutes sur l'ensemble de la semaine.

Au total, le temps libre quotidien est en moyenne proche de 7 heures, soit une durée équivalente à celle du travail.

La télévision occupe encore la plus grande partie du temps libre.

Les Français sont exposés aux médias en moyenne environ 6 h 30 par jour, dont 3 h 38 pour la télévision et 1 h 57 pour la radio (Médiamétrie). Mais le temps qu'ils leur consacrent à titre exclusif est très inférieur ; on peut écouter par exemple la radio ou la télévision tout en faisant la cuisine ou le ménage, voire en travaillant. L'étude Emploi du temps de l'INSEE indique que les Français regardent la télévision à titre principal en moyenne 2 h 07 par jour. Ils n'écoutent la radio que 4 minutes, ce qui signifie qu'ils l'écoutent presque toujours à titre secondaire, en même temps qu'ils pratiquent une autre activité, considérée comme principale. Au total, le temps exclusif consacré à la télévision, la radio et la lecture est de 2 h 36. Si l'on met à part les repas, qui représentent un temps libre « obligatoire », la télévision occupe donc de loin la plus grande partie du temps de loisir.

Les loisirs constituent le premier poste de dépense des ménages.

Plus encore que le temps, l'argent consacré aux loisirs est difficile à mesurer, car il recouvre des dépenses multiples, parfois mal identifiées. D'après la comptabilité nationale, les dépenses de loisirs-culture représentaient 7 % du budget disponible des ménages en 2001 (consommation effective des ménages, comprenant les dépenses effectuées par l'Etat pour les ménages, comme la santé ou l'éducation). Cette part est stable depuis 1980 (elle était de 6 % en 1960), mais elle ne prend pas en compte un certain nombre de dépenses liées aux loisirs qui figurent dans d'autres rubriques (voir p. 383).

Ainsi, une part importante du poste transport concerne des activités de loisirs (utilisation de la voiture en week-end ou en vacances...). C'est le cas aussi des dépenses de communications (téléphone, Minitel, Internet) consacrées à la famille ou aux

Loisir et activité

Temps quotidien consacré aux loisirs par les actifs, les chômeurs et les inactifs (1999, en heures et minutes) :

	Actifs occupés*		Chômeurs*		Femmes au foyer*	60 ans et plus	
	Hommes	Femmes	Hommes	Femmes		Hommes	Femmes
- Sociabilité	47	43	1 h 37	1 h 14	57	58	1 h 00
- Télévision	1 h 45	1 h 22	2 h 52	2 h 21	2 h 08	3 h 01	2 h 51
- Lecture (presse et livres)	16	17	23	23	19	51	41
- Promenade	18	14	34	20	18	44	25
- Sport	10	5	16	6	6	10	2
- Semi-loisirs**	45	20	1 h 07	36	38	1 h 51	48
Temps libre	**4 h 28**	**3 h 19**	**7 h 46**	**5 h 28**	**4 h 45**	**8 h 22**	**6 h 22**

* Moins de 60 ans.
** Les semi-loisirs (jardinage, bricolage, entretien des voitures, soins aux animaux, travaux d'aiguille, confection de conserves, gâteaux, confitures) ont été comptabilisés comme faisant partie du temps libre et non du temps domestique.

INSEE

amis. Il en est de même de certaines dépenses d'alimentation : repas au restaurant, réceptions à domicile, etc. Le poste habillement comprend également des achats de vêtements affectés spécifiquement aux loisirs, notamment sportifs. Enfin, la rubrique « autres biens et services » comprend des dépenses d'hôtellerie, de tourisme et de vacances.

En ajoutant ces différentes composantes, on arrive à une dépense totale très supérieure à celle du seul poste loisirs-culture. Il est difficile de la mesurer avec précision, car on ne connaît pas pour l'ensemble des ménages la part de chacune d'elles véritablement affectée aux loisirs. On peut cependant estimer l'ensemble à plus de 20 % de la consommation effective des ménages au sens de l'INSEE. De sorte que les loisirs représentent probablement le premier poste de dépense des ménages, devant le logement (19 %). Les seules dépenses de loisirs-culture répertoriées sous cette appellation ont augmenté de 4,5 % par an en volume et de 4,7 % en valeur entre 1960 et 2000.

Les dépenses de loisirs culturels représentent environ 1 500 € par ménage...

Les Français ont dépensé 37 milliards d'euros en 2001 pour les achats de biens et services culturels, soit environ 5 % de leur consommation effective, une part stable dans le temps. Les dépenses concernant les biens d'équipement technologiques ont connu la plus forte croissance : 12 % en volume annuel entre 1960 et 2000. Elles ont été favorisées par la baisse continue des prix en monnaie constante : 16 % par an en moyenne pour le matériel informatique entre 1990 et 2000.

Les dépenses de communication (téléphone fixe ou mobile, ordinateur, Internet...) ont augmenté de 9 % par an en volume (3 % en valeur) depuis 1960. La croissance a dépassé 40 % en volume entre 1990 et 2000. Mais la part de ces dépenses dans le budget des ménages est restée pratiquement stable en valeur, du fait de la baisse régulière des prix des équipements en monnaie constante, qui a accompagné et accéléré leur diffusion. Un magnétoscope vendu 8 500 F à son apparition en 1977 (1 300 €) est proposé aujourd'hui à partir de 150 € avec des fonctionnalités bien supérieures.

Les dépenses liées à la télévision et à l'audio vidéo ont ainsi augmenté en volume de 25 % entre 1990 et 2000 et baissé en valeur de 40 %. Celles consacrées au matériel informatique ont été multipliées par quinze en volume (elles étaient presque inexistantes au début des années 90) ; elles n'ont cependant que triplé en valeur. Le budget multimédia moyen d'une famille (téléphone, télévision payante, Internet) se montait à environ 650 € pour l'année

Le prix de la culture

Evolution des dépenses des ménages en biens et services culturels (en euros) :

	1990	2000
- Télévision	184	277
- Journaux, revues et périodiques	230	229
- Spectacles	52	123
- Livres	122	116
- Activités photographiques	93	109
- Appareils d'enregistrement du son et de l'image	127	98
- Manèges forains et parcs d'attraction	68	78
- Disques et cassettes	57	69
- Vidéos	20	66
- Récepteurs et autoradios, radios combinées	60	62
- Bals et discothèques	43	46
- Cinéma	28	39
- Produits photographiques	30	29
- Musées, monuments	8	16
Part de la consommation totale (en %)	**4,6**	**4,6**

2001. Mais les disparités sont très fortes entre les foyers, en fonction de leurs niveaux d'équipement et de l'usage qu'ils en font.

... et l'audiovisuel compte pour la moitié.

L'image et le son occupent aujourd'hui une place centrale dans les loisirs des Français : télévision, vidéo, radio, disques, cassettes, CD-Rom, DVD, photo, cinéma. L'équipement audiovisuel s'est considérablement accru, ainsi que la fréquence et la durée d'utilisation des différents appareils. Presque tous les ménages disposent d'un téléviseur, plus des trois quarts d'un magnétoscope, les deux tiers d'une chaîne hi-fi, un sur cinq d'un Caméscope.

Les dépenses liées à l'accès aux programmes audiovisuels (redevance, abonnements à Canal Plus, au câble et au satellite, achats et locations de vidéocassettes) sont celles qui ont le plus augmenté dans le budget des ménages, avec les dépenses de santé. Elles ont été multipliées par plus de trois en monnaie constante en vingt ans et représentaient 270 € par ménage en 2001 (contre 50 € en 1980). Dans le même temps, la part du cinéma a beaucoup baissé ; elle n'était que de 5 % des dépenses audiovisuelles en 2001. Il en est de même de la redevance télévision (13 %).

En 2001, chaque ménage a dépensé en moyenne 65 € en achats et locations de cassettes vidéo et DVD, une somme très inférieure à celle consacrée à la redevance et aux abonnements de télévision. Le budget audiovisuel des ménages représente un peu plus de la moitié de leurs dépenses totales de culture (53 % en 2000), contre un quart pour l'écrit (journaux, magazines et livres, 24 %). Les autres dépenses culturelles concernent les spectacles, parcs d'attraction, discothèques, musées et monuments. Elles comptent pour un peu moins d'un quart du total (23 %).

Mentalités

Le droit au loisir est devenu aussi important que le droit au travail.

La société judéo-chrétienne mettait en exergue l'obligation de chacun de « gagner sa vie à la sueur de son front » pour avoir droit ensuite au repos, forme première du loisir. L'individu se devait d'abord à sa famille, à son métier, à son pays, après quoi il pouvait penser à lui-même. Les générations les plus âgées sont encore marquées par cette notion de mérite, qui est pour elles indissociable de celle de loisir. Mais les plus jeunes considèrent le loisir comme un droit fondamental. Plus encore, peut-être, que le droit au travail, puisqu'il concerne des aspirations plus profondes et personnelles. Il n'y a donc pour eux aucune raison de se cacher ni d'attendre pour s'amuser, « s'éclater » et profiter de la vie.

Dans une société devenue laïque, c'est le temps libre qui constitue le temps sacré des individus. On peut d'ailleurs observer que le droit de s'amuser est beaucoup mieux respecté que celui de travailler, dans la mesure où plusieurs millions de Français ne disposent pas d'un emploi. Le loisir occupe aujourd'hui une place d'autant plus grande dans la société contemporaine qu'il a bénéficié au cours des décennies passées du très fort accroissement du temps libre (voir p.134) et de celui du pouvoir d'achat (voir p. 354).

La société du futur sera sans doute fondée sur le temps libre.

Le temps libre est quantitativement beaucoup plus abondant que le temps de travail à l'échelle d'une vie. Qualitativement, il a pris une importance considérable dans les valeurs des Français, notamment celles des jeunes générations. Pourtant, la société continue de fonctionner sur la même base temporelle que par le passé, avec un découpage ternaire : études, vie active, retraite. De plus, le système de valeurs « officiel » et la représentation de la société sont toujours organisés autour du travail.

Ce décalage entre le temps réel et le temps social est à l'origine d'un grand malentendu. La difficulté vient de ce que le temps libre est très inégalement réparti tout au long de la vie ; le découpage traditionnel ne correspond pas aux souhaits des individus, pas plus qu'à une logique d'efficacité économique. Un nouvel ordre social, fondé sur une répartition plus harmonieuse du temps libre, devrait donc peu à peu remplacer l'ordre existant, fondé sur le travail. Cette révolution du temps aura des répercussions considérables sur le fonctionnement social comme sur les modes de vie individuels, la consommation, le rôle des institutions ou celui des entreprises.

La fête, une dimension essentielle du loisir

Les temps de la vie tendent à se mélanger.

Les frontières entre les vies personnelle, familiale, professionnelle et sociale sont de plus en plus floues. D'abord, parce que le travail demande une flexibilité croissante. Beaucoup de salariés (notamment les cadres) emportent du travail chez eux le week-end ou le soir ; ils doivent pouvoir être joints à tout moment et en tout lieu. Ils consacrent aussi une part croissante de leur temps personnel à s'informer et à se former pour être plus efficaces dans leur activité professionnelle. A l'inverse, ils s'efforcent pendant leurs heures de travail de rester en relation avec leur famille et leurs amis pour organiser les moments de vie commune dans un contexte de mobilité croissante et d'emplois du temps de plus en plus chargés (ce qui constitue un paradoxe dans une société où le temps libre s'accroît).

Ce mélange entre les différents temps de la vie devrait se poursuivre et même s'accélérer avec le développement du travail indépendant et celui du télétravail, au moins partiel (voir p. 315). Le téléphone portable et l'ordinateur familial (connecté aux réseaux de communication) sont les principaux outils de cette évolution lourde de conséquences, qui s'inscrit dans un mouvement plus général de disparition des frontières et de réconciliation des contraires.

L'hédonisme est une valeur montante...

L'un des grands changements intervenus dans les modes de vie au cours des dernières années est la primauté du principe de jouissance sur celui de réalité. La devise d'Horace, *carpe diem* (« profite du jour présent ») est aussi celle d'un nombre croissant de Français. Elle pose en principe que, tout homme étant mortel, il lui faut chercher à s'épanouir au cours de son existence terrestre, ici et maintenant.

Au cours des années 80, les Français ont redécouvert l'existence de leur corps (voir p. 66) et cédé à leurs pulsions naturelles pour le jeu, les loisirs et la liberté. Le déclin des valeurs spirituelles n'est évidemment pas étranger à cette évolution. Des notions comme l'esprit de sacrifice ou la recherche d'un paradis post mortem tiennent de moins en moins de place dans la vie quotidienne, car elles ne sont pas sous-tendues par des croyances religieuses. Si les anciens organisaient leur vie autour de leurs obligations, les plus jeunes sou-

L'Europe de la fête

Pour vous, faire la fête, c'est avant tout... (en %) :

	Ensemble	France	Allemagne	Belgique	Espagne	Italie	Pays-Bas	Royaume-Uni
- Recevoir ses proches	46	48	49	50	44	40	58	39
- L'occasion de rire, de s'amuser, de se défouler	38	48	36	40	31	33	49	31
- L'occasion de faire de nouvelles connaissances	18	17	14	19	13	33	16	16
- L'occasion de bien manger et boire	17	11	19	45	7	15	30	15
- Sortir, ne pas rester chez soi	15	16	8	22	16	18	20	15
- L'occasion de danser	8	12	9	10	6	10	9	3
- Aucun	2	-	1	2	5	4	1	-
- Ne se prononcent pas	1	-	1	1	3	2	1	1

Observatoire Thalys/Ipsos, mai 2001

haitent aujourd'hui l'organiser autour de leurs passions.

... et la fête occupe une place croissante.

Pour les Français, le loisir, l'amusement et la fête ont longtemps été des récompenses. Ils constituent aujourd'hui un but, parfois un mode de vie. 40 % des Français de 15 ans et plus disent faire la fête de une à trois fois par mois, 10 % au moins une fois par semaine (Thalys/Ipsos, mai 2001). Les jeunes sont les plus concernés. Les boîtes de nuit, concerts, festivals, *rave parties*, *free parties* ou *home parties* sont quelques-unes de ses appellations contemporaines.

Les lieux qui sont consacrés à la fête se sont multipliés et les dépenses se sont accrues. Certains jeunes font des allers-retours à Londres, Dublin ou Ibiza pour y faire la fête. Le Club Med a rajeuni sa clientèle avec les villages Oyyo dont le concept en forme de slogan est sans ambiguïté : « si tu dors, t'es mort ».

L'importance actuelle de la fête explique la diversité de ses formes : soirées déguisées, masquées, thématiques, extravagantes, ringardes, kitsch... La nostalgie n'en est pas absente, avec un retour aux années 80 et aux chanteurs de l'époque : Chantal Goya, Rika Zaraï, Carlos, Dave... Ce comportement festif révèle une forte attente de convivialité, de communion, de sensorialité et d'ivresse. Il traduit aussi une frustration dans la vie quotidienne et se nourrit d'une vision plutôt pessimisme de l'avenir. Pour les adeptes de la fête permanente, vivre ce n'est pas penser mais sentir, ce n'est pas raisonner mais résonner.

Les loisirs permettent de se plonger dans un univers onirique et virtuel.

Les Français ressentent une insatisfaction croissante par rapport au monde actuel et une angoisse à l'égard de son avenir. C'est sans doute pourquoi ils recherchent dans leurs loisirs des occasions de substituer le rêve à la réalité. Il en est ainsi de l'engouement croissant pour la fiction, sous toutes ses formes : films, séries télévisées ; jeux vidéo... Les images virtuelles se multiplient sur les écrans de télévision ou d'ordinateur. Le « réalisme » est remplacé par l'onirisme et la virtualité.

L'art en est comme toujours un révélateur. Les romanciers contemporains inventent des personnages sans chair dans des histoires sans lieux. La peinture moderne est de moins en moins descriptive ou figurative, de plus en plus intériorisée. Les sculpteurs ne reproduisent pas des formes réelles ; ils donnent du volume et du poids à des images abstraites. La photographie, la bande dessinée ou les clips musicaux mettent en scène des héros symboliques qui évoluent dans des univers virtuels. La musique utilise des synthétiseurs et autres instruments électroniques pour créer des sonorités propres à favoriser le rêve.

Nuits blanches

Pour un nombre croissant de Français, les nuits sont plus belles que les jours. Depuis 1990, le chiffre d'affaires des établissements nocturnes a doublé, pour atteindre près de 2 milliards d'euros. Le nombre des BAM (bars à ambiance musicale) est passé de 400 à près de 5 000. Les boîtes de nuit ont enregistré plus de 300 millions d'entrées en 2001. On estime que plus de 70 % des clients des bars et des boîtes de nuit ont moins de 24 ans. Les Parisiens sont proportionnellement plus nombreux à les fréquenter que les provinciaux.

La nuit est plus propice que le jour à la fête, à la convivialité. Les lieux à la mode sont des cocons protégés, qui se situent en dehors de la « vraie vie ». Ils sont faits pour que les habitués se retrouvent et oublient ce qu'ils sont le jour. Même si tout le monde ne peut y pénétrer (la hiérarchie de la nuit n'a souvent rien à envier à celle du jour), ils sont plus ouverts que les clubs à l'anglo-saxonne, qui ne font pas partie de la culture française et latine. Les logements privés sont aussi de plus en plus utilisés pour l'organisation de fêtes, qui débordent largement les dates d'anniversaires.

Avec les *before* et les *after*, la nuit tend à déborder sur le jour, au détriment du sommeil. Elle n'est plus un temps de récupération nécessaire entre deux jours. Elle est un moment fort de la vie, pendant lequel le temps ne compte plus. Cette évolution prépare et annonce une transformation des modes de vie, des découpages sociaux et des rythmes chronobiologiques individuels.

La publicité, qui participe de toutes ces disciplines artistiques, cherche aussi de plus en plus souvent à transcender la réalité des produits qu'elle vante : décors, acteurs, éclairages, angles de prise de vue et montage contribuent à inscrire les images publicitaires dans un « autre monde ». La télévision invente des personnages virtuels à partir des « vrais gens ».

Le loisir remplit des fonctions individuelles...

Le temps libre permet de faire ce que l'on aime, ce qui n'est pas toujours possible dans le cadre de l'activité professionnelle. Le développement personnel constitue ainsi une motivation croissante, à la fois pour les actifs et les inactifs. La pratique du sport s'inscrit dans cette démarche. L'objectif poursuivi n'est pas de réaliser des performances, mais de rester en forme, de mieux vivre et de vieillir moins vite. Il est aussi de supporter le stress engendré par la vie contemporaine, de trouver l'équilibre et l'harmonie entre le physique et le mental. Le contact avec la nature est une autre dimension croissante en matière de loisir. Les activités de plein air se développent, dans la mouvance des préoccupations écologiques (menaces sur l'environnement et sur les espèces vivantes) et en réaction avec les contraintes de la vie urbaine.

On constate aussi une volonté croissante de rendre le temps libre plus productif, à travers par exemple les activités de bricolage ou de jardinage ou les pratiques culturelles amateurs (musique, peinture, danse, théâtre...). Cette motivation a une dimension économique ; en se rendant des services à eux-mêmes, les ménages économisent de l'argent. Ils donnent aussi un sens à leurs loisirs et à leur vie.

... et collectives.

La vocation des loisirs n'est pas seulement individuelle. Beaucoup sont porteurs de convivialité et de solidarité. Ainsi, le temps consacré à la famille et aux amis s'est accru avec la mise en place de la réduction du temps de travail. La participation aux associations s'inscrit souvent dans une démarche autant solidaire que solitaire, les deux notions étant d'ailleurs difficiles à séparer (voir p. 240). On observe depuis plusieurs années un accroissement du nombre des associations caritatives et de leur rôle dans le fonctionnement social.

Le loisir se confond donc de moins en moins avec l'oisiveté. Il n'est pas seulement un temps « égoïste », destiné à la construction ou à la préservation de son identité. Il est de moins en moins vécu comme un temps mort, car il permet un enrichissement permanent. La société laïque avance sur la voie d'une réconciliation entre une démarche individualiste souhaitée ou parfois subie (chacun est responsable de son propre destin) et une préoccupation de solidarité à l'égard de ceux qui ne peuvent s'assumer seuls. Cette double dimension, que l'on peut baptiser *égologie* (voir p. 275), représente l'un des défis majeurs de la nouvelle civilisation en préparation.

> 50 % des Français de 15 ans et plus habitant des villes de plus de 20 000 habitants rendent visite à des amis ou à leur famille au moins une fois par semaine (11 % jamais).

Pratiques

Les loisirs domestiques sont de plus en plus diversifiés...

L'évolution des mentalités à l'égard des loisirs a accompagné l'accroissement de la part du temps libre dans la vie. Elle s'est traduite par une explosion de l'offre de produits ou de services de loisirs et une augmentation de la part du budget des ménages consacrée à ces activités (voir ci-dessus). Dans ce contexte, les loisirs à domicile ont connu un très fort développement, grâce notamment à la prolifération des équipements de loisirs électroniques : télévision, chaîne hi-fi ; ordinateur ; Caméscope... D'une manière générale, le foyer est devenu un centre de loisirs individuels : lecture, informatique, bricolage, jardinage, couture, pratiques artistiques amateurs (dessin, peinture, écriture...). Mais les loisirs familiaux ont aussi progressé : repas de fête, discussions, jeux de société, écoute en commun de musique ou de programmes de télévision, etc.

... et l'audiovisuel occupe une place centrale.

La télévision et la radio absorbent ensemble environ 6 heures par jour du temps des Français, même s'il ne s'agit pas toujours d'un temps d'attention exclusif (surtout dans le cas de la radio). Elles constituent, dans cet ordre, les deux principales activités de loisirs de la journée ; la moitié des téléspectateurs sont devant leur écran à 13 heures, les trois quarts à 21 heures. Il faudrait ajouter le temps consacré à l'écoute des disques et cassettes, aux jeux vidéo et aux autres activités audiovisuelles.

L'accroissement de l'offre audiovisuelle, avec les bouquets de chaînes numériques, a accentué l'emprise des loisirs audiovisuels domestiques. Elle sera demain renforcée par l'arrivée des chaînes numériques terrestres. Mais c'est surtout le développement de l'ordinateur multimédia connecté à Internet qui devrait assurer à l'avenir la prépondérance des loisirs audiovisuels.

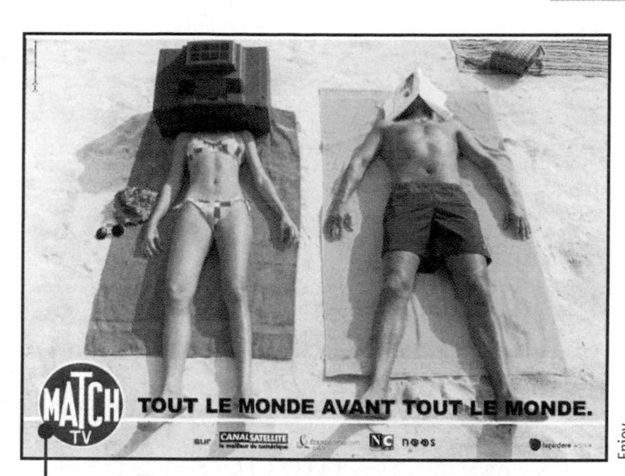

La télévision, premier loisir des Français

L'engouement pour les loisirs extérieurs s'est accru...

Malgré l'accroissement des pratiques domestiques, notamment audiovisuelles, les Français sont de plus en plus souvent à l'extérieur de leur foyer. 39 % sortaient le soir au moins une fois par semaine en 1997, contre 31 % en 1973. Ce mouvement est sensible en particulier dans les deux tranches extrêmes de la pyramide des âges. Les jeunes adultes, qui arrivent plus tard dans la vie active, sortent beaucoup plus fréquemment que leurs parents au même âge. Les aînés ont aussi plus d'activités extérieures de loisirs que les générations qui les ont précédés. Ils se promènent, voyagent, assistent à des spectacles, participent à des associations, etc. Les bals, que l'on croyait en disparition, connaissent une fréquentation croissante, liée à la présence des personnes âgées ; 20 % des plus de 60 ans s'y rendent au moins une fois au cours de l'année.

Cet engouement s'explique par l'accroissement du temps libre et par celui du pouvoir d'achat, mais aussi par la multiplication des occasions de sortir. On assiste depuis des années à une diversification des activités : restaurants thématiques ; spectacles de tout genre ; parcs d'attraction ; centres commerciaux... L'amélioration des moyens de transport a également contribué à cette évolution.

...de même que celui pour les activités culturelles.

L'accroissement continu du niveau moyen d'instruction a facilité l'accès à la culture en donnant au plus grand nombre des références de base. L'évolution a concerné en particulier les femmes, dont la situation scolaire a été transformée en une génération (voir p. 112). Les Français sont ainsi dans leur ensemble plus nombreux à pratiquer la musique ou la peinture (voir p. 476), à se rendre aux grandes expositions ou dans les festivals, à lire des livres d'histoire ou de philosophie, à consacrer une partie de leurs

Les sorties des Français

Fréquentation des différentes activités culturelles (1997, en % des 15 ans et plus) :

	au cours des 12 derniers mois	déjà, mais pas au cours des 12 derniers mois	jamais
Opéra	3	16	81
Concert de jazz	7	12	81
Opérette	2	21	77
Concert de rock	9	17	74
Concert classique	9	19	72
Danse professionnelle	8	24	68
Parc d'attractions	11	21	68
Galerie d'art	15	19	66
Music-hall, variétés	10	33	57
Spectacles d'amateurs	20	25	55
Danse folklorique	13	33	54
Expositions peint. sculpt.	25	25	50
Théâtre	16	41	43
Cirque	13	54	33
Monument historique	30	41	29
Musée	33	44	23
Brocante (foire, magasin)	54	25	21
Cinéma	49	46	5

Ministère de la Culture et de la Communication

vacances à visiter des monuments ou à s'intéresser à la science. Ils recherchent dans l'art et dans la culture une émotion et une compréhension du monde qui leur apparaissent nécessaires dans une société où les repères tendent à disparaître (voir p. 270). On constate cependant que la durée et la nature du parcours scolaire conditionnent l'intérêt pour les activités culturelles au cours de la vie adulte.

L'amélioration de l'offre de services culturels par l'intermédiaire des équipements collectifs a joué un rôle dans cette évolution ; plus de 80 % des Français ont accès dans leur commune à une bibliothèque municipale ou départementale (95 % dans les communes de 10 000 habitants et plus), 75 % à une école de musique, 70 % à une école de danse, 60 % à une troupe de théâtre, 50 % à une salle de spectacle ou un centre culturel. Parmi les Français de 15 ans et plus habitant des villes de plus de 20 000 habitants, 7 % vont au moins une fois par semaine au cinéma ou au spectacle (47 % jamais), 2 % vont visiter un musée, une exposition ou un monument et 47 % jamais (ministère de la Ville/Sofres, mai 2001).

Par ailleurs, la notion de « tout culturel », qui était apparue dans les années 80, a valorisé dans l'opinion des activités autrefois considérées comme mineures, telles que la bande dessinée, la cuisine, la couture, la publicité ou la musique rock... Des formes d'expression plus récentes comme le *rap* ou le *tag* ont aussi bénéficié de cette évolution des mentalités et de la conception de la culture.

L'âge reste un facteur discriminant...

Parmi les très nombreuses activités de loisirs possibles, deux seulement augmentent avec l'âge : la lecture des journaux et le temps passé devant la télévision. Toutes les autres (sports, spectacles, activités de plein air, activités culturelles, etc.) diminuent.

Les différences sont davantage liées à des effets de génération qu'à l'âge proprement dit. On constate ainsi que la plupart des personnes de plus de 70 ans appartiennent à une génération pour laquelle l'idée de loisir est une invention récente, qui ne les a guère concernées. Nées avant la Seconde Guerre mondiale, elles ont dû consacrer l'essentiel de leur temps au travail, pour des raisons matérielles, mais aussi religieuses ou philosophiques. Certaines activités considérées comme normales aujourd'hui leur paraissent un peu futiles. Et, même si certaines sont tentées, elles considèrent qu'il est trop tard pour les pratiquer.

... mais les personnes âgées sont de plus en plus concernées.

Les écarts de comportement en matière de loisirs en fonction de l'âge tendent à diminuer avec l'arrivée à la retraite d'une génération ayant un état d'esprit très différent. A 58 ans, âge moyen actuel de cessation d'activité, les nouveaux retraités ont encore de nombreuses années à vivre (27 ans en moyenne pour les femmes, 22 ans pour les hommes) et n'ont pas envie de rester calfeutrés chez eux. Ils manifestent au contraire un intérêt croissant pour les voyages, les activités culturelles, les jeux et, à un moindre degré, les sports.

Leur pouvoir d'achat accru et l'amélioration continue de leur état de santé sont deux causes objectives de cette transformation des modes de vie. Mais l'évolution des mœurs est sans doute la principale. Il est devenu socialement normal pour un retraité de sortir, de voyager ou d'avoir des activités ludiques lorsqu'il en a la capacité physique et financière. Cette métamorphose a été accompagnée et

Culture et profession

Evolution de la fréquentation des lieux culturels selon la catégorie socioprofessionnelle (en %, au cours des douze derniers mois) :

	Musée			Concert de musique classique			Salle de cinéma		
	1973	1989	1997	1973	1989	1997	1973	1989	1997
- Agriculteurs	17	22	23	4	4	3	39	31	32
- Patrons de l'industrie et du commerce	28	32	34	7	8	7	76	52	59
- Cadres supérieurs et professions libérales	56	61	65	22	31	27	82	82	82
- Cadres moyens	48	43	46	12	14	11	90	70	72
- Employés	34	30	34	7	7	6	78	62	61
- Ouvriers	25	23	24	4	4	4	78	46	44

Ministère de la Culture et de la Communication

accélérée par les entreprises, qui ont pris conscience du poids économique des « seniors » et développé pour eux des offres spécifiques. Enfin, les médias ont banalisé ces nouveaux modes de vie en les décrivant. Ils les ont encouragés en donnant la parole aux « nouveaux retraités », qui ont servi de modèles et parfois d'alibis à toute une génération.

La pratique des loisirs est liée au niveau d'éducation.

La plupart des activités de loisirs, à l'exception de ceux dits « de masse » (radio, télévision) et des jeux d'argent du type Loto ou PMU, sont surtout pratiquées par des personnes ayant au moins le baccalauréat ou un diplôme équivalent. Les activités à caractère culturel (lecture, pratique de la musique, théâtre, musées, etc.) sont celles qui sont le plus corrélées au niveau d'instruction. Les disparités qui existaient entre les zones urbaines et rurales ont diminué avec l'accroissement général des équipements culturels et des moyens de déplacement. Mais la fréquentation reste très supérieure à Paris, du fait d'une offre particulièrement riche et d'un profil socio-démographique des habitants plus favorable.

Les écarts entre les groupes sociaux sont sensibles ; la hausse moyenne des pratiques de loisirs s'explique en effet davantage par un intérêt croissant des catégories qui étaient déjà concernées (cadres, professions intellectuelles supérieures et professions intermédiaires, étudiants) que par un élargissement des publics. Ainsi, la part des ouvriers est restée stable. C'est le cas notamment pour les musées et les concerts de musique classique, qui restent des activités relativement élitistes.

La fréquentation du cinéma (61 % des 6 ans et plus en 2001) reste aussi très inégale. Elle est la résultante de plusieurs évolutions distinctes : désintérêt relatif des milieux populaires, notamment des ouvriers, pour le cinéma en salle ; concurrence de la télévision (chaînes hertziennes, câble, satellite) ; part croissante des jeunes dans le public.

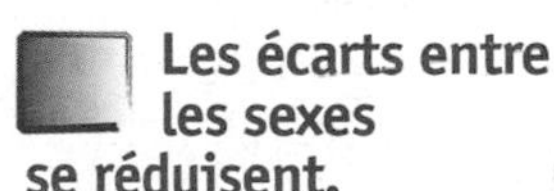

Les écarts entre les sexes se réduisent.

Actives ou non, les femmes disposent en moyenne de moins de temps libre que les hommes : 4 h 12 par jour contre 4 h 52 (activités de loisir et de sociabilité). Certaines pratiques de loisirs sont différenciées. C'est le cas notamment du sport, qui demeure une occupation plus masculine. On constate cependant que les femmes s'y intéressent de plus en plus. Leur engouement croissant pour la randonnée est par exemple en grande partie responsable du développement de cette activité au cours des années passées. Il en est de même du bricolage.

Dans le domaine des médias, les femmes inactives constituent la cible privilégiée des radios, mais elles regardent moins la télévision et sont moins souvent lectrices des quotidiens nationaux que les hommes. Elles lisent en revanche davantage de livres et de magazines (voir p. 442) et constituent la clientèle majoritaire du théâtre.

Loisirs

Le sexe des loisirs

Activités pratiquées au cours des douze derniers mois, par sexe (1997, en % de la population de 15 ans et plus) :

	Hommes		Femmes	
	Ont pratiqué	dont régulièrement	Ont pratiqué	dont régulièrement
- Faire du tricot	0	0	24	11
- Faire de la broderie, du crochet, de la tapisserie	1	0	20	9
- Faire des mots croisés	24	13	39	23
- Faire de " bon plats " ou essayer de nouvelles recettes	32	16	66	40
- Faire des travaux de bricolage	66	36	35	12
- S'occuper de la voiture, la moto	55	35	24	11
- S'occuper d'un jardin potager	25	19	17	11
- S'occuper d'un jardin d'agrément	28	28	42	26
- Jouer aux cartes ou à des jeux de société	51	20	54	21
- Jouer au PMU	11	5	5	2
- Jouer au Loto, Tac-o-Tac, Morpion...	30	12	31	11
- Jouer à des jeux électroniques sur une miniconsole	18	7	14	5
- Jouer aux boules	27	4	14	2
- Aller à la pêche	20	6	8	1
- Aller à la chasse	6	3	1	0
- Se promener dans un espace vert	68	29	72	32
- Faire une randonnée à pied ou à vélo	37	12	32	10
- Faire du yoga ou de la relaxation	4	2	5	3
- Faire du footing ou du jogging	23	12	13	6
- Faire de la gymnastique ou de l'éducation physique	16	10	21	14
- Pratiquer une autre activité physique ou sportive	29	22	17	11

Ministère de la Culture et de la Communication

La civilisation en préparation est celle des loisirs.

L'évolution considérable de la pratique des loisirs témoigne des changements de tous ordres intervenus dans les mentalités au cours des dernières décennies. Le chemin parcouru illustre la participation croissante des femmes dans la vie sociale. La césure existante entre les plus de 70 ans et les plus jeunes est le signe concret et spectaculaire du passage, en plusieurs générations, de la civilisation du travail à une forme nouvelle, dans laquelle les loisirs occupent une place essentielle. Cette césure se déplace chaque année d'un an, de sorte que, d'ici quelques années, la civilisation des loisirs devrait être une réalité pour l'ensemble des Français. Cette révolution ne sera pas sans conséquences sur les modes de vie et sur les systèmes de valeurs à venir.

Les médias

Télévision

Sauf indication contraire, les chiffres qui suivent émanent de Médiamétrie et correspondent à la situation au dernier trimestre de 2001.

93,6 % des foyers étaient équipés de la télévision fin 2001.

Ce taux est pratiquement stable depuis plusieurs années ; il a même légèrement diminué par rapport à 1993 (95,0 %). Cette évolution s'explique par la concurrence de l'ordinateur multimédia et celle d'autres activités de loisir, notamment à caractère culturel. Les rares foyers non équipés se trouvent surtout parmi les jeunes de 25 à 34 ans, les personnes vivant seules, les Parisiens, les cadres supérieurs et les diplômés de l'enseignement supérieur.

Le taux d'équipement a connu sa plus forte croissance dans les années 60. Depuis les années 70, c'est surtout le multiéquipement (au moins deux téléviseurs) qui progresse. 40,6 % des ménages sont dans ce cas, contre 32 % en 1993, 24 % en 1989, 10 % en 1981. 30,2 % en ont deux, 8,0 % trois, 2,4 % au moins quatre. Le parc est constitué à 99,2 % de téléviseurs couleur. La télécommande s'est également généralisée, alors qu'elle n'équipait que 84 % des téléviseurs en 1993 et 24 % en 1983.

La télévision n'est plus seulement regardée en famille.

La progression du multiéquipement traduit le développement de deux façons distinctes de regarder la télévision. Les émissions fédératrices (sport, variétés, films...) sont vues en famille. Les émissions liées à des centres d'intérêt particuliers sont regardées individuellement ; c'est le cas notamment sur les chaînes thématiques du câble et du satellite. 88 % des téléviseurs (uniques ou principaux) sont placés dans le séjour, le salon ou la salle à manger, 6,2 % dans la cuisine, 3,3 % dans la chambre des parents, 1,4 % dans la chambre des enfants, 0,6 % ailleurs. Le deuxième récepteur est placé le plus souvent dans la chambre des parents (40 % des cas), dans la chambre des enfants (22 %), la cuisine (17 %) ou le séjour (14 %).

Les Français ont acheté 3,8 millions de téléviseurs en 2001, contre 4 millions en 2000 et 2,9 millions en 1997. En 2002, les achats de téléviseurs ont été favorisés par la Coupe du monde de football. Le format 16/9 (2,5 millions de ménages équipés en juin 2002) tend à se substituer très progressivement au format 4/3, mais celui-ci reste largement majoritaire : 3,1 millions d'appareils achetés en 2001 contre 620 000. L'intérêt pour les nouveaux types d'écrans et le « ci-

> 72 % des Français de 4 ans et plus sont devant leur écran de télévision entre 18 h et 19 h, contre 40 % pour les actifs.

La panoplie télévisuelle

Evolution du taux d'équipement des ménages en téléviseurs magnétoscopes et lecteurs de DVD (en %) :

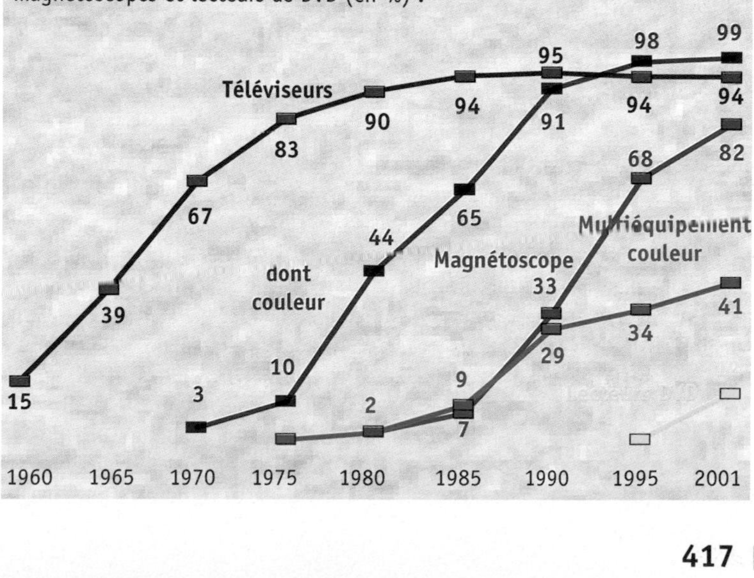

Médiamétrie, GIFAM

néma à la maison » s'accroît : 65 000 rétroprojecteurs et 14 000 vidéoprojecteurs ont été achetés en 2001.

82 % des ménages ont un magnétoscope, 12 % un lecteur de DVD.

Le magnétoscope est apparu véritablement dans les années 80 (seuls 7 000 foyers en étaient équipés en 1977). Le taux d'équipement des ménages est passé de 2 % en 1981 à 81,6 % fin 2001. Il augmente régulièrement avec l'âge jusqu'à 50 ans et décline ensuite rapidement chez les plus âgés. Les ménages avec enfants sont le plus fréquemment équipés, à l'inverse de ceux d'agriculteurs et de retraités. Les Français ont acheté 1,9 million d'appareils en 2001. Après avoir connu un engouement croissant, les achats de combinés TV-magnétoscope ont diminué : 500 000 appareils contre 590 000 en 2000 (mais 400 000 en 1998). Ceux de Caméscopes, qui avaient stagné tout au long des années 90, ont bénéficié d'une forte reprise en 1999 (580 000 contre 480 000 en 1998) avec l'arrivée des appareils numériques et la baisse des prix des appareils analogiques.

De tous les équipements électroniques apparus sur le marché, le magnétoscope est, après le téléphone portable, celui qui s'est développé le plus rapidement. Cet engouement s'explique par les services qu'il rend aux familles ; il permet de ne pas être dépendant des horaires de diffusion et de se constituer une vidéothèque personnelle. La multiplication des chaînes et la baisse régulière des prix ont favorisé l'équipement.

Le lecteur de DVD, concurrent du magnétoscope à cassette, connaît une forte progression : 3,5 millions de foyers en étaient équipés fin juin 2002 (14 %, soit un doublement en un an), contre 5 000 seulement en 1997, première année de commercialisation. 1,9 million ont été achetés en 2001 et les professionnels en prévoient 2,5 millions en 2002, soit davantage que les magnétoscopes VHS (1,9 million). L'arrivée du DVD enregistrable, beaucoup plus pratique, devrait encourager les Français à renouveler leur équipement lorsqu'un standard unique aura été défini et que les prix auront baissé.

Le palmarès des enregistrements

Les 10 taux d'enregistrement les plus élevés (2001, en % des foyers équipés de magnétoscope) :

Titre	%
- 2001, l'Odyssée des enfoirés	9,0
- Le Dîner de cons	6,7
- Astérix et Obélix contre César	6,2
- Men in Black	5,6
- Nuremberg/2e partie	5,4
- Le Monde perdu Jurassic Park	5,3
- Anastasia	5,1
- The Full Monty (le grand jeu)	5,0
- Le Silence des agneaux	4,7
- Le Collectionneur	4,7

Médiamétrie

Un foyer sur cinq est abonné à Canal Plus.

Après des débuts difficiles, la chaîne cryptée née en novembre 1984 avait réussi son pari, dépassant 4 millions d'abonnés, soit plus d'un foyer sur cinq, avec un taux d'initialisation (couverture géographique) de 80 %. Basée à l'origine sur le cinéma et le sport, elle s'était dotée d'une image

L'audience des chaînes non hertziennes s'accroît

anticonformiste grâce à des émissions de divertissement et d'humour diffusées en clair comme *Nulle part ailleurs* et *Les Guignols de l'info*. La chaîne est également proposée en version numérique sur Canal Satellite.

Mais Canal Plus a perdu de son originalité et connaît des difficultés financières, tant en France que dans son développement à l'étranger. Sa part d'audience était de 3,6 % en 2001 sur les 4 ans et plus, contre 4,5 % en 1999. En un an, elle a perdu 7 points sur la cible des jeunes (4 points sur l'ensemble des téléspectateurs). Ce déclin a contraint la maison mère, Vivendi Universal (alors dirigée par Jean-Marie Messier), à changer les dirigeants en avril 2001.

Les records de la chaîne concernent toujours les émissions comiques diffusées en clair : *Les Guignols de l'info* du 27 novembre 2001 ont obtenu 6,2 % d'audience moyenne ; la chaîne a réalisé six scores supérieurs à 4 % au cours de l'année, avec des parts d'audience comprises entre 9 et 18 %.

Pertinence ou impertinence ?

LA course à l'audience oblige les chaînes à la surenchère. Elle les conduit à pratiquer l'impertinence, devenue gage de modernité. Le modèle en la matière est sans conteste Canal Plus, qui en a fait son fond de commerce, avant d'être copiée par ses concurrentes. Aujourd'hui, les favoris des plateaux de télévision sont des humoristes pratiquant un comique fondé sur la dérision et le cynisme : Bigard, Baffie, Muller, Seymoun... Le temps du « socialement correct » est révolu. Pour frapper les esprits, il faut être incorrect, casser les codes explicites ou implicites de la politesse, briser les derniers tabous qui entourent les relations humaines.
L'usage de l'impertinence est sans doute nécessaire à une société qui ne pourra inventer son avenir qu'en se séparant d'un passé qui, souvent, la paralyse. La France a besoin de politiciens, de chefs d'entreprise, de chercheurs, de journalistes, de salariés et de citoyens créatifs. Mais le culte de l'impertinence, en « ringardisant » tout ce qui est sérieux et compliqué au profit de ce qui est drôle et simple, rend plus difficile la recherche de la pertinence. Plutôt que d'aller au fond des choses pour tenter de les expliquer, on se contente souvent de rester à leur surface. On se concentre sur les apparences pour les détourner et mieux s'en moquer. La pertinence est au service de la pédagogie et de la vérité ; le risque est que l'impertinence serve plutôt la démagogie.

Le satellite attire plus que le câble.

En une décennie, le paysage télévisuel français s'est considérablement transformé. 84 chaînes étaient disponibles sur le câble ou le satellite en 2000, contre 21 en 1990. Fin 2001, 4,6 millions de foyers étaient abonnés à l'un ou l'autre système (1,8 million à Canal satellite, 1,7 million au câble, 1,1 million à TPS), contre 3,5 millions en septembre 1998 et 950 000 en 1993. Au total, 7,8 millions de foyers sont abonnés à une ou plusieurs formules de télévision payante : Canal Plus, câble, satellite. Depuis 1998, Canal Satellite et TPS sont l'objet d'un véritable engouement, alors que le nombre d'abonnés au câble connaît une progression beaucoup plus faible. La part croissante du satellite est beaucoup plus liée aux équipements individuels qu'à la réception collective.

19,9 % des foyers disposent au total d'une offre élargie : au moins 15 chaînes par câble ou par abonnement à Canal Satellite ou TPS. Plus des trois quarts ont moins de 50 ans. Les foyers du Nord, de l'Est et du Sud-Est ont été les premiers à s'abonner. Le taux national de pénétration du câble et du satellite reste cependant inférieur à celui d'autres pays d'Europe ; il atteint 80 % au Benelux, en Allemagne et en Autriche, près de 10 % en Europe de l'Est et en Scandinavie, un tiers au Royaume-Uni (mais il est très peu présent en Italie et en Grèce).

Les « chaînes de complément » représentent un tiers de l'audience.

Les chaînes thématiques payantes comptaient pour 32 % de l'audience totale au début 2002 (4 ans et plus). Leur part atteignait 50,5 % sur les 4-10 ans en 2001, 35,4 % sur les 15-24 ans, 32,9 % sur les 25-34 ans. Seules quatre chaînes thématiques sur une soixantaine dépassent cependant un point de part d'audience : RTL9, Eurosport, Canal J et Télétoon (septembre 2001). Il s'y ajoute la chaîne généraliste LCI, qui obtenait 1,3 % de l'audience totale en janvier 2002.

Contrairement à l'audience des chaînes traditionnelles, les chaînes payantes sont davantage regardées par les hommes : 56,0 % pour Canal Satellite, 54,2 % pour TPS, 50,1 % pour le câble. La télévision par câble est plus présente dans les foyers d'inactifs (47,4 %) que celle par satellite (41 %). Elle est principalement implantée dans les grandes villes : 71 % des abonnés habitent des villes de plus de 100 000 habitants, contre 28 % de ceux des bouquets satellite. 54 % des abonnés à la télévision par câble et satellite la jugent cependant trop chère par rapport à l'offre de programmes.

Si l'audience des chaînes généralistes est de plus en plus grignotée par celle des chaînes thématiques, elle l'est aussi par les écrans d'ordinateurs présents dans les foyers. Ainsi, parmi les cadres, la durée d'écoute moyenne de la télévision hertzienne diminue chez ceux qui sont équipés d'un ordinateur ; elle est encore inférieure pour ceux qui sont connectés à Internet.

La durée moyenne d'écoute est de 3 h 19...

Les téléviseurs sont restés allumés en moyenne 5 h 28 par jour dans les foyers en 2001, une durée en progres-

Un tiers de l'audience

Audience des chaînes du câble et du satellite (en % de l'audience globale) :

Chaine (en %)	Part d'audience (en %)	Initialisation* (en %)	Couverture semaine** (nombre d'individus)
- RTL 9	2,4	96,8	4 969 924
- Eurosport	1,6	96,2	6 237 228
- LCI	1,3	88,7	4 914 999
- Canal J	1,3	70,4	3 730 801
- Télétoon	1,0	34,8	2 209 845
- TF6	0,9	26,9	2 215 784
- 13e Rue	0,7	46,3	2 383 465
- TV 5 Monde	0,6	98,1	4 809 222
- Canal + jaune	0,6	33,6	3 124 791
- Série Club	0,6	43,5	2 736 010
- Disney Channel	0,6	28,8	2 254 298
- Cartoon Network	0,6	43,9	2 192 897
- TPS Star	0,6	22,4	2 026 661
- Paris Première	0,5	92,2	5 172 508
- Monte-Carlo TMC	0,5	69,1	3 650 050
- Canal + bleu	0,5	33,6	3 101 709
- Canal + vert	0,5	33,6	2 985 279
- Fox Kids	0,5	51,0	2 222 357
- Cinestar 1	0,5	24,2	2 166 690
- Euronews	0,4	92,2	4 886 578
- MCM	0,4	68,5	3 188 411
- L'Equipe TV	0,4	61,6	2 645 061
- Voyage	0,4	58,1	2 419 335
- Ciné cinémas 1	0,4	32,1	2 256 386
- Odyssée	0,4	33,5	2 019 233
- Tiji	0,4	28,9	1 914 456

* L'initialisation d'une chaîne est le pourcentage de la population âgée de 4 ans et plus abonnée au câble et/ou à l'un des deux bouquets numériques recevant effectivement cette chaîne.

** La couverture semaine correspond à la proportion d'abonnés âgés de 4 ans et plus ayant regardé la chaîne au moins une seconde en moyenne par semaine, parmi la population des abonnés âgés de 4 ans et plus initialisés à cette chaîne. Il s'agit d'une moyenne arithmétique des couvertures des 24 semaines d'observation.

Médiamétrie

sion d'une demi-heure en cinq ans (5 h 0 en 1997). La durée d'écoute quotidienne par personne de 4 ans et plus était en moyenne de 3 h 17 (toutes chaînes confondues), contre 3 h 13 en 2000 et 3 h 9 en 1999.

L'écart entre les âges est très marqué : 3 h 20 pour les 35-59 ans contre 2 h 8 pour les 15-24 ans, soit une heure de moins. Il est également marqué entre les sexes : 3 h 43 pour les femmes, contre 3 h 13 pour les hommes, mais l'écart n'est que de 8 minutes parmi les actifs.

L'écoute varie fortement au cours de la journée, avec des pointes vers 13 h (environ 27 % d'audience moyenne en semaine chez les 4 ans et plus) et surtout 21 h (45 % en semaine et le dimanche, mais 38 % seulement le samedi). Elle est minimale les mercredi (sauf pour les enfants), jeudi et vendredi. Elle varie aussi selon la période de l'année, atteignant un maximum en hiver (3 h 40 en janvier 2001 pour les 4 ans et plus) et un minimum pendant les vacances d'été (2 h 41 en août).

La durée d'écoute est très inégalement répartie. Les 20 % de Français les plus « téléphages » représentent à eux seuls près de la moitié de l'audience totale ; les 10 % les moins assidus ne regardent en moyenne qu'une dizaine de minutes par jour. Avec environ 200 minutes d'écoute quotidienne (3 h 20), les Britanniques, les Italiens et les Espagnols sont ceux qui regardent le plus la télévision. Les Scandinaves et les Portugais sont les moins concernés (100 à 150 minutes, soit 1 h 40 à 2 h 30).

... mais elle augmente peu avec l'offre télévisuelle.

Au cours des décennies précédentes, les pratiques télévisuelles avaient absorbé une grande partie de l'accroissement du temps libre lié à la diminution du temps de travail et à l'abaissement de l'âge de la retraite. Entre 1982 et 1991, la durée moyenne d'écoute par foyer avait ainsi augmenté de 72 minutes : 5 h 15 contre

3 h 53. Elle n'a depuis augmenté que de 13 minutes par jour en moyenne entre 1991 et 2001, malgré l'accroissement du nombre de chaînes disponibles.

En 2001, les personnes de 4 ans et plus bénéficiant d'une offre de chaînes élargie (au moins 15 chaînes sur le câble, ou abonnées à un bouquet satellite) ont regardé la télévision 3 h 24 en moyenne contre 3 h 16 pour celles qui ne disposaient que des chaînes hertziennes gratuites. L'arrivée d'un deuxième ou troisième téléviseur dans un foyer n'entraîne pas de modification sensible des habitudes d'écoute et de la durée totale. La disposition d'un magnétoscope ou d'un ordinateur a une incidence plus sensible sur la durée d'écoute moyenne.

Scarlett

3,5 millions d'abonnés à la télévision par satellite

L'audience des différents types d'émission diffère de leur part dans les programmes.

Les Français de 4 ans et plus ont « consommé » en moyenne 1 055 heures de télévision en 2001 sur les six chaînes hertziennes gratuites. Ils ont consacré 262 heures aux émissions de fiction, 215 heures aux magazines et documentaires, 161 heures aux journaux télévisés, 90 heures aux jeux, 86 heures à la publicité, 74 heures aux films, 51 heures au sport, 45 heures aux variétés, 28 heures aux émissions pour la jeunesse, 43 heures à d'autres types de programmes. On observe depuis plusieurs années un accroissement de l'intérêt pour les magazines, les documentaires et les journaux télévisés. Les genres en hausse plus récente sont les jeux, la fiction et le sport. A l'inverse, les Français tendent à délaisser la publicité ; ils ont également moins regardé les émissions de variétés, celles pour la jeunesse et les films (mais ceux qui sont enregistrés ne sont pas comptabilisés).

L'offre de programmes n'est évidemment pas indépendante de la demande, mais il existe un écart parfois important entre les deux. Ainsi, les journaux télévisés représentent 15 % de l'audience mais seulement 6 % de la programmation. Les films, les fictions, les jeux, le sport et la publicité sont également « surconsommés » par rapport à l'offre (voir tableau). A l'inverse, les variétés, les magazines-documentaires et les émissions pour la jeunesse font l'objet d'une « sous-consommation ». Ces écarts s'expliquent en partie par les horaires de diffusion des différents types d'émission. Une émission en *prime time* (heure d'écoute maximale, après les journaux télévisés de 20 h) est beaucoup plus regardée qu'une autre placée en fin de soirée. Elle bénéficie donc d'une demande apparente beaucoup plus forte.

L'offre de programmes des chaînes thématiques du câble et du satellite diffère de celle des chaînes hertziennes. Elle fait une place plus large au sport, aux émissions pour la jeunesse et à la musique. Elle est en revanche plus réduite en ce qui concerne l'information, les variétés et la fiction.

La télé propose, le téléspectateur dispose

Répartition de l'offre et de la consommation de programmes des six chaînes hertziennes gratuites (4 ans et plus, en %) :

	TV offerte	TV consommée
- Films	4,8	7,0
- Fictions TV	20,6	24,8
- Jeux	4,7	8,5
- Variétés	8,0	4,3
- Journaux télévisés	6,0	15,3
- Magazines documentaires	32,6	20,4
- Sport	3,2	4,8
- Emissions jeunesse	7,6	2,7
- Publicité	6,6	8,2
- Divers	5,8	4,1

Médiamétrie

L'audience de TF1 diminue, mais reste largement en tête.

Après avoir diminué au cours des années 90, la part de l'audience détenue par TF1 était remontée à 35,1 % en 1999 (contre 34,4 % en 1997, mais 40,7 % en 1992). Elle est redescendue à 32,7 % en 2001. Comme les années précédentes, TF1 a réalisé la majorité des meilleurs scores d'audience de la télévision (voir tableau). Elle n'a pas cependant battu son record du 2 juillet 2000, lors de la retransmission de la finale France-Italie de l'Euro 2000 de football, avec plus de 21 millions de téléspectateurs (24,8 millions lors de la prolongation) et une part d'audience de près de 80 %.

Les autres chaînes ont aussi connu une légère baisse d'audience sur deux ans, à l'exception de France 3, qui atteint 17,1 % contre 16,3 % en 1999 et de M6 qui se maintient à 13,5 %. France 2 a perdu un point, à 21,1 % contre 22,3 %. La Cinquième et Arte (désormais regroupées dans France 5) réalisent en cumul 3,4 % de l'audience totale (4,1 % sur les foyers initialisés pour La Cinquième, 3,0 % pour Arte). Mais c'est Canal Plus qui enregistre la plus forte baisse : 3,6 % en 2001 contre 4,5 % en 1999. TF1, France 2 et M6 ont une répartition similaire de leur audience entre les grandes tranches horaires : environ un tiers entre 12 h et 18 h et un quart entre 18 h et 20 h 30. Canal Plus et surtout France 3 se caractérisent par une plus forte concentration en fin d'après-midi.

On a constaté en 2000 et en 2001 une baisse de l'audience des jeunes, notamment des 15-24 ans. Pour satisfaire leurs annonceurs, surtout intéressés par ces clientèles, les chaînes s'efforcent de rajeunir leur audience. Avec un certain succès, puisque le taux de satisfaction s'est accru en 2002 dans cette catégorie.

TF1 toujours à la une

Parts d'audience des chaînes (2001, en %) :

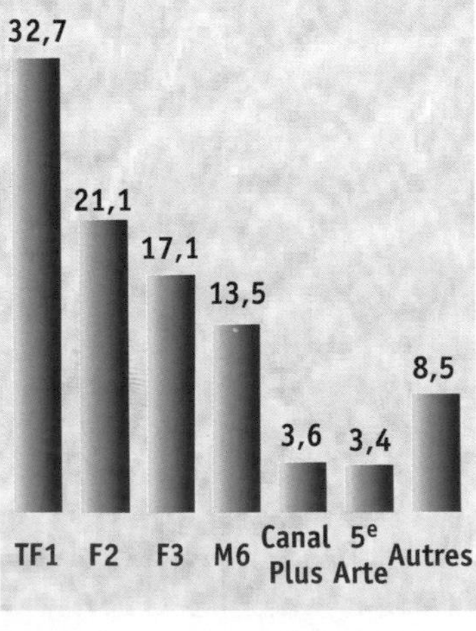

TF1	F2	F3	M6	Canal Plus	5e Arte	Autres
32,7	21,1	17,1	13,5	3,6	3,4	8,5

Médiamétrie

L'image des chaînes hertziennes n'est pas corrélée à leur audience.

On observe un écart important entre les images des chaînes, telles qu'elles apparaissent dans des enquêtes comme celle d'Ipsos Médias de mars 2002 et leurs audiences. Ainsi, la chaîne préférée des Français est France 3 (76 % de téléspectateurs satisfaits), devant France 2 (68 %), Arte (60 %), M6 et France 5 (59 %), TF1 (56 %) et Canal Plus (29 %). Or, l'audience de France 3 reste très inférieure (17 %) à celle de TF1 (33 %).

Ce paradoxe peut s'expliquer par la vocation de proximité de France 3 et sa dimension « provinciale » qui séduisent tous ceux qui regrettent le centralisme et l'arrogance parisiens. La chaîne est aussi peut-être avantagée par l'évolution démographique, les plus de 50 ans se sentant mieux représentés que sur les autres chaînes qui s'intéressent davantage aux jeunes. On peut aussi faire l'hypothèse d'une sorte de mauvaise conscience des téléspectateurs qui s'en veulent parfois de regarder des émissions dont ils savent qu'elles font appel à leurs instincts les moins nobles. Beaucoup se sentent mal dans leur peau lorsqu'ils ont le sentiment d'être des voyeurs. C'est tout le sens du débat sur la « télé-réalité » qui s'est développé avec la diffusion de *Loft Story* par M6, et qui s'est poursuivi avec *L'Ile de la Tentation* (TF1).

Les spécialités des chaînes généralistes

L'offre de programmes de TF1 est jugée la plus intéressante dans cinq domaines : journaux télévisés (50 %, devant France 2 avec 28 %) ; jeux (39 %, devant France 2, 18 %) ; divertissements (36 %, devant France 2, 29 %) ; télé-réalité (21 %, devant M6, 20 %) ; séries et fictions françaises (31 %, devant France 2, 23 %). France 2 arrive en tête pour les émissions sportives (24 %, devant Canal Plus, 21 %), les magazines d'information (devant TF1, 24 %) et les débats (36 %, devant France 3, 16 %). France 3 détient la palme des émissions pour enfants (20 %, devant TF1, 17 %). M6 est incontestée dans le genre séries et fictions américaines avec 34 %, devant TF1 (26 %). Canal Plus reste la chaîne du cinéma avec 28 %, devant TF1 (26 %). Enfin, Arte est en tête en ce qui concerne les documentaires (30 %, devant La Cinquième, 25 %) et les émissions littéraires et culturelles (22 %, devant France 2, 21 %).

Stratégies/Ipsos 2002

La moitié des téléspectateurs se disent insatisfaits des programmes.

En mars 2002, seuls 4 % des Français se disaient très satisfaits des programmes de télévision et 47 % plutôt satisfaits (*Stratégies*/Ipsos Médias).

Palmarès 2001

Meilleurs résultats d'audience par genre (4 ans et plus, en %) :

Films			**Variétés**		
- Le Dîner de cons	22,1	TF1	- 2001, l'Odyssée des enfoirés	19,3	TF1
- Astérix et Obélix contre César	19,9	TF1	- Election de Miss France	19,2	TF1
- US Marshals	19,0	France 2	- Domino day record du monde	16,3	TF1
- Les Aventures de Rabbi Jacob	18,6	TF1	- Le plus grand cabaret du monde	15,5	France 2
- 58 minutes pour vivre	18,5	TF1	- Rêve d'un soir	14,8	TF1
Téléfilms			**Evénements exceptionnels**		
- Une fille dans l'azur	17,1	TF1	- Edition spécialeTF1/P. Poivre d'Arvor - Spéciale USA	20,2	TF1
- Un homme en colère/Pour un monde meilleur	16,7	TF1	- Edition spéciale TF1/C. Chazal - spéciale attentats USA	17,3	TF1
- Un couple modèle	16,6	TF1	- TF1 20 H : interv. 1er Ministre	14,6	TF1
- L'Aîné des Ferchaux (1re partie)	16,2	TF1			
Fictions			**Magazines**		
- Julie Lescaut/Bal masqué	21,7	TF1	- Les 7 péchés capitaux	19,1	TF1
- Une femme d'honneur/Double Vue	21,5	TF1	- TF1 20 H : répondez-nous/ Bertrand Delanoé	18,6	TF1
- Navarro/Terreur à domicile	21,0	TF1	- Les enfants de la télé/Spécial bêtisier	17,4	TF1
- Les Cordier juge et flic/Faux-Semblants	18,4	TF1			
Documentaires			**Matchs de football**		
- France Gall par France Gall	11,0	France 3	- Match amical/France-Portugal	20,1	TF1
- Pierre Palmade mes amis mes amours mes emmerdes	9,0	France 3	- Match amical/France-Algérie	19,8	TF1
- Hors série/Des tempêtes et des hommes	8,1	France 3	- Match amical/France-Allemagne	19,4	TF1
			- Coupe des confédérations : Japon-France	15,4	TF1
Spectacles			**Retransmissions sportives** (hors matchs de football)		
- Festival du cirque de Monte-Carlo	9,1	France 3	- Handball Championnat du monde/ France-Suède	15,6	France 2
- Concert du Nouvel An (2e partie)	5,3	France 2	- Formule 1 Grand Prix du Brésil	12,7	TF1
- Les grands cirques du monde	4,9	France 3	- Formule 1 Grand Prix du Canada	11,6	TF1
- Les princesses du cirque	4,3	France 3			
- La Bonne Anna	3,5	France 2			
Jeux			**Magazines sportifs**		
- Star Academy	18,2	TF1	- Stade 2	16,4	France 2
- Qui veut gagner des millions/ Spéciale solidarité Toulouse	17,7	TF1	- F1 Podium	15,9	TF1
- Loft Story (la soirée)	14,6	M6	- Le Journal du Dakar	11,5	France 3
- Questions pour un champion	12,9	France 3	- F1 à la Une	9,8	TF1
			- Tout le sport	7,9	France 3
Humour			**Emissions après 22 h**		
- Vidéo gags/Spécial planète gags	14,1	TF1	- Les Enquêtes d'Eloise Rome	11,5	France 2
- Drôle de zapping	13,7	TF1	- Les Filles du Maître du chai	11,2	France 2
- Drôles de petits champions	13,6	TF1	- Nuremberg	11,1	TF1
- 120 minutes de bonheur/ Spéciale fin d'année	13,2	TF1	- Le Comte de Monte-Cristo	10,9	TF1
			- Loin des yeux	10,5	TF1

Médiamétrie

38 % étaient plutôt mécontents et 9 % très mécontents. Des chiffres préoccupants pour un média qui tient une place essentielle dans la vie collective et individuelle, tant en matière d'information que de divertissement. On observe que les jeunes sont plus satisfaits que les autres et qu'ils le sont davantage depuis deux ans : plus des deux tiers des moins de 35 ans, contre un peu plus de la moitié en 2000. Ce résultat est la conséquence des efforts des chaînes pour séduire les clientèles jeunes, particulièrement recherchées par les annonceurs. Il témoigne de l'impact sur ces tranches d'âge des nouvelles émissions comme *Loft Story* (M6), *Star Academy* (TF1) ou *Pop Stars* (M6).

Globalement, les Français jugent sévèrement les programmes. Ils leur reprochent d'être trop parisiens, superficiels, caricaturaux (France 2 /CSA, mai 2001). C'est pourquoi ils apprécient des émissions comme *Ushuaïa* (TF1), *Thalassa* (France 3), *Faut pas rêver* (France 3), *E=M6* (M6) ou *C'est pas sorcier* (France 3). Ils reconnaissent aussi une dimension culturelle à des émissions de reportages et d'investigation comme *Capital* (M6), *Arrêt sur images* (France 5), *Envoyé spécial* (France 2) ou *Zone interdite* (France 3).

La télé anthropophage

En même temps qu'elle tire sa substance de la vie des autres (information, documentaires, reportages, variétés...), la télévision se nourrit de plus en plus d'elle-même. Elle se regarde dans son propre miroir avec des émissions comme *Arrêt sur images* (France 5) ou *Plus clair* (Canal Plus). Elle recourt aux images d'archives avec *Les enfants de la télé* (TF1), *Les moments de vérité* (M6) et tous les prétextes sont bons pour proposer des rétrospectives (sport, chanson, cinéma, société...). Ces émissions jouent sur plusieurs registres. Drôlerie des situations et des paroles cent fois revues ou réentendues dans les « bêtisiers ». Nostalgie des époques révolues et régression garantie avec la rediffusion d'émissions qui ont bercé l'enfance des différentes générations (Casimir, Nounours, Goldorak ou Dorothée). Autant de madeleines de Proust qui n'activent pas la mémoire olfactive, mais visuelle et auditive.

A ces mécanismes déclencheurs d'audience s'est ajouté plus récemment le recours aux télévisions étrangères. De façon assez hypocrite, les chaînes flattent les bas instincts du public en lui montrant des images de transgression (sexe, violence, bêtise...) venues d'ailleurs, tout en se félicitant qu'elles ne puissent être produites ici ! Mais elles n'hésitent pas à les diffuser, sachant qu'il existe un public pour ce type d'émission, pour peu qu'on lui fournisse un alibi. C'est ainsi que certaines émissions de « télé-réalité », auparavant présentées comme des exemples de ce que la télévision française ne ferait jamais, sont récemment entrées dans les programmes de certaines chaînes.

A force de consommer sa propre chair et de fabriquer sa propre réalité, la télévision risque de s'éloigner du « vrai » monde extérieur, qui ne saurait être reproduit en studio.

La moitié des Français ne font pas confiance à la télévision et aux médias en général.

66 % des Français disent éprouver un intérêt (très ou assez grand) pour les informations fournies par les médias, 33 % un intérêt assez ou très faible (*Télérama-La Croix*/Ipsos, décembre 2001). Ce taux est le plus faible enregistré depuis 1988. Mais c'est le niveau de confiance dans la fiabilité des informations qui est le plus préoccupant. 41 % des Français de 18 ans et plus estimaient qu'« il y a sans doute pas mal de différences entre la façon dont les choses se sont passées et la façon dont la télévision les montre » et 6 % que « les choses ne se sont vraisemblablement pas passées du tout comme la télévision les montre ». Près de la moitié des Français (47 %) ne font donc pas confiance à la télévision dans sa fonction d'information. La proportion est semblable pour la presse (46 %) ; elle est inférieure (36 %) pour la radio.

Cette méfiance générale est due au fait que les journalistes ne sont pas perçus comme indépendants des pressions exercées par les partis politiques et le pouvoir (55 %) et de celles de l'argent (54 %). Les Français font plus confiance à la télévision qu'aux autres grands médias pour des informations internationales (57 %) et nationales (55 %), mais davantage à la presse pour celles qui ont un caractère local (50 %). La confiance accordée aux chaînes en matière d'information apparaît en partie corrélée à leur audience : 44 % pour TF1, 22 % pour France 2, 12 % pour France 3, 9 % pour Arte, 3 % pour M6.

Les Français reprochent aussi aux médias d'avoir trop parlé en 2001 de certains sujets comme *Loft story*, l'anthrax ou même la mise en place de l'euro, et pas assez du terrorisme in-

Télé et réalité

Pour les nouvelles que vous voyez à la télévision, est-ce que vous vous dites plutôt* :
- les choses se sont passées (vraiment ou à peu près) comme la télévision les montre (courbe 1) ;
- il y a sans doute pas mal de différences entre la façon dont es choses se sont passées et la façon dont la télévision les montre (courbe 2).

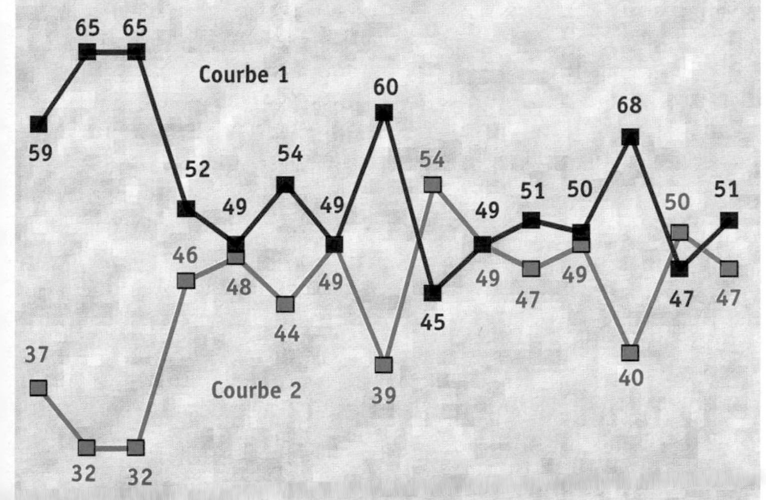

* Le total des deux chiffres est inférieur à 100. La différence représente les réponses : « les choses ne se sont vraisemblablement passées du tout comme la télévision les montre » et les « sans opinion ».

ternational, de l'explosion de l'usine AZF de Toulouse, de la reprise des vols de Concorde, du conflit social chez Marks & Spencer, du troisième aéroport, de la réouverture du tunnel du Mont-Blanc ou du séjour de Claudie Haigneré dans l'espace. Ils expriment une attente de pédagogie sur des sujets de proximité ou au contraire plus généraux et complexes.

> 80 % des foyers reçoivent la télévision via une antenne râteau, 20 % par le câble ou le satellite.

La télévision exerce une influence indéniable sur les attitudes...

Beaucoup de Français estiment que les images télévisées nourrissent le climat d'inquiétude et d'insécurité en le décrivant. 67 % considèrent ainsi que, à la suite des attentats du 11 septembre, les médias ont plutôt renforcé la crainte de nouveaux attentats, 56 % le sentiment anti-islamique dans la population, 53 % l'idée d'une guerre des religions, 49 % celle d'un affrontement des civilisations (*Télérama-La Croix*/Ipsos, décembre 2001).

Il est apparent que la télévision favorise le voyeurisme et s'affranchit progressivement des tabous, au prétexte de la liberté d'expression et du devoir d'information. Certaines chaînes cherchent sans doute davantage à satisfaire le besoin de voir que celui de savoir. Elles montrent et remontrent avec délectation tout ce qui est « incroyable mais vrai » : poursuites automobiles ; accidents ; situations extrêmes de toute sorte.

Il faut aussi souligner que la télévision joue un rôle dans l'image collective des divers groupes sociaux. En montrant et en banalisant les « différences » individuelles en matière de race, de culture, de sexualité, de modes de vie, d'opinions ou de valeurs, elle les rend souvent plus acceptables. Elle a ainsi largement contribué au cours des années récentes à la diffusion des valeurs féminines, l'acceptation de l'homosexualité et l'ouverture aux minorités ethniques, raciales ou religieuses.

Il est probable que la télévision accélère le changement social en le montrant. Elle développe aussi le sentiment que tous les modes de vie, même les plus marginaux, sont acceptables. Si la société y gagne collectivement en ouverture, les individus qui la composent y perdent en certitudes et en donc en confort. C'est pourquoi certains se réjouissent de cette tolérance croissante. Mais d'autres s'élèvent contre ce qu'ils considèrent comme une décadence.

... et les comportements.

Le vieux débat concernant l'influence des images sur les comportements individuels semble aujourd'hui en voie d'être tranché. La plupart des études indiquent que la violence diffusée dans les émissions d'information ou mise en scène dans les programmes de fiction n'est pas sans conséquence. Elle sert de référence ou de modèle à des délinquants ou à des meurtriers, qui les reproduisent de façon consciente ou inconsciente, comme en témoigne régulièrement l'actualité. En tant que caisse de résonance sans équivalent, la télévision favorise aussi parfois des comportements spectaculaires ou violents de la part de personnes ou de groupes qui veulent se faire entendre : syndicats, groupes constitués ponctuellement ou individus à la recherche de notoriété.

Le journal télévisé de 20 heures des grandes chaînes nationales est ainsi vécu comme une souffrance par les téléspectateurs (*Le Monde*/Observatoire du débat public, novembre 2001). Ceux-ci disent éprouver une sorte de vertige lié à la quantité, à la diversité et au contenu des images. Prisonniers du flux d'informations qui leur parvient, ils se sentent abattus par la violence et la complexité du monde tel qu'il leur est montré chaque soir. Ils dénoncent aussi la « mise en scène » de l'information, mais sont conscients de la fascination qu'elle exerce sur eux. Face à la violence quotidienne et planétaire, ils ont besoin d'être rassurés par la diffusion de sujets « positifs » et apprécient qu'on leur parle des gens comme eux.

Enfin, le voyeurisme télévisuel rencontre aujourd'hui une volonté croissante d'exhibitionnisme. Pour beaucoup d'individus, il est aussi important et jubilatoire d'être vu que de voir. Consciente de cette évolution (et, comme toujours, révélatrice et amplificatrice du mouvement), la télévision leur fournit des occasions de se montrer. Les modes traditionnels d'influence sur les attitudes et les comportements individuels en sont bouleversés. Ils s'exercent moins aujourd'hui par le haut (« l'élite ») et par la « normalité », davantage par la base (les « vrais gens ») et par la marginalité.

Culture et voyeurisme se côtoient sur les chaînes

Ailleurs exactement

La télévision met en scène de nouveaux héros...

Les héros de l'histoire étaient des guerriers, des saints ou des individus « supérieurs » par leur position sociale, leur intelligence ou leur courage ; ils étaient le plus souvent des hommes. Ceux d'aujourd'hui sont des sportifs, des chanteurs ou des acteurs et on y trouve de plus en plus de femmes. Le fossé entre les citoyens et les élites (politiques, économiques, scientifiques, culturelles...) explique sans doute la place croissante de ces *stars* dans l'imaginaire collectif. Les paroles d'un David Douillet, d'un Zinédine Zidane, voire d'une Loana, sont plus écoutées que celles des politiciens, des savants ou des experts. Les premiers l'ont d'ailleurs compris, qui cherchent à s'entourer de ces personnages et à les transformer en cautions. C'est le cas aussi des entreprises et des marques, qui font appel à eux pour leur communication.

L'une des causes essentielles de cette évolution est que l'émotion est aujourd'hui beaucoup plus « efficace » que la raison. La première, créée par le spectacle des stars, est chaude, tandis que la seconde, maniée par les grands acteurs sociaux, est froide. C'est ainsi que dans les débats organisés par les médias, ceux qui parlent au cœur sont toujours mieux entendus et appréciés que ceux qui en appellent à l'intelligence. L'admiration et la projection engendrées par les stars sont plus génératrices d'audience que la légitimité politique (conférée par l'élection démocratique) ou intellectuelle (conséquence d'un travail d'investigation et de réflexion).

... et fait une place croissante aux « vrais gens ».

Ce sont de plus en plus souvent des gens ordinaires qui viennent raconter leur vie sur les plateaux de télévision ou figurent dans la publicité. Mais ces « vrais gens » ne sont pas vraiment représentatifs de la société. Ils sont souvent choisis pour témoigner de leurs modes de vie particuliers et de leur situation marginale. Ils offrent alors un miroir déformant aux spectateurs qui cherchent à se situer par rapport aux autres, dans le but de trouver leur propre identité.

Le succès de *Loft Story* et d'autres productions de ce type est à cet égard révélateur. Le secret réside d'abord dans une sélection rigoureuse des candidats *(casting)* : simples mais ambitieux, extravertis et charismatiques. Ils doivent aussi constituer un groupe dans lequel émergeront des tensions, des conflits susceptibles de créer le spectacle et le suspense. Tout se passe comme si des acteurs jouaient sans le savoir un scénario écrit à l'avance, reconstitué par un habile montage destiné à maintenir l'intérêt des téléspectateurs. Certes, ces nouveaux héros existent, mais ils sont en partie inventés. Ils perpétuent l'idée généreuse, mais difficile à mettre en pratique, que chacun peut accéder à la célébrité, ainsi qu'à la fortune qui l'accompagne généralement. Deux ambitions fortes d'une époque qui déteste l'anonymat et la pauvreté.

En confondant marginalité, réalité et représentativité, ces pratiques donnent une image peu fidèle de la vie sociale. Elles renforcent les téléspectateurs dans l'idée que la société est devenue folle, que les jeunes sont seulement motivés par la fête et l'argent facile. Elles incitent aussi tous ceux qui sont mal dans leur peau et perméables aux phénomènes de mode à imiter les « modèles » qui leur sont ainsi proposés plutôt que de chercher ailleurs et autrement leur propre identité.

La télévision fabrique aujourd'hui dans ces émissions des sortes de zoos peuplés d'humains, dans lesquels on enferme des individus pour les livrer au voyeurisme de leurs pairs. On retrouve cette tendance dans des grands magasins, qui enferment des mannequins (Galeries Lafayette) ou même des familles (Harrod's) dans des vitrines. A la différence des personnes que l'on montrait autrefois dans des cirques et qui étaient exceptionnelles par leurs caractéristiques physiques ou mentales, celles-ci sont censées être « ordinaires ».

Le nouveau confessionnal

L'étalage de la vie intime est de plus en plus présent sur les chaînes de télévision, comme dans l'ensemble des médias. L'une de ses dernières manifestations est le *coming out*, que l'on pourrait traduire par aveu, confession ou révélation publique. Cette pratique d'origine américaine concernait à l'origine les personnes, souvent connues, qui venaient annoncer dans les médias leur homosexualité. Elle s'élargit aujourd'hui à tous les citoyens et à toutes les formes de « différence » ou de difficultés personnelles : problèmes de couple ; handicaps physiques ou mentaux ; phobies, etc.

Dans une société qui prône le respect de la vie privée (et s'inquiète des possibilités croissantes de s'y immiscer) on peut s'étonner de ce désir de se confier publiquement par médias interposés. La « télé-vérité » ne recrute plus seulement parmi les exhibitionnistes. Elle concerne un nombre croissant de personnes qui révèlent plus facilement leurs secrets les plus intimes à un journaliste, devant l'œil d'une caméra (*Ça se discute, Strip Tease, Y'a pas photo, C'est mon choix*...) qu'à un parent proche, à un ami ou à un psychologue. Leur motivation commune, consciente ou inconsciente, est de se débarrasser du poids de ces difficultés existentielles, de s'en « absoudre » en les portant sur la place publique. Thérapeutique pour les uns, dangereuse pour les autres, cette pratique traduit souvent un désarroi individuel.

Confession, absolution, ce n'est pas par hasard que l'on trouve ici des mots à connotation religieuse. Mais, à une époque où la religion ne pèse plus guère, ce n'est plus à Dieu que l'on s'adresse pour évoquer ses soucis ou révéler ses « péchés ». C'est aux autres humains, dans le cadre d'un acte public qui permet de les prendre à témoin, de se justifier auprès d'eux et de se faire comprendre ou pardonner (c'est sur un principe semblable de thérapie de groupe que fonctionnent par exemple les *Weight Watchers* ou les *Alcooliques anonymes*). Le confessionnal traditionnel est ici remplacé par un studio de télévision et le rôle du prêtre est tenu par un journaliste. La présence d'un public qui manifeste sa compréhension ou sa compassion, ainsi que celle de quelques « experts » qui tentent d'expliquer l'origine des difficultés énoncées, donne à l'ensemble le caractère de sérieux indispensable et sert de substitut laïque à la confession.

> 19 % des Français envisagent de s'abonner (certainement ou probablement) au câble ou au satellite, 59 % non.

Cinéma

La fréquentation des cinémas a été divisée par quatre entre la fin des années 40 et le début des années 90...

Depuis la fin de la Seconde Guerre mondiale, la fréquentation des cinémas a connu en France plusieurs

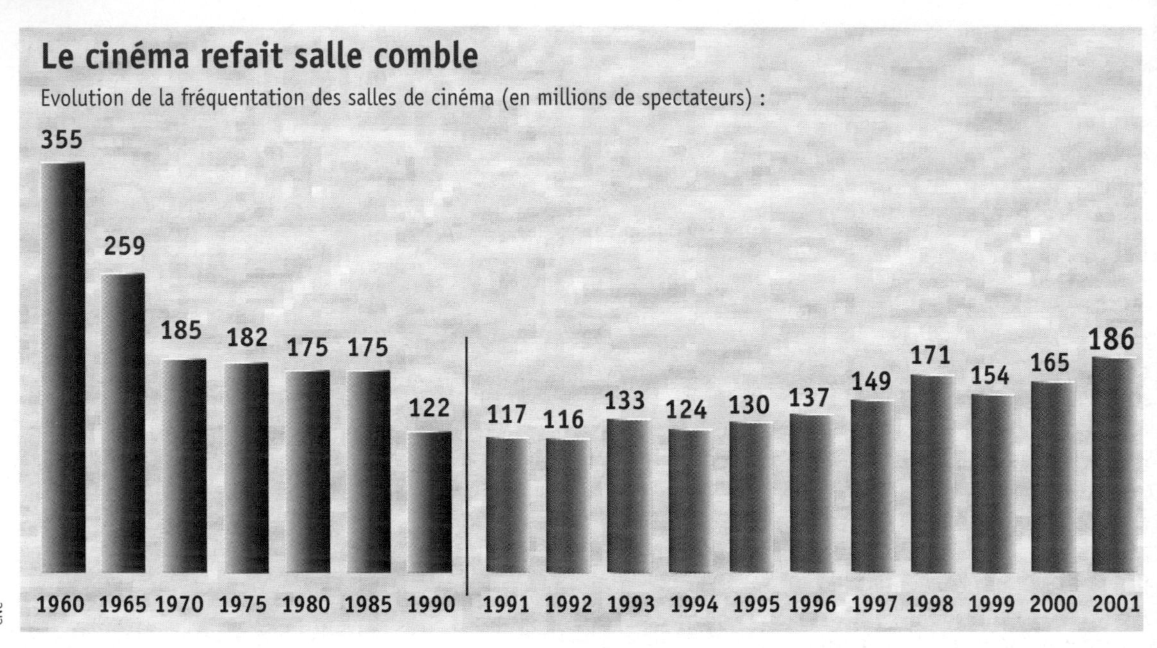

phases. La chute a d'abord été brutale jusqu'au début des années 70. On avait recensé 424 millions de spectateurs dans les salles en 1947 ; ils n'étaient plus que 400 millions en 1957. Leur nombre avait encore baissé de moitié en 1968 (203 millions) alors que la population s'était accrue de 9 millions d'habitants en quarante ans.

Entre 1975 et 1982, les efforts des professionnels avaient laissé espérer un retournement de tendance lié à la création de complexes multisalles proposant un choix plus vaste dans des salles plus petites. Le prix des places avait aussi été modulé selon les jours et les heures. En 1982, la fréquentation était remontée à 202 millions de spectateurs et le déclin semblait enrayé. Mais il avait repris à partir de 1983. Au total, la fréquentation a chuté de 30 % au cours des années 80. Elle atteignit un minimum en 1992 avec 116 millions de spectateurs.

La baisse a concerné toute l'Europe. En 1955, les salles des quinze pays de l'Union européenne actuelle avaient enregistré 4 milliards d'entrées. Le nombre a ensuite diminué régulièrement jusqu'à 580 millions en 1990 (sept fois moins), puis il est remonté à 796 millions en 1998.

... mais elle a connu un redressement sensible à partir de 1993.

L'augmentation de 16 % de la fréquentation en 1993 était due pour une large part au triomphe des *Visiteurs*, qui avait attiré à lui seul près de 14 millions de spectateurs, ainsi que de deux autres « poids lourds » : *Jurassic Park* et *Germinal*. Après une légère baisse en 1994, l'amélioration a été continue jusqu'en 1998.

Ce résultat s'expliquait d'abord par la capacité d'attraction des films proposés au public, mais aussi par une diversification de la programmation, la baisse des tarifs, des salles plus agréables avec des écrans plus grands (voire géants) et un meilleur accueil. Entre 1988 et 1998, le nombre de salles de cinéma est passé de 4 819 à 4 764, tandis que le nombre de spectateurs moyen par salle augmentait de 26 000 à 36 000.

La baisse de 1999 s'explique essentiellement par le fait que l'année 1998 avait été exceptionnelle (+ 14 %), avec la sortie de *Titanic* et un record de plus 20 millions d'entrées. Après cette baisse toute relative, la hausse s'est poursuivie en 2000 et 2001.

Un nouveau record a été battu en 2001, avec 186 millions d'entrées.

Il faut remonter à la fin des années 60 pour trouver une fréquentation supérieure à celle enregistrée en 2001. La croissance a été de 11 % par rapport à 2000. La modernisation des salles et la poursuite du développement des multiplexes (un tiers des entrées) jouent un rôle dans cette évolution, ainsi que le succès des cartes d'abonnement, même s'il dessert les distributeurs de films plus confidentiels ; lancées au printemps 2000, elles ont représenté 6 % des entrées de l'année. Le nombre moyen de séances par habitant a atteint 3,2.

Mais le record de 2001 est dû pour une large part au triomphe du *Fabuleux Destin d'Amélie Poulain*, le film de Jean-Pierre Jeunet (9 millions d'entrées). Il est imputable également à d'autres films français, dont trois se placent dans les cinq premiers : *la Vérité si je mens n°2* (7,5 millions d'entrées), *le Pacte des loups* (5,6) et *le Placard* (5,3). Le seul film étranger parmi les cinq est *Harry Potter à l'école des sorciers* (6,3).

Le phénomène de concentration de la fréquentation s'est poursuivi. Sur les 506 films sortis en 2001, une centaine représentent 82 % des entrées, les trente premiers un peu plus de la moitié. Les nouveaux films de l'année ont généré près de 90 % des entrées, contre un peu moins de 7 % pour ceux qui étaient sortis en 2000 et 4 % pour les reprises de films plus anciens (notamment *l'Exorciste*).

Ciné-parade

Films ayant obtenu plus de 3 millions de spectateurs en 2001 (en millions) :

- Le Fabuleux Destin d'Amélie Poulain (France, Allemagne)	8,85
- La Vérité si je mens 2 (France)	7,46
- Harry Potter à l'école des sorciers (Etats-Unis)	6,30
- Le Pacte des loups (France)	5,58
- Le Placard (France)	5,29
- Shreck (Etats-Unis)	4,02
- La Planète des singes (Etats-Unis)	3,87
- Ce que veulent les femmes (Etats-Unis)	3,52
- Le Seigneur des anneaux (Nouvelle-Zélande)	3,45
- Atlandide : l'empire perdu (Etats-Unis)	3,32
- American Pie 2 (Etats-Unis)	3,27
- Yamakasi (France)	3,22
- Le Journal de Bridget Jones (Etats-Unis)	3,21
- Les 101 Dalmatiens	3,15
- Tanguy	3,03

CNC

Les films français ont représenté 41,5 % des entrées.

Les performances du cinéma national varient au fil des années et du succès rencontré par les films sortis en salle. Sa part n'avait été que de 28 % en 1998 (année de *Titanic*). En 2001, elle a atteint 41,5 %, un niveau inconnu depuis 1986. Les films français ont réalisé 77 millions d'entrées, contre seulement 47 millions en 2000. 20 d'entre eux ont été vus par plus d'un million de spectateurs, contre 8 en 2000.

Les films européens ont connu aussi une forte progression avec 14 millions d'entrées contre 10 millions en 2000. Celle-ci est imputable en grande partie aux films britanniques : *le Journal de Bridget Jones*, *Billy Eliot* et *Chicken Run*, sortis fin 2001.

23 films américains ont enregistré plus d'un million d'entrées, soit une part de marché de 46,4 %, la plus faible depuis 1988. La France demeure le pays européen où le poids du cinéma américain est le plus faible. Outre le talent des réalisateurs et le flair des producteurs, le système de financement et d'aide au cinéma n'y est sans doute pas étranger.

Le cinéma national reste le premier en Europe.

Avec 3,2 entrées par habitant en 2001, la France occupe la première place parmi les pays de l'Union européenne. Elle est, avec la Grande-Bretagne et plus récemment l'Espagne, l'un des rares pays ayant réussi à enrayer l'érosion de la fréquentation des salles.

La production cinématographique française reste également la plus importante en Europe, avec 172 films d'initiative française (dont 126 intégralement français) en 2001 et 32 films en coproduction à majorité étrangère. Elle a représenté 42 % des entrées, contre 23 % en moyenne pour les recettes des films produits nationalement dans l'Union européenne (19 % en Italie, 18 % en Allemagne, 18 % en Espagne, 5 % au Royaume-Uni). La part atteint 96 % aux Etats-Unis et 39 % au Japon.

Malgré une remontée depuis 1993 (118 millions de spectateurs en 1998), le cinéma italien, qui fut long-

Amélie jolie

Le triomphe du *Fabuleux Destin d'Amélie Poulain*, de Jean-Pierre Jeunet (18 millions de spectateurs en 2001, dont la moitié à l'étranger) couronne d'abord la rencontre magique d'un scénario fort, d'un réalisateur doué et d'acteurs inspirés avec les attentes du public, qu'il met d'ailleurs en évidence.
Si le film plaît à tous, sans distinction d'âge ou d'opinion, c'est qu'il parle à chacun de ce qu'il ressent au plus profond de lui et n'ose souvent exprimer. Il apporte une bouffée d'optimisme dans un monde où il se fait rare. Prenant le contre-pied des films basés sur une réalité violente, il montre que tout pourrait s'arranger si chacun voulait y mettre un peu du sien. Le temps au moins d'une séance de cinéma, chacun a le droit de tomber le masque, de se laisser aller à rêver d'une société où les rapports de force disparaîtraient, où la part d'ombre des humains serait emportée par leur lumière intérieure.
La belle Amélie est une ange gardienne, qui aide les gens à se protéger des autres comme d'eux-mêmes. Son succès vient en écho à celui du livre de Philippe Delerm, *la Première Gorgée de bière et autres plaisirs minuscules*, ou celui de Paulo Coelho *(l'Alchimiste)*, qui prônent la beauté, la bonté, la simplicité, l'optimisme et le romantisme dans une société où beaucoup voient surtout la laideur, la dérision, la violence et l'indifférence.
Mais, là où Delerm propose le repli sur soi et la régression, Coelho le retour à la spiritualité, Jeunet prône la gentillesse, la convivialité et la solidarité. Et aussi l'utopie. Comme son titre l'indique, le film n'est qu'une fable. Si la « télé-réalité » est, comme la littérature de Voltaire, une description des gens tels qu'ils sont, le cinéma de Jeunet s'apparente plus à l'œuvre de Rousseau ; il montre les gens tels qu'ils devraient être.

temps l'un des plus dynamiques et des plus créatifs, n'a pas retrouvé son aura : la fréquentation avait chuté à 84 millions de spectateurs en 1992, contre 125 en 1986, 215 en 1981 et... plus de 700 millions en 1960. D'autres pays comme l'Allemagne sont davantage dépendants du succès des films américains, qui représentent l'essentiel de la fréquentation. La Grande-Bretagne connaît en revanche un renouveau de son cinéma qui dépasse de plus en plus ses frontières.

Aux Etats-Unis, la très forte baisse enregistrée jusqu'en 1971 a été enrayée. La tendance s'est depuis inversée et le nombre de spectateurs dépasse un milliard depuis une douzaine d'années (1,4 milliard en 1998). La fréquentation moyenne par habitant (5,1) est presque le double de celle de la France et le quintuple de celle du Japon (153 millions d'entrées en 1998, soit 1,1 par habitant, contre un milliard en 1960).

Le public du cinéma est plutôt jeune, aisé, urbain...

61 % des Français de 6 ans et plus sont allés au cinéma au moins une fois en 2001, contre 58 % en 2000. La proportion atteint 92 % parmi les 15-24 ans, contre 34 % parmi les personnes de 60 ans et plus. 59 % des spectateurs sont occasionnels (moins d'une fois par mois). 58 % des 15-24 ans sont des spectateurs réguliers. Les 20-24 ans sont allés en moyenne 8 fois au cinéma dans l'année (contre 5,6 fois pour l'ensemble des spectateurs) et les moins de 25 ans représentent 39 % des entrées. Si l'âge est le facteur le plus discriminant, on n'observe en revanche aucune différence selon le sexe.

La dépense moyenne est de 5,5 € par séance (2001)

Le cinéma est traditionnellement un loisir urbain, qui permet de s'évader en restant à l'intérieur des villes. Avec l'essor des complexes multisalles, le poids des grandes villes s'est accru. Paris et les agglomérations de plus de 100 000 habitants ont représenté 63 % des entrées en 2001, pour 44 % de la population. Les catégories aisées et cultivées de la population sont les plus concernées par le septième art. Les diplômés de l'enseignement supérieur constituent ainsi 33 % du public et 46 % des entrées.

Le samedi reste le jour préféré des Français ; il représente 25 % des entrées, devant le dimanche (16 %) et

Les Césars du public

Les 50 plus grands succès de 1945 à 2001 (en millions) :

Film	Millions	Film	Millions
- Titanic (Etats-Unis)	20,58	- Sous le plus grand chapiteau du monde (E.-U.)	9,49
- La Grande Vadrouille (France, G.-B.)	17,27	- Le Dîner de cons (France)	9,22
- Autant en emporte le vent (Etats-Unis)	16,72	- Le Grand Bleu (France)	9,19
- Le Livre de la jungle (Etats-Unis)	15,29	- L'Ours (France)	9,14
- Il était une fois dans l'Ouest (Etats-Unis)	14,86	- Astérix et Obélix contre César (Fr. ,All., It.)	9,10
- Les 101 Dalmatiens (Etats-Unis)	14,66	- E.T. l'extraterrestre (Etats-Unis)	8,94
- Les Dix Commandements (Etats-unis)	14,23	- Emmanuelle (France)	8,89
- Ben Hur (Etats-Unis)	13,83	- Le Fabuleux Destin d'Amélie Poulain (Fr., All.)	8,85
- Les Visiteurs (France)	13,78	- La Vache et le Prisonnier (France, Italie)	8,84
- Le Pont de la rivière Kwai (G.-B.)	13,48	- La Grande Evasion (Etats-Unis)	8,76
- Cendrillon (Etats-Unis)	12,87	- West Side Story (Etats-Unis)	8,72
- Le Petit Monde de Don Camillo (It., Fr.)	12,79	- Le Bataillon du ciel (France)	8,65
- Les Aristochats (Etats-Unis)	12,48	- Pour qui sonne le glas ? (Etats-Unis)	8,27
- Le Jour le plus long (Etats-Unis)	11,91	- Violettes impériales (France, Espagne)	8,13
- Le Corniaud (France, Italie)	11,74	- Les couloirs du temps - Les Visiteurs 2 (Fr.)	8,04
- La Belle et le Clochard (Etats-Unis)	11,17	- Le Dictateur (Etats-Unis)	8,03
- Bambi (Etats-Unis)	10,68	- Un Indien dans la ville (France)	7,88
- Trois Hommes et un couffin (France)	10,25	- Pinocchio (Etats-Unis)	7,84
- Taxi 2 (France)	10,24	- Le Gendarme de Saint-Tropez (France, Italie)	7,81
- Les Canons de Navarone (Etats-Unis)	10,20	- Le Comte de Monte-Cristo (France, Italie)	7,78
- Le Roi Lion (Etats-Unis)	10,12	- Sixième Sens (Etats-Unis)	7,74
- Les Misérables (France, Italie)	9,94	- Le Cinquième Elément (France)	7,70
- La Guerre des boutons (France)	9,90	- Orange mécanique (Grande-Bretagne)	7,60
- Docteur Jivago (Etats-Unis)	9,82	- Les Bidasses en folie (France)	7,46
- Vingt Mille Lieues sous les mers (E.-U.)	9,62	- La Vérité si je mens 2 (France)	7,46

CNC

le vendredi (16 %), contre 9 % seulement le lundi. On observe une progression de la fréquentation pendant l'été, mais le cinéma reste un loisir surtout hivernal. 24 millions d'entrées ont été enregistrées en décembre, soit 13 % du nombre total.

> Près de 4 000 films étaient disponibles en vidéo en 2001, dont 47 % américains, 37 % français.

La dépense moyenne par séance est de 5,5 €.

... et ses goûts sont éclectiques.

Beaucoup de films figurant aux premières places du hit-parade cinématographique sont produits spécialement pour le public jeune, amateur d'aventures, de fantastique et d'effets spéciaux ; la plupart sont américains. Mais les jeunes aiment aussi, comme leurs aînés, les films qui les font rire. C'est ce qui explique le succès des grands films comiques, qui ont souvent occupé les premières places des palmarès au cours des dernières années, de *la Grande Vadrouille* à *Astérix*, en passant par *les Visiteurs* ou *le Placard*. La tradition comique du cinéma français est ancienne. Louis de Funès avait su faire oublier la disparition de Fernandel et plusieurs de ses films (dont les « *Gendarme* ») figurent dans

Euro RSCG Ossard Latgé

L'offre télévisuelle est de plus en plus diversifiée

la liste des plus gros succès de tous les temps.

Les spectateurs se déplacent moins aujourd'hui pour voir une star consacrée qu'une histoire dont ils ont entendu dire du bien par les médias ou, surtout, par leur entourage. C'est en effet le « bouche-à-oreille » qui décide du succès d'un film. S'ils aiment se divertir et s'évader au cinéma, les Français apprécient aussi les films qui sont ancrés dans la réalité et qui racontent leur époque, comme en témoigne le triomphe du *Fabuleux Destin d'Amélie Poulain*.

Les Français regardent beaucoup plus de films à la télévision qu'au cinéma...

Les 5 236 salles existantes offrent des conditions croissantes de confort, de qualité d'image et de son. Sur les 253 nouvelles salles ouvertes en 2001, 155 l'ont été au sein de multiplexes ; 127 salles ont été fermées, provisoirement ou définitivement. Les nouvelles salles du type Géode (image hémisphérique de 1 000 m^2) et les procédés nouveaux comme Omnimax ou Showscan représentent d'autres évolutions technologiques qui attirent les amateurs de cinéma.

Mais les Français voient beaucoup plus de films chez eux que dans les salles. En 2001, ils ont consacré en moyenne 74 heures à ceux diffusés par les six chaînes de télévision hertzienne et 262 heures aux émissions de fiction. 1 468 films leur étaient proposés, dont 457 sur Canal Plus. La moitié étaient des rediffusions (les deux tiers hors Canal Plus). D'une manière générale, l'audience des films américains diffusés en première partie de soirée est supérieure à celle des films français.

On observe depuis 1991 une baisse de l'audience moyenne des films sur les chaînes de télévision généralistes ainsi que du nombre de films programmés (depuis 1999), au profit des magazines et de la « télé-réalité ». L'audience des films en première partie de soirée est ainsi passée de 18,9 % en 1991 sur TF1 à 13,7 % en 2001, de 11,4 % à 9,2 % sur France 2, de 9,7 % à 7,3 % sur France 3 (elle a en revanche augmenté sur M6, de 4,7 % à 6,1 %). Ce phénomène est dû à la montée en puissance des chaînes thématiques (voir p. 419). De plus, les films occupent une place essentielle dans le palmarès des enregistrements (voir p. 418) ; leur temps de visionnage s'ajoute à celui des films regardés « en direct ». Enfin, les Français ont consacré 1,6 milliard d'euros aux achats et aux locations de cassettes vidéo et, de plus en plus, à celles de DVD (65 € au total par ménage), soit davantage que pour aller au cinéma (41 €).

... et les nouvelles technologies favorisent le cinéma à la maison.

La télévision s'est dotée de nouveaux atouts : écrans larges et plats ; rétroprojection ; vidéoprojection ; image numérique ; son hi-fi stéréo Dolby ; chaînes numériques accessibles par le câble ou le satellite... Surtout, le développement en cours du DVD est en train de donner naissance à un véritable « cinéma à domicile » disponible sur l'écran de télévision ou celui de l'ordinateur (fixe ou portable). Après avoir triplé en 2000, les achats de DVD ont doublé en 2001, atteignant 26 millions d'unités. Ils représentent la moitié des dépenses de vidéo, soit 17 € par ménage. 14 % des ménages étaient équipés de lecteurs fin juin 2002.

Internet devrait devenir au cours des prochaines années un lieu de distribution des films, d'autant que les internautes sont particulièrement cinéphiles ; 80 % sont allés au moins une fois dans une salle en 2001 (contre 54 % de la population) et 54 % des spectateurs de cinéma sont des internautes. L'accès à des très hauts débits permettra en effet de télécharger des films entiers, de les visionner sur ordinateur ou de les copier sur des DVD destinés à un équipement de salon.

Radio

Les foyers possèdent en moyenne plus de six radios.

99 % des ménages disposaient d'au moins un appareil de radio fin 2001 : transistor, radiocassette, baladeur, tuner, radio-réveil, autoradio. Le multi-équipement est aujourd'hui la

règle, avec un nombre moyen de récepteurs par foyer de 6,3, contre 6 en 1996 et 5,9 en 1994. 81 % des ménages disposent d'au moins un appareil préprogrammable, 63 % ont au moins un appareil avec télécommande, 32 % sont équipés de RDS (système de recherche de stations).

La multiplication des stations nationales et surtout locales émettant en FM (modulation de fréquence) a largement contribué à ce développement. La possibilité d'écouter la FM ne différencie plus guère les catégories sociales, car la baisse des prix des appareils les a rendus accessibles à tous. Les plus jeunes, les plus aisés et les plus urbains sont cependant les mieux équipés. Ils sont séduits par la qualité croissante de l'écoute, liée à l'évolution spectaculaire des matériels : enceintes, amplis, égaliseurs, affichage digital des fréquences, recherche automatique, lecture des disques compacts, etc.

Les lieux et les moments d'écoute se diversifient.

La radio accompagne les Français dans la plupart des circonstances de leur vie quotidienne. Pratiquement tous les ménages possesseurs d'une voiture disposent d'un autoradio, contre 24 % en 1971 ; 51 % ont un appareil préprogrammable, 23 % un système RDS, 20 % une commande au volant. 67 % des Français écoutent la radio en voiture au moins une fois par semaine, 60 % pendant le week-end. 28 % des Français sont aussi équipés de baladeurs, leur permettant d'écouter la radio en se déplaçant. La radio est un objet nomade.

Sa présence sur les lieux de travail est aussi en progression constante : près de la moitié des actifs ont accès à un poste de radio ; 21 % des Français l'écoutent au moins une fois par semaine, 9 % pendant le week-end. On voit aussi se développer de nouveaux moyens d'accès. 8 % des Français l'écoutent de façon régulière le câble ou le satellite, dont la moitié au moins une fois par semaine. 2 % utilisent Internet, dont 15 % au moins une fois par semaine.

Les Français multi-équipés

Equipement des ménages en récepteurs de radio (en %) et nombre moyen d'appareils (en 2001) :

Au moins :	%	Nombre
- une radio	98,8	6,3
- un transistor ou radiocassette	89,9	2,1
- un radio-réveil	81,1	1,7
- un autoradio	80,0	1,3
- un tuner sur chaîne hi-fi, mini-chaîne ou radio fixe	79,3	1,4
- un baladeur recevant la radio	27,7	0,4

Médiamétrie

Les radios locales et thématiques ont trouvé leur place dans le paysage radiophonique.

L'autorisation, en 1982, des « radios libres » (officiellement radios locales privées) a été une date importante dans l'histoire des médias. Elle est à l'origine d'un nouveau type de relation entre les stations et leurs auditeurs, basé sur le dialogue, l'engagement ou le partage d'un centre d'intérêt.

La musique est devenue la motivation principale de l'écoute de ces radios. Mais la spécialisation est une autre différence déterminante par rapport à leurs grandes sœurs généralistes. Elle a d'abord été régionale ou locale, du fait de zones d'écoute géographiquement limitées, avant de devenir véritablement thématique (genre musical, tranche d'âge, ethnie, religion...).

Les radios nationales ont réagi à cette concurrence en créant elles aussi des stations thématiques. Radio France a effectué une percée remarquée avec la création de France-Info, Europe 1 a réussi à hisser Europe 2 dans le groupe de tête, de même que RTL avec RTL2. Entre radios périphériques et radios locales, la concurrence est rude. Mais les contraintes de rentabilité de ces dernières les ont incitées à faire une place croissante à la publicité et à afficher des ambitions nationales, à travers les regroupements de stations dans des réseaux. Elles ont ainsi perdu une partie de leur spécificité. La France est le seul pays développé à posséder à la fois des réseaux nationaux et de fortes antennes régionales.

Les Français écoutent la radio en moyenne 3 h 10 par jour en semaine.

Un Français sur trois écoute la radio au moins une fois par jour. La durée moyenne par auditeur de 15 ans et plus est très voisine de celle de la télévision (3 h 19 en cumul 2001) ; elle a diminué de 6 minutes par rapport à 1999. Elle est inférieure au cours du week-end : 3 h 1 le samedi et 2 h 45 le dimanche. Les hommes lui consacrent 10 minutes de plus que les femmes : 3 h 15 contre 3 h 5 en semaine. Ce sont les personnes de 60 ans et plus qui ont la durée d'écoute la plus longue : 3 h 33

Euro RSCG C&O

La radio, un média plus mobile pour l'information

Les artisans sont les plus assidus (plus de 5 heures par jour), devant les commerçants (4 heures). Les instituteurs et les cadres de la fonction publique et les personnes vivant dans des communes rurales sont les moins concernés. Les différences entre les petites communes et les grandes agglomérations sont peu marquées. L'écoute est moins fréquente dans le sud, avec un minimum dans le Midi-Pyrénées : 79 % d'audience cumulée (proportion de personnes différentes ayant écouté une station au cours d'une journée). Le maximum est atteint en Ile-de-France et en Alsace (87 %).

contre 2 h 48 pour les 15-34 ans. Les personnes modestes l'écoutent plus que celles appartenant aux milieux aisés.

Radio contre télé

La radio est très écoutée le matin entre 7 et 9 heures, pendant la tranche d'informations (un peu plus de 25 % d'audience), bien que l'audience matinale de la télévision la concurrence de plus en plus. Les informations de la mi-journée sont en revanche plus suivies à la télévision. Le second pic d'audience de la radio a lieu entre 17 et 18 h (17 % en semaine, 13 % le samedi, 10 % le dimanche) à un moment où la télévision ne fait pas encore le plein de ses auditeurs. L'écoute diminue ensuite régulièrement, au fur et à mesure que les Français s'installent devant leur téléviseur pour les émissions d'*access prime time*, qui précèdent le journal télévisé du soir, puis pour les émissions en *prime time*. C'est en octobre et en novembre que la radio a le plus d'auditeurs, au contraire de juillet et août.

Les Français écoutent en moyenne 1,8 station au cours d'une journée de semaine. Les hommes sont un peu plus *zappeurs* que les femmes (1,9 station contre 1,7). L'infidélité diminue régulièrement avec l'âge : 1,9 station pour les 15-34 ans, 1,8 pour les 35-49 ans, 1,7 pour les 50-59 ans, 1,5 pour les 60 ans et plus.

La radio a obtenu 83,6 % d'audience cumulée en 2001.

L'audience cumulée de la radio en semaine (proportion de personnes différentes ayant écouté une station entre le lundi et le vendredi) est stable aux environs de 84 %. Elle n'est que de 75,8 % au cours du week-end. Pendant un quart d'heure moyen de semaine, 13,9 des Français sont à l'écoute, 12,6 % le samedi et 10,5 % le dimanche.

L'ensemble des stations musicales (NRJ, Europe 2, Nostalgie, Fun Radio...) obtient une audience cumulée de 43,7 % en semaine, soit cinq points de plus que les stations généralistes comme RTL ou France Inter (39,0 %). Celle des programmes thématiques (France Culture, France Info, BFM...) est de 14,2 %, un score identique à celui des programmes locaux (FIP, radios locales non affiliées à un réseau national).

En part d'audience (rapport entre la proportion d'auditeurs d'un type de station durant un quart d'heure moyen et le nombre d'auditeurs d'un quart d'heure moyen de la radio en général), la hiérarchie est un peu différente. Les généralistes recueillent 40,2 % de l'audience en semaine, devançant les programmes musicaux (38,2 %), les programmes locaux (10,4 %), les thématiques (7,3 %) et les autres programmes comme RFI ou les radios étrangères (3,9 %). L'écart de classement s'explique par la durée différente d'écoute des divers types de stations. Le classement est identique pour le week-end.

RTL reste la station la plus écoutée.

L'audience générale de la radio a diminué au premier trimestre 2002. Cette baisse s'explique en partie par la mise en place de la semaine de 35 heures dans les entreprises, qui se traduit par des week-ends prolongés et des congés supplémentaires pour les actifs, auditeurs plus assidus de la radio que les inactifs ; elle entraîne aussi de nouveaux rythmes de vie des Français, auxquels les radios vont devoir s'adapter.

Europe 1 a perdu 845 000 auditeurs de 15 ans et plus en un an et arrive en troisième position avec 7,8 % de part d'audience (voir définition dans le tableau). RTL a regagné un peu du terrain perdu en 2001, avec 13,5 %, devant France Inter (10,5 %). Mais l'écart entre les deux premiers se réduit en audience cumulée (voir définition dans le tableau). Il faut noter que France Info, qui ne détient que 4,5 % de part d'audience (huitième place), arrive en quatrième position en audience cumulée du fait d'une durée d'écoute moyenne plus faible que celle des autres radios, liée à son concept de répétition des informations.

NRJ occupe la quatrième place du classement (6,7 % de part d'audience), mais elle occupe la première si l'on tient compte des auditeurs plus jeunes (11 à 15 ans) qui ne sont pas pris en compte dans les enquêtes. La radio musicale obtient en effet 25,5 % de part d'audience sur les 11-15 ans (Ipsos, mars 2002), devant Skyrock (23,8 %), et Fun Radio (14,2 %). Les autres stations sont loin derrière, notamment les généralistes : RTL (3,4 %) ; Europe 1 (1,0 %) ; France Inter (0,8 %).

Les radios ont dû se redéfinir dans l'environnement médiatique.

Globalement, l'accroissement du nombre de chaînes de télévision au cours des dernières années ne semble pas avoir eu d'effet sensible sur l'écoute de la radio. Celle-ci résiste grâce à ses qualités propres : souplesse, pouvoir d'évocation, capacité d'analyse et de commentaire de l'information en direct, impertinence, interactivité. La radio est d'ailleurs le média qui conserve la meilleure crédibilité auprès du public en matière d'information, devant la télévision et la presse (voir p. 424).

Les radios généralistes ont été davantage concurrencées par les radios musicales. Elles s'efforcent depuis de regagner l'audience perdue en privilégiant les émissions de proximité, notamment dans les tranches matinales.

Les généralistes talonnées par les musicales

Part d'audience et audience cumulée** en semaine (janvier-mars 2002, en %) :*

	Part	Audience
- RTL	13,5	12,9
- France Inter	10,5	11,2
- Europe 1	7,8	9,6
- NRJ	7,1	11,6
- Nostalgie	6,7	8,2
- France Bleu	5,4	6,4
- Skyrock	4,7	6,8
- France Info	4,5	10,7
- Fun radio	4,0	6,7
- Europe 2	3,9	6,1
- Chérie FM	3,9	5,6
- RFM	2,8	3,9
- RTL 2	2,7	4,3
- Rire & Chansons	2,0	3,8
- RMC Info	1,6	2,4
- France Musique	1,1	1,7
- MFM	1,0	1,3
- France Culture	0,7	1,1
- Les indépendants	6,3	9,8
Total radio	**100,0**	**82,8**

* La part d'audience est la part que représente le volume d'écoute d'une station dans le volume global de la radio.
** L'audience cumulée représente le pourcentage de personnes ayant écouté la station au moins une fois dans la journée.

Médiamétrie

Musique et information

64 % des Français déclarent qu'ils écoutent la radio en général pour la musique. La seconde motivation est l'information, citée par 56 % des personnes interrogées. Les autres motivations arrivent assez loin derrière, mais il est intéressant de noter que la météo est la première d'entre elles (27 %). Elle précède les émissions de divertissement et les jeux (24 %), ainsi que les émissions interactives (18 %). C'est l'une des spécificités de la radio que de permettre aux auditeurs d'intervenir en direct sur l'antenne pour réagir à l'actualité ou faire part de leur expérience personnelle sur un thème donné. Les émissions sportives recueillent 13 % des réponses, comme celles consacrées à la culture (mais celle-ci est présente dans d'autres émissions). Enfin, les émissions politiques arrivent en dernière position, ce qui ne surprend pas, compte tenu de la désaffection des Français dans ce domaine.

Médiamétrie, 2001

Les stations musicales ont régulièrement progressé au fil des années. Elle subissent parfois les effets d'une actualité particulière, qui peut amener les auditeurs à privilégier pendant une période les stations d'information ou la télévision. Ce fut le cas notamment lors des attentats du 11 septembre 2001.

> Les radios ont effectué 3,4 millions de diffusions musicales en 2001. L'artiste le plus souvent diffusé était Gérald de Palmas.

Musique

La musique est de plus en plus présente dans la vie des Français...

L'écoute de la musique est le loisir qui a le plus progressé depuis une vingtaine d'années. La proportion de Français qui écoutaient des disques ou cassettes au moins un jour sur deux avait doublé entre 1973 et 1989, passant de 15 % à 33 % (enquêtes du ministère de la Culture). Elle a poursuivi depuis sa progression, favorisée par l'apparition du disque compact ; en 1997, dernière enquête effectuée, 27 % des personnes de 15 ans et plus en écoutaient tous les jours ou presque.

Tous les genres musicaux ont bénéficié de cet engouement, du jazz au rock en passant par la musique classique et l'opéra. Mais ce sont les musiques contemporaines qui en ont le plus profité, depuis la pop music des années 70. La pénétration de la musique classique a été moins spectaculaire : 47 % des foyers possédaient des disques ou cassettes de classique en 1997, contre 39 % en 1973. Elle est aujourd'hui moins écoutée par les jeunes.

La durée moyenne d'écoute est d'environ 10 heures par semaine. A la radio, la fonction musicale a pris le pas sur celle d'information avec le développement, au début des années 80, des « radios libres » (voir p. 433). Par ailleurs, les sorties liées à la musique (concerts, discothèques) sont les seules à avoir progressé de façon sensible depuis une vingtaine d'années. Enfin, la pratique du chant et des instruments concerne un nombre croissant de Français (voir p. 478). Dans un monde de plus en plus sensoriel, la musique apparaît comme un moyen d'enjoliver le quotidien. Dans une société de plus en plus dure, elle a pour vocation d'adoucir les mœurs.

... notamment chez les jeunes.

L'augmentation de l'écoute de la musique a touché toutes les catégories de population sans exception. Le phénomène est cependant plus marqué chez les jeunes. 56 % des 15-19 ans écoutaient des disques ou cassettes tous les jours ou presque en 1997 (4 % seulement des 65 ans et plus), le plus souvent des musiques très contemporaines. 77 % des 15-24 ans en écoutaient au moins trois ou quatre jours par semaine, contre 10 % seulement des 60 ans et plus. Le rap et la techno sont les deux styles de musiques préférés par les 14-18 ans, devant le rythm and blues, qui séduit en particulier les filles (Médiamétrie, décembre 2001).

La musique est partie intégrante de l'univers des jeunes. Elle est présente dans tous les moments de leur vie quotidienne et en tous lieux, grâce notamment aux matériels qui favorisent le « nomadisme musical » : baladeurs, lecteurs de CD ou de minicassettes portables, autoradios... Elle constitue à la fois une distraction, un signe de reconnaissance et d'appartenance à un groupe, un moyen de différenciation par rapport aux autres. Elle sert de prétexte et de support à la sociabilité et représente l'une des dimensions majeures (avec le sport et le cinéma) de la culture planétaire à laquelle adhèrent des jeunes de nombreux pays.

Pour les jeunes, la fête de la musique est quotidienne

Saatchi & Saatchi

Instruments de musique

Evolution de l'équipement musical des Français de 15 ans et plus (en %) :

	1989	1997
- 1 appareil pour écouter des disques ou des cassettes	79	86
- Chaîne hi-fi	56	74
- Electrophone, tourne-disques (hors hi-fi)	31	33
- Disques 45 T	66	58
- Disques 33 T	71	63
- Disques compacts	11	69
- Cassettes audio	70	79
- Baladeur	32	45
- Lecteur de disques compacts	11	67

L'apparition du disque compact a largement contribué à l'engouement pour la musique.

Les Français n'ont cessé, depuis les années 60, d'accumuler de la musique enregistrée, d'abord sous forme de disques vinyle et de cassettes. La quantité moyenne de disques avait ainsi augmenté de 50 % entre 1975 et 1990, celle des cassettes avait doublé entre 1981 et 1988. En 1997, seuls 21 % des ménages ne possédaient aucune cassette, contre 30 % en 1989.

L'arrivée du disque compact, à partir de 1983, a représenté une innovation considérable. Son démarrage fut pourtant assez lent : 25 000 lecteurs achetés en 1983, 40 000 en 1984, mais plus de 3 millions en 1991. Il a provoqué une progression spectaculaire des achats de disques, après la crise de la fin des années 70. Depuis 1992, les achats d'albums CD dépassent chaque année le maximum atteint par les ventes de 33 T vinyle.

Le disque compact s'est d'abord appuyé sur la musique classique et sur les personnes de 30 à 50 ans, plus aisées que les jeunes. Il a ensuite pris la relève des disques vinyle dans tous les genres musicaux. La baisse des prix, bien qu'inférieure en France à celle constatée dans d'autres pays, l'a rendu plus accessible aux jeunes, surtout avec le développement des CD deux titres. La numérisation de la musique, qui a donné naissance au disque compact, s'est étendue à d'autres supports électroniques comme la vidéocassette, le DVD ou le transfert de fichiers musicaux via Internet.

> 91 singles (dont 40 francophones) et 199 albums (dont 94 francophones) ont dépassé des ventes de 125 000 exemplaires en 2001. 6 singles et 5 albums ont dépassé un million d'exemplaires (diamant).

Sept disques par foyer

Achats de disques, cassettes, CD-Rom et vidéo (2001, en milliers) :

- Vinyle	1 225
- Tous supports + livres	1 818
- Cassettes	6 421
- Disques compacts	153 168
- CD-Rom	78
- CD vidéo	2
- Vidéocassettes	980
- DVD	2 048
Total général	**165 756**
Total singles	**37 957**
Total albums	**122 873**

SNEP

Les achats de disques ont connu une forte reprise en 2001.

En 1999 et 2000, les achats de disques avaient respectivement baissé de 2,5 % et de 1 % en valeur. Ils ont au contraire progressé de 11 % en 2001 (7,4 % en volume) avec un total de 166 millions de disques (singles, albums, vidéos, CDI, CD +, CD-Rom, DVD, livres pour enfants et ventes kiosques).

Les achats d'albums (123 millions, + 8 %) ont davantage augmenté que ceux de singles (38 millions, + 3 %) ; ils ont représenté un peu moins de sept albums en moyenne par ménage. 19 millions de Français achètent régulièrement des albums, 13 millions des singles. Les achats restent assez concentrés sur les moins de 30 ans. Les 25-29 ans sont les plus concernés ; 92 % d'entre eux ont acheté au moins un disque en 2001.

Les supports de vidéomusique ont poursuivi leur forte croissance (3 millions, + 68 %), de même que les DVD musicaux (200 000, dont deux tiers d'artistes francophones). Le déclin des cassettes audio s'est accéléré (6,4 millions, - 23 %). Les Français ont aussi acheté 1,2 million de disques vinyle. 41 % des disques sont achetés dans les grandes surfaces, 39 % chez les multispécialistes et les chaînes de disquaires, 16 % chez des grossistes, 6 % chez les disquaires traditionnels, 3 % en VPC.

La progression est essentiellement due au succès des titres francophones.

Les achats de singles ont diminué de 19 % en volume dans le monde en 2001 (46 % aux Etats-Unis, 25 % au Royaume-Uni). Les achats de variétés francophones ont augmenté de 15 % en valeur, contre seulement 6 % pour la variété internationale et une baisse de 4 % du répertoire classique. Parmi les dix meilleures ventes d'albums de l'année, neuf sont francophones ; on en compte dix-huit sur les vingt premiers. Les plus grands succès ont été les albums de Garou, Jean-Jacques Goldman, Manu Chao, L5, Gérald de Palmas, les Enfoirés, Noir Désir, MC Solaar, Yannick Noah, Yann Tiersen, Alizée, Henri Salvador, Daft Punk, la troupe de *Roméo et Juliette*, Isabelle Boulay, Patrick Bruel, la Fonky Family et Mylène Farmer.

La part de la variété française dans les ventes de disques de variétés poursuit donc sa progression, atteignant 62 %, contre 51 % en 1995 ; une proportion supérieure à celle mesurée dans les autres pays d'Europe pour la production nationale. Ce résultat est la conséquence à la fois du talent des compositeurs et interprètes français et du travail effectué par les producteurs. Il a été favorisé par l'instauration en 1994 de quotas de chansons en langue française sur les radios (au moins 40 %). Une nouvelle génération d'interprètes a ainsi pu trouver une reconnaissance auprès du public, ainsi que de nouveaux genres musicaux tels que le raï ou le rap. Cependant, le nombre de titres diffusés sur les réseaux FM nationaux a diminué de plus de moitié depuis 1995 et on observe une concentration croissante sur un petit nombre de titres. L'engouement pour la chanson francophone s'explique aussi par l'intérêt porté aux paroles des chansons, comme en témoigne le succès du rap auprès des jeunes.

La musique française est de plus en plus reconnue à l'étranger.

En même temps qu'elle s'imposait en France, la musique française a réussi à trouver sa place à l'étranger. Les exportations sont en effet passées de 3 millions d'exemplaires en 1990 à 39 millions en 2000. La plupart (79 %) sont destinées aux pays d'Europe, 7 % vont aux Etats-Unis. Ce sont moins les représentants de la chanson française traditionnelle qui sont à l'origine de ce succès que ceux de la *french touch* (Daft Punk, Air...), appréciée par les amateurs de musique électronique.

D'autres courants commencent cependant à s'exporter, comme la *world music* façon française (Manu Chao...), l'électrojazz de Saint Germain ou la chanson de variété (Patricia Kaas, Anggun...). Les créations « hip-hop » des banlieues autrefois qualifiées de « pauvres » ou « barbares » (danse urbaine, rap...) sont aussi en train de s'imposer sur la scène internationale. Un disque français sur trois est vendu à l'étranger et plusieurs artistes ont réalisé des ventes supérieures à un million d'albums en 2001 (Era, Daft Punk, Manu Chao...).

La chanson française plébiscitée

Répartition des achats de musique par genre (2001, en %) :

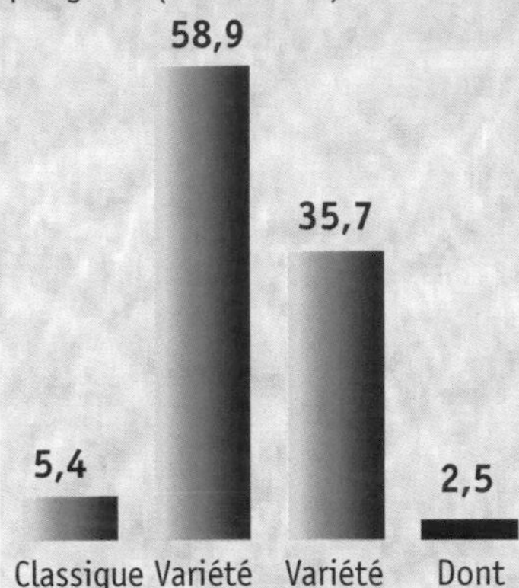

* Le jazz est inclus à la fois dans la variété nationale et la variété internationale.

Musique et télévision

DANS le palmarès des meilleures ventes de singles de l'année 2001, les deux premiers concernent les groupes lancés par la télévision : *La musique* de Star Academy (TF1) et *Toutes les femmes de ta vie* de L5 (M6). On pourrait y ajouter *Les lofteurs* (M6), qui occupe la cinquième place. Parmi les albums, celui de L5 arrive en cinquième position, celui des *Enfoirés* (promu par l'émission de TF1) en septième. Les chaînes ne se contentent donc plus désormais de promouvoir des artistes ou des chansons ; elles parviennent à « fabriquer » des chanteurs et des groupes.

La production de disques n'est que l'étape finale d'un processus qui commence avec la sélection de candidats à travers tout le pays. Ces candidats sont ensuite mis dans les mains de professionnels chargés d'en faire des « stars » en quelques semaines de dur labeur. Chaque moment important est bien sûr filmé et diffusé (et largement rediffusé) par la chaîne, après avoir été monté. Le concours de *stars* établies, qui parrainent les jeunes recrues, fournit une caution tout en assurant l'audience des émissions diffusées en *prime time*.

L'ensemble crée une forte identification entre les apprentis-chanteurs et le public. Celui-ci est en outre (dans le cas de *Star Academy*) partie prenante dans le résultat final, puisqu'il vote chaque semaine pour éliminer des candidats, jusqu'à désigner la star finale. La sortie d'un disque constitue alors l'aboutissement en forme de *happy end*, tant émotionnel que commercial.

Les Français ont des goûts musicaux éclectiques...

Outre la chanson de variété, les Français s'intéressent à d'autres genres musicaux. Ils ont découvert au cours des années passées le metal, le raï, le rap ou la techno. Ils redécouvrent aussi le rhythm and blues et le jazz, à l'occasion notamment de nombreux festivals et de la vague nostalgique qui se développe dans de nombreux domaines. Ils écoutent aussi plus volontiers les musiques « venues d'ailleurs » (Amérique du Sud, Afrique, Moyen-Orient, Asie...). La multiplication des radios musicales et le besoin général de diversité expliquent cette ouverture d'esprit. On retrouve en matière musicale une tendance plus générale au métissage culturel, sensible aussi bien dans l'alimentation que dans la mode vestimentaire ou la décoration du logement. Enfin, les compilations constituent une part croissante des achats. Elles permettent de retrouver sur un même album les « tubes » d'un chanteur, d'une époque ou d'un genre musical.

... mais les achats de musique classique diminuent.

Le répertoire classique connaît une stagnation depuis 1993 et les achats n'ont représenté que 5,4 % des dépenses en 2001, contre 6,2 % en 2000. Plus qu'une désaffection, cette évolution indique que les amateurs de ce type de musique ont fini de reconstituer leurs discothèques avec des disques compacts. Or, contrairement à la musique contemporaine, le répertoire ne se renouvelle pas et les achats ne concernent que des nouvelles interprétations de morceaux anciens.

La proportion de Français déclarant écouter le plus souvent de la musique classique a cependant plutôt progressé depuis les années 80. La composition de ce public a peu évolué : personnes d'âge moyen, Parisiens, bacheliers et diplômés de l'enseignement supérieur, souvent cadres ou professions intellectuelles. Les albums représentent l'essentiel des achats (92 %). La baisse constatée s'explique aussi par la baisse des prix des albums au cours des dernières années, à cause notamment des importations en provenance des pays d'Europe de l'Est.

Le temps des DJ

Il y a encore quelques années, le *disc jockey* n'était qu'un employé de boîte de nuit chargé de sélectionner les disques pour faire danser les clients. Il est devenu un personnage incontournable des soirées, des bars et des lieux branchés. Pour ce créateur de musique, les seuls instruments sont le *mix* (enchaînement d'extraits de disques sur plusieurs platines), le *scratch* (chuintement donné par un mouvement manuel d'avant en arrière sur le disque vinyle), le *sample* (échantillonneur digitalisant un extrait et l'utilisant en boucle ou comme point de départ d'une gamme) et le *beat* (boîte ou enregistrements donnant un rythme de base). Le DJ est une parfaite illustration du métissage musical contemporain. Si certains lui reprochent de faire du neuf avec du vieux, beaucoup de jeunes sont sensibles à son art, comme en témoignent les achats de compilations enregistrées dans les boîtes les plus célèbres d'Ibiza ou d'ailleurs.

Le développement d'Internet a une incidence croissante sur l'accès à la musique.

Le poids croissant de la grande distribution dans la vente des disques a pour conséquence une raréfaction du nombre de titres disponibles. Il n'existe plus aujourd'hui qu'environ 200 disquaires indépendants, contre 3 000 en 1972. Le recours à Internet devrait à l'avenir permettre aux amateurs d'accéder à une offre beaucoup plus large, en téléchargeant des musiques sur Internet au format de compression MP3 ou son successeur. Les éditeurs pourront ainsi plus facilement faire connaître leur production et faire découvrir de nouveaux talents. Les jeunes compositeurs et interprètes pourront trouver directement un public en devenant leur propre éditeur.

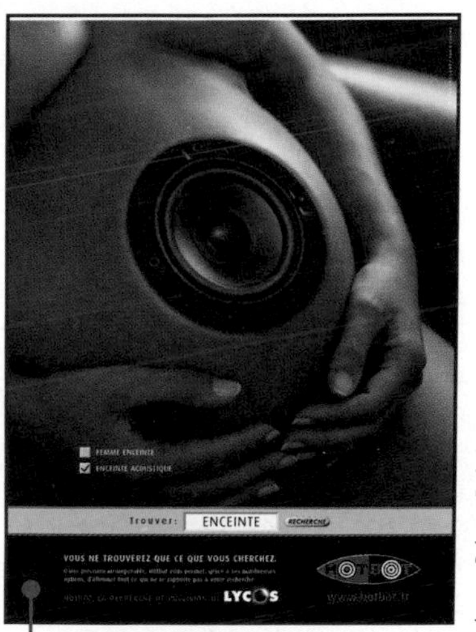

Leagas Delaney Paris Centre

De la musique, avant toute chose...

Mais le support électronique favorise aussi les copies illégales. Le nombre de disques achetés dans le monde a diminué de 6,5 % en 2001. Pour la première fois, le nombre d'albums CD achetés a baissé de 5 %, tandis que ceux de singles et de cassettes diminuaient respectivement de 16 % et 10 %. Les professionnels attribuent cette baisse à l'importance des copies illégales, effectuées sur Internet ou par gravure de CD vierges. 500 millions de CD enregistrables ont été achetés en France en 2001, pour 165 millions de disques. Un tiers des CD gravés contiendraient des mu-

siques téléchargées via Internet sur des sites pirates ou de partage de fichiers entre particuliers, soit autant que d'albums CD achetés.

Les jeunes Français concernés accusent de leur côté les producteurs de pratiquer des prix trop élevés, qui leur permettent de réaliser d'importants bénéfices. Un certain nombre d'internautes commandent d'ailleurs leurs disques à l'étranger, afin de bénéficier de tarifs plus avantageux. Un argument qui pourrait inciter à baisser le taux national de TVA, supérieur en France à celui d'autres pays (et à celui des autres biens culturels).

Lecture

La lecture de la presse quotidienne a beaucoup diminué depuis les années 70.

Entre 1970 et 1990, le nombre des lecteurs de la presse quotidienne avait diminué de moitié (plus d'un quart entre 1980 et 1990, soit une perte de 2 millions de lecteurs). Les quotidiens nationaux ont été les plus touchés. Au cours des années 90, l'érosion s'est poursuivie, mais de façon plus modérée. La concurrence de la télévision ne suffit pas à expliquer cette désaffection. On observe que les pays où l'offre télévisuelle est la plus importante sont aussi ceux où les quotidiens sont les plus lus. On constate qu'il n'y a pas contradiction entre une culture mondiale et une culture nationale ou régionale ; le global ne se substitue pas au local, il le complète. Enfin, le développement des nouveaux médias comme Internet ou des nouveaux supports comme le CD-Rom ou le DVD n'expliquent pas non plus la situation française.

L'une des causes de la baisse d'intérêt pour la presse quotidienne constatée depuis des décennies en France est sans doute le prix élevé des journaux par rapport à ceux des autres pays développés ; seuls les quotidiens italiens et suisses sont plus chers. On peut aussi s'interroger sur l'adaptation des journaux aux attentes du public, mais des efforts ont été faits dans ce sens au cours des dernières années. La principale explication réside sans doute dans la préférence marquée des Français pour les magazines, dont ils figurent parmi les plus gros lecteurs du monde (voir p. 442). La mise en place de la semaine de 35 heures aura sans doute des incidences sur l'emploi du temps des Français et sur la place qu'ils accordent à la presse quotidienne, nationale ou régionale.

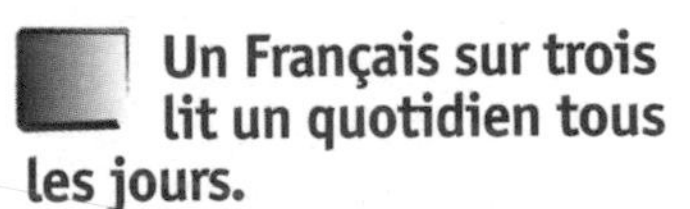

Un Français sur trois lit un quotidien tous les jours.

33 % des personnes de 15 ans et plus lisaient un quotidien (national ou régional) chaque jour fin 2001, contre 43 % en 1989, 46 % en 1981 et 55 % en 1973. 14 % en lisaient un trois à cinq fois par semaine, de sorte que les lecteurs réguliers représentaient un peu moins de la moitié de la population (47 %). La baisse constatée depuis des décennies concerne toutes les catégories de population, à l'exception des agriculteurs, fidèles aux quotidiens régionaux. Seuls des événements marquants en matière nationale ou internationale entraînent un accroissement notable, mais éphémère, de l'audience de la presse quotidienne.

Les jeunes sont de moins en moins concernés (20 % des 15-24 ans contre 36 % en 1973) alors que la proportion de lecteurs atteint encore 50 % chez les 60 ans et plus (contre 68 % en 1973). Les quotidiens se heurtent donc à un problème de renouvellement de leur lectorat. Beaucoup ont entrepris de transformer leur maquette et de se rapprocher des lecteurs, avec des succès variables. On constate par ailleurs que la plupart des lancements effectués depuis une quinzaine d'années se sont soldés par des échecs : après vingt-deux jours pour *Paris ce soir* (1985), huit mois pour *le Jour* (1993), un mois pour *Paris 24 heures* (1994), deux ans pour *InfoMatin* (1996), deux jours pour *le Quotidien de la République* (1998). *Le Matin de Paris* et *le Quotidien de Paris* ont disparu respectivement en 1987 et 1996, après des durées de vie plus longues.

L'arrivée des gratuits

La presse d'information gratuite avait fait son apparition dans le métro parisien avec l'hebdomadaire *A nous deux Paris*. Plusieurs quotidiens gratuits sont apparus au cours du premier trimestre 2002, malgré l'opposition du Syndicat du Livre-CGT : *Metro, Marseille Plus, 20 minutes*. Il est difficile de mesurer l'impact qu'ils ont eu sur la presse quotidienne payante, qui connaissait une conjoncture défavorable au début de l'année, avant de profiter de façon éphémère de la période électorale.
La presse quotidienne gratuite mise sur l'hésitation des Français, informés par les médias audiovisuels et amateurs de magazines, à acheter un quotidien. Elle table aussi sur des informations brèves, faciles à lire et prenant moins de temps que les quotidiens classiques.

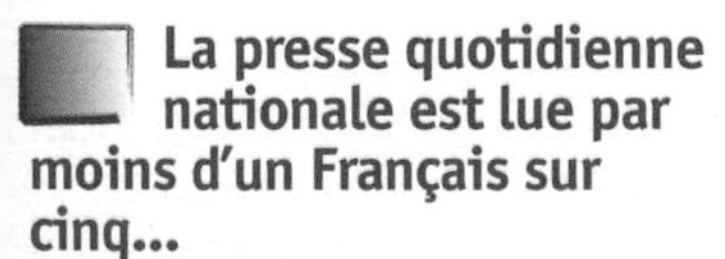

La presse quotidienne nationale est lue par moins d'un Français sur cinq...

16,8 % des 15 ans et plus ont lu régulièrement un quotidien national en 2001 (au moins trois fois par semaine), soit 8 millions de personnes, un chiffre en très légère progression (0,9 %) par rapport aux années précédentes, qui indique une stabilité de l'audience dans la population. 36 % des Français en ont lu un au moins un au cours des sept derniers jours.

Les lecteurs de la presse quotidienne nationale sont en majorité des hommes (62 %). Deux sur trois sont actifs, 63 % habitent en province, 44 % ont un niveau d'instruction supérieur, 35 % ont moins de 35 ans. Six sur dix achètent personnellement leur journal au numéro. La durée moyenne de lecture est de 31 minutes ; 70 % du temps de lecture se situent avant 14 heures et le nombre moyen de reprises en main est de 3,3.

... et *l'Equipe* est le premier quotidien national.

L'Equipe a profité de l'engouement croissant des Français pour le sport et des bons résultats obtenus depuis quelques années par les compétiteurs nationaux dans des disciplines comme le football (avant la cuisante défaite lors du premier tour de la Coupe du monde 2002), le rugby, le handball ou le tennis... Malgré un calendrier sportif moins favorable en 2001, il a été lu en moyenne par 1,9 million de lecteurs (lecture de la veille). Trois autres journaux dépassent le million de lecteurs : *le Parisien-Aujourd'hui, le Monde* et *le Figaro*. Les deux quotidiens économiques *(les Echos et la Tribune)* en comptent respectivement 513 000 et 324 000.

L'Equipe et *le Parisien* publient une édition dominicale ; celle du premier dépasse 2 millions de lecteurs, celle du second un peu moins de 800 000. *Le Journal du Dimanche* compte plus d'un million de lecteurs. Ces chiffres ne prennent pas en compte les lecteurs de la presse sur Internet, dont le nombre progresse régulièrement, notamment pour les titres les plus connus.

Le sport d'abord

Nombre de lecteurs dernière période des quotidiens nationaux (2001, en milliers) et pénétration (en % de la population de 15 ans et plus) :

	Audience	Pénétration
- L'Equipe	1 912	4,0
- Le Parisien/ Aujourd'hui	1 701	3,6
- Le Monde	1 514	3,2
- Le Parisien	1 443	3,0
- Le Figaro	1 102	2,3
- Libération	686	1,4
- Les Echos	513	1,1
- La Tribune	324	0,7
- France-Soir	292	0,6
- Aujourd'hui en France	282	0,6
- La Croix	239	0,5
- L'Humanité	178	0,4

EUROPQN

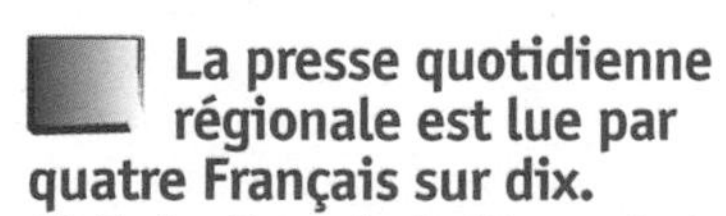

La presse quotidienne régionale est lue par quatre Français sur dix.

40 % des Français de 15 ans et plus ont lu au moins trois fois par semaine un quotidien régional en 2001 ; 28 % en ont lu un tous les jours et 12 %

Le lectorat des quotidiens nationaux s'est stabilisé en 2001

trois à cinq fois par semaine. Le lectorat de la presse quotidienne régionale est plus équilibré que celui de la presse quotidienne nationale, que ce soit entre les sexes (51 % d'hommes, 49 % de femmes), les âges (26 % de lecteurs de 15 à 34 ans et 25 % de plus de 65 ans) ou les zones d'habitat (rurales et urbaines). Le temps de lecture moyen est un peu inférieur à celui de la presse nationale : 25 minutes.

Le nombre de quotidiens régionaux français (83) est le plus élevé d'Europe ; il est deux fois moins élevé en Italie, cinq fois au Portugal, six fois en Grande-Bretagne, sept fois aux Pays-Bas, dix fois en Espagne, quatorze fois en Belgique.

Ouest-France est le deuxième quotidien français.

On observe une forte disparité selon les régions. La Bretagne se situe largement en tête avec près de deux tiers de lecteurs ; *Ouest-France* est le deuxième quotidien français, derrière *l'Equipe*. L'Alsace arrive en deuxième position, devant l'Auvergne et la Lorraine (plus de 50 % de lecteurs dans ces régions). La Haute-Normandie est en queue (un tiers de lecteurs) avec la région Rhône-Alpes et la Picardie.

En 2001, six titres ont vu leur diffusion progresser (par ordre décroissant) : *le Midi libre, le Parisien, le Dauphiné libéré, la Montagne, la Dépêche du Midi, le Progrès*. Six autres ont régressé (par ordre décroissant) : *le Journal de Saône et Loire, la Nouvelle République du Centre-Ouest, l'Alsace, l'Union-l'Ardennais, l'Est républicain, les Dernières Nouvelles d'Alsace. Sud-Ouest* et *la Voix du Nord* ont connu une diffusion stable.

Les hebdomadaires régionaux, nés pour beaucoup d'entre eux au XIXe siècle, ont fait l'objet depuis quelques années d'un nouvel engouement. Ils sont lus régulièrement (au moins trois fois par semaine) par 14 % des personnes de 15 ans et plus, soit 18 % de la population couverte par ces hebdomadaires. Leur lectorat est assez représentatif de la population globale, bien que plus rural, avec des revenus un peu inférieurs à la moyenne nationale.

7 magazines lus par personne en moyenne

A l'ouest, rien de nouveau

Nombre de lecteurs des principaux quotidiens régionaux (2001, en milliers de lecteurs d'un numéro moyen) :

- Ouest-France	2 178
- Le Parisien	1 623
- La Voix du Nord	1 156
- Sud-Ouest	1 103
- Le Progrès + la Tribune/le Progrès	920
- Le Dauphiné libéré	879
- Nice-Matin	869
- La Dépêche du Midi	706
- L'Est républicain	696
- La Nouvelle République du Centre-Ouest	676
- La Provence	645
- La Montagne	640
- Midi Libre	579
- Les Dernières Nouvelles d'Alsace	547
- Le Républicain Lorrain	543
- Le Télégramme	514

PQR 66

Les Français lisent beaucoup plus les magazines que les quotidiens.

Les Français sont sans doute les plus gros lecteurs de magazines au monde, avec un taux de pénétration de 96 % en 2001 (lecture régulière ou occasionnelle), soit 45,7 millions de personnes. Chaque jour, 31 millions de personnes (65 %) lisent au moins un titre. On en compte plus de 3 000 en kiosque et leur nombre s'accroît régulièrement, avec plus de 300 créations par an en moyenne. Il faudrait y ajouter les innombrables publications administratives et celles des groupements et associations, dont le nombre est estimé à 50 000.

Le nombre moyen de titres lus est de 6,9. La lecture se fait essentiellement à domicile (86 % des cas), occasionnellement chez des parents ou amis (7 %), sur le lieu de travail (3 %) ou dans une salle d'attente (2 %). Les hebdomadaires sont pris en main 3,9 fois en moyenne par leurs lecteurs, réguliers ou occasionnels (8,9 fois pour ceux de télévision, 2,3 fois pour les autres hebdomadaires), les mensuels 3,5 fois.

Comme celle des quotidiens ou des livres, la lecture des magazines est assez concentrée : 10 % des Français représentent plus de la moitié de l'audience totale. Les habitants de la région parisienne lisent plus que les provinciaux, les bacheliers et diplômés de l'enseignement supérieur plus que les non-diplômés. Ces gros lecteurs sont plutôt féminins, jeunes et urbains. Ils sont plus souvent connectés à Internet, abonnés au câble ou au satellite que le reste de la population. En 2001, l'audience des mensuels a progressé de 0,4 %, alors que celle des hebdomadaires diminuait de 1,5 %.

Les femmes lisent plus de magazines que les hommes.

Comme c'est le cas pour les livres (voir p. 446), les femmes sont plus nombreuses que les hommes à lire des magazines, du fait notamment de

Chasse à l'homme

Le féminisme des années 70, la crise des années 80 et la reconnaissance de l'homosexualité dans les années 90 ont entraîné une redéfinition des sexes, de leurs spécificités et de leurs rapports. Si les femmes ont gagné au fil des années une reconnaissance à la fois juridique, morale et pratique, les hommes ont subi un changement de leur statut et de leur identité. Ils ont dû accepter la mise en cause ou le partage de leur autorité sociale et familiale.
Les magazines cherchent aujourd'hui à toucher la cible des « nouveaux hommes ». Ils misent sur les territoires masculins traditionnels comme l'automobile, le sport, les nouvelles technologies ou la sexualité. Mais ils cherchent aussi à répondre à des demandes nouvelles concernant la paternité, les relations amicales, l'apparence physique ou le rééquilibrage entre vie professionnelle et vie personnelle. Cette nouvelle presse masculine (*FHM, Maximal, Men's Health, Max, Entrevue, l'Optimum, Monsieur*...) ne se définit donc plus par des centres d'intérêt, mais par une volonté de traiter l'ensemble des thèmes de la vie des hommes, à l'image de la presse féminine.

l'existence de nombreuses publications qui leur sont destinées. Seize titres de la presse féminine dépassent ainsi les 2 millions de lectrices. Outre les généralistes *(Femme actuelle, Fémina Hebdo, Modes & Travaux, Prima, Maxi, Elle...)*, elles lisent des magazines thématiques (décoration, santé, cuisine, *people*).

L'audience de la presse féminine dans son ensemble a cependant reculé de 5 % en 2001. *Femina hebdo* a cependant gagné 238 000 lecteurs. Parmi les lancements réussis de ces dernières années, il faut signaler *Psychologies magazine* (en fait un relancement), qui a doublé son audience depuis 1998 ; son succès traduit la quête actuelle pour le bien-être mental et l'harmonie dans la relation aux autres et à soi-même.

Les hommes ont des centres d'intérêt différents, notamment le sport *(l'Equipe Magazine, Onze-Mondial...)*, l'automobile *(Auto Moto...)* ou le voyage *(Géo...)*. Ils lisent davantage la presse d'actualité que les femmes et s'intéressent aux nouveaux titres lancés récemment à leur intention (voir encadré).

La presse pour « seniors » se porte mieux que la presse enfantine.

La presse pour enfants a perdu plus de la moitié de ses lecteurs en une vingtaine d'années. Cette chute vertigineuse s'explique en partie par la baisse de la natalité, la concurrence croissante de l'audiovisuel et, surtout, le développement des jeux vidéo. Pourtant, les moins de 25 ans lisent encore près de deux fois et demi plus de titres que les plus de 65 ans et les 15-34 ans sont ceux qui fréquentent le plus les marchands de journaux. Mais ils feuillettent davantage les magazines que leurs aînés avant de les acheter ; plus sensibles à la couverture et aux dossiers spéciaux, ils effectuent plus souvent des achats d'impulsion.

Les magazines destinés aux « seniors » ont connu un développement spectaculaire depuis quelques années. En 2001, les plus fortes hausses en nombre de lecteurs ont été celles de *Notre Temps* (506 000) et *Pleine Vie* (231 000) ; le premier atteint 4,5 millions de lecteurs et le second dépasse 3 millions. Ces succès sont la conséquence du vieillissement démographique, de la volonté croissante des retraités de trouver des réponses à leurs questions et des efforts de la presse pour y répondre.

Les hebdomadaires de télévision occupent toujours les premières places.

Née avec la télévision, la presse des programmes a grandi avec elle. Depuis 1981, le nombre des titres a triplé, en même temps que leur diffusion, qui dépasse 17 millions d'exemplaires chaque semaine et représente le quart des dépenses en kiosque des ménages. La plupart des quotidiens ont leur page télévision ; certains hebdomadaires comme *le Nouvel Observateur* fournissent des programmes complets. Il s'y ajoute les multiples journaux gratuits qui offrent à la fois des petites annonces et les programmes de la semaine.

Sur les dix hebdomadaires les plus lus, sept sont des magazines de télévision ; ils comptent chacun plus de 7 millions de lecteurs. Les trois autres sont des magazines féminins (*Marylin, Femme actuelle* et *Fémina Hebdo*). La plus forte audience de tous les magazines reste celle de *TV Magazine*, avec 13,2 millions de lecteurs. *Télé 7 Jours* approche les 9 millions.

> Les dix premiers groupes éditoriaux représentent 71 % de la production de livres (22 % pour Vivendi Universal, 16 % pour Hachette).

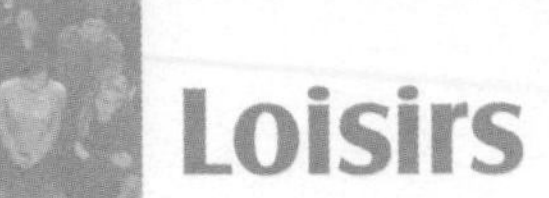

Lectures pour tous

Nombre de lecteurs de 15 ans et plus des principaux magazines par catégorie (2001, en milliers de lecteurs dernière période) :*

Magazine	Lecteurs
Hebdomadaires généraux	
- Paris-Match	4 253
- Le Nouvel Observateur	2 485
- L'Express	2 237
- Ici Paris	2 196
- France Dimanche	2 184
- Le Figaro Magazine	2 117
- VSD	1 720
- Le Point	1 397
- Pèlerin Magazine	1 289
- Marianne	891
- La Vie	887
- Courrier international	840
- L'Expansion (bimensuel)	777
Féminins et familiaux	
Hebdomadaires	
- Marylin	9 256
- Femme actuelle	8 151
- Fémina Hebdo	5 207
- Version femme	4 197
- Voici	3 878
- Maxi	3 360
- Elle	2 128
- Nous deux	1 887
- Madame Figaro	1 714
Mensuels	
- Top Santé	4 902
- Santé Magazine	4 861
- Media Cuisine	4 024
- Modes et Travaux	4 021
- Parents	3 696
- Cuisine actuelle	3 641
- Prima	3 400
- Marie-Claire	3 258
- Avantages	2 165
- Marie-France	1 931
- Enfant magazine	1 673
- Famili	1 648
- Guide cuisine	1 289
- Jeune et jolie	1 048
- Girls	1 042

Magazine	Lecteurs
Télévision	
- TV Magazine	13 173
- Télé 7 Jours	8 830
- Télé Z	8 656
- Télé Loisirs	7 775
- Télé Star	7 071
- TV Hebdo	5 995
- Télé Poche	5 050
- Télérama	2 784
- Télécâble Satellite Hebdo	2 664
- Télé Magazine	1 194
Automobile	
Hebdomadaires	
- Auto Plus	2 679
- Auto Hebdo	486
Bi-mensuels	
- L'Auto-Journal	2 033
Mensuels	
- Auto Moto	2 851
- L'Automobile Magazine	2 531
- Sport Auto	1 184
- Option Auto	766
Décoration-Maison-Jardin	
Hebdomadaire	
- Rustica	1 347
Mensuels	
- Elle Décoration	1 890
- L'Ami des jardins et de la maison	1 433
- Mon jardin et ma maison	1 410
- Système D	1 365
Bimestriels	
- Art et décoration	5 544
- Maison et Travaux	3 911
- Marie-Claire Maison	2 869
- Maisons Côté Sud	1 512
- Maison Magazine	1 427
- Maison Côté Ouest	1 217
- Votre Maison	1 119
- Maison française	668

Magazine	Lecteurs
Distraction-Loisirs-Culture	
Hebdomadaires	
- L'Equipe Magazine	3 827
- Gala	2 017
- France Football (bihebdomadaire)	1 772
- L'Officiel des spectacles	1 540
- Télé K7	1 229
- Point de vue	975
- La Vie du rail	727
Mensuels	
- Canal Satellite Magazine	6 875
- Télé 7 Jeux	4 731
- Géo	4 677
- Notre Temps	4 492
- Science et Vie	3 612
- Sélection	3 339
- Pleine Vie	3 077
- Ça m'intéresse	2 933
- le Chasseur français	2 860
- Capital	2 622
- Entrevue	2 600
- Onze-mondial	2 411
- Science et Avenir	2 216
- 30 Millions d'amis	2 153
- Première	1 559
- Terre sauvage	1 293
- L'Entreprise	1 274
- Psychologies magazine	1 224
- Ciné Live	1 179
- Historia	1 167
- Vogue	1 136
- Mieux vivre votre argent	1 031
- Studio magazine	1 023
- Star club	1 012
- Photo	893
- Phosphore	892
- Grands reportages	859
- SVM-Science et Vie Micro	800
- Tennis Magazine	732
- New Look	712
- Lire	670

* Personnes ayant déclaré avoir lu, ou feuilleté, chez elles ou ailleurs, un numéro (même ancien), au cours de la période de référence : 7 jours pour un hebdomadaire, 30 pour un mensuel.

AEPM

Le Top 10 des magazines

Titres ayant eu le plus de lecteurs (2001, en milliers de lecteurs, dernière période) :

- TV Magazine	13 173
- Marylin	9 256
- Télé 7 Jours	8 830
- Télé Z	8 656
- Femme actuelle	8 151
- Télé Loisirs	7 775
- Télé Star	7 071
- TV Hebdo	5 995
- Fémina Hebdo	5 207
- Télé Poche	5 050

AEPM

La hiérarchie des hebdomadaires d'actualité a été modifiée.

Au cours des dernières années, c'est *Courrier international* qui a enregistré la plus forte hausse de son audience (166 000 en 2001, soit au total 840 000 lecteurs en 2001). Son succès témoigne de l'intérêt croissant des Français pour le reste du monde ainsi que de leur souhait de connaître l'image de la France vue par les étrangers. Mais c'est *le Nouvel Observateur* qui occupe la première place des hebdomadaires d'actualité avec 2,5 millions de lecteurs, devant *l'Express* (2,2 millions), *le Point* (1,4), *Pèlerin Magazine* (1,3), *Marianne* (900 000) et *la Vie* (900 000).

On pourrait ajouter à la liste *le Figaro Magazine* (2,1), VSD (1,7) ou même *Télérama* (2,8 millions) dont l'objet est plus large que les programmes de télévision, et peut-être *France Dimanche* (2,2). Ces titres se situent à mi-chemin entre les *news magazines (le Point, l'Express...)* et les magazines *people* comme *Paris-Match* (4,3 millions de lecteurs).

La presse économique et financière a souffert de la déprime.

Après avoir bénéficié d'une période faste, avec la reprise de la croissance et le développement de la « nouvelle économie », certains titres de la presse économique ont subi le contrecoup depuis environ juin 2000. *Management, Newbiz et Défis* ont perdu entre 15 et 17 % de leur diffusion en 2001. *Capital* reste le leader incontesté, avec 2,6 millions de lecteurs, loin devant *l'Entreprise* (1,3 million), *Challenges* (900 000), *Alternatives économiques* (900 000), *l'Expansion* (800 000) et *Enjeux-les Echos* (700 000).

L'audience de la presse financière a connu les mêmes vicissitudes que la Bourse. Les diffusions de *la Vie financière*, *Investir hebdo* et *le Revenu hebdo* ont baissé de 10 à 20 %. Au total, Internet a donné naissance à une cinquantaine de magazines dont la plus forte diffusion a été en 2001 celle de *Web Magazine* (1,3 million de lecteurs).

Livres

Les livres sont présents dans la quasi-totalité des foyers.

81 % des ménages disent avoir des livres chez eux (Eurostat, 2001), contre 87 % en moyenne dans les pays de l'Union européenne (98 % en Finlande, seulement 73 % en Belgique et en Irlande). En 1997 (dernière enquête du ministère de la Culture), le nombre moyen de livres possédés était de 164 par ménage ; un sur quatre (24 %) en avait au moins 200.

La progression constatée depuis des décennies s'explique en grande partie par la généralisation des dictionnaires, encyclopédies et livres pratiques dans les foyers. 80 % des foyers disposent aujourd'hui d'un dictionnaire (70 % en 1989), 41 % d'une encyclopédie sur papier (56 % en moyenne européenne). Plus de deux ménages sur trois possèdent aussi des livres de cuisine (68 %). Les romans, livres d'histoire, bandes dessinées et encyclopédies sont présents dans un foyer sur deux. Les écarts entre les catégories socioprofessionnelles sont importants : les cadres et professions intellectuelles supérieures ont en moyenne trois fois plus de livres que les ouvriers, agriculteurs ou employés. Les ménages habitant Paris détiennent le record absolu, avec une moyenne de 376 livres.

La proportion d'acheteurs, qui était passée de 51 % à 62 % des ménages entre 1973 et 1989, tend depuis à stagner. La dépense moyenne était un peu inférieure à 80 € par personne en 2001, soit 180 € par ménage, c'est-à-dire environ 12 % des dépenses de loisirs culturels. Ce budget varie très sensiblement selon le revenu du foyer.

Le nombre de lecteurs est globalement stable...

Par rapport à d'autres pratiques culturelles comme le théâtre, le cinéma, les concerts ou les expositions, la lecture est un loisir facile et peu onéreux. Un Français sur cinq (21 % en 2000 contre 13 % en 1973) est inscrit à l'une des 4 112 bibliothèques publiques ; 16 % déclarent les fréquenter régulièrement et 16 % exceptionnellement (Crédoc, 2002). Par ailleurs, une personne sur deux emprunte ou prête des livres à son entourage. Enfin, plus d'une sur dix (13 %) est inscrite à un club de lecture. Les occasions sont de plus en plus nombreuses d'être en contact avec le livre. La progression a concerné tous les milieux sociaux, à l'exception des retraités et des ouvriers.

Pourtant, la proportion de non-lecteurs est restée stable, environ une personne sur quatre (27 % en 1997 contre 26 % en 1981) ; les habitants des communes rurales se sont rapprochés de la moyenne nationale, avec un taux passant de 28 % à 48 %. Cette stabilité globale de la pratique masque le fait que chaque génération est de moins en moins lectrice. L'érosion est compensée par la disparition progressive des générations nées avant-guerre, qui comptaient très peu de lecteurs.

... mais le nombre moyen de livres lus diminue.

64 % des Français de 15 ans et plus déclarent avoir lu au moins un livre au cours des douze derniers mois (INSEE, octobre 2000). 27 % sont considérés comme des « gros lecteurs » (au moins un livre par mois). Le niveau d'instruction est déterminant : 42 % des diplômés de l'enseignement supérieur sont dans cette catégorie, contre seulement 17 % de ceux qui n'ont au mieux que le certificat d'études. Un Français sur trois lit de un à neuf livres par an contre un sur quatre en 1973. Mais près d'un sur quatre n'en lit jamais. La quantité moyenne de livres lus a diminué régulièrement, du fait de la baisse de la proportion des très gros lecteurs (14 % des Français avaient lu au moins 25 livres en 1997 contre 22 % en 1973).

La baisse d'intérêt pour la lecture s'explique par la concurrence d'autres formes de loisirs, notamment audiovisuels. La télévision, qui occupe la plus grande partie du temps libre (voir p. 407), consacre d'ailleurs de moins en moins d'émissions au livre et les diffuse de plus en plus tard. Les librairies de quartier éprouvent des difficultés à survivre, de même que certains éditeurs. Enfin, l'utilisation des supports électroniques (Internet, CD-Rom, DVD...) représente une alternative au moins partielle au support écrit (voir p. 450).

Le nombre moyen de livres achetés est d'environ 8 par personne concernée. On constate une augmentation de la part des petits acheteurs au détriment des plus gros (plus de 15 par an). Ces derniers, qui ne représentent qu'un dixième du nombre total, achètent environ la moitié des livres.

Les grands lecteurs sont souvent des lectrices.

Lorsqu'ils sont lecteurs, les hommes lisent en moyenne 19 livres par an et les femmes 22. Ces dernières représentent ainsi les deux tiers des personnes lisant au moins un livre par mois. C'est dans le domaine de la fiction que la différence est la plus spectaculaire : la proportion de femmes lectrices de romans (autres que policiers) est presque triple de celle des hommes (36 % contre 14 % en 2000). Ceux-ci se dirigent plus volontiers vers les loisirs audiovisuels et technologiques (ordinateur, console vidéo).

L'écart entre les sexes se vérifie à tous les âges ; chez les 15-19 ans, les femmes sont plus fréquemment inscrites dans des bibliothèques et elles sont plus nombreuses à acheter des livres. La baisse générale du nombre de livres lus (voir ci-dessus) a davantage touché les hommes. Seule une femme sur quatre n'a lu aucun livre au cours des douze derniers mois, contre un homme sur trois. Elle est cependant plus sensible chez les jeunes filles que chez les garçons. Au total, les femmes représentent près de 60 % des achats de livres en volume. 17 % d'entre elles sont adhérentes à des clubs, contre 7 % seulement des hommes.

Les jeunes lisent moins qu'avant, mais plus que les aînés.

Contrairement à ce qui est souvent affirmé, les jeunes lisent davantage que les générations plus âgées. La proportion de non-lecteurs est ainsi deux fois moins élevée parmi les 15-19 ans que chez les 55-64 ans. Les premiers sont aussi quatre fois plus nombreux à être inscrits dans une bibliothèque municipale ou une médiathèque que les seconds. 73 % des étudiants sont inscrits dans une bibliothèque universitaire.

On constate que chaque génération tend à lire moins au fur et à mesure qu'elle vieillit. Ainsi, parmi les personnes nées entre 1965 et 1973, 22 % étaient non lectrices en 1997, contre 16 % en 1989. La baisse de la proportion de gros lecteurs est plus apparente chez les jeunes (14 % en 1997 contre 33 % en 1973) que chez les personnes âgées. La proportion de très gros lecteurs (au moins 25 livres par an) diminue en revanche chez les jeunes comme chez les plus âgés. La génération qui avait moins de 15 ans en 1989 n'en compte plus que 13 %,

Résonances & Cie

Près d'un achat sur trois au format de poche

contre 18 % pour la génération précédente au même âge.

Les habitudes de lecture prises entre 8 et 12 ans ont une forte incidence sur les comportements ultérieurs. 65 % de ceux qui étaient à cet âge des lecteurs réguliers sont aujourd'hui de gros lecteurs, contre 15 % de ceux qui ne lisaient pas. On ne compte parmi les premiers que 21 % de non-lecteurs, alors que 55 % des autres sont restés non-lecteurs.

Les achats de livres destinés à la jeunesse ont augmenté de 3,5 % en 2001, après une année 2000 exceptionnelle. Le triomphe de la série des *Harry Potter* ou de certains albums de bandes dessinées montre que les enfants conservent un intérêt pour certains types de lecture.

Les Français achètent un million de livres par jour.

En 2001, les Français ont acheté 359 millions de livres (hors clubs de livres) pour environ 4,5 milliards d'euros. La progression des achats en valeur a été de 3 %, soit un peu moins de 1 % hors inflation. La forte croissance des achats de livres dans les années 60 (8 % par an en moyenne en volume) s'était réduite au cours des années 70 (3,5 %) et de la première moitié des années 80. L'évolution a été plus contrastée pendant la décennie 90. On observe depuis 1989 une déconnection entre les quantités achetées et les dépenses. Elle s'explique notamment par la part plus ou moins importante des ouvrages « lourds » (dictionnaires, encyclopédies, livres d'art...).

La bonne santé relative du livre, malgré la concurrence croissante des médias audivisuels, s'explique en partie par la baisse des prix constatée depuis une dizaine d'années, de 14 € en moyenne (hors livres scolaires) en 1993 à 11 € en 2000. La dépense moyenne des Français pour les livres (77 € par personne en 2001) est cependant inférieure à celle des autres pays de l'Union européenne ; elle est environ trois fois moins élevée qu'en Norvège, en Allemagne ou en Belgique. Elle est en revanche comparable à celle du Royaume-Uni ou de la Suède.

Les bandes dessinées et les livres d'actualité sont les plus recherchés.

Le secteur de la bande dessinée a connu une très forte progression des achats en valeur (18 % sur un an en monnaie constante), confirmant la tendance amorcée depuis plusieurs années (voir encadré). Les livres et essais d'actualité arrivent en deuxième position en termes de croissance (16,8 %), du fait des nombreux événements nationaux et inter-

Le roman d'abord

Nombre de titres publiés et d'exemplaires achetés (en milliers) par catégorie (2001) :

	Titres	Exemplaires (milliers)	% des exemplaires
- Littérature	12 501	102 489	28,6
- Livres pour la jeunesse	8 435	63 524	17,8
- Livres pratiques	367	1 616	0,4
- Scolaires	7 980	54 730	15,1
- Bandes dessinées	2 266	25 191	7,0
- Sciences*	10 371	22 813	6,3
- Encyclopédies et dictionnaires	641	8 043	2,2
- Livres d'art	1 739	8 057	2,2
- Religion, ésotérisme, occultisme	1 688	7 402	21
- Actualité, essais	1 392	7 001	1,9
- Ouvrages de documentation	367	1 616	0,4
Total	**54 415**	**359 460**	**100,0**

* Livres scientifiques, techniques, professionnels, sciences humaines et sociales.

Syndicat national de l'édition

Les livres d'actualité sont plébiscités

nationaux. Le livre tend de plus en plus à compléter l'information et la réflexion amorcées par les autres médias écrits ou audiovisuels, où elles sont traitées de façon plus éphémère.

Plusieurs catégories ont enregistré des hausses plus modérées : scolaires (4,4 %) ; droit et sciences économiques (3,3 %) ; littérature (2,5 %). Les dépenses ont diminué dans trois domaines : livres pratiques (4 %) ; encyclopédies et dictionnaires (3,3 %) ; livres scientifiques, techniques et professionnels (2,7 %). Les autres (livres pour la jeunesse, livres d'art, sciences humaines et sociales) ont connu une relative stagnation.

Les ouvrages pratiques et ceux liés aux loisirs (cuisine, bricolage, jardinage, voyages...) profitent de l'effet des 35 heures. Les thèmes relatifs au développement personnel, la psychologie ou la forme (souvent cautionnés par des médecins) connaissent un succès croissant. Les achats de livres religieux marquent le pas (- 4,8 %), après la très forte croissance de 2000 (+ 13,4 %).

Ruée sur la BD

La bande dessinée connaît depuis plusieurs années un fort engouement. Elle a battu en 2001 des records de ventes, avec 22 % de croissance en valeur. Parmi les 2 266 titres, 1 292 étaient de nouveaux albums, dont quatre ont atteint ou dépassé 500 000 exemplaires. 36 millions d'exemplaires ont été achetés, soit une moyenne de près de 16 000 par album. *Astérix* reste de loin le héros préféré des Français (3 millions d'exemplaires en 2001), devant *le Petit Spirou* (600 000), *Blake et Mortimer* (500 000) et *Boule et Bill* (500 000). D'autres albums obtiennent aussi des scores élevés : *XIII*, *Titeuf*...
Ce succès n'est pas dû seulement au lectorat des jeunes ; il témoigne de l'intérêt des adultes pour un monde onirique qui est celui de leur enfance. Il tient surtout au talent et à la créativité des auteurs, ainsi parfois qu'à l'audace des éditeurs. 84 % des 8-14 ans lisent des albums de bandes dessinées. Chez les adultes, la lecture augmente avec le niveau d'instruction. 38 % des Français possèdent au moins vingt albums de bandes dessinée, contre 20 % en 1994.

Près d'un livre acheté sur trois est un roman.

La littérature a représenté 28 % des exemplaires achetés en 2001, dont la moitié pour les ouvrages contemporains. Les achats de romans classiques ont enregistré une forte progression (18 % en valeur). On constate un net regain d'intérêt pour le micro-segment (0,1 % des dépenses totales) des livres érotiques. Au contraire, les ouvrages de science-fiction connaissent un recul sensible (6,5 %).

Le roman ne représente cependant que 18 % des dépenses consacrées aux livres, du fait de la part importante et croissante du format de poche dans cette catégorie, de prix unitaire moins élevé. Les « livres de poche » ont ainsi représenté 29 % des exemplaires achetés en 2001, 23 % des titres produits pour seulement 13 % des dépenses totales. Celles-ci ont encore fortement augmenté (10 %), après 5,5 % en 2000.

De la possession à l'usage

Comme les autres biens de consommation (voir p. 371), le livre est soumis à une tendance lourde qui favorise l'usage plutôt que la possession. Les lecteurs sont ainsi de plus en plus nombreux à emprunter des ouvrages en bibliothèque ou à des amis (certains sont davantage empruntés qu'achetés), voire de photocopier certains textes. D'autres se contentent de lire les « bonnes feuilles » ou les critiques dans les journaux et magazines.
Ces pratiques ne correspondent pas seulement à un souci d'économie. Elles traduisent un nouveau rapport aux objets, qui privilégie leur consommation immédiate et unique plutôt que leur possession et la possibilité de les stocker quelque part pour des utilisations ultérieures. La dématérialisation croissante des supports (livres électroniques) devrait encore favoriser cette tendance. L'achat et la possession de livres traditionnels se justifieront davantage pour les ouvrages artistiques ou pratiques, destinés à une plus grande pérennité.

Le genre des romans « sentimentaux » (collections Harlequin, Duo, etc.) reste apprécié. Il s'inscrit dans la lignée de la Princesse de Clèves (Mme de La Fayette, 1678), des romans-feuilletons du XIXe siècle, des ouvrages de Max du Vezet, Magali ou Delly. Leur succès repose sur le thème universel et éternel de l'amour, auquel il donne une dimension onirique et souvent exotique.

Le nombre des titres publiés poursuit sa croissance.

Plus de 54 000 titres ont été publiés en 2001, soit deux fois plus qu'en 1983 (27 000). Le nombre des nouveautés et des nouvelles éditions de livres existants s'élevait à 26 499 et le nombre des réimpressions était légèrement supérieur (27 916, en hausse de 7,2 %). Ces titres ont été imprimés au total à 452 millions d'exemplaires (+ 6,9 %), de sorte que le tirage moyen s'est élevé à 8 506 exemplaires (11 686 pour les romans), en hausse de 2 %. La baisse tendancielle (le tirage moyen était de 13 800 exemplaires en 1982) a donc été enrayée. Elle était liée en grande partie à celle des livres au format de poche : 11 862 exemplaires en moyenne contre plus de 13 000 en 1982.

Comme dans l'ensemble des domaines culturels (cinéma, musique, théâtre, expositions...), on observe une concentration de la demande. La majeure partie des ventes porte sur un nombre restreint de titres très médiatisés. Les Français tendent à aller vers des ouvrages plus faciles, poussés sans doute par les habitudes prises en matière audiovisuelle. Ils sont aussi davantage influencés par les classements des meilleures ventes publiés par les hebdomadaires et repris par les grandes librairies dans leur mise en place des ouvrages. La contrepartie est que la publication de nouveaux auteurs ou d'ouvrages destinés à un public plus restreint est plus risquée pour les éditeurs.

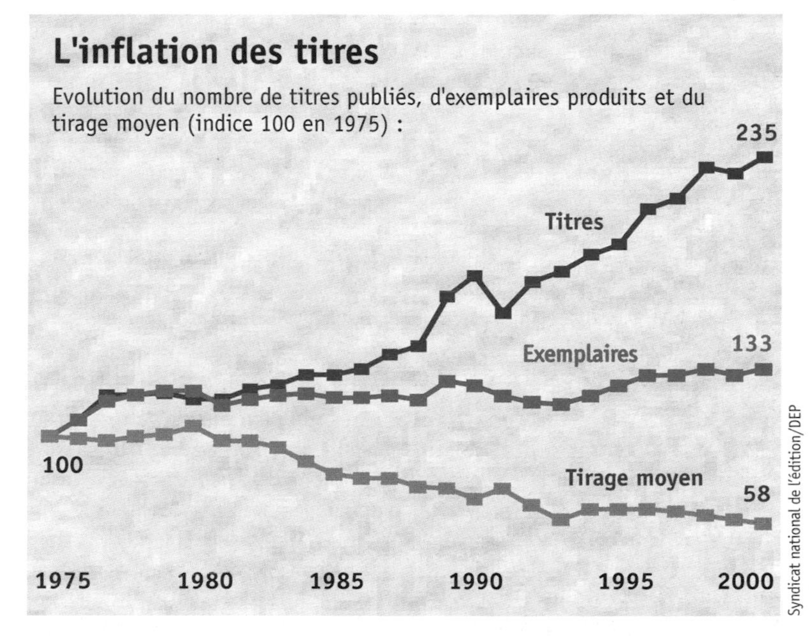

On retrouve cette concentration au niveau de la production. Sur les 313 maisons d'édition, 51 (soit 16 %) publient plus de 200 titres par an et représentent 82 % du nombre d'exemplaires total.

Un livre sur quatre est acheté en grande surface.

Les grandes surfaces non spécialisées (hypermarchés, supermarchés, grands magasins et magasins populaires) captent environ un quart des achats de livres en volume (24 %), soit davantage que les librairies traditionnelles (18 %). Mais leur part a plutôt diminué au cours des dernières années ; elle était de 27 % en 1995. Les clubs et la vente par correspondance représentent 18 % contre 14 % en 1995, un peu plus que les grandes surfaces spécialisées (FNAC, Virgin, Extrapole..., 17 % contre 12 %). La part des maisons de la presse est passée de 12 % à 9 %, celle du courtage est stable à 1 %. Les autres canaux (kiosques, grands magasins, soldeurs, comités d'entreprise, salons...) comptent pour un peu plus de 10 %.

Les achats effectués sur Internet sont encore très faibles (moins de 1 % des dépenses). La vente en ligne de livres imprimés devrait cependant se développer en même temps que le taux de connexion des ménages et l'accès au haut débit. Ce canal permet d'accéder à un choix extrêmement vaste et les internautes peuvent consulter des critiques sur les livres émanant de professionnels ou de particuliers. Les produits culturels figurent en bonne place dans les intentions d'achat des internautes. Le véritable démarrage des achats implique aussi une meilleure sécurisation des transactions et des livraisons. Le concurrent principal du support écrit pourra alors démontrer qu'il est aussi son allié.

L'évolution technologique modifie la place du livre dans la société...

Le développement de l'audiovisuel a transformé la relation à la connaissance et à l'information en privilégiant l'image par rapport aux mots et en favorisant les formats courts (clips vidéo, reportages d'actualité...). Malgré la pression parfois exercée par les parents pour inciter leurs enfants à lire et à prendre du plaisir à la lecture, les jeunes trouvent à la télévision ou dans les jeux vidéo une satisfaction plus immédiate. Cette attitude est également apparente chez les adultes.

Mais les Français apprécient encore les livres. On constate d'ailleurs que ceux qui disposent du maximum d'équipements culturels (télévision, magnétoscope, micro-ordinateur...) sont aussi ceux qui lisent le plus. Mais beaucoup considèrent que la lecture nécessite un effort plus grand que les autres loisirs. La longueur des textes représente pour eux un obstacle. Certains éditeurs ont pris en compte cette évolution en proposant des livres plus courts. Ce raccourcissement des textes et des formats est généralement associé à une baisse des prix, qui rencontre une autre demande forte de la part du public. La « littérature rapide » s'adresse à la fois aux jeunes rebutés par la lecture et aux adultes pressés.

> 43 % des ménages possèdent des ouvrages de littérature classique.

... et les pratiques culturelles.

Les supports électroniques transforment la façon dont les individus appréhendent l'information. Alors qu'on lit un livre, qu'on parcourt un magazine et que l'on consulte un dictionnaire, on « navigue » sur Internet et dans les outils multimédia. Leur mode d'utilisation n'est plus linéaire. On peut passer instantanément d'un sujet à un autre ou obtenir la définition d'un mot grâce aux liens hypertextes. On peut élargir ou rétrécir le champ de vision (à l'aide d'une fonction zoom) ; on peut accéder à différents médias pour compléter sa connaissance d'un même sujet (texte, image fixe, séquences animées, son).

Surtout, l'itinéraire de la navigation est totalement personnalisé, ce qui fait du multimédia un outil pédagogique exceptionnel. Après avoir influencé largement l'utilisation de l'audiovisuel, puis celle de la presse, la vague de fond du *zapping* concerne aussi le livre. Ces évolutions ne peuvent être sans incidence sur la production et la consommation des supports écrits. Elles en auront aussi sur la façon dont les nouvelles générations s'approprieront la culture.

L'écrit et l'écran ne s'opposent pas.

Les questions récurrentes sur la place respective de l'écrit (le monde de Gutenberg) et de l'écran (le « village global » annoncé par McLuhan) reçoivent peu à peu des réponses. La principale est que les supports électroniques n'ont pas remplacé l'écrit. La quantité de papier utilisée s'est au contraire accrue avec la généralisation de l'ordinateur et le « bureau sans papier » ressemble à un mythe. Le CD-Rom et, plus récemment, le DVD, n'ont pas non plus remplacé le livre en général. Ils viennent cependant concurrencer certains genres comme le dictionnaire ou l'encyclopédie, qui sont de plus en plus achetés par les Français dans leurs versions électroniques. A l'inverse, les bandes dessinées, les livres pour la jeunesse et les scolaires, les romans policiers, les « beaux livres », les documents et essais n'apparaissent guère menacés.

Le livre imprimé présente l'avantage d'un accès direct et immédiat au

Le e-book ne décolle pas

L'ACHAT en ligne de livres imprimés classiques doit être distingué de la « cyberlecture ». Celle-ci consiste à lire un ouvrage sur un écran, par consultation directe ou après l'avoir téléchargé sous forme numérique (avec la possibilité éventuelle de l'imprimer sur papier). Elle peut aussi concerner l'impression à la demande d'un ouvrage sur un site spécialisé.

Le livre électronique *(e-book)* n'a pas encore convaincu les Français. Les terminaux de lecture sont encore chers en encombrants. Le prix des ouvrages à télécharger est aussi jugé élevé par les lecteurs potentiels. Enfin, l'attachement au support papier reste fort chez de nombreux lecteurs, qui trouvent l'objet réel plus séduisant et plus pratique que son équivalent virtuel.

Le développement de la cyberlecture devrait avoir lieu dans des domaines spécifiques comme l'accès par abonnement à la documentation professionnelle (scientifique, technique ou juridique), en profitant d'un mélange multimédia à forte valeur ajoutée de bases de données, d'articles de presse et de livres.

FKGB

Internet, un autre accès à la lecture

contenu. Il ne nécessite pas de brancher un appareil ni de rechercher un texte dans des répertoires. Il est son propre support et il ne contient que lui-même. Surtout, il constitue un objet matériel et plurisensoriel. On peut le voir, le toucher, éventuellement le sentir ou même entendre le bruit des pages que l'on tourne. Il bénéficie à ces divers titres d'une complicité particulière avec le lecteur.

Le multimédia est à la fois un concurrent et un allié pour l'écrit.

Les nouveaux supports électroniques (CD-Rom, DVD, vidéodisque, CD-Photo, cartouches de jeux...) constituent des concurrents au support écrit traditionnel, de même que les services interactifs en ligne sur Internet. C'est déjà le cas pour certains types d'ouvrages de référence comme les encyclopédies, les dictionnaires ou les guides. Ils vont aussi contraindre l'écrit traditionnel à évoluer, en favorisant les formats courts, les possibilités « zapping », les dimensions ludiques, pédagogiques ou pratiques.

On ne devrait cependant pas assister à une substitution mais à une complémentarité, à la fois entre les supports (papier, électronique), les accès (*on-line*, *off-line*) et les équipements (télévision, ordinateur ou téléphone). Chacun d'eux correspond en effet à des usages et à des moments de consommation différents et non exclusifs. Selon ce que l'on fait, on peut avoir envie (ou besoin) de sortir un dictionnaire de sa bibliothèque ou de le consulter sur son ordinateur, de chercher une information sur un CD-Rom ou sur Internet, de visionner un film sur un téléviseur ou sur un autre type d'écran.

Quel que soit le support utilisé, l'essentiel reste le contenu, la façon de le rendre accessible et de le mettre en scène. L'ordinateur n'est pas seulement un concurrent du livre. Il représente pour lui un extraordinaire moyen d'enrichissement, car il autorise un nouveau mode de transmission de la connaissance et de l'information.

> 60 % des Européens ont lu au moins un livre au cours des douze derniers mois (2001). La proportion est plus nombreuse au nord de l'Europe, notamment en Suède (80 %), en Finlande (75 %) et au Royaume-Uni (74 %), qu'au sud (32 % au Portugal, 45 % en Grèce, 47 % en Espagne).
> 156 millions de livres ont été empruntés dans les bibliothèques municipales en 2001.
> 1 141 bibliothèques sont installées dans des communes de moins de 2 000 habitants.
> Seuls 12 % des foyers n'achètent jamais de livres.

La communication

Ordinateur

Les nouvelles technologies occupent une place croissante dans les foyers...

La présence des nouveaux équipements technologiques est de plus en plus apparente dans les foyers : ordinateur ; produits périphériques (imprimante, scanner, lecteur de CD, graveur...) ; accès à Internet ; abonnement à la télévision numérique par câble ou par satellite ; console vidéo ; lecteur de DVD ; Caméscope ; appareil photo numérique ; assistant personnel... Début 2002, près de deux Français sur trois (63 %) possédaient un téléphone portable ; jamais un bien d'équipement n'avait connu une diffusion aussi rapide dans l'ensemble de la population.

D'autres innovations sont attendues pour les prochaines années : normes GPRS et UMTS pour les téléphones mobiles permettant la transmission de tous les types de données ; écrans organiques électroluminescents pour la télévision et l'ordinateur ; logiciels pour le montage vidéo numérique ; enregistreurs de disques DVD dans un format standard ; télévision numérique terrestre avec décodeur ou téléviseur compatible ; systèmes de gestion domestique permettant de faire communiquer les équipements électroniques du foyer, etc.

... mais les Français sont plutôt réticents à l'égard de l'innovation.

Les Français ne sont pas des « néophiles » convaincus (voir encadré). Ils sont plutôt moins pourvus en équipements multimédias que la moyenne européenne (voir tableau). C'est le cas notamment en ce qui concerne la télévision par câble (16 % de foyers équipés fin 2001

L'Europe du multimédia

Taux de possession de différents équipements multimédias dans les pays de l'Union européenne (fin 2001, en %) :

	Bel.	Dan.	All.	Gr.	Esp.	Fra.	Irl.	Lux.	P-B	Aut.	Por.	Fin.	Suè.	R-U	EU15
- Téléviseur	96,1	99,6	98,8	100	100	98,1	99,2	99,7	99,2	99,1	99,5	97,9	99,5	99,3	99,0
- Antenne satellite	3,8	21,9	35,7	4,5	13,8	17,0	18,9	19,3	4,6	44,6	9,1	8,7	26,5	27,9	21,4
- TV par câble	82,3	58,8	57,7	8,5	11,0	16,4	48,0	85,2	81,0	42,7	25,7	31,6	52,0	18,7	30,7
- Magnétoscope	74,1	81,8	67,8	53,0	75,7	81,2	76,4	75,9	89,3	63,4	44,0	71,3	80,0	88,8	75,7
- Caméscope	20,9	20,2	20,1	15,4	23,9	21,1	21,3	38,6	35,8	18,7	14,1	16,0	26,8	28,9	23,5
- Chaîne hi-fi	69,9	83,5	82,1	60,4	58,8	76,6	58,6	75,7	83,4	72,4	57,7	52,1	86,0	83,5	74,2
- Baladeur	28,7	42,3	31,3	27,5	45,6	31,6	37,6	45,6	44,4	29,4	16,6	37,0	53,1	47,9	37,7
- Console jeux vidéo	24,6	19,6	15,1	14,5	26,0	34,0	24,6	37,1	31,3	21,2	14,8	21,1	16,3	35,6	25,4
- Ordinateur perso.	32,9	63,9	42,1	21,1	35,0	29,0	31,2	52,8	67,9	40,1	23,0	49,1	64,3	51,1	39,8
- Assistant perso.	2,4	4,2	5,0	3,6	5,7	5,1	3,9	10,7	9,4	2,9	-	3,7	7,0	12,1	6,4
- Accès à Internet	20,5	51,0	27,4	9,3	15,0	20,1	19,8	41,0	50,3	24,9	9,6	33,9	57,3	41,4	27,8
- Lecteur DVD	7,4	20,0	6,7	4,4	5,9	13,1	11,2	21,9	15,0	6,3	4,1	6,8	15,1	18,8	10,1
- Encyclopédie CD	11,5	24,0	13,2	5,9	17,2	13,6	11,2	20,3	27,9	13,0	6,1	16,8	28,6	27,5	17,5
- CD, DVD, cassettes	59,2	86,0	70,8	71,5	62,2	66,9	48,8	87,0	71,1	61,0	36,1	77,3	90,9	72,9	68,4
- Téléphone mobile	44,7	70,2	50,2	66,5	68,8	59,4	58,3	77,8	76,1	64,5	55,7	76,8	84,1	69,9	57,5

Eurobaromètre

contre 31 % en moyenne dans l'Union européenne), le magnétophone à cassette (28 % contre 60 %) et l'ordinateur (29 % contre 40 %). Ils sont également moins équipés en réception satellite, appareils photo, baladeurs, assistants personnels, accès à Internet, encyclopédies (papier ou CD-Rom) ou instruments de musique. Les seuls équipements qu'ils possèdent plus fréquemment sont le magnétoscope (81 % contre 76 %), la console vidéo (34 % contre 25 %) et le lecteur de DVD (13 % contre 11 %).

Cette hésitation nationale devant l'innovation explique les échecs commerciaux récents de certaines technologies. C'est le cas par exemple du Wap, téléphone portable permettant une connexion à Internet, qui a connu un sort semblable à celui du Bi-Bop, il y a quelques années. Les services payants proposés sur Internet peinent aussi à trouver leur place : cybermarchés ; sites d'informations ; achats de musique en ligne... Le prix est un critère de choix important. Les Français considèrent ainsi que les services d'accès haut débit à Internet sont trop chers. L'équipement des ménages en ordinateurs ou en photo numérique est également freiné par l'investissement qu'il implique.

Un ménage sur trois dispose d'un ordinateur.

30 % des ménages étaient équipés d'un ordinateur en mars 2002, contre 26 % début 2001 et 22,5 % début 2000 (Médiamétrie). La France se situe en-dessous de la moyenne européenne. Le taux d'équipement atteignait 64 % aux Pays-Bas, 48 % en Allemagne, 43 % au Royaume-Uni fin 2001 ; il n'était que de 30 % en Espagne, 27 % en Italie (*SVM*/GFK). Les Français ont véritablement commencé à s'équiper à partir de 1993, année au cours de laquelle ils ont acheté pour la première fois plus d'ordinateurs que de voitures.

Les achats d'ordinateurs ont cependant connu en 2001 la plus faible croissance jamais enregistrée : 2 % en volume (4,6 millions d'appareils au total, y compris les entreprises). Les achats d'ordinateurs portables ont cependant progressé de 42 %, à 800 000. Ceux de graveurs ont augmenté de 42 % (850 000), ceux des assistants personnels numériques de 40 % (350 000). Les Français ont en outre acheté 400 000 moniteurs (+ 5 %, avec un prix moyen en baisse de 56 %), avec une part croissante des modèles à cristaux liquides. Les achats d'imprimantes ont été identiques à ceux de l'année 2000 (3,6 millions) et ceux de scanneurs ont diminué de 8 % (1,1 million).

Parmi les ménages équipés d'ordinateurs au début 2002, 91 % disposaient d'une imprimante, 82 % d'un modem, 50 % d'un scanneur ou d'un lecteur de DVD, 38 % d'un graveur de CD-Rom. La durée moyenne d'utilisation des ordinateurs était d'un peu plus de 8 heures par semaine. 25 % étaient âgés de plus d'un an, contre 31 % fin 2000.

Le taux d'équipement reste très lié à la catégorie sociale.

Le taux de possession d'un ordinateur augmente régulièrement jusqu'à l'âge de 50 ans. Il atteint près de 50 % entre 40 et 49 ans, car les ménages concernés ont un pouvoir d'achat moyen élevé. Ils ont également des enfants en âge scolaire, ce qui constitue l'une des principales motivations

Les Français néophobes ?

L'HÉSITATION devant les nouvelles technologies est en partie culturelle et la proportion de « néophiles » apparaît inférieure en France à celle des pays anglo-saxons. Les Français ne pratiquent pas le fétichisme technologique et le seul attrait de la nouveauté ne suffit généralement pas à les séduire. Il leur faut se convaincre que l'innovation apporte des bénéfices tangibles, justifiant la dépense, mais aussi le temps et l'énergie nécessaires à son appropriation.

Certains des nouveaux produits annoncés pour demain pourraient se heurter à cette résistance nationale. Ainsi, le principe du vidéophone ne semble guère séduire les Français, qui n'ont pas tous envie d'être exposés au regard de leurs interlocuteurs. La télévision interactive, qui permettra aux téléspectateurs de modifier eux-mêmes les angles de prise de vue des images ou la fin des films qu'ils regardent les fascinera-t-elle ou sera-t-elle perçue comme un gadget ? La possibilité se recevoir des informations très localisées sur les téléphones portables sera-t-elle considérée comme un réel avantage ou comme une sollicitation marchande supplémentaire ?

Pourtant, s'ils sont souvent réticents face aux nouvelles technologies, les Français adoptent ensuite rapidement celles qui leur apportent des satisfactions véritables et rattrapent alors leur retard par rapport à d'autres pays. Cette objectivité (ou sagesse ?) fait de la France un bon terrain d'expérimentation de l'innovation. On peut y mesurer l'intérêt suscité par les nouveaux produits auprès des utilisateurs potentiels.

à l'acquisition. Les personnes de 70 ans et plus sont les moins équipées (moins de 5 %), la plupart n'ayant pas eu l'occasion d'utiliser un ordinateur dans leur vie professionnelle. Ce n'est pas le cas des retraités plus jeunes, qui ont pu faire cet apprentissage dans leur vie active.

La proportion de cadres équipés est environ quatre fois plus élevée que celle des ouvriers et sept fois plus que celle des agriculteurs. Les hommes sont plus concernés que les femmes, mais l'écart se résorbe rapidement. Un fort potentiel d'équipement existe, mais 53 % des personnes non équipées déclaraient en 2002 qu'elles n'en achèteraient jamais. Malgré la baisse des prix, l'ordinateur reste un équipement coûteux (30 % des Français estiment les prix trop élevés) difficile à choisir, à installer et à utiliser. L'arrivée du multimédia et surtout d'Internet a accru le montant de l'investissement, du fait de la configuration requise, des abonnements nécessaires aux fournisseurs d'accès, du coût des communications et de l'achat de produits consommables (CD-Rom, DVD, papier et cartouches pour imprimante...).

ADOPTEZ UN PC DE COMPAGNIE

CONNEXION → L'ERREUR, C'EST D'ALLER AILLEURS.

L'ordinateur, compagnon de la vie quotidienne

Le loisir, le travail et l'éducation sont les principales utilisations.

Le développement du multimédia (symbiose du texte, du son, de l'image fixe ou animée) a constitué un élément majeur de l'arrivée des ordinateurs dans les foyers. Il est ainsi devenu un instrument d'éducation et de communication, un Minitel, un fax ou un répondeur. Il est aussi un centre de loisirs avec les jeux vidéo, l'écoute de la musique ou le visionnage des photos de famille numérisées. L'arrivée du CD-Rom, en 1995, a été l'un des principaux facteurs de la progression du taux d'équipement. Celle du DVD, au premier semestre 1999, a provoqué un transfert progressif vers ce nouveau support, plus propice à la vidéo.

L'ordinateur est donc un outil à usage multiple. Il peut être utilisé dans le cadre des trois fonctions principales de la vie : formation, travail, loisir. Il permet en effet de s'informer au moyen des bases de données et des sites disponibles via Internet. Grâce aux logiciels de toute sorte, il est un instrument de travail de plus en plus répandu et performant. Enfin, il donne accès à de nombreux loisirs : communication (mails, forums...) ; activités artistiques (écriture, dessin, traitement des images, du son, de la vidéo...) ; jeux, etc. C'est cet usage transversal de l'ordinateur qui explique son succès.

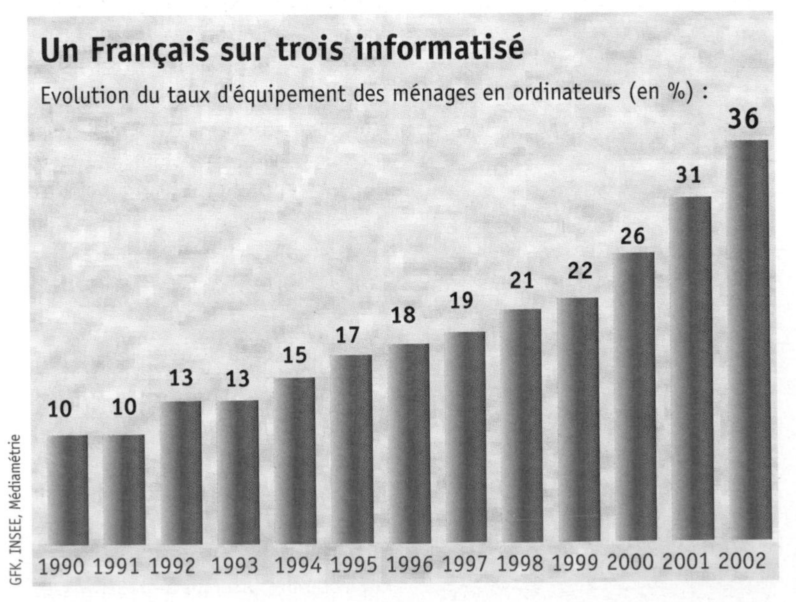

On assiste à une concurrence croissante entre l'ordinateur et les autres médias.

Les Français considèrent la télévision et le micro-ordinateur (dans cet ordre) comme les deux plus grandes inventions du XXe siècle. Dans un premier temps, la concurrence entre les deux objets s'est accrue. Compte tenu de la multiplicité des applications qu'il propose, l'ordinateur a été jusqu'ici destiné à un usage individuel. C'est pourquoi on le trouve plutôt dans le bureau ou dans la chambre à coucher, alors que le téléviseur, plus convivial, est généralement dans le salon.

Mais les différences entre les deux appareils s'estompent de plus en plus. L'ordinateur permet aujourd'hui l'accès aux chaînes de télévision par l'ajout d'une carte spéciale. De son côté, le téléviseur devient numérique et propose l'interactivité, les services en ligne et le *home cinema* (grand écran, son stéréo...). Il intègre aussi progressivement tout ou partie des fonctions de l'ordinateur, avec notamment l'accès à Internet.

La convergence se prépare aussi avec les autres médias. Les téléphones portables sont reliés à Internet, comme les consoles de jeux vidéo. On estime qu'en 2005, 75 % des mobiles permettront l'accès à Internet (contre 1 % en 2000), comme 75 % des consoles de jeux (contre 4 %) et 10 % des téléviseurs (contre pratiquement 0 %). Les assistants personnels, les appareils photo numériques et les Caméscopes se connectent aussi aux ordinateurs. De leur côté, ceux-ci reçoivent non seulement la télévision mais aussi la radio. La numérisation permettra ainsi de réunir et de manipuler des informations de toutes sortes placées sur tous les supports.

La souris, meilleure amie de l'homme

On compte désormais davantage de « souris » d'ordinateur en France que de chiens ou de chats. 36 % des foyers sont équipés d'un ordinateur, donc dans la très grande majorité des cas d'une souris, alors que seuls 28 % ont un chien, 26 % un chat (voir p. 219). La souris est donc devenue le meilleur ami de l'homme, son indispensable allié dans le rapport souvent conflictuel avec la machine informatique.
Cet étrange objet placé sur un tapis et relié à l'ordinateur autorise selon les termes consacrés une utilisation « conviviale » et « ergonomique ». Il transforme un mouvement effectué sur un support horizontal (le tapis) en déplacement vertical sur l'écran. Les deux « oreilles » permettent de cliquer pour commander certaines fonctions. Les destins de la souris d'ordinateur et de la télécommande de télévision, familièrement baptisée *zapette*, sont parallèles. Toutes deux sont des extensions du corps, qui obéissent littéralement au doigt et à l'œil. Elles sont au service de la mobilité immobile, de la réalité virtuelle, du temps transcendé, de l'espace dominé. Lorsqu'elles seront intégrées au corps, ces deux prothèses affirmeront la domination de l'homme sur les objets qui l'entourent. Elles illustreront la mutation de l'*Homo sapiens* en *Homo-zappens*.

> On ne comptait en France que 59 ordinateurs pour 100 employés en 1998, contre 118 aux Etats-Unis, 93 en Irlande et en Suède, 74 au Danemark, 72 en Finlande, 69 aux Pays-Bas, 68 en Autriche, 65 au Royaume-Uni.

Internet

Un Français sur trois est connecté à Internet.

22 % des Français disposaient d'une connection à Internet à leur domicile en mars 2002 (contre 17 % début 2001), soit 5,4 millions de foyers contre 400 000 en 1997 (Médiamétrie). Par ailleurs, 15 % des Français sont connectés uniquement sur leur lieu de travail, de sorte qu'un tiers de la population (32 %, soit 16,5 millions de personnes de 11 ans et plus) est en mesure d'utiliser Internet à titre personnel ou professionnel. Le taux d'accès est désormais comparable à celui du Minitel (24 % début 2002).

28 % des Français se connectent tous les jours ou presque, à domicile ou sur leur lieu de travail. L'usage principal est de loin l'envoi de mails (53 % des utilisateurs, contre 9 % en 1997). 45 % surfent sur le réseau, contre 29 % en 1996. Le temps moyen passé est de 9 h 6 par mois, avec des écarts importants entre les inconditionnels, qui passent plusieurs heures par jour et les occasionnels, qui se contentent d'échanger des courriers électroniques.

Le développement passe par un accès moins coûteux au haut débit.

Les internautes sont plus souvent des hommes, âgés de 37 ans en moyenne, ayant effectué des études supérieures, mariés et pères d'un ou deux enfants, percevant un salaire mensuel d'environ 3 000 €. Les plus de 65 ans, les femmes et les foyers à revenu modeste sont les moins concernés. 20 % des internautes connectés à leur domicile disposent de connexions à haut débit (1,3 million par le câble, 700 000 par l'ADSL). Ils passent en moyenne plus de 14 heures en ligne par mois, au cours de 27 visites, et consultent 1 400 pages, contre respectivement 8 heures, 16 visites et 670 pages pour ceux qui sont connectés au moyen de bas débits.

Le taux d'accès à Internet devrait s'accroître au fur et à mesure que les prix des connexions baisseront, en particulier pour l'accès à haut débit. L'autre condition est la simplification des équipements et de leur usage. Un Français sur deux (46 %) juge en effet l'utilisation d'Internet compliquée ; la proportion est de 61 % parmi les 60 ans et plus. Les Français sont de plus en plus conscients que le « réseau des réseaux » est un lieu extraordinaire de connaissance, d'échange et de culture dont ils peuvent être à la fois utilisateurs et fournisseurs. Mais ils sont encore 63 % à ne jamais l'avoir expérimenté (80 % dans le cadre professionnel). Avec les progrès attendus en matière de prix et d'usage, les cyberphobes d'aujourd'hui pourraient se transformer demain en cyberphiles.

5 millions d'internautes à domicile

Evolution du nombre et de la proportion de Français connectés à Internet à leur domicile (en millions et en %) :

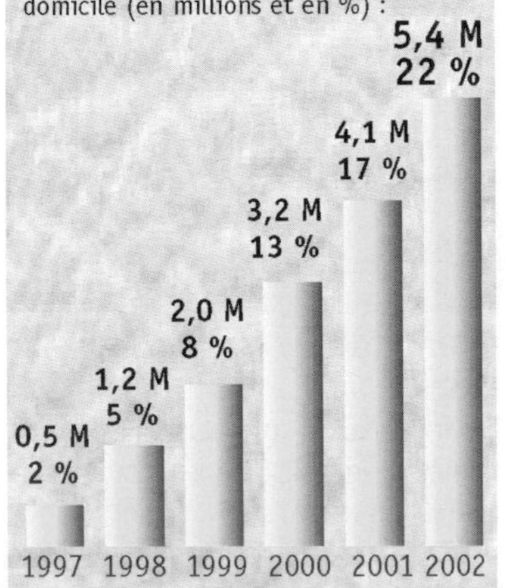

Plus de surfeurs au nord

La proportion de Français connectés à Internet à domicile (22 % en mars 2002) est inférieure à celle constatée aux Pays-Bas (52 %), en Allemagne (34 %) ou au Royaume-Uni (32 %) ; elle est supérieure à celle de l'Espagne (17 %) ou de l'Italie (16 %). Aux freins d'ordre culturel (voir p. 452) s'est ajoutée en France l'existence du Minitel, qui rendait Internet moins nécessaire.

On retrouve des écarts de même nature dans les taux d'utilisation. 35 % des Européens utilisent Internet : 9 % tous les jours et 14 % au moins une fois par semaine. Les plus concernés sont les Suédois (67 %), les Danois (59 %), les Néerlandais (54 %) et les Finlandais (51 %). Les utilisations les plus fréquentes sont l'échange de courriers électroniques (58 %), la recherche d'information (42 %) et le travail (40 %).

Médiamétrie

Le développement d'Internet recèle de formidables opportunités...

Internet représente sans aucun doute une chance pour le monde, un grand projet planétaire. Le « village mondial » prévu par MacLuhan est un « septième continent » dans lequel tous les humains pourront pour la première fois se retrouver en se jouant des frontières spatiales (géographiques ou politiques) et temporelles. Internet leur apportera un supplément d'information, d'expression et de liberté. Certes, la convivialité proposée est virtuelle, avec des contacts indirects, distanciés, aseptisés. Mais elle constitue une réponse possible à la solitude engendrée par une « société de communication » qui engendre souvent l'« excommunication ».

Internet est l'un des outils d'élaboration d'une société mondiale parallèle, capable d'influencer les Etats et les cultures. Son avènement donnera à chaque individu la faculté d'exister pour tous les autres, d'appartenir à des groupes planétaires ayant des centres d'intérêt communs. Il autorisera un nouveau rapport aux autres à travers notamment l'utilisation des services de messagerie. Il renforcera l'autonomie et l'indépendance de chaque citoyen par rapport aux contraintes nationales. Pour les curieux, Internet est un nouvel univers à explorer, alors que le monde réel ne réserve plus de véritable *terra incognita*. Il constitue une aventure moderne, un labyrinthe dans lequel chacun peut s'engager sans savoir ce qu'il trouvera en chemin et où il parviendra.

Le développement d'Internet a déjà une incidence sur le fonctionnement des nations et sur celui de la planète. Il a transformé la notion de distance (le prix des services ou des communications est indépendant de l'éloignement) et celle de temps, avec l'accès instantané aux services. Il autorise une interactivité totale, symbole de la naissance d'un « spectateur », à la fois spectateur et acteur. Il se caractérise enfin par la diversité

On trouve tout sur Internet...

de ses utilisations : information ; divertissement ; jeu ; communication (à deux ou en groupe) ; achats ; relations avec les entreprises et les institutions...

... mais il est aussi un facteur d'inégalités...

La contrepartie des avantages et des promesses d'Internet est le risque de dérives inhérent à un outil par nature difficile à contrôler. Internet est en effet potentiellement porteur de nouvelles inégalités. Entre ceux qui seront « branchés » et ceux qui ne le seront pas (certains pays cherchent d'ailleurs à restreindre ou interdire l'accès au réseau). Entre ceux qui disposeront des hauts débits (câble, ADSL, satellite...) et ceux qui se désespéreront devant la lenteur d'affichage. Entre les utilisateurs qui iront au plus simple (informations de base, jeux, distractions de toutes sortes...) et ceux qui en feront un outil de réflexion et d'enrichissement pour développer leurs compétences, leurs réseaux relationnels ou leurs affaires. Entre ceux qui resteront du côté sombre (sites pornographiques, d'incitation à la violence ou au racisme...) et ceux qui se serviront de cet outil pour rendre le monde meilleur, dans le respect et l'échange avec les autres. Internet pourrait donc être à l'origine de nouvelles fractures : culturelle, sociale, philosophique, morale.

Un autre risque est que la cybersociété, virtuelle et planétaire, se substitue à la société réelle et nationale. Certains la trouvent en effet plus sécurisante, car les contacts y sont indirects, distanciés, aseptisés. Enfin, l'utilisation de l'ordinateur est généralement solitaire, à l'inverse de celle de la télévision qui a pu favoriser la communication au sein de la famille. Le temps passé devant l'écran d'un ordinateur est souvent à déduire du temps disponible pour l'entourage proche. De même, la possibilité de communiquer avec des personnes situées à l'autre bout du monde empêche parfois de parler à celles qui se trouvent tout à côté.

... et de menaces sur la liberté individuelle.

Dans l'univers théoriquement protégé d'Internet, de nombreuses formes d'agression sont possibles. Les virus véhiculés par le réseau coûtent cher aux entreprises et aux particuliers ; ils représentent une crainte permanente pour les utilisateurs et réduisent considérablement le plaisir de naviguer sur le réseau.

Les possibilités de s'immiscer dans la vie privée sont également inquiétantes, avec l'introduction de *cookies* et de *spywares* qui gardent la trace du cheminement de chacun et surveillent à distance le contenu des ordinateurs. L'utilisation de données de plus en plus précises sur les foyers et les personnes à des fins commerciales est d'ailleurs le but avoué du « marketing relationnel » *(one to one)* qui se développe aujourd'hui dans les entreprises. Il risque cependant de se heurter à la méfiance croissante des individus citoyens consommateurs, qui pourrait les amener à boycotter certains sites trop curieux ou à fournir délibérément des informations erronées.

Enfin, Internet est souvent considéré comme une incitation à la sédentarité, qui serait contraire au mouvement actuel vers des activités extérieures ou « nomades ». Le risque existe surtout pour les « accros » du Web, qui passent des heures devant leur écran, oubliant la vie extérieure. Mais on constate que le temps de connexion tend à diminuer avec la pratique. De plus, les internautes ont souvent envie de rencontrer leurs interlocuteurs dans le « vrai monde », ce qui les incite à se déplacer et à voyager.

L'information se développe en même temps que la désinformation.

L'accès à l'information connaît avec Internet une évolution inédite ; le réseau est une sorte de bibliothèque géante contenant tout le savoir et l'intelligence du monde et accessible à chacun. La contrepartie de cette richesse est la difficulté de trier et de valider les informations disponibles.

Il existe en effet un risque de désinformation et de manipulation de l'opinion. La « rumeur électronique », propagée par des concurrents peu scrupuleux, des groupuscules terroristes ou des consommateurs insatisfaits peut ternir l'image des entreprises, des marques, des produits ou des individus. Dans les boîtes à lettres électroniques, des courriers (anonymes ou non) peuvent jeter le discrédit sur des personnes, des entreprises, des institutions, voire des pays.

Par ailleurs, les tentatives d'influence idéologique et de manipulation mentale se multiplient déjà sur des sites au contenu immoral (nazisme, racisme, pédophilie, pornographie, incitation à la violence...). Comme les autres médias, Internet exercera une influence sur les esprits les plus malléables. Les sectes y trouveront un moyen facile de recrutement et d'endoctrinement. Sous couvert de la liberté d'expression, des idéologies douteuses chercheront à se frayer un passage. Le réseau ne pourra rester un outil de liberté totale ; comme tous les lieux publics, son usage devra être réglementé et surveillé.

Près d'un internaute sur trois a déjà acheté sur Internet

La fin des intermédiaires ?

Le développement des supports électroniques et d'Internet a des conséquences considérables sur la diffusion de l'information. Contrairement au passé, le coût de démultiplication est en effet nul, de sorte que chacun peut en bénéficier gratuitement et instantanément. Le savoir, et donc le pouvoir, se trouvent ainsi partagés dans le principe, même si de nombreuses inégalités demeurent dans la réalité (voir ci-dessus).

De plus, chaque récepteur d'information est aussi potentiellement émetteur, grâce à l'interactivité des nouveaux médias. Les relations de dépendance, verticales, sont donc remplacées par des relations horizontales, en réseau. Les intermédiaires tendent aussi à disparaître et les relations sont de plus en plus directes entre les citoyens consommateurs et leurs interlocuteurs et prestataires.

Cette « désintermédiation » permet à chacun d'être en relation directe, instantanée et quasiment gratuite avec tous les autres, pour échanger des informations, des idées ou des biens. Elle est de nature à transformer le fonctionnement et la hiérarchie des sociétés développées.

Les risques économiques sont importants.

La crainte d'utiliser les numéros de cartes bancaires freine le développement des transactions commerciales sur Internet. Les utilisations frauduleuses sont d'ailleurs courantes. Il s'y ajoute le risque de vol par effraction sur les comptes bancaires ou les portefeuilles de valeurs mobilières. Le respect de la propriété intellectuelle des personnes et des entreprises n'est pas non plus assuré, avec la possibilité de télécharger gratuitement de la musique, des textes, des photos ou des films. On estime ainsi qu'un internaute sur deux est un « pirate » : un CD sur cinq achetés est copié et 700 000 copies de films circuleraient quotidiennement sur le réseau, soit un manque à gagner de 3,5 milliards d'euros pour l'industrie cinématographique. Dans les entreprises, 42 % des logiciels installés seraient copiés.

Il est à craindre que les actes terroristes se multiplient sur le réseau, provoquant des paniques collectives et des dégâts importants dans les services publics ou privés (santé, distribution d'eau ou d'électricité, téléphone, contrôle aérien, sécurité sociale...) ou les systèmes de défense nationaux, avec des déclenchements intempestifs de procédures d'urgence. On pourrait assister par ailleurs à des tentatives de cyberchantage à l'encontre d'institutions, d'entreprises ou même de particuliers. Internet

> 10 milliards de messages sont envoyés chaque jour par Internet dans le monde. On en prévoit 35 milliards en 2005.

Cyberconsommation

Le développement d'Internet pourrait à terme bouleverser l'économie en transformant à la fois l'offre et la demande. Du côté de l'offre, Internet constitue un canal de vente concurrent (ou complémentaire) des circuits de distribution classiques, notamment pour les produits dématérialisés : transports, tourisme, produits financiers, musique, cinéma... L'accès aux produits et aux services est instantané ; il n'est plus limité par les horaires d'ouverture des magasins ou des guichets et fonctionne sans discontinuité tout au long de la journée, de la semaine et de l'année. Internet va aussi faciliter la diversification des activités des entreprises présentes sur le réseau, qui profiteront de leur expertise de la relation à distance. Les cyberbanques pourront par exemple proposer des services de téléphonie alors que les opérateurs de téléphonie pourront offrir des services bancaires accessibles sur leurs sites.
Du côté de la demande, on peut s'attendre aussi à de nombreuses évolutions. Internet favorisera le développement d'un contre-pouvoir des individus-citoyens-consommateurs-internautes. Il réduira les contraintes liées aux législations nationales (réglementations des produits, taxes...). Les prix pourront être facilement comparés en temps réel. La localisation des entreprises prestataires n'aura plus guère d'importance, dans la mesure où elles seront en mesure de livrer et d'assurer un service.
En mars 2002, 28 % des internautes avaient déjà utilisé le réseau pour acheter en ligne, contre 19 % début 2001 et 10 % en 2000. La dépense moyenne était de 520 € par internaute acheteur en 2001. 32 % des internautes français consultent régulièrement des sites de marques. La grande majorité des sites sur lesquels sont effectués les achats sont ceux qui disposent d'une notoriété et d'une image acquise dans la distribution traditionnelle ou dans la vente par correspondance, qui sont plus rassurants pour les acheteurs.

constitue donc un levier facile et efficace pour déstabiliser les démocraties.

Internet est un outil ambivalent...

Comme la plupart des innovations majeures (l'avion, la voiture, le nucléaire, la télévision, la pilule contraceptive...), Internet est porteur du meilleur et du pire et il suscite de nombreuses questions. Ce formidable outil de communication sera-t-il accessible à tous, y compris dans les pays pauvres et dans les dictatures ? Restera-t-il un moyen de communiquer et de s'informer pour les particuliers ou sera-t-il annexé par les marchands ? Réduira-t-il ou renforcera-t-il les inégalités entre les individus et entre les pays ? Sera-t-il un instrument de liberté ou de surveillance ? Les informations diffusées seront-elles objectives, fiables ou destinées à manipuler les opinions ?

L'avenir dira si les cyberphiles et les cyberoptimistes ont raison face aux cyberphobes et aux cyberpessimistes. Il permettra de constater si la vie avec Internet est plus simple ou plus compliquée que sans, si la généralisation de l'accès au Web réduit les inégalités culturelles ou les renforce. On verra alors si cet outil magique crée de la convivialité ou de l'isolement, de la sédentarité ou du nomadisme, de la démocratie ou de l'asservissement, s'il substitue la virtualité à la réalité.

... qui va transformer les modes de vie et la perception du monde.

Il est probable que le développement d'Internet aura de fortes incidences sur la vie des individus, des nations et du monde dans son ensemble. Le réseau constitue déjà une sorte de mémoire vivante de l'humanité, accessible à tout moment et en tout lieu. Il est à l'origine d'une véritable révolution dans les modes d'acquisition de la connaissance, avec le développement de l'hypertexte et du multimédia (voir encadré). Il est en même temps un hypermarché planétaire dans lequel toutes les marchandises peuvent être échangées.

Internet est l'un des outils majeurs de la création en cours d'une société planétaire multiculturelle, dans laquelle le virtuel prend une place croissante, même s'il ne se substitue pas au réel. On y trouve une transposition de la « vraie vie », avec des forums de discussion, des webcams branchées en permanence dans des lieux publics ou privés, des galeries marchandes, etc. La mort y est aussi présente, avec des sites consacrés à la mémoire de personnes disparues, célèbres ou inconnues (biographies, témoignages, souvenirs...).

Le réseau place l'individu au centre de la « toile », créant ainsi des opportunités nouvelles en termes de liberté, d'autonomie, d'accession à l'information et à la connaissance, d'expression personnelle et de convivialité. Il en fait aussi une cible facile pour tous ceux qui veulent s'adresser

La culture fragmentée

L'UNE des caractéristiques des innovations technologiques majeures (qui est aussi l'un des freins principaux à leur pénétration) est qu'elles remettent en question la culture existante. L'imprimerie a modifié le rapport à la connaissance. Le téléphone a transformé les rapports entre les individus. L'ordinateur, même s'il a voulu reproduire l'esprit humain et se montrer « convivial », a imposé une logique différente de la logique commune.

Internet représente une nouvelle rupture culturelle. Alors qu'on lit un livre, qu'on parcourt un magazine et que l'on consulte un dictionnaire, on « navigue » dans un CD-Rom, un DVD ou sur les pages du Web. La linéarité a fait place à la circularité. On peut passer instantanément d'un sujet à un autre ou obtenir la définition d'un mot grâce aux liens hypertextes (chaque élément d'information renvoie à d'autres, et ainsi de suite dans un système global). On peut élargir ou rétrécir le champ de vision à l'aide de la fonction zoom. Son caractère multimédia permet d'accéder à tous les types d'informations : textes, images fixes, séquences animées, sons. Enfin, l'itinéraire de navigation est totalement personnalisé, ce qui fait d'Internet un outil pédagogique exceptionnel.

La contrepartie est que la culture générale constituée au hasard des navigations est fragmentée, parcellaire. Elle constitue une mosaïque plutôt qu'une image d'ensemble cohérente, telle que la fournit la culture traditionnelle. Elle est donc moins facile à mobiliser dans la vie quotidienne et permet moins facilement de se situer dans le monde et de comprendre son évolution. Mais elle est potentiellement plus riche et plus accessible, à condition que les questions préalables aux réponses obtenues soient clairement formulées.

à lui pour des raisons louables ou condamnables.

Internet est l'outil emblématique d'une nouvelle civilisation.

La civilisation en préparation sera fondée sur le double principe de l'autonomie de chaque individu et de sa relation possible avec tous les autres. Elle sera marquée par le passage du vertical à l'horizontal, avec la « mise en réseau » (volontaire ou involontaire) des habitants de la planète. Elle traduira aussi le passage du longitudinal au transversal. Contrairement aux autres innovations technologiques, les applications d'Internet concernent en effet tous les domaines de la vie (personnelle, professionnelle, familiale, sociale). Il peut être associé en cela au téléphone portable, qui permet d'ailleurs aujourd'hui d'y accéder et en constituera peut-être demain le principal support.

Une autre caractéristique d'Internet est d'être dans son principe un média « pur ». Comme le téléphone, il est un « tuyau » mis à la disposition des usagers, qui peuvent y faire passer n'importe quel contenu, en plus de ceux proposés par des prestataires divers (entreprises, institutions, associations...). Ce contenu peut être gratuit ou payant, moral ou immoral, simple ou complexe, distrayant ou sérieux.

Internet est enfin un média interactif. Tout récepteur peut être émetteur, et réciproquement. Chacun peut participer à des forums, communiquer avec les interlocuteurs de son choix et disposer de son propre site, qui constitue une sorte de carte d'identité électronique intime. Ces caractéristiques font d'Internet un média beaucoup plus riche que les médias traditionnels (presse, radio, télévision, affichage...). La preuve est d'ailleurs qu'il peut les contenir tous.

L'avenir du réseau dépendra de l'attitude des différents acteurs.

L'usage d'Internet sera conditionné par les intentions de ses promoteurs et les comportements de ses utilisateurs. Les deux parties prenantes seront d'ailleurs de plus en plus difficiles à distinguer, car chacune d'elles sera à la fois en position d'émetteur et de récepteur. Formidable outil d'expression individuelle, le réseau sera un lieu privilégié d'échange et d'information. Mais il sera aussi celui des tentatives de désinformation et de manipulation. Il devra cependant compter avec la capacité de résistance des minorités aux propagandes de toutes sortes, aux pouvoirs établis, aux idées reçues, aux cultures imposées.

Les cyberacteurs, notamment les marchands, devront faire preuve de vertu, afin de ne pas attenter à la morale ou à la liberté individuelle. Les pays devront aussi s'entendre à l'échelle planétaire sur une réglementation minimale destinée à prévenir les risques. Car le Web ne pourra pas rester, contrairement à l'utopie initiale de ses fondateurs, un non-lieu bénéficiant d'un non-droit, utilisé par des citoyens sans appartenance.

Tout ce que vous avez toujours voulu savoir sur Internet...

Sauf indication contraire, les chiffres se réfèrent à fin 2001

PARMI les personnes connectées à Internet à leur domicile ou sur leur lieu de travail 62 % sont des hommes (avril 2002). 33 % ont entre 35 et 49 ans, 25 % entre 25 et 34 ans, 2 % 65 ans et plus. 48 % ont fait des études supérieures. 40 % gagnent plus de 3 000 euros par mois.

27 % des Parisiens sont connectés à Internet contre seulement 13 % des provinciaux.

Le nombre moyen de sessions est de 22 par mois, pour une durée de 10 h 20.

39 % des actifs bénéficiant de la semaine de 35 heures se connectent au moins une fois par mois, contre 30 % des actifs en moyenne nationale.

75 % des internautes apprécient d'abord l'accès à l'information, 44 % le gain de temps, 27 % les distractions, 26 % la possibilité de nouer des contacts.

La moitié des internautes utilisent le courrier électronique, un tiers naviguent sur des sites, 13 % téléchargent des fichiers, 5 % dialoguent dans des forums.

30 % des internautes, soit deux millions de personnes, participent à des forums (juin 2001). 31 % espèrent y rencontrer des gens partageant leurs centres d'intérêt (22 % seulement des Allemands, 17 % des Britanniques).

75 % des 12-16 ans se sont déjà fait des amis sur Internet.

76 millions d'e-mails publicitaires ont été envoyés en France en décembre 2001.

44 % des 18-24 ans avouent ne pas se préoccuper de la syntaxe lorsqu'ils communiquent sur Internet.

76 % des internautes déclarent ne pas répondre ou mentir lorsqu'on leur demande de remplir des questionnaires de qualification en ligne. Le mot Internet évoque quelque chose de positif pour 71 % des Français, contre 23 %.

Le mot sexe est celui qui revient le plus souvent dans les moteurs de recherche.

50 % des internautes disent ne pas trouver facilement ce qu'ils cherchent sur les sites en matière d'information de toute nature.

Sondages divers

Comme en bien d'autres circonstances (nucléaire, guerres, délinquance, terrorisme...), le bien continuera sans doute de s'accommoder du mal, sans pouvoir toutefois en triompher définitivement. Le jeu subtil et dangereux contre les forces de destruction auquel se livre l'Humanité depuis ses mystérieuses origines est sans doute la condition du progrès. Tant que le Malin est là, tapi dans l'ombre, les bons esprits veillent.

> 58 % des Internautes disent regarder moins souvent la télévision depuis qu'ils sont connectés à Internet.

Téléphone

Près de 40 millions de Français possèdent un téléphone portable.

37 millions de Français étaient équipés d'un téléphone mobile au 1er janvier 2002, contre 20 millions fin 1999, 5,7 millions fin 1997 et moins de 2,5 millions fin 1996. La diffusion du portable a été au contraire plus rapide que celle de n'importe quel autre bien d'équipement ; il avait fallu plusieurs décennies pour que le téléphone fixe se démocratise en France et concerne la majorité des ménages. Après avoir été à la traîne par rapport aux autres pays de l'Union européenne, la France a rattrapé son retard et se trouve aujourd'hui dans la bonne moyenne européenne. Elle reste cependant encore derrière les pays du Nord, comme la Suède (84 %) ou la Finlande (77 %).

Le taux de possession est maximal jusqu'à l'âge de 30 ans ; il diminue ensuite régulièrement, avec un fort décrochement à partir de 65 ans. De nombreux ménages possèdent au moins deux appareils. Les portables équipés du système WAP permettant d'accéder à certains sites et services Internet adaptés n'ont pas connu le succès ; ils seront bientôt remplacés par les nouvelles générations utilisant les standards GPRS et UMTS, autorisant la transmission de tous les types de données. Les *pagers*, instruments de radio messagerie (émission et réception de messages sur un écran) sont de moins en moins utilisés. Ils concernaient surtout les jeunes et les enfants. Ils ont été remplacés par les textos (ou SMS), systèmes de messagerie disponibles sur les portables, dont l'usage se développe avec les nouvelles possibilités offertes (messages plus longs, ajouts d'images et de sons...).

Les codes d'utilisation se mettent progressivement en place.

L'utilisation du téléphone portable peut être parfois assimilée aux « incivilités » qui rendent la vie en société

Plus d'un Européen sur deux équipé

Taux de possession du téléphone mobile dans l'Union européenne (fin 2001, en % de la population totale) :

Pays	%
Suède	84,1
Luxembourg	77,8
Finlande	76,8
Pays-Bas	76,1
Danemark	70,2
Grande-Bretagne	69,8
Espagne	68,8
Grèce	66,5
Autriche	64,5
France	59,4
Irlande	58,3
Portugal	55,7
Allemagne	50,2
Belgique	44,7
Union Européenne	57,5

Eurobaromètre

difficile. C'est pourquoi il a été baptisé « insu-portable » par ceux qui l'acceptent mal dans les lieux publics : restaurants, cafés, gares, aéroports, trains, avions, musées, cinémas, salles de spectacle... Si la télévision a favorisé le voyeurisme chez les téléspectateurs, le mobile a engendré l'« écoutisme » (souvent involontaire) chez ceux qui entendent parler les autres. Outil permettant de communiquer avec des interlocuteurs virtuels, il engendre souvent l'agacement de ceux qui sont présents à proximité, mais dans le monde réel.

De même, l'utilisation du portable en voiture est aussi fréquente que dangereuse. Quatre utilisateurs sur dix avouent téléphoner parfois en conduisant. Les hommes, les moins de 35 ans et les cadres supérieurs sont les plus concernés. Cette pratique, interdite par le Code de la route, multiplierait pas six le risque d'accident. Mais le portable est aussi un instrument au service de la sécurité. Il permet en cas de problème de demander de l'aide, de rassurer les autres ou de se rassurer en appelant ou en étant appelé.

L'usage du portable modifie le rapport à l'espace et au temps...

Plus peut-être que l'ordinateur et Internet, le téléphone portable est l'outil symbolique de la civilisation en préparation et de la transformation des modes de vie qui l'accompagne. Il bouleverse d'abord la façon de gérer le temps, en permettant de modifier jusqu'à la dernière minute l'organisation des activités et des tâches. La notion de planification disparaît alors au profit d'une gestion de la vie « en temps réel » faite d'improvisations, d'ajustements et de changements successifs. Ainsi, la possibilité d'appeler pour dire que l'on va être en retard à un rendez-vous n'incite guère à la ponctualité. Cette évolution est particulièrement sensible dans le comportement des jeunes, qui ont souvent une vision à très court terme de leur emploi du temps et lui font subir des transformations jusqu'au tout dernier moment.

Le portable modifie aussi le rapport à l'espace, en réalisant le vieux rêve d'ubiquité : on peut grâce à lui être présent, au moins virtuellement à plusieurs endroits en même temps. Il illustre et amplifie le mouvement récent et de plus en plus apparent vers un mélange de la vie personnelle, familiale et professionnelle. Avec les avantages et les inconvénients que cela implique : amélioration de l'efficacité par la joignabilité mais accroissement de la corvéabilité et de la « traçabilité ».

... mais aussi aux autres et à soi-même.

Le nouveau rapport au temps et à l'espace créé par le portable n'est pas sans incidence sur la relation aux autres. Avec lui, les membres des « tribus » deviennent vraiment nomades. Mais ils n'ont plus besoin d'être ensemble dans un même lieu pour échanger et forment ensemble une sorte de *diaspora*. Le portable est aussi l'outil de la multi-appartenance, qui permet de se « brancher » sur des réseaux distincts et complémentaires (famille, amis, relations, collègues de travail, groupes divers...), de façon souvent éphémère. S'il est un moyen efficace pour chacun de garder le contact avec les membres de son univers, il constitue parfois une façon de les tenir à distance, de transformer le contact réel en relation virtuelle et aseptisée.

Enfin, le portable change le rapport que l'on a avec soi-même. La « joignabilité » donne la sensation grisante d'être important, ou tout simplement d'exister. Elle permet de ne pas être seul, à la condition, bien sûr, d'être appelé. Mais elle implique d'être en permanence en état de « veille », c'est-à-dire prêt à décrocher et à répondre à un interlocuteur. Comme pour toutes les machines, le maintien de cet état de veille entraîne chez les humains une consommation d'énergie ; il engendre de la fatigue et du stress.

Outil de la modernité et de l'efficacité, le portable est aussi celui d'une fuite en avant, d'une dépendance à l'égard des autres qui traduit souvent une incapacité à se trouver seul face à soi-même. L'imbrication croissante des différents compartiments de la vie peut être regardée comme un progrès ou comme une contrainte. La volonté de rationaliser l'emploi de son temps peut parfois amener à le perdre et à le faire perdre aux autres. S'ils ont la volonté d'être libres, les Français manifestent surtout le besoin d'être occupés. Or, ces deux états sont en principe exclusifs l'un de l'autre.

Deux Français sur trois sont équipés d'un téléphone portable

Les outils de communication occupent une place croissante dans les modes de vie des Français.

« Nous ne sommes hommes et ne nous tenons les uns aux autres que par la parole », écrivait Montaigne. Outre l'ordinateur, Internet et le téléphone, le fax, les répondeurs et les messageries, les Français sont de mieux en mieux équipés pour communiquer entre eux, de façon orale ou écrite. On estime que les salariés reçoivent et envoient en moyenne 155 messages par jour (208 aux Etats-Unis, 188 en Allemagne, 187 en Angleterre), répartis entre 40 appels téléphoniques, 27 mails, 18 courriers postaux, 14 télécopies, 9 *post-it* et 7 messages laissés sur des boîtes vocales. Le texto ou SMS a récemment enrichi la palette des moyens de communication ; 3,3 milliards de messages ont ainsi été envoyés en France entre des téléphones portables en 2001.

Cette avalanche de communications est une source de stress dans la vie professionnelle et personnelle. Elle est aussi très chronophage, car il faut beaucoup de temps pour lire les messages, répondre à ceux qui le justifient et alimenter les réseaux internes et externes avec des informations. Le risque est alors de se noyer dans l'information et de perdre du temps au lieu d'en gagner.

Le besoin de communiquer est aujourd'hui plus important que celui de s'informer.

La fascination pour les prouesses et les promesses de la technologie doit s'accompagner d'une réflexion sur son utilisation. A quoi sert de pouvoir accéder à toutes les informations du monde sur Internet si l'on n'est pas en mesure de les trier et, surtout, de les valider afin de choisir celles qui sont pertinentes et fiables ? L'obtention (fréquente) de 100 000 réponses à une simple question lancée sur un moteur de recherche engendre autant de frustration que de satisfaction. Face aux extraordinaires possibilités offertes par les nouveaux moyens de communication et d'information, la question du « comment ? » est beaucoup plus souvent posée que celle du « pourquoi ? ». Cette dernière est pourtant nécessaire ; elle permet notamment de s'interroger sur les

Communication et sociabilité

Le téléphone, fixe ou mobile, est un facteur d'intégration sociale. Mais le réseau des relations téléphoniques est plus restreint et moins diversifié que celui des relations sociales en face à face. Il se caractérise par une forte proximité affective et géographique ; un interlocuteur téléphonique sur deux vit à moins de 10 km (INSEE). Les personnes qui vivent seules passent en moyenne 21 minutes de plus par semaine que la moyenne au téléphone. Mais elles sont moins équipées pour communiquer que celles qui vivent en famille. Les inactifs et les chômeurs passent en moyenne 30 minutes de plus.

On constate aussi que les personnes qui n'ont pas accès aux moyens modernes de communication comme Internet sont moins fréquemment adhérentes à des associations que celles qui sont connectées. Contrairement à une idée reçue, la télévision n'est pas non plus un palliatif à l'isolement. Les personnes qui ont peu de contacts avec leur famille regardent deux fois moins la télévision que les personnes qui ont une vie familiale plus fréquente. On note cependant une exception avec le cinéma : les personnes seules le fréquentent 1,7 fois plus que les couples (Crédoc).

risques de désinformation et de manipulation des opinions et des esprits, mais aussi d'aggravation des inégalités entre les individus.

On observe que les Français sont aujourd'hui moins intéressés par les contenus qui leur sont proposés par les différents médias, car ils sont en situation de surabondance et d'hyperchoix. Ils sont au contraire fascinés par la possibilité de créer leurs propres contenus. C'est pourquoi les services de messagerie et les forums sont les plus utilisés sur Internet. Il s'agit moins de trouver de l'information sur le réseau que de pouvoir y faire circuler la sienne. Le besoin de communiquer est ainsi plus important que celui de s'informer.

Communiquer à tout prix

Le coût des communications devient de plus en plus lourd dans le budget des ménages. Si le prix de la minute interurbaine en heures pleines a été divisé par quatre entre 1995 et 2000, le prix des abonnements à France Télécom a augmenté de 80 % et la durée moyenne de communication s'est accrue. Il s'y ajoute le coût élevé des forfaits de téléphonie mobile, ainsi que celui des appels surfacturés à de nombreux services (banques, réservations de billets, informations diverses).
L'accès à Internet est une autre source importante de dépense pour les ménages concernés, surtout avec les systèmes d'accès à haut débit (câble, ADSL). Il s'y ajoutera bientôt les frais de téléchargement de films, musiques, livres, et autres informations numérisées, ainsi que les frais de connexion et de communication des équipements du foyer reliés au réseau (électroménager, domotique). Il faudra également intégrer les coûts des abonnements et des frais d'utilisation des chaînes de télévision payante, qui seront de plus en plus interactives (paiements à la demande, connexions à Internet...). Les ménages seront amenés à arbitrer entre ces offres coûteuses et choisiront celles qui leur apportent de véritables services.

> En 2001, 53 % des Européens n'utilisaient pas d'ordinateur, dans la vie professionnelle ou privée (75 % en Grèce et au Portugal). Un sur cinq en utilise tous les jours, le plus souvent comme activité de loisir à domicile. La durée de vie moyenne des ordinateurs est de 2,3 ans contre 3,2 ans en 1994.
> Un ordinateur sur cinq est acheté d'occasion, contre moins de 10 % des magnétoscopes ou des téléphones portables.

Les activités

Sports et jeux

L'entretien du corps apparaît de plus en plus nécessaire...

Après avoir été principalement considéré comme une simple enveloppe charnelle, le corps a été « redécouvert » dans les années 80. Les Français ont pris conscience de ses différentes fonctions : enveloppe charnelle ; outil permettant d'effectuer les tâches quotidiennes (marcher, manger, travailler...) ; vitrine offrant aux autres une image de soi ; miroir tourné vers l'intérieur, révélateur de sa propre identité ; capteur sensoriel servant d'interface entre le dedans et le dehors, entre soi et les autres (voir p. 67).

C'est pourquoi la plupart des Français sont aujourd'hui conscients de la nécessité d'entretenir leur capital corporel, afin d'en retirer les bénéfices dans toutes les circonstances de leur vie. Ils manifestent un désir croissant de vivre longtemps et de rester en bonne santé, encouragés par l'accroissement continu de l'espérance de vie et les promesses des chercheurs. Le corps est aussi devenu une marchandise que chacun doit « vendre » en permanence dans ses relations avec les autres. Enfin, on observe une volonté de réconcilier le corps avec l'esprit et de rechercher l'harmonie, dans une démarche de type holistique (globale) plus orientale qu'occidentale.

Le casting permanent

Le cinéma et l'ensemble des industries du spectacle (chanson, théâtre, danse, mannequinat...) reposent sur les techniques de *casting* qui permettent de sélectionner les personnes les mieux armées pour plaire au public par leur physique, leur personnalité, leurs qualités ou leurs dons. La télévision les a récemment introduites dans les émissions de « télé-réalité », qui ne sont en rien représentatives des « vrais gens » (voir p. 426).
Mais les processus de sélection existent aussi dans la plupart des domaines de la vie courante. Chacun y est soumis dans sa quête de l'âme sœur, lorsqu'il cherche un emploi, dans ses relations avec sa famille, ses amis, ses collègues ou ses voisins. La vie moderne ressemble à un *casting* permanent, dans lequel chaque individu est sans cesse évalué, comparé aux autres, choisi ou rejeté en fonction de son adéquation aux rôles qu'il est amené à jouer ou qu'il souhaite obtenir.

... et la pratique sportive est de plus en plus fréquente.

On assiste depuis une vingtaine d'années à une massification de la pratique sportive. 36 millions de Français âgés de 15 à 75 ans déclarent avoir une activité physique et sportive, soit plus de la moitié de la population. Les deux tiers (26 millions) pratiquent au moins une fois par semaine. 10 millions adhèrent à des clubs ou associations et la moitié d'entre eux participent à des compétitions.

Cette évolution a été favorisée par la technologie qui a permis d'inventer de nouvelles disciplines ou de renouveler les anciennes : surf, planche à voile, deltaplane, parapente, Windsurf, jet ski, roller... L'accroissement du temps libre et celui du pouvoir d'achat, le développement des équipements collectifs dans les communes (gymnases, piscines, courts de tennis, terrains de plein air) et les investissements privés (golfs) ont largement favorisé cet engouement.

Ainsi, l'activité qui procure le plus de plaisir aux Français est aujourd'hui la pratique d'une activité physique (33 %, Collective du sucre/Ipsos, mai 2000). Elle arrive devant la lecture d'un livre (26 %), un bon repas (25 %), la sieste (7 %) et la dégustation d'un bon vin (6 %).

Le sport occupe une large place dans la société.

Un Français sur deux fréquente aujourd'hui de façon habituelle ou occasionnelle un lieu dédié au sport, contre un sur trois au début des années 90. Les sportifs (lorsqu'ils gagnent) sont les héros de l'époque. Les retransmissions des grandes compétitions obtiennent les meilleurs scores d'audience à la télévision. *L'Equipe* est le premier quotidien français. Les jeux vidéo fondés sur le sport devancent les jeux d'action ou d'aventure.

La mode vestimentaire s'inspire largement de l'univers sportif et les Français lui ont consacré pour l'année 2001 près de 10 milliards d'euros, dont 3,5 milliards pour les vêtements (un tiers pour les chaussures), 1,1 milliard pour le matériel, 1,7 milliard pour les achats de billetterie (compétitions et spectacles sportifs). En vingt ans, les dépenses ont été multipliées par trois en monnaie constante.

La mode s'est emparée du phénomène, avec des vêtements inspirés de certaines disciplines, notamment des sports de glisse (surf, snowboard, skate...). Les marques plébiscitées par les jeunes (Adidas, Reebok, Nike, Fila, Caterpillar, New Balance, Aigle, Timberland, Quicksilver, Oxbow...) incarnent pour la plupart des modes de vie sportifs. Elles s'adressent aux jeunes avec un marketing très agressif et une communication souvent transgressive (*break the rules* de Reebok, *just do it* de Nike).

DDB Nouveau Monde

L'engouement pour le sport témoigne du changement social

Il constitue un moyen de développement personnel...

Les années 60 et 70 avaient introduit en France des pratiques sportives nouvelles, avec notamment la diffusion de nouvelles formes de gymnastique. Le corps devenait un support culturel, en liaison avec la libération sexuelle et la place croissante des jeunes dans la société. C'est dans les années 70 que le sport a commencé à s'installer dans l'ensemble des groupes sociaux aisés, qui l'ignoraient et parfois le méprisaient, considérant que l'exercice physique était réservé aux classes inférieures, comme les travaux manuels.

Les années 80 ont été marquées par le culte de la performance. Les aventuriers, les champions sportifs, les chefs d'entreprise conquérants, les cadres efficaces et autres représentants de l'« excellence » sociale étaient célébrés comme les héros de l'époque. La volonté de gagner impliquait pour chacun de cultiver sa forme et son apparence *(look)*, de développer ses capacités physiques et mentales. Le jogging, l'aérobic, le bodybuilding ou le saut à l'élastique étaient ainsi à l'honneur, comme autant de moyens au service de la compétitivité et du dépassement de soi.

Les attitudes ont changé au cours des années 90. Le sport est devenu un outil permettant d'être mieux dans sa peau et dans sa tête. L'accroissement de la pratique répondait à un désir, souvent inconscient, de mieux supporter les agressions de la vie moderne par une meilleure résistance physique. Il traduisait aussi la place prise par l'apparence dans une société qui valorise souvent plus la forme (dans tous les sens du terme) que le fond. Le sport est ainsi devenu un instrument de développement personnel.

... mais aussi d'appartenance et de communion.

200 000 Français se déplacent dans les stades de football pour assister chaque semaine aux rencontres du championnat de France ; 90 % sont des hommes, 43 % sont ouvriers ou employés, leur âge moyen est de 29 ans, 57 % sont abonnés. Les grandes compétitions sportives constituent des temps forts de la vie collective. Si la réussite d'un champion est un événement, l'exploit d'une équipe nationale revêt un caractère particulier. Ainsi, la victoire des Bleus en Coupe du monde de football, en 1998, puis celle de l'Euro 2000 resteront des moments exceptionnels pour l'ensemble des Français, même les plus réfractaires au sport. Au soir de ces événements « historiques », on a vu des millions de citoyens-supporters se ruer dans les rues et communier dans une joie sincère et multiculturelle. L'ampleur de la liesse populaire du 12 juillet 1998 rappelait à ceux qui l'avaient connue celle de la Libération. La comparaison était évidemment exagérée, mais il s'agissait bien d'une sorte de libération nationale, après des années de crise et de désagrégation du climat social.

Ces grands moments ont mis en évidence le besoin d'émotion, mais aussi d'adhésion des Français à quelque chose qui les dépasse et les transcende ; ils leur ont redonné le goût de la victoire et montré les vertus de l'effort. A l'inverse, le cuisant échec des Bleus lors de la Coupe du

La vertu et le vice

Le sport véhicule des valeurs de santé, de dépassement de soi, de convivialité, de compétition et d'hédonisme. Il permet de repousser sans cesse les limites des capacités physiques des acteurs. Il séduit les spectateurs par l'esthétique et la pureté du geste. La pratique individuelle est le moyen de connaître ses limites et de les repousser, tandis que celle des sports d'équipe est l'occasion de s'intégrer à un groupe. Enfin, le sport est une activité à vocation universelle. Il constitue l'un des rares moyens d'échange entre les peuples qui s'affranchissent des barrières linguistiques et culturelles (même si ces dernières sont encore prégnantes dans les pratiques nationales ou régionales).

Mais le sport, notamment collectif, est aussi porteur de valeurs moins positives. Il est de plus en plus souvent le prétexte à la violence, tant sur les terrains que dans les tribunes (voir p. 247). La compétition est l'un des principaux refuges du nationalisme, du racisme, de la xénophobie et de l'intolérance. Sa médiatisation draine des sommes d'argent indécentes, qui attirent toutes les convoitises. La volonté de gagner peut alors conduire à des pratiques moralement condamnables comme le trucage et la corruption, ou physiquement dommageables comme l'agression. La motivation de l'esprit sain dans un corps sain est trop souvent remplacée par la recherche de l'enrichissement et de la gloire à tout prix. En bafouant l'idéal sportif et en oubliant le rôle éducatif du sport, les champions ne sont pas les modèles qu'ils devraient être, notamment pour les jeunes. Ils sont au contraire des alibis à des comportements inciviques et immoraux.

monde 2002 a été vécu douloureusement par de nombreux Français et pesé sur un moral qui n'était déjà pas bon. Le miracle ne s'est pas reproduit et le rêve s'est transformé en frustration, confirmant qu'après la fête viennent généralement les lendemains de fête.

La motivation des pratiquants est d'abord ludique et hédoniste...

Pour une grande majorité de Français (89 %), la décision de faire du sport est d'abord dictée par la recherche du plaisir, loin devant l'exemple donné par les parents (22 %) ou celui de l'école (21 %). Pour ceux qui le pratiquent, le sport est davantage considéré comme un loisir que comme un moyen de compétition. La pratique sportive est de plus en plus reliée aux notions de santé, d'équilibre et de bien-être.

Le sport-plaisir prend le pas sur le sport-souffrance. L'objectif n'est plus d'aller jusqu'au bout de soi-même, mais de se procurer des sensations agréables. C'est pourquoi les pratiques informelles, en dehors des clubs et des fédérations, se développent. Les femmes et les « seniors » sont aussi de plus en plus nombreux à s'intéresser à des activités sportives plus douces.

Enfin, les équipements sportifs ostentatoires et la « frime », caractéristiques des années 80, sont aujourd'hui en perte de vitesse. La randonnée, le cyclotourisme ou l'escalade ont plus d'adeptes que la planche à voile ou le golf.

On observe cependant un développement des sports extrêmes (ski hors piste, saut à l'élastique, expéditions...) dans certaines catégories. Il relève autant d'un besoin de dépassement de soi-même que de la volonté de transgresser les pratiques destinées au plus grand nombre. Il ne s'agit plus alors d'entretenir son corps, mais de le mettre en danger afin de ressentir des émotions particulières.

...mais elle a aussi une dimension utilitariste.

Le sport permet d'être plus efficace dans sa vie professionnelle et personnelle. Pour les inconditionnels de la forme physique, la motivation est aussi « hygiéniste ». Ils s'efforcent d'entretenir leur machine corporelle afin qu'elle soit en mesure d'effectuer correctement son travail. Beaucoup de sportifs ont en même temps le souci de leur apparence. Cette motivation esthétique peut être dans certains cas narcissique. Elle est plus souvent dirigée vers les autres, à qui on souhaite communiquer une image séduisante et dynamique de soi. Le but recherché est aussi utilitaire, car l'apparence joue un rôle essentiel dans la société et l'harmonie du corps en est l'un des ingrédients principaux.

En complément des activités physiques, d'autres pratiques sont destinées à compléter le dispositif d'entretien du corps. C'est le cas notamment de l'attention portée à l'alimentation. Les comportements sont alors focalisés sur le contrôle du poids et de la silhouette. Ils sont souvent associés aux soins esthétiques, parfois à la chirurgie qui permet de remodeler le corps et d'en corriger les défauts, réels ou supposés. Ils complètent les efforts effectués en matière de santé : prévention, suivi médical, soins, compléments alimentaires...

Un Français sur quatre est membre d'une fédération sportive...

Le nombre des licenciés des fédérations sportives avait triplé entre 1967 et 1986, passant de 4 à 12 millions, avant de se stabiliser. Il a de nouveau augmenté au cours des dernières années, atteignant un effectif de 14,4 millions en 2000. Parmi les sports olympiques, le football arrive toujours largement en tête avec 2,2 millions de licenciés, loin devant le tennis (1 million), le judo (530 000) et le basket (437 000). La fédération de ski a perdu les deux tiers de ses licenciés entre 1994 et 2000 (183 000 contre 530 000) du fait de la part croissante des pratiquants de snowboard, qui n'en sont pas membres.

Les licences de sports collectifs (football, rugby, basket, handball, volley) devancent les sports de plein air (randonnée, cyclotourisme, sports sous-marins, escalade, tennis, équitation, voile, golf) et les sports de combat (boxe, judo, karaté, autres arts martiaux, escrime...). Parmi les sports non olympiques, la pétanque arrive largement en tête, avec 416 000 licenciés (auxquels s'ajoutent 93 000 pour les boules), loin devant le rugby (290 000, avec le rugby à XIII).

Les effectifs des associations sportives ont aussi beaucoup progressé au cours des vingt dernières années : elles regroupaient 18 % des Français de 18 ans et plus (Crédoc, 2002). Un Français sur deux fréquente de façon régulière ou occasionnelle un équipement sportif au cours de l'année. La France est donc en train de rattraper le retard qu'elle avait sur d'autres pays, en particulier ceux du nord de l'Union européenne.

Licenciements collectifs

Evolution du nombre de licenciés des différents types de fédérations sportives (en milliers) :

	1970	1980	2000
- Fédérations olympiques	2 410	3 824	6 961
- Fédérations non olympiques	1 054	2 478	2 632
- Fédérations et groupements multisports	620	1 108	2 327
- Fédérations scolaires et universitaires	1 444	2 089	2 466
Total	**5 527**	**9 501**	**14 386**

Ministère de la Jeunesse et des Sports

... mais beaucoup pratiquent en dehors d'un cadre institutionnel.

L'évolution du nombre des licenciés et des adhérents des associations sportives ne reflète pas l'accroissement récent de la pratique, qui concerne au moins deux fois plus de personnes. Si les sports de combat, l'athlétisme, les sports d'équipe et la gymnastique sont le plus souvent pratiqués dans le cadre d'une institution, beaucoup d'autres le sont en dehors. Un quart des jeunes de 14 à 17 ans et la moitié des 18-65 ans pratiquent ainsi un sport de façon informelle.

L'inscription à une fédération, l'entraînement hebdomadaire et les compétitions apparaissent de moins en moins indispensables aux sportifs, qui préfèrent suivre leur propre rythme et s'essayer successivement à plusieurs disciplines. Les activités les plus concernées sont le patinage, le ski, la randonnée, le cyclisme, la marche, la natation, les sports nautiques de glisse, le jogging, la course à pied, les sports de raquette et la plongée sous-marine.

Les lieux et les moments de pratique sont diversifiés. 63 % des activités sportives se déroulent dans la nature (notamment la randonnée), 47 % dans des espaces aménagés (stades), 34 % dans la rue (roller...). Si la majorité peuvent être pratiquées toute l'année, certaines sont essentiellement réservées aux vacances : voile (55 % des cas), sports d'hiver (64 %), patinage (58 %)...

Le sport fait aujourd'hui partie de la culture des jeunes...

Les enfants sont de plus en plus concernés par le sport. Ils sont influencés par les médias, les marques de vêtements et d'équipement et l'aura des grands champions. Ils sont souvent encouragés par leurs parents, qui voient dans la pratique sportive une habitude de vie saine, ainsi qu'une forme d'apprentissage utile. Contrairement aux adultes qui pratiquent pour rester en forme, le sport est pour eux une activité ludique et un moyen de dépenser de l'énergie,

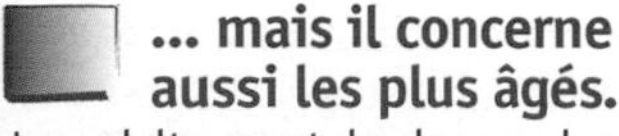
Le sport et la mode sont devenus indissociables

qui s'intègre naturellement dans leur vie.

Le sport est aujourd'hui devenu partie prenante de la culture des jeunes. Il est, avec la musique, le cinéma ou les jeux vidéo, l'un de leurs sujets de conversation favoris. Comme ces autres activités, il a une dimension planétaire qui les séduit. Il favorise aussi l'intégration à des groupes partageant les mêmes intérêts, admirant les mêmes héros. Il est un moyen privilégié de construire son identité en se confrontant aux autres. Les jeunes se sont en outre appropriés certains sports, notamment ceux dits « de glisse » qui font partie de leur univers quotidien et de leur imaginaire.

... mais il concerne aussi les plus âgés.

Les adultes sont de plus en plus nombreux à pratiquer un sport. On observe depuis quelques années une volonté de poursuivre, parfois de reprendre à partir de 45 ou 50 ans, une discipline abandonnée. Le sport est alors avant tout un moyen efficace d'entretenir sa forme physique, de retarder le vieillissement et les inconvénients qui lui sont liés : difficulté de déplacement ; douleurs ; handicaps... Les « seniors » privilégient les activités qui leur sont le plus accessibles comme la marche, la gymnastique, la natation ou le vélo. Mais ils apprécient aussi celles qui leur permettent de rencontrer d'autres personnes et d'avoir avec elles des échanges pour rompre leur solitude.

Cet accroissement général de l'intérêt pour le sport à tout âge ne doit cependant pas masquer les écarts qui demeurent. On pratique dix fois moins fréquemment le football ou la danse entre 40 et 60 ans qu'entre 15 et 20 ans, cinq fois moins le tennis, trois fois moins la natation ou la gymnastique. En dehors du golf ou des boules, la pratique sportive décroît régulièrement avec l'âge. La césure se fait le plus souvent entre quarante et cinquante ans, mais elle est régulièrement repoussée dans le temps, car les générations de « jeunes seniors » sont de plus en plus convaincues de l'intérêt de la pratique sportive.

Les femmes rattrapent progressivement les hommes.

Depuis une dizaine d'années, les femmes ont réduit leur retard sur les hommes en matière de pratique sportive. Mais la parité des sexes n'est pas encore réalisée : un tiers des femmes de plus de 18 ans font du sport au moins occasionnellement, contre la moitié des hommes. Si ceux-ci recherchent les sports d'équipe, le plaisir, la compétition, les femmes pensent davantage à l'entretien de leur corps et à leur apparence, ainsi qu'au bien-être procuré par l'exercice. Il s'agit pour elles de rester en bonne forme physique, de se forger un corps séduisant, de lutter contre les signes apparents du vieillissement ou, de plus en plus, de les prévenir.

C'est sans doute l'une des raisons pour lesquelles les sports d'équipe ne les passionnent guère (à l'exception du basket et du handball). Elles sont en revanche très attirées par les sports individuels : plus des trois quarts des licenciés des fédérations de gymnastique (78 %) sont des femmes (2000). 73 % des licenciées d'équitation sont des femmes. Elles sont aussi plus nombreuses que les hommes dans les fédérations de natation (55 %). Ce sont elles qui ont assuré le développement récent de certaines activités comme la randonnée.

Le milieu social exerce encore une forte influence.

Le sport a perdu l'image très populaire qu'il avait autrefois ; il fait aujourd'hui partie de la modernité, et même de la mode. S'il concerne actuellement un nombre croissant de Français, on constate que certains clivages sociaux demeurent. Le nombre de pratiquants est ainsi proportionnel au niveau d'instruction et à celui des revenus (les deux étant corrélés). Cette situation s'explique par le fait que le système scolaire et universitaire constitue un moyen privilégié d'apprentissage du sport.

Les écarts entre les catégories sociales restent particulièrement apparents en ce qui concerne les activités comme la voile, le golf ou l'équitation, qui sont souvent coûteuses et se pratiquent dans des clubs dont l'accès n'est pas encore démocratisé.

Le sport représente un moyen de valorisation sociale, un attribut du standing individuel. Même lorsque les contraintes matérielles ont disparu, les obstacles culturels demeurent.

Les sports individuels sont les plus pratiqués.

La grande lame de fond de l'individualisme n'a pas épargné le sport. Dès les années 80, l'engouement pour le jogging, puis pour l'aérobic, en a été la spectaculaire illustration. On peut y ajouter le tennis, l'équitation, le ski, le squash, le golf et bien d'autres activités individuelles. Même la voile, autrefois surtout pratiquée en équipage, a acquis ses lettres de noblesse avec les courses transatlantiques en solitaire.

Les règles des sports collectifs sont souvent ressenties comme des contraintes qui s'ajoutent à celles du quotidien. Aujourd'hui, plus d'un Français sur trois pratique un sport individuel, contre un sur quatre en 1973 ; un sur quinze seulement pratique un sport collectif. Mais beaucoup s'adonnent en groupe à des activités individuelles ; c'est le cas notamment de la randonnée, de la gymnastique, du vélo ou du roller. Ils profitent ainsi de la convivialité sans subir les contraintes des sports d'équipe, qui impliquent des entraînements et des compétitions. Car ce n'est pas la solitude qui est recherchée dans le sport, mais la liberté et l'autonomie, en même temps que le partage avec des personnes sélectionnées.

S'il reste le premier en nombre de licenciés, le football n'arrive ainsi qu'à la septième place des sports les plus pratiqués, derrière des sports individuels comme la randonnée, la gymnastique ou la natation. De même, on compte beaucoup plus de licenciés de tennis, de ski ou de judo que de rugby ou de handball. Les licenciés de karaté, de tir ou de golf sont beaucoup plus nombreux que ceux de volley-ball.

Les activités de plein air connaissent un fort engouement.

La randonnée est l'activité sportive la plus pratiquée avec 21 millions de pratiquants réguliers ou occasionnels, devant la natation (14,5 millions) et le vélo (13 millions). Son succès est la conséquence d'un intérêt croissant pour la nature (paysages, flore, faune). Elle présente aussi l'avantage de pouvoir être pratiquée individuellement, en famille ou en groupe, sans souci de performance. Les femmes sont plus nombreuses que les hommes, les personnes d'âge mûr plus que les 15-24 ans. Les 150 000 km de sentiers aménagés de métropole se sont enrichis de parcours à thème (personnalités, métiers, événements historiques...) mais aussi d'itinéraires urbains.

13 millions de Français se servent d'un vélo au moins une fois par semaine. Près de la moitié des pratiquants sont des femmes (42 %) et près d'un sur six (plus de deux millions) participent à des compétitions. La randonnée équestre connaît également un fort développement, notamment chez les jeunes (30 % des pratiquants ont moins de 16 ans). Comme pour la marche, les femmes sont majoritaires (environ 70 % des effectifs).

Le football, une passion nationale

Fous de foot

Evolution du nombre de licenciés des principales disciplines (en milliers) :

	1980	2000
- Football	1 554	2 150
- Tennis	787	1 048
- Judo-jujitsu, kendo	352	530
- Basket-ball	304	437
- Equitation	134	428
- Pétanque	426	416
- Golf	39	292
- Rugby	209	264
- Handball	149	240
- Natation	-	200
- Karaté et arts martiaux	-	190
- Ski	544	183
- Tennis de table	-	175

Ministère de la Jeunesse et des Sports

Les Français plus « tennis » que « golf »

APRÈS une forte progression, le nombre de licenciés de la Fédération française de tennis avait diminué de 28 % entre 1986 et 1998 (le nombre des licenciés de squash a diminué encore plus fortement). Il s'est stabilisé depuis à environ un million de pratiquants. Le nombre réel des joueurs est cependant supérieur, beaucoup d'adeptes ne jugeant pas nécessaire de s'inscrire à la Fédération.

Dans le même temps, le nombre des licenciés de la Fédération française de golf a été multiplié par trois, atteignant 291 000 en 2000. Plus des deux tiers des licenciés (70 %) sont des hommes, appartenant le plus souvent aux catégories aisées de la population. Malgré son évolution récente, favorisée par le vieillissement de la population et la création de nouveaux parcours, le golf reste en France très en retrait par rapport aux pays anglo-saxons : 5 licenciés pour 1 000 habitants, contre 50 en Grande-Bretagne, 100 aux Etats-Unis ou 120 au Japon.

Mais c'est le roller qui a connu récemment la plus forte croissance parmi les activités extérieures. On estime le nombre de pratiquants à plus de quatre millions en France, pour seulement 34 000 licenciés (2000). A Paris, les randonnées du vendredi soir attirent souvent plus de 10 000 participants. Plus qu'un phénomène de mode, la pratique du roller s'apparente à un mode de vie : la *roller attitude*. Son succès repose sur le développement conjoint du tribalisme et du nomadisme. Si elle touche de plus en plus les adultes, c'est qu'elle satisfait chez eux une volonté régressive (le patin à roulette est une façon de revenir en enfance). Le roller répond aussi au besoin d'entretenir sa forme physique et aux préoccupations écologiques des urbains face à la pollution et aux encombrements liés à l'usage de la voiture.

L'évolution des pratiques reflète celle de la société.

On retrouve dans les pratiques sportives les grandes tendances contemporaines comme la montée de l'individualisme (gymnastique, tennis), le goût de la vitesse (motonautisme) ou l'engouement pour les activités extérieures (randonnée, spéléologie). L'influence du cinéma et des séries télévisées est aussi apparente, avec notamment le développement des sports de combat. On observe plus largement une influence américaine, qui a entraîné par exemple le développement du basket, du patin en ligne ou du snowboard. Enfin, on retrouve l'effet d'entraînement des résultats obtenus par des athlètes français dans certaines disciplines (football, judo, tennis de table, tir à l'arc, aviron...).

La grande majorité des sports ont été développés entre la fin du XIXe siècle et le début du XXe. Mais les progrès de la technologie ont été au cours des dernières décennies à l'origine de nouvelles activités comme les sports mécaniques, le parapente, l'ULM ou le surf. Ils ont par ailleurs permis un renouvellement d'activités plus anciennes comme le cerf-volant, l'escalade ou la plongée sous-marine. Cette dernière connaît un développement rapide, avec 500 000 pratiquants (en apnée ou avec bouteilles), dont 153 000 sont licenciés de la Fédération française d'études et de sports sous-marins.

Chasse, pêche, nature et sport

SI elle fait incontestablement partie des activités de plein air et s'apparente parfois à la randonnée, la chasse n'est pas considérée comme un sport. On compte 1,6 million de chasseurs dans l'Hexagone, ce qui constitue le record d'Europe. Leur nombre tend cependant à diminuer, car l'image de la chasse dans l'opinion est moins bonne et les jeunes s'en détachent. Le rapport que les Français entretiennent avec les animaux ne lui est en effet guère favorable, de même que les affrontements réguliers des chasseurs avec les écologistes.

La pêche n'est pas non plus classée parmi les pratiques sportives, à l'exception de la pêche en mer (13 000 licenciés auprès de la Fédération en 2000), au coup (9 000) ou a la mouche (2 000). Plus d'un Français sur dix (14 %) pratique cette activité au moins une fois par an (20 % des hommes et 8 % des femmes). Au contraire de la chasse, l'image de la pêche tend à devenir plus écologique et moins utilitaire ; la motivation est plus de communier avec la nature que de ramener du poisson.

Le zapping sportif se développe.

Les Français pratiquent le sport plus fréquemment et plus longtemps. Ils ont aussi tendance à changer plus souvent de discipline tout au long de leur vie, dans le but de diversifier leurs expériences. Dans ce domaine comme dans beaucoup d'autres, le *zapping* est un comportement de plus en plus fréquent, surtout parmi les jeunes. Beaucoup apprécient ainsi de découvrir de nouvelles activités ou d'en pratiquer plusieurs en même temps, quitte à revenir plus tard à un sport unique, choisi en connaissance de cause.

Cette diversification a été favorisée par la multiplication des disciplines, notamment dans le domaine de la glisse (roller, skateboard, snowboard, jet ski, ULM...). Mais ce *zapping* implique chaque fois un apprentissage, ce qui décourage un certain nombre d'adeptes en cours de route. Il entraîne aussi des dépenses accrues, car les équipements sont de plus en plus sophistiqués et coûteux.

Les médias représentent une incitation à la pratique...

Les médias furent à l'origine du succès du tennis dans les années 80. La simple diffusion à la télévision d'une série de dessins animés japonais sur le volley-ball a eu aussi un effet sensible sur le nombre de licenciés. En 1995, le succès de l'équipe des « Barjots » au Championnat du monde de handball s'était traduit par un engouement pour ce sport. Mais la croissance la plus spectaculaire a sans doute été celle du basket, favorisée par la médiatisation des champions américains (Magic Johnson, Michaël Jordan....) et de la Dream Team lors des jeux Olympiques de Barcelone. Les images de surf (en mer ou sur la neige), de planche à voile ou d'escalade diffusées par la télévision ont déclenché aussi de nombreuses vocations chez les jeunes.

Le temps d'antenne des programmes sportifs à la télévision a plus que triplé en quinze ans ; les téléspectateurs de 4 ans et plus lui ont consacré en moyenne 51 heures en 2001, soit 5 % de l'audience totale. Le temps de diffusion du football est passé de 285 heures en 1991 à plus de 500 heures aujourd'hui ; il a explosé en 1998 et en 2000 à l'occasion des grandes compétitions (Coupe du monde et Euro 2000). Mais l'écart s'est creusé entre les sports très médiatisés (football, formule 1, tennis, cyclisme, patinage...) et ceux qui le sont moins ou pas du tout (athlétisme, équitation, handball, tir à l'arc, marche à pied...). En revanche, l'écart de temps d'antenne entre les sports masculins et féminins s'est réduit, voire inversé comme c'est le cas en tennis.

Fêtes et « défêtes »

Le développement de la pratique sportive a accompagné celui du sport de compétition. Il a surtout été encouragé par l'obtention de bons résultats par la France au plan international. Le déclic s'est produit avec la victoire de Yannick Noah en 1983 au tournoi de tennis de Roland-Garros, longtemps après la période des Mousquetaires. Il a été confirmé par le gain de la Coupe Davis en 1991 et en 2001.

D'autres réussites françaises ont contribué au développement de certaines disciplines. En 1993, Marseille remportait une Coupe d'Europe de football, tandis que Limoges devenait championne d'Europe de basket. En 1996, la France obtenait 37 médailles aux jeux Olympiques d'Atlanta et se hissait à la cinquième place sur 197 nations. La victoire des Bleus à la Coupe du monde de football de 1998 fut l'événement sportif le plus marquant. L'exploit était renouvelé en 2000 à l'Euro, tandis que Mary Pierce remportait le tournoi de Roland-Garros. 2002 aura été une excellente année pour le rugby français, qui réalisait le grand chelem au Tournoi des Six-Nations. Elle aura cependant été déplorable pour le football, avec l'élimination sans gloire de la France au premier tour de la Coupe du monde. Après la grande fête de 1998, ce fut la « défête » pour tous les supporteurs des Bleus.

... mais aussi un substitut.

Beaucoup de Français vivent le sport par procuration, à travers les retransmissions de la télévision. Il n'est alors qu'un spectacle, dont l'intérêt repose sur l'esthétique des gestes, la dramaturgie des affrontements, l'intervention du hasard. La confrontation entre des professionnels ayant des niveaux proches procure un plaisir accru par l'incertitude ; contrairement à n'importe quel autre spectacle, le déroulement et l'issue ne sont en effet pas connus à l'avance.

L'engouement pour le spectacle sportif s'explique aussi par une certaine résurgence du nationalisme et du régionalisme. C'est en partie aux performances de ses athlètes que l'on juge un pays, une ville ou une région. Les champions sont les invités privilégiés des plateaux de télévision (Zidane, Douillet...) et les héros des spots publicitaires. S'ils déclenchent chez beaucoup de jeunes des vocations sportives, ils véhiculent aussi l'idée que le sport est une façon de s'enrichir et de devenir célèbre, ce qui peut entraîner à la fois des dérives et des frustrations. Enfin, le sport-spectacle est parfois davantage une incitation à la sédentarité et à la passivité qu'à l'effort physique. Le profil du spectateur est souvent éloigné de celui de l'acteur.

Le vélo est plus utilisé pour le sport que pour le transport

Le jeu occupe une place croissante dans les modes de vie.

Comme le sport, auquel il est apparenté, le jeu répond à un désir très ancien, souvent inconscient, de rêver sa vie. Les jeux de société sont un support de convivialité en famille ou entre amis. Les jeux vidéo sont pour des millions de jeunes le moyen d'échapper à un quotidien difficile. Les jeux d'argent sont pour d'autres les seuls moyens susceptibles de transformer leur existence, de la dévier ou simplement d'en enjoliver le cours. Les jeux clandestins se développent dans les cafés, mais aussi dans d'autres lieux (cercles non autorisés, jeux de rue du type bonneteau...), de même que les jeux d'argent privés (poker, bridge...). On estime que les dépenses consacrées aux jeux représentent au total 6 % du PIB.

Les fabricants de produits de grande consommation utilisent régulièrement les jeux et les concours pour attirer ou fidéliser les consommateurs. Les chaînes de télévision ont bien compris l'importance du rêve ludique et ils multiplient les occasions offertes aux téléspectateurs de « gagner ». Les émissions de jeu sur les chaînes généralistes représentaient 8,5 % de l'audience gloable en 2001, contre seulement 7,5 % en 1999. Sans compter les jeux et concours organisés pendant ou après certaines émissions.

Il répond à des motivations individuelles...

La dimension du jeu est présente dans la nature humaine. Au point que l'on peut se demander si l'*Homo ludens* n'a pas préexisté à l'*Homo sapiens*. « L'homme n'est pleinement l'homme que lorsqu'il joue », affirmait Schiller. On trouve des traces de jeu 3 000 ans avant J.-C. à Our, cité de Mésopotamie. Le keno chinois remonte à 2 300 ans. Les jeux se sont développés tout au long de l'histoire, fruits de la créativité des hommes et de leur besoin de jouer.

Le jeu est d'abord un loisir, une façon d'occuper son temps. Surtout, il permet de ressentir des émotions très fortes, qui peuvent être facilement renouvelées. Les jeux d'argent ajoutent d'autres dimensions : ils fournissent aux gagnants le moyen d'accéder au pouvoir lié à l'argent ainsi qu'à la liberté qu'il est censé conférer. Beaucoup de Français ont le sentiment qu'il n'est plus possible aujourd'hui de changer *la* vie. Ils cherchent alors plus modestement à changer *leur* vie, en jouant au Loto ou à *Qui veut gagner des millions ?* Il y a chez les joueurs une volonté commune de s'évader de la réalité, de vivre dans un monde magique où tout est possible. Jouer, c'est entrer dans un autre univers, gagner c'est pouvoir devenir un autre. Le jeu est pour les enfants un mode d'apprentissage de la vie ; il est pour les adultes un moyen de retour à l'enfance, de régression.

... et sociales.

Outre ses fonctions individuelles, le jeu remplit des fonctions sociales. Impôt indolore et accepté par tous, il permet à l'Etat de récupérer chaque année plus de 3 milliards d'euros. Il constitue aussi une compensation à l'absence d'un grand projet collectif (politique, idéologique, philosophique...). Il constitue un moyen d'intégration, de lien social lorsqu'il est pratiqué à plusieurs ou dans des lieux de convivialité. Il est aussi un réducteur potentiel d'inégalités et donc un outil de régulation et d'ordre social. Il est enfin un indicateur de l'anxiété sociale, car le goût du jeu traduit souvent une désaffection pour la réalité, une difficulté à accepter son sort dans une société théoriquement ouverte, mais dans laquelle il est difficile en pratique de progresser dans la pyramide sociale.

Depuis toujours, le jeu d'argent est l'objet de débats. La culture judéo-chrétienne oppose traditionnellement le jeu à la morale, comme elle oppose l'argent et le bonheur. Le jeu est en tout cas le prétexte à s'interroger sur la distinction entre la chance et le hasard. Il repose tout entier sur la différence entre l'espérance mathématique (probabilité objective de gagner) et l'espérance psychologique (probabilité subjective perçue par le

Jouez, éliminez

Avec *Loft Story* (M6), *Le Maillon faible* (TF1), *Les Aventuriers de Koh Lanta* (TF1), *Opération séduction Caraïbes* (M6), *l'Ile de la tentation* (TF1), *Pop Stars* (M6) ou *Star Academy* (TF1), une nouvelle forme de jeu est apparue à la télévision (essentiellement sur M6 et TF1). Le principe est celui, déjà utilisé dans d'autres jeux, de l'éminination. Mais elle est ici le plus souvent effectuée par les candidats eux-mêmes, parfois aidés des téléspectateurs à qui on demande de voter par téléphone (ce qui représente d'ailleurs une source de revenu non négligeable pour les chaînes).

Surtout, l'élimination est fondée sur la *délation* ; on met ouvertement en cause (généralement sans aucun ménagement) la capacité des candidats à poursuivre le jeu, en critiquant leur caractère, leur personnalité, c'est-à-dire leur identité et sans se soucier des conséquences que cela peut avoir pour eux, notamment dans leurs rapports avec les autres. L'élimination se fait souvent dans le cadre de stratégies organisées par les candidats, qui se regroupent en clans.

Ces nouveaux jeux marquent une rupture avec le « télévisuellement correct » qui prévalait auparavant, mais aussi avec la morale traditionnelle. Ils tendent à banaliser la délation et à accréditer l'idée que tous les moyens sont bons pour gagner ou parvenir à ses fins. La « télé-réalité » s'efforce de ressembler à la vraie vie...

joueur). Il pose aussi la question de la liberté et de la dépendance, car il peut être à l'origine d'une véritable addiction. Enfin, le jeu est à la fois outil de récréation (loisir) et de re-création. Il offre en effet au joueur un moyen de se reconstruire, de se « refaire » comme disent d'ailleurs les perdants.

Environ deux jeunes sur trois possèdent des consoles pour les jeux vidéo.

34 % des Français possédaient une console de jeux vidéo fin 2001, ce qui place la France en deuxième position en Europe, derrière le Royaume-Uni (35 %). La proportion dépasse les deux tiers dans les ménages ayant des enfants de 10 à 15 ans. Les achats de consoles vidéo avaient beaucoup progressé jusqu'au début des années 90 (2,1 millions en 1992). Ils ont ensuite connu une désaffection croissante (980 000 en 1996), avant l'arrivée de nouveaux modèles qui les ont relancés : 2,4 millions en 2000.

Les fabricants se livrent une lutte acharnée pour séduire les jeunes avec des équipements de plus en plus sophistiqués. Les consoles de nouvelle génération offrent un réalisme encore accru des images. Elles sont connectées à Internet et permettent de jouer « en ligne ».

62 % des Français âgés de 9 à 34 ans jouent aux jeux vidéo (73 % en Grande-Bretagne, 51 % en Allemagne). Les joueurs réguliers se trouvent davantage parmi les utilisateurs de consoles fixes (45 %) que parmi ceux qui jouent sur ordinateur (34 %) ou sur une console portable (27 %). Le succès de ces jeux s'explique en partie par l'interactivité qu'ils autorisent. Ils permettent en outre de simuler les différentes activités de la « vraie vie ». On peut ainsi penser qu'à l'avenir la pratique sportive sera complétée ou remplacée par le cyber-sport à domicile, au moyen de simulateurs qui reproduiront les conditions de la réalité et, surtout, les sensations qu'elle procure.

Les Français ont dépensé 7 milliards d'euros en 2001 aux jeux de la Française des Jeux...

Le jeux de tirage (*Loto, Joker, Keno, Rapido*) représentent 50 % des mises, ceux de grattage 49 % (*Millionnaire, TacOtac, Vegas, Black Jack, Solitaire, Goal, Astro*...) et le *Loto sportif* 1 %. Créé en 1976, le *Loto* est le jeu préféré des Français avec *le Millionnaire*, devant le *Morpion, Banco* et le *Solitaire*. Les joueurs recherchent les nouveautés et sont séduits par les opérations liées à des

Française des Jeux

Le jeu est à la fois une représentation de la vie et une façon de s'en échapper

événements calendaires (Saint-Valentin, fête des Mères...) ou festifs (Noël, an 2000...). Une plate-forme de jeux en ligne a été créée en juin 2001 sur Internet.

31 millions de Français jouent au moins une fois dans l'année, dont un tiers au moins une fois par semaine. Le profil des joueurs est assez représentatif de la population nationale, avec une légère surreprésentation des jeunes (44 % ont moins de 35 ans), des ouvriers et employés. L'investissement hebdomadaire moyen est de 4,2 €. La mise moyenne sur les jeux de loterie se monte à 109 €. Elle est inférieure à celle des principaux pays européens, loin derrière l'Espagne (256 €), l'Italie (190) et le Royaume-Uni (138). Le taux moyen de redistribution de la Française des Jeux est de 59 % des mises ; 26 % vont dans les caisses de l'Etat. En 2001, 890 millions de grilles et de tickets étaient gagnants. 5 300 personnes ont gagné au moins 15 000 €, 520 plus de 150 000 €. Un tiers des joueurs de la Française des Jeux (34 %) ne jouent ni aux courses hippiques ni dans les casinos.

... 6,2 milliards d'euros au PMU....

Le chiffre d'affaires du PMU avait connu une lente érosion entre 1992 et 1995. Il était remonté en 1996, puis il avait diminué en 1997. Il connaît une croissance régulière depuis 1997. Le nombre de parieurs, au moins occasionnels, est estimé à 6,5 millions, soit 14 % de la population de 18 ans et plus. Ils sont un peu plus âgés que la moyenne de la population et comptent plus d'ouvriers. 40 % des parieurs jouent au moins une fois par semaine. Les paris restent une activité masculine ; deux parieurs sur trois sont des hommes. Les préférences des femmes vont au tiercé et au quinté + ; elles jouent plus souvent en groupe et se fient davantage à leur intuition qu'aux pronostics.

Plus d'un milliard de tickets ont été validés en 2001, pour une valeur moyenne de 9 €. Le quinté + a représenté 32 % des mises, devant le couplé et le jumelé (23 %), le simple (15 %), le quarté + (9 %), le tiercé (8 %), le trio (6 %), le 2 sur 4 (5 %) et le multi (2 %). 70 % des mises ont été redistribuées aux parieurs, soit 4,3 milliards d'euros. Plus de 200 joueurs ont perçu au moins 150 000 € au quinté +. 980 millions d'euros sont allés dans les caisses de l'Etat sous forme de prélèvements publics (16 %).

Le PMU entretient 257 hippodromes, soit davantage que tous les autres pays européens réunis ; il a organisé 16 400 courses en 1999, dont 4 944 avec paris. Pour compléter son réseau de 7 139 points de vente et le PMU Direct (par téléphone et Minitel), la société a lancé en 1999 la chaîne satellite Equidia, qui permet de parier sur les courses à domicile, au moyen de la télécommande. Il est également possible de parier dans 529 Cafés courses, 167 Points courses et Clubs courses.

... et près de 2 milliards dans les casinos.

Les dépenses des Français dans les 170 casinos de l'Hexagone se montaient à 1,9 milliard d'euros au cours de la saison 2000-2001, en progression de 9,4 %. Elles représentent le produit brut, c'est-à-dire la différence entre les mises et les gains ; le taux de redistribution moyen est de 86 %, mais les gains sont la plupart du temps réinvestis. C'est pourquoi le montant total ne peut être comparé directement aux sommes jouées à la Française des Jeux et au PMU, qui offrent des taux de redistribution très inférieurs (59,5 % et 70,4 %). Calculées de la même façon que pour les casinos, celles-ci s'élèveraient respectivement à 3,4 et 1,8 milliards d'euros.

L'autorisation des machines à sous, en 1987, a permis aux casinos concernés (164 en 2002 avec l'ouverture des salles d'Enghien-les-Bains) de séduire une nouvelle clientèle, plus jeune et moins fortunée. Leur chiffre d'affaires a doublé entre 1988 et 1992 ; il a de nouveau doublé depuis 1994 et représente 90 % des dépenses totales des joueurs. Cette croissance s'explique par l'absence ou le montant limité du droit d'entrée, la faiblesse de la mise minimale et le taux élevé de redistribution (minimum légal de 85 %). La mise moyenne est de 25 € par visite.

La clientèle traditionnelle des casinos s'était raréfiée pendant les années de crise. Les jeux de table ont notamment souffert de la diminution de la clientèle étrangère fortunée. Elle a commencé à réapparaître avec la reprise économique et l'accroissement du nombre des « nouveaux riches » issus de la nouvelle économie aux Etats-Unis et en Europe, ou de l'économie parallèle dans des pays comme la Russie. Le produit des jeux traditionnels augmente ainsi de nouveau depuis plusieurs années, représentant plus de 180 millions d'euros

> La Française des Jeux comptait 42 000 points de vente fin 2001, qui ont perçu 350 millions d'euros de commissions.

en 2001. Comme dans les autres jeux légaux, l'Etat est le principal gagnant, avec un prélèvement total d'un milliard d'euros.

Le jeu est la forme laïque du miracle.

Si les Français regrettent les dérives morales de l'argent dans le sport, les médias, le show-business, parfois la politique ou l'entreprise, la plupart trouvent acceptable de s'enrichir par le jeu. Ils savent que la possibilité de faire fortune avec leur seul salaire est faible. C'est pourquoi ils sont nombreux à s'en remettre à la chance, appellation optimiste du hasard. Le jeu leur apporte aussi la part de rêve dont ils ont besoin pour mieux vivre le quotidien, en imaginant sans trop y croire des lendemains dorés.

Le jeu est ainsi, selon la formule de Paul Guth, « la forme laïque du miracle ». Mais cette pratique païenne a une dimension spirituelle. On peut y observer des superstitions et des rites : habitude d'acheter au même endroit ses tickets, de procéder de la même façon pour remplir ses grilles de Loto ou de préparer son tiercé... Le fait de jouer peut être interprété comme une prière adressée à la Providence. L'irrationnel laïque remplace l'irrationnel religieux ; les joueurs misent sur leur date de naissance, tiennent compte de leur horoscope ou consultent un voyant. Le miracle tient ici à la possibilité de transformer la faible somme misée en fortune. On pourrait aussi parler de transmutation, avec l'objectif de transformer l'argent en or. Les joueurs de Loto et d'autres jeux à fort gain potentiel sont au fond les alchimistes de l'ère moderne.

> Le premier casino de France est depuis cinq ans celui de Charbonnières (Rhône), devant celui de Divonne-les-Bains (Ain).

Activités culturelles

Les dépenses culturelles représentent plus de 1 000 € par an et par ménage.

Le principal poste concerne les achats d'équipements audiovisuels (22 %), juste devant la presse (21 %). Mais il faudrait y ajouter les dépenses liées à la télévision (17 %). Globalement, les dépenses concernant l'audiovisuel (appareils image et son, télévision, vidéos, cinéma et disques) sont très supérieures à celles consacrées à l'écrit (presse et livres) : 14,9 milliards d'euros en 2000, soit 330 € par ménage, contre 8,4 milliards (590 € par ménage).

Les dépenses de spectacles se rapprochent de celles affectées aux livres, avec 120 € par ménage. Elles sont près de deux fois plus élevées que celles concernant les achats de disques (67 €). Le reste des dépenses est constitué des achats d'instruments de musique et des visites à caractère culturel (musées, monuments). Au total, les Français ont consacré 1 068 € par ménage à la culture en 2000.

L'audiovisuel dominant

Principales dépenses culturelles des ménages (2000, en euros et en % du total) :

	Dépenses	% du total
- Appareils son et image	245	22,0
- Presse	228	20,6
- Activités de télévision	190	17,1
- Spectacles	122	11,0
- Livres	116	10,6
- Disques	69	6,2
- Vidéos	65	5,9
- Cinéma	38	3,5
- Instruments de musique	18	1,7
- Musées, monuments, bibliothèques	16	1,4
Total	**1 068**	**100,0**

Ministère de la Culture et de la Communication

Les Français s'intéressent aux activités culturelles en tant que spectateurs...

La dernière enquête effectuée par le ministère de la Culture (1997) montre que les adultes et les enfants sont de plus en plus nombreux à se rendre au théâtre, au cirque, à des concerts (musique classique, rock, jazz...) ou à des spectacles de danse (voir tableau). Les spectacles de rue attirent aussi un public croissant : 29 % des Français au cours des douze derniers mois, soit près de deux fois plus que le théâtre (16 %). La proportion de personnes qui n'ont jamais assisté à un spectacle vivant diminue régulièrement, mais elle reste élevée dans certains domaines : 81 % pour l'opéra, 72 % pour les concerts de musique classique, 43 % pour le théâtre professionnel.

La fréquentation des lieux de spectacle augmente avec le niveau d'instruction, en particulier pour la danse,

Les dépenses consacrées à l'audiovisuel s'accroissent

le théâtre, l'opéra, les concerts de jazz ou de musique classique. Ce sont souvent les mêmes catégories de personnes qui fréquentent les différentes activités.

... et apprécient le patrimoine national.

Plus de trois Français sur quatre ont déjà visité l'un au moins des 1 984 musées classés et contrôlés, dont 789 municipaux. La fréquentation des musées nationaux avait connu une baisse depuis le début des années 90, mais elle tend à se redresser depuis 1998, atteignant 14 millions d'entrées en 2000 (dont 71 % payantes). Le Louvre reste de loin le plus visité, avec 6,0 millions d'entrées, devant Versailles (2,9) et Orsay (2,3). La Cité des sciences et de l'industrie a accueilli 3,1 millions de visiteurs, dont 2,6 millions payants.

Plus de 1 500 monuments historiques sont ouverts à la visite. Leur fréquentation est en hausse, à 8,9 millions d'entrées. La tour Eiffel arrive largement en tête, avec 6,3 millions de visiteurs (record mondial), devant l'Arc de Triomphe (1,3 million) et l'Abbaye du Mont-St-Michel (1,1).

Le spectacle de plus en plus vivant

L'OPÉRA de Paris a donné 443 représentations en 2000, devant 758 000 spectateurs (421 000 pour les spectacles lyriques et 290 000 pour les ballets), dont une forte proportion d'habitués. Les cinq théâtres nationaux (Comédie-Française, Théâtre national de Chaillot, de la Colline, de l'Odéon et de Strasbourg) ont donné 1 750 représentations, devant 603 000 spectateurs, auxquelles s'ajoutent 468 en tournée pour 182 000 spectateurs.

2,8 millions de spectateurs ont assisté aux 11 300 représentations données par les théâtres privés de Paris. Après la forte baisse de fréquentation enregistrée entre 1990 et 1997, la hausse récente récompense les efforts des professionnels pour rénover l'image du théâtre, en réalisant des opérations de promotion et surtout en faisant appel à de nouveaux auteurs talentueux (Yasmina Reza, Eric-Emmanuel Schmitt, Jean-Michel Ribes...).

La société du spectacle

Evolution de la fréquentation des spectacles vivants (en % de la population de 15 ans et plus) ;

Sont allés au moins une fois...	Dans leur vie		Au cours des 12 derniers mois	
	1989	1997	1989	1997
- Spectacle d'amateurs	45	45	14	20
- Spectacle de danses folkloriques	45	46	12	13
- Spectacle de danse professionnelle	24	32	6	8
- Cirque	72	77	9	13
- Théâtre	45	57	14	16
- Spectacle de rue	*	52	*	19
- Music-hall, variétés	43	43	10	10
- Opérette	23	23	3	2
- Opéra	18	19	3	3
- Concert de rock	25	26	10	9
- Concert de jazz	18	19	6	7
- Concert de musique classique	29	28	9	9
- Concert d'un autre genre de musique	*	30	*	11

* La question n'a pas été posée en 1989.

Ministère de la Culture et de la Communication

Les Français sont aussi acteurs de la culture.

La proportion de Français pratiquant pour leur plaisir des activités artistiques (peinture, sculpture, dessin, musique, chant, écriture, danse, théâtre...) a doublé entre 1973 et 1997 (date de la dernière enquête effectuée). Parmi les personnes de 15 ans et plus, elle était de 10 % contre 5 % pour la peinture, la sculpture et la gravure. 18 % ont joué d'un instrument de musique ou fait du chant avec une organisation ou des amis pendant leurs loisirs au cours des douze derniers mois. 32 % ont pratiqué en amateur des activités non musicales : théâtre, danse, dessin, peinture, sculpture ou gravure, artisanat d'art, écriture, photographie, vidéo... Toutes ces activités rencontrent un engouement croissant depuis le début des années 70, même si les rythmes de diffusion sont différents.

Ce phénomène est d'autant moins connu qu'il se développe le plus souvent en dehors des institutions culturelles, dans le cadre privé. Il est en résonance avec la montée des pratiques individuelles, l'accroissement du temps libre et le rôle décroissant du travail en tant que facteur d'identité sociale. Il a été favorisé par les progrès de la scolarisation, qui ont accru les bases culturelles et les pratiques. Les difficultés d'intégration qui ont touché notamment les jeunes ont aussi eu pour conséquence un besoin croissant d'expression personnelle. Enfin, les pratiques culturelles ont profité du développement de l'enseignement artistique et du mouvement associatif, ainsi que de l'enrichissement de l'offre de matériels et de produits spécialisés de la part des fabricants et des distributeurs.

Artistes amateurs

Evolution de la pratique d'activités artistiques en amateur au cours des douze derniers mois (en % de la population de 15 ans et plus) :

	1989	1997
- Ont joué d'un instrument de musique*	**18**	**13**
- Ont fait du chant ou de la musique avec une organisation ou des amis	**8**	**10**
- Ont pratiqué une activité amateur autre que musicale, dont :	**27**	**32**
- tenir un journal intime, noter des réflexions	7	9
- écrire des poèmes, nouvelles ou romans	6	6
- faire de la peinture, sculpture ou gravure	6	10
- faire de l'artisanat d'art	3	4
- faire du théâtre	2	2
- faire du dessin	14	16
- faire de la danse	6	7
- Ont utilisé :		
- un appareil photo	66	66
- une caméra ou un Caméscope	5	14

* les modifications apportées au questionnaire interdisent toute comparaison sur cette question.

Ministère de la Culture et de la Communication

L'expression artistique remplit des fonctions identitaires et esthétiques.

L'engouement pour les activités artistiques témoigne de la volonté d'épanouissement personnel qui prévaut aujourd'hui. Beaucoup de Français ne se satisfont pas de leur activité professionnelle, caractérisée par une obligation croissante d'efficacité, et ils ressentent la frustration de n'être qu'un élément d'un projet collectif. Ils souhaitent trouver un équilibre grâce à des activités qui leur permettent de mettre en évidence les autres facettes de leur personnalité, notamment leur sensibilité artistique. C'est pourquoi ils sont nombreux à pratiquer la musique, prendre des cours de peinture ou de sculpture, s'adonner aux joies de l'écriture ou de la photographie. Ils le font d'autant plus que l'école les y a préparés et qu'ils disposent du temps nécessaire.

S'ils tendent à s'estomper, les clivages socio-démographiques demeurent. Les pratiques artistiques concernent davantage les cadres et les professions intellectuelles supérieures que les ouvriers ou les commerçants. Le niveau d'instruction, sanctionné par un diplôme, apparaît plus important que celui du revenu, même s'il existe un lien entre les deux. Ce sont moins les difficultés financières qui empêchent les pratiques artistiques que les obstacles culturels et symboliques.

> 7 % des Français disposent d'un piano.

Toutes les générations sont désormais concernées.

Depuis vingt-cinq ans, toutes les générations ont connu un accroissement de la pratique des activités artistiques. Il a été cependant plus sensible chez les jeunes et chez les plus de 50 ans. Ainsi, beaucoup d'adultes ayant dépassé la cinquantaine ou atteint l'âge de la retraite ont découvert (ou redécouvert) le chant, la danse, l'écriture et surtout la peinture à un moment où ils se sentaient disponibles. Mais, quelle que soit l'activité considérée, on constate qu'elle touche aujourd'hui plus de jeunes qu'au cours des précédentes enquêtes réalisées par le ministère de la Culture (1973, 1981 et 1989) ; c'est le cas notamment pour les adolescents.

On observe aussi que les jeunes générations sont plus éclectiques que les précédentes ; elles passent plus facilement d'une activité à une autre et le nombre des multipratiquants s'accroît. L'apprentissage d'une activité dès l'enfance devrait donner lieu à des taux de pratique à l'âge adulte en augmentation au cours des prochaines années, au fur et à mesure que les générations anciennes, moins concernées par ces activités, seront remplacées. L'apprentissage de la musique ou de la danse devrait aussi profiter aux autres activités artistiques, dont on sait qu'elles sont de plus en plus souvent multipratiquées.

Les activités restent différenciées selon le sexe.

Les hommes sont proportionnellement plus nombreux que les femmes à pratiquer la musique ou le chant : 29 % savent jouer d'un instrument (contre 22 % des femmes) ; 20 % en possèdent un (contre 15 %) ; 15 % en ont joué au cours des douze derniers mois (contre 11 %) ; 11 % ont pratiqué la musique ou le chant en groupe (contre 9 %).

Les femmes sont en revanche plus intéressées par certaines activités non musicales. 11 % font de la peinture, de la sculpture ou de la gravure, contre 9 % des hommes. Elles sont presque deux fois plus nombreuses à tenir un journal intime (11 % contre 6 %) et à faire de la danse (10 % contre 5 %). 7 % écrivent des poèmes, des nouvelles ou des romans, contre 5 % des hommes. 5 % pratiquent la poterie, la céramique, la reliure ou l'artisanat d'art, contre 3 %. On peut imaginer que, comme c'est le cas aujourd'hui dans de nombreux domaines, on assistera au cours des prochaines années à une convergence des activités artistiques entre les deux sexes.

L'art et l'école

49 % des collégiens et lycéens considèrent que « l'art, c'est beau », 28 % que « ça fait rêver », 22 % que « c'est essentiel ». 15 % ne sont pas intéressés et 5 % estiment que « ça ne sert à rien ». 64 % trouvent que les cours d'arts plastiques sont « un plaisir », 16 % « une récréation », 11 % « un cours classique », 9 % « une corvée ».
En dehors de l'école, 30 % pratiquent la musique ou le chant, 28 % la vidéo ou le multimédia, 25 % la peinture ou le dessin, 20 % la danse, 12 % la sculpture ; seuls 24 % n'ont aucune activité artistique extrascolaire. 74 % ont déjà visité une exposition, 26 % non.

Beaux Arts magazine/BVA, octobre 2001

18 % des Français de 15 ans et plus pratiquent la musique ou le chant.

Un quart des Français savent jouer d'un instrument de musique et 13 % l'ont pratiqué au cours des douze derniers mois (1997, dernière enquête du ministère de la Culture). Par ailleurs, 10 % ont chanté ou joué de la musique avec une organisation ou des amis, alors qu'ils n'étaient que 6 % en 1989. Le chant choral fait l'objet d'un engouement particulier depuis quelques années auprès des adultes et des jeunes retraités.

On constate un écart très important selon l'âge : 40 % des 15-19 ans ont joué d'un instrument, contre 3 % des 65 ans et plus. La pratique diminue rapidement après 19 ans, ce qui traduit l'importance de l'éducation musicale à l'école. Les générations plus âgées sont le plus souvent autodidactes dans ce domaine (mais la moitié des 65 ans et plus ont appris à jouer avec un professeur particulier). Les femmes sont deux fois plus nombreuses que les hommes à avoir appris à jouer à l'école (39 % contre 19 %).

La guitare est l'instrument le plus courant chez les 25-34 ans. Le piano reste dominant dans les catégories privilégiées. 35 % des 15-19 ans savent jouer de la flûte, largement présente à l'école. Les hommes sont plus nombreux que les femmes à jouer d'un instrument (29 % contre 22 %) ; certains ont une image très masculine, comme la batterie, le synthétiseur ou même la guitare.

La moitié des personnes sachant jouer d'un instrument n'en ont pas joué au cours des douze derniers mois. La proportion de celles qui ont délaissé leur instrument augmente

L'art de la jeunesse

Pratiques culturelles par sexe et âge (1997, en % de la population de 15 ans et plus) :

	Jouer d'un instrument musical	Faire de la musique en groupe	Tenir un journal intime	Ecrire des poèmes, nouvelles, romans	Faire de la peinture, sculpture, gravure	Faire de la poterie, céramique, reliure, de l'artisanat d'art	Faire du théâtre	Faire du dessin	Faire de la danse
Ensemble	**13**	**10**	**9**	**6**	**10**	**4**	**2**	**16**	**7**
- Homme	**15**	**11**	**6**	**5**	**9**	**3**	**2**	**16**	**5**
- Femme	**11**	**9**	**11**	**7**	**11**	**5**	**2**	**16**	**10**
- 15 à 19 ans	40	26	14	15	20	7	10	49	23
- 20 à 24 ans	27	14	12	11	12	5	4	29	11
- 25 à 34 ans	16	10	9	7	13	5	2	18	5
- 35 à 44 ans	9	7	8	4	12	4	2	14	7
- 45 à 54 ans	11	9	8	6	10	3	1	10	6
- 55 à 64 ans	4	6	5	3	6	3	1	7	6
- 65 ans et plus	3	4	7	4	5	2	0	5	4

Ministère de la Culture et de la Communication

avec l'âge : un tiers des 15-19 ans, la moitié dans les tranches intermédiaires, plus des deux tiers des 65 ans et plus.

Une femme sur dix et un homme sur vingt font de la danse.

La proportion de Français pratiquant la danse n'était que de 6 % en 1989 (au cours des douze derniers mois). Les femmes sont deux fois plus concernées que les hommes : 10 % contre 5 %. C'est souvent la danse classique qui sert d'initiation, mais plus de la moitié l'abandonnent ensuite pour un autre genre. Comme pour le théâtre, le milieu associatif joue un rôle important. Près de la moitié des amateurs prennent encore des cours, une proportion plus élevée que dans les autres disciplines artistiques en amateur.

La danse folklorique arrive toujours au premier rang des pratiques ; elle concerne surtout les milieux ruraux et les personnes âgées. Les amateurs de danses de salon sont encore plus âgés ; ils appartiennent souvent au milieu des cadres et professions intellectuelles supérieures et habitent la région parisienne. La danse moderne et contemporaine regroupe environ un quart des danseurs (le plus souvent jeunes), le jazz moins d'un sur dix.

On constate qu'il n'existe pas de lien apparent entre la pratique de la danse et la fréquentation des spectacles professionnels : ainsi, seul un amateur sur cinq a assisté à un spectacle de danse (classique, moderne ou contemporaine) au cours des douze derniers mois. Les deux démarches sont le plus souvent indépendantes.

2 % des Français pratiquent le théâtre en amateur.

Un Français sur cinquante a eu une activité théâtrale au cours des douze derniers mois en 1997 (dernière enquête effectuée) ; la proportion est restée stable depuis l'enquête de 1989. Cette pratique concerne autant les hommes que les femmes. Les Parisiens sont trois fois plus nombreux que les provinciaux (7 % contre 2 %). Le diplôme n'apparaît pas comme déterminant. L'âge est en revanche un facteur important, la pratique diminuant régulièrement avec lui : 10 % des 15-19 ans, 4 % des 20-24 ans, 0 % des 65 ans et plus. Le théâtre est pourtant une activité plus tardive que celle de la musique ou de la danse, mais que l'on commence plus rarement après 40 ans. Cette activité est le plus souvent le résultat d'une démarche individuelle et le rôle de la famille et des professeurs apparaît mineur. La moitié environ des amateurs ont appris le théâtre dans un cadre associatif, plus d'un quart avec des amis.

La pratique est généralement assez peu fréquente ; elle est inférieure à une fois par mois dans plus de la moitié des cas. Cela s'explique par le fait que la moitié des comédiens amateurs n'appartiennent pas à une troupe. De même que pour la danse, il n'existe pas de lien fort entre la pratique amateur du théâtre et le fait de se rendre dans les salles pour assister à des spectacles : la moitié des personnes concernées n'ont vu aucune pièce jouée par des professionnels au cours des douze derniers mois.

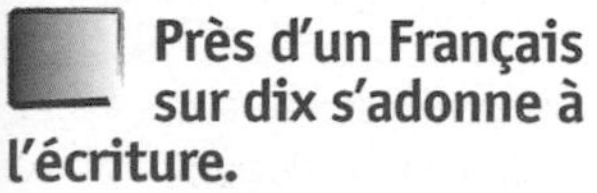
La lecture conduit souvent à l'écriture

Près d'un Français sur dix s'adonne à l'écriture.

9 % déclaraient avoir tenu un journal intime au cours des douze derniers mois en 1997 (contre 7 % en 1989), 6 % avoir écrit des poèmes, nouvelles ou romans (une proportion inchangée). Ces activités sont presque deux fois plus fréquentes chez les femmes : 11 % contre 6 % pour le journal intime ; 7 % contre 5 % pour l'écriture de pièces, nouvelles, romans. Elles dépendent étroitement du niveau d'instruction et de la catégorie socioprofessionnelle, avec une concentration dans les milieux de cadres et professions intellectuelles supérieures. Elles sont beaucoup plus fréquentes à Paris intra-muros que dans les autres communes.

La pratique de l'écriture est fortement corrélée à l'âge : elle concerne deux fois plus les jeunes de 15 à 24 ans que les plus âgés. La découverte remonte souvent à l'enfance ou à l'adolescence. L'influence des parents est faible ; beaucoup d'adolescents commencent à écrire en cachette. Le taux d'abandon est élevé lors de l'installation dans la vie adulte. L'écriture peut être alors en partie remplacée par la photographie ou la vidéo.

A l'époque de l'audiovisuel, l'écriture reste un mode d'expression personnelle important, partie intégrante de la culture française. Les journaux et les poèmes constituent souvent des activités solitaires, voire secrètes. Il n'en va pas de même des romans, nouvelles ou essais que leurs auteurs voudraient voir publier ; les éditeurs reçoivent chaque année des milliers de manuscrits, mais les textes acceptés sont très rares.

Le développement d'Internet a entraîné la multiplication des « nouveaux diaristes », qui créent leur site personnel dans lequel on peut trouver leurs photos personnelles, des séquences vidéo (parfois enrichies par la présence continue de webcams), un curriculum vitae détaillé et, de plus de plus souvent, un journal. Mais celui-ci ne peu être qualifié d'intime, car il peut être lu par tous.

La pratique des arts plastiques se développe.

16 % des Français déclaraient avoir dessiné au cours des douze derniers mois (1997) contre 14 % en 1989. 10 % avaient peint, sculpté ou gravé, contre 6 % en 1989. 4 % avaient fait de la poterie, de la céramique, de la reliure ou de l'artisanat d'art. Comme pour l'écriture, ces pratiques sont plus féminines, sauf le dessin qui est pra-

La France, atelier ou musée ?

L'IMAGE de la France à l'étranger est davantage associée à l'art ancien qu'à l'art contemporain. Une étude du ministère des Affaires étrangères sur la notoriété dans la presse internationale place les artistes français loin derrière les Américains (4 % contre 34 %) et même les Allemands (30 %) et les Britanniques (8 %); elle les situe à égalité avec les Italiens. Parmi les cent artistes les plus connus dans le monde, on ne trouve que cinq Français : Boltansky (10e), Buren (44e), Sophie Calle (85e), Pierre Huygue (96e) et Dominique Gonzales-Foerster (99e).

Si la France reste pour beaucoup d'étrangers un pays où l'art est omniprésent, c'est surtout de l'art de vivre qu'il s'agit. Si elle est encore à leurs yeux un pays de culture, c'est davantage par celle qui est enfermée dans les musées nationaux que par celle qui est créée dans les ateliers des peintres ou des sculpteurs.

tiqué à égalité par les deux sexes. Toutes diminuent avec l'âge. Ainsi, 49 % des 15-19 ans dessinent (le plus souvent à l'école) contre 5 % des 65 ans et plus. Les abandons au moment de l'adolescence sont plutôt moins nombreux que dans les autres disciplines, parmi ceux qui pratiquent en dehors du cadre scolaire. L'apprentissage est plus fréquent à l'âge adulte.

L'engouement pour les arts picturaux traduit à la fois l'attachement à la culture, source d'émotion esthétique, et le besoin de réaliser quelque chose de ses mains. La peinture, le dessin ou la sculpture sont des modes d'expression qui complètent les autres modes de communication avec l'entourage. Ils constituent souvent des activités solitaires ; la majorité des pratiquants ne cherchent pas à exposer leurs oeuvres ou à les vendre. On constate qu'environ la moitié des peintres amateurs n'ont jamais visité de musée.

La photographie et le cinéma profitent de l'évolution technologique.

La plupart des foyers possèdent un appareil photo. Dans la majorité des cas, il est utilisé pour conserver le souvenir d'événements familiaux ou de circonstances particulières (naissances, mariages, vacances...). C'est pourquoi la présence d'enfants accroît sensiblement la fréquence et le nombre des utilisations. On constate que les ménages qui disposent d'appareils perfectionnés (reflex, avec objectifs interchangeables...) s'en servent plus souvent que les autres ; ce sont en général des diplômés de l'enseignement supérieur. Les Français font en moyenne deux fois moins de photos que les Américains et deux fois et demi moins que les Japonais.

Le développement de la photo numérique, lié à celui de l'équipement en ordinateurs, pourrait bouleverser les habitudes, en donnant la possibilité de prendre davantage de photos, de les retoucher et de les envoyer par Internet à d'autres personnes. En 2001, les achats d'appareils numériques ont représenté un quart des appareils achetés et près de la moitié des dépenses (+ 66 % en un an), au détriment des appareils négatifs couleur 135, des prêts à photographier et des boîtiers utilisant la technologie argentique. Le parc numérique était de 1,2 million au début 2002.

Les Caméscopes numériques connaissent aussi un succès croissant. Ils ont représenté plus d'un tiers des achats en 2001, alors que leurs prix étaient presque trois fois plus élevés que ceux des Caméscopes analogiques. Leur usage, plutôt masculin, est encore plus conditionné par la vie familiale que celui de l'appareil photo : les 25-34 ans, qui sont souvent parents de jeunes enfants, sont ceux qui l'utilisent le plus fréquemment ; les 35-44 ans en ont une pratique plus irrégulière. La numérisation des images, fixes ou animées, ouvre la voie d'un renouveau de la création artistique. Elle aboutit à une nouvelle définition de l'art, qui peut désormais être virtuel et utiliser des supports immatériels.

Le numérique s'impose dans la photographie

Près d'un Français sur trois est collectionneur.

L'intérêt pour les collections, qui avait sensiblement augmenté dans les années 80, poursuit sa progression : 29 % des Français étaient concernés en 1997, contre 23 % en 1989. On observe une diversification des objets collectionnés. Aux traditionnels timbres et pièces de monnaie se sont ajoutés les poupées, les disques anciens, les cartes de téléphone, les bouchons de champagne, etc. 8 % des Français déclarent faire une collection de timbres, 4 % de cartes postales, 3 % de pièces ou médailles, 3 % de cartes de téléphone, 2 % d'objets d'art. La proportion n'est que de 1 % pour les pierres et minéraux, les poupées, les livres anciens ou les disques anciens.

Les jeunes (15-19 ans) sont trois fois plus concernés que les 65 ans et plus (50 % contre 15 %). On constate cependant une stabilité entre 25 et 54 ans, aux alentours de 25 à 30 %. Les femmes ont comblé le retard qu'elles avaient sur les hommes dans les années 80 (20 % contre 27 % faisaient des collections). Elles s'intéressent davantage qu'eux aux cartes postales, alors que les hommes collectionnent plus souvent les timbres et les pièces ou médailles. Contrairement à la plupart des autres activités en amateur, le niveau d'éducation n'est pas très discriminant, sauf pour les non-diplômés qui sont les moins concernés.

La cuisine peut être considérée comme une activité culturelle.

La cuisine festive revêt aujourd'hui des aspects plus variés que par le passé. Elle va du plat unique, dont la recette est empruntée aux traditions régionales les plus anciennes (pot-au-feu, cassoulet, choucroute, etc.) à la cuisine la plus exotique (chinoise, africaine, mexicaine, antillaise...).

Opposée par définition à la cuisine-devoir, la cuisine de fête, ou cuisine-loisir, en est aussi le contraire dans sa pratique. Le temps ne compte plus, tant dans la préparation que dans la consommation. Si le menu est profondément différent, la façon de le consommer ne l'est pas moins : le couvert passe de la cuisine à la salle à manger ; la composante diététique, souvent intégrée dans le quotidien, est généralement absente. Enfin, les accessoires prennent une grande importance : bougies, décoration de la table et des plats, etc.

La cuisine-loisir est également marquée par la recherche du « polysensualisme » : le goût, l'odorat, l'œil, le toucher y sont sollicités ; c'est le cas aussi de l'ouïe, car la musique est souvent présente dans les salles à manger. Elle est destinée à être partagée, dans des moments privilégiés de convivialité. Cette cuisine est une véritable activité culturelle, car elle renvoie au premier besoin de l'individu, celui de se nourrir. Elle est donc directement reliée à la vie. C'est pourquoi rien n'est gratuit dans les rites qui président à sa préparation, à sa consommation et à son partage, surtout dans un pays où la tradition gastronomique reste forte.

L'abandon et le changement d'activité sont fréquents.

Les pratiques artistiques en amateur sont souvent abandonnées au moment de l'entrée dans la vie professionnelle et de l'installation dans la vie familiale. Ainsi, parmi la génération née entre 1965 et 1973, dont 52 % pratiquaient une activité artistique (non musicale) en 1989, seuls 37 % étaient encore dans ce cas en 1997. Les abandons sont moins nombreux dans les autres générations, qui n'ont pas connu des ruptures aussi importantes dans leur vie personnelle.

La photographie et la vidéo font exception à cette évolution. La mise en couple ou la venue au monde des enfants sont des incitations fortes à pratiquer ces activités, en achetant ou en se faisant offrir les équipements nécessaires (appareils photo, Caméscopes...). Mais ces deux activités nécessitent moins de temps et d'apprentissage que les autres. Elles sont en outre facilement compatibles avec la vie familiale et constituent une façon simple de tenir un journal (visuel) relatant les événements heureux de la vie.

On constate aussi une polyvalence et un éclectisme croissants dans les pratiques, avec un passage plus fréquent d'une activité à une autre ainsi qu'une augmentation de la pluriactivité. Ainsi, 42 % des pratiquants amateurs de théâtre ont joué, au cours des douze derniers mois, d'un instrument de musique ; 38 % des instrumentistes ont dessiné.

Bricolage et jardinage

Le bricolage concerne près des trois quarts des Français...

70 % des Français disent bricoler au moins de temps en temps et 37 % déclarent le faire souvent ou très souvent (L'Observateur Cetelem 2002). Seuls 12 % ne bricolent jamais. Cette activité connaît depuis une trentaine d'années une croissance spectaculaire. Les plus concernés sont les hommes (79 % contre 59 % des femmes) mais ces dernières rattrapent rapidement leur retard. Les 30-50 ans, mariés et habitant une maison sont les pratiquants les plus assidus. On constate un regain d'intérêt pour le bricolage aux alentours de l'âge de la retraite, période au cours de laquelle on réaménage son logement. Les parents retraités aident aussi de plus en plus souvent leurs enfants à s'installer. Les propriétaires sont plus motivés que les locataires pour investir leur temps et leur argent dans l'amélioration de leur logement.

Les travaux effectués dépendent à la fois des besoins et des compétences. Un ménage sur trois a déjà réalisé la pose d'un carrelage (contre un sur cinq en 1970), près de six sur dix celle d'une moquette (contre un sur cinq). Plus d'un sur quatre a déjà installé ou modifié un système électrique, la même proportion a construit un mur de parpaings ou monté des cloisons. Un sur cinq a

Les Français veulent changer de décor

même déjà créé de ses mains une pièce supplémentaire, un sur cinq également a refait la plomberie d'une cuisine ou d'une salle de bains, plus d'un sur dix a réparé une toiture.

... et les dépenses augmentent régulièrement.

Les dépenses de bricolage ont augmenté d'un tiers en monnaie constante entre 1991 et 2001, atteignant 610 € par foyer. 39 % de ce montant concernent le bricolage lourd (sanitaires, plomberie, matériaux), 36 % le bricolage léger (outillage, quincaillerie, électricité) et 25 % la décoration (revêtements, murs et sols). 62 % des achats sont effectués dans les grandes surfaces spécialisées, 21 % dans le négoce, 10 % dans la grande distribution alimentaire, 5 % dans les magasins traditionnels, 2 % par correspondance. Le bricolage automobile se développe également ; il concerne près d'un automobiliste sur trois et représente plus de 7,5 milliards d'euros de dépenses par an (soit 375 € par ménage motorisé). L'équipement des foyers progresse régulièrement, notamment parmi ceux qui habitent en maison : huit foyers sur dix possèdent une perceuse électrique, deux sur trois un jeu de clés polygonales, six sur dix un établi (contre 45 % en 1970).

Cet accroissement des dépenses est en fait la conséquence d'une volonté de faire des économies. 62 % des Français reconnaissent en effet bricoler dans ce but, car il revient généralement moins cher de se rendre à soi-même des services que de les acheter à une entreprise ou à un artisan. L'arrivée des femmes a été un facteur déterminant dans l'accroissement des dépenses. Si elles s'intéressent traditionnellement à la décoration, beaucoup se lancent aujourd'hui dans des travaux plus complexes (électricité, menuiserie, voire plomberie ou gros oeuvre...).

L'offre d'outils et de matériaux a facilité le développement du bricolage.

Le bricolage est un moyen de retrouver des activités manuelles, de lutter contre la tendance générale à l'abstraction, ainsi qu'à la parcellisation des tâches de la vie professionnelle. Il permet de développer des compétences dans de nouveaux domaines et d'en retirer des satisfactions en se valorisant à ses propres yeux comme à ceux des autres.

L'amélioration constante de l'offre est pour partie responsable de l'engouement pour le bricolage. Elle a rendu les travaux moins durs physiquement et plus faciles à effectuer sans connaissance préalable. Le déve-

Faire ou faire faire ?

Les bricoleurs « du dimanche » sont de plus en plus compétents et peuvent aujourd'hui se lancer dans des travaux autrefois réservés aux professionnels. D'autant que la diversité et l'efficacité des outils et des matériaux proposés ont beaucoup progressé. Par ailleurs, les Français disposent de plus en plus de temps libre. C'est la raison pour laquelle 56 % d'entre eux disent réaliser eux-mêmes les travaux d'intérieur et d'extérieur. Les jeunes sont les plus nombreux (67 % des 25-34 ans), ainsi que les catégories les moins aisées.

Cependant, 26 % des Français disent faire réaliser en général les travaux par des professionnels (48 % des 70 ans et plus). Les autres (18 %) font le plus souvent appel à un membre de la famille ou à un ami. Pour les gros travaux, 70 % des ménages font ainsi appel à des entreprises spécialisées. La baisse de la TVA de 20,6 % à 5,5 % sur les travaux (matériaux et main-d'œuvre) a favorisé le recours aux professionnels et contribué à la réduction de la part du travail non déclaré. Afin de satisfaire les adeptes du « faire faire » ou d'assister les partisans du « faire soi-même », les grandes surfaces spécialisées proposent des services de pose, en agréant des artisans, parfois en recommandant des architectes ou des décorateurs.

Kingfisher/Ipsos, mars 2002

loppement des grandes surfaces spécialisées (Castorama, Leroy Merlin, Mr Bricolage...) a largement contribué à la féminisation du bricolage, en proposant aux clientes (mais aussi aux hommes) des conseils, des fiches techniques, des démonstrations, des cassettes vidéo, voire des stages pratiques.

Le jardinage connaît aussi un engouement croissant.

Plus de la moitié des Français disent jardiner souvent ou de temps en temps. Cette activité occupe une place importante chez les plus de 50 ans ; elle concerne 68 % des 50-64 ans. La proportion de jardiniers est, très logiquement, semblable à celle des ménages possédant un jardin (58 %). Il faut également tenir compte des ménages qui, habitant en appartement, disposent d'un balcon ou d'une terrasse (21 %). Beaucoup de ces derniers créent des jardins intérieurs au moyen de fleurs et de plantes vertes. 11 % des Français disposent en outre d'une résidence secondaire dans laquelle ils peuvent s'adonner aux joies du jardinage.

Les femmes représentent 58 % des adeptes. La répartition des tâches entre les sexes reflète encore la tradition ; les femmes sont plus nombreuses que les hommes à s'occuper d'un jardin d'agrément, alors que les jardins potagers sont en majorité entretenus par les hommes. Le temps passé au jardinage est d'environ six heures par semaine en moyenne.

> 75 % des femmes se sentent aussi compétentes que les hommes en matière de bricolage. 17 % se disent capables de tout faire, contre 10 % en 1998.

La dépense moyenne s'est élevée à 230 € par ménage en 2001.

27 % de ce montant étaient consacrés aux achats de végétaux, 23 % à l'outillage, 16 % aux clôtures et aménagements, 9 % au mobilier de jardin. 21 % des achats sont effectués dans les grandes surfaces de bricolage, 18 % dans les hyper- et supermarchés, 17 % dans les jardineries, 14 % chez les spécialistes, 11 % dans les libres services agricoles et chez les autres spécialistes, 10 % dans la vente directe et par correspondance, 9 % dans les magasins de détail. Les propriétaires dépensent en moyenne quatre fois plus que les locataires : 302 € par an contre 66.

Depuis le début des années 80, la taille moyenne des jardins s'est réduite (un peu moins de 800 m²) et près de la moitié font moins de 250 m². Quatre sur cinq ont une pelouse, mais seuls 35 % des foyers concernés disposent d'un terminal d'arrosage (robinet, lance, brosse de lavage). Les achats d'arbres fruitiers progressent et les rosiers connaissent une stagnation (11 millions de plants achetés par an). On observe un intérêt pour les jardins aquatiques.

Les achats de plantes d'intérieur connaissent une forte croissance depuis quelques années (près de 2 milliards d'euros en 2001). La dépense moyenne par achat est un peu supérieure à 10 €. L'engouement pour les bottes de fleurs variées ne se dément pas, alors que les fleurs séchées et les bonsaïs sont passés de mode.

Le goût pour le jardinage reflète l'intérêt pour la nature.

La pratique du jardinage traduit le désir des Français de vive dans un cadre agréable et naturel et reflète la montée des préoccupations écologiques. Elle a été favorisée par l'accroissement du temps libre et la mise en place des 35 heures. A l'inverse de nombreux loisirs, le bricolage peut se pratiquer au moment de son choix (en tenant compte cependant des contraintes saisonnières). Il est un moyen de liberté, de lutte contre le stress et de valorisation personnelle.

La satisfaction de pratiquer une activité manuelle et décorative est une autre motivation importante. Le jardinage est une activité polysensorielle ; il permet de voir, de sentir, de toucher, de goûter. Les travaux les moins appréciés sont la tonte du gazon, le traitement et le soin des plantes, le binage et le fertilisage. Certaines tâches comme l'abattage ou l'élagage des arbres sont souvent confiées à des personnes ou à des entreprises extérieures. Si la volonté de personnaliser son jardin est de plus en plus fréquente, on observe aussi un mimétisme entre voisins, qui conduit parfois à la surenchère.

L'importance croissante du logement favorise les activités domestiques.

Les Français passent beaucoup de temps à leur domicile, du fait notamment du raccourcissement de la durée du travail. Le logement est donc le lieu privilégié de la vie personnelle et de la convivialité familiale, voire tribale. C'est pourquoi il est le premier poste de dépenses des ménages, avec 19 % du revenu disponible (hors équipement, contre 11 % en 1960,

Par ailleurs, le besoin d'autonomie des individus et des ménages s'est considérablement accru. Face à une société dure et génératrice de stress,

Néo-ruralité et modernité

A une époque où le monde rural est en voie de disparition, beaucoup de Français souhaitent préserver ou retrouver leurs racines paysannes. C'est ce qui explique l'exode urbain amorcé depuis quelques années, après deux siècles d'exode rural ininterrompu (voir p. 192).
Le besoin de « retour à la terre », qui s'était manifesté de façon parfois excessive pendant les années 70, apparaît plus durable aujourd'hui. Les « néo-ruraux » sont en effet les nouveaux modernes. Ils souhaitent se rapprocher de la nature sans abandonner les bienfaits du confort citadin. Le jardinage est pour eux un moyen d'y parvenir.
Ces motivations poussent aussi les Français à s'entourer d'animaux familiers (52 % des foyers). Les chiens, chats et autres hamsters assurent le lien nécessaire entre la nature et l'espèce humaine. Au-delà de leurs fonctions de protection et de compagnie, ils illustrent l'attitude de régression, au sens psychanalytique, de leurs maîtres ; elle exprime à la fois les frustrations de la vie quotidienne et les craintes à l'égard de l'avenir.

à des institutions défaillantes, à des prestataires de services coûteux (et parfois douteux), il est important de pouvoir se « débrouiller » seul, en réparant un robinet, en cultivant des légumes ou en élevant des lapins. Ce souci d'indépendance s'accompagne d'une volonté de personnaliser son logement, de le rendre plus confortable, de renforcer la sécurité des biens et des personnes qui l'habitent, de favoriser la convivialité entre les membres de la famille ou avec les personnes que l'on accueille.

Bricolage et jardinage sont des loisirs valorisants et créatifs...

L'une des principales motivations des jardiniers et des bricoleurs est la décoration et l'aménagement du cadre de vie, dans le but de créer un univers agréable et personnalisé. La compétence s'accroît avec l'expérience, mais aussi la qualité des outils et les conseils des autres. La dimension esthétique prend aussi une place plus importante avec le développement d'un véritable artisanat amateur.

L'engouement pour ces deux activités s'explique aussi par le fait qu'elles valorisent ceux qui les pratiquent. Avec le développement de la société industrielle et la parcellisation du travail, le sentiment de satisfaction lié à la fabrication complète d'un objet par un même individu est devenu rare. Conscients de cette frustration liée à l'évolution de la vie professionnelle, les actifs ont recherché des activités de compensation ; beaucoup les ont trouvées dans la pratique de loisirs artistiques (voir *Activités culturelles*), mais aussi manuels avec le bricolage et le jardinage. Cette motivation est surtout présente chez les professions libérales et les cadres supérieurs, particulièrement concernés par la dématérialisation des tâches.

... qui permettent aussi de réaliser des économies.

Les ménages tendent aujourd'hui à se comporter comme des entreprises ; ils cherchent à « gérer » leur vie quotidienne en optimisant leurs recettes et, surtout, leurs dépenses. Ils se rendent donc de plus en plus souvent des services à eux-mêmes (ou entre eux), parce que cela revient moins cher et que c'est plus rapide.

La moitié des bricoleurs déclarent ainsi être motivés par des soucis d'économie. Les ouvriers sont les plus attachés à ces aspects utilitaires et économiques. Une part importante de l'activité domestique est liée au bricolage : montage de meubles en kit ; travaux de construction, de réparation ou d'entretien ; fabrication d'objets divers... Au cours des années 80 et 90, la crise a favorisé le développement du petit bricolage, au détriment du recours aux professionnels. Le « faire faire » prend aujourd'hui une place plus importante, notamment pour les travaux difficiles ou peu agréables (voir p. 484).

La motivation économique est moins présente en matière de jardinage. La proportion de jardins à usage strictement utilitaire (potager, verger) est en effet en nette régression : 1 % contre 7 % en 1988. 35 % sont à usage mixte (agrément-utilitaire) contre 57 % en 1988. La majorité (64 %) est donc constituée aujourd'hui de jardins d'agrément. La part de l'autoproduction dans la consommation à domicile de fruits et de légumes n'est cependant pas négligeable ; elle est par exemple estimée entre 15 % et 20 % pour les oeufs et les volailles. Mais de nombreux ménages concernés cultivent leur jardin au moins autant pour le plaisir de consommer leurs propres produits que par souci d'économie.

> 7 millions de Français possèdent un VTT (vélo tout-terrain).
> Les Français achètent en moyenne 45 vélos pour 1 000 habitants, contre 91 aux Pays-Bas.
> 3,7 millions de Français utilisent les sentiers de randonnée sur une journée, 600 000 sur des durées plus longues.

Les vacances

Attitudes et comportements

Sauf mention contraire, les chiffres utilisés dans ce chapitre émanent du ministère du Tourisme.

La notion de vacances est née avec les congés payés.

Comme Saint-Simon le disait du bonheur, les vacances sont une idée neuve en Europe, en tout cas une invention récente. En France, il fallut attendre 1936 pour que les salariés aient droit aux premiers « congés payés ». La disposition de deux semaines de liberté par an marquait le début d'une véritable révolution dans les modes de vie. On ne connaissait auparavant que les voyages ; ils concernaient les catégories sociales aisées, qui n'étaient pas obligées de travailler pour vivre.

Vingt ans après, en 1956, les salariés bénéficièrent d'une troisième semaine, puis d'une quatrième en 1969 et d'une cinquième en 1982. Par le jeu de l'ancienneté ou de conventions particulières, 10 % des actifs disposent en 2002 de plus de cinq semaines de congés annuels (Crédoc). La mise en place des 35 heures a permis notamment à de nombreux cadres de bénéficier de deux semaines de congés supplémentaires en compensation des dépassements d'horaires hebdomadaires, ce qui porte fréquemment le total annuel à huit semaines. Seule une minorité d'actifs (11 %) dispose de moins de quatre semaines de congés par an ; ce sont essentiellement des indépendants (agriculteurs, commerçants, professions libérales), grands oubliés de la diminution de la durée du travail. 7 % déclarent ne pas avoir de congés. La France arrive ainsi en première position en Europe et sans doute dans le monde en matière de congés payés ; ils ne représentent par exemple que de 15 jours ouvrables en Irlande (comme aux Etats-Unis), 18 à 20 en Allemagne (selon les Länder), 22 en Grèce, 24 en Belgique.

Près de deux Français sur trois partent pour des voyages personnels d'au moins quatre nuits.

Le taux de départ en vacances diffère selon la définition qu'on adopte. 72 % des Français de 15 ans et plus ont passé au moins une nuit hors de leur domicile en 2001 pour des raisons personnelles : vacances, manifestations sportives ou culturelles, stages, cures, visites à la famille ou à des amis (ministère du Tourisme). Si l'on considère que les vacances commencent à partir de quatre nuits passées hors de chez soi (longs séjours), la proportion de départs est alors de 64 %. Sont exclus de ces chiffres tous les déplacements pour raison professionnelle : réunions, rendez-vous, stages de formation, congrès... Le taux mesuré par l'INSEE est un peu inférieur : 62 % pour 1999, dernière année disponible (66 % pour le ministère du Tourisme). Il exclut certains types de séjours personnels (pour maladie ou décès d'un proche), ceux passés dans des établissements de santé, ainsi que les courts séjours d'agrément (moins de quatre nuitées).

Les taux de départ sont d'autant plus élevés que les personnes concernées habitent dans des grandes villes : 84 % des habitants de l'agglomération parisienne effectuent des voyages personnels, contre 66 % seulement des ruraux. Le taux s'élève également du bas vers le haut de la pyramide sociale et suit celle des revenus. Les moins de 25 ans, dont la plupart sont scolarisés et disposent

Les Européens en vacances

PARMI les pays de l'Union européenne, le taux de départ en séjour d'au moins quatre nuitées est minimal dans les pays du Sud : 31 % au Portugal, 37 % en Espagne, 46 % en Italie. Il est maximal en Allemagne (77 %) et dépasse 60 % en Suède, au Royaume-Uni et au Luxembourg (chiffres 2000).
Dans sept pays de l'Union européenne, le nombre des séjours à l'étranger est plus élevé que celui des séjours passés à l'intérieur : Belgique, Danemark, Allemagne, Irlande, Luxembourg, Pays-Bas, Autriche. La part des séjours intérieurs dépasse au contraire 80 % dans les pays du Sud (France, Espagne, Portugal et Grèce), qui sont aussi les principaux pays d'accueil des touristes européens.

Eurostat

de longues vacances, partent plus fréquemment et plus longtemps que les adultes. 45 % des séjours (toutes durées) sont des vacances d'agrément, 46 % sont des visites à la famille ou à des amis, 7 % ont d'autres causes (séjours linguistiques, cures, thalassothérapie...).

Le taux de départ a plutôt diminué au cours des dernières années et les inégalités restent stables.

Les chiffres du ministère du Tourisme font apparaître une baisse du taux de départ en vacances (séjours personnels d'au moins quatre nuitées, voir définition ci-dessus) depuis le milieu des années 90 : 64 % en 2001 contre 69 % en 1996. Ceux publiés par l'INSEE montrent une stabilisation (62 % en 1999, dernière année disponible, contre 61 % en 1989) ; sur longue durée, ils font apparaître une forte hausse à partir des années 50, notamment entre 1969 et 1976. L'évolution jusqu'à la fin des années 80 avait surtout profité aux catégories sociales qui partaient le moins (indépendants, ouvriers, inactifs et surtout agriculteurs), de sorte que les écarts s'étaient resserrés.

Mais les chiffres de l'INSEE montrent une stabilisation des inégalités depuis une dizaine d'années. Les taux de départ des agriculteurs et des retraités restent les plus faibles (respectivement 33 % et 49 % en 1999) avec celui des ouvriers (45 %). Les agriculteurs et les retraités rattrapent cependant peu à peu leur retard depuis une dizaine d'années, alors que les taux de départ des ouvriers et des employés (45 % et 63 %) ont un peu diminué. Celui des artisans, commerçants et chefs d'entreprises (61 %) s'est en revanche accru, alors que celui des professions intermédiaires et des cadres et professions intellectuelles supérieures s'est stabilisé à un haut niveau (80 % et 87 %).

Moins de départs

Evolution du taux de départ et du nombre moyen de séjours personnels :*

	1996	1997	1998	1999	2000
- Tous séjours (%)	76,7	74,2	74,1	73,3	72,1
- Nombre moyen de séjours par personne	4,2	4,2	4,1	4,0	3,9
- Longs séjours (4 nuits ou plus, en %)	68,7	65,9	65,8	65,7	64,4
- Nombre moyen de longs séjours par personne	2,5	2,4	2,4	2,3	2,4

* Tout départ du domicile avec au moins une nuit passée au dehors (au moins quatre pour les longs séjours) pour des raisons personnelles : vacances, tourisme, visites, salons, foires, expositions, festivals, croisières, manifestations sportives ou culturelles, stages sportifs, cures thermales, thalassothérapie, séjours linguistiques...) ou pour rendre visite à la famille ou à des amis.

Direction du Tourisme/Sofres

15 % des Français ne sont jamais partis en vacances.

Chaque année, un peu plus d'un tiers de la population totale ne part pas en vacances. Mais ce ne sont pas toujours les mêmes personnes qui sont concernées : ainsi, entre 1992 et 1995, 75 % des Français étaient partis au moins une fois pendant l'été et 25 % n'étaient pas partis du tout. Mais on constate que 15 % des personnes âgées de 18 ans et plus ne sont jamais parties en vacances au cours de leur vie. Cette proportion est plus élevée chez les non-salariés (notamment les agriculteurs) et les personnes âgées.

Parmi les Français qui ne partent pas en vacances au cours d'une année, le plus grand nombre (37 %) invoque des raisons financières, 19 % un choix personnel, 18 % des raisons familiales, 10 % des raisons de santé, 8 % des contraintes professionnelles, 8 % d'autres causes. Le Chèque-Vacances, créé en 1982, est utilisé par plus de 4 millions de salariés ; un peu plus d'un tiers des sommes est consacré à l'hébergement, un peu moins d'un tiers aux transports, le reste est réparti entre la restauration et les loisirs sportifs.

Ceux qui partent fractionnent davantage leurs vacances...

On a assisté à partir des années 60 à un accroissement du nombre de séjours de vacances supérieur à celui du taux de départ, ce qui signifie que les Français partaient plus souvent au cours d'une même année. Cette tendance s'expliquait par la volonté de diversifier les expériences, de profiter de l'accroissement général du pouvoir d'achat, de l'abaissement des coûts de transport et de l'amélioration du réseau routier. A partir des années 80, le fractionnement des vacances a profité de la réduction du temps de travail et de la cinquième semaine de congés payés (1982), ainsi que de l'incitation (parfois l'obligation) de nombreux salariés à prendre leurs congés en plusieurs fois. Le développement de formules de week-ends prolongés et de courts séjours proposés par les hôtels, les résidences et les parcs de loisirs (voir ci-après) a aussi contribué à cette évolution.

Le nombre moyen de séjours par personne s'est accru jusque vers le milieu des années 90 ; il s'est stabilisé depuis, à 4 pour l'ensemble des séjours personnels et 2,4 pour les séjours d'au moins quatre nuits. Comme le taux de départ, il augmente régulièrement avec la taille de l'agglomération et le niveau de revenu. Près de six vacanciers sur dix partent au moins deux fois au cours de l'année, un sur cinq au moins trois fois (6 % au moins cinq fois). La durée moyenne des séjours est stable : 5,8 nuitées en 2001 contre 5,9 en 1996.

Au sein des pays de l'Union européenne, la France est l'un de ceux où le nombre moyen de séjours est le plus élevé, derrière la Suède (3,1), à égalité avec la Finlande ; le nombre minimal est celui mesuré en Grèce et au Luxembourg (1).

... mais la part des courts séjours a baissé.

Le nombre des courts séjours (moins de quatre nuits passées hors du domicile) est passé de 88 millions en 1996 à 80 millions en 2001, soit 143 millions de nuitées contre 160 millions. Cette baisse s'explique par le fractionnement des vacances, qui fait que les Français partent souvent deux fois (parfois davantage) pour des durées supérieures à quatre jours, ce qui leur laisse moins de temps et d'argent pour d'autres départs, de plus courte durée. Plus de la moitié des courts séjours sont effectués par des personnes de 35 à 49 ans ; 95 % ont lieu en France, 4 % en Europe.

Le sud, destination privilégiée des vacanciers

La mise en place des 35 heures pourrait cependant modifier la tendance, en incitant les Français à partir plus souvent pour des périodes courtes. On a ainsi constaté en 2001 un allongement des week-ends, avec un report de 16 % du trafic ferroviaire et aérien du vendredi soir vers le jeudi soir. Mais ces week-ends souvent prolongés sont aussi souvent passés au domicile et ne sont donc pas comptabilisés comme des séjours de vacances.

La diminution du temps de travail et la flexibilité des horaires ont pour conséquence une interpénétration croissante des différents temps de la vie. De plus en plus de cadres et d'employés emportent chez eux du travail pour le soir ou le week-end. A l'inverse, une partie croissante du temps de travail est utilisée à des fins personnelles ou familiales. Le développement des outils de communication comme le téléphone portable, l'ordinateur portable ou Internet ont facilité cette évolution, qui devrait se poursuivre au cours des prochaines années.

Un Français sur deux part au moins une fois en week-end dans l'année.

48 % des Français sont partis au moins une fois en week-end en 2001 (Crédoc). 55 % d'entre eux l'ont fait au moins quatre fois, 28 % au moins dix fois ; la moyenne est de sept fois. 84 % de ceux qui partent rendent visite à leur famille ou à des amis. 40 % vont à la campagne. Le fait d'habiter une grande ville constitue une forte incitation à rechercher l'air pur ; quatre Franciliens sur cinq sont concernés. 4,3 % des Français ont passé un week-end à l'étranger au cours du printemps 2001 : 1,7 % se sont rendus en Italie, en Espagne ou au Portugal, 1,4 % au Royaume-Uni ou en Irlande, 0,8 % au Bénélux, Allemagne, Suisse ou Autriche. Les capitales européennes sont de plus en plus visitées, notamment lorsqu'elles sont le lieu de grandes manifestations ou de grands événements : expositions de peinture ; concerts ; compétitions sportives ; fêtes nationales ; carnavals... On observe un intérêt croissant pour les week-ends à thème (culture, sport, gastronomie...).

Parcs de vacances

Le fractionnement des vacances et l'envie de profiter des week-ends prolongés ont accru la fréquentation des parcs de loisirs. 60 % des Français se sont déjà rendus au moins une fois dans l'un d'entre eux en 2001, contre seulement un sur vingt en 1990. 34 % ont visité Disneyland Paris (environ 12 millions de visiteurs par an), 22 % le Futuroscope (2,3 millions), 21 % Walibi, 18 % Astérix, 17 % la Cité des Sciences et de l'Industrie de la Villette, 15 % la Mer de sable. Le parc de Mickey est ainsi le site payant le plus visité de France, deux fois plus que la tour Eiffel ou le Louvre (6 millions de visiteurs chacun par an). D'autres formules ont profité de l'engouement pour des vacances courtes et de la lassitude à l'égard de la résidence secondaire, jugée contraignante et coûteuse. C'est le cas de Center Parcs, qui attire notamment les familles avec de jeunes enfants.

Le succès de ces parcs s'explique par le besoin de rêve, d'aventure, d'amusement mais aussi de sécurité. La possibilité de se retrouver en famille est une autre motivation importante, à la condition que chacun puisse être autonome. Les activités ludiques attirent de plus en plus de visiteurs, à l'inverse des attractions culturelles plus traditionnelles. Cet engouement traduit un besoin de loisirs diversifiés et sécurisés. Il témoigne d'un certain mal-être par rapport au monde réel, ainsi qu'une difficulté de faire face quotidiennement à la condition d'adulte. Le monde onirique des parcs permet de retrouver l'enfance et l'insouciance qui lui est associée.

Plus de huit Français sur dix passent leurs vacances en France...

90 % des séjours personnels effectués en 2001 (toutes causes et toutes durées) se sont déroulés sur le territoire français (DOM-TOM inclus). La richesse et la variété des sites touristiques expliquent cet engouement pour le pays, qui est d'ailleurs partagé par de nombreux étrangers, puisque la France est la première destination mondiale (voir p. 495). Pour les longs séjours (quatre nuits ou plus), la proportion n'était que de 83 %, car il est plus difficile d'effectuer des courts séjours à l'étranger. En nombre de nuitées, les voyages en France ont représenté 85 % de l'ensemble et 82 % des longs séjours.

La place prépondérante des séjours en France explique que 75 % des Français partent avec leur voiture (séjours en France et à l'étranger confondus) contre moins de 50 % des Danois, des Britanniques et des Luxembourgeois. 12 % prennent le train, 7 % l'avion, 3 % le car, 3 % utilisent d'autres moyens (voiture de location, camping car, moto, vélo, bateau...). La part de la voiture tend cependant à diminuer légèrement (elle était de 77 % en 1996) au profit notamment de l'avion (6 % en 1996). Mais les Français sont encore loin des Britanniques (40 % prennent l'avion). Le recours aux autres moyens de locomotion reste stable.

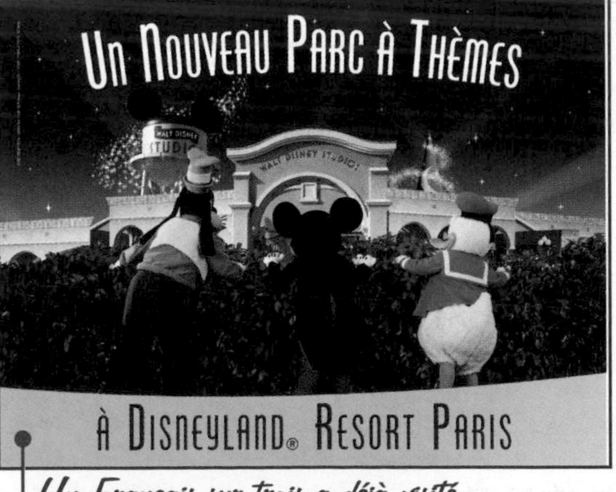

Léo Burnett Paris

Un Français sur trois a déjà visité Disneyland Paris

... et les autres se rendent principalement dans les pays d'Europe.

Les séjours à l'étranger ne représentent que 4 % de l'ensemble des voyages personnels et 17 % des longs séjours. Une proportion très faible par rapport à celle constatée dans d'autres pays développés : plus de la moitié aux Pays-Bas, en Suisse, en Allemagne, en Autriche ou en Belgique, plus d'un tiers en Grande-Bretagne ou au Canada, plus d'un quart en Irlande (mais moins de 5 % aux Etats-Unis et au Japon).

Les principales destinations des Français à l'étranger sont européennes, avec en tête l'Espagne (1,6 % des séjours et 2,4 % des nuitées en 2000), l'Italie (1,1 % et 1,3 %). La durée moyenne des séjours est presque proportionnelle à la distance : 7,2 jours en Europe (8,6 en Espagne, 6,8 en Italie, 6,2 en Grande-

10 % des séjours à l'étranger

Evolution des séjours personnels à l'étranger selon le pays de destination :*

	Structure des séjours (en %)		Structure des nuitées (en %)		Durée moyenne de séjour (en nuitées)	
	1995	2000	1995	2000	1995	2000
Total France (DOM-TOM inclus)	**91,0**	**90,1**	**87,3**	**85,7**	**5,5**	**5,5**
Total Europe, dont :	6,8	6,5	8,6	8,2	7,2	7,2
- Allemagne	*0,6*	*0,5*	*0,5*	*0,5*	*5,6*	*5,5*
- Belgique, Luxembourg	*0,5*	*0,5*	*0,3*	*0,3*	*3,5*	*4,3*
- Espagne	*1,5*	*1,6*	*2,6*	*2,4*	*9,4*	*8,6*
- Grande-Bretagne, Irlande	*0,9*	*0,6*	*0,8*	*0,6*	*5,7*	*6,2*
- Italie	*1,1*	*1,1*	*1,4*	*1,3*	*7,3*	*6,8*
Afrique	0,8	1,8	1,3	2,7	9,4	8,8
Amérique	0,8	1,0	1,6	2,2	11,6	12,4
Asie, Océanie	0,5	0,6	1,1	1,2	12,0	12,2
Total étranger	**9,0**	**9,9**	**12,7**	**14,3**	**8,1**	**8,4**

* Voir définition dans le tableau p. 488.

Direction du Tourisme/Sofres

Bretagne et en Irlande, 5,5 en Allemagne), 8,8 jours en Afrique, 12,2 jours en Asie-Océanie et 12,4 jours en Amérique.

L'intérêt des Français pour les vacances hors des frontières nationales pourrait s'accroître dans les prochaines années, du fait notamment de l'élargissement de l'offre de séjours et de forfaits, dans un contexte de mondialisation. Cela implique cependant que s'atténuent les craintes liées aux actes terroristes (voir p. 506). La mise en place de l'euro devrait favoriser les séjours en Europe, avec la disparition des frais de change et la plus grande transparence des prix.

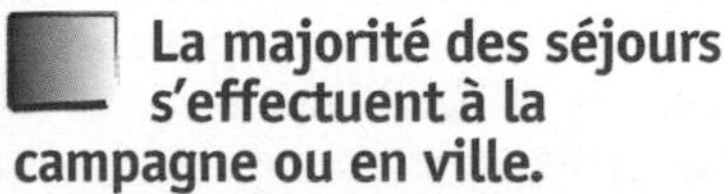

La majorité des séjours s'effectuent à la campagne ou en ville.

Contrairement à ce que l'on peut penser, les séjours personnels (toutes durées) sont plus nombreux à la campagne (38 % en 2001) et en ville (32 %) qu'à la mer (25 %). Mais les séjours à la mer ont une durée supérieure (8,2 jours en moyenne contre 4,6 en ville et 5,2 à la campagne), de sorte qu'ils représentent 36 % des nuitées, contre 34 % à la campagne et 24 % à la ville. La montagne arrive en quatrième position des types de vacances, avec 14 % des séjours et 19 % des nuitées (7,4 jours en moyenne). Les lacs comptent pour 4 % des séjours et 5 % des nuitées (7,8 jours en moyenne). Enfin, les autres destinations (séjours itinérants, croisières...).

L'héliotropisme, propension à se tourner vers le soleil, reste la motivation première des Français en vacances. Elle est peu dissociable de leur intérêt pour la nature et, singulièrement, pour la mer. Ce besoin de chaleur est aussi de plus en plus pressant en hiver ; il explique l'accroissement du nombre des séjours dans les pays bénéficiant d'un climat maritime : Espagne, Italie, Tunisie, Maroc, Antilles, Turquie...

La croisière connaît un engouement croissant...

L'attirance pour la mer est liée à son image symbolique. Le tourisme balnéaire concerne aujourd'hui un vacancier sur deux, contre un sur quarante lors de l'institution des congés payés en 1936 et un sur quatre cents au début du siècle. Ce goût de la mer et, dans l'imagerie populaire, celui du luxe expliquent la croissance régulière de la croisière. Le nombre des passagers était de 100 000 en 1993. Il a dépassé 200 000 en 1998 et atteint 266 000 en 2000, soit une nouvelle progression de 19 % en un an. La Méditerranée a perdu un peu de son attrait, mais elle reste de loin la

Plus de séjours à la campagne, plus de temps à la mer

Evolution de la répartition des séjours personnels selon le type de destination (en %) :

	En % des séjours		En % des nuitées		Durée moyenne de séjour (en nuitées)	
	1995	2001	1995	2001	1995	2000
- Mer	25,3	25,2	37,4	36,0	8,5	8,2
- Montagne	15,0	14,2	19,8	18,7	7,6	7,4
- Campagne	37,4	38,1	32,4	33,9	5,0	5,2
- Lac	4,1	3,7	5,7	4,8	8,0	7,8
- Ville	32,1	31,6	26,2	23,9	4,7	4,6
- Autre	2,0	nd	1,8	nd	5,2	5,9

Le total est supérieur à 100 %, plusieurs espaces pouvant être fréquentés au cours d'un même séjour.

Direction du Tourisme/Sofres

première zone (144 000 passagers, soit 54 % de l'ensemble), devant les Caraïbes (77 000, soit 29 %, en progression continue), puis le Nord et la Baltique (plus de 30 000) et les îles de l'Atlantique (Baléares, Canaries, Açores).

La durée la plus fréquente est de sept jours, mais les mini-croisières connaissent un engouement croissant, au détriment des plus longues (deux passagers sur trois restent moins de sept jours). Malgré la forte augmentation de ces dernières années, le nombre des croisiéristes français est encore très inférieur à celui des Britanniques (plus de 600 000) ou des Allemands (400 000), mais il se rapproche de celui des Italiens (300 000). On observe aussi un intérêt des Français pour le tourisme fluvial, marqué par une grande diversité : bateaux de passagers ; plaisance privée ; navigation sportive.

> 42 % des Français qui partent en vacances estiment les vacances indispensables, contre 15 % seulement de ceux qui partent.

... de même que le tourisme de santé.

L'eau ne procure pas seulement le plaisir de la baignade. Elle a aussi des vertus curatives et joue un rôle rassurant et maternant, qui satisfait un besoin de régression au stade fœtal. C'est pourquoi le tourisme de santé se développe dans les centres spécialisés. 210 000 personnes se sont rendues en 2000 dans les 52 centres français de thermalisme, contre 150 000 en 1997. Les curistes sont de plus en plus jeunes (40 % de 30-50 ans contre 30 % en 1990) et la proportion d'hommes s'accroît (30 %). 38 % viennent de la région Ile-de-France (45 % en 1995). La durée moyenne des séjours diminue ; elle est passée de 6,2 jours en 1995 à 4,2 en 2000, du fait notamment de l'offre de courts séjours de remise en forme.

La thalassothérapie est devenue une alternative aux vacances classiques en bord de mer. Le stress, le surmenage et le désir de mincir sont les principales motivations des curistes. Beaucoup recherchent aussi une prise en charge physique et psychologique leur permettant d'échapper le temps d'un séjour aux responsabilités qu'ils doivent assumer dans leur vie quotidienne.

Pour répondre aux demandes nouvelles, les stations diversifient leur offre (cures antitabac ou d'amaigrissement...) et proposent des activités de toute nature. De curatifs, les séjours tendent à devenir préventifs, avec une dimension ludique (activités sportives et culturelles) et sensorielle (activités artistiques, gastronomie) plus affirmée. On constate une fréquentation croissante hors saison (printemps et automne) et un accroissement du nombre de cures en hébergement. Les cures se déroulant à l'étranger (Bassin méditerranéen, Europe de l'Est) attirent de plus en plus de Français.

L'hébergement des vacanciers est gratuit dans près de deux cas sur trois.

La moitié des séjours de vacances (toutes durées) sont des visites à la famille et aux amis (57 % en 2001,

La symbolique des vacances

Le temps des vacances est celui de l'évasion et de la magie. Il s'agit d'être « ailleurs », dans un cadre enchanteur, et de pouvoir échapper aux soucis de la « vraie vie ». C'est pourquoi les lieux de vacances ont tous une forte valeur symbolique. La mer représente le retour aux sources, l'origine de l'humanité. La montagne rapproche du ciel, de la vérité et du sens. La campagne permet de retrouver la nature, l'authenticité mais aussi le bonheur, dont on sait qu'il est « dans le pré ». Elle est censée être préservée des effets nocifs de la civilisation : pollution ; encombrements ; délinquance... La plage est un lieu de transition entre la terre et la mer, entre la société et l'individu, entre le dépouillement (notamment vestimentaire) et la sophistication.

Dans l'imaginaire collectif des vacances, l'île joue un rôle particulier. Elle évoque le paradis, l'endroit idéal et presque irréel où se rejoignent la mer, la terre et le ciel. C'est dans les îles que l'on voit le soleil, symbole de la puissance paternelle, réchauffer la mer, évocatrice de la douceur maternelle et de la vie. Passer des vacances sur une île, c'est donc s'évader du monde réel pour entrer dans celui du rêve.

Euro RSCG Ossard Latgé

En vacances, tout est possible

contre 54 % en 1996). Leur durée moyenne (4,5 jours) est plus courte que celle des séjours effectués dans les autres modes d'hébergement (10,5 jours en location, 8,8 en camping) ; c'est pourquoi elles ne comptent que pour 45 % des nuitées. 11 % des séjours se déroulent en outre dans des résidences secondaires possédées ou prêtées et 4 % dans d'autres types d'hébergement gratuit, de sorte que celui-ci représente 71 % des séjours (66 % des nuitées). Les célibataires sont les plus nombreux à en bénéficier (près des deux tiers sont logés dans la famille ou chez des amis). C'est le cas aussi des 25-34 ans. Les vacances passées chez des proches représentent près de six séjours en France sur dix, mais seulement un sur trois à l'étranger. Elles sont plus fréquentes l'hiver que l'été.

On note une légère diminution de la part des résidences secondaires ou de l'hébergement chez des proches depuis quelques années, au profit d'autres modes. Les hôtels ont représenté 11 % des séjours et 6 % des nuitées en 2001, le camping respectivement 6 % et 10 %, la location 5 % et 10 %. La part des autres modes payants (gîtes, chambres d'hôte, résidences de tourisme...) tend à s'accroître. C'est le cas aussi du camping, mais sa fréquentation est sensible aux conditions météorologiques. On constate une montée en gamme, avec l'apparition d'une véritable « hôtellerie de plein air » ; la part des étrangers est en hausse ; elle représente plus d'un tiers de la clientèle.

Les Français sont plus attentifs à leurs dépenses...

Les Français dépensent en moyenne 40 € par jour et par personne pendant leurs vacances. Celles passées à la campagne sont les moins coûteuses : 32 €. Elles sont suivies des vacances au bord de la mer (35 €), à la montagne (50 € hors ski, 70 € avec la pratique du ski). Les vacances dans les villes sont les plus onéreuses (70 €). Le montant augmente avec le pouvoir d'achat, mais on observe que les ménages choisissent souvent des types de vacances différents selon les années, avec des dépenses très variables, ce qui fausse les comparaisons.

En consommateurs avertis, les vacanciers ne dépensent pas de manière inconsidérée. Ceux qui le peuvent profitent des conditions avantageuses des départs hors saison ; un nombre croissant fait appel aux soldeurs de voyages sur Minitel et, de plus en plus, sur Internet. La gestion du budget des vacances est donc plutôt rationnelle, mais elle laisse place à des « extras », qui s'inscrivent d'ailleurs le plus souvent dans le cadre d'une enveloppe globale définie à l'avance. Les vacanciers hébergés gratuitement ne dépensent que 21 € par jour pour les frais de loisirs et d'alimentation, contre 27 € pour ceux qui paient leur hébergement.

L'alimentation représente le premier poste (plus d'un quart en incluant les dépenses de restaurant), devant le transport et les achats divers (un quart chacun) et l'hébergement (un peu moins d'un cinquième).

Transport et hébergement		
Séjours personnels en France selon le mode de transport principal et le mode d'hébergement (2001, en %) :		
	Séjours	Nuitées
- Voiture	82,7	82,4
- Train	13,1	13,4
- Avion	1,4	1,8
- Autocar	1,7	1,3
- Bateau	0,4	0,7
- Autres	0,7	0,4
Total mode de transport	**100**	**100**
- Hôtel	10,7	5,6
- Camping	6,0	9,8
- Location	5,1	9,9
- Gîte, chambre d'hôte	2,9	3,2
- Club et village de vacances	3,1	4,6
- Auberges de jeunesse, refuge	0,8	0,5
Total hébergement marchand	**28,6**	**33,6**
- Famille	43,9	36,4
- Amis	12,8	8,6
- Autres	4,0	4,3
Résidence secondaire	10,7	17,1
Total hébergement non marchand	**71,4**	**66,4**

Direction du Tourisme/Sofres

La dépense moyenne journalière varie du simple au double entre un long séjour (35 €) et un court séjour (65 €), à cause de l'impact des coûts de transport. Les dépenses tendent globalement à augmenter, du fait de l'accroissement du nombre de séjours sur une année. Mais une grande majorité des Français (83 % en 2002) déclarent s'imposer régulièrement des restrictions sur leurs vacances (Crédoc).

... et plus exigeants à l'égard des prestataires...

Le caractère hautement symbolique des vacances (voir p. 493) et la recherche du « paradis perdu » expliquent des attentes particulièrement fortes de la part des vacanciers. Ils recherchent de plus en plus la qualité, apprécient la diversité et le changement. Ils souhaitent faire l'objet d'une véritable considération de la part des prestataires et pouvoir personnaliser leurs expériences.

La flexibilité est une autre demande importante ; chaque vacancier souhaite choisir ses activités sur place et éventuellement en changer au gré de son humeur et des conditions locales. Pour ces raisons, les hôtels impersonnels et standardisés sont moins appréciés, de même que les formules trop rigides. Dans un environnement social où chacun considère qu'il a droit aux égards et aux privilèges, les produits exclusifs, authentiques et rares sont de plus en plus recherchés.

D'une manière générale, les vacanciers cherchent à réconcilier des types d'attentes qui peuvent paraître contradictoires : repos et activité ; autonomie et convivialité ; confort et aventure ; sécurité et variété ; rapidité et lenteur ; nouveauté et tradition. Ils veulent en fait donner un « sens » à ces moments privilégiés et satisfaire un besoin implicite de perfection.

... mais ils recourent peu aux professionnels.

Le fait que les Français passent le plus souvent leurs vacances en France et qu'ils utilisent des moyens d'hébergement gratuits explique que moins de 20 % font appel aux professionnels (agences de voyages, voyagistes, comités d'entreprise, associations, sites Internet...). Une proportion faible par rapport à celle mesurée en Suède (67 %), mais supérieure à celle de la Grèce (2 %) ou du Portugal (15 %). Elle varie entre 20 et 45 % dans les autres pays Européens (Eurobaromètre 2002).

Une attente de perfection pour un moment privilégié

L'organisation des courts séjours n'est confiée à des professionnels du voyage que dans environ 10 % des cas. La proportion est supérieure (environ la moitié) en ce qui concerne les séjours à l'étranger. Elle atteint même 75 % pour les destinations lointaines. Ce sont principalement les jeunes, les cadres et surtout les retraités qui achètent des produits de vacances forfaitaires ; un quart d'entre eux habite la région parisienne.

La part des grandes surfaces dans la vente de voyages est en augmentation (Leclerc est le premier vendeur national). Les services offerts sur Internet intéressent un nombre croissant de Français, qui peuvent y trouver des informations détaillées sur les destinations, comparer les prix et effectuer des réservations. Ils ont dépensé 775 millions d'euros en 2001 pour les réservations de vols, hôtels, séjours et circuits. Le tourisme est le premier secteur d'activité du e-commerce.

La France, première destination mondiale

La France a accueilli 76,5 millions de touristes étrangers en 2001, contre 75 millions en 2000 et 52 millions en 1990. Elle reste la première destination touristique du monde, devant l'Espagne (49,5 millions), les Etats-Unis (44,5), l'Italie (39,1) et la Chine (33,2). Paris reçoit chaque année environ 25 millions de touristes (36 millions pour l'ensemble de l'Ile-de-France) pour une durée moyenne de 2,5 nuits. Le record de fréquentation a été atteint en 2000, avec 26 millions de touristes.

Le record mondial de la France s'explique par ses atouts en matière touristique et culturelle, mais aussi par sa situation géographique, qui en fait le point de passage obligé des vacanciers des pays du nord de l'Europe qui se rendent en Espagne ou en Italie, mais souvent pour une durée limitée. C'est la raison pour laquelle la France n'occupe que la troisième place en ce qui concerne les recettes touristiques, derrière les Etats-Unis et l'Espagne.

Les Allemands sont les premiers visiteurs de la France (20 %, soit 15 millions de personnes), devant les Britanniques et les Néerlandais (16 % pour chaque nationalité, soit 12 millions) et les Belges (13 %). La proportion de touristes néerlandais a doublé au cours des dix dernières années. Celle des Espagnols, des Suisses, des habitants des pays nordiques et des Japonais a au contraire diminué. Celle des Etats-Unis, en légère augmentation jusqu'en 2000, a fortement chuté depuis les attentats de septembre 2001.

Les perspectives pour 2002 sont moins favorables, dans un contexte économique et touristique difficile. De plus, l'image de la France à l'étranger a été ternie par la médiatisation de la délinquance et de l'insécurité, ainsi que par la présence du leader de l'extrême droite au second tour de l'élection présidentielle.

Les décisions sont de plus en plus tardives.

59 % des Français organisent leurs vacances à l'avance. Ce sont surtout les couples, les familles et les personnes âgées (73 % des 60 ans et plus contre 48 % des moins de 30 ans). Mais beaucoup attendent plus longtemps que par le passé pour choisir leur destination de vacances, l'hébergement ou le moyen de transport. La part des ventes de dernière minute (VDM) s'est accrue dans les agences de voyage.

Ce comportement est la conséquence d'une instabilité générale et de la difficulté à se projeter dans l'avenir, même proche, compte tenu des changements qui peuvent intervenir sur le plan professionnel, familial ou personnel. Ceux qui envisagent de partir à l'étranger redoutent en outre les risques géopolitiques dans certains pays ou régions du monde, tels qu'ils les perçoivent à travers les médias. Les destinations délaissées bénéficient d'un regain d'intérêt lorsque le calme semble y être revenu.

Certains vacanciers espèrent aussi obtenir de meilleurs prix en se décidant au dernier moment ou en faisant appel aux soldeurs. De nombreux improvisateurs recourent ainsi à Internet pour des départs de dernière minute et des promotions ; ils partent plus souvent que la moyenne des Français.

> Entre 1984 et 2000, le nombre de chambres offertes dans l'hôtellerie de chaîne a triplé. La clientèle d'affaires représente 52 % des nuitées, contre 31 % dans les hôtels indépendants. Le taux d'occupation est de 70 % contre 55 %.

Les vacances sont un moyen de découvrir les autres...

Les vacances constituent une occasion privilégiée de se plonger dans un environnement différent, d'élargir son champ de vision. Paul Morand, lui-même grand voyageur, affirmait que « partir, c'est gagner son procès contre l'habitude ». La plupart des écrivains ont d'ailleurs été des voyageurs impénitents : Montaigne, Chateaubriand, Rousseau, Rimbaud, Voltaire, Loti, Casanova,

Nerval, Gautier, Sand, Lamartine, Byron, Claudel, St-John Perse, Bernanos, Tocqueville, etc.

Le temps des vacances est celui du changement. On part pour se « changer les idées ». On change de pays pour se « dépayser ». Le voyage est ainsi un moyen de rencontrer les autres. Les autochtones des pays visités sont souvent regardés comme des « bons sauvages » vivant selon des rites ancestraux, en harmonie avec la nature et l'univers. On oppose ainsi parfois les touristes aux voyageurs. Les premiers se déplacent en groupes et se contentent des activités, rencontres et visites qui ont été spécialement préparées pour eux. Les seconds sont souvent solitaires et recherchent l'authenticité des peuples et des pays dans lesquels ils se rendent. Après le développement spectaculaire de l'offre destinée aux touristes, on en voit aujourd'hui apparaître une autre, qui s'adresse aux voyageurs. Elle leur propose des sites encore inviolés, des découvertes humaines, des aventures physiques, des émotions rares et vraies... à saisir avant l'arrivée des touristes.

... et de se connaître soi-même.

Les vacances sont aussi l'occasion de mieux se connaître, en « allant voir ailleurs si on y est ». Paul Morand disait aussi que « voyager, c'est distancer son ombre, semer son double ». Il y a dans chaque vacancier un individu en quête de sens, qui s'interroge sur lui-même, sur sa vie, qui éprouve le besoin de souffler et de « faire le point ».

Il est possible également de changer de personnalité ou d'identité, car les vacances permettent de brouiller les codes et les statuts sociaux. Nus sur la plage, le PDG et le salarié se ressemblent davantage que dans les bureaux des entreprises. L'un des ressorts principaux du voyageur est la volonté d'être pour un temps quelqu'un d'autre, de quitter sa carapace sociale et de se laisser aller aux plaisirs de la découverte et de la transgression.

Le voyage a une dimension au moins autant onirique et virtuelle que réelle ; il est un rêve qui ne doit pas se limiter à sa réalisation. C'est pourquoi il est essentiel d'en ramener des photographies, des cartes postales, des objets et des sensations qui viendront enrichir une collection de souvenirs peu à peu idéalisés. Si, comme le pensait Proust, « la vie est un voyage », il est différent pour chacun. Il ne consiste pas seulement à sortir de chez soi, mais aussi de soi.

Un vide à remplir

Étymologiquement, le mot vacances vient du latin *vacuum*, qui signifie « vide ». Et c'est bien ce que semblent rechercher bon nombre de vacanciers : faire le vide dans leur tête en se laissant dorer au soleil, les doigts de pied en éventail. Car ils savent qu'ils retrouveront dès leur retour les soucis de la vie quotidienne. Alors, en attendant, ils rechargent leurs batteries (solaires) et emmagasinent de l'énergie pour les mois à venir.

Mais cette vision des vacances est sans doute un peu simpliste. La nature humaine, comme la nature en général, a horreur du vide, synonyme d'ennui et porteur de l'idée même de la mort. C'est pourquoi elle s'efforce de le remplir par tous les moyens ; le succès des biens d'équipement comme la voiture, la télévision ou le téléphone portable témoigne de cette peur d'être face à soi-même et de s'interroger sur le sens de sa vie.

Si les vacanciers cherchent à chasser de leur tête les soucis, tracas et tourments, ce n'est donc pas pour y faire le vide, mais pour les remplacer par d'autres idées, activités et expériences, de préférence agréables. C'est aussi pour retrouver une vie plus proche de la nature, dans un mouvement de régression qui montre que la modernité n'est pas obligatoirement vécue comme un progrès par tous les Français (voir p. 287).

Les activités pratiquées tendent à se diversifier.

Les vacances sont souvent vécues comme des périodes de rupture. Elles constituent un moyen d'évacuer le stress accumulé dans la vie professionnelle, familiale, personnelle. Mais la détente et l'évasion recherchées n'impliquent pas la passivité. Au contraire, c'est dans la découverte et la pratique d'activités attrayantes et enrichissantes que les vacanciers trouvent le plaisir et l'harmonie.

Les types de vacances sont donc de plus en plus diversifiés, avec une volonté de vivre des expériences renouvelées, en fonction de l'état d'esprit et de la disponibilité mentale. Le farniente n'est plus la motivation unique. Il s'accompagne d'une volonté de s'occuper à la fois de son corps (par le sport) et de son esprit

> Chaque mois de l'année, 16 % au moins des Français partent en congés. A la mi-août, un Français sur quatre est en vacances.

(par la culture). Le souci de développement personnel est une revendication croissante de la société contemporaine. Il n'est pas étonnant qu'il s'exprime de plus en plus fortement lors des périodes de vacances, moments où l'on a enfin le sentiment de pouvoir s'occuper de soi.

Des 3 S aux 3 D

PENDANT longtemps, l'activité des vacanciers se résumait aux fameux 3 S : soleil, sable et sexe... Aujourd'hui, leurs motivations sont plus variées et on pourrait plutôt parler des 3 D : détente, divertissement, développement. Si les Français cherchent évidemment à se reposer et à se faire plaisir, beaucoup profitent en effet des vacances pour développer leurs connaissances et leurs capacités physiques ou intellectuelles, parfois même leurs compétences professionnelles. Car la frontière est de plus en plus floue entre la vie personnelle et le travail (un phénomène largement favorisé par les outils technologiques comme l'ordinateur, Internet ou le téléphone portable).

Les touristes tendent à devenir plus responsables.

Le tourisme de masse permet aux visiteurs de découvrir la planète et ses habitants. Il contribue aussi au développement de nombreux pays dépourvus d'autres ressources en leur apportant des revenus parfois considérables. Mais il entraîne certaines pratiques dommageables, comme le recours à la prostitution ou la dégradation des sites naturels. Il favorise l'accroissement du mercantilisme dans les pays d'accueil et renforce les inégalités au sein des populations, ainsi parfois qu'une perte d'authenticité.

L'émergence récente du « tourisme éthique » a pour but de réduire ces pratiques et leurs conséquences. Des professionnels se sont regroupés sous le label *Tourism for development* et reversent 1 % du prix payé pour aider à l'amélioration des conditions de vie locales. Mais cette attitude responsable concerne aujourd'hui une minorité de voyageurs qui se considèrent plus comme des ethnologues que comme des touristes.

Vacances d'hiver

Le taux de départ est plutôt en diminution.

La proportion de Français partant en vacances d'hiver (du 1er octobre au 30 mars de l'année suivante) avait presque doublé entre le milieu des années 70 et celui des années 80 : 28 % en 1986, contre 17 % en 1974 (séjours de quatre nuits et plus). Le fractionnement des congés des salariés avait été favorisé par l'augmentation du pouvoir d'achat, la diminution du temps de travail puis la cinquième semaine de congés payés (1982). Au cours de la première moitié des années 90, le taux de départ s'était globalement stabilisé, avec des variations annuelles fréquentes.

On a constaté une diminution dans la seconde moitié des années 90 : 37 % des Français sont partis au cours de l'hiver 2000-2001 contre 41 % au cours de l'hiver 1996-1997 (chiffres du ministère du Tourisme concernant les séjours personnels d'au moins une nuit, non comparables à ceux des décennies antérieures fournis par l'INSEE). Cette baisse s'explique par le fait que certaines catégories aisées (patrons de l'industrie et du commerce, Parisiens) ont été moins nombreuses à partir. A l'inverse, les familles de cadres moyens ont été davantage concernées, mais sans qu'il y ait eu compensation. Les conditions d'enneigement des stations de ski ont eu aussi une influence sur leur fréquentation.

Un Français sur trois

Evolution du taux de départ en vacances d'hiver et dans les stations de sports d'hiver (en %) :

	Vacances d'hiver	Stations de sports d'hiver
- 1993/94	38,2	8,4
- 1994/95	39,4	8,5
- 1995/96	40,7	8,6
- 1996/97	39,3	7,6
- 1997/98	38,3	7,7
- 1998/99	36,9	7,7
- 1999/00	37,1	7,7
- 2000/01	36,7	7,1

Direction du Tourisme/Sofres

Les vacances d'hiver restent un phénomène urbain et lié au revenu.

Le taux de départ en vacances d'hiver est notablement plus élevé en milieu urbain ; il est proportionnel à la taille des villes. Il est ainsi presque trois fois plus élevé à Paris que dans les communes rurales. Il est également proportionnel au revenu des ménages, ce qui explique que quatre cadres et membres des professions li-

bérales sur cinq partent, contre seulement un ouvrier ou un agriculteur sur cinq. L'âge est un facteur moins déterminant, mais on constate une diminution à partir de 50 ans.

Les raisons économiques ne sont pas les seules explications des écarts entre les groupes sociaux. Pour beaucoup de Français, la notion de vacances est étroitement, voire exclusivement, associée à l'été, c'est-à-dire en fait à la possibilité de trouver du soleil en France, destination de la grande majorité. On constate cependant depuis quelques années un engouement croissant pour les séjours d'hiver dans des destinations ensoleillées.

Les Français fractionnent leurs congés

La durée moyenne des séjours s'est stabilisée à deux semaines.

La durée des vacances d'hiver avait atteint un maximum de 15,4 jours en 1976-1977. Elle est stable depuis la fin des années 70 aux environs de 14 jours. Cette évolution est liée pour l'essentiel à la baisse de la durée des séjours aux sports d'hiver. Elle est due aussi à l'accroissement du nombre des courts séjours (de une à trois nuits), conséquence du fractionnement des congés ; ils représentent aujourd'hui une part plus importante des congés d'hiver que les séjours de quatre nuits et plus.

La durée des vacances d'hiver varie en fonction de la catégorie socioprofessionnelle ; elle est en moyenne de 9 jours pour les ouvriers et les agriculteurs, 14 pour les cadres et professions libérales, 20 pour les retraités. Les jeunes et, surtout, les plus de 60 ans sont ceux qui effectuent les plus longs séjours. C'est le cas aussi des Parisiens, qui partent presque deux fois plus longtemps que les habitants des communes rurales. La répartition des séjours est à peu près homogène entre octobre et mars, chaque mois représentant 5 à 6 % des séjours de vacances de l'année, mais seulement 4 à 5 % des nuitées, compte tenu de leur durée moins longue que les séjours d'été.

L'hébergement n'est payant que dans un séjour sur quatre.

Dans 72 % des séjours d'hiver effectués au cours de la saison d'hiver 2000-2001, les vacanciers ont été hébergés gratuitement, le plus souvent par des membres de leur famille ou des amis (61 % des séjours), mais aussi dans leur propre résidence secondaire (11 %). La part des hébergement gratuits dans le nombre de nuitées n'était que de 66 %, compte tenu du fait que la durée de ces séjours est inférieure à celle des séjours dans les modes d'hébergement payants. Parmi ces derniers, l'hôtel arrive en tête (14 % des séjours, 14 % des nuitées), devant les locations (4 % et 8 %). Les gîtes et les chambres d'hôtes représentent 2 % des séjours et des nuitées, les résidences de tourisme 1 % et 2 %. Le camping est peu utilisé en hiver (1 % des séjours et des nuitées).

Le choix de l'hébergement varie selon les catégories sociales. Les ménages aisés disposent plus souvent d'une résidence secondaire, mais logent aussi plus volontiers à l'hôtel. Les ménages plus modestes sont plus nombreux à utiliser les chambres d'hôte ou le camping. Le recours à l'hôtel et à la location est beaucoup plus fréquent dans le cas de circuits (c'est le cas aussi de la caravane) ou des sports d'hiver.

Les sports d'hiver ne concernent qu'un Français sur quinze...

Après un doublement entre 1965 et 1985, le taux de départ à la montagne a diminué à partir de la seconde moitié des années 80. Les séjours dans les stations de sports d'hiver n'ont concerné que 7,1 % de la population au cours de l'hiver 2000-2001, contre 10 % en 1984 (et 9 % en 1995-1996). Ils comptent pour environ un tiers des départs en vacances d'hiver. Au cours de l'année 1999, ils ont représenté 16 % de l'ensemble des séjours personnels des Français et 19 % des nuitées, mais un quart entre octobre et mars, au moment des vacances scolaires.

On constate un vieillissement de la clientèle des stations. Celle des plus jeunes (15-24 ans) connaît un essoufflement. La tranche d'âge la plus présente dans les stations est celle des 35-49 ans (30 % des séjours d'hiver). Les plus de 50 ans ne représen-

accroissement des voyages en Afrique du Nord, principalement au Maroc et en Tunisie. Un séjour sur trois se déroule dans la famille proche, dont la moitié dans les pays de l'Union européenne. Ce type de vacances concerne surtout les Parisiens et les familles aisées.

Vacances d'été

Six Français sur dix partent en vacances d'été.

Plus de la moitié des Français partent en vacances au cours de la période d'été (1er avril au 30 septembre). L'accroissement du taux de départ a été pratiquement continu pendant plusieurs décennies, jusqu'au début des années 90. Selon les chiffres du ministère du Tourisme, 59 % des Français sont partis en vacances au cours de l'été 2001 pour des séjours personnels (vacances, visite à la famille ou à des amis, manifestations sportives ou culturelles, stages, cures...) pour une durée d'au moins quatre nuits hors de leur domicile (longs séjours). La proportion dépasse les deux tiers si l'on considère les séjours d'au moins une nuit.

Le niveau de vie reste le principal facteur d'explication des écarts entre les groupes sociaux. Près de 90 % des cadres, des membres des professions libérales et des professions intermédiaires partent au cours de l'été, contre seulement 60 % des employés, des ouvriers qualifiés ou des contremaîtres et moins de 40 % des agriculteurs. Le lieu d'habitation est un autre critère important : 80 % des Parisiens sont concernés, contre seulement 60 % des habitants des autres agglomérations et 40 % de ceux des communes rurales. Les contraintes professionnelles des indépendants (agriculteurs, commerçants, artisans, chefs d'entreprises) se sont atténuées, ce qui leur a permis de partir en vacances plus facilement. En revanche, les employés et ouvriers partent moins qu'il y a dix ans. Enfin, les inégalités selon l'âge se sont réduites, car les nouvelles générations de retraités étaient habituées à partir en vacances et ont continué à le faire.

ALS BDDP

Une journée de vacances sur deux à la mer

Le taux de départ tend à diminuer et les inégalités restent stables.

L'accroissement du taux de départ constaté à partir des années 60 avait concerné surtout les catégories sociales modestes, de sorte que les écarts avaient diminué. Depuis le début des années 90, les enquêtes de l'INSEE indiquent une stagnation de l'accès aux vacances d'été, en tout cas pour les longs séjours (au moins quatre nuits). Les chiffres du ministère du Tourisme font même apparaître une diminution d'un point au cours des trois dernières années (60 % en 1998).

On observe aussi une stabilité des écarts entre les catégories sociales. L'augmentation du taux de départ des ménages les plus modestes s'explique essentiellement par la diminution dans cette catégorie de la proportion

Les Parisiens avides de vacances

Les Parisiens sont les plus nombreux à partir en vacances. Ils partent aussi plus souvent, plus longtemps et plus loin que les autres habitants de l'Hexagone. 78 % quittent Paris au moins une fois dans l'année pour des séjours d'au moins quatre jours. 44 % expérimentent au moins deux types différents de vacances au cours de l'année : mer et montagne, mer et circuit... 49 % vont au moins une fois à la mer, 40 % à la campagne, 13 % à la montagne pour y pratiquer des sports de neige.

Lorsqu'ils se rendent à la campagne, les Parisiens séjournent au moins une fois sur deux en résidence secondaire, contre une fois sur quatre pour l'ensemble de la population. On mesure aussi des écarts importants pour les vacances d'hiver et les départs en week-ends. Si la capitale constitue un lieu de vacances privilégié pour les étrangers, ses habitants éprouvent de toute évidence le besoin de s'en échapper.

de personnes âgées, généralement moins habituées aux vacances. La probabilité pour un enfant de moins de 15 ans de partir reste très liée aux revenus de ses parents et à leur propre possibilité de départ.

Aux inégalités concernant les taux de départ s'ajoutent les différences sur le type de vacances choisi : destination ; durée ; mode d'hébergement ; activité ; nombre de séjours. Les personnes ayant le niveau de vie le plus élevé sont deux fois plus nombreuses à choisir les circuits que les personnes les plus modestes. Elles fractionnent aussi davantage leurs vacances. La part des séjours à l'étranger est comparable aux deux extrémités de l'échelle des revenus, mais les ménages les plus modestes, souvent étrangers ou naturalisés français, partent principalement dans la famille, à la différence des plus aisés.

Fractionnement et étalement

La concentration traditionnelle des vacances estivales s'explique d'abord par des raisons climatiques ; la grande majorité des Français recherchent le soleil et la chaleur, que ce soit pour des vacances balnéaires, à la campagne ou à la montagne. Pour les familles avec enfants, elle est aussi justifiée par les dates des vacances scolaires. Elle est enfin favorisée par le fait que de nombreuses entreprises ferment pendant cette période, considérant que l'activité générale est trop réduite.
Le fractionnement des vacances a cependant contribué à leur étalement. Conscients des écarts de prix importants entre la haute et la basse saison, un certain nombre de Français préfèrent aussi attendre les périodes favorables pour partir. Au cours de l'été 2001, le nombre de nuitées des vacanciers français en France a augmenté de 5 % en mai et juin. En août, la baisse concerne à la fois les courts et les longs séjours. En juillet, c'est la part des courts séjours qui baisse le plus rapidement, alors que celle des plus longs reste stable. Au total, les mois de juillet et août n'ont représenté que 28 % des séjours en 2001. Contrairement à ce que l'on imagine souvent, leur part est supérieure dans l'ensemble des pays de l'Union européenne : 40 %.
Le mois d'août compte encore pour 16 % des séjours et surtout 25 % des nuitées, car il s'agit le plus souvent du séjour principal de l'année et sa durée est très supérieure à celle des séjours effectués pendant les autres saisons. Les proportions sont respectivement de 12 % et 15 % pour juillet. La première quinzaine d'août est traditionnellement la plus chargée ; elle représente près de 30 % de l'ensemble des départs estivaux. Les vacances de juillet et août sont davantage consacrées au repos en famille et l'hébergement se fait plus souvent dans une résidence secondaire (personnelle ou appartenant à un parent ou ami). Les départs à l'étranger, les circuits et les séjours à l'hôtel sont proportionnellement plus fréquents pendant les autres mois d'été.

La durée moyenne des séjours a diminué.

L'accroissement du nombre moyen de séjours effectués par les vacanciers au cours de l'année (fractionnement) explique que chacun d'entre eux tend à raccourcir. La durée des longs séjours d'été (quatre nuitées et plus) est ainsi passée de 17 en 1989 à 13 en 2001. Celle des vacances principales au cours des mois de juillet et août est passée de 14 nuits en 1990 à 12,5 en 1997 et 11,6 en 2001. La durée des séjours à l'étranger était de 10,2 nuitées en 2001.

Cette diminution de la durée des séjours de vacances principales est compensée par la fréquence croissante des vacances secondaires ainsi que des courts séjours (une à trois nuits), notamment à l'occasion des week-ends (voir p.489). La tendance au fractionnement s'explique par l'accroissement du temps libre, mais aussi par la volonté des Français d'alterner les périodes de vacances et de travail et de vivre des expériences différentes au cours d'une même année. Elle est également la conséquence d'une tendance croissante à l'improvisation, liée à une vision à plus court terme de la vie et des projets personnels ou familiaux.

Neuf séjours sur dix se déroulent en France.

89 % des séjours touristiques de l'été 2001 ont eu pour cadre l'Hexagone. Les Français sortent moins des frontières que les habitants des autres pays européens, notamment ceux du Nord : les Belges, Danois, Allemands, Irlandais, Luxembourgeois, Néerlandais et Autrichiens effectuent en effet davantage de séjours à l'étranger que dans leur propre pays.

Les Français profitent de la richesse de l'offre intérieure, qui explique que le pays est la première destination touristique du monde (voir p. 495). Les régions qui ont connu la plus forte hausse de fréquentation au cours de l'été 2001 ont été Provence Alpes Côte d'Azur, le Sud-Ouest et Paris. Le littoral atlan-

La voiture, outil privilégié des vacanciers

Resonnances & Cie

tique a retrouvé la fréquentation qu'il connaissait avant le naufrage de *l'Erika*. La montagne a moins séduit les vacanciers, du fait de conditions climatiques peu favorables. Le Var arrive en tête des départements d'accueil, avec plus de 1,5 million de vacanciers entre juin et septembre. Il précède la Charente-Maritime, la Vendée, le Finistère et les Alpes-Maritimes.

On observe une assez grande stabilité dans les choix des vacanciers. Six sur dix choisissent chaque année la même destination, dont un tiers le même endroit. Deux sur trois gardent le même lieu de résidence pendant tout leur séjour. Cette fidélité est souvent liée à la disposition d'une résidence secondaire ou à la possibilité d'être hébergé gratuitement (voir ci-après).

Huit vacanciers sur dix utilisent leur voiture.

Le choix très majoritaire de la France comme destination explique que la plupart des ménages se rendent en voiture sur leur lieu de vacances. Cette pratique est encore plus fréquente dans le cas des séjours de courte durée. Elle se vérifie aussi pour une part importante des séjours à l'étranger, qui se déroulent dans les pays limitrophes comme l'Espagne ou bien l'Italie.

Outre son avantage économique sur les autres moyens de transport (dans le cas de plusieurs personnes voyageant ensemble), la voiture permet une plus grande autonomie. Elle est en particulier bien adaptée aux formules itinérantes et donne la possibilité d'improviser ses vacances au jour le jour. Les immatriculations de camping-cars ont d'ailleurs augmenté de 19 % en 2001, conséquence probable de la réduction du temps de travail et du fractionnement croissant des vacances.

L'usage fréquent de la voiture est l'une des causes du faible recours aux agences de voyage, qui ne concerne que 5 % des séjours d'été, contre plus de 50 % dans les pays du nord de l'Europe. Il s'explique aussi par le fait que les Français restent pour la plupart en France et qu'ils sont souvent hébergés gratuitement (voir ci-dessous).

Un ménage sur trois est hébergé par la famille ou des amis.

La part des séjours d'été effectués dans la famille ou chez des amis est moins importante que pendant les vacances d'hiver : 47 % contre 61 % en 2001 (36 % des nuitées contre 51 %). 14 % des nuitées se sont déroulées dans une résidence secondaire appartenant aux vacanciers ou

Les échangistes

Le fractionnement des vacances accroît le besoin de changement et de découverte, mais aussi le souci d'économie. C'est pourquoi la formule de l'échange d'une maison ou d'un appartement entre particuliers tend à se développer, grâce notamment à Internet. Le nombre de ménages louant leur résidence principale, ou surtout secondaire, s'est également accru.

Le *time share*, ou vacances en temps partagé, ne concerne en France qu'environ 80 000 ménages (5 millions dans le monde). Propriétaires d'une ou plusieurs semaines dans des résidences de loisirs, ils peuvent modifier chaque année le lieu et la date de leurs vacances en s'inscrivant à une bourse d'échange telle que RCI ou Interval. La première compte en France 43 000 adhérents (2,6 millions dans le monde) et 3 600 résidences affiliées dans une centaine de pays.

L'usage de ces systèmes est cependant limité par le taux élevé d'hébergement gratuit (résidence secondaire, famille, amis) et par l'hésitation des Français à louer leur propre logement à des inconnus ou à l'échanger. Le *time share* a vu quant à lui son image ternie par les méthodes de vente forcée pratiquées notamment en Espagne. Mais la modification de la législation européenne dans un sens favorable aux acheteurs et l'évolution des mentalités devraient donner un élan à ces méthodes largement utilisées dans les pays anglo-saxons.

mise à leur disposition par des tiers, un chiffre en diminution depuis quelques années. Le taux élevé d'hébergement gratuit (50 % des nuitées) est plus élevé en France que dans les autres pays développés. Les locations/gîtes ont représenté 16 % des nuitées de l'été 2001, devant le camping (17 %) et les hôtels (7 %).

Le mode d'hébergement varie selon le type de vacances. Les résidences principales des parents et amis sont le plus utilisées dans le cas de séjours à la campagne ou à la montagne. Le camping et les locations sont plus fréquents à la mer et, pour les locations, en ville. L'hôtel est le mode d'hébergement le plus courant dans les circuits ; sa part tend à s'accroître globalement. Tous les types d'hébergement, à l'exception de l'hôtellerie, ont connu une diminution du nombre de nuitées au cours des dernières années, du fait de la baisse de la durée moyenne des vacances.

Une nuit sur deux gratuite

Evolution des modes d'hébergement au cours des vacances d"été (en % des séjours et des nuitées) :

	En % des séjours		En % des nuitées	
	1996	**2000**	**1996**	**2001**
- Hôtel et pension de famille	15,9	16,6	11,1	7,2
- Camping	8,4	8,7	11,7	17,5
- Location	5,1	5,6	9,5	12,0
- Gîte, chambre d'hôte	2,9	3,3	3,0	3,6
- Résidence de tourisme	1,0	1,2	1,3	nd
- Autre	6,2	7,0	7,0	9,9
Sous-total hébergement marchand	**39,5**	**42,4**	**43,6**	**50,2**
- Résidence secondaire	11,6	10,8	18,4	13,8
- Famille/amis	48,9	45,7	38,0	36,0
Sous-total hébergement non marchand	**60,5**	**57,6**	**56,4**	**49,8**

Direction du Tourisme/Sofres

Quatre séjours sur dix se déroulent en bord de mer...

Un peu plus du tiers (37 %) des séjours de l'été 2001 se sont déroulés en bord de mer ; ils ont représenté la moitié des nuitées (48 %). La grande migration annuelle vers le Sud est peut-être en grande partie instinctive et peut être comparée à celle des espèces animales. Matrice de l'humanité, la mer exerce une attraction très forte sur des individus qui cherchent à rompre le cours de leur vie quotidienne, à retrouver des repères, à communier avec la nature, et qui sont aussi à la recherche du soleil, symbole de l'harmonie avec l'univers ; les traces qu'il laisse sur la peau prolongent le souvenir des vacances (mais elles augmentent le nombre des mélanomes, qui a doublé en vingt ans). Il faut noter cependant que, si un quart des vacances ont lieu au bord de la mer, la moitié des vacanciers concernés ne se baignent pas.

Plus de 40 % des journées de vacances d'été passées en France se déroulent sur la côte atlantique ou méditerranéenne. Ce sont les zones balnéaires et les lacs qui ont connu récemment les plus forts taux de croissance. Les fidèles de la mer sont surtout les jeunes (moins de 35 ans), ceux qui ont des enfants à charge et des personnes issues de milieux modestes (ouvriers, employés, chômeurs). Les circuits représentent un peu moins de 10 % des séjours d'été ; ils concernent surtout les ménages à hauts revenus et les personnes de plus de 50 ans, en particulier les retraités.

> Le budget vacances des Européens est en moyenne de 1 400 € par voyage et par foyer (1 700 pour les Britanniques, 1 100 pour les Espagnols).

... et un sur trois à la campagne.

34 % des séjours de vacances de l'été 2001 ont été effectués à la campagne et ils ont représenté 31 % des nuitées. Leur part est plutôt en diminution, après une période d'engouement croissant pour les « vacances vertes », conséquence d'une volonté de retrouver des racines disparues avec l'exode rural et l'urbanisation. Ce mouvement s'est accompagné d'une recherche d'authenticité et de calme pour lutter contre le stress de la vie quotidienne propre aux grandes villes. Le développement s'est fait surtout dans les régions centrales du pays, qui ont été plus récemment ouvertes au tourisme. 70 % des séjours se concentrent sur 20 % du territoire,

alors que la campagne en couvre 80 %.

Les fidèles du tourisme vert sont plus souvent des personnes âgées, des Parisiens et ceux qui disposent de résidences secondaires. Les citadins fournissent logiquement les plus gros contingents, notamment parmi ceux qui partent en famille. Beaucoup de parents urbains souhaitent en effet montrer la nature à leurs enfants. La vogue des sports de plein air comme le VTT, l'escalade, le rafting et surtout la randonnée (voir *Sports*) a donné une nouvelle dimension à ce type de vacances. La volonté de réduire les dépenses est une autre incitation des vacanciers à se rendre dans des sites de campagne, où les prix sont moins élevés. Enfin, les vacanciers de bord de mer font de plus en plus souvent des incursions dans l'arrière-pays.

La montagne joue pour les vacances d'été un rôle semblable à celui de la campagne. Sa part a diminué de 4 % en 2001, pour représenter 15 % des séjours et 18 % des nuitées. Celle des villes est largement supérieure en ce qui concerne les séjours (25 %) et comparable en durée (19 % des nuitées).

Le bleu et le vert

Répartition des vacances d'été par type de destination (2001, en % des séjours et des nuitées) :

	Séjours	Nuitées
- Mer	37	48
- Campagne	34	31
- Ville	25	19
- Montagne	15	18
- Autre	8	9

Le total est supérieur à 100 % car plusieurs réponses sont possibles.

Ministère du Tourisme

Moins d'un vacancier sur dix se rend à l'étranger...

9 % des séjours de vacances de l'été 2001 se sont déroulés hors des frontières, une proportion très faible par rapport à celle d'autres pays de l'Union européenne (plus de 60 % aux Pays-Bas, en Allemagne ou en Belgique). Mais la durée moyenne de ces séjours est supérieure à celle des séjours en France (près de 11 jours contre 8) de sorte que la part des nuitées passées à l'étranger est de 11 %. Les Français qui sortent de l'Hexagone sont cependant plus nombreux au cours d'une année, si l'on tient compte des voyages pour raisons professionnelles, qui représentent un séjour sur dix.

Ce sont les jeunes qui partent le plus (un quart des séjours des 14-24 ans ont lieu hors des frontières) ainsi que les Parisiens, les cadres, les patrons et les retraités. Un Français sur quatre n'est jamais sorti de l'Hexagone, un sur deux ne s'est jamais rendu dans d'autres pays que ceux qui ont une frontière commune avec la France (Belgique, Luxembourg, Allemagne, Suisse, Italie, Espagne).

Près des deux tiers des séjours d'été des Français en 2001 (64 %) se sont déroulés en Europe. L'Espagne est la première destination (17 % des séjours et 17 % des nuitées), devant l'Italie (12 % et 9 %). Les pays d'Afrique représentent 19 % des séjours et des nuitées, les Amériques 11 % et 15 % (4 % des séjours ont lieu aux Etats-Unis), l'Asie/Océanie 6 % et 9 %. Les départs en France d'outre-mer représentent environ 3 % des séjours en bord de mer en été (9 % en hiver). La durée moyenne des séjours est pratiquement proportionnelle à leur éloignement : 7,2 jours en Europe, 8,8 en Afrique, 12,2 en Asie-Océanie et 12,4 en Amérique. Les séjours en ville et les circuits sont plus fréquents à l'étranger qu'en France.

Les vacanciers regardent de plus en plus à la dépense

... et la moitié des séjours sont des visites à la famille.

La proportion de séjours à l'étranger est particulièrement élevée parmi les ouvriers non qualifiés : environ 30 %. Ce chiffre s'explique par le nombre de travailleurs d'origine étrangère (principalement maghrébine) qui se rendent dans leur pays d'origine à l'occasion des vacances. La moitié des sé-

Tourisme et terrorisme

Pour les Français désireux de passer des vacances hors de l'Hexagone, la liste des destinations sans risque s'est rétrécie au cours des dernières années. Après les pays en guerre, ceux dont les régimes politiques sont fragiles et ceux où des Occidentaux sont parfois pris en otage, les pays développés ne sont plus sûrs depuis qu'ils sont les cibles d'attaques terroristes. Or, les vacances sont censées être des moments privilégiés, propices à la tranquillité et au plaisir. La peur ne fait pas bon ménage avec ces attentes, ce qui explique la réticence à partir.

Les attentats du 11 septembre 2001 aux Etats-Unis ont ainsi provoqué une rupture dans le développement du tourisme mondial, avec des effets notables sur les compagnies aériennes, l'hôtellerie et les voyagistes. La France reçoit moins de touristes étrangers, notamment américains (près de 10 % de baisse prévue en 2002) et le secteur réceptif dépendant de cette clientèle étrangère à haute contribution en est affecté. De leur côté, les Français délaissent les Etats-Unis et évitent les destinations jugées peu sûres (y compris parfois sur leur propre territoire, comme c'est le cas avec la Corse).

Ils se décident aussi de plus en plus tardivement. L'été 2002 a été marqué par un nouvel accroissement des VDM (ventes de dernière minute), qui s'explique à la fois par ces craintes géopolitiques et par les événements qui ont freiné la planification des vacances (élections présidentielles, élections législatives, Coupe du monde de football), le tout dans un contexte économique incertain. C'est pourquoi on a assisté à une concentration des vacances dans l'Hexagone, avec un accroissement des locations de villas, appartements ou résidences de tourisme dans les régions où la météo a été la plus favorable. Les destinations étrangères les plus recherchées ont été l'Espagne, l'Italie et la Grèce.

jours ont pour but une visite à des membres de la famille ; plus de la moitié des vacanciers concernés sont eux-mêmes étrangers ou français par acquisition. 93 % d'entre eux résident dans le logement de leur famille ou chez des amis pour une durée moyenne de 19 jours. Les destinations les plus répandues sont le Maghreb (surtout Algérie et Tunisie) et le Portugal. Les séjours à l'étranger hors d'un contexte familial concernent en priorité les catégories aisées. Les vacanciers sont beaucoup plus fréquemment logés à l'hôtel ou en location (57 %). Plus de la moitié d'entre eux consacrent leur temps à des visites et activités culturelles.

Les activités sont de plus en plus diversifiées.

Les vacances ne sont pas seulement l'occasion d'un dépaysement ou d'une rupture avec le quotidien. Elles permettent à la fois une plus grande convivialité avec les autres (famille, amis, relations de vacances) et une plus grande proximité avec soi-même. Les vacances et les voyages sont considérés comme des occasions d'agir sur son propre développement, tant mental que physique, intellectuel ou culturel. De nombreux Français éprouvent le besoin de progresser sur le plan professionnel et personnel. Ils y sont poussés par leur propre ambition et par leur souci de bien faire, mais aussi par la concurrence au sein des entreprises, qui accroît la nécessité d'être « performant ».

Cette évolution amène les vacanciers à rechercher des activités de toute nature. Un sur deux profite de ces périodes pour pratiquer un sport, dans un but d'initiation ou de perfectionnement. En bord de mer, les sports de glisse (jet-ski, funboard, speed-sails...) font de plus en plus d'adeptes et offrent de nouvelles sensations par rapport aux sports plus traditionnels comme le ski nautique ou la planche à voile. La location de bateaux connaît aussi un fort en-

Vacances et culture

La culture occupe une place croissante dans les activités des vacanciers. Ils sont ainsi de plus en plus nombreux à visiter des monuments, des expositions, des festivals ou même des usines. Un quart des touristes qui se rendent dans des villes vont à la découverte des musées. Le souci de se cultiver se manifeste aussi par la volonté de rencontre et d'échange avec les autres afin de mieux connaître et comprendre leurs modes de vie, tant dans les régions françaises qu'à l'étranger. Les stages d'initiation ou de perfectionnement à des pratiques artistiques en amateur se multiplient : sculpture, poterie, peinture, musique... Il s'y ajoute des activités plus festives comme la gastronomie. Enfin, le tourisme industriel et technique connaît depuis quelques années un développement spectaculaire ; en dix ans, le nombre de visiteurs est passé de 5 à 10 millions.

La promenade d'abord					
Activités pratiquées pendant les séjours d'été selon le type de destination (2000, en %) :					
	Mer	Montagne	Campagne	Lac	Ville
- Sports nautiques	49,1	13,5	9,4	27,6	9,9
dont natation, baignade et plage	*46,7*	*11,8*	*8,4*	*24,3*	*9,1*
- Randonnée pédestre	5,0	27,3	4,9	11,9	2,5
- Promenade	37,9	36,2	26,2	37,8	19,2
- Visites de monuments, sites et musées	16,4	18,3	13,5	21,8	25,1
- Pas d'activité particulière	11,6	12,5	35,4	12,1	30,2

Plusieurs activités peuvent être pratiquées par un même vacancier sur un même lieu.

Direction du Tourisme/Sofres

gouement ; 30 à 50 % du chiffre d'affaires des chantiers de construction proviennent aujourd'hui de la vente à des sociétés de location aux particuliers.

Les vacanciers recherchent une aventure...

Depuis le début des années 90, on observe un intérêt croissant pour le tourisme d'aventure, qui propose essentiellement des randonnées dans des sites peu fréquentés avec logement en bivouac et découverte de paysages et de cultures. Son rythme de croissance annuelle (plus de 10 %) est au moins deux fois plus élevé que celui du tourisme traditionnel.

Les vacanciers concernés sont le plus souvent des personnes sportives qui cherchent à sortir des sentiers battus, à vivre des expériences et à ressentir des émotions nouvelles. Ils sont prêts pour cela à sacrifier un peu de leur confort habituel, sans pour autant prendre de risques. Le Maroc, la Tunisie, le Népal, l'Egypte, la Jordanie, mais aussi les Alpes françaises sont les destinations les plus demandées. Contrairement au tourisme traditionnel, de plus en plus individuel, ces voyages sont souvent effectués en groupe.

... qui est souvent intérieure.

Le voyage a toujours une dimension initiatique. L'utopie y est souvent présente, avec le rêve d'un monde meilleur et l'accès, même éphémère, au « paradis ». Les vacanciers sont à la recherche d'expériences nouvelles et de sensations fortes. Ils souhaitent aussi donner du sens à leurs vacances et, plus largement, à leur vie.

Dans ce contexte, les vacances sont synonymes de fête. C'est pourquoi on observe un intérêt croissant pour le haut de gamme et le luxe. Cette évolution traduit à la fois l'accroissement du pouvoir d'achat et la volonté de se faire plaisir, de se valoriser (à ses propres yeux comme à ceux des autres) et d'oublier les contraintes de la vie quotidienne. Mais l'envie de luxe ne concerne plus seulement aujourd'hui les personnes qui disposent de revenus élevés ; chacun souhaite pouvoir accéder à des privilèges à certains moments de sa vie, quitte à économiser pour se les offrir. Les voyages font partie de ces moments privilégiés.

Les vacances sont aussi vécues comme une période de transgression. Tout ce que l'on s'interdit habituellement devient possible, dans les limites de la loi collective et de la morale personnelle. On recherche des activités différentes de l'ordinaire. On s'efforce d'aller à sa propre rencontre dans un souci d'identité, mais on peut aussi s'amuser à être quelqu'un d'autre. Les vacances remplissent des fonctions symboliques, physiques et surtout psychiques aussi complexes que nécessaires. Si elles n'existaient pas, il faudrait les inventer.

> 2 400 interventions ont eu lieu en montagne pendant l'été 2000, dont 83 % en hélicoptère.
> 2,5 % des agriculteurs ont une activité d'accueil de vacanciers (gîtes, tables d'hôte...).
> Les dépenses effectuées dans le cadre de séjours professionnels sont près de trois fois plus importantes que lors de séjours privés (100 € par nuit contre 40).
> En montagne, les hivers les moins enneigés ont été ceux de 1989-1990, 1992-1993 et 2000-2001.

Index

D

E

F

G

H

Q

R

S

Remerciements

Ce livre est le fruit d'un travail personnel de réflexion et de rédaction ; il n'engage donc que son auteur. Il s'appuie sur des informations, notamment quantitatives, provenant de sources très diversifiées (publiques et privées, françaises et internationales, généralistes et spécialisées) ; beaucoup ont été consultées sur des sites Internet. Je tiens à remercier les organismes et personnes qui ont fourni directement des données. En particulier (par ordre alphabétique) :

- **AEPM (Audiences, études sur la presse magazine).** Service de presse.
- **AFIRAC (Association française d'information et de recherche sur l'animal de compagnie).**
- **CCFA (Comité des constructeurs français d'automobiles).** Jean-Pierre MERCIER.
- **CDIA (Centre de documentation et d'information de l'assurance).** Service de presse, Gérard TOUSSAINT.
- **CDIT (Centre de documentation et d'information sur le tabac).** Jean-Paul TRUCHOT, délégué général.
- **CETELEM : L'Observateur.** Catherine SAINZ, directrice des études.
- **CFES (Comité français d'éducation pour la santé).** Sandra KERZANET.
- **CNAMTS (Centre national d'assurance maladie des travailleurs salariés).** Antoine BOURDON, Sandra GARNIER.
- **CNC (Centre national de la cinématographie).** Service de presse.
- **CREDOC (Centre de recherche pour l'étude et l'observation des conditions de vie).** En particulier, l'enquête *Conditions de vie et aspirations des Français 2001-2002.* Robert ROCHEFORT, directeur.
- **La Documentation française.** Service de presse, Yves BOMATI.
- **EPSY.** Jean-Claude DUCATTE, directeur.
- **EUROPQN (Etudes et unité de recherches opérationnelles de la presse quotidienne nationale).** Vidal SUBIAS.
- **Eurostat. Office des publications de Luxembourg.** Eurostat Media Support. Marc BOUR, Louise CORSELLI.
- **FACCO (Chambre syndicale des fabricants d'aliments pour chiens, chats, oiseaux et autres animaux familiers).** Service de presse.
- **FCGA (Fédération des Centres de Gestion Agréés).** Nasser NEGROUCHE, directeur.
- **Fédération française du prêt-à-porter féminin.** Direction Communication, Evelyne DAGAN.
- **Fédération nationale de la coiffure française.** Département économique et social.
- **Fédération nationale de l'industrie de la chaussure de France.** Donval LIGONNIERE.
- **La Française des Jeux.** Brigitte ROTH.
- **GIFAM (Groupement interprofessionnel des fabricants d'appareils d'équipement ménager).** Service communication.
- **GIFO (Groupement des industries françaises de l'optique).**
- **IFM-CTCOE (Institut français de la mode - Centre textile de conjoncture et d'observation économique).**
- **INED (Institut national d'études démographiques).**
- **INSEE (Institut national de la statistique et des études économiques).** Bureau de presse : Anne DOLEZ, Nicole FERERES, Stéphanie LAURENT, Carine NAGOT-YOUSSEF, Erwan POULIQUEN, Camille SARROT.

- **INSERM (Institut national de la santé et de la recherche médicale).** Françoise PEQUIGNOT.
- **IREB (Institut de recherches scientifiques sur les boissons).** Service de presse.
- **Instituts de sondages : BVA, CSA/TMO, IFOP, IPSOS, Taylor Nelson Sofres.**
- **Ipsos Médias.** Elizabeth de LANGHE, directrice générale, Bruno LENAIN, directeur d'études.
- **Laboratoires ROCHE.** Dr Tatiana MILORADOVITCH.
- **Médiamétrie.** Charles JUSTER, directeur de la Communication, Nathalie MOURIER-KOZAK.
- **Ministère de la Culture et de la Communication.** Direction de l'administration générale, département des études et de la prospective, Brigitte BRICOUD.
- **Ministère de l'Éducation nationale, de la Recherche et de la Technologie.** Bureau de l'Edition et de la Diffusion, Jacqueline CHASSAGNE et Service de presse.
- **Ministère de l'Emploi et de la Solidarité.** Service de presse.
- **Ministère de l'Intérieur.** Service de l'information et des relations publiques.
- **Ministère de la Jeunesse et des sports.**
- **Ministère de la Justice.** Sous-direction de la statistique, des études et de la documentation, Alain SAGLIO, Odile TIMBART.
- **Ministère de l'Equipement, des Transports et du Logement.** Sécurité routière. Direction de la Sécurité et de la Circulation Routières, Corinne IBARRA.
- **MILDT (Mission interministérielle de lutte contre la drogue et la toxicomanie).**
- **Observatoire Thalys/I&E Consultants.** Xavier PARIZOT, Catherine MICHAUX.
- **OCDE (Organisation de coopération et de développement économiques).** Service de presse, service de documentation.
- **PMU.** Direction de la communication.
- **Secrétariat d'Etat au Tourisme.** Mission de la Communication et des nouvelles technologies de l'information, Marie-Anne BRIGNOL.
- **SIMAVELEC (Syndicat des industries de matériels audiovisuels électroniques).** Service de presse.
- **SNE (Syndicat national de l'édition).** Fabrice de LAVAL.
- **SNEP (Syndicat national de l'édition phonographique).** Service de presse.
- **Stratégies.** Emmanuelle PRACHE, directrice de la communication externe.
- **Think and Do.** Eric BIDAULT, Président-directeur général.

Mes remerciements vont aussi à mes interlocuteurs chez Larousse : **Charles-Henri de Boissieu,** directeur du département Grand Public culturel ; **Jules Chancel,** directeur éditorial ; **Nathalie Bocher-Lenoir,** responsable du pôle Iconographie ; **Annick Valade** et l'ensemble du service Lecture-Correction ; **Marylin Crocq** pour les relations avec la presse ; **Marine Charles** pour la recherche iconographique et documentaire.

Ils s'adressent également à **Jordane Blachas** et **Nathalie Lefebvre** de CBTV ainsi qu'à **François Bernheim** pour la recherche des illustrations de la partie *Rétroscopie*, et à l'ensemble des agences de publicité pour les photos d'illustration du livre.

Enfin, je remercie pour la dixième fois mon épouse, **Francine Mermet,** pour son aide précieuse en matière de recherche documentaire et pour la mise en pages de l'ouvrage.

QUELLE EST VOTRE UTILISATION PRINCIPALE DU LIVRE ?

❑ Culture personnelle ❑ Utilisation professionnelle

COMBIEN DE PERSONNES UTILISENT VOTRE EXEMPLAIRE ?

❑ 1 ❑ 2 ❑ 3 ❑ 4 ❑ plus de 4

AVEZ-VOUS ACHETÉ OU UTILISÉ L'UNE DES PRÉCÉDENTES ÉDITIONS (DEPUIS 1985) ?

❑ Aucune ❑ Une ❑ Plusieurs

SI OUI, CONSIDÉREZ-VOUS QUE CETTE ÉDITION EST :

❑ Plus riche ❑ Comparable ❑ Moins riche... que les précédentes

COMMENT AVEZ-VOUS CONNU *FRANCOSCOPIE* ?

❑ Publicité ❑ Médias ❑ Bouche à oreille ❑ Librairie ❑ Bibliothèque ❑ Bibliographies ❑ Autre (préciser)

QUELS SONT LES CHAPITRES OU THÈMES QUI VOUS ONT LE PLUS INTÉRESSÉ DANS L'OUVRAGE ?

____

____

QUELLES SONT VOS COMMENTAIRES ET VOS SUGGESTIONS POUR LA PROCHAINE ÉDITION
(contenu, structure, présentation...) ?

____

____

____

____

____

____

____

Facultatif

NOM :
Profession :
Ville :

Prénom :
Age :
Pays :

Questionnaire

Cette dixième édition de *Francoscopie* est plus que jamais l'occasion d'interroger ses lecteurs sur leurs appréciations et commentaires. Merci de remplir ce questionnaire (ou une photocopie) et de le retourner à l'adresse suivante :

Gérard Mermet - *Francoscopie*
175, bld Malesherbes
75017 Paris, France
gmermet@free.fr

N.B. Au-delà du livre, n'hésitez pas à me faire part de vos commentaires sur l'évolution de notre pays, de notre société ou sur tout autre thème à propos duquel vous souhaitez témoigner.

Cocher les cases correspondantes :

ETES-VOUS SATISFAIT...	Oui	Moyen	Non	COMMENTAIRES
- De la présentation générale				
- De la structure des chapitres				
- Des textes et des analyses				
- Des graphiques et des tableaux				
- Des photos de campagnes publicitaires				
- De la Rétroscopie				
- Du livre dans son ensemble				